DO NOT REMOVE
CARDS FROM POCKET

ALLEN COUNTY PUBLIC LIBRARY

FORT WAYNE, INDIANA 46802

You may return this book to any agency, branch,
or bookmobile of the Allen County Public Library

DEMCO

ALMANAC
of Business and Industrial
FINANCIAL RATIOS

~~~~~~

1990 EDITION

~~~~~~

by LEO TROY, Ph. D.

PRENTICE HALL
Englewood Cliffs, New Jersey 07632

~~~~~~

PRENTICE-HALL INTERNATIONAL, INC., *London*
PRENTICE-HALL OF AUSTRALIA, PTY., LTD., *Sydney*
PRENTICE-HALL CANADA, INC., *Toronto*
PRENTICE-HALL HISPANOAMERICANA, S.A., *Mexico*
PRENTICE-HALL OF INDIA PRIVATE LTD., *New Delhi*
PRENTICE-HALL OF JAPAN, INC., *Tokyo*
PRENTICE-HALL OF SOUTHEAST ASIA PTE., LTD., *Singapore*
EDITORA PRENTICE-HALL DO BRASIL LTDA., *Rio de Janeiro*

Library of Congress
Catalog Card Number: 72—181403

ISBN 0-13-025800-8

PRENTICE HALL
BUSINESS & PROFESSIONAL DIVISION
A division of Simon & Schuster
Englewood Cliffs, New Jersey 07632

PRINTED IN THE UNITED STATES OF AMERICA

DEDICATED

To Alex and Suzy

INTRODUCTION

The *Almanac of Business and Industrial Financial Ratios* profiles corporate performance in two analytical tables for each industry. The first table, Table I of each industry, reports the operating and financial information for corporations with and without net income. The second table, Table II of each industry, provides the identical information as Table I, *but only for those corporations that operated at a profit*.

Users should note that in calculating operating factors (Factors 3–14 inclusive), only receipts from the principal business activity (net sales) were utilized. *All other receipts were excluded*. Thus, Tables I and II are *consistent* in their analysis of corporate performance.

NOTE: Because a company may report a net income based on *total receipts*, it is included in the industry data of Table II. However, based only on *operating* receipts, the same company may have an *operating deficit*. When this occurs, the symbol (#) will appear in Factor 14, Net Profit Before Tax. Furthermore, users should note that this group is distinguished from companies reporting a deficit based on *total receipts*. These are included in Table I of each industry group. A deficit in this group is indicated by the symbol (*). In both instances, the sum of the operating factors will exceed 100.0.

Beginning with the 1985 edition we provided an Appendix which cross-references each *Almanac* industry and each industry in the Standard Industrial Classification of Industries (SIC). Thus, the user can easily and quickly determine the equivalent industry in the *Almanac* and the SIC.

The *Almanac* also provides you with a selected number of ratios displayed graphically, in bar chart form. The ratios represented by the graphs are Number of Enterprises, Total Receipts, Cost of Operations, Compensation of Officers, Repairs, Bad Debts, Rent on Business Property, Taxes (Excluding Federal Tax), Interest Paid, Depreciation/Depletion/Amortization, Advertising, Pensions and Other Benefit Plans, Other Expenses, Net Profit Before Tax, Current Ratio, Quick Ratio, Net Sales to Net Working Capital, Coverage Ratio, Asset Turnover, Total Liability to Net Worth, Debt Ratio, Return on Assets, Return on Equity, and Return on Net Worth. These graphs cover all major industry groups—and the *total* of corporate American business—except finance, insurance and real estate. Each industry is subdivided to graphically show all business (those with and *without* net income) as well as only those businesses *with* net income.

How to Use the
Almanac of Business and Industrial
Financial Ratios

The *Almanac of Business and Industrial Financial Ratios* supplies you with the most complete, most recent corporate performance facts and figures currently available. To the users of financial and operating information—accountants, bankers, business managers, investment and management consultants, lawyers, credit executives, and trade association executives—the *Almanac* gives the answers to such practical and searching questions as:

Compared to the industry as a whole and also to corporations of similar size, how well is the company I am now studying performing in its ratio of Profit to Sales? On Net Worth? What about Costs? What percentage of Sales goes to Pensions and other Benefit Plans? How do the company's outlays on Compensation of Officers, Rents, Interest, Repairs, and Advertising compare with the competition? What about internal sources of capital? What share of Sales is going to Amortization, Depreciation, or Depletion? And what percentage of Net Income is held as Retained Earnings?

Based on the industry's record, the analyst can ask, are the company's capital allocations in line with competitors'?

The *Almanac* provides answers to these questions, and many others based on corporate activity in the United States as reported in the accounting period July 1986 through June 1987—the most recent year for which authoritative figures derived from tax return data of the Internal Revenue Service are available.

The Zero asset column is defined by the IRS as follows:

In general, included in this total assets-size class were:
(1) final returns of liquidating or dissolving corporations which had disposed of all assets;
(2) final returns of merging corporations whose assets and liabilities were reported in the returns of the acquiring corporations;
(3) part-year returns of corporations (except initial returns of newly incorporated businesses); and
(4) returns of foreign corporations with income "effectively connected" with the conduct of a trade or business in the United States (however, balance sheet data for U.S. branches of foreign insurance companies are included in the statistics and are classified by the size of total assets of these branches).

Each industry is subdivided by assets size, as follows:

		SIZE OF ASSETS IN THOUSANDS OF DOLLARS (000 OMITTED)
Total	*headlined in the charts as*	A. Total
Zero	" " " " "	B. Zero
Under $100,000	" " " " "	C. Under 100
$100,000 to $250,000	" " " " "	D. 100 to 250
$250,001 to $500,000	" " " " "	E. 251 to 500
$500,001 to $1,000,000	" " " " "	F. 501 to 1,000
$1,000,001 to $5,000,000	" " " " "	G. 1,001 to 5,000
$5,000,001 to $10,000,000	" " " " "	H. 5,001 to 10,000
$10,000,001 to $25,000,000	" " " " "	I. 10,001 to 25,000
$25,000,001 to $50,000,000	" " " " "	J. 25,001 to 50,000
$50,000,001 to $100,000,000	" " " " "	K. 50,001 to 100,000
$100,000,001 to $250,000,000	" " " " "	L. 100,001 to 250,000
$250,000,001 and over	" " " " "	M. 250,001 and over

For each industry, both for the total and only those operating at a profit, the *Almanac* first provides the total number of returns (designated as "enterprises" in the text) in each subdivision, and total receipts in millions of dollars. The 22 ratios and percentages relate to all returns, and are given in three groups. All Operating Factors (numbers 3 to 14) are expressed as percentages of *net sales*. The percentages covered under Operating Factors are:

3. Cost of operations
4. Compensation of officers
5. Repairs
6. Bad debts
7. Rent on business property
8. Taxes (excluding Federal tax)
9. Interest
10. Depreciation/Depletion/Amortization (The most significant of these for each industry is indicated in a footnote to each table.)
11. Advertising
12. Pensions and other benefit plans
13. Other expenses
14. Net profit before Federal income tax.

NOTE: For industries in Finance, Insurance and Real Estate, the Operating Factors are expressed as a percent of total receipts. This was necessary because companies in these industries receive their income from a number of sources rather than a predominantly single source such as Sales.

Items 15 through 20 are Financial Ratios, expressed as the number of times the first factor in computation is to the second. The method of computation of each ratio is explained in the following pages. The ratios given are:

15. Current ratio
16. Quick ratio
17. Net sales to net working capital
18. Coverage ratio (times interest earned)
19. Asset turnover
20. Total liabilities to net worth.

NOTE: For industries in Finance, Insurance and Real Estate, Financial Ratios 15 through 17 and 19 are not calculated because these were not applicable.

Selected Financial Factors are given in items 21 through 24. These percentage relations are as follows:

21. Debt ratio
22. Return on assets
23. Return on equity
24. Return on net worth.

Sources, Definitions, and Explanations of Factors and Ratios Given in the Almanac

The source of all data used in the *Almanac* is the U.S. Treasury, Internal Revenue Service. The definitions and significance of ratios and factors are explained below in terms of standard usage.

Net sales: I.R.S.' equivalent term, *business receipts,* is defined as gross operating receipts arising from the principal business activity less allowances, rebates, and returns. These amounts also include rents reported as the principal business income by corporations in manufacturing which frequently rent products rather than sell them, such as automatic data processing equipment.

Total receipts: Includes gross taxable receipts and non-taxable interest received from state and local government obligations. Included are business receipts *(see net sales),* interest on government obligations, other interest, rents, royalties, net short-term and long-term capital gains or losses, net gains on non-capital assets, dividends from domestic and foreign corporations and other receipts.

Cost of operations: The I.R.S. term, *cost of sales and operations,* comprises direct costs incurred in providing goods or services, including costs of materials used in manufacturing, cost of goods purchased for resale, direct labor, and any operating expenses not separately identified in the corporation tax return.

Compensation of officers: The I.R.S. includes in this term the amounts reported in the income statement of the corporation tax return or in supporting schedules of salaries and wages, as well as stock, bonuses or bonds, or other benefits, if identified as paid to officers for personal services rendered.

Repairs: This includes the cost of labor and supplies and other costs necessary for incidental repairs to the property. Excluded are capital expenditures, improvements which appreciably prolong the life of the property, or expenditures for restoring or replacing property.

Bad debts: These include bad debts which occurred during the year or a reasonable addition to an allowance or reserve for bad debts. For banks and domestic building and loan associations, corporate or government debt evidenced by certain bonds which became worthless are chargeable as bad debts. For other corporations, such losses are subject to the special capital gain or loss provisions of the law.

Rent on business property. These deductions for ordinary and necessary expense consist of rents paid for the use of land or structures, delay rentals for oil and gas companies, rents paid for leased roads, and rolling stock and work equipment for railroad companies. Identifiable amounts of taxes and other expenses paid by lessees in connection with rent paid are included in their respective deduction headings.

Taxes: Taxes paid include the amount reported as ordinary and necessary business deductions as well as identifiable amounts reported as part of the cost of sales and operations. Included among the deductible taxes are ordinary state and local taxes paid or accrued during the year, social security and payroll taxes, unemployment insurance taxes, import and tariff duties, and business, license, and privilege taxes. Income and profits taxes paid to foreign countries or United States possessions are also deductible unless claimed as a credit against income tax. Not deductible are such taxes as Federal income and excess profits taxes, gift taxes, taxes assessed against local benefits, and Federal taxes paid on interest tax-free covenant bonds.

Interest: Interest paid in connection with business indebtedness is deductible as an ordinary and necessary business expense. Included in the statistics is interest paid on deposits and withdrawable shares by banking and savings institutions. For installment purchases, interest paid includes amounts stated in the contract and certain unstated amounts of interest, as provided in the I.R.S. Code.

Depreciation: A deduction from gross income of a reasonable allowance for the exhaustion, wear and tear, or obsolescence of property used in a trade or business, or of property held for the production of income. The deduction is computed by a number of methods permissible by law.

Depletion: A deduction allowable for the exhaustion of natural deposits or timber. There are two basic types of depletion allowances, cost and percentage, but no distinction between them is made in this publication.

Amortization: This includes the sum of mineral exploration and development expenditures, organizational expenditures, as well as accelerated write-offs in lieu of depreciation for certified pollution control facilities, coal mining safety equipment, railroad rolling stock, railroad grading and tunnel bores, and any deductions remaining for emergency facilities certified by the Federal government before 1960.

Advertising: Advertising expenses are allowable as a deduction if they are ordinary and necessary and bear a reasonable relation to the trade or business of the corporation. The amount shown in the statistics includes advertising identified as a cost of sales or operations as well as advertising separately identified as a business deduction.

Pensions and other benefit plans: This item includes payments for pensions, profit-sharing, stock bonus, annuity or other deferred compensation plan payments by employers. The Internal Revenue Code imposes limitations on the amounts deductible for the taxable year and provides a carry-forward feature for certain amounts paid in excess of the limitations.

Also included are other employee benefit plans representing payments to employee death plans, health, accident and sickness plans, and other welfare plans.

Other expenses: This item includes business expenses not allocable to a specific deduction and certain amounts which are given special treatment in the course of statistical processing by the I.R.S.

Net profit before Federal income taxes: These are net profits (net income) after deductions from *net sales* or *total receipts* of all expense items and before deduction of Federal income tax. Net profits may also reflect certain income from related foreign corporations only constructively received.

Current ratio: This is the relationship of current assets to current liabilities. It is an indication of the ability of a company to meet its current obligations.

Included in the computation are the I.R.S. summaries of cash *plus* notes and accounts receivable, *plus* total inventories, *plus* investment in government obligations, *plus* other current assets, *less* reserve for bad debts.

Inventories as shown in the corporation return balance sheet, include such items as raw materials, finished and partially finished goods, merchandise on hand or in transit, and growing crops reported as assets by agricultural concerns.

Current liabilities are shown as a combination of the following I.R.S. items: accounts payable, mortgages, notes and bonds payable in less than one year and other current liabilities.

Quick ratio: This is the relationship of cash, current receivables and marketable securities to current liabilities. It indicates a company's ability to discharge its current obligations without the necessity of selling off inventories.

Net sales to net working capital: This ratio indicates the amount of work in terms of sales performed by each dollar invested in working capital. Net working capital is the difference between current assets and current liabilities.

Coverage ratio (times interest earned): This ratio is calculated by dividing interest paid into net income before income taxes and before interest paid. The ratio indicates the firm's ability to pay long-term indebtedness; if the number of times interest earned is sufficient, there is minimal prospect that the firm will not be able to fulfill its interest obligations.

Asset turnover: This ratio is obtained by dividing total assets into net sales. The ratio measures the activity of the assets and the firm's ability to use its assets to generate sales.

Total liabilities to net worth: This ratio indicates the degree of dependence on creditors, rather than owners, in providing funds for operating the business, or in short, the amount of "trading on the equity."

Total liabilities consist of the items noted above in current liabilities, plus I.R.S. items, loans from stockholders, mortgages, notes and bonds payable in one year or more and other liabilities.

Net worth consists of I.R.S. items, capital stock, paid-in or capital surplus, surplus reserves, and earned surplus and undivided profits, *less* cost of treasury stock.

Debt ratio (total debt to total assets): This is a leverage ratio showing the extent to which firms are financed by debt and indicate the firms' financial risk. It is measured by the sum of current liabilities and long term debt to total assets.

Return on assets: Net income before income taxes and interest paid as a percentage of total assets. The percentage measures the firm's ability to utilize its assets. Interest payments are included in the numerator because they are part of the earnings for division between creditors and investors.

Return on equity: Net income before tax credits but after income taxes as a percentage of investors' equity. Equity includes the value capital stock, paid-in or capital surplus and retained earnings, appropriated and unappropriated, less cost of treasury stock.

Return on net worth: Net income before income taxes and interest paid as a percentage of net worth. Net worth includes capital stock, paid-in or capital surplus and retained earnings, appropriated and unappropriated, less cost of treasury stock. This ratio emphasizes returns from capital investment.

NOTE: If a percentage or ratio is less than one-twentieth of one percent (0.05%), or if the source data is incomplete, or if the factor is not applicable, a hyphen (-) is inserted in the text. Data suppressed by the I.R.S. to avoid the possibility of disclosure are indicated by ***.

Blank tables or columns are the result of the suppression of data by the I.R.S. in order to avoid disclosure.

Acknowledgements

I wish to thank Mr. Robert Gerdes for programming which enabled us to deal with a vast amount of data accurately, quickly and uniformly. Special acknowledgment is due my late friend and colleague Mr. Stanley Katz, CPA, for many significant contributions to the *Almanac*. To Professor John Gilmour, CPA, Rutgers University, now retired, I offer my appreciation for helpful criticism. To Mr. Marvin Sunshine, Esq. for his significant support which helped make the continuation of the *Almanac* possible.

To Professor David Zaumeyer I am indebted for the introduction of four new ratios beginning with the regular 1986 edition. They are "Coverage Ratio"; "Asset Turnover"; "Return on Equity" and "Return on Assets." These will greatly enhance the usefulness of the *Almanac* in ratio analysis. Dr. Zaumeyer also made other important recommendations which have found their way into the book. David Zaumeyer, Ph.D. and CPA, is the Director of the Accounting Program at Rutgers University, Faculty of Arts and Sciences, Newark. I am indebted to Professor Neil Sheflin, Economics Department, Rutgers University, New Brunswick, for enhancing the quality of the charts.

I also wish to acknowledge the cooperation of the Internal Revenue Service, particularly to Dr. Fritz Scheuren, Director of the Statistics Division, Dr. Oliver Wilson, Economist, and Mr. Dan Rosa and David Jordan of the same unit. Mr. Barry Rosenstein, CPA aided me significantly for which I am most appreciative. Last and not least, I wish to express my gratitude to the editors of the Business and Professional Book Division of Prentice-Hall, Inc., for continuous encouragement and support.

Leo Troy, Ph.D.
Professor of Economics
Rutgers University

Table of Contents

Page references to tables for industries with net income are in italic

xix

MANUFACTURING

TRANSPORTATION

COMMUNICATION

ELECTRIC, GAS, AND SANITARY SERVICES

WHOLESALE TRADE

GRAPHS OF SELECTED RATIOS

Chart 1
Number of Enterprises

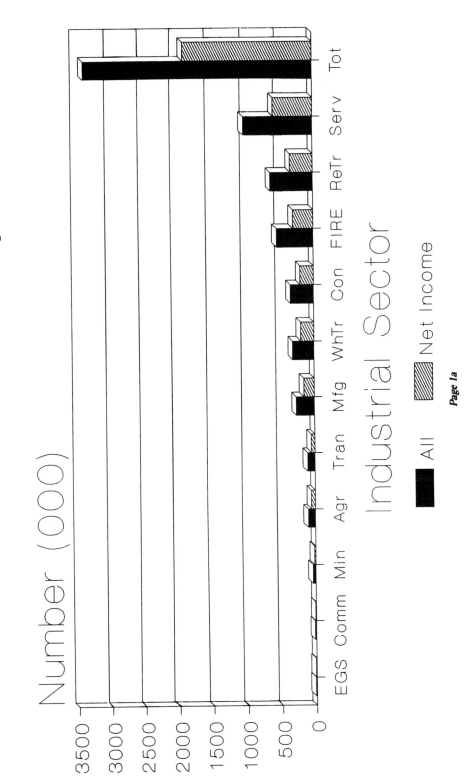

Chart 2
Total Receipts

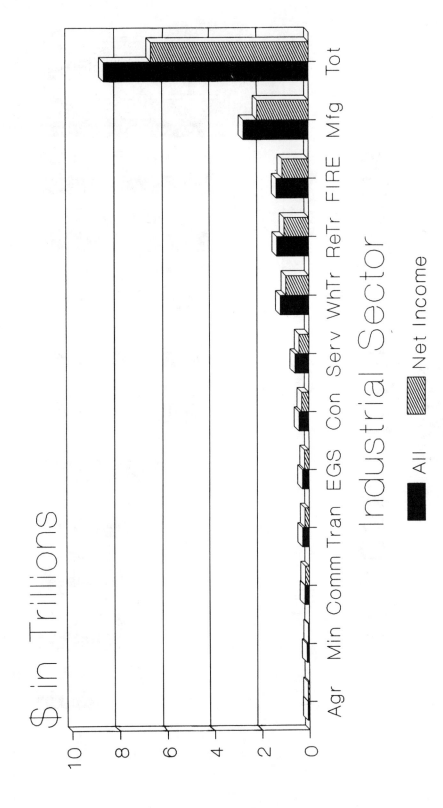

$ in Trillions
Agr
Min
Comm
Tran
EGS
Con
Serv
WhTr
ReTr
FIRE
Mfg
Tot
Industrial Sector
All
Net Income

Chart 3
Cost of Operations

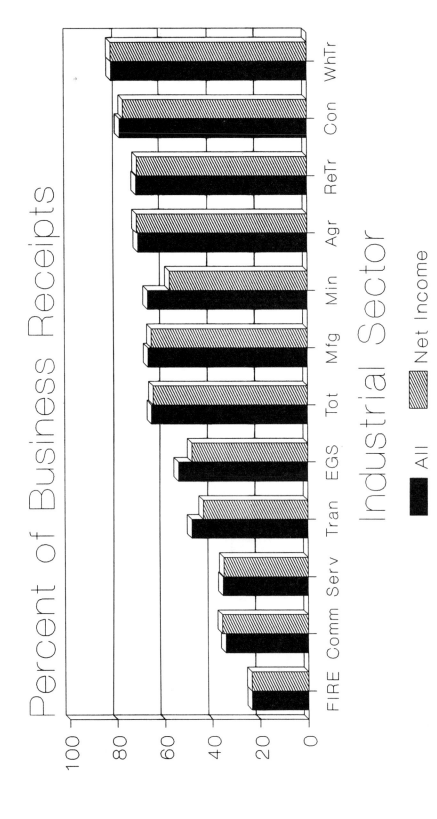

Percent of Business Receipts
FIRE
Comm
Serv
Tran
EGS
Tot
Mfg
Min
Agr
ReTr
Con
WhTr
Industrial Sector
All
Net Income

Chart 4
Compensation of Officers

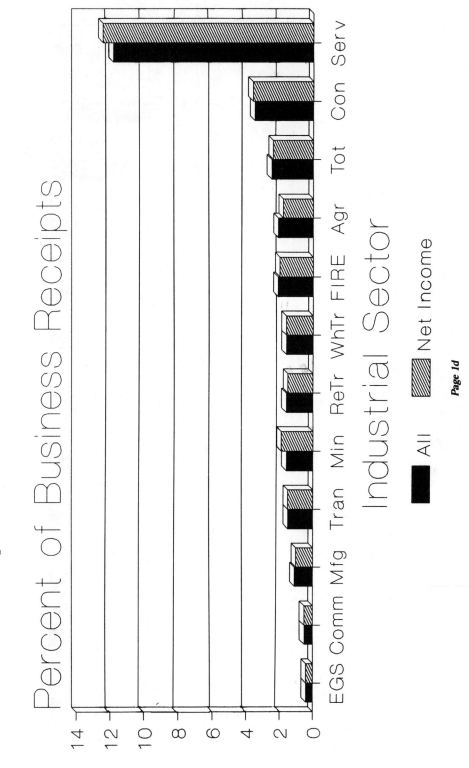

Percent of Business Receipts

Industrial Sector

All   Net Income

Page 1d

Chart 5
Repairs

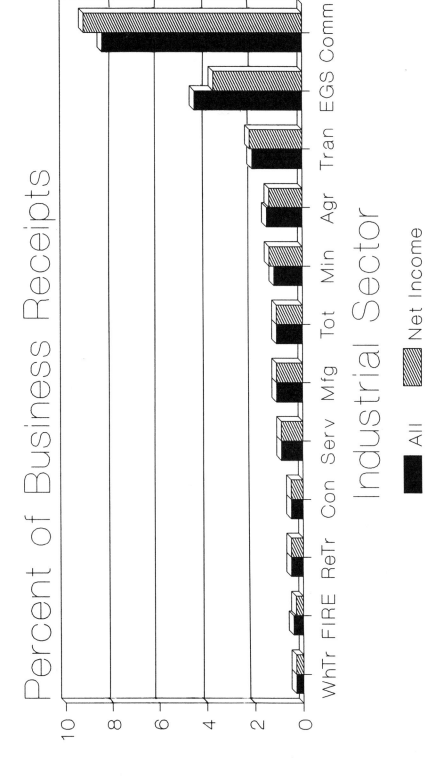

Percent of Business Receipts

Industrial Sector

All ■   Net Income ▨

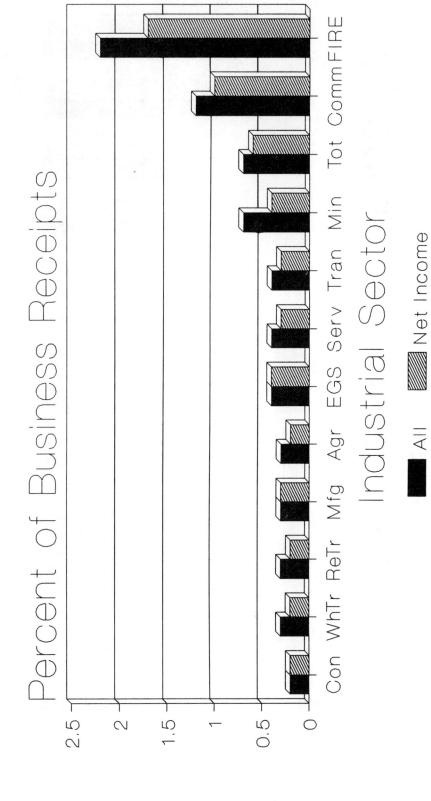

Chart 6
Bad Debts

Percent of Business Receipts

2.5

2

1.5

1

0.5

0

Con WhTr ReTr Mfg Agr EGS Serv Tran Min Tot CommFIRE

Industrial Sector

■ All   ▨ Net Income

Page 1f

Chart 7
Rent on Business Property

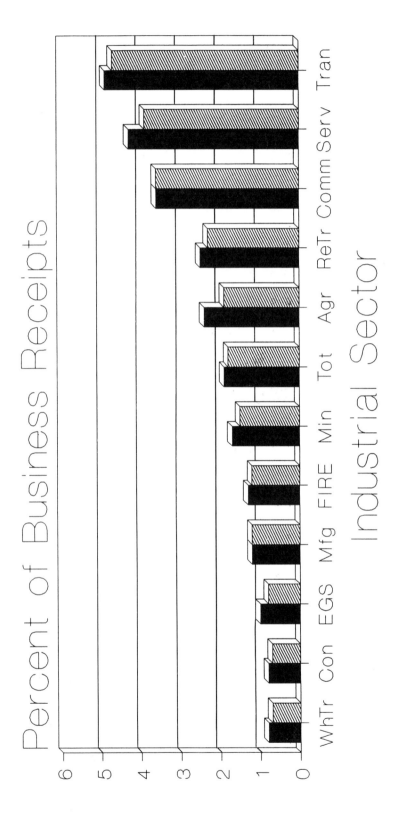

Percent of Business Receipts
WhTr Con EGS Mfg FIRE Min Tot Agr ReTr Comm Serv Tran
Industrial Sector
All
Net Income

Chart 8
Taxes (Excluding Federal)

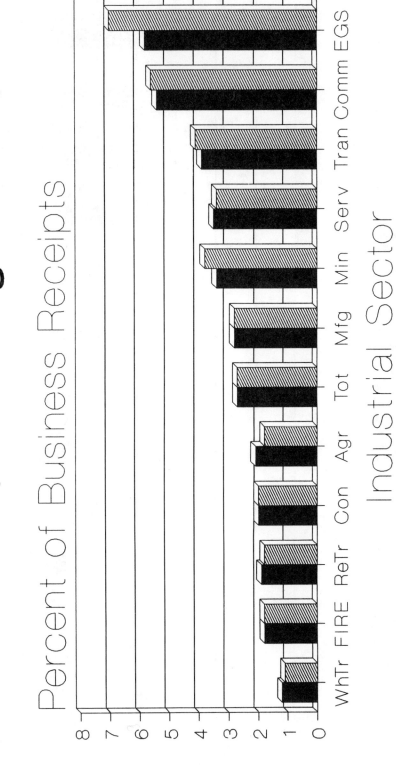

Percent of Business Receipts

Industrial Sector

■ All   ▨ Net Income

Page 1h

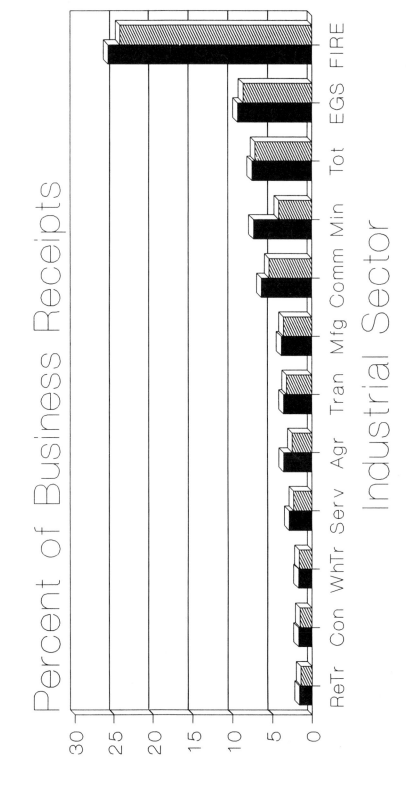

Chart 9
Interest Paid

Percent of Business Receipts

Industrial Sector

ReTr Con WhTr Serv Agr Tran Mfg Comm Min Tot EGS FIRE

30 25 20 15 10 5 0

■ All ▨ Net Income

Page 1i

Chart 10

Depreciation, Depl, Amortization

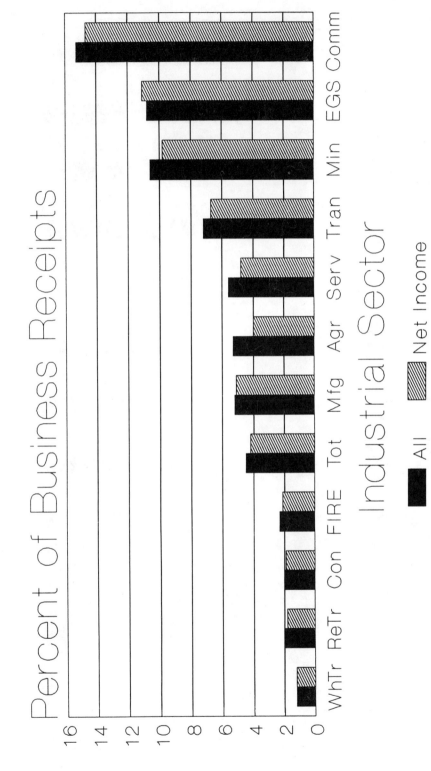

Percent of Business Receipts

Industrial Sector

■ All   ▨ Net Income

Chart 11
Advertising

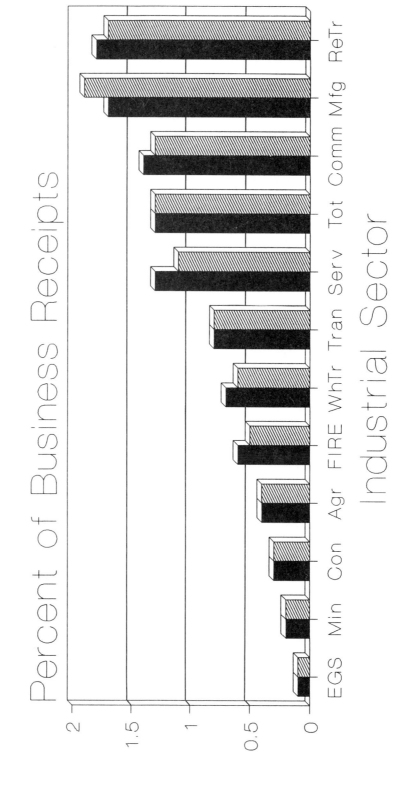

Percent of Business Receipts

Industrial Sector

EGS Min Con Agr FIRE WhTr Tran Serv Tot Comm Mfg ReTr

■ All ▨ Net Income

2 1.5 1 0.5 0

Page 1k

Chart 12
Pensions & Other Benefits

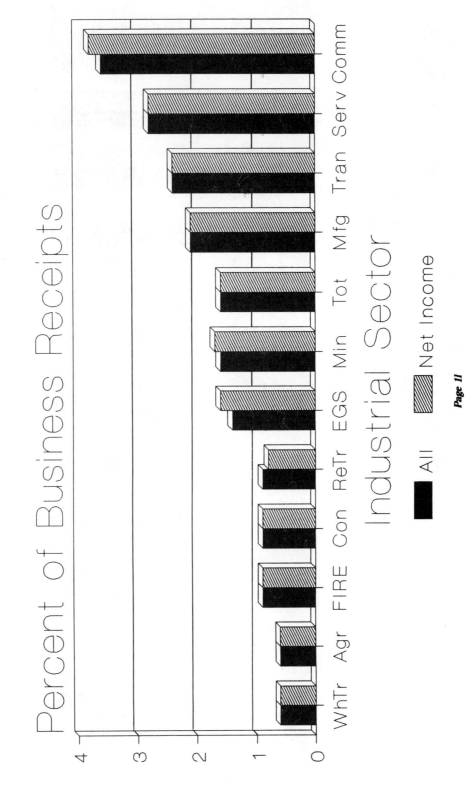

Percent of Business Receipts
1
WhTr
Agr
FIRE
Con
ReTr
EGS
Min
Tot
Mfg
Tran
Serv
Comm
Industrial Sector
All
Net Income

Page 11

Chart 13
Other Expenses

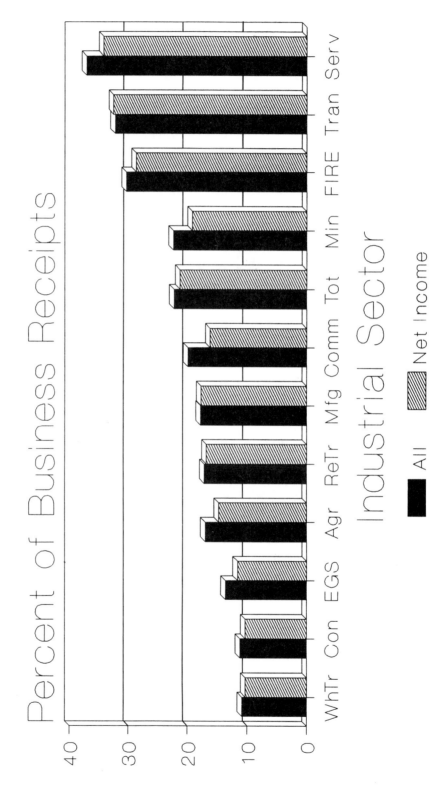

Percent of Business Receipts
40
30
20
10
0
WhTr
Con
EGS
Agr
ReTr
Mfg
Comm
Tot
Min
FIRE
Tran
Serv
Industrial Sector
All
Net Income

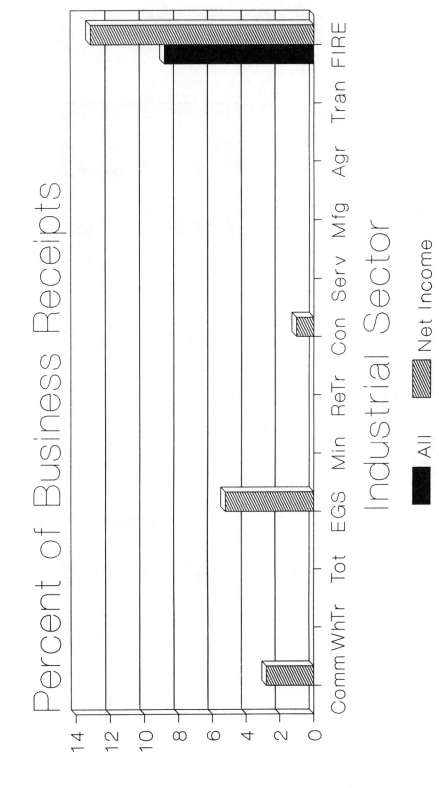

Chart 14
Net Profit

Percent of Business Receipts

Industrial Sector

CommWhTr Tot EGS Min ReTr Con Serv Mfg Agr Tran FIRE

■ All   ▨ Net Income

Chart 15
Current Ratio

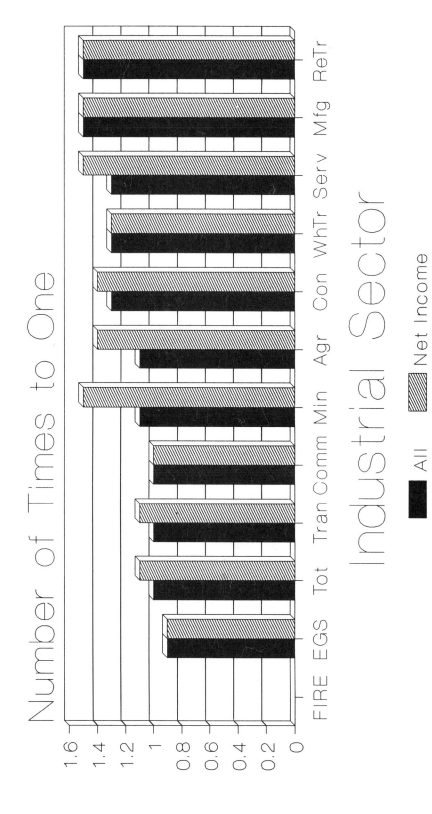

Number of Times to One
1.6
1.4
1.2
1
0.8
0.6
0.4
0.2
0
FIRE
EGS
Tot
Tran
Comm
Min
Agr
Con
WhTr
Serv
Mfg
ReTr
Industrial Sector
All
Net Income

Page 10

Chart 16
Quick Ratio

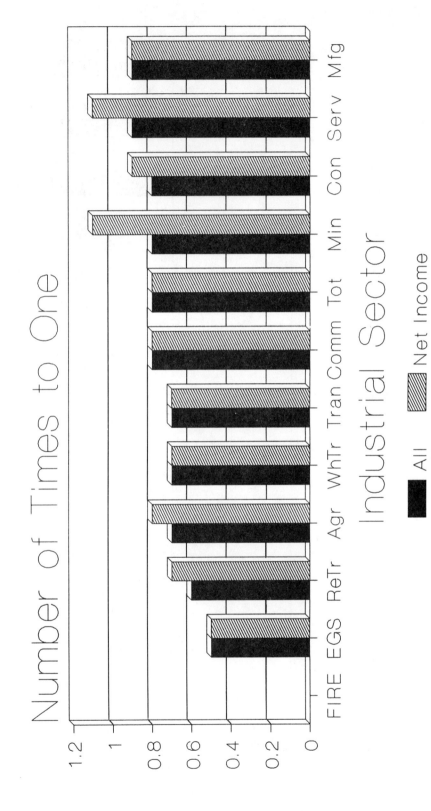

Number of Times to One
1.2
1
0.8
0.6
0.4
0.2
0
FIRE
EGS
ReTr
Agr
WhTr
Tran
Comm
Tot
Min
Con
Serv
Mfg
Industrial Sector
All
Net Income

Chart 17
Net Sales to Net Working Capital

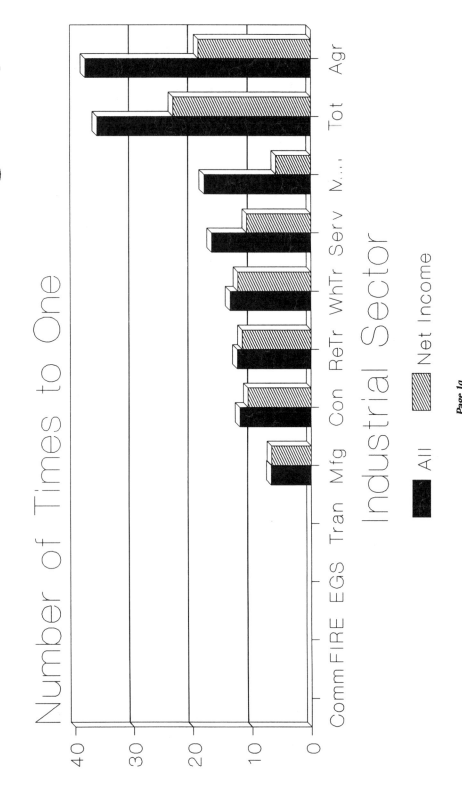

Number of Times to One
M....
Industrial Sector
All
Net Income

Chart 18
Coverage Ratio

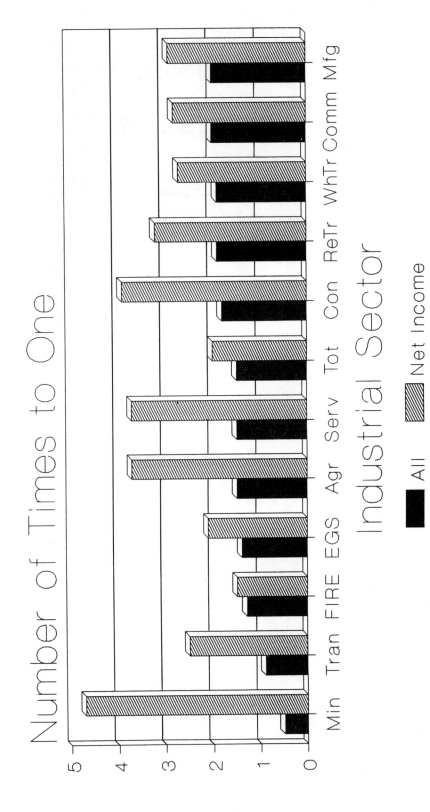

Number of Times to One
Min
Tran
FIRE
EGS
Agr
Serv
Tot
Con
ReTr
WhTr
Comm
Mfg
Industrial Sector
All
Net Income

Chart 19
Asset Turnover

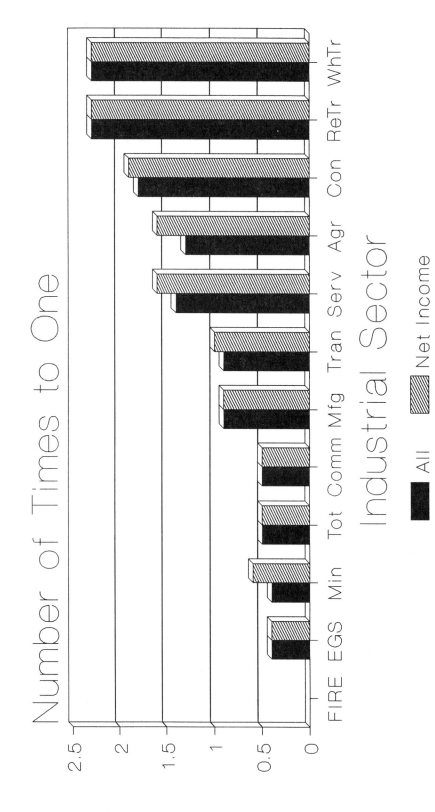

Number of Times to One
FIRE
EGS
Min
Tot
Comm
Mfg
Tran
Serv
Agr
Con
ReTr
WhTr
Industrial Sector
All
Net Income

Chart 20
Total Liabilities to Net Worth

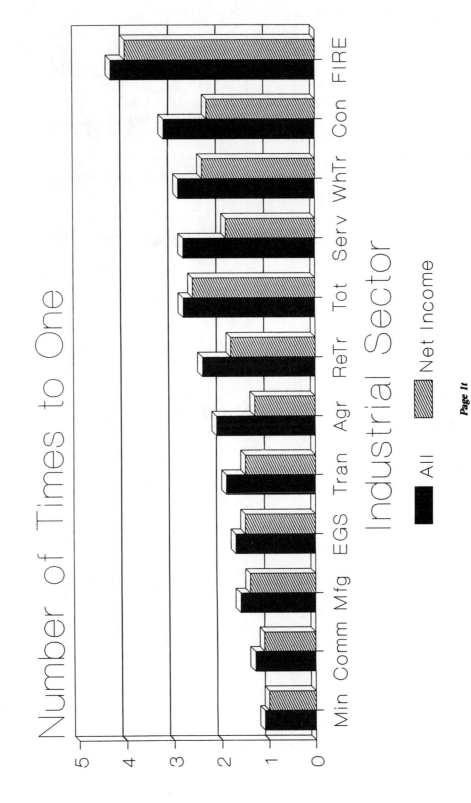

Number of Times to One

Min Comm Mfg EGS Tran Agr ReTr Tot Serv WhTr Con FIRE

Industrial Sector

■ All   ▨ Net Income

Page 1t

Chart 21
Debt Ratio

Percent

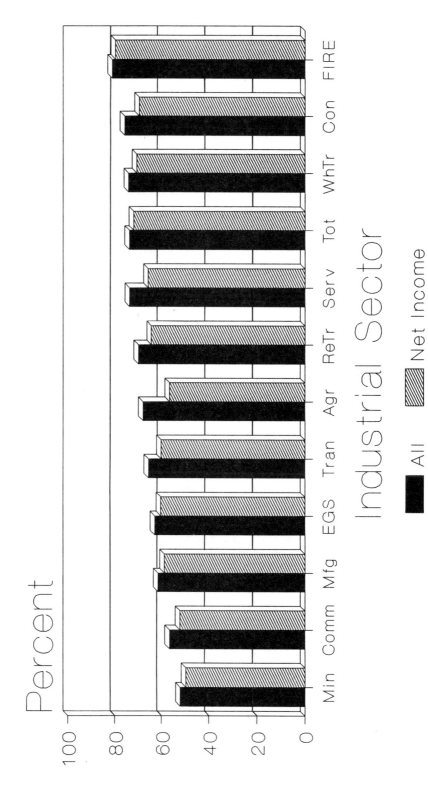

Min Comm Mfg EGS Tran Agr ReTr Serv Tot WhTr Con FIRE

Industrial Sector

■ All   ▧ Net Income

Page 1u

Chart 22
Return on Assets

Percent
Min
Tran
FIRE
Con
EGS
Comm
Tot
Serv
ReTr
Mfg
Agr
WhTr
Industrial Sector
All
Net Income

Chart 23
Return on Equity

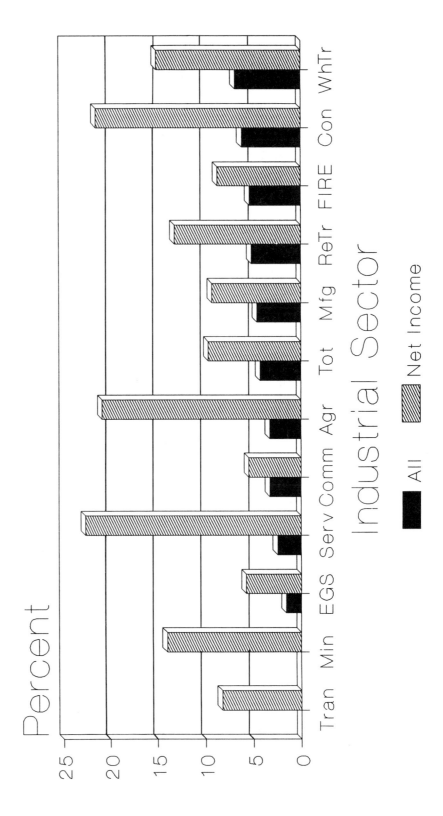

Percent

Tran Min EGS ServComm Agr Tot Mfg ReTr FIRE Con WhTr

Industrial Sector

■ All   ▨ Net Income

Page 1w

Chart 24
Return on Net Worth

Percent

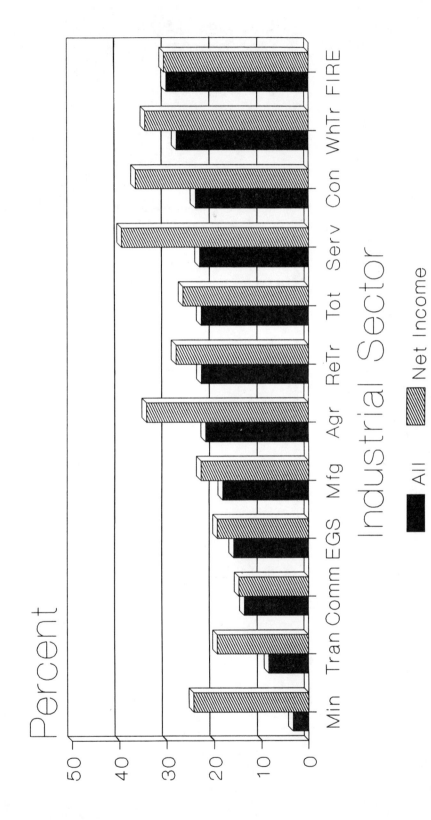

Min Tran Comm EGS Mfg Agr ReTr Tot Serv Con WhTr FIRE

Industrial Sector

■ All   ▨ Net Income

Page 1x

TABLE I: CORPORATIONS WITH AND WITHOUT NET INCOME, 1990 EDITION

0400 AGRICULTURE, FORESTRY, AND FISHING:
Agricultural production

Item Description For Accounting Period 7/86 Through 6/87	A Total	B Zero Assets	SIZE OF ASSETS IN THOUSANDS OF DOLLARS (000 OMITTED) C Under 100	D 100 to 250	E 251 to 500	F 501 to 1,000	G 1,001 to 5,000	H 5,001 to 10,000	I 10,001 to 25,000	J 25,001 to 50,000	K 50,001 to 100,000	L 100,001 to 250,000	M 250,001 and over
1. Number of Enterprises	71391	3697	18211	15155	14943	11385	7343	377	180	56	26	12	6
2. Total receipts (in millions of dollars)	49979.4	827.3	2114.7	2931.2	7253.7	6543.5	12357.9	2825.6	3595.2	2357.7	2306.5	2550.2	4315.8
Selected Operating Factors in Percent of Net Sales													
3. Cost of operations	68.3	56.9	57.8	62.9	71.0	63.2	68.3	75.5	82.1	70.0	79.2	63.8	60.7
4. Compensation of officers	2.0	2.7	3.4	2.2	3.0	3.1	2.3	1.6	1.0	0.8	0.6	0.5	0.2
5. Repairs	1.7	1.2	3.1	2.9	1.9	2.2	1.7	1.3	0.7	0.9	1.1	1.1	1.5
6. Bad debts	0.3	1.9	0.2	0.1	0.1	0.1	0.4	1.0	0.2	0.2	0.3	0.1	0.2
7. Rent on business property	3.1	12.1	10.1	7.8	3.5	4.7	2.5	1.4	0.9	1.1	0.7	0.6	1.1
8. Taxes (excl Federal tax)	2.3	4.8	3.7	3.3	2.6	2.8	2.5	1.9	1.2	1.7	1.2	1.6	1.9
9. Interest	4.8	21.9	4.4	4.9	4.2	6.4	6.0	3.5	3.7	3.8	4.6	2.3	1.7
10. Deprec/Deplet/Amortiz†	6.1	12.5	6.3	9.8	7.1	8.4	6.4	5.1	4.1	4.4	3.5	3.6	3.1
11. Advertising	0.4	0.1	0.2	0.4	0.2	0.2	0.2	0.4	0.2	0.3	0.2	0.8	1.5
12. Pensions & other benef plans	0.6	0.1	0.5	0.4	0.6	0.7	0.6	0.6	0.4	0.8	1.0	0.6	1.1
13. Other expenses	18.3	20.4	27.1	21.8	14.1	18.7	16.5	14.7	10.1	20.8	15.6	26.3	28.1
14. Net profit before tax	*	*	*	*	*	*	*	*	*	*	*	*	*
Selected Financial Ratios (number of times ratio is to one)													
15. Current ratio	1.1	-	0.5	1.3	1.1	1.2	1.0	1.3	1.2	0.9	1.0	0.8	1.7
16. Quick ratio	0.6	-	0.4	0.9	0.7	0.7	0.5	0.8	0.5	0.4	0.4	0.5	0.8
17. Net sls to net wkg capital	57.9	-	-	21.4	85.0	21.6	-	13.7	26.8	-	-	-	7.7
18. Coverage ratio	1.5	-	0.1	1.0	1.3	1.6	1.4	1.6	1.3	1.7	1.3	2.0	4.9
19. Asset turnover	1.0	-	2.4	1.0	1.2	0.7	0.9	1.0	1.2	1.2	1.2	1.5	1.4
20. Total liab to net worth	2.2	-	-	2.5	1.9	1.5	2.3	2.1	2.9	2.2	11.2	2.9	1.2
Selected Financial Factors in Percentages													
21. Debt ratio	68.7	-	127.5	71.1	66.0	59.6	69.9	68.0	74.4	68.5	91.8	74.0	54.6
22. Return on assets	7.5	-	0.6	4.6	6.8	7.4	7.3	5.9	5.9	7.6	7.2	7.0	11.2
23. Return on equity	4.5	-	-	-	3.0	5.6	4.6	2.2	0.8	4.6	-	7.5	11.3
24. Return on net worth	24.0	-	-	16.1	20.0	18.4	24.2	18.3	22.9	24.0	87.3	27.1	24.6

†Depreciation largest factor

TABLE II: CORPORATIONS WITH NET INCOME, 1990 EDITION

0400 AGRICULTURE, FORESTRY, AND FISHING:
Agricultural production

Item Description For Accounting Period 7/86 Through 6/87	A Total	B Zero Assets	C Under 100	D 100 to 250	E 251 to 500	F 501 to 1,000	G 1,001 to 5,000	H 5,001 to 10,000	I 10,001 to 25,000	J 25,001 to 50,000	K 50,001 to 100,000	L 100,001 to 250,000	M 250,001 and over
						SIZE OF ASSETS IN THOUSANDS OF DOLLARS (000 OMITTED)							
1. Number of Enterprises	39966	1670	6840	9389	9347	7609	4717	229	104	31	15	9	6
2. Total receipts (in millions of dollars)	38421.6	550.3	975.1	2227.7	5654.9	4867.4	9001.4	2172.2	2674.7	1703.5	1926.3	2352.4	4315.8
Selected Operating Factors in Percent of Net Sales													
3. Cost of operations	68.0	56.4	51.1	64.9	71.8	62.8	66.7	73.9	82.6	72.6	81.5	62.5	60.7
4. Compensation of officers	1.8	2.1	3.1	1.2	2.9	3.1	2.3	1.6	1.0	0.8	0.5	0.5	0.2
5. Repairs	1.5	1.3	2.6	2.4	1.6	2.0	1.7	1.2	0.7	0.6	0.8	1.2	1.5
6. Bad debts	0.2	0.2	0.1	-	-	0.1	0.4	0.2	0.3	0.2	-	0.1	0.2
7. Rent on business property	2.5	8.3	6.6	7.5	2.7	4.4	2.5	0.9	0.8	0.6	0.6	0.7	1.1
8. Taxes (excl Federal tax)	2.0	5.3	2.3	2.4	2.0	2.7	2.3	1.9	1.2	1.5	1.1	1.7	1.9
9. Interest	3.3	10.4	4.2	3.0	2.7	5.1	4.6	2.4	2.7	2.4	2.7	1.8	1.7
10. Deprec/Deplet/Amortiz†	4.8	8.8	4.6	6.8	5.2	7.3	5.3	4.0	3.4	4.1	2.2	2.7	3.1
11. Advertising	0.4	-	0.1	0.4	0.2	0.2	0.2	0.5	0.2	0.2	0.2	0.8	1.5
12. Pensions & other benef plans	0.6	0.2	0.7	0.3	0.6	0.8	0.5	0.6	0.4	0.7	1.0	0.7	1.1
13. Other expenses	16.5	15.0	19.4	16.1	11.9	16.7	14.9	13.8	7.1	15.3	13.2	27.6	28.1
14. Net profit before tax	#	#	5.2	#	#	#	#	#	#	1.0	#	#	#
Selected Financial Ratios (number of times ratio is to one)													
15. Current ratio	1.3	-	0.7	2.9	1.4	1.5	1.2	1.4	1.2	1.1	1.1	0.8	1.7
16. Quick ratio	0.7	-	0.6	2.1	1.0	0.9	0.7	0.9	0.5	0.5	0.5	0.5	0.8
17. Net sls to net wkg capital	18.7	-	-	6.8	21.2	11.1	23.3	12.6	31.4	90.4	50.5	-	7.7
18. Coverage ratio	3.5	-	6.1	4.9	3.6	3.0	2.9	4.1	3.0	4.0	3.1	2.9	4.9
19. Asset turnover	1.2	-	-	1.2	1.5	0.8	1.0	1.3	1.6	1.5	1.7	1.8	1.4
20. Total liab to net worth	1.3	-	15.4	0.8	0.9	1.0	1.4	1.4	1.6	1.5	4.7	2.6	1.2
Selected Financial Factors in Percentages													
21. Debt ratio	56.4	-	93.9	43.7	47.8	50.3	58.4	57.5	61.7	59.4	82.3	72.5	54.6
22. Return on assets	14.4	-	-	17.1	14.6	12.1	13.2	12.5	12.6	14.7	14.5	9.0	11.2
23. Return on equity	19.6	-	-	22.7	18.5	14.7	17.7	16.0	16.1	19.5	36.5	14.4	11.3
24. Return on net worth	33.0	-	-	30.5	28.0	24.4	31.6	29.3	32.9	36.1	82.0	32.9	24.6

†Depreciation largest factor

0600 AGRICULTURE, FORESTRY, AND FISHING:
Agricultural services, forestry, and fishing

Item Description For Accounting Period 7/86 Through 6/87	A Total	B Zero Assets	C Under 100	D 100 to 250	E 251 to 500	F 501 to 1,000	G 1,001 to 5,000	H 5,001 to 10,000	I 10,001 to 25,000	J 25,001 to 50,000	K 50,001 to 100,000	L 100,001 to 250,000	M 250,001 and over
			SIZE OF ASSETS IN THOUSANDS OF DOLLARS (000 OMITTED)										
1. Number of Enterprises	35243	2035	21765	5248	3102	1678	1222	140	23	11	13	4	-
2. Total receipts (in millions of dollars)	27522.8	242.4	3102.9	7366.0	4225.5	2548.7	4361.5	1166.7	410.0	272.7	2804.1	1022.2	-
Selected Operating Factors in Percent of Net Sales													
3. Cost of operations	75.6	28.0	53.4	86.0	82.6	65.2	74.8	70.1	67.3	83.7	89.4	43.3	-
4. Compensation of officers	2.2	1.8	4.8	1.6	1.7	4.5	2.1	2.5	1.6	1.5	0.2	0.5	-
5. Repairs	1.3	6.8	2.7	0.6	1.5	1.3	1.5	1.6	2.6	0.2	0.1	1.8	-
6. Bad debts	0.2	-	0.1	-	-	0.2	0.4	0.6	0.8	0.3	0.3	0.5	-
7. Rent on business property	1.1	8.2	2.5	0.9	0.6	1.0	0.7	0.9	0.4	0.3	0.5	3.9	-
8. Taxes (excl Federal tax)	1.7	6.5	2.7	0.7	1.4	2.4	1.7	1.9	2.2	1.1	0.8	6.2	-
9. Interest	1.5	4.4	1.7	0.7	1.1	1.8	2.2	2.8	3.5	5.7	1.2	2.0	-
10. Deprec/Deplet/Amortiz†	4.1	7.8	4.8	1.8	2.5	4.5	4.2	4.0	7.2	3.8	10.1	6.1	-
11. Advertising	0.5	11.4	1.0	0.3	0.3	0.6	0.3	0.4	0.3	1.1	0.1	2.9	-
12. Pensions & other benef plans	0.6	3.7	1.1	0.1	0.1	1.0	1.0	1.2	0.7	1.0	0.2	2.3	-
13. Other expenses	14.8	64.9	28.5	6.7	10.5	20.3	16.5	20.2	18.1	15.0	4.4	44.9	-
14. Net profit before tax	*	*	*	0.6	*	*	*	*	*	*	*	*	-
Selected Financial Ratios (number of times ratio is to one)													
15. Current ratio	1.4	-	1.3	1.3	1.6	1.9	1.2	1.2	1.7	1.5	1.6	1.4	-
16. Quick ratio	0.9	-	1.0	1.0	1.3	1.2	0.8	0.8	0.8	0.7	0.9	0.9	-
17. Net sls to net wkg capital	24.2	-	53.8	111.0	27.4	9.5	27.1	17.3	6.2	3.3	15.8	21.4	-
18. Coverage ratio	1.1	-	0.5	2.7	1.3	0.9	1.6	1.0	1.2	0.3	-	2.1	-
19. Asset turnover	-	-	-	-	-	2.1	1.7	1.2	1.0	0.6	-	0.8	-
20. Total liab to net worth	1.9	-	-	2.8	4.0	1.7	2.6	2.0	1.6	2.0	1.0	0.2	-
Selected Financial Factors in Percentages													
21. Debt ratio	65.3	-	112.2	73.3	80.0	62.6	71.9	66.2	61.6	66.4	50.2	18.5	-
22. Return on assets	4.5	-	3.7	14.9	5.6	3.2	6.3	3.2	4.3	0.9	-	3.4	-
23. Return on equity	-	-	-	31.9	4.1	-	4.1	-	-	-	-	-	-
24. Return on net worth	13.0	-	-	55.9	28.0	8.4	22.4	9.5	11.2	2.8	-	4.2	-

†Depreciation largest factor

0600 AGRICULTURE, FORESTRY, AND FISHING:
Agricultural services, forestry, and fishing

Item Description For Accounting Period 7/86 Through 6/87	A Total	B Zero Assets	C Under 100	D 100 to 250	E 251 to 500	F 501 to 1,000	G 1,001 to 5,000	H 5,001 to 10,000	I 10,001 to 25,000	J 25,001 to 50,000	K 50,001 to 100,000	L 100,001 to 250,000	M 250,001 and over
			SIZE OF ASSETS IN THOUSANDS OF DOLLARS (000 OMITTED)										
1. Number of Enterprises	17844	1037	9513	3490	1778	1099	804	90	19	5	10	-	-
2. Total receipts (in millions of dollars)	20671.7	128.1	1281.2	6666.1	3277.3	1459.8	3491.3	701.5	264.0	167.0	3235.3	-	-
Selected Operating Factors in Percent of Net Sales													
3. Cost of operations	77.5	54.7	48.1	87.6	83.7	56.5	74.1	68.6	63.1	83.1	77.2	-	-
4. Compensation of officers	1.9	1.0	6.5	1.3	1.5	4.5	2.2	3.0	2.0	0.8	0.3	-	-
5. Repairs	1.1	1.3	3.6	0.4	1.1	1.4	1.5	1.7	0.6	0.1	0.6	-	-
6. Bad debts	0.2	-	0.1	-	-	0.3	0.2	0.6	0.3	0.4	0.4	-	-
7. Rent on business property	0.9	6.3	2.4	0.7	0.5	1.3	0.5	1.1	0.7	0.1	1.4	-	-
8. Taxes (excl Federal tax)	1.4	5.3	2.6	0.6	1.3	2.5	1.6	2.2	2.2	0.9	1.8	-	-
9. Interest	1.1	1.0	1.5	0.5	0.7	1.7	1.6	2.2	3.9	5.5	1.3	-	-
10. Deprec/Deplet/Amortiz†	2.7	4.2	4.8	1.2	1.8	5.2	3.3	3.3	8.5	3.4	3.8	-	-
11. Advertising	0.4	0.5	0.4	0.3	0.2	0.8	0.2	0.2	0.3	1.5	0.8	-	-
12. Pensions & other benef plans	0.6	6.6	0.9	0.1	0.1	1.2	1.0	1.3	1.2	1.5	0.8	-	-
13. Other expenses	11.5	29.9	24.1	5.6	7.0	23.1	15.5	20.6	18.8	10.4	11.4	-	-
14. Net profit before tax	0.7	#	5.0	1.7	2.1	1.5	#	#	#	#	0.2	-	-
Selected Financial Ratios (number of times ratio is to one)													
15. Current ratio	1.6	-	2.2	1.3	2.3	2.1	1.4	1.4	1.8	1.2	2.0	-	-
16. Quick ratio	1.1	-	1.8	1.0	1.7	1.5	1.0	0.9	0.9	0.6	1.2	-	-
17. Net sls to net wkg capital	19.5	-	17.4	140.6	22.3	7.1	17.4	8.0	5.4	10.6	13.3	-	-
18. Coverage ratio	4.5	-	7.2	5.4	5.3	3.3	3.9	3.0	2.5	1.1	4.3	-	-
19. Asset turnover	-	-	-	-	-	1.9	2.2	1.2	0.8	0.9	-	-	-
20. Total liab to net worth	1.4	-	2.2	1.9	1.0	1.1	1.5	1.4	1.6	3.8	1.0	-	-
Selected Financial Factors in Percentages													
21. Debt ratio	57.8	-	69.0	65.2	50.0	51.7	60.2	58.8	61.0	79.0	50.2	-	-
22. Return on assets	17.1	-	-	25.9	20.8	10.7	13.3	7.8	8.3	5.2	17.0	-	-
23. Return on equity	27.2	-	-	-	31.8	13.2	19.7	9.7	8.5	1.3	20.3	-	-
24. Return on net worth	40.4	-	-	74.5	41.7	22.2	33.4	19.0	21.3	24.8	34.1	-	-

†Depreciation largest factor

1010 MINING: METAL MINING:

Iron ores

Item Description For Accounting Period 7/86 Through 6/87	A Total	B Zero Assets	C Under 100	D 100 to 250	E 251 to 500	F 501 to 1,000	G 1,001 to 5,000	H 5,001 to 10,000	I 10,001 to 25,000	J 25,001 to 50,000	K 50,001 to 100,000	L 100,001 to 250,000	M 250,001 and over
	SIZE OF ASSETS IN THOUSANDS OF DOLLARS (000 OMITTED)												
1. Number of Enterprises	28	3	-	-	-	-	15	-	7	-	-	-	3
2. Total receipts (in millions of dollars)	1356.4	1.1	-	-	-	-	1.1	-	146.8	-	-	-	1207.3
Selected Operating Factors in Percent of Net Sales													
3. Cost of operations	79.5	-	-	-	-	-	-	-	86.7	-	-	-	78.5
4. Compensation of officers	0.4	-	-	-	-	-	-	-	-	-	-	-	0.4
5. Repairs	1.4	-	-	-	-	-	-	-	-	-	-	-	1.6
6. Bad debts	3.0	-	-	-	-	-	-	-	2.6	-	-	-	3.0
7. Rent on business property	2.7	-	-	-	-	-	-	-	1.2	-	-	-	2.9
8. Taxes (excl Federal tax)	2.6	-	-	-	-	-	-	-	2.3	-	-	-	2.7
9. Interest	3.7	-	-	-	-	-	-	-	3.3	-	-	-	3.8
10. Deprec/Deplet/Amortiz†	6.9	-	-	-	-	-	-	-	7.4	-	-	-	6.9
11. Advertising	-	-	-	-	-	-	-	-	-	-	-	-	-
12. Pensions & other benef plans	1.5	-	-	-	-	-	-	-	-	-	-	-	1.7
13. Other expenses	9.9	-	-	-	-	-	-	-	0.7	-	-	-	11.1
14. Net profit before tax	*	-	-	-	-	-	-	-	*	-	-	-	*
Selected Financial Ratios (number of times ratio is to one)													
15. Current ratio	1.2	-	-	-	-	-	9.1	-	1.2	-	-	-	1.2
16. Quick ratio	0.7	-	-	-	-	-	9.1	-	0.6	-	-	-	0.7
17. Net sls to net wkg capital	8.2	-	-	-	-	-	-	-	35.3	-	-	-	7.6
18. Coverage ratio	2.0	-	-	-	-	-	-	-	0.8	-	-	-	2.1
19. Asset turnover	0.4	-	-	-	-	-	-	-	0.8	-	-	-	0.3
20. Total liab to net worth	1.0	-	-	-	-	-	-	-	-	-	-	-	0.9
Selected Financial Factors in Percentages													
21. Debt ratio	50.3	-	-	-	-	-	4.3	-	111.4	-	-	-	47.0
22. Return on assets	2.7	-	-	-	-	-	2.8	-	2.2	-	-	-	2.7
23. Return on equity	0.5	-	-	-	-	-	2.5	-	-	-	-	-	0.7
24. Return on net worth	5.5	-	-	-	-	-	2.9	-	-	-	-	-	5.1

†Depreciation largest factor

TABLE II: CORPORATIONS WITH NET INCOME, 1990 EDITION

1010 MINING: METAL MINING:

Iron ores

Item Description For Accounting Period 7/86 Through 6/87	A Total	B Zero Assets	C Under 100	D 100 to 250	E 251 to 500	F 501 to 1,000	G 1,001 to 5,000	H 5,001 to 10,000	I 10,001 to 25,000	J 25,001 to 50,000	K 50,001 to 100,000	L 100,001 to 250,000	M 250,001 and over
						SIZE OF ASSETS IN THOUSANDS OF DOLLARS (000 OMITTED)							
1. Number of Enterprises	23	3	-	-	-	-	-	-	-	-	-	-	-
2. Total receipts (in millions of dollars)	676.5	1.1	-	-	-	-	-	-	-	-	-	-	-
Selected Operating Factors in Percent of Net Sales													
3. Cost of operations	71.3		-	-	-	-	-	-	-	-	-	-	-
4. Compensation of officers	0.5		-	-	-	-	-	-	-	-	-	-	-
5. Repairs	-		-	-	-	-	-	-	-	-	-	-	-
6. Bad debts	-		-	-	-	-	-	-	-	-	-	-	-
7. Rent on business property	1.5		-	-	-	-	-	-	-	-	-	-	-
8. Taxes (excl Federal tax)	2.9		-	-	-	-	-	-	-	-	-	-	-
9. Interest	2.0		-	-	-	-	-	-	-	-	-	-	-
10. Deprec/Deplet/Amortiz†	9.3		-	-	-	-	-	-	-	-	-	-	-
11. Advertising	-		-	-	-	-	-	-	-	-	-	-	-
12. Pensions & other benef plans	2.0		-	-	-	-	-	-	-	-	-	-	-
13. Other expenses	8.3		-	-	-	-	-	-	-	-	-	-	-
14. Net profit before tax	2.2		-	-	-	-	-	-	-	-	-	-	-
Selected Financial Ratios (number of times ratio is to one)													
15. Current ratio	1.2		-	-	-	-	-	-	-	-	-	-	-
16. Quick ratio	0.6		-	-	-	-	-	-	-	-	-	-	-
17. Net sls to net wkg capital	7.8		-	-	-	-	-	-	-	-	-	-	-
18. Coverage ratio	8.7		-	-	-	-	-	-	-	-	-	-	-
19. Asset turnover	0.4		-	-	-	-	-	-	-	-	-	-	-
20. Total liab to net worth	0.7		-	-	-	-	-	-	-	-	-	-	-
Selected Financial Factors in Percentages													
21. Debt ratio	42.3		-	-	-	-	-	-	-	-	-	-	-
22. Return on assets	6.2		-	-	-	-	-	-	-	-	-	-	-
23. Return on equity	5.7		-	-	-	-	-	-	-	-	-	-	-
24. Return on net worth	10.7		-	-	-	-	-	-	-	-	-	-	-

†Depletion largest factor

TABLE I: CORPORATIONS WITH AND WITHOUT NET INCOME, 1990 EDITION

1070 MINING: METAL MINING:
Copper, lead and zinc, gold and silver ores

Item Description For Accounting Period 7/86 Through 6/87	A Total	B Zero Assets	C Under 100	D 100 to 250	E 251 to 500	F 501 to 1,000	G 1,001 to 5,000	H 5,001 to 10,000	I 10,001 to 25,000	J 25,001 to 50,000	K 50,001 to 100,000	L 100,001 to 250,000	M 250,001 and over
				SIZE OF ASSETS IN THOUSANDS OF DOLLARS (000 OMITTED)									
1. Number of Enterprises	487	36	226	-	-	102	59	21	22	5	5	5	5
2. Total receipts (in millions of dollars)	2347.1	13.7	1.2	-	-	19.1	22.3	2.4	149.0	83.5	212.5	204.6	1638.9
Selected Operating Factors in Percent of Net Sales													
3. Cost of operations	70.9	-	-	-	-	-	-	-	55.4	90.1	54.6	71.2	73.7
4. Compensation of officers	0.9	-	-	-	-	-	-	-	1.5	0.7	1.0	2.5	0.6
5. Repairs	0.4	-	-	-	-	-	-	-	-	-	0.5	0.1	0.4
6. Bad debts	0.3	-	-	-	-	-	-	-	0.1	-	0.3	0.1	0.4
7. Rent on business property	1.0	-	-	-	-	-	-	-	0.5	2.3	0.8	0.9	0.8
8. Taxes (excl Federal tax)	3.7	-	-	-	-	-	-	-	5.2	1.1	2.7	2.1	3.8
9. Interest	5.5	-	-	-	-	-	-	-	1.5	7.3	1.5	3.8	6.3
10. Deprec/Deplet/Amortiz†	15.5	-	-	-	-	-	-	-	12.9	6.2	14.1	22.5	15.5
11. Advertising	0.1	-	-	-	-	-	-	-	0.2	-	0.2	0.1	0.1
12. Pensions & other benef plans	1.7	-	-	-	-	-	-	-	1.3	2.7	1.1	0.7	1.9
13. Other expenses	26.2	-	-	-	-	-	-	-	45.1	18.9	33.9	42.4	17.8
14. Net profit before tax	*	*	*	-	-	*	*	-	*	*	*	*	*
Selected Financial Ratios (number of times ratio is to one)													
15. Current ratio	1.8	-	-	-	-	1.8	1.2	-	3.4	1.3	2.0	4.2	1.5
16. Quick ratio	0.9	-	-	-	-	1.5	1.0	-	2.2	0.1	1.3	2.8	0.6
17. Net sls to net wkg capital	3.5	-	-	-	-	3.7	6.4	-	1.8	4.0	3.9	0.8	6.1
18. Coverage ratio	-	-	-	-	-	-	-	-	-	0.1	-	-	0.1
19. Asset turnover	0.3	-	-	-	-	0.2	0.2	-	0.4	0.4	0.5	0.2	0.3
20. Total liab to net worth	0.7	-	-	-	-	2.5	1.0	-	0.8	2.7	0.7	1.2	0.6
Selected Financial Factors in Percentages													
21. Debt ratio	42.4	-	-	-	-	71.4	50.7	-	45.7	72.6	41.7	54.2	38.2
22. Return on assets	-	-	-	-	-	-	-	-	-	0.3	-	-	0.2
23. Return on equity	-	-	-	-	-	-	-	-	-	-	-	-	-
24. Return on net worth	-	-	-	-	-	-	-	-	-	1.2	-	-	0.3

†Depreciation largest factor

1070 MINING: METAL MINING:

Copper, lead and zinc, gold and silver ores

Item Description For Accounting Period 7/86 Through 6/87	A Total	B Zero Assets	C Under 100	D 100 to 250	E 251 to 500	F 501 to 1,000	G 1,001 to 5,000	H 5,001 to 10,000	I 10,001 to 25,000	J 25,001 to 50,000	K 50,001 to 100,000	L 100,001 to 250,000	M 250,001 and over
		SIZE OF ASSETS IN THOUSANDS OF DOLLARS (000 OMITTED)											
1. Number of Enterprises	64	5	-	-	-	34	18	-	-	-	-	-	-
2. Total receipts (in millions of dollars)	1337.8	10.6	-	-	-	0.1	19.2	-	-	-	-	-	-
Selected Operating Factors in Percent of Net Sales													
3. Cost of operations	70.8	-	-	-	-	-	47.7	-	-	-	-	-	-
4. Compensation of officers	0.6	-	-	-	-	-	-	-	-	-	-	-	-
5. Repairs	0.5	-	-	-	-	-	-	-	-	-	-	-	-
6. Bad debts	-	-	-	-	-	-	-	-	-	-	-	-	-
7. Rent on business property	0.6	-	-	-	-	-	0.1	-	-	-	-	-	-
8. Taxes (excl Federal tax)	3.5	-	-	-	-	-	2.5	-	-	-	-	-	-
9. Interest	4.7	-	-	-	-	-	2.2	-	-	-	-	-	-
10. Deprec/Deplet/Amortiz†	11.8	-	-	-	-	-	15.9	-	-	-	-	-	-
11. Advertising	-	-	-	-	-	-	0.1	-	-	-	-	-	-
12. Pensions & other benef plans	1.0	-	-	-	-	-	-	-	-	-	-	-	-
13. Other expenses	13.6	-	-	-	-	-	7.6	-	-	-	-	-	-
14. Net profit before tax	#	-	-	-	-	-	23.9	-	-	-	-	-	-
Selected Financial Ratios (number of times ratio is to one)													
15. Current ratio	3.0	-	-	-	-	-	2.5	-	-	-	-	-	-
16. Quick ratio	1.5	-	-	-	-	-	1.9	-	-	-	-	-	-
17. Net sls to net wkg capital	3.0	-	-	-	-	-	3.6	-	-	-	-	-	-
18. Coverage ratio	3.9	-	-	-	-	-	-	-	-	-	-	-	-
19. Asset turnover	0.3	-	-	-	-	-	0.7	-	-	-	-	-	-
20. Total liab to net worth	0.5	-	-	-	-	-	0.7	-	-	-	-	-	-
Selected Financial Factors in Percentages													
21. Debt ratio	35.1	-	-	-	-	-	40.3	-	-	-	-	-	-
22. Return on assets	5.8	-	-	-	-	-	18.3	-	-	-	-	-	-
23. Return on equity	5.2	-	-	-	-	-	19.4	-	-	-	-	-	-
24. Return on net worth	8.9	-	-	-	-	-	30.6	-	-	-	-	-	-

†Depreciation largest factor

1098 MINING: METAL MINING:

Other metal mining

Item Description For Accounting Period 7/86 Through 6/87	A Total	B Zero Assets	C Under 100	D 100 to 250	E 251 to 500	F 501 to 1,000	G 1,001 to 5,000	H 5,001 to 10,000	I 10,001 to 25,000	J 25,001 to 50,000	K 50,001 to 100,000	L 100,001 to 250,000	M 250,001 and over
			SIZE OF ASSETS IN THOUSANDS OF DOLLARS (000 OMITTED)										
1. Number of Enterprises	671	11	294	138	94	83	20	16	4	3	4	5	-
2. Total receipts (in millions of dollars)	4537.0	-	1.6	19.2	36.6	7.2	29.7	1.2	3.7	38.2	142.6	4257.0	-
Selected Operating Factors in Percent of Net Sales													
3. Cost of operations	73.2	-	-	-	67.5	-	63.1	-	-	70.5	84.6	73.2	-
4. Compensation of officers	0.1	-	-	-	2.8	-	3.3	-	-	3.7	0.8	-	-
5. Repairs	0.8	-	-	-	0.1	-	1.8	-	-	0.1	-	0.8	-
6. Bad debts	0.2	-	-	-	-	-	1.4	-	-	0.2	-	0.2	-
7. Rent on business property	1.6	-	-	-	1.7	-	5.7	-	-	0.7	0.2	1.4	-
8. Taxes (excl Federal tax)	6.5	-	-	-	6.2	-	1.7	-	-	1.1	1.0	6.8	-
9. Interest	8.0	-	-	-	2.6	-	4.4	-	-	1.6	13.4	7.9	-
10. Deprec/Deplet/Amortiz†	7.8	-	-	-	9.7	-	2.0	-	-	12.6	5.2	7.6	-
11. Advertising	0.2	-	-	-	-	-	0.9	-	-	0.1	-	0.2	-
12. Pensions & other benef plans	1.7	-	-	-	1.3	-	4.3	-	-	1.6	0.4	1.8	-
13. Other expenses	14.6	-	-	-	11.7	-	28.9	-	-	38.5	5.0	13.5	-
14. Net profit before tax	*	-	*	*	*	*	*	*	*	*	*	*	-
Selected Financial Ratios (number of times ratio is to one)													
15. Current ratio	1.3	-	0.2	-	1.0	2.1	1.0	-	-	4.5	0.6	1.4	-
16. Quick ratio	0.5	-	0.2	-	0.5	0.9	0.5	-	-	1.4	0.2	0.5	-
17. Net sls to net wkg capital	7.9	-	-	-	-	2.4	-	-	-	1.1	-	7.4	-
18. Coverage ratio	0.3	-	-	-	0.4	-	-	-	-	-	0.7	0.5	-
19. Asset turnover	0.4	-	0.1	-	1.1	0.1	1.0	-	-	0.4	0.5	0.4	-
20. Total liab to net worth	2.4	-	0.8	-	0.5	0.1	3.3	-	-	0.3	4.9	2.3	-
Selected Financial Factors in Percentages													
21. Debt ratio	70.7	-	45.7	-	34.6	8.2	76.8	-	-	23.6	83.0	70.1	-
22. Return on assets	0.9	-	-	-	1.0	-	-	-	-	-	5.0	1.4	-
23. Return on equity	-	-	-	-	-	-	-	-	-	-	-	-	-
24. Return on net worth	3.2	-	-	-	1.5	-	-	-	-	-	29.5	4.8	-

†Depreciation largest factor

TABLE II: CORPORATIONS WITH NET INCOME, 1990 EDITION

1098 MINING: METAL MINING:
Other metal mining

Item Description For Accounting Period 7/86 Through 6/87	A Total	B Zero Assets	SIZE OF ASSETS IN THOUSANDS OF DOLLARS (000 OMITTED)										
			C Under 100	D 100 to 250	E 251 to 500	F 501 to 1,000	G 1,001 to 5,000	H 5,001 to 10,000	I 10,001 to 25,000	J 25,001 to 50,000	K 50,001 to 100,000	L 100,001 to 250,000	M 250,001 and over
1. Number of Enterprises	87	4	-	-	60	-	-	-	-	-	-	-	-
2. Total receipts (in millions of dollars)	722.4	-	-	-	35.9	-	-	-	-	-	-	-	-
Selected Operating Factors in Percent of Net Sales													
3. Cost of operations	51.0	-	-	-	67.5	-	-	-	-	-	-	-	-
4. Compensation of officers	0.3	-	-	-	-	-	-	-	-	-	-	-	-
5. Repairs	0.6	-	-	-	0.1	-	-	-	-	-	-	-	-
6. Bad debts	0.1	-	-	-	-	-	-	-	-	-	-	-	-
7. Rent on business property	0.7	-	-	-	1.0	-	-	-	-	-	-	-	-
8. Taxes (excl Federal tax)	16.1	-	-	-	6.0	-	-	-	-	-	-	-	-
9. Interest	2.9	-	-	-	2.6	-	-	-	-	-	-	-	-
10. Deprec/Deplet/Amortiz†	10.1	-	-	-	9.4	-	-	-	-	-	-	-	-
11. Advertising	0.1	-	-	-	-	-	-	-	-	-	-	-	-
12. Pensions & other benef plans	1.5	-	-	-	1.3	-	-	-	-	-	-	-	-
13. Other expenses	16.8	-	-	-	5.4	-	-	-	-	-	-	-	-
14. Net profit before tax	#	-	-	-	6.7	-	-	-	-	-	-	-	-
Selected Financial Ratios (number of times ratio is to one)													
15. Current ratio	1.8	-	-	-	0.6	-	-	-	-	-	-	-	-
16. Quick ratio	0.8	-	-	-	0.5	-	-	-	-	-	-	-	-
17. Net sls to net wkg capital	5.2	-	-	-	-	-	-	-	-	-	-	-	-
18. Coverage ratio	2.6	-	-	-	3.6	-	-	-	-	-	-	-	-
19. Asset turnover	1.5	-	-	-	1.9	-	-	-	-	-	-	-	-
20. Total liab to net worth	2.6	-	-	-	1.5	-	-	-	-	-	-	-	-
Selected Financial Factors in Percentages													
21. Debt ratio	72.4	-	-	-	59.2	-	-	-	-	-	-	-	-
22. Return on assets	10.9	-	-	-	17.7	-	-	-	-	-	-	-	-
23. Return on equity	14.6	-	-	-	31.3	-	-	-	-	-	-	-	-
24. Return on net worth	39.4	-	-	-	43.3	-	-	-	-	-	-	-	-

†Depletion largest factor

TABLE I: CORPORATIONS WITH AND WITHOUT NET INCOME, 1990 EDITION

1150 MINING:
Coal mining

							SIZE OF ASSETS IN THOUSANDS OF DOLLARS (000 OMITTED)						
Item Description For Accounting Period 7/86 Through 6/87	A Total	B Zero Assets	C Under 100	D 100 to 250	E 251 to 500	F 501 to 1,000	G 1,001 to 5,000	H 5,001 to 10,000	I 10,001 to 25,000	J 25,001 to 50,000	K 50,001 to 100,000	L 100,001 to 250,000	M 250,001 and over
1. Number of Enterprises	3982	27	2130	420	417	280	474	90	74	26	20	9	16
2. Total receipts (in millions of dollars)	21143.9	232.1	537.2	510.0	342.2	738.4	2185.6	776.9	1423.2	845.1	1121.6	1008.2	11423.5
Selected Operating Factors in Percent of Net Sales													
3. Cost of operations	68.9	83.2	72.2	35.6	3.9	23.3	67.9	78.0	81.2	72.8	76.0	77.4	71.5
4. Compensation of officers	0.8	0.2	1.0	1.9	4.1	1.6	1.5	1.5	0.7	1.0	0.5	0.8	0.4
5. Repairs	1.6	0.3	2.2	13.8	5.0	11.4	1.6	-	1.0	0.8	1.0	1.4	0.6
6. Bad debts	0.2	-	-	-	-	-	-	-	0.3	0.4	0.7	0.2	0.3
7. Rent on business property	1.9	-	1.8	2.7	7.7	2.3	1.4	0.5	1.1	0.7	2.7	0.9	2.1
8. Taxes (excl Federal tax)	4.6	4.7	5.0	7.8	3.9	4.1	3.6	6.1	4.4	4.3	4.1	5.6	4.5
9. Interest	3.4	1.5	0.7	0.5	1.8	4.2	2.1	2.0	1.9	4.4	3.5	1.3	4.3
10. Deprec/Deplet/Amortiz†	8.3	7.7	2.5	1.1	7.0	4.6	4.5	7.6	6.6	9.5	8.3	8.6	10.2
11. Advertising	0.1	-	-	0.2	-	-	-	-	0.3	0.1	-	0.1	0.1
12. Pensions & other benef plans	2.1	5.3	-	1.5	0.3	1.3	1.3	0.5	0.7	1.1	1.4	2.6	2.8
13. Other expenses	14.6	7.9	17.9	37.1	79.3	51.7	18.2	5.2	6.5	9.8	9.4	8.8	11.4
14. Net profit before tax	*	*	*	*	*	*	*	*	*	*	*	*	*
Selected Financial Ratios (number of times ratio is to one)													
15. Current ratio	1.3	-	-	-	1.1	1.4	1.4	1.4	1.6	1.3	1.5	1.6	1.2
16. Quick ratio	0.9	-	-	-	1.0	1.3	1.1	1.1	1.2	1.0	1.0	0.9	0.9
17. Net sls to net wkg capital	13.8	-	-	-	37.0	19.4	15.2	11.6	7.6	11.4	7.0	6.7	15.1
18. Coverage ratio	1.4	-	-	-	-	0.4	2.2	1.7	1.7	1.8	0.7	-	1.6
19. Asset turnover	0.8	-	-	-	1.9	-	2.0	1.3	1.1	0.9	0.7	0.8	0.6
20. Total liab to net worth	1.3	-	-	-	-	5.4	1.6	2.0	1.2	1.2	1.8	1.4	1.2
Selected Financial Factors in Percentages													
21. Debt ratio	57.2	-	-	-	121.3	84.3	61.5	66.7	55.2	55.4	64.7	58.3	54.1
22. Return on assets	3.8	-	-	-	-	5.5	9.2	4.3	3.6	7.2	1.9	0.9	3.9
23. Return on equity	1.4	-	-	-	-	-	8.3	0.7	2.0	5.0	-	-	2.0
24. Return on net worth	8.9	-	-	-	35.0	23.7	23.7	13.0	8.1	16.1	5.4	-	8.4

†Depreciation largest factor

Page 12

1150 MINING:
Coal mining

Item Description For Accounting Period 7/86 Through 6/87	A Total	B Zero Assets	C Under 100	D 100 to 250	E 251 to 500	F 501 to 1,000	G 1,001 to 5,000	H 5,001 to 10,000	I 10,001 to 25,000	J 25,001 to 50,000	K 50,001 to 100,000	L 100,001 to 250,000	M 250,001 and over
					SIZE OF ASSETS IN THOUSANDS OF DOLLARS (000 OMITTED)								
1. Number of Enterprises	2015	18	1118	78	277	37	348	53	51	14	8	3	11
2. Total receipts (in millions of dollars)	12677.3	121.2	331.6	98.2	248.9	133.2	1792.8	509.7	1169.4	400.9	361.7	302.0	7207.8
Selected Operating Factors in Percent of Net Sales													
3. Cost of operations	69.3	75.0	62.1	12.8	3.5	24.6	71.2	73.0	81.7	65.2	63.0	60.1	71.7
4. Compensation of officers	0.9	-	1.6	10.2	3.0	2.7	1.7	1.6	0.5	1.3	0.3	1.2	0.4
5. Repairs	0.9	-	3.7	18.2	5.0	-	0.3	-	0.9	0.6	3.2	1.2	0.5
6. Bad debts	0.2	-	-	-	-	-	-	-	0.4	0.7	-	0.5	0.2
7. Rent on business property	1.6	-	2.9	1.6	10.2	-	0.2	0.1	1.2	0.2	3.4	2.5	1.9
8. Taxes (excl Federal tax)	4.4	5.5	5.7	5.4	3.5	6.3	3.5	5.9	3.7	5.2	7.4	4.8	4.3
9. Interest	3.2	2.1	1.2	1.2	1.8	0.1	1.9	1.3	1.7	2.2	2.9	1.4	4.4
10. Deprec/Deplet/Amortiz†	8.3	1.7	3.8	5.8	6.0	6.3	4.2	7.4	5.2	10.6	11.1	8.2	10.3
11. Advertising	0.1	-	-	0.2	-	-	-	-	0.3	0.2	-	-	0.1
12. Pensions & other benef plans	2.1	7.9	-	0.1	0.4	3.2	1.0	0.5	0.4	1.6	1.5	3.7	2.9
13. Other expenses	11.2	5.9	17.0	45.2	69.9	44.0	15.7	4.5	6.2	12.4	12.5	16.2	7.7
14. Net profit before tax	#	1.9	2.0	#	#	12.8	0.3	5.7	#	#	#	0.2	#
Selected Financial Ratios (number of times ratio is to one)													
15. Current ratio	1.3	-	-	-	1.6	1.1	1.9	1.8	2.0	1.9	2.0	3.4	1.2
16. Quick ratio	1.0	-	-	-	1.4	1.1	1.5	1.5	1.5	1.6	1.2	2.5	0.9
17. Net sls to net wkg capital	9.8	-	-	-	8.3	123.5	8.3	7.0	5.7	3.4	5.1	1.9	15.4
18. Coverage ratio	3.1	-	-	-	3.4	-	3.6	7.5	3.5	6.3	3.3	-	2.5
19. Asset turnover	0.9	-	-	-	2.1	-	2.2	1.4	1.4	0.7	0.6	0.8	0.7
20. Total liab to net worth	1.8	-	-	-	1.0	0.8	1.1	0.8	1.5	0.8	0.7	0.8	2.2
Selected Financial Factors in Percentages													
21. Debt ratio	64.5	-	-	-	48.9	44.4	52.6	44.0	59.6	44.8	40.8	42.9	68.4
22. Return on assets	8.8	-	-	-	12.9	-	15.2	13.7	8.2	10.0	5.4	13.2	7.4
23. Return on equity	13.6	-	-	-	15.6	-	18.1	16.6	12.5	12.4	4.6	17.5	11.2
24. Return on net worth	24.8	-	-	-	25.2	-	32.1	24.4	20.2	18.1	9.1	23.1	23.5

†Depreciation largest factor

1330 MINING: OIL AND GAS EXTRACTION:

Crude petroleum, natural gas, and natural gas liquids

Item Description For Accounting Period 7/86 Through 6/87	A Total	B Zero Assets	C Under 100	D 100 to 250	E 251 to 500	F 501 to 1,000	G 1,001 to 5,000	H 5,001 to 10,000	I 10,001 to 25,000	J 25,001 to 50,000	K 50,001 to 100,000	L 100,001 to 250,000	M 250,001 and over
					SIZE OF ASSETS IN THOUSANDS OF DOLLARS (000 OMITTED)								
1. Number of Enterprises	16440	1614	7605	2800	1428	1137	1196	260	188	92	49	46	24
2. Total receipts (in millions of dollars)	36563.4	473.3	563.6	344.4	307.5	789.8	1528.5	851.7	1229.5	1290.3	1044.9	3862.1	24277.8
Selected Operating Factors in Percent of Net Sales													
3. Cost of operations	67.3	-	67.0	-	-	59.5	-	-	53.7	-	-	67.5	71.9
4. Compensation of officers	1.3	-	2.4	-	-	3.7	-	-	4.2	-	-	0.7	0.4
5. Repairs	0.7	-	1.7	-	-	0.3	-	-	0.7	-	-	0.3	0.8
6. Bad debts	0.8	-	0.1	-	-	2.5	-	-	4.8	-	-	1.0	0.2
7. Rent on business property	1.5	-	1.7	-	-	1.7	-	-	2.5	-	-	0.9	1.4
8. Taxes (excl Federal tax)	2.7	-	2.5	-	-	3.2	-	-	4.5	-	-	3.2	2.2
9. Interest	11.1	-	2.9	-	-	5.2	-	-	10.8	-	-	8.8	11.4
10. Deprec/Deplet/Amortiz†	10.2	-	5.7	-	-	7.0	-	-	20.7	-	-	9.5	7.6
11. Advertising	0.1	-	-	-	-	0.2	-	-	0.1	-	-	0.2	0.1
12. Pensions & other benef plans	1.2	-	0.3	-	-	0.4	-	-	1.0	-	-	0.7	1.4
13. Other expenses	25.7	-	37.3	-	-	41.1	-	-	40.9	-	-	21.4	17.8
14. Net profit before tax	*	*	*	*	*	*	*	*	*	*	*	*	*
Selected Financial Ratios (number of times ratio is to one)													
15. Current ratio	1.1	-	-	-	1.2	1.2	-	0.7	1.0	1.1	1.1	1.3	1.3
16. Quick ratio	0.8	-	-	-	1.1	1.1	-	0.6	0.8	0.8	0.8	0.8	0.9
17. Net sls to net wkg capital	16.6	-	-	-	5.5	11.6	-	-	47.2	9.1	14.5	9.5	9.9
18. Coverage ratio	0.8	-	-	-	-	-	-	-	-	-	-	1.0	1.2
19. Asset turnover	0.3	-	-	-	0.3	0.8	-	0.3	0.3	0.3	0.2	0.5	0.2
20. Total liab to net worth	0.9	-	-	-	0.9	1.9	-	5.9	2.1	3.1	1.6	2.4	0.6
Selected Financial Factors in Percentages													
21. Debt ratio	46.3	-	-	-	48.6	65.5	-	85.5	68.0	75.6	61.5	70.2	38.3
22. Return on assets	2.5	-	-	-	-	-	-	-	-	-	-	4.6	3.2
23. Return on equity	-	-	-	-	-	-	-	-	-	-	-	-	-
24. Return on net worth	4.7	-	-	-	-	-	-	-	-	-	-	15.4	5.2

†Depreciation largest factor

TABLE II: CORPORATIONS WITH NET INCOME, 1990 EDITION

1330 MINING: OIL AND GAS EXTRACTION:
Crude petroleum, natural gas, and natural gas liquids

Item Description For Accounting Period 7/86 Through 6/87	A Total	B Zero Assets	C Under 100	D 100 to 250	E 251 to 500	F 501 to 1,000	G 1,001 to 5,000	H 5,001 to 10,000	I 10,001 to 25,000	J 25,001 to 50,000	K 50,001 to 100,000	L 100,001 to 250,000	M 250,001 and over
					SIZE OF ASSETS IN THOUSANDS OF DOLLARS (000 OMITTED)								
1. Number of Enterprises	5907	301	2721	1091	657	423	448	116	66	33	21	16	13
2. Total receipts (in millions of dollars)	9779.4	407.3	119.8	124.2	119.3	468.9	810.1	510.3	510.2	648.4	587.3	1209.8	4263.9
Selected Operating Factors in Percent of Net Sales													
3. Cost of operations	40.5	37.4	11.4	24.3	25.2	68.4	60.8	55.5	43.9	36.5	50.7	44.8	30.2
4. Compensation of officers	2.1	2.8	7.2	10.9	3.8	3.2	4.3	4.9	3.5	3.1	2.9	0.4	0.9
5. Repairs	0.9	0.1	0.2	0.1	2.1	0.3	0.3	0.4	0.7	0.6	0.1	0.1	1.6
6. Bad debts	0.8	1.2	0.6	-	-	2.4	0.5	0.1	0.7	3.0	0.9	0.2	0.6
7. Rent on business property	1.5	1.1	6.3	0.7	1.5	0.9	1.1	2.0	1.3	1.9	2.0	0.3	1.8
8. Taxes (excl Federal tax)	3.1	3.8	5.3	7.2	5.1	2.4	3.4	4.4	4.6	4.3	4.9	4.3	1.7
9. Interest	8.0	23.1	3.8	9.0	3.7	0.8	3.6	9.4	3.1	6.7	6.8	6.4	10.6
10. Deprec/Deplet/Amortiz†	12.7	16.7	13.8	19.5	21.6	3.7	10.3	18.7	15.8	13.7	20.0	8.4	12.9
11. Advertising	0.2	-	-	0.1	-	0.3	-	-	-	2.1	0.1	0.1	0.1
12. Pensions & other benef plans	1.2	0.5	0.1	0.3	2.8	0.3	1.2	1.8	1.1	0.6	1.1	0.6	1.7
13. Other expenses	34.1	52.7	55.8	50.1	44.5	14.9	22.2	36.5	30.7	41.1	27.9	18.0	42.0
14. Net profit before tax	#	#	#	#	#	2.4	#	#	#	#	#	16.4	#
Selected Financial Ratios (number of times ratio is to one)													
15. Current ratio	1.7	-	-	-	1.0	2.9	1.2	1.5	1.7	2.6	1.7	1.7	1.9
16. Quick ratio	1.3	-	-	-	1.0	2.7	1.0	1.3	1.3	1.8	1.3	1.3	1.3
17. Net sls to net wkg capital	2.9	-	-	-	-	5.1	7.8	2.6	1.9	1.6	1.8	3.9	2.4
18. Coverage ratio	5.7	-	-	-	-	-	-	3.3	8.9	3.7	3.7	7.9	5.2
19. Asset turnover	0.3	-	-	-	0.3	1.5	0.5	0.4	0.4	0.4	0.3	0.4	0.2
20. Total liab to net worth	0.8	-	-	-	0.6	0.5	1.0	1.3	0.8	0.7	1.1	1.1	0.6
Selected Financial Factors in Percentages													
21. Debt ratio	43.0	-	-	-	37.9	32.6	49.6	55.9	45.4	40.5	51.6	51.9	37.8
22. Return on assets	13.8	-	-	-	16.2	13.6	19.7	11.7	11.5	10.8	6.9	19.2	11.7
23. Return on equity	13.9	-	-	-	22.7	14.9	32.8	16.4	15.9	9.5	8.6	22.6	9.0
24. Return on net worth	24.2	-	-	-	26.1	20.2	39.1	26.4	21.1	18.1	14.3	39.9	18.9

†Depreciation largest factor

TABLE I: CORPORATIONS WITH AND WITHOUT NET INCOME, 1990 EDITION

1380 MINING: OIL AND GAS EXTRACTION:
Oil and gas field services

Item Description For Accounting Period 7/86 Through 6/87	A Total	B Zero Assets	SIZE OF ASSETS IN THOUSANDS OF DOLLARS (000 OMITTED)										
			C Under 100	D 100 to 250	E 251 to 500	F 501 to 1,000	G 1,001 to 5,000	H 5,001 to 10,000	I 10,001 to 25,000	J 25,001 to 50,000	K 50,001 to 100,000	L 100,001 to 250,000	M 250,001 and over
1. Number of Enterprises	14459	1156	5952	2899	2068	1135	885	162	103	45	23	13	18
2. Total receipts (in millions of dollars)	20841.0	356.9	528.8	939.9	1370.6	1271.4	1648.2	708.3	891.5	1585.0	786.4	694.7	10059.3
Selected Operating Factors in Percent of Net Sales													
3. Cost of operations	64.7	-	32.4	39.4	28.3	56.5	51.8	51.9	-	79.2	64.7	63.3	76.7
4. Compensation of officers	2.6	-	9.0	6.4	5.2	6.9	5.2	6.0	-	1.2	1.9	1.8	0.4
5. Repairs	1.1	-	2.6	2.1	3.2	1.1	1.9	1.2	-	0.5	1.0	0.8	0.6
6. Bad debts	1.3	-	0.9	0.2	0.9	1.5	1.7	2.5	-	0.5	1.7	2.1	0.8
7. Rent on business property	2.2	-	3.4	1.5	2.1	1.3	1.9	2.4	-	1.4	3.8	2.5	2.1
8. Taxes (excl Federal tax)	2.8	-	2.6	2.4	3.6	3.8	3.3	4.4	-	1.5	3.2	7.3	2.2
9. Interest	7.9	-	3.0	5.7	2.8	5.6	4.7	4.9	-	4.5	9.2	13.4	8.8
10. Deprec/Deplet/Amortiz†	14.1	-	9.0	7.7	10.5	8.2	11.7	14.7	-	10.2	17.0	17.3	16.5
11. Advertising	0.3	-	0.3	0.3	0.3	0.1	0.2	0.4	-	0.1	0.4	0.3	0.3
12. Pensions & other benef plans	1.5	-	0.3	0.3	1.1	1.2	1.5	1.4	-	0.6	1.5	2.2	1.9
13. Other expenses	31.7	-	54.8	47.1	48.2	30.2	34.8	36.8	-	17.5	38.9	28.1	26.0
14. Net profit before tax	*	*	*	*	*	*	*	*	*	*	*	*	*
Selected Financial Ratios (number of times ratio is to one)													
15. Current ratio	0.9	-	-	-	1.6	1.0	1.1	1.7	0.8	1.0	0.7	0.7	0.9
16. Quick ratio	0.7	-	-	-	1.2	0.9	1.0	1.4	0.6	0.7	0.5	0.5	0.7
17. Net sls to net wkg capital	-	-	-	-	11.1	-	24.4	3.5	-	-	-	-	-
18. Coverage ratio	-	-	-	-	0.1	-	-	0.2	-	0.3	-	-	-
19. Asset turnover	0.5	-	-	-	1.8	1.4	0.9	0.6	0.5	0.9	0.4	0.4	0.3
20. Total liab to net worth	1.6	-	-	-	6.3	23.6	3.3	1.2	7.7	102.9	1.5	10.0	1.1
Selected Financial Factors in Percentages													
21. Debt ratio	61.8	-	-	-	86.2	95.9	76.9	54.3	88.5	99.0	60.5	90.9	51.5
22. Return on assets	-	-	-	-	0.4	-	-	0.6	-	1.3	-	-	-
23. Return on equity	-	-	-	-	-	-	-	-	-	-	-	-	-
24. Return on net worth	-	-	-	-	2.9	-	-	1.4	-	-	-	-	-

†Depreciation largest factor

1380 MINING: OIL AND GAS EXTRACTION:

Oil and gas field services

	SIZE OF ASSETS IN THOUSANDS OF DOLLARS (000 OMITTED)												
Item Description For Accounting Period 7/86 Through 6/87	A Total	B Zero Assets	C Under 100	D 100 to 250	E 251 to 500	F 501 to 1,000	G 1,001 to 5,000	H 5,001 to 10,000	I 10,001 to 25,000	J 25,001 to 50,000	K 50,001 to 100,000	L 100,001 to 250,000	M 250,001 and over
1. Number of Enterprises	6607	645	2995	1117	1044	359	339	57	26	19	3	4	-
2. Total receipts (in millions of dollars)	4966.2	162.6	241.4	396.2	1093.1	460.7	797.8	352.1	348.3	749.5	124.2	240.4	-
Selected Operating Factors in Percent of Net Sales													
3. Cost of operations	46.1	42.0	6.9	26.9	22.3	58.6	51.3	48.2	70.9	83.6	-	56.2	-
4. Compensation of officers	4.5	7.3	11.9	8.2	5.0	5.7	3.9	3.8	1.2	0.9	-	0.2	-
5. Repairs	1.8	1.0	2.9	3.2	3.4	0.3	1.7	1.3	0.3	0.4	-	-	-
6. Bad debts	0.9	1.4	-	0.2	0.1	0.2	0.9	0.1	9.3	0.5	-	0.8	-
7. Rent on business property	1.8	2.8	5.8	1.5	1.9	1.2	2.4	1.5	0.9	1.2	-	0.3	-
8. Taxes (excl Federal tax)	2.7	2.8	1.4	2.9	3.2	3.7	2.0	5.1	3.6	0.9	-	1.5	-
9. Interest	3.8	6.9	1.8	5.7	1.8	4.9	2.5	3.9	8.2	2.8	-	7.4	-
10. Deprec/Deplet/Amortiz†	8.0	9.3	6.8	9.5	8.7	4.4	5.3	7.9	11.5	4.7	-	25.9	-
11. Advertising	0.2	0.3	0.4	0.2	0.3	-	0.2	0.5	0.1	-	-	-	-
12. Pensions & other benef plans	0.9	1.4	0.6	0.5	1.2	0.3	1.9	0.4	1.0	0.2	-	0.8	-
13. Other expenses	32.1	58.8	54.9	35.8	49.1	20.2	26.6	29.7	21.1	11.3	-	14.5	-
14. Net profit before tax	#	#	6.6	5.4	3.0	0.5	1.3	#	#	#	#	#	-
Selected Financial Ratios (number of times ratio is to one)													
15. Current ratio	1.4	-	1.5	2.4	2.0	1.9	1.6	2.4	1.2	1.0	0.7	1.2	-
16. Quick ratio	1.2	-	1.2	2.0	1.7	1.5	1.4	1.8	1.0	0.9	0.5	0.9	-
17. Net sls to net wkg capital	9.1	-	20.2	6.4	12.8	5.5	7.8	3.3	6.2	83.4	-	4.0	-
18. Coverage ratio	5.1	-	9.6	2.9	4.2	2.8	6.8	6.9	5.2	6.4	3.8	4.7	-
19. Asset turnover	1.1	-	-	2.1	-	1.6	1.3	0.8	0.6	1.0	0.2	0.2	-
20. Total liab to net worth	1.1	-	2.0	0.9	0.9	2.3	0.9	0.7	3.0	1.5	1.6	0.7	-
Selected Financial Factors in Percentages													
21. Debt ratio	52.7	-	66.7	47.9	46.7	70.1	46.8	42.3	74.9	60.0	61.8	41.3	-
22. Return on assets	20.1	-	-	-	21.2	22.0	21.4	20.9	23.6	17.9	18.2	6.8	-
23. Return on equity	30.2	-	-	35.6	27.0	46.3	30.3	27.9	-	34.0	32.2	6.8	-
24. Return on net worth	42.5	-	-	64.7	39.7	73.5	40.1	36.2	94.0	44.7	47.7	11.5	-

†Depreciation largest factor

TABLE I: CORPORATIONS WITH AND WITHOUT NET INCOME, 1990 EDITION

1430 MINING: NONMETALLIC MINERALS EXCEPT FUELS:
Dimension, crushed and broken stone; sand and gravel

Item Description For Accounting Period 7/86 Through 6/87	A Tot'l	B Zero Assets	SIZE OF ASSETS IN THOUSANDS OF DOLLARS (000 OMITTED)										
			C Under 100	D 100 to 250	E 251 to 500	F 501 to 1,000	G 1,001 to 5,000	H 5,001 to 10,000	I 10,001 to 25,000	J 25,001 to 50,000	K 50,001 to 100,000	L 100,001 to 250,000	M 250,001 and over
1. Number of Enterprises	3220	33	726	635	912	87	625	107	62	20	5	7	-
2. Total receipts (in millions of dollars)	7916.9	136.6	104.3	197.4	477.8	99.6	1410.0	1010.4	1032.1	769.1	434.8	2244.9	-
Selected Operating Factors in Percent of Net Sales													
3. Cost of operations	60.6	43.9	81.1	49.5	59.7	49.5	57.8	62.2	67.3	63.6	64.0	58.9	-
4. Compensation of officers	2.9	2.9	-	11.7	3.1	8.9	5.2	4.3	2.3	1.3	1.4	0.8	-
5. Repairs	2.9	1.9	3.0	0.8	4.7	7.6	1.8	1.5	1.3	1.6	0.6	5.5	-
6. Bad debts	0.4	0.3	0.1	-	0.3	0.3	0.5	0.4	0.4	0.3	0.2	0.4	-
7. Rent on business property	1.1	2.0	-	0.6	1.1	-	1.5	0.3	0.2	0.2	0.3	2.1	-
8. Taxes (excl Federal tax)	3.2	4.6	3.9	3.3	5.0	3.4	3.4	3.1	3.0	3.3	2.8	2.9	-
9. Interest	2.4	2.7	5.2	0.3	2.3	2.3	2.5	1.5	3.2	3.3	1.6	2.4	-
10. Deprec/Deplet/Amortiz†	9.5	11.8	7.1	12.4	6.1	12.9	8.7	8.4	9.1	10.1	8.3	10.9	-
11. Advertising	0.1	0.1	-	-	0.1	0.2	0.1	0.1	0.1	0.1	0.4	0.1	-
12. Pensions & other benef plans	1.4	1.5	-	0.4	1.4	-	0.9	0.6	1.2	1.7	3.0	2.1	-
13. Other expenses	12.8	22.5	7.5	21.1	17.6	8.3	15.8	10.8	11.3	11.0	12.4	11.2	-
14. Net profit before tax	2.7	5.8	*	*	*	6.6	1.8	6.8	0.6	3.5	5.0	2.7	-
Selected Financial Ratios (number of times ratio is to one)													
15. Current ratio	1.9	-	1.3	3.7	1.9	4.4	1.8	1.9	1.6	2.0	2.0	1.9	-
16. Quick ratio	1.4	-	1.0	3.4	1.7	3.9	1.3	1.5	1.3	1.4	1.3	1.2	-
17. Net sls to net wkg capital	6.3	-	13.8	4.1	5.8	3.1	5.6	7.1	7.7	6.1	5.6	6.3	-
18. Coverage ratio	4.3	-	9.6	2.5	3.1	4.9	3.5	7.1	2.8	3.7	6.1	4.5	-
19. Asset turnover	1.1	-	1.3	1.8	1.4	1.5	1.1	1.4	1.1	1.1	1.2	0.9	-
20. Total liab to net worth	0.9	-	1.1	0.4	0.9	0.4	0.9	0.7	1.3	1.0	0.9	1.0	-
Selected Financial Factors in Percentages													
21. Debt ratio	48.4	-	51.3	29.9	48.2	25.8	46.5	41.8	56.1	50.1	46.4	49.7	-
22. Return on assets	11.6	-	-	1.5	10.1	16.4	9.6	14.9	9.9	13.1	11.3	10.2	-
23. Return on equity	11.3	-	-	0.9	12.0	13.6	9.7	16.1	8.2	12.6	9.5	8.9	-
24. Return on net worth	22.5	-	-	2.2	19.5	22.1	17.9	25.7	22.5	26.2	21.0	20.4	-

†Depreciation largest factor

1430 MINING: NONMETALLIC MINERALS EXCEPT FUELS:

Dimension, crushed and broken stone; sand and gravel

	SIZE OF ASSETS IN THOUSANDS OF DOLLARS (000 OMITTED)												
Item Description For Accounting Period 7/86 Through 6/87	A Total	B Zero Assets	C Under 100	D 100 to 250	E 251 to 500	F 501 to 1,000	G 1,001 to 5,000	H 5,001 to 10,000	I 10,001 to 25,000	J 25,001 to 50,000	K 50,001 to 100,000	L 100,001 to 250,000	M 250,001 and over
1. Number of Enterprises	2559	30	726	386	623	87	544	87	51	16	-	-	-
2. Total receipts (in millions of dollars)	6796.5	126.7	104.3	185.1	298.2	99.6	1242.9	860.0	885.7	638.6	-	-	-
Selected Operating Factors in Percent of Net Sales													
3. Cost of operations	60.4	46.8	81.1	52.6	54.9	49.5	59.5	61.4	66.5	64.8	-	-	-
4. Compensation of officers	2.8	3.1	-	11.8	3.4	8.9	4.7	4.1	2.3	1.4	-	-	-
5. Repairs	3.1	0.8	3.0	-	7.1	7.6	1.6	1.8	1.3	1.2	-	-	-
6. Bad debts	0.4	0.3	0.1	-	0.5	0.3	0.5	0.4	0.4	0.2	-	-	-
7. Rent on business property	1.1	0.6	-	0.5	1.5	-	1.5	0.2	0.2	0.2	-	-	-
8. Taxes (excl Federal tax)	3.3	4.7	3.9	3.0	5.5	3.4	3.5	2.9	3.3	3.1	-	-	-
9. Interest	1.8	2.9	5.2	0.3	1.3	2.3	1.9	1.3	3.1	3.1	-	-	-
10. Deprec/Deplet/Amortiz†	9.3	11.9	7.1	7.9	5.9	12.9	9.0	8.7	9.0	9.0	-	-	-
11. Advertising	0.1	0.1	-	-	0.1	0.2	0.1	0.1	0.1	0.1	-	-	-
12. Pensions & other benef plans	1.5	1.6	-	0.4	1.9	-	0.9	0.6	0.9	1.7	-	-	-
13. Other expenses	11.4	20.3	7.5	18.3	14.7	8.3	13.0	8.8	10.8	9.5	-	-	-
14. Net profit before tax	4.8	6.9	#	5.2	3.2	6.6	3.8	9.7	2.1	5.7	-	-	-
Selected Financial Ratios (number of times ratio is to one)													
15. Current ratio	2.0	-	1.3	2.0	3.0	4.4	2.1	2.1	1.6	2.1	-	-	-
16. Quick ratio	1.5	-	1.0	1.7	2.8	3.9	1.7	1.7	1.3	1.5	-	-	-
17. Net sls to net wkg capital	5.8	-	13.8	10.2	3.8	3.1	4.5	6.3	8.2	5.6	-	-	-
18. Coverage ratio	6.7	-	9.6	-	8.4	4.9	5.3	9.9	3.4	4.8	-	-	-
19. Asset turnover	1.2	-	1.3	-	1.4	1.5	1.1	1.5	1.1	1.1	-	-	-
20. Total liab to net worth	0.8	-	1.1	0.6	0.4	0.4	0.7	0.5	1.2	0.9	-	-	-
Selected Financial Factors in Percentages													
21. Debt ratio	43.0	-	51.3	37.1	28.4	25.8	41.2	34.2	54.5	47.3	-	-	-
22. Return on assets	14.1	-	-	16.1	15.2	16.4	11.5	19.0	11.7	15.8	-	-	-
23. Return on equity	14.4	-	-	23.5	17.4	13.6	12.6	19.5	10.9	15.9	-	-	-
24. Return on net worth	24.7	-	-	25.5	21.2	22.1	19.5	28.9	25.8	29.9	-	-	-

†Depreciation largest factor

TABLE I: CORPORATIONS WITH AND WITHOUT NET INCOME, 1990 EDITION

1498 MINING: NONMETALLIC MINERALS EXCEPT FUELS:
Other nonmetallic minerals, except fuels

Item Description For Accounting Period 7/86 Through 6/87	A Total	B Zero Assets	C Under 100	D 100 to 250	E 251 to 500	F 501 to 1,000	G 1,001 to 5,000	H 5,001 to 10,000	I 10,001 to 25,000	J 25,001 to 50,000	K 50,001 to 100,000	L 100,001 to 250,000	M 250,001 and over
1. Number of Enterprises	1068	26	534	-	156	43	243	22	26	6	6	3	3
2. Total receipts (in millions of dollars)	3871.4	100.4	26.0	-	61.5	19.7	588.2	125.3	354.3	218.5	480.4	472.1	1425.0
Selected Operating Factors in Percent of Net Sales													
3. Cost of operations	62.7	64.0	-	-	41.6	11.2	74.9	69.3	63.2	58.0	69.1	69.7	51.5
4. Compensation of officers	1.8	1.2	-	-	9.6	-	4.2	4.1	1.8	1.2	1.1	0.4	0.5
5. Repairs	1.0	0.1	-	-	6.0	6.8	1.4	0.1	0.9	0.8	0.1	-	1.4
6. Bad debts	0.5	0.3	-	-	0.1	-	0.2	0.1	1.1	4.4	0.4	0.1	0.1
7. Rent on business property	1.5	0.6	-	-	6.4	-	0.9	0.1	0.1	0.3	0.5	1.9	3.0
8. Taxes (excl Federal tax)	2.8	0.5	-	-	3.2	7.0	2.7	1.3	3.7	2.1	1.8	1.1	4.3
9. Interest	6.3	1.4	-	-	4.1	0.6	2.4	0.1	6.8	2.7	2.8	3.0	13.9
10. Deprec/Deplet/Amortiz†	11.6	8.8	-	-	15.6	36.6	7.0	8.3	12.1	10.9	7.2	9.4	17.6
11. Advertising	0.8	1.9	-	-	0.5	-	0.4	0.2	0.6	4.1	0.8	0.2	0.8
12. Pensions & other benef plans	2.4	-	-	-	1.4	-	1.5	1.6	3.4	1.0	1.2	2.1	4.2
13. Other expenses	18.6	17.7	-	-	22.9	36.2	14.8	11.3	8.5	25.0	11.4	7.5	31.5
14. Net profit before tax	*	3.5	*	-	*	1.6	*	3.5	*	*	3.6	4.6	*
Selected Financial Ratios (number of times ratio is to one)													
15. Current ratio	1.1	-	-	-	0.3	-	1.8	0.8	1.9	1.1	2.0	3.1	0.7
16. Quick ratio	0.7	-	-	-	0.3	-	1.1	0.6	1.0	0.9	0.9	2.5	0.4
17. Net sls to net wkg capital	19.7	-	-	-	-	1.1	6.4	-	5.2	28.7	4.8	3.1	-
18. Coverage ratio	2.2	-	-	-	3.3	-	-	-	1.0	1.6	3.1	4.0	2.4
19. Asset turnover	0.6	-	-	-	1.0	0.5	1.2	0.9	1.0	0.9	1.1	0.9	0.3
20. Total liab to net worth	1.6	-	-	-	2.9	-	1.6	1.0	1.3	1.8	1.1	1.2	2.0
Selected Financial Factors in Percentages													
21. Debt ratio	61.8	-	-	-	74.0	0.1	61.5	49.4	56.0	63.6	52.5	55.2	66.2
22. Return on assets	8.2	-	-	-	14.0	4.4	-	3.8	6.3	4.1	9.5	10.2	9.8
23. Return on equity	5.9	-	-	-	36.9	4.1	-	0.6	-	3.1	7.3	13.7	9.5
24. Return on net worth	21.5	-	-	-	53.8	4.4	-	7.5	14.4	11.2	20.0	22.9	28.9

SIZE OF ASSETS IN THOUSANDS OF DOLLARS (000 OMITTED)

†Depreciation largest factor

TABLE II: CORPORATIONS WITH NET INCOME, 1990 EDITION

1498 MINING: NONMETALLIC MINERALS EXCEPT FUELS:
Other nonmetallic minerals, except fuels

Item Description For Accounting Period 7/86 Through 6/87	A Total	B Zero Assets	C Under 100	D 100 to 250	E 251 to 500	F 501 to 1,000	G 1,001 to 5,000	H 5,001 to 10,000	I 10,001 to 25,000	J 25,001 to 50,000	K 50,001 to 100,000	L 100,001 to 250,000	M 250,001 and over
							SIZE OF ASSETS IN THOUSANDS OF DOLLARS (000 OMITTED)						
1. Number of Enterprises	888	21	534	-	156	43	90	17	15	3	-	-	-
2. Total receipts (in millions of dollars)	3180.8	100.4	26.0	-	61.5	19.7	287.1	125.3	224.6	169.6	-	-	-
Selected Operating Factors in Percent of Net Sales													
3. Cost of operations	58.7	64.0	-	-	41.6	11.2	66.7	65.9	56.9	50.7	-	-	-
4. Compensation of officers	1.6	1.2	-	-	9.6	-	5.1	4.1	1.4	1.5	-	-	-
5. Repairs	1.2	0.1	-	-	6.0	6.8	2.9	0.1	1.5	0.9	-	-	-
6. Bad debts	0.3	0.3	-	-	0.1	-	-	0.1	0.1	3.9	-	-	-
7. Rent on business property	1.5	0.6	-	-	6.4	-	0.9	0.1	0.1	0.3	-	-	-
8. Taxes (excl Federal tax)	3.1	0.5	-	-	3.2	7.0	3.4	1.3	4.9	2.2	-	-	-
9. Interest	6.1	1.4	-	-	4.1	0.6	1.7	0.2	4.4	1.4	-	-	-
10. Deprec/Deplet/Amortiz†	11.9	8.7	-	-	15.6	36.6	5.3	8.3	13.3	8.5	-	-	-
11. Advertising	0.9	1.9	-	-	0.5	-	-	0.2	0.8	5.2	-	-	-
12. Pensions & other benef plans	2.7	-	-	-	1.4	-	1.9	1.6	5.0	1.0	-	-	-
13. Other expenses	18.8	17.6	-	-	22.9	36.2	8.3	10.8	8.2	29.3	-	-	-
14. Net profit before tax	#	3.7	#	-	#	1.6	3.8	7.3	3.4	#	-	-	-
Selected Financial Ratios (number of times ratio is to one)													
15. Current ratio	1.0	-	-	-	0.3	-	1.6	0.8	3.0	1.1	-	-	-
16. Quick ratio	0.7	-	-	-	0.3	-	0.9	0.6	1.8	0.6	-	-	-
17. Net sls to net wkg capital	106.0	-	-	-	-	1.1	10.6	-	4.0	53.4	-	-	-
18. Coverage ratio	3.2	-	-	-	3.3	-	5.1	-	2.4	5.3	-	-	-
19. Asset turnover	0.6	-	-	-	1.0	0.5	1.4	1.1	1.0	1.7	-	-	-
20. Total liab to net worth	1.5	-	-	-	2.9	-	1.5	0.5	0.9	0.8	-	-	-
Selected Financial Factors in Percentages													
21. Debt ratio	60.6	-	-	-	74.0	0.1	59.7	35.2	46.9	44.7	-	-	-
22. Return on assets	11.7	-	-	-	14.0	4.4	12.5	9.0	10.4	12.3	-	-	-
23. Return on equity	13.4	-	-	-	36.9	4.1	16.8	7.0	5.6	16.1	-	-	-
24. Return on net worth	29.8	-	-	-	53.8	4.4	31.1	13.9	19.5	22.2	-	-	-

†Depreciation largest factor

TABLE I: CORPORATIONS WITH AND WITHOUT NET INCOME, 1990 EDITION

1510 CONSTRUCTION: GENERAL BUILDING CONTRACTORS AND OPERATIVE BUILDERS:
General building contractors

Item Description For Accounting Period 7/86 Through 6/87	A	B Zero Assets	C Under 100	D 100 to 250	E 251 to 500	F 501 to 1,000	G 1,001 to 5,000	H 5,001 to 10,000	I 10,001 to 25,000	J 25,001 to 50,000	K 50,001 to 100,000	L 100,001 to 250,000	M 250,001 and over
1. Number of Enterprises	139185	7531	66216	24356	14891	11549	12049	1512	722	209	83	45	23
2. Total receipts (in millions of dollars)	189285.2	2466.1	16400.0	13333.8	12901.5	18418.8	48919.3	17310.7	14283.2	10875.1	6943.3	10281.6	17151.9
Selected Operating Factors in Percent of Net Sales													
3. Cost of operations	85.1	82.7	76.2	75.8	80.9	82.9	86.2	88.8	88.0	90.8	89.1	93.5	87.4
4. Compensation of officers	2.7	2.2	4.8	3.8	4.3	3.6	3.2	2.1	1.8	1.2	1.0	0.9	0.6
5. Repairs	0.3	0.4	0.3	0.3	0.3	0.3	0.2	0.2	0.4	0.2	0.2	0.1	0.4
6. Bad debts	0.2	0.1	0.1	0.2	0.1	0.2	0.3	0.2	0.1	0.2	0.2	0.1	0.2
7. Rent on business property	0.6	1.4	0.9	0.7	0.7	0.5	0.4	0.4	0.5	0.5	0.6	0.3	1.1
8. Taxes (excl Federal tax)	1.4	1.3	2.1	1.9	1.8	1.6	1.3	1.1	1.1	0.9	1.2	0.6	1.3
9. Interest	1.9	2.8	0.9	1.1	1.6	1.2	1.1	1.2	1.6	1.1	2.0	1.7	9.0
10. Deprec/Deplet/Amortiz†	1.3	1.3	1.5	1.6	1.5	1.4	1.1	0.9	1.3	1.2	1.4	0.8	2.1
11. Advertising	0.3	0.2	0.2	0.3	0.3	0.2	0.2	0.2	0.3	0.2	0.2	0.2	0.6
12. Pensions & other benef plans	0.6	1.8	0.2	0.4	0.7	0.8	0.7	0.5	0.7	0.5	0.3	0.3	0.9
13. Other expenses	8.4	11.8	13.7	14.1	8.8	7.7	6.5	6.2	6.7	5.8	7.2	5.0	12.2
14. Net profit before tax	*	*	*	*	*	*	*	*	*	*	*	*	*
Selected Financial Ratios (number of times ratio is to one)													
15. Current ratio	1.3	-	1.4	1.5	1.4	1.3	1.2	1.2	1.3	1.3	1.4	1.3	1.3
16. Quick ratio	0.6	-	0.9	0.8	0.7	0.6	0.6	0.6	0.6	0.6	0.7	0.7	0.8
17. Net sls to net wkg capital	11.7	-	54.9	17.0	13.5	14.0	13.2	11.2	8.3	9.6	5.7	10.0	6.4
18. Coverage ratio	1.5	-	1.0	1.9	1.8	2.2	2.1	2.2	1.6	2.1	1.5	1.2	0.9
19. Asset turnover	1.7	-	-	-	2.4	2.2	1.9	1.6	1.3	1.5	1.2	1.4	0.7
20. Total liab to net worth	4.8	-	20.4	4.9	4.6	3.9	5.1	6.9	6.8	5.0	6.3	5.0	3.1
Selected Financial Factors in Percentages													
21. Debt ratio	82.6	-	95.3	83.2	82.0	79.4	83.7	87.4	87.1	83.2	86.3	83.4	75.7
22. Return on assets	4.8	-	7.0	7.0	6.8	5.9	4.5	4.4	3.3	3.2	3.5	2.7	5.7
23. Return on equity	4.0	-	-	11.5	10.4	10.2	8.2	11.6	3.0	5.2	2.6	-	-
24. Return on net worth	27.7	-	-	41.8	37.8	28.6	27.6	34.5	25.7	19.0	25.4	16.4	23.5

SIZE OF ASSETS IN THOUSANDS OF DOLLARS (000 OMITTED)

†Depreciation largest factor

1510 CONSTRUCTION: GENERAL BUILDING CONTRACTORS AND OPERATIVE BUILDERS:
General building contractors

Item Description For Accounting Period 7/86 Through 6/87	A Total	B Zero Assets	C Under 100	D 100 to 250	E 251 to 500	F 501 to 1,000	G 1,001 to 5,000	H 5,001 to 10,000	I 10,001 to 25,000	J 25,001 to 50,000	K 50,001 to 100,000	L 100,001 to 250,000	M 250,001 and over
SIZE OF ASSETS IN THOUSANDS OF DOLLARS (000 OMITTED)													
1. Number of Enterprises	75380	4057	31404	13707	8815	7779	7880	1055	460	131	51	25	15
2. Total receipts (in millions of dollars)	133707.5	1118.8	10463.4	8828.0	8958.0	14214.6	38013.2	13885.9	10923.5	7479.2	4912.6	6014.0	8896.2
Selected Operating Factors in Percent of Net Sales													
3. Cost of operations	83.7	77.7	76.7	71.9	79.1	81.7	85.3	87.9	88.0	88.6	89.3	90.7	81.7
4. Compensation of officers	2.8	2.6	4.3	4.2	4.4	3.7	3.1	2.0	1.6	1.2	0.9	0.9	0.9
5. Repairs	0.3	0.2	0.2	0.3	0.3	0.3	0.2	0.2	0.4	0.2	0.2	0.1	0.6
6. Bad debts	0.2	0.1	-	0.2	0.1	0.1	0.2	0.2	0.1	0.2	0.1	0.1	0.2
7. Rent on business property	0.5	0.5	0.6	0.7	0.6	0.5	0.3	0.3	0.4	0.5	0.5	0.3	1.3
8. Taxes (excl Federal tax)	1.3	1.1	1.9	1.8	1.9	1.4	1.3	1.1	0.9	1.1	0.8	0.7	1.8
9. Interest	1.7	1.3	0.6	0.8	1.0	1.0	0.8	1.0	1.1	1.0	1.2	1.6	13.7
10. Deprec/Deplet/Amortiz†	1.1	1.3	1.2	1.5	1.3	1.2	1.0	0.8	1.2	1.4	1.2	0.9	1.4
11. Advertising	0.2	0.3	0.2	0.3	0.2	0.2	0.2	0.2	0.3	0.2	0.2	0.2	0.7
12. Pensions & other benef plans	0.6	0.3	0.2	0.5	0.8	0.7	0.7	0.5	0.6	0.5	0.3	0.4	1.2
13. Other expenses	7.4	10.2	10.7	14.1	7.8	7.2	5.7	5.4	5.1	5.8	5.8	5.4	14.7
14. Net profit before tax	0.2	4.4	3.4	3.7	2.5	2.0	1.2	0.4	0.3	#	#	#	#
Selected Financial Ratios (number of times ratio is to one)													
15. Current ratio	1.3	-	2.2	1.9	1.6	1.4	1.3	1.3	1.3	1.3	1.5	1.3	1.3
16. Quick ratio	0.7	-	1.5	1.1	0.9	0.7	0.6	0.6	0.6	0.7	0.7	0.7	0.8
17. Net sls to net wkg capital	11.1	-	28.1	12.1	11.0	12.5	14.7	11.0	9.1	8.6	5.3	10.3	5.1
18. Coverage ratio	3.3	-	7.6	7.2	5.6	4.8	5.0	4.4	4.0	4.3	3.6	2.7	1.4
19. Asset turnover	1.9	-	-	-	-	-	2.3	1.8	1.5	1.6	1.3	1.4	0.5
20. Total liab to net worth	3.3	-	2.4	1.8	2.2	2.5	3.3	5.1	4.8	3.7	5.4	4.2	2.9
Selected Financial Factors in Percentages													
21. Debt ratio	76.9	-	70.8	63.8	68.4	71.0	76.8	83.7	82.8	78.6	84.4	80.8	74.2
22. Return on assets	10.2	-	-	22.1	15.8	12.6	9.7	8.4	6.9	6.8	5.9	6.3	8.9
23. Return on equity	25.1	-	-	46.2	35.4	29.0	26.5	31.4	22.5	18.6	18.4	15.4	6.6
24. Return on net worth	44.4	-	-	61.0	50.1	43.7	41.7	51.2	40.3	31.6	37.8	32.9	34.6

†Depreciation largest factor

TABLE I: CORPORATIONS WITH AND WITHOUT NET INCOME, 1990 EDITION

1531 CONSTRUCTION: GENERAL BUILDING CONTRACTORS AND OPERATIVE BUILDERS:
Operative builders

Item Description For Accounting Period 7/86 Through 6/87	A Total	B Zero Assets	C Under 100	D 100 to 250	E 251 to 500	F 501 to 1,000	G 1,001 to 5,000	H 5,001 to 10,000	I 10,001 to 25,000	J 25,001 to 50,000	K 50,001 to 100,000	L 100,001 to 250,000	M 250,001 and over
						SIZE OF ASSETS IN THOUSANDS OF DOLLARS (000 OMITTED)							
1. Number of Enterprises	3409	33	1291	485	595	352	545	55	34	6	6	-	8
2. Total receipts (in millions of dollars)	6032.3	113.9	85.0	71.1	60.8	136.3	759.0	75.7	226.6	49.4	579.0	-	3875.5
Selected Operating Factors in Percent of Net Sales													
3. Cost of operations	59.4	84.5	35.9	-	-	-	-	-	65.4	-	78.7	-	53.6
4. Compensation of officers	4.4	1.6	17.5	-	-	-	-	-	7.6	-	2.1	-	0.4
5. Repairs	0.7	0.2	1.1	-	-	-	-	-	1.2	-	0.2	-	0.5
6. Bad debts	0.2	-	-	-	-	-	-	-	0.1	-	0.2	-	0.1
7. Rent on business property	1.0	1.1	3.4	-	-	-	-	-	0.8	-	1.0	-	0.5
8. Taxes (excl Federal tax)	2.7	1.0	3.1	-	-	-	-	-	11.5	-	1.4	-	1.4
9. Interest	13.9	2.6	1.0	-	-	-	-	-	15.6	-	5.2	-	15.7
10. Deprec/Deplet/Amortiz†	2.3	2.5	8.6	-	-	-	-	-	2.8	-	0.9	-	1.5
11. Advertising	2.1	0.4	0.3	-	-	-	-	-	1.5	-	0.6	-	2.2
12. Pensions & other benef plans	0.9	0.1	1.5	-	-	-	-	-	1.4	-	0.7	-	0.4
13. Other expenses	39.8	16.5	29.3	-	-	-	-	-	25.9	-	11.1	-	41.8
14. Net profit before tax	*	*	*	*	*	*	*	*	*	*	*	-	*
Selected Financial Ratios (number of times ratio is to one)													
15. Current ratio	1.5	-	2.8	2.2	1.4	1.4	1.1	1.1	1.0	1.3	1.5	-	1.7
16. Quick ratio	1.0	-	2.6	1.9	0.7	0.4	0.3	0.5	0.3	1.0	0.7	-	1.2
17. Net sls to net wkg capital	1.4	-	10.5	0.2	0.4	0.7	6.7	0.4	-	2.0	3.2	-	1.1
18. Coverage ratio	1.3	-	9.8	-	1.8	0.9	1.7	0.8	1.3	1.3	2.9	-	1.2
19. Asset turnover	0.3	-	2.1	-	-	0.1	0.4	-	0.3	0.1	0.7	-	0.3
20. Total liab to net worth	8.5	-	1.6	0.9	3.0	3.2	5.1	7.3	-	19.1	4.8	-	10.1
Selected Financial Factors in Percentages													
21. Debt ratio	89.5	-	61.6	47.3	75.0	76.2	83.7	88.0	101.2	95.0	82.8	-	91.0
22. Return on assets	5.8	-	20.5	-	8.3	3.1	5.0	3.8	6.0	6.0	11.0	-	5.7
23. Return on equity	7.0	-	46.3	-	11.4	-	8.0	-	-	27.2	28.1	-	6.0
24. Return on net worth	55.5	-	53.3	-	33.0	12.9	30.5	31.2	-	-	63.8	-	62.5

†Depreciation largest factor

TABLE II: *CORPORATIONS WITH NET INCOME, 1990 EDITION*

1531 CONSTRUCTION: GENERAL BUILDING CONTRACTORS AND OPERATIVE BUILDERS:
Operative builders

Item Description For Accounting Period 7/86 Through 6/87	A Total	B Zero Assets	C Under 100	D 100 to 250	E 251 to 500	F 501 to 1,000	G 1,001 to 5,000	H 5,001 to 10,000	I 10,001 to 25,000	J 25,001 to 50,000	K 50,001 to 100,000	L 100,001 to 250,000	M 250,001 and over
SIZE OF ASSETS IN THOUSANDS OF DOLLARS (000 OMITTED)													
1. Number of Enterprises	1834	3	806	136	360	166	301	27	19	-	6	-	-
2. Total receipts (in millions of dollars)	4844.7	106.9	33.8	33.5	47.4	99.8	593.7	55.8	146.6	-	579.0	-	-
Selected Operating Factors in Percent of Net Sales													
3. Cost of operations	53.4	84.5	41.6	-	-	-	-	-	54.6	-	78.7	-	-
4. Compensation of officers	3.9	1.1	7.5	-	-	-	-	-	10.3	-	2.1	-	-
5. Repairs	0.6	0.2	0.6	-	-	-	-	-	1.7	-	0.2	-	-
6. Bad debts	0.2	-	-	-	-	-	-	-	0.2	-	0.2	-	-
7. Rent on business property	1.0	1.0	5.7	-	-	-	-	-	0.6	-	1.0	-	-
8. Taxes (excl Federal tax)	2.6	0.2	1.2	-	-	-	-	-	17.4	-	1.4	-	-
9. Interest	13.1	2.1	0.9	-	-	-	-	-	8.1	-	5.2	-	-
10. Deprec/Deplet/Amortiz†	2.0	1.1	0.3	-	-	-	-	-	3.3	-	0.9	-	-
11. Advertising	2.1	0.2	0.7	-	-	-	-	-	1.8	-	0.6	-	-
12. Pensions & other benef plans	1.0	-	3.8	-	-	-	-	-	2.2	-	0.7	-	-
13. Other expenses	43.5	13.2	13.9	-	-	-	-	-	28.6	-	11.1	-	-
14. Net profit before tax	#	#	23.8	-	#	#	#	-	#	-	#	-	-
Selected Financial Ratios (number of times ratio is to one)													
15. Current ratio	1.6	-	52.6	2.2	2.7	2.1	1.2	1.3	1.1	-	1.5	-	-
16. Quick ratio	1.1	-	52.6	1.3	2.1	0.9	0.4	0.4	0.5	-	0.7	-	-
17. Net sls to net wkg capital	1.2	-	3.0	-	0.1	0.7	4.3	-	6.1	-	3.2	-	-
18. Coverage ratio	1.8	-	-	-	2.8	3.8	3.4	3.1	5.0	-	2.9	-	-
19. Asset turnover	0.3	-	1.6	-	-	0.3	0.5	-	0.3	-	0.7	-	-
20. Total liab to net worth	7.1	-	0.8	0.3	1.7	1.3	4.0	2.4	2.7	-	4.8	-	-
Selected Financial Factors in Percentages													
21. Debt ratio	87.7	-	43.5	23.2	62.5	56.6	80.1	70.9	73.2	-	82.8	-	-
22. Return on assets	7.3	-	-	-	11.6	12.8	10.9	15.0	12.3	-	11.0	-	-
23. Return on equity	19.3	-	-	34.7	16.6	19.7	32.1	35.1	23.3	-	28.1	-	-
24. Return on net worth	58.8	-	98.6	45.1	30.9	29.4	54.5	51.5	45.8	-	63.8	-	-

†Depreciation largest factor

1600 CONSTRUCTION:
Heavy construction contractors

Item Description For Accounting Period 7/86 Through 6/87	A Total	B Zero Assets	C Under 100	D 100 to 250	E 251 to 500	F 501 to 1,000	G 1,001 to 5,000	H 5,001 to 10,000	I 10,001 to 25,000	J 25,001 to 50,000	K 50,001 to 100,000	L 100,001 to 250,000	M 250,001 and over
					SIZE OF ASSETS IN THOUSANDS OF DOLLARS (000 OMITTED)								
1. Number of Enterprises	19021	1356	5127	2880	2900	2766	2990	569	282	87	42	13	9
2. Total receipts (in millions of dollars)	63120.0	1081.8	787.1	1084.7	2230.7	4380.2	14313.6	7521.8	7302.2	4904.0	3301.4	2413.9	13798.5
Selected Operating Factors in Percent of Net Sales													
3. Cost of operations	78.8	83.1	57.1	62.4	52.1	66.8	77.9	82.5	83.4	83.0	82.6	80.6	83.0
4. Compensation of officers	2.2	2.0	5.9	7.8	7.7	4.6	2.5	2.4	1.5	1.2	1.4	0.8	0.5
5. Repairs	0.8	0.5	2.2	1.8	1.9	2.0	1.0	0.5	0.5	0.6	0.4	0.2	0.6
6. Bad debts	0.2	1.8	0.4	0.1	0.1	0.2	0.2	0.2	0.2	0.2	0.2	0.4	0.2
7. Rent on business property	0.9	0.5	2.1	0.9	1.4	1.5	0.5	0.4	0.5	0.4	0.5	0.6	1.7
8. Taxes (excl Federal tax)	2.0	1.9	3.0	2.5	4.1	3.2	2.5	2.0	1.8	1.6	1.9	1.1	1.2
9. Interest	2.0	1.5	3.1	1.3	2.3	1.3	1.5	1.3	1.3	1.4	2.0	2.3	3.6
10. Deprec/Deplet/Amortiz†	3.5	3.1	5.4	5.1	6.9	4.9	3.8	3.4	2.9	3.6	4.4	2.9	2.2
11. Advertising	0.1	0.1	0.2	0.1	0.1	0.1	0.1	0.1	0.1	0.1	0.6	-	-
12. Pensions & other benef plans	1.1	0.3	0.3	0.3	0.4	0.7	1.1	0.8	1.0	0.8	0.6	1.2	2.1
13. Other expenses	10.8	12.0	25.0	19.9	24.3	14.7	9.3	6.9	7.1	6.2	9.1	13.1	13.2
14. Net profit before tax	*	*	*	*	*	-	*	*	*	0.9	*	*	*
Selected Financial Ratios (number of times ratio is to one)													
15. Current ratio	1.2	-	0.3	1.1	1.3	1.8	1.2	1.4	1.5	1.5	1.4	1.1	0.8
16. Quick ratio	0.8	-	0.2	0.9	1.0	1.6	0.9	1.0	1.0	1.0	0.8	0.8	0.6
17. Net sls to net wkg capital	22.0	-	-	75.6	17.7	8.9	26.1	10.9	8.4	8.1	7.0	34.7	-
18. Coverage ratio	2.2	-	0.2	2.3	2.1	2.5	2.4	3.4	4.2	4.6	2.5	1.4	1.1
19. Asset turnover	1.4	-	-	2.2	2.1	2.2	2.2	1.9	1.7	1.6	1.2	1.3	0.8
20. Total liab to net worth	1.5	-	-	2.6	2.4	1.1	2.4	1.9	2.0	1.9	1.8	2.6	1.0
Selected Financial Factors in Percentages													
21. Debt ratio	60.7	-	192.0	72.0	70.1	52.4	70.9	65.4	66.3	65.5	64.7	72.3	50.2
22. Return on assets	6.2	-	2.4	6.6	10.5	7.1	8.2	8.4	9.4	10.6	5.7	4.1	3.1
23. Return on equity	4.7	-	-	11.5	15.1	4.9	9.3	9.1	13.3	15.5	5.9	-	-
24. Return on net worth	15.9	-	-	23.6	35.1	14.8	28.0	24.3	27.7	30.8	16.2	14.8	6.3

†Depreciation largest factor

1600 CONSTRUCTION:

Heavy construction contractors

Item Description For Accounting Period 7/86 Through 6/87	A Total	B Zero Assets	C Under 100	D 100 to 250	E 251 to 500	F 501 to 1,000	G 1,001 to 5,000	H 5,001 to 10,000	I 10,001 to 25,000	J 25,001 to 50,000	K 50,001 to 100,000	L 100,001 to 250,000	M 250,001 and over
						SIZE OF ASSETS IN THOUSANDS OF DOLLARS (000 OMITTED)							
1. Number of Enterprises	11119	703	2223	1537	1881	1827	2192	425	222	67	28	-	-
2. Total receipts (in millions of dollars)	45643.4	915.4	553.8	694.8	1457.6	2893.3	10960.8	6252.5	6129.6	3908.0	2228.9	-	-
					Selected Operating Factors in Percent of Net Sales								
3. Cost of operations	77.2	81.0	65.4	53.3	43.7	65.4	76.6	82.3	83.2	79.9	77.7	-	-
4. Compensation of officers	2.4	2.0	4.4	6.9	9.7	5.2	2.7	2.5	1.6	1.2	1.4	-	-
5. Repairs	0.8	0.2	1.5	2.4	1.9	1.6	0.9	0.4	0.5	0.7	0.4	-	-
6. Bad debts	0.2	1.1	-	0.1	0.1	0.2	0.2	0.1	0.2	0.1	0.3	-	-
7. Rent on business property	0.8	0.5	1.2	1.0	1.7	1.6	0.4	0.3	0.4	0.5	0.4	-	-
8. Taxes (excl Federal tax)	2.1	1.8	1.7	2.5	3.7	3.2	2.4	1.7	1.8	1.9	2.2	-	-
9. Interest	1.7	1.6	1.1	1.7	1.9	1.1	1.1	1.0	1.2	1.4	1.6	-	-
10. Deprec/Deplet/Amortiz†	3.5	2.4	3.1	6.8	6.0	4.8	3.7	3.2	2.8	4.0	4.7	-	-
11. Advertising	0.1	0.1	0.2	0.2	0.1	0.1	0.1	0.1	0.1	0.1	0.8	-	-
12. Pensions & other benef plans	0.9	0.2	0.3	0.4	0.3	0.7	1.1	0.7	1.0	0.9	0.6	-	-
13. Other expenses	9.5	10.6	15.9	23.8	28.8	12.0	8.5	5.9	6.4	6.3	8.0	-	-
14. Net profit before tax	0.8	#	5.2	0.9	2.1	4.1	2.3	1.8	0.8	3.0	1.9	-	-
					Selected Financial Ratios (number of times ratio is to one)								
15. Current ratio	1.2	-	-	1.0	1.6	2.2	1.4	1.6	1.5	1.6	1.5	-	-
16. Quick ratio	0.9	-	-	0.9	1.3	1.9	1.1	1.3	1.1	1.1	0.8	-	-
17. Net sls to net wkg capital	18.3	-	-	-	12.4	7.2	14.8	9.2	8.5	7.7	7.0	-	-
18. Coverage ratio	4.3	-	-	5.2	4.8	6.2	5.3	6.8	5.7	6.1	6.0	-	-
19. Asset turnover	1.4	-	-	2.4	2.2	2.2	2.3	2.0	1.8	1.7	1.2	-	-
20. Total liab to net worth	1.2	-	-	2.7	1.5	0.8	1.7	1.3	1.7	1.8	1.5	-	-
					Selected Financial Factors in Percentages								
21. Debt ratio	54.6	-	-	73.2	60.0	43.7	63.6	56.1	62.4	64.6	59.4	-	-
22. Return on assets	10.4	-	-	21.1	20.0	15.6	13.9	13.4	12.4	14.4	11.9	-	-
23. Return on equity	13.0	-	-	-	35.6	18.1	23.5	17.6	18.3	23.4	19.2	-	-
24. Return on net worth	22.8	-	-	78.7	50.1	27.6	38.3	30.4	32.9	40.8	29.4	-	-

†Depreciation largest factor

TABLE I: CORPORATIONS WITH AND WITHOUT NET INCOME, 1990 EDITION

1711 CONSTRUCTION: SPECIAL TRADE CONTRACTORS:
Plumbing, heating, and air conditioning

Item Description For Accounting Period 7/86 Through 6/87	A Total	B Zero Assets	C Under 100	D 100 to 250	E 251 to 500	F 501 to 1,000	G 1,001 to 5,000	H 5,001 to 10,000	I 10,001 to 25,000	J 25,001 to 50,000	K 50,001 to 100,000	L 100,001 to 250,000	M 250,001 and over
						SIZE OF ASSETS IN THOUSANDS OF DOLLARS (000 OMITTED)							
1. Number of Enterprises	36572	1763	19223	6948	4606	1858	1927	145	76	15	7	3	-
2. Total receipts (in millions of dollars)	33541.9	432.5	3839.7	3654.3	5413.6	3972.0	10247.3	2123.6	1963.8	569.3	771.6	554.2	-
Selected Operating Factors in Percent of Net Sales													
3. Cost of operations	73.6	67.8	59.2	65.1	69.7	72.1	78.4	81.7	84.6	85.2	91.0	92.5	-
4. Compensation of officers	4.9	4.0	9.6	7.4	5.9	5.0	3.5	2.4	1.6	1.5	0.6	0.7	-
5. Repairs	0.3	0.2	0.4	0.5	0.4	0.4	0.3	0.4	0.3	0.3	0.1	0.2	-
6. Bad debts	0.3	0.3	0.1	0.2	0.4	0.4	0.3	0.4	0.4	0.4	0.2	-	-
7. Rent on business property	1.1	0.6	1.7	1.7	1.1	1.1	0.9	0.6	0.6	0.5	0.5	0.8	-
8. Taxes (excl Federal tax)	2.7	2.2	3.7	3.2	3.0	2.9	2.4	2.6	1.5	1.0	0.6	1.1	-
9. Interest	0.8	0.8	0.7	0.8	1.2	0.8	0.7	0.7	0.6	0.7	0.9	2.2	-
10. Deprec/Deplet/Amortiz†	1.7	1.7	2.1	2.7	2.0	1.9	1.3	1.2	1.1	1.1	0.9	1.6	-
11. Advertising	0.4	0.7	0.7	0.7	0.6	0.4	0.3	0.1	0.1	0.2	0.1	0.2	-
12. Pensions & other benef plans	1.2	0.7	0.7	0.4	1.1	2.0	1.4	1.7	1.0	1.1	0.4	0.4	-
13. Other expenses	12.5	20.2	19.6	16.1	14.1	12.2	10.0	8.6	7.5	7.5	7.5	8.5	-
14. Net profit before tax	0.5	0.8	1.5	1.2	0.5	0.8	0.5	*	0.7	0.5	*	*	-
Selected Financial Ratios (number of times ratio is to one)													
15. Current ratio	1.3	-	0.7	1.9	1.8	1.6	1.4	1.4	1.4	1.4	1.0	-	-
16. Quick ratio	0.9	-	0.5	1.3	1.4	1.3	1.0	0.9	0.8	0.4	0.5	-	-
17. Net sls to net wkg capital	14.6	-	-	10.1	10.0	10.5	12.5	8.0	7.6	4.5	135.4	-	-
18. Coverage ratio	2.9	-	3.9	3.3	2.5	3.3	2.9	4.1	4.5	3.3	-	-	-
19. Asset turnover	-	-	-	-	-	-	-	2.0	1.8	1.1	1.6	-	-
20. Total liab to net worth	3.4	-	-	1.6	1.6	1.4	2.8	4.5	6.8	15.0	25.0	-	-
Selected Financial Factors in Percentages													
21. Debt ratio	77.1	-	126.4	61.2	60.7	58.0	73.6	81.9	87.2	93.8	96.2	-	-
22. Return on assets	6.6	-	15.0	8.8	9.8	8.4	5.6	5.8	5.2	2.7	-	-	-
23. Return on equity	12.5	-	-	12.8	11.0	10.3	8.0	11.3	21.7	18.8	-	-	-
24. Return on net worth	28.7	-	-	22.6	25.0	20.0	21.1	32.3	40.3	43.5	-	-	-

†Depreciation largest factor

TABLE II: CORPORATIONS WITH NET INCOME, 1990 EDITION

1711 CONSTRUCTION: SPECIAL TRADE CONTRACTORS:
Plumbing, heating, and air conditioning

Item Description For Accounting Period 7/86 Through 6/87	A Total	B Zero Assets	C Under 100	D 100 to 250	E 251 to 500	F 501 to 1,000	G 1,001 to 5,000	H 5,001 to 10,000	I 10,001 to 25,000	J 25,001 to 50,000	K 50,001 to 100,000	L 100,001 to 250,000	M 250,001 and over
						SIZE OF ASSETS IN THOUSANDS OF DOLLARS (000 OMITTED)							
1. Number of Enterprises	24194	764	11562	5555	3213	1467	1445	114	61	10	3	-	-
2. Total receipts (in millions of dollars)	25372.2	312.8	2327.1	3216.9	4077.9	3180.6	8032.4	1818.9	1613.9	494.3	297.3	-	-
Selected Operating Factors in Percent of Net Sales													
3. Cost of operations	72.3	64.6	53.9	65.7	68.7	71.4	77.2	81.0	83.5	84.5	88.2	-	-
4. Compensation of officers	5.0	4.3	10.2	7.1	5.9	5.3	3.7	2.5	1.5	1.5	1.5	-	-
5. Repairs	0.3	0.2	0.6	0.5	0.4	0.5	0.2	0.4	0.3	0.3	0.2	-	-
6. Bad debts	0.3	0.3	0.1	0.1	0.4	0.4	0.3	0.3	0.4	0.3	-	-	-
7. Rent on business property	1.0	0.6	1.9	1.5	1.1	0.9	0.8	0.6	0.5	0.5	0.3	-	-
8. Taxes (excl Federal tax)	2.7	1.9	3.6	3.1	3.0	2.9	2.5	2.5	1.4	0.9	0.4	-	-
9. Interest	0.7	0.9	0.6	0.6	1.1	0.6	0.6	0.5	0.8	0.8	0.3	-	-
10. Deprec/Deplet/Amortiz†	1.7	1.7	1.9	2.5	2.1	1.8	1.3	0.9	1.1	1.2	1.0	-	-
11. Advertising	0.4	0.8	0.9	0.6	0.5	0.4	0.3	0.1	0.1	0.2	-	-	-
12. Pensions & other benef plans	1.3	1.0	0.7	0.4	1.3	1.9	1.6	1.6	1.2	1.0	0.4	-	-
13. Other expenses	11.8	19.9	19.2	14.8	12.8	12.0	9.6	8.7	7.7	7.4	6.0	-	-
14. Net profit before tax	2.5	3.8	6.4	3.1	2.7	1.9	1.9	0.9	1.5	1.4	1.7	-	-
Selected Financial Ratios (number of times ratio is to one)													
15. Current ratio	1.5	-	-	1.9	2.1	1.8	1.5	1.5	1.3	1.4	1.0	-	-
16. Quick ratio	1.0	-	-	1.4	1.6	1.4	1.1	1.1	0.8	0.5	0.3	-	-
17. Net sls to net wkg capital	12.0	-	-	11.4	9.6	9.3	11.2	7.6	9.3	6.1	30.7	-	-
18. Coverage ratio	6.3	-	-	7.3	4.3	6.0	5.9	7.9	5.1	4.4	-	-	-
19. Asset turnover	-	-	-	-	-	-	-	2.1	1.9	1.4	1.2	-	-
20. Total liab to net worth	2.2	-	-	1.1	1.1	1.1	1.9	3.0	6.7	8.8	20.7	-	-
Selected Financial Factors in Percentages													
21. Debt ratio	68.7	-	-	52.4	52.0	53.0	65.0	75.1	87.0	89.8	95.4	-	-
22. Return on assets	12.7	-	-	16.1	17.7	11.6	9.6	8.4	7.3	4.9	4.6	-	-
23. Return on equity	27.7	-	-	25.9	23.6	16.5	16.8	17.8	32.8	26.3	-	-	-
24. Return on net worth	40.6	-	-	33.8	36.8	24.7	27.4	33.9	56.2	47.8	-	-	-

†Depreciation largest factor

1731 CONSTRUCTION: SPECIAL TRADE CONTRACTORS:
Electrical work

Item Description For Accounting Period 7/86 Through 6/87	A Total	B Zero Assets	C Under 100	D 100 to 250	E 251 to 500	F 501 to 1,000	G 1,001 to 5,000	H 5,001 to 10,000	I 10,001 to 25,000	J 25,001 to 50,000	K 50,001 to 100,000	L 100,001 to 250,000	M 250,001 and over
	SIZE OF ASSETS IN THOUSANDS OF DOLLARS (000 OMITTED)												
1. Number of Enterprises	27641	1348	15353	5383	2318	1750	1301	125	38	18	4	3	-
2. Total receipts (in millions of dollars)	26972.7	173.0	3078.9	3232.0	2248.2	4004.4	7215.0	1955.8	994.9	1209.4	524.0	2337.0	-
Selected Operating Factors in Percent of Net Sales													
3. Cost of operations	74.1	79.2	56.3	67.9	64.3	72.5	78.5	82.5	76.8	81.3	91.8	89.3	-
4. Compensation of officers	5.1	5.3	11.7	7.2	7.1	4.6	4.1	2.4	2.2	1.6	0.8	1.0	-
5. Repairs	0.3	0.5	0.4	0.4	0.3	0.4	0.2	0.3	0.7	0.3	0.1	0.2	-
6. Bad debts	0.4	0.3	0.3	0.4	0.3	0.3	0.5	0.3	0.3	0.8	0.1	0.1	-
7. Rent on business property	0.9	1.5	1.2	1.2	1.0	0.8	0.7	0.6	0.8	0.9	0.3	0.6	-
8. Taxes (excl Federal tax)	2.9	3.5	4.1	4.0	3.6	3.7	2.3	1.9	2.7	3.3	0.9	0.7	-
9. Interest	1.2	0.8	1.2	0.9	1.3	1.0	0.9	1.5	0.5	1.7	1.5	1.8	-
10. Deprec/Deplet/Amortiz†	1.8	0.8	2.7	2.2	2.1	1.7	1.6	1.4	1.2	1.4	1.3	1.8	-
11. Advertising	0.2	0.1	0.3	0.3	0.6	0.2	0.2	0.1	0.1	0.2	-	0.1	-
12. Pensions & other benef plans	1.4	1.3	0.4	1.1	2.2	1.5	1.6	1.0	2.0	3.8	0.9	0.2	-
13. Other expenses	12.4	16.1	22.5	13.9	16.1	12.8	9.3	9.2	11.3	9.1	8.7	7.9	-
14. Net profit before tax	*	*	*	0.5	1.1	0.5	0.1	*	1.4	*	*	*	-
Selected Financial Ratios (number of times ratio is to one)													
15. Current ratio	1.6	-	1.7	2.1	2.0	1.7	1.6	1.3	1.4	1.4	1.0	1.8	-
16. Quick ratio	1.2	-	1.4	1.7	1.5	1.4	1.2	0.9	0.8	0.9	0.6	1.3	-
17. Net sls to net wkg capital	9.9	-	21.8	9.4	8.7	9.9	9.5	11.9	7.3	8.5	120.8	6.6	-
18. Coverage ratio	1.8	-	0.5	2.6	2.7	2.4	2.5	1.4	6.7	0.3	-	1.0	-
19. Asset turnover	-	-	-	-	-	-	-	2.2	1.7	2.0	1.6	1.6	-
20. Total liab to net worth	2.0	-	7.4	1.4	1.1	1.6	1.9	3.3	3.2	2.5	30.6	1.6	-
Selected Financial Factors in Percentages													
21. Debt ratio	66.9	-	88.1	57.4	52.0	62.2	66.0	76.6	76.0	71.3	96.8	61.8	-
22. Return on assets	5.4	-	3.5	8.3	9.9	7.8	6.5	4.5	5.7	1.1	-	2.9	-
23. Return on equity	3.1	-	-	8.8	8.3	8.3	6.9	1.8	12.8	-	-	-	-
24. Return on net worth	16.4	-	29.1	19.6	20.7	20.7	19.0	19.1	23.9	3.9	-	7.6	-

†Depreciation largest factor

1731 CONSTRUCTION: SPECIAL TRADE CONTRACTORS:
Electrical work

Item Description For Accounting Period 7/86 Through 6/87	A Total	B Zero Assets	C Under 100	D 100 to 250	E 251 to 500	F 501 to 1,000	G 1,001 to 5,000	H 5,001 to 10,000	I 10,001 to 25,000	J 25,001 to 50,000	K 50,001 to 100,000	L 100,001 to 250,000	M 250,001 and over
						SIZE OF ASSETS IN THOUSANDS OF DOLLARS (000 OMITTED)							
1. Number of Enterprises	15420	893	6364	3900	1814	1305	1003	94	31	12	4	-	-
2. Total receipts (in millions of dollars)	19651.1	132.9	1432.6	2711.9	1622.5	3293.6	5148.5	1576.9	882.1	739.7	2110.4	-	-
Selected Operating Factors in Percent of Net Sales													
3. Cost of operations	73.0	77.9	51.4	67.9	63.6	71.5	75.8	83.0	75.8	77.0	87.4	-	-
4. Compensation of officers	4.9	2.0	10.9	7.2	8.3	4.5	4.6	2.3	2.2	1.4	1.2	-	-
5. Repairs	0.3	0.3	0.2	0.3	0.3	0.3	0.3	0.2	0.7	0.2	0.2	-	-
6. Bad debts	0.3	0.4	0.3	0.4	0.2	0.3	0.5	0.3	0.3	0.1	0.1	-	-
7. Rent on business property	0.8	0.3	1.0	1.0	0.8	0.7	0.6	0.7	0.8	0.8	0.7	-	-
8. Taxes (excl Federal tax)	2.9	2.7	4.5	4.0	3.5	3.7	2.4	1.6	2.8	4.2	0.9	-	-
9. Interest	1.0	0.1	0.6	0.9	1.0	0.9	0.9	0.8	0.5	1.2	1.8	-	-
10. Deprec/Deplet/Amortiz†	1.7	0.8	2.7	1.9	2.2	1.6	1.7	1.1	1.2	1.5	1.5	-	-
11. Advertising	0.2	-	0.4	0.3	0.3	0.2	0.2	0.1	0.1	0.2	0.1	-	-
12. Pensions & other benef plans	1.4	0.5	0.3	1.2	1.7	1.3	1.6	1.2	2.3	5.3	0.4	-	-
13. Other expenses	11.4	11.3	22.2	12.3	14.0	12.8	9.1	8.0	11.3	8.0	7.7	-	-
14. Net profit before tax	2.1	3.7	5.5	2.6	4.1	2.2	2.3	0.7	2.0	0.1	#	-	-
Selected Financial Ratios (number of times ratio is to one)													
15. Current ratio	1.7	-	2.0	2.3	2.2	1.8	1.7	1.4	1.4	1.5	1.7	-	-
16. Quick ratio	1.2	-	1.7	2.0	1.7	1.5	1.2	1.0	0.8	0.9	1.2	-	-
17. Net sls to net wkg capital	9.0	-	16.7	9.7	7.6	10.1	8.5	10.6	8.9	7.6	6.4	-	-
18. Coverage ratio	4.6	-	-	4.8	6.1	4.4	5.0	4.1	8.0	2.3	2.1	-	-
19. Asset turnover	-	-	-	-	-	-	-	2.3	1.8	2.0	1.4	-	-
20. Total liab to net worth	1.6	-	1.2	1.1	0.8	1.4	1.7	2.8	3.0	1.8	1.6	-	-
Selected Financial Factors in Percentages													
21. Debt ratio	61.1	-	55.4	52.2	42.7	58.5	63.0	74.0	74.7	63.7	62.1	-	-
22. Return on assets	11.5	-	-	17.1	16.5	14.2	11.7	7.7	7.3	5.3	5.1	-	-
23. Return on equity	18.7	-	-	24.7	18.9	21.8	19.6	18.2	16.9	6.2	5.0	-	-
24. Return on net worth	29.6	-	74.6	35.8	28.8	34.1	31.7	29.6	28.9	14.7	13.3	-	-

†Depreciation largest factor

1798 CONSTRUCTION: SPECIAL TRADE CONTRACTORS:
Other special trade contractors

Item Description For Accounting Period 7/86 Through 6/87	A Total	B Zero Assets	SIZE OF ASSETS IN THOUSANDS OF DOLLARS (000 OMITTED)										
			C Under 100	D 100 to 250	E 251 to 500	F 501 to 1,000	G 1,001 to 5,000	H 5,001 to 10,000	I 10,001 to 25,000	J 25,001 to 50,000	K 50,001 to 100,000	L 100,001 to 250,000	M 250,001 and over
1. Number of Enterprises	115988	3984	67372	18761	12157	7386	5712	393	167	35	16	5	-
2. Total receipts (in millions of dollars)	93525.1	710.8	14560.4	11443.5	14045.3	14280.8	25071.2	5305.0	4385.9	2010.6	929.9	781.7	-
Selected Operating Factors in Percent of Net Sales													
3. Cost of operations	69.9	66.0	57.2	64.2	69.5	70.0	74.3	81.8	82.4	77.7	74.6	80.3	-
4. Compensation of officers	4.9	3.7	8.4	6.0	5.3	4.9	3.9	2.4	1.9	1.5	1.6	0.9	-
5. Repairs	0.7	0.5	0.7	1.1	0.8	0.6	0.6	0.3	0.4	0.4	0.3	0.2	-
6. Bad debts	0.3	0.5	0.1	0.2	0.4	0.4	0.4	0.2	0.5	0.3	0.4	0.5	-
7. Rent on business property	1.1	0.9	1.4	1.3	1.4	1.2	0.9	0.6	0.6	0.9	0.9	0.6	-
8. Taxes (excl Federal tax)	2.8	4.9	3.2	3.3	2.9	3.0	2.6	2.1	1.8	2.1	2.8	2.2	-
9. Interest	1.1	0.9	0.7	1.0	1.1	1.1	1.1	1.0	0.8	1.3	2.4	2.2	-
10. Deprec/Deplet/Amortiz†	2.5	1.9	2.6	3.0	2.9	2.7	2.4	1.6	1.4	2.2	3.1	1.3	-
11. Advertising	0.3	0.3	0.5	0.4	0.4	0.3	0.2	0.1	0.2	0.7	0.1	1.2	-
12. Pensions & other benef plans	1.2	1.0	0.8	1.1	1.0	1.4	1.4	1.1	1.0	0.9	2.2	1.2	-
13. Other expenses	14.8	27.9	23.3	18.6	14.3	13.6	11.4	8.8	9.4	10.9	8.8	12.0	-
14. Net profit before tax	0.4	*	1.1	*	*	0.8	0.8	-	*	1.1	2.8	*	-
Selected Financial Ratios (number of times ratio is to one)													
15. Current ratio	1.4	-	1.1	1.5	1.4	1.5	1.4	1.4	1.3	1.5	1.4	1.4	-
16. Quick ratio	1.0	-	0.8	1.2	1.1	1.1	1.0	0.8	0.9	0.9	0.6	0.7	-
17. Net sls to net wkg capital	14.5	-	181.9	20.8	16.9	12.1	11.7	9.6	9.1	6.4	5.4	5.0	-
18. Coverage ratio	2.8	-	2.9	1.7	2.4	2.9	3.3	3.3	3.3	3.4	4.4	1.5	-
19. Asset turnover	-	-	-	-	-	-	2.4	2.0	1.7	1.7	0.9	1.0	-
20. Total liab to net worth	2.3	-	4.7	1.8	2.1	1.8	2.0	3.2	3.6	2.3	3.3	2.3	-
Selected Financial Factors in Percentages													
21. Debt ratio	69.5	-	82.4	64.2	67.2	64.6	67.1	76.0	78.3	69.2	77.0	69.8	-
22. Return on assets	8.2	-	13.3	7.1	8.5	8.9	8.3	6.7	4.7	7.5	9.1	3.1	-
23. Return on equity	11.6	-	41.9	5.3	10.0	10.5	12.3	11.2	6.5	10.5	23.9	1.4	-
24. Return on net worth	26.8	-	75.5	19.7	26.0	25.1	25.4	27.9	21.4	24.2	39.4	10.2	-

†Depreciation largest factor

TABLE II: CORPORATIONS WITH NET INCOME, 1990 EDITION

1798 CONSTRUCTION: SPECIAL TRADE CONTRACTORS:
Other special trade contractors

Item Description For Accounting Period 7/86 Through 6/87	A Total	B Zero Assets	SIZE OF ASSETS IN THOUSANDS OF DOLLARS (000 OMITTED)										
			C Under 100	D 100 to 250	E 251 to 500	F 501 to 1,000	G 1,001 to 5,000	H 5,001 to 10,000	I 10,001 to 25,000	J 25,001 to 50,000	K 50,001 to 100,000	L 100,001 to 250,000	M 250,001 and over
1. Number of Enterprises	66499	1282	35208	11115	8423	5555	4440	314	121	-	10	-	-
2. Total receipts (in millions of dollars)	69114.5	379.6	8787.0	7862.4	9780.8	10979.1	20344.3	4438.5	3671.6	-	762.3	-	-
Selected Operating Factors in Percent of Net Sales													
3. Cost of operations	68.8	63.7	54.7	62.7	67.7	67.0	72.8	81.0	82.1	-	71.2	-	-
4. Compensation of officers	4.9	3.2	8.5	6.1	5.5	5.3	4.0	2.4	1.8	-	1.5	-	-
5. Repairs	0.7	0.6	0.7	1.0	0.7	0.7	0.7	0.4	0.3	-	0.3	-	-
6. Bad debts	0.3	0.3	-	0.2	0.5	0.4	0.3	0.1	0.5	-	0.3	-	-
7. Rent on business property	1.0	0.9	1.4	1.1	1.5	1.1	0.9	0.5	0.5	-	0.9	-	-
8. Taxes (excl Federal tax)	2.8	3.4	3.2	3.1	3.0	3.0	2.6	2.0	1.7	-	3.0	-	-
9. Interest	0.9	0.7	0.6	0.7	1.0	1.1	1.0	0.8	0.8	-	1.7	-	-
10. Deprec/Deplet/Amortiz†	2.5	1.8	2.5	2.8	2.9	2.6	2.4	1.3	1.4	-	2.7	-	-
11. Advertising	0.3	0.3	0.5	0.4	0.4	0.3	0.3	0.1	0.2	-	0.1	-	-
12. Pensions & other benef plans	1.2	1.4	0.7	1.3	0.9	1.4	1.5	1.1	0.8	-	2.6	-	-
13. Other expenses	13.6	22.3	21.7	17.5	13.5	14.0	11.0	8.0	8.5	-	7.5	-	-
14. Net profit before tax	3.0	1.4	5.5	3.1	2.4	3.1	2.5	2.3	1.4	-	8.2	-	-
Selected Financial Ratios (number of times ratio is to one)													
15. Current ratio	1.6	-	1.4	1.9	1.6	1.7	1.5	1.5	1.6	-	1.2	-	-
16. Quick ratio	1.1	-	1.2	1.6	1.3	1.3	1.1	0.9	1.0	-	0.8	-	-
17. Net sls to net wkg capital	11.6	-	44.3	16.9	12.9	9.9	10.2	8.4	7.2	-	11.9	-	-
18. Coverage ratio	6.1	-	-	7.0	5.7	4.9	5.2	6.8	5.2	-	8.6	-	-
19. Asset turnover	-	-	-	-	-	-	2.5	2.1	2.0	-	1.2	-	-
20. Total liab to net worth	1.7	-	1.5	1.2	1.3	1.3	1.7	2.7	2.7	-	2.3	-	-
Selected Financial Factors in Percentages													
21. Debt ratio	62.4	-	59.3	53.4	57.3	57.3	62.8	72.6	73.0	-	69.9	-	-
22. Return on assets	15.5	-	-	21.9	17.4	15.1	12.7	10.5	8.2	-	17.0	-	-
23. Return on equity	28.1	-	-	36.4	28.2	21.8	21.5	23.7	15.3	-	41.7	-	-
24. Return on net worth	41.3	-	98.0	46.9	40.8	35.3	34.2	38.4	30.1	-	56.4	-	-

†Depreciation largest factor

2010 MANUFACTURING: FOOD AND KINDRED PRODUCTS:

Meat products

Item Description For Accounting Period 7/86 Through 6/87	A Total	B Zero Assets	C Under 100	D 100 to 250	E 251 to 500	F 501 to 1,000	G 1,001 to 5,000	H 5,001 to 10,000	I 10,001 to 25,000	J 25,001 to 50,000	K 50,001 to 100,000	L 100,001 to 250,000	M 250,001 and over
				SIZE OF ASSETS IN THOUSANDS OF DOLLARS (000 OMITTED)									
1. Number of Enterprises	2226	86	17	313	684	298	570	98	94	31	15	10	9
2. Total receipts (in millions of dollars)	54423.1	3274.7	116.9	340.8	1060.7	995.2	8233.9	4037.4	8383.0	5816.4	4763.4	6574.6	10826.1
Selected Operating Factors in Percent of Net Sales													
3. Cost of operations	86.2	88.4	101.2	82.5	77.0	80.4	86.3	90.1	87.2	84.7	88.9	86.1	84.0
4. Compensation of officers	0.6	0.2	-	2.1	2.6	3.3	1.1	0.6	0.5	0.4	0.3	0.2	0.4
5. Repairs	0.4	0.6	-	0.4	0.6	1.3	0.5	0.2	0.2	0.4	0.3	0.4	0.7
6. Bad debts	0.1	0.1	0.2	-	-	0.1	0.2	0.1	-	0.1	0.1	-	-
7. Rent on business property	0.5	0.9	0.4	1.9	1.3	0.9	0.3	-	0.2	0.2	0.2	0.5	0.8
8. Taxes (excl Federal tax)	0.9	0.7	0.4	1.5	1.4	1.7	0.9	0.7	0.7	0.8	0.9	0.7	1.2
9. Interest	0.8	0.7	0.7	0.1	0.8	0.4	0.5	1.2	0.4	0.5	0.5	0.7	1.7
10. Deprec/Deplet/Amortiz†	1.3	0.9	-	1.1	2.0	1.7	1.0	0.9	1.0	1.1	1.3	1.0	2.1
11. Advertising	0.8	0.6	-	0.5	0.3	0.3	0.2	0.3	0.4	0.6	0.9	0.7	2.2
12. Pensions & other benef plans	0.6	0.5	0.2	0.6	0.6	0.8	0.5	0.4	0.5	0.7	0.8	0.6	0.8
13. Other expenses	7.5	5.6	0.9	6.9	13.3	11.9	7.8	5.1	8.0	9.3	5.7	9.1	6.5
14. Net profit before tax	0.3	0.8	*	2.4	0.1	*	0.7	0.4	0.9	1.2	0.1	*	*
Selected Financial Ratios (number of times ratio is to one)													
15. Current ratio	1.5	-	-	1.5	2.2	1.6	1.4	1.4	1.6	1.4	1.3	1.4	1.5
16. Quick ratio	0.9	-	-	1.0	1.4	1.1	0.9	0.8	0.9	0.9	0.7	0.8	0.9
17. Net sls to net wkg capital	30.1	-	-	34.2	11.9	21.5	33.0	40.2	27.1	34.6	35.2	36.9	20.6
18. Coverage ratio	2.6	-	-	-	2.3	-	3.3	1.8	3.9	4.9	2.6	2.0	2.0
19. Asset turnover	-	-	-	-	-	-	-	-	-	-	-	-	2.3
20. Total liab to net worth	1.5	-	-	1.8	1.1	1.1	1.4	1.9	1.2	1.3	1.9	2.1	1.4
Selected Financial Factors in Percentages													
21. Debt ratio	59.5	-	-	64.5	53.3	52.8	58.3	66.0	55.3	56.5	65.7	67.5	57.6
22. Return on assets	9.3	-	-	25.2	6.8	-	9.8	13.9	10.0	11.2	7.0	6.3	8.1
23. Return on equity	8.1	-	-	-	6.3	-	10.5	12.2	10.4	12.8	3.7	7.4	4.6
24. Return on net worth	23.0	-	-	71.0	14.6	-	23.4	40.8	22.4	25.8	20.3	19.3	19.1

†Depreciation largest factor

TABLE II: CORPORATIONS WITH NET INCOME, 1990 EDITION

2010 MANUFACTURING: FOOD AND KINDRED PRODUCTS:
Meat products

Item Description For Accounting Period 7/86 Through 6/87	A Total	B Zero Assets	C Under 100	D 100 to 250	E 251 to 500	F 501 to 1,000	G 1,001 to 5,000	H 5,001 to 10,000	I 10,001 to 25,000	J 25,001 to 50,000	K 50,001 to 100,000	L 100,001 to 250,000	M 250,001 and over
							SIZE OF ASSETS IN THOUSANDS OF DOLLARS (000 OMITTED)						
1. Number of Enterprises	1520	24	-	313	475	91	399	79	87	27	10	7	6
2. Total receipts (in millions of dollars)	40492.7	2245.8	-	340.8	801.3	247.3	6147.3	2931.4	7992.2	4961.2	2301.4	3942.5	8581.7
Selected Operating Factors in Percent of Net Sales													
3. Cost of operations	85.7	85.6	-	82.5	82.0	72.8	85.6	87.7	87.0	83.3	83.2	90.2	84.9
4. Compensation of officers	0.6	0.2	-	2.1	2.4	2.5	1.1	0.8	0.5	0.5	0.5	0.3	0.4
5. Repairs	0.4	0.7	-	0.4	0.4	1.0	0.4	0.1	0.2	0.4	0.5	0.2	0.7
6. Bad debts	0.1	0.1	-	-	-	0.2	0.1	-	-	0.1	0.1	-	-
7. Rent on business property	0.4	1.2	-	1.9	0.9	2.0	0.4	0.1	0.2	0.2	0.3	0.3	0.6
8. Taxes (excl Federal tax)	0.9	0.7	-	1.5	1.4	1.9	0.9	0.7	0.7	0.8	1.1	0.6	1.0
9. Interest	0.6	0.6	-	0.1	0.4	0.7	0.4	1.4	0.4	0.4	0.6	0.8	0.9
10. Deprec/Deplet/Amortiz†	1.2	1.0	-	1.1	0.9	2.7	1.0	0.9	1.0	1.2	1.8	1.1	1.7
11. Advertising	0.8	0.8	-	0.5	0.3	0.6	0.1	0.4	0.3	0.6	1.1	0.4	2.1
12. Pensions & other benef plans	0.6	0.5	-	0.6	0.5	0.4	0.6	0.3	0.5	0.7	0.9	0.3	0.8
13. Other expenses	7.4	6.8	-	6.9	9.5	17.2	8.0	6.6	8.2	10.2	7.9	5.4	5.4
14. Net profit before tax	1.3	1.8	-	2.4	1.3	#	1.4	1.0	1.0	1.6	2.0	0.4	1.5
Selected Financial Ratios (number of times ratio is to one)													
15. Current ratio	1.4	-	-	1.5	2.3	1.4	1.5	1.6	1.6	1.4	1.5	1.5	1.2
16. Quick ratio	0.9	-	-	1.0	1.8	0.9	1.0	1.0	0.9	0.9	0.8	1.0	0.7
17. Net sls to net wkg capital	32.0	-	-	34.2	12.3	28.5	29.0	23.6	28.5	34.4	20.2	26.5	55.5
18. Coverage ratio	4.3	-	-	-	6.3	5.4	5.3	2.2	4.2	6.7	5.8	3.0	4.1
19. Asset turnover	-	-	-	-	-	-	-	-	-	-	-	-	-
20. Total liab to net worth	1.2	-	-	1.8	0.7	1.1	1.2	1.6	1.2	1.2	1.4	1.6	1.0
Selected Financial Factors in Percentages													
21. Debt ratio	54.6	-	-	64.5	42.5	51.3	55.4	60.7	55.4	53.7	58.0	62.1	51.0
22. Return on assets	12.5	-	-	25.2	9.8	12.1	14.2	17.6	10.7	13.3	12.4	9.2	9.8
23. Return on equity	13.9	-	-	-	12.3	17.9	18.2	18.1	11.5	16.2	13.7	12.9	8.6
24. Return on net worth	27.6	-	-	71.0	17.0	24.9	31.8	44.8	24.1	28.8	29.6	24.2	20.0

†Depreciation largest factor

2020 MANUFACTURING: FOOD AND KINDRED PRODUCTS:

Dairy products

Item Description For Accounting Period 7/86 Through 6/87	A Total	B Zero Assets	C Under 100	D 100 to 250	E 251 to 500	F 501 to 1,000	G 1,001 to 5,000	H 5,001 to 10,000	I 10,001 to 25,000	J 25,001 to 50,000	K 50,001 to 100,000	L 100,001 to 250,000	M 250,001 and over
			SIZE OF ASSETS IN THOUSANDS OF DOLLARS (000 OMITTED)										
1. Number of Enterprises	2051	13	856	69	176	274	440	111	77	15	10	5	6
2. Total receipts (in millions of dollars)	31955.9	115.4	167.1	85.0	177.9	885.5	3279.5	3060.2	3706.3	1574.6	1278.9	2189.6	15435.9
Selected Operating Factors in Percent of Net Sales													
3. Cost of operations	73.8	74.3	60.5	71.2	73.0	80.2	79.0	78.1	80.9	78.3	74.7	80.2	68.3
4. Compensation of officers	0.8	1.8	7.1	4.2	2.0	1.8	1.8	1.3	1.0	0.6	1.0	0.5	0.2
5. Repairs	1.0	0.1	1.2	0.1	0.1	1.2	1.2	0.6	0.6	0.7	0.5	0.6	1.3
6. Bad debts	0.1	0.2	-	0.1	0.2	0.1	0.2	0.1	0.1	0.1	0.4	0.1	0.1
7. Rent on business property	1.0	0.4	4.7	0.8	0.8	0.7	0.6	1.0	0.6	0.3	0.8	0.9	1.4
8. Taxes (excl Federal tax)	1.5	1.1	3.4	2.4	1.8	1.3	1.3	1.2	1.2	1.4	1.6	1.0	1.8
9. Interest	1.8	2.1	1.8	1.0	0.2	0.7	0.9	0.6	0.9	0.7	1.6	1.3	2.7
10. Deprec/Deplet/Amortiz†	4.1	0.9	4.7	5.5	1.5	2.0	2.1	1.8	2.1	2.8	3.1	2.4	6.1
11. Advertising	1.9	3.0	2.0	-	-	-	0.3	0.6	0.8	1.4	1.7	1.8	2.9
12. Pensions & other benef plans	1.0	0.8	-	3.1	0.4	0.7	0.7	1.0	1.0	0.9	1.2	0.8	1.1
13. Other expenses	14.1	11.8	24.7	16.9	26.4	15.5	11.6	12.8	9.9	11.0	10.8	10.2	16.7
14. Net profit before tax	*	3.5	*	*	*	*	0.3	0.9	0.9	1.8	2.6	0.2	*
Selected Financial Ratios (number of times ratio is to one)													
15. Current ratio	1.2	-	1.8	-	1.9	1.1	1.7	1.5	1.4	1.6	1.6	1.3	1.0
16. Quick ratio	0.7	-	0.8	-	1.2	0.8	1.1	1.0	0.9	1.0	1.1	0.7	0.5
17. Net sls to net wkg capital	33.9	-	17.4	-	7.7	95.1	14.1	20.2	17.2	15.6	10.0	26.3	-
18. Coverage ratio	2.6	-	-	-	-	4.5	2.6	4.3	3.1	4.7	4.6	1.6	2.5
19. Asset turnover	1.9	-	-	-	-	-	-	-	-	-	1.8	-	1.4
20. Total liab to net worth	2.6	-	11.6	-	0.8	3.2	1.2	1.7	2.0	1.1	1.4	4.1	3.1
Selected Financial Factors in Percentages													
21. Debt ratio	71.9	-	92.1	-	45.5	76.3	55.0	62.7	66.8	52.6	58.6	80.5	75.8
22. Return on assets	9.1	-	-	-	-	12.6	8.4	8.9	8.0	10.5	12.7	5.8	9.4
23. Return on equity	10.9	-	-	-	-	22.9	6.0	12.6	9.5	9.9	12.7	5.0	12.8
24. Return on net worth	32.4	-	-	-	-	53.1	18.6	24.0	24.1	22.1	30.6	29.6	38.9

†Depreciation largest factor

TABLE II: CORPORATIONS WITH NET INCOME, 1990 EDITION

2020 MANUFACTURING: FOOD AND KINDRED PRODUCTS:
Dairy products

Item Description For Accounting Period 7/86 Through 6/87	A Total	B Zero Assets	C Under 100	D 100 to 250	E 251 to 500	F 501 to 1,000	G 1,001 to 5,000	H 5,001 to 10,000	I 10,001 to 25,000	J 25,001 to 50,000	K 50,001 to 100,000	L 100,001 to 250,000	M 250,001 and over
							SIZE OF ASSETS IN THOUSANDS OF DOLLARS (000 OMITTED)						
1. Number of Enterprises	1056	13	226	-	137	162	316	104	69	11	-	-	-
2. Total receipts (in millions of dollars)	28855.5	115.4	67.3	-	169.8	526.1	2824.4	2925.3	3249.0	1275.1	-	-	-
Selected Operating Factors in Percent of Net Sales													
3. Cost of operations	72.8	74.3	46.6	-	76.4	68.0	79.0	77.1	79.5	77.0	-	-	-
4. Compensation of officers	0.8	1.8	9.1	-	2.1	2.8	1.8	1.4	1.1	0.7	-	-	-
5. Repairs	1.1	0.1	2.2	-	0.1	1.8	1.1	0.6	0.6	0.7	-	-	-
6. Bad debts	0.1	0.2	-	-	0.2	0.2	0.1	0.1	0.1	0.1	-	-	-
7. Rent on business property	1.1	0.4	4.9	-	0.8	0.5	0.5	1.0	0.6	0.3	-	-	-
8. Taxes (excl Federal tax)	1.6	1.1	3.1	-	1.9	1.7	1.2	1.3	1.2	1.5	-	-	-
9. Interest	1.7	2.1	1.6	-	0.2	0.8	0.8	0.6	0.9	0.2	-	-	-
10. Deprec/Deplet/Amortiz†	4.3	0.9	4.0	-	1.6	2.7	1.8	1.9	2.1	2.4	-	-	-
11. Advertising	1.9	3.0	1.5	-	-	0.1	0.3	0.6	0.7	1.4	-	-	-
12. Pensions & other benef plans	1.0	0.8	-	-	0.5	1.0	0.8	1.1	1.1	1.0	-	-	-
13. Other expenses	14.2	11.8	25.7	-	17.0	25.1	11.0	13.3	10.7	11.6	-	-	-
14. Net profit before tax	#	3.5	1.3	-	#	#	1.6	1.0	1.4	3.1	-	-	-
Selected Financial Ratios (number of times ratio is to one)													
15. Current ratio	1.3	-	1.5	-	3.0	1.6	1.8	1.5	1.6	1.8	-	-	-
16. Quick ratio	0.8	-	0.3	-	2.4	1.2	1.2	1.0	1.1	1.3	-	-	-
17. Net sls to net wkg capital	20.1	-	30.2	-	6.8	16.5	12.9	19.9	14.0	14.3	-	-	-
18. Coverage ratio	3.2	-	2.1	-	3.7	9.7	4.0	4.7	3.8	-	-	-	-
19. Asset turnover	2.0	-	-	-	-	-	-	-	-	-	-	-	-
20. Total liab to net worth	2.4	-	1.0	-	0.4	1.0	1.2	1.7	1.8	0.6	-	-	-
Selected Financial Factors in Percentages													
21. Debt ratio	70.1	-	50.5	-	27.4	50.8	54.1	62.5	64.1	37.0	-	-	-
22. Return on assets	10.5	-	17.1	-	2.2	28.1	12.7	9.5	9.5	15.3	-	-	-
23. Return on equity	14.3	-	15.3	-	1.9	37.0	13.8	13.8	12.3	14.9	-	-	-
24. Return on net worth	35.0	-	34.5	-	3.0	57.0	27.6	25.2	26.6	24.3	-	-	-

†Depreciation largest factor

2030 MANUFACTURING: FOOD AND KINDRED PRODUCTS:
Preserved fruits and vegetables

Item Description For Accounting Period 7/86 Through 6/87	A Total	B Zero Assets	C Under 100	D 100 to 250	E 251 to 500	F 501 to 1,000	G 1,001 to 5,000	H 5,001 to 10,000	I 10,001 to 25,000	J 25,001 to 50,000	K 50,001 to 100,000	L 100,001 to 250,000	M 250,001 and over
			SIZE OF ASSETS IN THOUSANDS OF DOLLARS (000 OMITTED)										
1. Number of Enterprises	556	26	-	39	137	56	169	40	48	20	7	7	6
2. Total receipts (in millions of dollars)	19706.2	97.0	-	0.3	80.1	88.5	1077.7	520.2	1651.3	1022.5	679.8	1645.3	12843.6
Selected Operating Factors in Percent of Net Sales													
3. Cost of operations	69.0	73.2	-	-	66.2	83.5	71.8	75.8	77.9	73.8	73.8	75.7	65.7
4. Compensation of officers	0.7	1.3	-	-	6.2	2.7	1.6	1.8	1.2	0.8	1.4	1.0	0.4
5. Repairs	1.0	1.1	-	-	0.4	-	0.7	0.7	0.1	0.8	0.8	0.6	1.3
6. Bad debts	0.3	0.1	-	-	10.6	0.1	0.1	0.1	0.1	0.1	0.2	0.1	0.4
7. Rent on business property	0.9	0.4	-	-	2.1	0.2	0.8	0.2	0.5	0.5	0.6	0.7	1.1
8. Taxes (excl Federal tax)	1.7	1.7	-	-	2.2	0.5	2.1	1.9	1.0	1.5	1.8	1.5	1.8
9. Interest	2.9	11.7	-	-	1.5	1.6	1.7	2.0	2.1	2.2	1.6	2.0	3.3
10. Deprec/Deplet/Amortiz†	3.2	1.7	-	-	12.7	0.2	2.3	1.9	2.2	3.7	3.5	2.0	3.5
11. Advertising	4.7	1.0	-	-	0.2	0.1	0.6	0.9	2.1	3.2	1.2	0.8	6.4
12. Pensions & other benef plans	1.6	4.0	-	-	0.5	-	1.0	0.9	1.3	1.3	0.9	1.3	1.8
13. Other expenses	15.6	14.2	-	-	15.9	10.8	17.5	11.5	12.5	10.5	13.5	15.9	16.5
14. Net profit before tax	*	*	-	*	*	0.3	*	2.3	*	1.6	0.7	*	*
Selected Financial Ratios (number of times ratio is to one)													
15. Current ratio	1.3	-	-	-	0.4	1.3	1.1	1.5	1.3	1.6	1.8	2.0	1.2
16. Quick ratio	0.6	-	-	-	0.1	0.4	0.4	0.6	0.4	0.5	0.8	0.7	0.6
17. Net sls to net wkg capital	12.7	-	-	-	-	12.0	31.3	9.0	13.3	6.0	5.8	4.8	17.8
18. Coverage ratio	2.2	-	-	-	-	1.2	1.9	3.1	0.7	3.0	3.8	2.8	2.3
19. Asset turnover	1.2	-	-	-	1.7	2.2	-	1.8	2.1	1.4	1.3	1.4	1.0
20. Total liab to net worth	1.1	-	-	-	3.1	1.6	5.5	1.7	2.4	1.4	0.7	1.6	1.0
Selected Financial Factors in Percentages													
21. Debt ratio	53.1	-	-	-	75.8	60.8	84.5	62.4	70.3	58.7	40.9	61.3	49.9
22. Return on assets	7.6	-	-	-	-	4.1	8.3	11.4	3.1	9.2	8.0	8.0	7.8
23. Return on equity	4.9	-	-	-	-	-	13.7	11.3	-	8.5	5.8	7.0	5.3
24. Return on net worth	16.2	-	-	-	-	10.4	53.7	30.2	10.6	22.3	13.5	20.6	15.5

†Depreciation largest factor

2030 MANUFACTURING: FOOD AND KINDRED PRODUCTS:

Preserved fruits and vegetables

Item Description For Accounting Period 7/86 Through 6/87	A Total	B Zero Assets	C Under 100	D 100 to 250	E 251 to 500	F 501 to 1,000	G 1,001 to 5,000	H 5,001 to 10,000	I 10,001 to 25,000	J 25,001 to 50,000	K 50,001 to 100,000	L 100,001 to 250,000	M 250,001 and over
			SIZE OF ASSETS IN THOUSANDS OF DOLLARS (000 OMITTED)										
1. Number of Enterprises	226	16	-	-	-	39	83	30	24	17	-	-	-
2. Total receipts (in millions of dollars)	16507.1	77.3	-	-	-	83.0	512.6	381.7	883.7	875.2	-	-	-
Selected Operating Factors in Percent of Net Sales													
3. Cost of operations	66.7	69.6	-	-	-	83.8	61.1	72.1	70.3	72.4	-	-	-
4. Compensation of officers	0.7	0.7	-	-	-	2.6	1.5	2.4	1.8	0.8	-	-	-
5. Repairs	1.1	1.3	-	-	-	-	0.7	0.9	0.2	0.7	-	-	-
6. Bad debts	0.3	-	-	-	-	0.1	-	-	0.1	0.1	-	-	-
7. Rent on business property	1.0	0.4	-	-	-	-	0.6	0.3	0.6	0.4	-	-	-
8. Taxes (excl Federal tax)	1.8	1.9	-	-	-	0.6	2.7	2.3	1.0	1.5	-	-	-
9. Interest	2.8	1.0	-	-	-	1.5	1.4	1.5	1.0	2.0	-	-	-
10. Deprec/Deplet/Amortiz†	2.9	1.7	-	-	-	-	1.6	1.9	2.1	3.5	-	-	-
11. Advertising	5.5	1.2	-	-	-	0.1	1.0	1.2	3.3	3.7	-	-	-
12. Pensions & other benef plans	1.7	4.7	-	-	-	-	0.4	1.2	2.1	1.2	-	-	-
13. Other expenses	16.4	14.2	-	-	-	7.5	23.7	11.6	15.2	11.1	-	-	-
14. Net profit before tax	#	3.3	-	-	-	3.8	5.3	4.6	2.3	2.6	-	-	-
Selected Financial Ratios (number of times ratio is to one)													
15. Current ratio	1.3	-	-	-	-	2.1	1.6	2.0	1.8	1.7	-	-	-
16. Quick ratio	0.6	-	-	-	-	0.8	0.5	0.8	0.7	0.6	-	-	-
17. Net sls to net wkg capital	12.4	-	-	-	-	8.2	8.4	6.4	7.3	5.5	-	-	-
18. Coverage ratio	2.8	-	-	-	-	3.5	6.2	4.8	4.0	3.8	-	-	-
19. Asset turnover	1.2	-	-	-	-	-	2.4	1.8	2.4	1.4	-	-	-
20. Total liab to net worth	1.0	-	-	-	-	0.6	2.0	0.9	1.1	1.2	-	-	-
Selected Financial Factors in Percentages													
21. Debt ratio	49.5	-	-	-	-	38.0	66.6	47.9	51.2	54.1	-	-	-
22. Return on assets	8.8	-	-	-	-	14.5	20.8	13.5	9.9	10.9	-	-	-
23. Return on equity	7.0	-	-	-	-	12.9	42.3	11.6	8.4	10.9	-	-	-
24. Return on net worth	17.5	-	-	-	-	23.3	62.4	25.9	20.3	23.7	-	-	-

†Depreciation largest factor

2040 MANUFACTURING: FOOD AND KINDRED PRODUCTS:
Grain mill products

Item Description For Accounting Period 7/86 Through 6/87	A Total	SIZE OF ASSETS IN THOUSANDS OF DOLLARS (000 OMITTED)											
		B Zero Assets	C Under 100	D 100 to 250	E 251 to 500	F 501 to 1,000	G 1,001 to 5,000	H 5,001 to 10,000	I 10,001 to 25,000	J 25,001 to 50,000	K 50,001 to 100,000	L 100,001 to 250,000	M 250,001 and over
1. Number of Enterprises	1508	95	307	342	170	227	273	36	26	10	5	5	12
2. Total receipts (in millions of dollars)	51814.9	248.9	14.1	102.6	412.2	471.2	1652.5	652.6	952.7	1050.5	654.5	1196.5	44406.5
Selected Operating Factors in Percent of Net Sales													
3. Cost of operations	67.0	77.4	64.9	59.6	81.0	84.5	77.6	77.5	79.3	75.9	83.7	68.5	65.2
4. Compensation of officers	0.4	0.8	-	4.8	3.0	2.6	2.4	0.8	1.1	0.9	0.5	0.4	0.2
5. Repairs	1.1	0.2	1.5	0.8	0.4	0.4	0.8	0.7	0.5	0.4	0.8	0.9	1.1
6. Bad debts	0.1	0.1	-	0.3	0.3	0.5	0.4	0.1	0.4	0.1	0.1	-	0.1
7. Rent on business property	0.9	-	3.4	0.9	0.5	0.6	0.4	0.1	0.5	0.2	0.3	0.2	1.0
8. Taxes (excl Federal tax)	1.4	0.8	0.2	3.9	0.5	1.0	1.1	1.3	1.0	1.5	1.3	3.1	1.4
9. Interest	2.3	4.6	-	1.2	0.1	1.4	1.4	0.9	1.6	0.8	0.5	2.6	2.4
10. Deprec/Deplet/Amortiz†	3.0	3.4	0.1	3.9	1.7	1.8	2.5	2.6	3.1	2.0	1.9	7.3	3.0
11. Advertising	6.7	0.4	-	0.4	0.1	0.3	0.3	0.7	1.0	1.5	0.1	0.2	7.7
12. Pensions & other benef plans	1.7	0.8	-	-	2.3	0.8	0.9	0.7	1.1	0.8	1.3	0.9	1.8
13. Other expenses	15.9	20.3	16.0	27.2	9.3	7.8	10.7	10.2	11.0	10.2	6.1	12.2	16.8
14. Net profit before tax	*	*	13.9	*	0.8	*	1.5	4.4	*	5.7	3.4	3.7	*
Selected Financial Ratios (number of times ratio is to one)													
15. Current ratio	1.3	-	-	2.2	1.9	2.4	2.1	1.9	1.3	2.0	2.1	1.3	1.2
16. Quick ratio	0.6	-	-	1.4	1.6	1.6	1.3	1.0	0.8	1.2	1.5	0.5	0.5
17. Net sls to net wkg capital	19.0	-	-	7.6	19.2	8.4	10.2	11.0	21.5	11.3	7.4	22.0	20.8
18. Coverage ratio	2.8	-	-	1.4	8.8	1.2	3.9	6.6	2.5	9.4	-	3.4	2.7
19. Asset turnover	1.5	-	-	1.5	-	-	-	-	2.3	-	1.9	1.4	1.4
20. Total liab to net worth	1.4	-	-	34.4	0.8	1.7	1.5	2.5	1.2	0.8	0.5	1.5	1.4
Selected Financial Factors in Percentages													
21. Debt ratio	57.5	-	-	97.2	42.7	62.2	59.3	71.8	54.9	44.7	33.4	59.2	57.7
22. Return on assets	9.4	-	-	2.7	9.0	5.4	15.5	15.4	8.8	20.5	12.4	12.0	9.0
23. Return on equity	8.7	-	-	-	8.4	0.9	19.3	33.6	6.4	25.3	9.4	12.9	8.2
24. Return on net worth	22.0	-	-	94.3	15.7	14.3	38.1	54.5	19.5	37.1	18.5	29.5	21.2

†Depreciation largest factor

TABLE II: CORPORATIONS WITH NET INCOME, 1990 EDITION

2040 MANUFACTURING: FOOD AND KINDRED PRODUCTS:
Grain mill products

Item Description For Accounting Period 7/86 Through 6/87	A Total	B Zero Assets	C Under 100	D 100 to 250	E 251 to 500	F 501 to 1,000	G 1,001 to 5,000	H 5,001 to 10,000	I 10,001 to 25,000	J 25,001 to 50,000	K 50,001 to 100,000	L 100,001 to 250,000	M 250,001 and over
SIZE OF ASSETS IN THOUSANDS OF DOLLARS (000 OMITTED)													
1. Number of Enterprises	1215	26	307	273	108	193	224	36	19	10	-	5	-
2. Total receipts (in millions of dollars)	48621.3	174.5	14.1	79.3	276.8	435.1	1548.6	652.6	785.5	1050.5	-	1196.5	-
Selected Operating Factors in Percent of Net Sales													
3. Cost of operations	66.3	68.4	64.9	59.4	81.0	84.7	77.4	77.5	78.5	75.9	-	68.5	-
4. Compensation of officers	0.4	0.8	-	5.4	1.4	2.6	2.4	0.8	1.2	0.9	-	0.4	-
5. Repairs	1.1	0.2	1.5	0.1	0.1	0.3	0.8	0.7	0.6	0.4	-	0.9	-
6. Bad debts	0.2	0.1	-	0.3	0.4	0.6	0.3	0.1	0.3	0.1	-	-	-
7. Rent on business property	0.9	-	3.4	0.4	0.7	0.6	0.4	0.1	0.6	0.2	-	0.2	-
8. Taxes (excl Federal tax)	1.4	0.4	0.2	3.2	0.3	1.0	1.2	1.3	1.0	1.5	-	3.1	-
9. Interest	2.2	6.5	-	1.0	-	1.2	1.1	0.9	1.2	0.8	-	2.6	-
10. Deprec/Deplet/Amortiz†	3.0	4.7	0.1	3.0	1.9	1.6	2.3	2.6	2.8	2.0	-	7.3	-
11. Advertising	7.0	0.4	-	0.3	0.1	0.3	0.3	0.7	0.9	1.5	-	0.2	-
12. Pensions & other benef plans	1.7	0.8	-	-	2.4	0.8	1.0	0.7	1.2	0.8	-	0.9	-
13. Other expenses	15.7	20.3	16.0	26.3	9.9	7.0	10.8	10.2	10.7	10.2	-	12.2	-
14. Net profit before tax	0.1	#	13.9	0.6	1.8	#	2.0	4.4	1.0	5.7	-	3.7	-
Selected Financial Ratios (number of times ratio is to one)													
15. Current ratio	1.2	-	-	2.0	1.5	2.7	2.2	1.9	1.4	2.0	-	1.3	-
16. Quick ratio	0.6	-	-	1.2	1.2	1.8	1.3	1.0	0.8	1.2	-	0.5	-
17. Net sls to net wkg capital	21.2	-	-	8.5	31.1	7.8	10.1	11.0	20.5	11.3	-	22.0	-
18. Coverage ratio	3.0	-	-	6.0	-	2.2	5.0	6.6	4.2	9.4	-	3.4	-
19. Asset turnover	1.4	-	-	1.4	-	-	-	-	2.4	-	-	1.4	-
20. Total liab to net worth	1.3	-	-	10.6	0.7	1.3	1.3	2.5	0.9	0.8	-	1.5	-
Selected Financial Factors in Percentages													
21. Debt ratio	56.7	-	-	91.4	41.6	56.6	55.5	71.8	47.5	44.7	-	59.2	-
22. Return on assets	9.8	-	-	8.5	14.2	9.2	17.7	15.4	11.9	20.5	-	12.0	-
23. Return on equity	9.5	-	-	-	16.2	9.9	22.5	33.6	11.5	25.3	-	12.9	-
24. Return on net worth	22.6	-	-	98.5	24.3	21.1	39.7	54.5	22.7	37.1	-	29.5	-

†Depreciation largest factor

TABLE I: CORPORATIONS WITH AND WITHOUT NET INCOME, 1990 EDITION

2050 MANUFACTURING: FOOD AND KINDRED PRODUCTS:

Bakery products

Item Description For Accounting Period 7/86 Through 6/87	A Total	B Zero Assets	SIZE OF ASSETS IN THOUSANDS OF DOLLARS (000 OMITTED)										
			C Under 100	D 100 to 250	E 251 to 500	F 501 to 1,000	G 1,001 to 5,000	H 5,001 to 10,000	I 10,001 to 25,000	J 25,001 to 50,000	K 50,001 to 100,000	L 100,001 to 250,000	M 250,001 and over
1. Number of Enterprises	2560	314	787	514	289	195	355	42	39	14	4	8	-
2. Total receipts (in millions of dollars)	11618.1	120.6	85.6	260.1	320.5	440.4	1890.2	712.7	1563.1	1097.3	522.5	4604.9	-
Selected Operating Factors in Percent of Net Sales													
3. Cost of operations	54.8	40.7	38.1	49.9	66.5	48.0	58.2	66.7	57.6	57.9	52.9	50.7	-
4. Compensation of officers	2.2	10.6	34.7	9.4	3.5	3.8	4.1	1.8	1.7	1.3	0.7	0.5	-
5. Repairs	1.1	0.4	0.9	0.8	1.1	0.7	0.8	0.2	0.9	0.8	0.7	1.6	-
6. Bad debts	0.2	3.5	-	-	-	0.2	0.1	0.1	0.2	0.3	0.1	0.1	-
7. Rent on business property	1.5	0.9	5.2	4.1	1.1	2.1	1.0	0.5	1.0	1.1	1.7	1.9	-
8. Taxes (excl Federal tax)	2.5	3.4	4.2	2.8	2.5	2.2	2.6	2.3	3.3	2.5	2.8	2.2	-
9. Interest	1.3	20.8	0.1	2.1	2.6	2.0	1.4	1.4	1.0	0.9	1.2	1.0	-
10. Deprec/Deplet/Amortiz†	3.6	3.4	1.2	6.8	3.3	4.9	2.8	4.7	3.3	3.9	3.6	3.4	-
11. Advertising	2.8	0.2	0.4	0.1	0.5	0.9	1.3	0.7	1.7	1.2	2.3	5.3	-
12. Pensions & other benef plans	3.5	6.8	6.3	1.6	0.4	0.3	2.5	2.4	2.8	2.9	4.2	5.0	-
13. Other expenses	25.3	27.1	16.0	33.1	21.0	40.4	23.2	18.7	23.5	23.6	28.7	26.3	-
14. Net profit before tax	1.2	*	*	*	*	*	2.0	0.5	3.0	3.6	1.1	2.0	-
Selected Financial Ratios (number of times ratio is to one)													
15. Current ratio	1.6	-	1.7	-	0.6	-	1.6	0.8	1.7	2.0	1.7	1.9	-
16. Quick ratio	1.1	-	1.4	-	0.4	-	1.1	0.6	1.2	1.4	1.3	1.3	-
17. Net sls to net wkg capital	14.6	-	19.7	-	-	-	12.1	-	13.9	11.0	13.9	9.6	-
18. Coverage ratio	3.3	-	-	-	0.7	-	3.2	1.5	5.5	6.5	5.5	4.8	-
19. Asset turnover	2.1	-	-	-	-	-	2.4	2.5	-	2.4	2.1	1.6	-
20. Total liab to net worth	1.2	-	3.6	-	-	-	1.3	2.8	1.4	0.7	1.1	0.9	-
Selected Financial Factors in Percentages													
21. Debt ratio	54.6	-	78.4	-	105.0	-	57.4	73.9	57.8	42.4	51.8	47.6	-
22. Return on assets	9.0	-	-	-	5.5	-	10.2	5.4	13.6	14.1	13.4	8.0	-
23. Return on equity	7.9	-	-	-	-	-	13.2	4.3	16.4	10.8	11.8	7.5	-
24. Return on net worth	19.9	-	-	-	-	-	24.0	20.5	32.1	24.4	27.9	15.3	-

†Depreciation largest factor

2050 MANUFACTURING: FOOD AND KINDRED PRODUCTS:
Bakery products

Item Description For Accounting Period 7/86 Through 6/87	A Total	B Zero Assets	C Under 100	D 100 to 250	E 251 to 500	F 501 to 1,000	G 1,001 to 5,000	H 5,001 to 10,000	I 10,001 to 25,000	J 25,001 to 50,000	K 50,001 to 100,000	L 100,001 to 250,000	M 250,001 and over
				SIZE OF ASSETS IN THOUSANDS OF DOLLARS (000 OMITTED)									
1. Number of Enterprises	1073	314	-	157	151	78	286	24	-	-	-	8	-
2. Total receipts (in millions of dollars)	10198.4	120.6	-	35.9	219.5	175.9	1441.3	534.2	-	-	-	4604.9	-
Selected Operating Factors in Percent of Net Sales													
3. Cost of operations	54.6	40.7	-	25.3	66.8	50.8	56.9	68.7	-	-	-	50.7	-
4. Compensation of officers	1.7	10.6	-	-	3.6	4.5	5.0	1.2	-	-	-	0.5	-
5. Repairs	1.1	0.4	-	-	0.6	1.0	0.8	0.2	-	-	-	1.6	-
6. Bad debts	0.2	3.5	-	-	-	-	0.1	0.1	-	-	-	0.1	-
7. Rent on business property	1.5	0.9	-	13.7	0.4	1.8	1.1	0.5	-	-	-	1.9	-
8. Taxes (excl Federal tax)	2.6	3.4	-	3.2	3.0	3.0	2.8	2.7	-	-	-	2.2	-
9. Interest	1.2	20.8	-	3.6	1.6	1.7	1.2	1.2	-	-	-	1.0	-
10. Deprec/Deplet/Amortiz†	3.4	3.4	-	4.9	2.3	5.4	3.3	3.6	-	-	-	3.4	-
11. Advertising	3.0	0.2	-	-	0.3	0.3	1.0	0.5	-	-	-	5.3	-
12. Pensions & other benef plans	3.8	6.8	-	-	0.6	0.4	2.7	2.8	-	-	-	5.0	-
13. Other expenses	24.4	27.1	-	51.5	20.2	28.7	20.8	16.3	-	-	-	26.3	-
14. Net profit before tax	2.5	#	-	#	0.6	2.4	4.3	2.2	-	-	-	2.0	-
Selected Financial Ratios (number of times ratio is to one)													
15. Current ratio	1.8	-	-	7.1	1.1	2.3	2.0	0.8	-	-	-	1.9	-
16. Quick ratio	1.3	-	-	6.9	0.7	1.9	1.3	0.6	-	-	-	1.3	-
17. Net sls to net wkg capital	11.2	-	-	6.3	125.1	11.3	8.6	-	-	-	-	9.6	-
18. Coverage ratio	4.7	-	-	2.9	2.6	3.2	5.4	3.0	-	-	-	4.8	-
19. Asset turnover	2.0	-	-	1.3	-	2.5	2.3	-	-	-	-	1.6	-
20. Total liab to net worth	1.0	-	-	4.1	3.8	1.1	0.9	2.8	-	-	-	0.9	-
Selected Financial Factors in Percentages													
21. Debt ratio	49.3	-	-	80.3	79.0	52.7	46.7	73.4	-	-	-	47.6	-
22. Return on assets	11.5	-	-	13.5	15.0	12.8	15.2	11.9	-	-	-	8.0	-
23. Return on equity	11.9	-	-	44.9	42.6	15.2	19.9	25.2	-	-	-	7.5	-
24. Return on net worth	22.7	-	-	68.8	71.5	27.0	28.4	44.7	-	-	-	15.3	-

†Depreciation largest factor

2060 MANUFACTURING: FOOD AND KINDRED PRODUCTS:
Sugar and confectionery products

Item Description For Accounting Period 7/86 Through 6/87	A Total	B Zero Assets	C Under 100	D 100 to 250	E 251 to 500	F 501 to 1,000	G 1,001 to 5,000	H 5,001 to 10,000	I 10,001 to 25,000	J 25,001 to 50,000	K 50,001 to 100,000	L 100,001 to 250,000	M 250,001 and over
							SIZE OF ASSETS IN THOUSANDS OF DOLLARS (000 OMITTED)						
1. Number of Enterprises	1719	6	787	157	343	176	153	51	11	8	5	7	14
2. Total receipts (in millions of dollars)	20498.5	19.0	8.5	209.9	212.9	215.4	724.0	867.6	194.7	459.0	590.8	1280.0	15716.6
Selected Operating Factors in Percent of Net Sales													
3. Cost of operations	62.9	48.7	-	79.6	62.4	55.0	64.9	69.1	70.4	65.1	74.3	61.0	61.8
4. Compensation of officers	0.8	0.7	-	-	6.8	13.1	3.4	1.6	2.2	1.1	0.6	0.7	0.4
5. Repairs	1.1	0.3	-	1.4	0.8	1.9	0.4	0.4	0.3	0.5	2.0	1.8	1.1
6. Bad debts	0.1	-	-	-	0.1	0.4	0.3	0.5	0.1	0.1	0.1	0.2	0.1
7. Rent on business property	1.0	1.1	-	2.8	1.3	8.2	0.5	0.4	0.2	3.1	0.2	1.0	0.9
8. Taxes (excl Federal tax)	2.2	2.7	-	2.0	2.8	5.0	2.7	2.3	1.9	1.4	2.0	2.2	2.2
9. Interest	3.3	0.1	-	0.9	0.1	1.6	1.9	1.5	0.2	1.3	0.8	2.6	3.8
10. Deprec/Deplet/Amortiz†	3.8	2.2	-	1.5	3.4	2.4	3.4	2.4	3.5	4.0	4.0	4.6	3.9
11. Advertising	5.3	-	-	-	0.5	0.8	0.7	3.0	1.0	3.3	1.0	1.2	6.4
12. Pensions & other benef plans	1.6	-	-	-	0.6	3.3	1.5	1.3	1.1	1.6	1.5	1.2	1.7
13. Other expenses	17.8	11.1	-	16.1	14.2	34.2	19.7	18.6	6.5	19.9	8.8	16.7	18.1
14. Net profit before tax	0.1	33.1	*	*	7.0	*	0.6	*	12.6	*	4.7	6.8	*
Selected Financial Ratios (number of times ratio is to one)													
15. Current ratio	1.5	-	1.0	-	23.6	2.5	1.8	1.4	2.8	1.7	2.8	1.5	1.4
16. Quick ratio	0.7	-	0.6	-	21.3	1.5	0.6	0.5	1.4	0.8	1.3	0.8	0.7
17. Net sls to net wkg capital	7.9	-	48.6	-	2.3	4.8	9.1	16.3	3.7	8.3	6.3	8.3	8.0
18. Coverage ratio	2.3	-	-	-	-	-	1.7	0.9	-	1.0	8.8	5.1	2.0
19. Asset turnover	1.0	-	0.4	-	1.7	1.4	2.2	2.4	1.2	1.8	1.6	1.2	0.9
20. Total liab to net worth	2.2	-	-	-	0.4	1.0	3.8	4.5	0.3	1.1	0.4	1.0	2.4
Selected Financial Factors in Percentages													
21. Debt ratio	68.4	-	126.6	-	29.7	48.8	79.1	81.7	21.0	51.4	30.7	49.8	71.0
22. Return on assets	7.7	-	-	-	14.8	23.5	7.4	3.3	17.0	2.3	11.0	15.4	7.1
23. Return on equity	8.1	-	-	-	20.2	34.7	8.0	-	11.8	-	6.7	18.8	7.2
24. Return on net worth	24.2	-	-	-	21.0	45.8	35.4	17.8	21.6	4.7	15.8	30.6	24.4

†Depreciation largest factor

TABLE II: CORPORATIONS WITH NET INCOME, 1990 EDITION

2060 MANUFACTURING: FOOD AND KINDRED PRODUCTS:
Sugar and confectionery products

Item Description For Accounting Period 7/86 Through 6/87	A Total	B Zero Assets	C Under 100	D 100 to 250	E 251 to 500	F 501 to 1,000	G 1,001 to 5,000	H 5,001 to 10,000	I 10,001 to 25,000	J 25,001 to 50,000	K 50,001 to 100,000	L 100,001 to 250,000	M 250,001 and over
					SIZE OF ASSETS IN THOUSANDS OF DOLLARS (000 OMITTED)								
1. Number of Enterprises	564	6	-	-	206	176	107	30	11	-	-	7	-
2. Total receipts (in millions of dollars)	18453.9	19.0	-	-	177.5	215.4	609.1	614.5	194.7	-	-	1280.0	-
Selected Operating Factors in Percent of Net Sales													
3. Cost of operations	61.9	48.7	-	-	67.5	55.0	62.0	70.8	70.4	-	-	61.0	-
4. Compensation of officers	0.7	0.7	-	-	2.9	13.1	3.8	1.5	2.2	-	-	0.7	-
5. Repairs	1.2	0.3	-	-	0.9	1.9	0.4	0.6	0.3	-	-	1.8	-
6. Bad debts	0.1	-	-	-	0.1	0.4	0.4	0.4	0.1	-	-	0.2	-
7. Rent on business property	0.9	1.1	-	-	1.2	8.2	0.3	0.4	0.2	-	-	1.0	-
8. Taxes (excl Federal tax)	2.3	2.7	-	-	2.3	5.0	2.5	2.2	1.9	-	-	2.2	-
9. Interest	3.3	0.1	-	-	-	1.6	1.5	1.1	0.2	-	-	2.6	-
10. Deprec/Deplet/Amortiz†	3.6	2.2	-	-	2.7	2.4	3.3	2.5	3.5	-	-	4.6	-
11. Advertising	5.1	-	-	-	0.4	0.8	0.6	1.1	1.0	-	-	1.2	-
12. Pensions & other benef plans	1.8	-	-	-	-	3.3	1.6	1.2	1.1	-	-	1.2	-
13. Other expenses	18.1	11.1	-	-	10.6	34.2	20.1	16.9	6.5	-	-	16.7	-
14. Net profit before tax	1.0	33.1	-	-	11.4	#	3.5	1.3	12.6	-	-	6.8	-
Selected Financial Ratios (number of times ratio is to one)													
15. Current ratio	1.5	-	-	-	12.8	2.5	2.3	1.2	2.8	-	-	1.5	-
16. Quick ratio	0.8	-	-	-	11.4	1.5	0.8	0.5	1.4	-	-	0.8	-
17. Net sls to net wkg capital	7.6	-	-	-	4.0	4.8	6.9	28.8	3.7	-	-	8.3	-
18. Coverage ratio	2.6	-	-	-	-	-	3.9	3.1	-	-	-	5.1	-
19. Asset turnover	1.0	-	-	-	2.4	1.4	2.4	-	1.2	-	-	1.2	-
20. Total liab to net worth	2.1	-	-	-	0.2	1.0	1.5	3.1	0.3	-	-	1.0	-
Selected Financial Factors in Percentages													
21. Debt ratio	67.9	-	-	-	18.1	48.8	59.7	75.8	21.0	-	-	49.8	-
22. Return on assets	8.6	-	-	-	28.2	23.5	13.7	10.5	17.0	-	-	15.4	-
23. Return on equity	10.7	-	-	-	33.3	34.7	20.7	19.4	11.8	-	-	18.8	-
24. Return on net worth	26.8	-	-	-	34.4	45.8	34.0	43.4	21.6	-	-	30.6	-

†Depreciation largest factor

TABLE I: CORPORATIONS WITH AND WITHOUT NET INCOME, 1990 EDITION

2081 MANUFACTURING: FOOD AND KINDRED PRODUCTS:
Malt liquors and malt

Item Description For Accounting Period 7/86 Through 6/87	A Total	B Zero Assets	SIZE OF ASSETS IN THOUSANDS OF DOLLARS (000 OMITTED)										
			C Under 100	D 100 to 250	E 251 to 500	F 501 to 1,000	G 1,001 to 5,000	H 5,001 to 10,000	I 10,001 to 25,000	J 25,001 to 50,000	K 50,001 to 100,000	L 100,001 to 250,000	M 250,001 and over
1. Number of Enterprises	67	35	-	-	-	-	17	-	5	-	5	-	5
2. Total receipts (in millions of dollars)	16549.5	863.8	-	-	-	-	35.7	-	287.3	-	484.5	-	14878.3
Selected Operating Factors in Percent of Net Sales													
3. Cost of operations	57.2	78.7	-	-	-	-	51.7	-	79.4	-	67.0	-	55.2
4. Compensation of officers	0.4	0.8	-	-	-	-	4.6	-	0.3	-	1.2	-	0.4
5. Repairs	1.2	0.1	-	-	-	-	1.6	-	-	-	-	-	1.4
6. Bad debts	-	-	-	-	-	-	-	-	0.1	-	0.1	-	-
7. Rent on business property	0.7	-	-	-	-	-	2.7	-	0.1	-	0.7	-	0.8
8. Taxes (excl Federal tax)	10.5	10.5	-	-	-	-	10.7	-	7.0	-	10.7	-	10.5
9. Interest	1.5	2.3	-	-	-	-	1.6	-	1.4	-	1.8	-	1.5
10. Deprec/Deplet/Amortiz†	4.7	0.2	-	-	-	-	4.9	-	3.7	-	5.3	-	4.9
11. Advertising	6.8	5.2	-	-	-	-	0.6	-	0.2	-	4.3	-	7.0
12. Pensions & other benef plans	1.4	1.3	-	-	-	-	1.8	-	0.9	-	1.1	-	1.4
13. Other expenses	13.1	9.6	-	-	-	-	5.7	-	7.3	-	8.9	-	13.6
14. Net profit before tax	2.5	*	-	-	-	-	14.1	-	*	-	*	-	3.3
Selected Financial Ratios (number of times ratio is to one)													
15. Current ratio	1.1	-	-	-	-	-	0.8	-	1.1	-	1.6	-	1.1
16. Quick ratio	0.6	-	-	-	-	-	0.3	-	0.3	-	0.8	-	0.5
17. Net sls to net wkg capital	60.2	-	-	-	-	-	-	-	24.5	-	5.2	-	85.0
18. Coverage ratio	4.4	-	-	-	-	-	-	-	1.5	-	4.7	-	4.8
19. Asset turnover	1.4	-	-	-	-	-	1.4	-	1.6	-	1.0	-	1.3
20. Total liab to net worth	1.3	-	-	-	-	-	1.5	-	2.9	-	0.9	-	1.3
Selected Financial Factors in Percentages													
21. Debt ratio	56.4	-	-	-	-	-	60.3	-	74.1	-	47.7	-	56.4
22. Return on assets	9.1	-	-	-	-	-	27.3	-	3.6	-	8.5	-	9.2
23. Return on equity	8.7	-	-	-	-	-	37.7	-	-	-	8.4	-	9.0
24. Return on net worth	21.0	-	-	-	-	-	68.8	-	13.7	-	16.2	-	21.0

†Depreciation largest factor

TABLE II: CORPORATIONS WITH NET INCOME, 1990 EDITION

2081 MANUFACTURING: FOOD AND KINDRED PRODUCTS:
Malt liquors and malt

Item Description For Accounting Period 7/86 Through 6/87	A Total	B Zero Assets	C Under 100	D 100 to 250	E 251 to 500	F 501 to 1,000	G 1,001 to 5,000	H 5,001 to 10,000	I 10,001 to 25,000	J 25,001 to 50,000	K 50,001 to 100,000	L 100,001 to 250,000	M 250,001 and over
1. Number of Enterprises	32	-	-	-	-	-	17	-	-	-	-	-	5
2. Total receipts (in millions of dollars)	15578.1	-	-	-	-	-	35.7	-	-	-	-	-	14878.3
Selected Operating Factors in Percent of Net Sales													
3. Cost of operations	56.0	-	-	-	-	-	51.7	-	-	-	-	-	55.2
4. Compensation of officers	0.4	-	-	-	-	-	4.6	-	-	-	-	-	0.4
5. Repairs	1.3	-	-	-	-	-	1.6	-	-	-	-	-	1.4
6. Bad debts	-	-	-	-	-	-	-	-	-	-	-	-	-
7. Rent on business property	0.7	-	-	-	-	-	2.7	-	-	-	-	-	0.8
8. Taxes (excl Federal tax)	10.4	-	-	-	-	-	10.7	-	-	-	-	-	10.5
9. Interest	1.5	-	-	-	-	-	1.6	-	-	-	-	-	1.5
10. Deprec/Deplet/Amortiz†	4.9	-	-	-	-	-	4.9	-	-	-	-	-	4.9
11. Advertising	6.9	-	-	-	-	-	0.6	-	-	-	-	-	7.0
12. Pensions & other benef plans	1.4	-	-	-	-	-	1.8	-	-	-	-	-	1.4
13. Other expenses	13.3	-	-	-	-	-	5.7	-	-	-	-	-	13.6
14. Net profit before tax	3.2	-	-	-	-	-	14.1	-	-	-	-	-	3.3
Selected Financial Ratios (number of times ratio is to one)													
15. Current ratio	1.1	-	-	-	-	-	0.8	-	-	-	-	-	1.1
16. Quick ratio	0.6	-	-	-	-	-	0.3	-	-	-	-	-	0.5
17. Net sls to net wkg capital	54.1	-	-	-	-	-	-	-	-	-	-	-	85.0
18. Coverage ratio	4.8	-	-	-	-	-	-	-	-	-	-	-	4.8
19. Asset turnover	1.3	-	-	-	-	-	1.4	-	-	-	-	-	1.3
20. Total liab to net worth	1.3	-	-	-	-	-	1.5	-	-	-	-	-	1.3
Selected Financial Factors in Percentages													
21. Debt ratio	56.2	-	-	-	-	-	60.3	-	-	-	-	-	56.4
22. Return on assets	9.2	-	-	-	-	-	27.3	-	-	-	-	-	9.2
23. Return on equity	9.1	-	-	-	-	-	37.7	-	-	-	-	-	9.0
24. Return on net worth	20.9	-	-	-	-	-	68.8	-	-	-	-	-	21.0

†Depreciation largest factor

2088 MANUFACTURING: FOOD AND KINDRED PRODUCTS:

Alcoholic beverages, except malt liquors and malt

Item Description For Accounting Period 7/86 Through 6/87	A Total	B Zero Assets	C Under 100	D 100 to 250	E 251 to 500	F 501 to 1,000	G 1,001 to 5,000	H 5,001 to 10,000	I 10,001 to 25,000	J 25,001 to 50,000	K 50,001 to 100,000	L 100,001 to 250,000	M 250,001 and over
					SIZE OF ASSETS IN THOUSANDS OF DOLLARS (000 OMITTED)								
1. Number of Enterprises	958	5	609	-	69	153	75	3	17	10	6	5	6
2. Total receipts (in millions of dollars)	8607.0	-	75.9	-	3.9	21.8	210.6	10.4	807.6	481.8	541.9	1048.9	5404.1
Selected Operating Factors in Percent of Net Sales													
3. Cost of operations	61.8	-	50.2	-	-	-	35.6	69.1	60.0	62.0	59.3	75.9	60.9
4. Compensation of officers	0.9	-	1.3	-	-	-	3.3	5.3	1.2	0.9	1.5	0.8	0.6
5. Repairs	0.2	-	0.7	-	-	-	0.3	2.4	0.2	0.2	0.3	0.3	0.1
6. Bad debts	0.1	-	-	-	-	-	-	0.4	0.3	0.1	-	0.1	-
7. Rent on business property	0.5	-	7.4	-	-	-	0.3	0.1	0.4	0.2	0.3	0.4	0.6
8. Taxes (excl Federal tax)	11.3	-	5.4	-	-	-	39.9	6.9	23.6	8.2	16.4	1.7	10.0
9. Interest	5.9	-	4.2	-	-	-	5.5	19.2	1.1	2.8	2.2	1.4	8.3
10. Deprec/Deplet/Amortiz†	2.3	-	5.4	-	-	-	3.8	17.9	1.0	2.8	2.5	2.0	2.2
11. Advertising	6.0	-	5.6	-	-	-	0.6	3.8	2.7	4.4	0.9	7.5	7.1
12. Pensions & other benef plans	1.0	-	-	-	-	-	0.8	-	0.8	0.5	1.1	1.7	0.9
13. Other expenses	13.8	-	15.8	-	-	-	20.0	17.6	7.6	8.3	15.5	7.5	15.9
14. Net profit before tax	*	-	4.0	-	*	*	*	*	1.1	9.6	-	0.7	*
Selected Financial Ratios (number of times ratio is to one)													
15. Current ratio	1.7	-	6.5	-	-	4.1	1.8	0.8	1.3	1.8	2.2	4.2	1.6
16. Quick ratio	1.1	-	2.1	-	-	1.3	0.4	0.2	0.7	1.0	0.9	2.9	1.1
17. Net sls to net wkg capital	2.0	-	2.8	-	-	0.8	3.0	-	19.6	4.6	3.2	1.9	1.6
18. Coverage ratio	2.0	-	2.0	-	-	-	0.9	-	2.8	5.2	3.8	7.3	1.7
19. Asset turnover	0.4	-	1.9	-	-	0.2	1.0	0.3	-	1.4	1.2	0.9	0.3
20. Total liab to net worth	1.3	-	4.6	-	-	1.3	2.3	8.6	2.0	1.2	1.3	0.7	1.3
Selected Financial Factors in Percentages													
21. Debt ratio	56.2	-	82.1	-	-	56.5	70.0	89.6	66.1	55.4	55.8	41.5	56.7
22. Return on assets	4.4	-	16.1	-	-	-	5.1	-	8.4	19.7	9.7	9.4	3.7
23. Return on equity	3.1	-	43.4	-	-	-	-	-	8.6	17.6	12.1	8.3	2.5
24. Return on net worth	10.0	-	90.0	-	-	-	16.9	-	24.6	44.1	21.8	16.0	8.6

†Depreciation largest factor

2088 MANUFACTURING: FOOD AND KINDRED PRODUCTS:
Alcoholic beverages, except malt liquors and malt

Item Description For Accounting Period 7/86 Through 6/87	A Total	B Zero Assets	C Under 100	D 100 to 250	E 251 to 500	F 501 to 1,000	G 1,001 to 5,000	H 5,001 to 10,000	I 10,001 to 25,000	J 25,001 to 50,000	K 50,001 to 100,000	L 100,001 to 250,000	M 250,001 and over
		SIZE OF ASSETS IN THOUSANDS OF DOLLARS (000 OMITTED)											
1. Number of Enterprises	515	-	383	-	-	39	58	-	14	7	-	5	-
2. Total receipts (in millions of dollars)	6602.7	-	53.6	-	-	14.6	189.2	-	649.7	391.2	-	1048.9	-
Selected Operating Factors in Percent of Net Sales													
3. Cost of operations	64.8	-	57.8	-	-	39.6	28.0	-	55.1	65.0	-	75.9	-
4. Compensation of officers	0.9	-	1.8	-	-	6.7	3.7	-	1.3	0.8	-	0.8	-
5. Repairs	0.2	-	0.6	-	-	1.9	0.3	-	0.1	0.2	-	0.3	-
6. Bad debts	0.1	-	-	-	-	-	-	-	0.3	0.1	-	0.1	-
7. Rent on business property	0.5	-	2.8	-	-	-	0.2	-	0.5	0.2	-	0.4	-
8. Taxes (excl Federal tax)	8.9	-	5.3	-	-	6.5	44.3	-	29.0	2.6	-	1.7	-
9. Interest	6.1	-	3.4	-	-	-	3.6	-	1.1	1.4	-	1.4	-
10. Deprec/Deplet/Amortiz†	1.9	-	6.2	-	-	2.9	4.2	-	0.9	1.9	-	2.0	-
11. Advertising	4.9	-	1.4	-	-	0.6	0.6	-	3.1	4.9	-	7.5	-
12. Pensions & other benef plans	1.1	-	-	-	-	1.0	0.8	-	0.9	0.4	-	1.7	-
13. Other expenses	12.7	-	13.6	-	-	25.4	18.7	-	6.1	8.0	-	7.5	-
14. Net profit before tax	#	-	7.1	-	-	15.4	#	-	1.6	14.5	-	0.7	-
Selected Financial Ratios (number of times ratio is to one)													
15. Current ratio	1.9	-	2.8	-	-	118.1	2.2	-	1.2	2.4	-	4.2	-
16. Quick ratio	1.3	-	1.2	-	-	36.5	0.6	-	0.7	1.4	-	2.9	-
17. Net sls to net wkg capital	1.4	-	6.1	-	-	0.6	2.9	-	33.2	3.7	-	1.9	-
18. Coverage ratio	2.6	-	3.1	-	-	-	2.8	-	3.2	-	-	7.3	-
19. Asset turnover	0.3	-	-	-	-	0.4	1.2	-	-	1.5	-	0.9	-
20. Total liab to net worth	1.2	-	2.3	-	-	-	1.2	-	2.3	0.7	-	0.7	-
Selected Financial Factors in Percentages													
21. Debt ratio	53.9	-	70.1	-	-	1.1	54.0	-	69.4	42.7	-	41.5	-
22. Return on assets	5.0	-	-	-	-	8.2	11.5	-	9.8	27.7	-	9.4	-
23. Return on equity	4.5	-	-	-	-	6.6	12.0	-	12.0	25.3	-	8.3	-
24. Return on net worth	10.8	-	-	-	-	8.3	25.1	-	31.9	48.2	-	16.0	-

†Depreciation largest factor

2089 MANUFACTURING: FOOD AND KINDRED PRODUCTS:

Bottled soft drinks and flavorings

					SIZE OF ASSETS IN THOUSANDS OF DOLLARS (000 OMITTED)								
Item Description For Accounting Period 7/86 Through 6/87	A Total	B Zero Assets	C Under 100	D 100 to 250	E 251 to 500	F 501 to 1,000	G 1,001 to 5,000	H 5,001 to 10,000	I 10,001 to 25,000	J 25,001 to 50,000	K 50,001 to 100,000	L 100,001 to 250,000	M 250,001 and over
1. Number of Enterprises	1031	95	-	6	69	208	385	93	98	28	19	14	17
2. Total receipts (in millions of dollars)	38704.7	1568.7	-	53.7	36.6	435.7	2011.6	1608.3	3069.3	1696.2	1935.6	2072.0	24216.9
Selected Operating Factors in Percent of Net Sales													
3. Cost of operations	56.4	54.2	-	60.6	63.8	65.3	59.0	72.5	69.2	67.1	62.7	58.5	51.7
4. Compensation of officers	0.6	0.6	-	2.2	-	3.4	3.0	1.3	1.3	0.5	0.6	1.1	0.2
5. Repairs	1.1	1.3	-	1.8	0.4	0.8	1.3	0.7	0.9	0.9	0.9	1.0	1.1
6. Bad debts	0.2	0.3	-	-	-	0.1	0.1	0.1	0.1	0.1	0.2	0.2	0.2
7. Rent on business property	1.1	0.5	-	0.4	-	1.0	0.8	0.2	0.4	0.4	0.5	0.9	1.5
8. Taxes (excl Federal tax)	2.0	2.4	-	0.6	0.6	2.1	2.4	1.6	1.9	1.5	2.5	2.0	2.0
9. Interest	4.0	4.3	-	0.1	5.7	1.1	1.1	1.1	1.8	2.0	3.7	5.0	5.0
10. Deprec/Deplet/Amortiz†	4.6	6.3	-	0.2	7.7	3.4	4.2	2.6	3.8	4.0	5.2	5.9	4.6
11. Advertising	8.0	3.4	-	-	2.0	2.5	3.1	4.4	3.6	3.9	4.9	5.8	10.5
12. Pensions & other benef plans	1.5	1.1	-	0.1	1.8	0.6	1.4	0.6	1.3	0.9	1.2	1.5	1.7
13. Other expenses	23.5	24.3	-	23.4	7.7	19.7	19.3	12.5	14.5	19.2	18.2	21.6	26.9
14. Net profit before tax	*	1.3	-	10.6	10.3	*	4.3	2.4	1.2	*	*	*	*
Selected Financial Ratios (number of times ratio is to one)													
15. Current ratio	1.0	-	-	-	1.0	1.7	1.9	1.6	1.8	1.2	1.1	1.2	0.9
16. Quick ratio	0.7	-	-	-	1.0	1.1	1.2	1.1	1.1	0.8	0.7	0.8	0.7
17. Net sls to net wkg capital	-	-	-	-	-	12.1	10.2	14.3	9.2	27.8	35.6	28.1	-
18. Coverage ratio	2.6	-	-	-	2.9	1.5	7.0	6.8	3.5	1.8	1.9	0.9	2.5
19. Asset turnover	0.7	-	-	-	1.4	-	2.2	2.4	1.9	1.7	1.3	0.9	0.5
20. Total liab to net worth	2.2	-	-	-	1.9	0.8	0.7	1.0	1.4	2.3	2.2	6.2	2.2
Selected Financial Factors in Percentages													
21. Debt ratio	68.6	-	-	-	65.5	44.6	39.5	48.7	57.9	69.9	68.6	86.1	69.1
22. Return on assets	7.5	-	-	-	22.8	4.7	16.5	17.1	11.6	5.9	9.3	4.1	6.5
23. Return on equity	8.1	-	-	-	35.5	1.6	18.0	19.2	12.4	2.1	7.8	-	6.9
24. Return on net worth	24.0	-	-	-	66.1	8.4	27.2	33.3	27.4	19.7	29.7	29.4	21.1

†Depreciation largest factor

TABLE II: CORPORATIONS WITH NET INCOME, 1990 EDITION

2089 MANUFACTURING: FOOD AND KINDRED PRODUCTS:
Bottled soft drinks and flavorings

Item Description For Accounting Period 7/86 Through 6/87	A Total	B Zero Assets	C Under 100	D 100 to 250	E 251 to 500	F 501 to 1,000	G 1,001 to 5,000	H 5,001 to 10,000	I 10,001 to 25,000	J 25,001 to 50,000	K 50,001 to 100,000	L 100,001 to 250,000	M 250,001 and over
						SIZE OF ASSETS IN THOUSANDS OF DOLLARS (000 OMITTED)							
1. Number of Enterprises	857	80	-	6	69	152	339	83	77	19	13	8	11
2. Total receipts (in millions of dollars)	34443.7	1303.8	-	53.7	36.6	336.7	1913.2	1583.2	2691.7	1260.1	1509.1	1108.8	22646.8
Selected Operating Factors in Percent of Net Sales													
3. Cost of operations	55.9	54.4	-	60.6	63.8	68.4	58.7	73.0	70.3	64.1	65.0	58.1	51.1
4. Compensation of officers	0.6	0.7	-	2.2	-	3.4	3.1	1.0	1.3	0.6	0.6	0.5	0.1
5. Repairs	1.1	1.4	-	1.8	0.4	0.4	1.3	0.7	0.9	1.0	0.9	0.9	1.1
6. Bad debts	0.1	0.3	-	-	-	0.2	0.1	0.1	0.1	0.2	0.2	0.2	0.1
7. Rent on business property	1.2	0.4	-	0.4	-	0.8	0.8	0.2	0.4	0.4	0.4	1.0	1.5
8. Taxes (excl Federal tax)	2.1	2.8	-	0.6	0.6	1.9	2.3	1.6	2.0	1.7	2.7	2.3	2.0
9. Interest	3.6	4.5	-	0.1	5.7	1.0	1.1	1.0	1.1	1.8	2.4	4.4	4.5
10. Deprec/Deplet/Amortiz†	4.4	6.9	-	0.2	7.7	2.9	4.1	2.4	3.1	4.4	4.3	7.8	4.5
11. Advertising	8.2	2.3	-	-	2.0	2.6	3.2	4.5	3.5	4.6	3.6	4.7	10.7
12. Pensions & other benef plans	1.5	1.0	-	0.1	1.8	0.5	1.4	0.6	1.4	1.0	1.2	1.2	1.7
13. Other expenses	22.7	22.0	-	23.4	7.7	16.6	19.1	12.3	13.5	18.8	17.4	21.0	25.8
14. Net profit before tax	#	3.3	-	10.6	10.3	1.3	4.8	2.6	2.4	1.4	1.3	#	#
Selected Financial Ratios (number of times ratio is to one)													
15. Current ratio	1.0	-	-	-	1.0	1.4	1.8	2.1	1.8	1.5	1.1	1.1	0.9
16. Quick ratio	0.7	-	-	-	1.0	0.9	1.1	1.4	1.1	1.0	0.7	0.8	0.7
17. Net sls to net wkg capital	-	-	-	-	-	17.7	11.7	10.6	9.2	15.0	33.6	49.5	-
18. Coverage ratio	3.4	-	-	-	2.9	2.7	7.6	7.6	6.2	3.0	3.7	1.7	3.1
19. Asset turnover	0.8	-	-	-	1.4	-	2.3	-	2.1	1.9	1.5	0.9	0.6
20. Total liab to net worth	2.2	-	-	-	1.9	1.0	0.7	0.7	1.0	1.6	1.8	3.9	2.4
Selected Financial Factors in Percentages													
21. Debt ratio	68.7	-	-	-	65.5	50.0	41.6	41.1	50.1	62.0	63.8	79.5	70.4
22. Return on assets	9.4	-	-	-	22.8	7.7	18.4	19.7	14.5	10.5	13.0	6.4	8.0
23. Return on equity	13.1	-	-	-	35.5	7.6	21.4	19.9	16.6	10.6	17.6	9.3	11.2
24. Return on net worth	29.9	-	-	-	66.1	15.4	31.6	33.4	29.1	27.6	35.8	31.3	26.9

†Depreciation largest factor

2096 MANUFACTURING: FOOD AND KINDRED PRODUCTS:
Other food and kindred products

Item Description For Accounting Period 7/86 Through 6/87	A Total	B Zero Assets	C Under 100	D 100 to 250	E 251 to 500	F 501 to 1,000	G 1,001 to 5,000	H 5,001 to 10,000	I 10,001 to 25,000	J 25,001 to 50,000	K 50,001 to 100,000	L 100,001 to 250,000	M 250,001 and over
		SIZE OF ASSETS IN THOUSANDS OF DOLLARS (000 OMITTED)											
1. Number of Enterprises	4563	67	1949	498	533	523	607	206	93	47	17	6	15
2. Total receipts (in millions of dollars)	55795.1	1327.7	329.6	176.1	471.2	856.0	3108.2	3574.6	2763.2	3480.8	2527.3	1478.1	35702.4
Selected Operating Factors in Percent of Net Sales													
3. Cost of operations	73.2	66.2	59.4	69.5	70.6	71.6	72.8	76.9	74.0	75.1	72.6	62.0	73.6
4. Compensation of officers	0.7	1.9	4.1	1.5	3.6	2.6	2.8	1.6	1.1	1.1	0.8	0.7	0.2
5. Repairs	0.7	1.1	0.3	0.9	0.9	0.9	0.7	0.3	0.4	0.4	0.3	1.0	0.9
6. Bad debts	0.1	0.2	-	1.3	-	0.1	0.2	0.2	0.3	0.1	0.1	0.1	0.1
7. Rent on business property	1.0	0.8	1.5	1.6	1.4	1.3	0.7	0.5	0.7	0.8	0.6	1.8	1.0
8. Taxes (excl Federal tax)	1.3	2.0	0.8	2.8	2.2	1.9	1.9	1.5	1.7	1.4	1.4	1.4	1.1
9. Interest	6.4	1.1	0.5	2.2	1.6	2.0	1.4	1.2	1.7	1.9	1.4	1.5	9.4
10. Deprec/Deplet/Amortiz†	3.2	2.4	2.4	5.9	2.3	5.1	3.0	2.3	3.6	2.6	3.0	4.7	3.3
11. Advertising	2.9	5.4	0.5	-	1.5	1.0	0.9	1.6	2.0	2.6	1.8	4.5	3.4
12. Pensions & other benef plans	0.9	1.4	0.8	1.3	-	0.7	0.8	0.8	0.8	0.9	1.2	1.4	0.8
13. Other expenses	14.6	15.0	27.3	24.3	17.8	16.5	15.5	11.5	12.7	11.6	14.0	18.8	14.9
14. Net profit before tax	*	2.5	2.4	*	*	*	*	1.6	1.0	1.5	2.8	2.1	*
Selected Financial Ratios (number of times ratio is to one)													
15. Current ratio	1.5	-	8.7	-	1.3	1.4	1.3	1.5	1.5	1.3	1.7	1.5	1.5
16. Quick ratio	0.8	-	7.1	-	0.8	0.9	0.8	0.8	0.8	0.6	0.7	0.7	0.9
17. Net sls to net wkg capital	10.3	-	14.3	-	23.8	16.1	23.6	13.2	10.0	20.4	9.3	12.6	8.6
18. Coverage ratio	1.3	-	6.8	-	0.2	-	1.6	3.1	2.9	2.9	4.1	5.1	1.1
19. Asset turnover	0.9	-	-	-	-	2.3	2.5	2.4	2.0	2.1	2.0	1.6	0.7
20. Total liab to net worth	1.0	-	5.8	-	1.7	5.3	1.9	1.6	1.6	1.8	1.2	1.2	0.9
Selected Financial Factors in Percentages													
21. Debt ratio	49.3	-	85.2	-	63.3	84.1	64.9	60.7	61.3	63.6	54.0	54.0	46.9
22. Return on assets	7.8	-	18.9	-	1.0	-	5.4	9.1	9.3	10.9	11.8	11.8	7.4
23. Return on equity	1.3	-	-	-	-	-	-	9.1	8.5	9.0	11.2	12.4	0.4
24. Return on net worth	15.5	-	-	-	2.6	-	15.4	23.2	24.0	29.9	25.5	25.8	13.9

†Depreciation largest factor

2096 MANUFACTURING: FOOD AND KINDRED PRODUCTS:

Other food and kindred products

Item Description For Accounting Period 7/86 Through 6/87	A Total	B Zero Assets	C Under 100	D 100 to 250	E 251 to 500	F 501 to 1,000	G 1,001 to 5,000	H 5,001 to 10,000	I 10,001 to 25,000	J 25,001 to 50,000	K 50,001 to 100,000	L 100,001 to 250,000	M 250,001 and over
					SIZE OF ASSETS IN THOUSANDS OF DOLLARS (000 OMITTED)								
1. Number of Enterprises	2580	53	1053	146	343	311	401	133	72	38	13	6	10
2. Total receipts (in millions of dollars)	35592.7	1034.9	281.5	15.9	354.0	624.0	2311.9	2502.0	2233.2	2746.6	1984.6	1478.1	20026.0
					Selected Operating Factors in Percent of Net Sales								
3. Cost of operations	75.4	62.4	63.1	13.2	69.7	70.6	70.8	76.1	73.7	73.3	70.9	62.0	79.0
4. Compensation of officers	0.9	2.3	4.8	-	4.2	2.9	3.0	1.9	1.2	1.2	0.8	0.7	0.3
5. Repairs	0.7	0.6	0.4	5.4	1.1	0.4	0.6	0.3	0.4	0.4	0.3	1.0	0.9
6. Bad debts	0.1	0.2	-	-	-	0.1	0.2	0.1	0.3	0.1	0.1	0.1	0.1
7. Rent on business property	0.8	0.7	1.5	6.6	1.0	0.5	0.6	0.5	0.5	0.6	0.5	1.8	0.9
8. Taxes (excl Federal tax)	1.3	1.9	0.9	3.7	2.5	1.9	2.0	1.5	1.5	1.4	1.5	1.4	1.0
9. Interest	1.8	0.9	0.6	1.4	0.7	1.3	0.9	0.9	1.4	1.4	1.1	1.5	2.3
10. Deprec/Deplet/Amortiz†	2.5	1.9	2.4	10.0	2.0	2.8	2.4	2.0	3.3	2.7	3.1	4.7	2.3
11. Advertising	2.8	6.5	0.2	-	0.3	1.1	0.7	1.5	2.1	2.6	2.0	4.5	3.2
12. Pensions & other benef plans	0.7	1.4	0.9	-	-	0.7	0.9	0.7	0.7	0.8	1.3	1.4	0.6
13. Other expenses	12.0	16.5	20.7	46.5	15.7	15.8	14.6	10.7	11.9	12.0	13.3	18.8	10.6
14. Net profit before tax	1.0	4.7	4.5	13.2	2.8	1.9	3.3	3.8	3.0	3.5	5.1	2.1	#
					Selected Financial Ratios (number of times ratio is to one)								
15. Current ratio	1.8	-	154.2	10.3	3.5	1.5	1.5	1.7	1.7	1.7	2.0	1.5	1.9
16. Quick ratio	1.0	-	142.3	10.3	2.8	0.9	0.9	1.1	0.9	0.8	0.8	0.7	1.0
17. Net sls to net wkg capital	8.5	-	15.8	12.0	7.8	15.1	18.0	10.7	9.2	10.2	7.4	12.6	7.0
18. Coverage ratio	3.8	-	9.2	-	5.8	3.1	6.4	6.3	4.9	4.8	6.8	5.1	2.9
19. Asset turnover	1.6	-	-	1.0	-	-	-	-	2.1	2.0	2.0	1.6	1.2
20. Total liab to net worth	1.0	-	27.3	1.5	0.4	2.2	1.1	1.1	1.4	1.2	0.9	1.2	1.0
					Selected Financial Factors in Percentages								
21. Debt ratio	50.3	-	96.5	59.3	29.6	68.9	53.3	52.8	57.9	55.1	47.3	54.0	48.7
22. Return on assets	10.6	-	-	18.8	12.2	11.2	16.1	14.8	14.1	14.0	14.8	11.8	8.2
23. Return on equity	9.8	-	-	40.3	12.0	20.8	21.2	18.0	17.8	14.0	14.8	12.4	6.3
24. Return on net worth	21.3	-	-	46.0	17.4	36.0	34.5	31.3	33.4	31.1	28.0	25.8	16.0

†Depreciation largest factor

TABLE I: CORPORATIONS WITH AND WITHOUT NET INCOME, 1990 EDITION

2100 MANUFACTURING:
Tobacco manufactures

Item Description For Accounting Period 7/86 Through 6/87	A Total	B Zero Assets	C Under 100	D 100 to 250	E 251 to 500	F 501 to 1,000	G 1,001 to 5,000	H 5,001 to 10,000	I 10,001 to 25,000	J 25,001 to 50,000	K 50,001 to 100,000	L 100,001 to 250,000	M 250,001 and over
					SIZE OF ASSETS IN THOUSANDS OF DOLLARS (000 OMITTED)								
1. Number of Enterprises	150	-	-	69	-	39	28	-	4	-	3	-	7
2. Total receipts (in millions of dollars)	53832.9	-	-	82.3	-	76.5	100.8	-	131.9	-	345.3	-	53096.1
Selected Operating Factors in Percent of Net Sales													
3. Cost of operations	52.5	-	-	95.5	-	75.8	48.6	-	60.5	-	36.2	-	52.5
4. Compensation of officers	0.3	-	-	2.7	-	-	2.4	-	2.8	-	0.4	-	0.3
5. Repairs	0.6	-	-	0.1	-	-	0.7	-	0.4	-	-	-	0.6
6. Bad debts	0.1	-	-	-	-	-	0.1	-	0.2	-	0.1	-	0.1
7. Rent on business property	0.7	-	-	0.7	-	2.0	4.6	-	0.1	-	0.3	-	0.7
8. Taxes (excl Federal tax)	3.7	-	-	3.5	-	2.7	3.9	-	1.7	-	24.7	-	3.6
9. Interest	5.7	-	-	4.3	-	-	2.3	-	1.9	-	2.1	-	5.7
10. Deprec/Deplet/Amortiz†	6.4	-	-	1.3	-	0.2	3.2	-	3.7	-	0.9	-	6.4
11. Advertising	8.5	-	-	0.2	-	-	11.5	-	4.1	-	4.6	-	8.6
12. Pensions & other benef plans	2.0	-	-	2.9	-	0.1	3.5	-	0.4	-	1.3	-	2.0
13. Other expenses	19.7	-	-	6.4	-	15.3	34.7	-	16.1	-	12.1	-	19.8
14. Net profit before tax	*	-	-	*	-	3.9	*	-	8.1	-	17.3	-	*
Selected Financial Ratios (number of times ratio is to one)													
15. Current ratio	1.3	-	-	-	-	2.3	1.7	-	3.4	-	4.0	-	1.3
16. Quick ratio	0.7	-	-	-	-	1.3	0.9	-	1.5	-	1.6	-	0.7
17. Net sls to net wkg capital	16.0	-	-	-	-	6.5	5.7	-	6.3	-	2.7	-	16.4
18. Coverage ratio	2.0	-	-	-	-	-	-	-	6.9	-	9.8	-	2.0
19. Asset turnover	0.8	-	-	-	-	-	1.1	-	1.6	-	1.2	-	0.8
20. Total liab to net worth	0.9	-	-	-	-	0.8	2.2	-	0.7	-	0.6	-	0.9
Selected Financial Factors in Percentages													
21. Debt ratio	46.0	-	-	-	-	43.8	68.8	-	42.1	-	39.2	-	45.9
22. Return on assets	8.9	-	-	-	-	14.0	-	-	21.2	-	23.3	-	8.9
23. Return on equity	4.7	-	-	-	-	16.3	-	-	18.0	-	18.6	-	4.6
24. Return on net worth	16.6	-	-	-	-	24.9	-	-	36.7	-	38.3	-	16.4

†Depreciation largest factor

2100 MANUFACTURING:
Tobacco manufactures

					SIZE OF ASSETS IN THOUSANDS OF DOLLARS (000 OMITTED)								
Item Description For Accounting Period 7/86 Through 6/87	A Total	B Zero Assets	C Under 100	D 100 to 250	E 251 to 500	F 501 to 1,000	G 1,001 to 5,000	H 5,001 to 10,000	I 10,001 to 25,000	J 25,001 to 50,000	K 50,001 to 100,000	L 100,001 to 250,000	M 250,001 and over
1. Number of Enterprises	81	-	-	-	-	39	-	-	4	-	-	-	7
2. Total receipts (in millions of dollars)	53746.2	-	-	-	-	76.5	-	-	131.9	-	-	-	53096.1
Selected Operating Factors in Percent of Net Sales													
3. Cost of operations	52.5	-	-	-	-	75.8	-	-	60.5	-	-	-	52.5
4. Compensation of officers	0.3	-	-	-	-	-	-	-	2.8	-	-	-	0.3
5. Repairs	0.6	-	-	-	-	-	-	-	0.4	-	-	-	0.6
6. Bad debts	0.1	-	-	-	-	-	-	-	0.2	-	-	-	0.1
7. Rent on business property	0.7	-	-	-	-	2.0	-	-	0.1	-	-	-	0.7
8. Taxes (excl Federal tax)	3.7	-	-	-	-	2.7	-	-	1.7	-	-	-	3.6
9. Interest	5.7	-	-	-	-	-	-	-	1.9	-	-	-	5.7
10. Deprec/Deplet/Amortiz†	6.4	-	-	-	-	0.2	-	-	3.7	-	-	-	6.4
11. Advertising	8.5	-	-	-	-	-	-	-	4.1	-	-	-	8.6
12. Pensions & other benef plans	2.0	-	-	-	-	0.1	-	-	0.4	-	-	-	2.0
13. Other expenses	19.8	-	-	-	-	15.3	-	-	16.1	-	-	-	19.8
14. Net profit before tax	#	-	-	-	-	3.9	-	-	8.1	-	-	-	#
Selected Financial Ratios (number of times ratio is to one)													
15. Current ratio	1.3	-	-	-	-	2.3	-	-	3.4	-	-	-	1.3
16. Quick ratio	0.7	-	-	-	-	1.3	-	-	1.5	-	-	-	0.7
17. Net sls to net wkg capital	15.7	-	-	-	-	6.5	-	-	6.3	-	-	-	16.4
18. Coverage ratio	2.0	-	-	-	-	-	-	-	6.9	-	-	-	2.0
19. Asset turnover	0.8	-	-	-	-	-	-	-	1.6	-	-	-	0.8
20. Total liab to net worth	0.9	-	-	-	-	0.8	-	-	0.7	-	-	-	0.9
Selected Financial Factors in Percentages													
21. Debt ratio	45.9	-	-	-	-	43.8	-	-	42.1	-	-	-	45.9
22. Return on assets	9.0	-	-	-	-	14.0	-	-	21.2	-	-	-	8.9
23. Return on equity	4.7	-	-	-	-	16.3	-	-	18.0	-	-	-	4.6
24. Return on net worth	16.6	-	-	-	-	24.9	-	-	36.7	-	-	-	16.4

†Depreciation largest factor

TABLE I: CORPORATIONS WITH AND WITHOUT NET INCOME, 1990 EDITION

2228 MANUFACTURING: TEXTILE MILL PRODUCTS:
Weaving mills and textile finishing

Item Description For Accounting Period 7/86 Through 6/87	A Total	B Zero Assets	C Under 100	D 100 to 250	E 251 to 500	F 501 to 1,000	G 1,001 to 5,000	H 5,001 to 10,000	I 10,001 to 25,000	J 25,001 to 50,000	K 50,001 to 100,000	L 100,001 to 250,000	M 250,001 and over
SIZE OF ASSETS IN THOUSANDS OF DOLLARS (000 OMITTED)													
1. Number of Enterprises	997	66	375	-	-	240	173	52	46	20	9	8	9
2. Total receipts (in millions of dollars)	17110.6	655.3	61.6	-	-	359.5	1017.4	805.0	1461.5	1065.9	1168.5	1366.6	9149.4
Selected Operating Factors in Percent of Net Sales													
3. Cost of operations	72.9	81.5	58.0	-	-	66.1	75.9	76.5	77.2	76.3	74.8	70.7	71.0
4. Compensation of officers	1.2	0.9	17.0	-	-	6.5	4.0	3.1	1.4	1.1	1.0	0.6	0.5
5. Repairs	1.0	0.1	0.7	-	-	0.5	0.4	1.5	0.1	0.3	0.1	0.4	1.6
6. Bad debts	0.2	0.4	0.1	-	-	-	0.8	0.1	0.2	0.1	0.1	0.3	0.1
7. Rent on business property	0.7	0.3	3.9	-	-	1.3	1.1	0.5	0.5	0.2	0.4	0.5	0.9
8. Taxes (excl Federal tax)	2.7	1.8	3.9	-	-	4.0	2.5	2.1	1.9	2.0	3.0	2.9	3.0
9. Interest	2.2	1.8	2.5	-	-	2.2	1.2	1.7	2.4	1.7	1.5	1.3	2.5
10. Deprec/Deplet/Amortiz†	4.1	3.7	2.8	-	-	3.4	2.5	2.4	2.8	3.8	5.9	4.0	4.4
11. Advertising	0.9	-	0.8	-	-	-	0.1	0.1	3.2	0.1	0.3	0.3	1.1
12. Pensions & other benef plans	1.5	1.6	-	-	-	1.7	1.7	1.1	1.4	1.7	1.1	1.3	1.6
13. Other expenses	11.3	7.7	10.3	-	-	22.6	10.4	9.7	7.8	10.0	6.8	10.8	12.7
14. Net profit before tax	1.3	0.2	*	-	-	*	*	1.2	1.1	2.7	5.0	6.9	0.6
Selected Financial Ratios (number of times ratio is to one)													
15. Current ratio	2.0	-	5.6	-	-	1.2	1.4	1.4	1.9	2.3	2.1	2.7	2.1
16. Quick ratio	1.1	-	3.8	-	-	0.8	1.0	0.6	0.8	1.2	1.1	1.3	1.2
17. Net sls to net wkg capital	5.5	-	4.5	-	-	18.3	13.3	10.4	6.1	4.4	6.0	3.5	5.0
18. Coverage ratio	3.0	-	-	-	-	-	1.9	2.3	2.1	3.3	6.8	7.2	2.8
19. Asset turnover	1.4	-	-	-	-	2.2	2.4	2.0	1.9	1.6	1.6	1.1	1.2
20. Total liab to net worth	1.1	-	5.6	-	-	2.3	1.6	1.4	2.1	0.9	1.1	1.4	1.0
Selected Financial Factors in Percentages													
21. Debt ratio	52.8	-	84.8	-	-	69.6	61.9	57.9	68.0	47.0	52.1	58.4	49.7
22. Return on assets	9.1	-	-	-	-	-	5.4	7.4	9.9	9.3	16.2	10.2	8.3
23. Return on equity	7.4	-	-	-	-	-	1.3	6.8	9.7	6.5	16.0	12.2	6.5
24. Return on net worth	19.3	-	-	-	-	-	14.2	17.6	31.0	17.5	33.9	24.5	16.5

†Depreciation largest factor

2228 MANUFACTURING: TEXTILE MILL PRODUCTS:
Weaving mills and textile finishing

Item Description For Accounting Period 7/86 Through 6/87	A Total	B Zero Assets	C Under 100	D 100 to 250	E 251 to 500	F 501 to 1,000	G 1,001 to 5,000	H 5,001 to 10,000	I 10,001 to 25,000	J 25,001 to 50,000	K 50,001 to 100,000	L 100,001 to 250,000	M 250,001 and over
			SIZE OF ASSETS IN THOUSANDS OF DOLLARS (000 OMITTED)										
1. Number of Enterprises	876	61	375	-	-	197	130	33	39	-	-	-	9
2. Total receipts (in millions of dollars)	16166.1	471.7	61.6	-	-	304.6	826.2	554.6	1351.8	-	-	-	9149.4
Selected Operating Factors in Percent of Net Sales													
3. Cost of operations	72.7	77.2	58.0	-	-	74.7	74.8	74.5	78.0	-	-	-	71.0
4. Compensation of officers	1.2	1.0	17.0	-	-	7.5	4.0	3.7	1.4	-	-	-	0.5
5. Repairs	1.0	0.1	0.7	-	-	0.4	-	1.8	0.1	-	-	-	1.6
6. Bad debts	0.1	0.1	0.1	-	-	-	0.4	0.1	0.2	-	-	-	0.1
7. Rent on business property	0.7	0.3	3.9	-	-	1.3	1.0	0.6	0.4	-	-	-	0.9
8. Taxes (excl Federal tax)	2.7	1.1	3.9	-	-	2.8	2.4	2.2	1.8	-	-	-	3.0
9. Interest	2.1	1.0	2.5	-	-	0.6	1.0	1.0	2.4	-	-	-	2.5
10. Deprec/Deplet/Amortiz†	4.0	3.8	2.8	-	-	2.0	2.7	2.1	2.6	-	-	-	4.4
11. Advertising	1.0	-	0.8	-	-	-	0.1	0.1	3.4	-	-	-	1.1
12. Pensions & other benef plans	1.5	2.2	-	-	-	1.1	1.5	1.4	1.4	-	-	-	1.6
13. Other expenses	10.9	8.4	10.3	-	-	9.5	9.6	8.8	6.6	-	-	-	12.7
14. Net profit before tax	2.1	4.8	#	-	-	0.1	2.5	3.7	1.7	-	-	-	0.6
Selected Financial Ratios (number of times ratio is to one)													
15. Current ratio	2.1	-	5.6	-	-	3.6	1.6	1.4	1.8	-	-	-	2.1
16. Quick ratio	1.2	-	3.8	-	-	2.5	1.1	0.8	0.8	-	-	-	1.2
17. Net sls to net wkg capital	5.3	-	4.5	-	-	3.9	9.5	11.3	7.0	-	-	-	5.0
18. Coverage ratio	3.5	-	-	-	-	5.3	5.5	5.3	2.3	-	-	-	2.8
19. Asset turnover	1.4	-	-	-	-	2.2	2.3	2.2	2.1	-	-	-	1.2
20. Total liab to net worth	1.1	-	5.6	-	-	0.5	1.1	1.5	2.1	-	-	-	1.0
Selected Financial Factors in Percentages													
21. Debt ratio	51.2	-	84.8	-	-	31.5	52.3	60.2	67.8	-	-	-	49.7
22. Return on assets	10.3	-	-	-	-	7.0	12.9	12.2	11.5	-	-	-	8.3
23. Return on equity	9.4	-	-	-	-	6.5	16.9	19.8	13.0	-	-	-	6.5
24. Return on net worth	21.1	-	-	-	-	10.2	27.0	30.8	35.7	-	-	-	16.5

†Depreciation largest factor

TABLE I: CORPORATIONS WITH AND WITHOUT NET INCOME, 1990 EDITION

2250 MANUFACTURING: TEXTILE MILL PRODUCTS:

Knitting mills

	SIZE OF ASSETS IN THOUSANDS OF DOLLARS (000 OMITTED)												
Item Description For Accounting Period 7/86 Through 6/87	A To	B Zero Assets	C Under 100	D 100 to 250	E 251 to 500	F 501 to 1,000	G 1,001 to 5,000	H 5,001 to 10,000	I 10,001 to 25,000	J 25,001 to 50,000	K 50,001 to 100,000	L 100,001 to 250,000	M 250,001 and over
1. Number of Enterprises	878	4	-	18	368	101	276	68	26	13	-	6	-
2. Total receipts (in millions of dollars)	6651.4	23.7	-	34.3	558.7	272.3	1522.1	987.5	805.2	861.1	-	1586.4	-
Selected Operating Factors in Percent of Net Sales													
3. Cost of operations	72.3	24.9	-	92.7	73.4	75.0	76.3	75.9	74.5	66.5	-	67.6	-
4. Compensation of officers	2.3	1.3	-	1.5	5.3	3.0	3.8	2.6	1.6	1.1	-	0.5	-
5. Repairs	0.3	0.4	-	0.1	0.1	0.1	0.1	-	0.1	0.4	-	0.9	-
6. Bad debts	0.1	0.2	-	0.3	-	-	0.2	0.2	0.1	0.4	-	0.2	-
7. Rent on business property	0.8	2.3	-	-	0.5	1.4	1.0	0.5	0.4	1.8	-	0.5	-
8. Taxes (excl Federal tax)	2.7	4.5	-	4.5	4.5	3.4	2.0	2.3	3.0	2.5	-	2.7	-
9. Interest	1.7	0.3	-	1.1	1.2	1.6	1.4	0.9	1.8	2.2	-	2.5	-
10. Deprec/Deplet/Amortiz†	3.1	0.4	-	1.3	4.6	2.7	1.6	1.9	2.5	3.3	-	4.9	-
11. Advertising	0.5	0.4	-	-	-	-	0.1	0.2	0.3	2.1	-	0.4	-
12. Pensions & other benef plans	1.2	0.1	-	-	0.6	1.2	1.5	1.3	0.8	1.5	-	1.2	-
13. Other expenses	10.5	10.9	-	4.0	6.9	13.1	11.4	9.2	10.8	13.6	-	9.5	-
14. Net profit before tax	4.5	54.3	-	*	2.9	*	0.6	5.0	4.1	4.6	-	9.1	-
Selected Financial Ratios (number of times ratio is to one)													
15. Current ratio	2.4	-	-	8.3	1.0	1.1	1.7	2.1	2.3	3.6	-	3.6	-
16. Quick ratio	1.3	-	-	8.1	0.7	0.7	1.0	1.0	1.0	1.9	-	2.3	-
17. Net sls to net wkg capital	5.0	-	-	9.1	-	67.7	7.3	6.0	5.6	3.1	-	2.9	-
18. Coverage ratio	4.2	-	-	0.5	4.0	0.2	2.3	7.6	3.8	4.0	-	4.9	-
19. Asset turnover	1.8	-	-	-	-	-	2.5	2.0	2.0	1.6	-	1.2	-
20. Total liab to net worth	1.3	-	-	0.1	1.5	10.0	1.9	0.8	0.9	0.9	-	1.4	-
Selected Financial Factors in Percentages													
21. Debt ratio	55.5	-	-	11.8	60.5	90.9	65.8	43.5	46.4	47.4	-	58.7	-
22. Return on assets	13.1	-	-	3.8	18.3	1.1	7.7	14.0	13.6	13.7	-	14.1	-
23. Return on equity	14.8	-	-	-	27.5	-	10.9	16.7	13.3	11.9	-	16.0	-
24. Return on net worth	29.5	-	-	4.3	46.3	11.8	22.6	24.8	25.4	26.1	-	34.1	-

†Depreciation largest factor

TABLE II: CORPORATIONS WITH NET INCOME, 1990 EDITION

2250 MANUFACTURING: TEXTILE MILL PRODUCTS:
Knitting mills

Item Description For Accounting Period 7/86 Through 6/87	A Total	B Zero Assets	C Under 100	D 100 to 250	E 251 to 500	F 501 to 1,000	G 1,001 to 5,000	H 5,001 to 10,000	I 10,001 to 25,000	J 25,001 to 50,000	K 50,001 to 100,000	L 100,001 to 250,000	M 250,001 and over
				SIZE OF ASSETS IN THOUSANDS OF DOLLARS (000 OMITTED)									
1. Number of Enterprises	602	4	-	-	294	18	193	55	22	-	-	-	-
2. Total receipts (in millions of dollars)	5445.2	23.7	-	-	526.0	37.4	1076.4	886.6	678.1	-	-	-	-
Selected Operating Factors in Percent of Net Sales													
3. Cost of operations	71.7	24.9	-	-	75.3	63.8	75.9	74.5	75.2	-	-	-	-
4. Compensation of officers	2.3	1.3	-	-	5.6	7.4	3.9	2.7	1.9	-	-	-	-
5. Repairs	0.4	0.4	-	-	0.1	-	-	-	0.1	-	-	-	-
6. Bad debts	0.2	0.2	-	-	-	-	0.2	0.2	0.1	-	-	-	-
7. Rent on business property	0.5	2.3	-	-	0.5	3.7	0.6	0.5	0.4	-	-	-	-
8. Taxes (excl Federal tax)	2.6	4.5	-	-	4.6	4.2	1.6	2.2	2.9	-	-	-	-
9. Interest	1.6	0.3	-	-	1.1	6.8	0.8	0.9	1.3	-	-	-	-
10. Deprec/Deplet/Amortiz†	3.1	0.4	-	-	3.7	4.3	1.4	1.8	2.4	-	-	-	-
11. Advertising	0.5	0.4	-	-	-	-	0.1	0.3	0.2	-	-	-	-
12. Pensions & other benef plans	1.2	0.1	-	-	0.6	1.6	1.1	1.5	0.9	-	-	-	-
13. Other expenses	9.5	10.9	-	-	5.3	6.6	10.8	9.7	9.6	-	-	-	-
14. Net profit before tax	6.4	54.3	-	-	3.2	1.6	3.6	5.7	5.0	-	-	-	-
Selected Financial Ratios (number of times ratio is to one)													
15. Current ratio	2.6	-	-	-	1.0	0.7	1.7	2.2	2.2	-	-	-	-
16. Quick ratio	1.5	-	-	-	0.7	0.3	1.1	1.1	0.9	-	-	-	-
17. Net sls to net wkg capital	4.6	-	-	-	-	-	7.1	6.2	6.1	-	-	-	-
18. Coverage ratio	5.5	-	-	-	4.3	1.4	6.2	8.3	5.7	-	-	-	-
19. Asset turnover	1.8	-	-	-	-	2.1	-	2.2	2.1	-	-	-	-
20. Total liab to net worth	1.1	-	-	-	1.4	0.8	1.3	0.8	0.7	-	-	-	-
Selected Financial Factors in Percentages													
21. Debt ratio	52.2	-	-	-	58.7	43.8	57.1	43.7	40.6	-	-	-	-
22. Return on assets	15.8	-	-	-	22.9	19.6	12.7	17.4	14.9	-	-	-	-
23. Return on equity	18.5	-	-	-	33.8	8.0	22.9	21.2	14.9	-	-	-	-
24. Return on net worth	33.0	-	-	-	55.5	35.0	29.7	30.8	25.1	-	-	-	-

†Depreciation largest factor

2298 MANUFACTURING: TEXTILE MILL PRODUCTS:
Other textile mill products

	SIZE OF ASSETS IN THOUSANDS OF DOLLARS (000 OMITTED)												
Item Description For Accounting Period 7/86 Through 6/87	A Total	B Zero Assets	C Under 100	D 100 to 250	E 251 to 500	F 501 to 1,000	G 1,001 to 5,000	H 5,001 to 10,000	I 10,001 to 25,000	J 25,001 to 50,000	K 50,001 to 100,000	L 100,001 to 250,000	M 250,001 and over
1. Number of Enterprises	3142	124	1041	469	294	229	680	95	118	40	25	21	6
2. Total receipts (in millions of dollars)	26777.9	1231.0	72.0	252.2	347.6	304.0	3168.1	1325.0	3631.5	2340.5	3423.9	4596.3	6085.8
Selected Operating Factors in Percent of Net Sales													
3. Cost of operations	75.5	76.0	74.8	77.6	75.0	70.4	74.5	72.7	78.5	75.2	75.8	74.0	76.1
4. Compensation of officers	1.4	1.8	0.8	1.4	6.3	3.9	3.6	2.7	1.5	1.2	0.9	0.8	0.4
5. Repairs	0.6	0.6	1.0	1.0	0.3	0.4	0.3	0.2	0.3	0.6	0.8	1.0	0.6
6. Bad debts	0.2	0.1	-	-	0.5	0.2	0.3	0.4	0.4	0.1	0.2	0.2	0.1
7. Rent on business property	0.9	0.5	3.7	2.2	2.1	1.1	0.9	0.8	0.8	0.7	0.8	0.7	1.1
8. Taxes (excl Federal tax)	2.2	1.7	6.9	2.6	2.0	2.4	1.8	2.3	1.6	1.7	1.9	2.3	3.0
9. Interest	2.3	2.0	0.3	1.8	0.8	1.6	1.5	1.5	1.7	2.2	1.8	2.3	4.0
10. Deprec/Deplet/Amortiz†	3.5	2.0	1.0	4.2	1.3	1.8	2.6	3.0	2.3	3.4	3.0	4.0	5.1
11. Advertising	0.6	0.2	-	0.1	0.6	0.1	0.2	1.0	0.3	0.4	0.6	0.3	1.5
12. Pensions & other benef plans	1.2	0.9	-	1.9	0.7	2.0	1.2	1.0	1.1	1.5	0.7	1.1	1.4
13. Other expenses	10.4	9.7	12.9	9.3	10.6	15.6	11.3	12.5	8.7	10.9	11.1	9.9	10.2
14. Net profit before tax	1.2	4.5	*	*	*	0.5	1.8	1.9	2.8	2.1	2.4	3.4	*
Selected Financial Ratios (number of times ratio is to one)													
15. Current ratio	2.0	-	-	-	1.9	1.7	1.9	1.8	1.8	2.0	2.2	2.1	2.1
16. Quick ratio	0.9	-	-	-	1.1	0.8	0.9	0.9	0.9	0.9	1.0	1.1	0.9
17. Net sls to net wkg capital	5.6	-	-	-	9.0	5.4	6.4	6.9	6.7	5.5	5.5	5.1	4.0
18. Coverage ratio	2.7	-	-	-	1.7	3.8	3.2	2.9	3.1	2.5	3.9	3.4	1.7
19. Asset turnover	1.5	-	-	-	-	1.7	2.1	2.0	2.0	1.7	1.8	1.5	0.9
20. Total liab to net worth	1.3	-	-	-	1.1	3.5	1.4	1.2	1.6	1.4	1.3	1.3	1.3
Selected Financial Factors in Percentages													
21. Debt ratio	57.2	-	-	-	53.3	77.8	57.8	54.0	62.1	57.6	55.8	56.6	56.1
22. Return on assets	9.5	-	-	-	4.4	10.7	10.4	8.3	10.6	9.6	12.3	11.2	6.0
23. Return on equity	8.1	-	-	-	2.4	11.4	13.0	4.3	12.5	9.3	12.6	9.7	3.0
24. Return on net worth	22.2	-	-	-	9.4	48.0	24.7	18.1	27.9	22.6	27.8	25.8	13.6

†Depreciation largest factor

TABLE II: CORPORATIONS WITH NET INCOME, 1990 EDITION

2298 MANUFACTURING: TEXTILE MILL PRODUCTS:
Other textile mill products

Item Description For Accounting Period 7/86 Through 6/87	A Total	B Zero Assets	SIZE OF ASSETS IN THOUSANDS OF DOLLARS (000 OMITTED)										
			C Under 100	D 100 to 250	E 251 to 500	F 501 to 1,000	G 1,001 to 5,000	H 5,001 to 10,000	I 10,001 to 25,000	J 25,001 to 50,000	K 50,001 to 100,000	L 100,001 to 250,000	M 250,001 and over
1. Number of Enterprises	1740	117	362	168	146	146	553	65	103	32	-	17	-
2. Total receipts (in millions of dollars)	22860.2	1180.3	69.6	51.6	112.5	210.4	2634.0	939.0	3353.5	1942.0	-	3842.0	-
Selected Operating Factors in Percent of Net Sales													
3. Cost of operations	75.0	75.6	75.9	57.4	58.9	70.7	72.4	73.5	78.3	74.6	-	74.0	-
4. Compensation of officers	1.4	1.8	-	-	13.0	2.9	3.8	2.8	1.6	1.3	-	0.8	-
5. Repairs	0.6	0.6	1.1	2.8	0.8	0.5	0.3	0.1	0.3	0.5	-	1.1	-
6. Bad debts	0.2	0.1	-	-	1.4	0.1	0.2	0.3	0.3	0.1	-	0.2	-
7. Rent on business property	0.8	0.5	3.9	0.5	4.3	1.4	0.9	0.4	0.8	0.6	-	0.4	-
8. Taxes (excl Federal tax)	2.2	1.7	6.7	8.8	4.4	3.2	1.9	2.4	1.6	1.6	-	2.3	-
9. Interest	1.8	1.9	0.3	-	0.5	0.7	1.2	0.8	1.6	1.9	-	2.1	-
10. Deprec/Deplet/Amortiz†	3.5	1.9	1.0	14.4	2.8	1.4	2.7	2.9	2.3	3.0	-	4.2	-
11. Advertising	0.6	0.2	-	-	1.8	0.1	0.2	0.7	0.3	0.4	-	0.2	-
12. Pensions & other benef plans	1.1	0.8	-	1.1	0.7	0.9	1.2	0.9	1.1	1.4	-	1.0	-
13. Other expenses	9.7	9.8	7.0	4.2	8.3	11.8	11.0	9.6	8.2	11.1	-	8.6	-
14. Net profit before tax	3.1	5.1	4.1	10.8	3.1	6.3	4.2	5.6	3.6	3.5	-	5.1	-
Selected Financial Ratios (number of times ratio is to one)													
15. Current ratio	2.1	-	-	1.1	3.5	2.7	2.0	2.4	1.9	2.2	-	2.2	-
16. Quick ratio	1.1	-	-	1.1	2.4	2.1	1.1	1.3	1.0	1.0	-	1.2	-
17. Net sls to net wkg capital	6.0	-	-	-	4.6	4.2	6.2	5.8	6.8	4.8	-	4.9	-
18. Coverage ratio	4.0	-	-	-	8.3	-	5.6	8.8	3.7	3.5	-	4.4	-
19. Asset turnover	1.7	-	-	1.9	2.4	1.8	2.2	2.1	2.1	1.8	-	1.4	-
20. Total liab to net worth	1.2	-	-	0.1	0.6	0.4	1.2	0.9	1.5	1.2	-	1.2	-
Selected Financial Factors in Percentages													
21. Debt ratio	54.4	-	-	5.9	35.6	29.3	54.3	46.1	60.3	53.5	-	53.7	-
22. Return on assets	11.7	-	-	20.4	9.7	23.2	14.6	15.0	12.3	12.0	-	13.3	-
23. Return on equity	12.3	-	-	18.3	11.0	19.5	21.7	15.1	15.9	13.8	-	12.7	-
24. Return on net worth	25.7	-	-	21.7	15.0	32.8	31.9	27.7	31.0	25.7	-	28.7	-

†Depreciation largest factor

2315 MANUFACTURING: APPAREL AND OTHER TEXTILE PRODUCTS:
Men's and boys' clothing

Item Description For Accounting Period 7/86 Through 6/87	A Total	B Zero Assets	C Under 100	D 100 to 250	E 251 to 500	F 501 to 1,000	G 1,001 to 5,000	H 5,001 to 10,000	I 10,001 to 25,000	J 25,001 to 50,000	K 50,001 to 100,000	L 100,001 to 250,000	M 250,001 and over
	SIZE OF ASSETS IN THOUSANDS OF DOLLARS (000 OMITTED)												
1. Number of Enterprises	1625	25	362	336	305	135	273	65	73	21	14	12	5
2. Total receipts (in millions of dollars)	16928.5	248.9	11.7	173.2	226.7	352.6	1463.4	1121.3	2092.9	1075.9	1624.2	3182.3	5355.4
Selected Operating Factors in Percent of Net Sales													
3. Cost of operations	69.7	67.3	33.9	70.0	62.3	77.8	75.2	75.0	73.5	78.6	67.7	70.5	63.9
4. Compensation of officers	1.4	0.8	-	6.1	6.7	2.7	2.4	2.1	2.5	1.4	1.1	0.8	0.4
5. Repairs	0.3	0.4	0.3	1.0	0.2	0.1	0.1	0.2	0.4	0.2	0.2	0.3	0.3
6. Bad debts	0.2	0.4	-	2.6	0.2	-	0.4	0.1	0.2	0.4	0.1	0.2	0.2
7. Rent on business property	1.2	0.8	9.9	4.6	2.3	0.8	0.7	1.0	0.7	0.8	0.8	1.7	1.5
8. Taxes (excl Federal tax)	2.4	1.2	0.2	2.8	1.7	1.1	2.2	1.7	2.1	2.2	3.1	2.6	2.5
9. Interest	4.0	3.4	-	-	2.0	1.1	1.9	2.8	1.3	1.4	2.3	2.2	8.5
10. Deprec/Deplet/Amortiz†	2.5	1.4	0.3	1.2	1.8	1.9	0.7	1.3	1.4	1.5	1.5	1.7	4.7
11. Advertising	2.1	3.9	-	0.1	0.6	0.1	0.2	0.5	1.0	0.8	2.1	2.8	3.5
12. Pensions & other benef plans	1.2	3.0	-	-	2.0	0.1	0.7	1.1	1.3	1.4	2.0	1.0	1.2
13. Other expenses	14.5	17.4	45.1	8.1	21.9	13.6	11.4	13.3	12.9	10.7	13.8	16.9	15.6
14. Net profit before tax	0.5	*	10.3	3.5	*	0.7	4.1	0.9	2.7	0.6	5.3	*	*
Selected Financial Ratios (number of times ratio is to one)													
15. Current ratio	1.7	-	-	14.1	1.5	0.9	1.8	1.4	2.4	2.4	2.9	2.1	1.2
16. Quick ratio	0.7	-	-	12.8	0.2	0.6	0.8	0.4	1.2	1.0	1.3	0.9	0.5
17. Net sls to net wkg capital	5.8	-	-	6.0	7.9	-	6.1	10.0	3.9	3.7	3.1	4.4	12.7
18. Coverage ratio	1.9	-	-	-	0.6	6.0	4.0	1.6	3.8	2.0	4.6	2.6	1.3
19. Asset turnover	1.3	-	-	-	2.1	-	2.2	2.3	1.9	1.6	1.6	1.6	0.7
20. Total liab to net worth	1.9	-	-	0.1	3.1	8.5	1.4	3.7	1.0	1.3	1.1	1.7	2.5
Selected Financial Factors in Percentages													
21. Debt ratio	65.5	-	-	5.5	75.7	89.5	58.2	78.5	49.7	57.0	52.0	63.2	71.1
22. Return on assets	9.5	-	-	16.7	2.3	20.8	16.3	10.7	9.5	4.4	16.2	9.0	8.1
23. Return on equity	8.5	-	-	14.2	-	-	21.5	9.5	8.8	0.1	15.1	9.7	5.0
24. Return on net worth	27.6	-	-	17.7	9.6	-	39.0	49.7	18.8	10.3	33.7	24.5	28.1

†Depreciation largest factor

TABLE II: CORPORATIONS WITH NET INCOME, 1990 EDITION

2315 MANUFACTURING: APPAREL AND OTHER TEXTILE PRODUCTS:
Men's and boys' clothing

Item Description For Accounting Period 7/86 Through 6/87	A Total	B Zero Assets	C Under 100	D 100 to 250	E 251 to 500	F 501 to 1,000	G 1,001 to 5,000	H 5,001 to 10,000	I 10,001 to 25,000	J 25,001 to 50,000	K 50,001 to 100,000	L 100,001 to 250,000	M 250,001 and over
						SIZE OF ASSETS IN THOUSANDS OF DOLLARS (000 OMITTED)							
1. Number of Enterprises	1237	7	362	168	160	135	253	51	65	11	11	-	-
2. Total receipts (in millions of dollars)	14262.6	231.8	11.7	113.8	124.5	352.6	1413.1	917.0	1845.9	647.5	1449.8	-	-
Selected Operating Factors in Percent of Net Sales													
3. Cost of operations	68.9	65.8	33.9	68.8	62.9	77.8	75.3	74.8	73.1	77.2	66.6	-	-
4. Compensation of officers	1.4	0.5	-	6.2	8.7	2.7	2.5	2.0	2.6	1.5	1.1	-	-
5. Repairs	0.3	0.5	0.3	1.5	0.4	0.1	0.1	0.2	0.4	0.1	0.2	-	-
6. Bad debts	0.2	0.4	-	4.0	0.2	-	0.4	-	0.2	0.4	0.1	-	-
7. Rent on business property	1.1	0.9	9.9	7.0	2.8	0.8	0.7	0.8	0.7	0.6	0.6	-	-
8. Taxes (excl Federal tax)	2.4	1.2	0.2	0.1	2.1	1.1	2.2	1.9	2.1	2.3	3.3	-	-
9. Interest	4.1	3.4	-	-	0.5	1.1	1.7	2.1	1.2	0.9	2.2	-	-
10. Deprec/Deplet/Amortiz†	2.5	1.5	0.3	1.8	0.5	1.9	0.7	1.1	1.5	1.0	1.6	-	-
11. Advertising	2.2	4.1	-	0.1	-	0.1	0.2	0.5	1.1	0.9	2.0	-	-
12. Pensions & other benef plans	1.2	3.1	-	-	2.4	0.1	0.7	1.1	1.3	1.8	2.1	-	-
13. Other expenses	14.1	14.3	45.1	4.4	19.5	13.6	11.2	12.3	12.4	9.3	13.5	-	-
14. Net profit before tax	1.6	4.3	10.3	6.1	-	0.7	4.3	3.2	3.4	4.0	6.7	-	-
Selected Financial Ratios (number of times ratio is to one)													
15. Current ratio	1.7	-	-	37.1	1.3	0.9	1.8	1.5	2.3	2.3	2.8	-	-
16. Quick ratio	0.8	-	-	27.7	0.2	0.6	0.9	0.5	1.2	1.1	1.2	-	-
17. Net sls to net wkg capital	6.1	-	-	9.8	12.8	-	6.1	9.0	4.0	4.0	3.5	-	-
18. Coverage ratio	2.2	-	-	-	3.0	6.0	4.4	3.0	4.7	6.8	5.2	-	-
19. Asset turnover	1.2	-	-	-	2.5	-	2.2	2.4	1.8	1.7	1.8	-	-
20. Total liab to net worth	1.9	-	-	-	2.0	8.5	1.3	2.7	1.0	0.9	1.0	-	-
Selected Financial Factors in Percentages													
21. Debt ratio	65.2	-	-	1.6	66.3	89.5	56.8	73.2	48.6	47.3	50.3	-	-
22. Return on assets	10.9	-	-	-	3.4	20.8	16.8	14.6	10.7	9.9	20.3	-	-
23. Return on equity	11.8	-	-	31.3	5.0	-	22.0	26.0	10.8	8.7	19.3	-	-
24. Return on net worth	31.4	-	-	37.4	10.2	38.8	38.8	54.6	20.8	18.7	40.9	-	-

†Depreciation largest factor

TABLE I: CORPORATIONS WITH AND WITHOUT NET INCOME, 1990 EDITION

2345 MANUFACTURING: APPAREL AND OTHER TEXTILE PRODUCTS:
Women's and children's clothing

Item Description For Accounting Period 7/86 Through 6/87	A Total	B Zero Assets	C Under 100	D 100 to 250	E 251 to 500	F 501 to 1,000	G 1,001 to 5,000	H 5,001 to 10,000	I 10,001 to 25,000	J 25,001 to 50,000	K 50,001 to 100,000	L 100,001 to 250,000	M 250,001 and over
					SIZE OF ASSETS IN THOUSANDS OF DOLLARS (000 OMITTED)								
1. Number of Enterprises	5262	463	1322	573	753	698	1042	198	154	46	8	-	4
2. Total receipts (in millions of dollars)	24950.0	698.1	597.9	387.3	944.4	1785.3	5843.6	3462.4	4381.2	2798.6	1315.6	-	2735.6
Selected Operating Factors in Percent of Net Sales													
3. Cost of operations	70.3	70.1	55.1	57.6	70.3	72.5	72.8	72.8	72.1	71.1	68.7	-	62.0
4. Compensation of officers	2.4	2.6	3.3	2.6	2.7	4.8	2.8	2.5	2.5	1.5	1.7	-	0.6
5. Repairs	0.3	0.1	0.2	0.6	0.3	0.1	0.1	0.1	0.2	0.1	0.1	-	1.1
6. Bad debts	0.2	0.3	-	-	0.7	0.3	0.3	0.1	0.3	0.2	0.2	-	0.1
7. Rent on business property	1.6	1.9	4.9	1.0	3.5	1.8	1.8	1.2	1.4	1.0	0.6	-	1.2
8. Taxes (excl Federal tax)	2.1	1.8	5.2	5.4	3.1	1.6	1.6	1.9	2.3	1.6	2.1	-	2.4
9. Interest	1.7	1.2	2.2	1.2	1.8	0.8	1.4	1.2	1.6	2.0	1.9	-	3.6
10. Deprec/Deplet/Amortiz†	1.3	0.7	0.3	1.3	1.6	0.8	0.7	0.9	1.5	1.8	2.1	-	2.7
11. Advertising	1.1	0.3	0.1	-	0.6	0.7	0.6	1.3	1.2	1.3	2.2	-	2.7
12. Pensions & other benef plans	0.9	0.4	0.3	1.7	0.4	1.7	0.8	0.7	1.1	0.9	2.3	-	0.3
13. Other expenses	16.9	13.0	43.7	37.7	20.5	17.2	17.6	16.1	14.2	15.0	12.3	-	15.4
14. Net profit before tax	1.2	7.6	*	*	*	*	*	1.2	1.6	3.5	5.8	-	7.9
Selected Financial Ratios (number of times ratio is to one)													
15. Current ratio	1.4	-	-	-	1.2	1.6	1.6	1.6	1.7	1.8	2.5	-	0.8
16. Quick ratio	0.6	-	-	-	0.4	0.8	0.7	0.6	0.7	0.8	0.8	-	0.3
17. Net sls to net wkg capital	9.9	-	-	-	23.9	10.2	8.9	8.5	6.3	5.2	3.9	-	-
18. Coverage ratio	2.8	-	-	-	-	-	1.7	3.3	3.3	3.4	4.6	-	4.6
19. Asset turnover	1.6	-	-	-	-	-	-	-	1.9	1.7	1.7	-	0.4
20. Total liab to net worth	1.4	-	-	-	4.7	2.0	1.8	1.7	1.5	1.6	1.2	-	1.1
Selected Financial Factors in Percentages													
21. Debt ratio	59.0	-	-	-	82.5	67.1	63.7	63.3	59.2	61.1	54.4	-	52.1
22. Return on assets	7.7	-	-	-	-	-	6.7	10.0	10.1	11.8	15.0	-	7.0
23. Return on equity	6.6	-	-	-	-	-	4.4	13.6	11.2	15.7	21.2	-	6.1
24. Return on net worth	18.7	-	-	-	-	-	18.5	27.2	24.7	30.4	32.8	-	14.6

†Depreciation largest factor

TABLE II: CORPORATIONS WITH NET INCOME, 1990 EDITION

2345 MANUFACTURING: APPAREL AND OTHER TEXTILE PRODUCTS:
Women's and children's clothing

Item Description For Accounting Period 7/86 Through 6/87	A Total	B Zero Assets	C Under 100	D 100 to 250	E 251 to 500	F 501 to 1,000	G 1,001 to 5,000	H 5,001 to 10,000	I 10,001 to 25,000	J 25,001 to 50,000	K 50,001 to 100,000	L 100,001 to 250,000	M 250,001 and over
							SIZE OF ASSETS IN THOUSANDS OF DOLLARS (000 OMITTED)						
1. Number of Enterprises	2391	126	362	168	256	414	759	147	117	-	4	-	-
2. Total receipts (in millions of dollars)	19026.9	655.7	51.6	132.8	510.5	1340.5	4502.1	2666.3	3287.5	-	874.0	-	-
Selected Operating Factors in Percent of Net Sales													
3. Cost of operations	69.4	72.0	69.9	-	69.7	71.3	72.6	72.5	69.1	-	66.4	-	-
4. Compensation of officers	2.4	1.7	5.4	2.0	3.3	4.9	2.9	2.7	2.8	-	1.9	-	-
5. Repairs	0.3	0.1	-	-	0.4	-	0.1	0.2	0.2	-	-	-	-
6. Bad debts	0.2	0.2	-	-	0.2	0.2	0.3	0.1	0.2	-	0.2	-	-
7. Rent on business property	1.4	1.8	16.6	1.7	2.1	1.8	1.7	1.2	1.5	-	0.4	-	-
8. Taxes (excl Federal tax)	2.0	1.7	4.5	8.6	3.0	1.8	1.5	1.8	2.6	-	1.5	-	-
9. Interest	1.5	1.2	0.6	0.3	1.2	0.5	1.4	1.0	1.0	-	1.9	-	-
10. Deprec/Deplet/Amortiz†	1.2	0.7	0.1	0.6	2.0	0.5	0.6	0.8	1.2	-	2.4	-	-
11. Advertising	1.1	0.3	-	-	0.2	0.5	0.6	0.9	1.1	-	2.1	-	-
12. Pensions & other benef plans	0.9	0.4	-	4.0	0.1	1.1	0.8	0.7	1.2	-	2.9	-	-
13. Other expenses	15.3	10.8	6.6	82.2	16.2	16.1	16.3	15.6	14.0	-	9.5	-	-
14. Net profit before tax	4.3	9.1	#	0.6	1.6	1.3	1.2	2.5	5.1	-	10.8	-	-
Selected Financial Ratios (number of times ratio is to one)													
15. Current ratio	1.5	-	-	1.2	1.5	1.6	1.6	1.6	1.9	-	3.3	-	-
16. Quick ratio	0.6	-	-	0.5	0.5	0.7	0.7	0.7	0.9	-	1.0	-	-
17. Net sls to net wkg capital	9.5	-	-	65.9	21.0	13.5	9.4	7.7	5.3	-	3.6	-	-
18. Coverage ratio	5.2	-	-	3.5	2.5	3.9	3.2	5.4	8.1	-	7.3	-	-
19. Asset turnover	1.7	-	-	-	-	-	-	-	2.0	-	1.8	-	-
20. Total liab to net worth	1.0	-	-	1.2	2.0	1.8	1.6	1.5	0.9	-	1.0	-	-
Selected Financial Factors in Percentages													
21. Debt ratio	50.3	-	-	54.9	67.0	64.1	61.4	60.3	47.8	-	50.7	-	-
22. Return on assets	12.9	-	-	6.8	14.6	8.2	13.6	14.3	15.6	-	24.5	-	-
23. Return on equity	15.1	-	-	9.1	23.6	13.0	19.9	22.5	19.7	-	36.6	-	-
24. Return on net worth	26.0	-	-	15.0	44.3	22.7	35.3	35.9	29.8	-	49.8	-	-

†Depreciation largest factor

TABLE I: CORPORATIONS WITH AND WITHOUT NET INCOME, 1990 EDITION

2388 MANUFACTURING: APPAREL AND OTHER TEXTILE PRODUCTS:
Other apparel and accessories

Item Description For Accounting Period 7/86 Through 6/87	A Total	B Zero Assets	C Under 100	D 100 to 250	E 251 to 500	F 501 to 1,000	G 1,001 to 5,000	H 5,001 to 10,000	I 10,001 to 25,000	J 25,001 to 50,000	K 50,001 to 100,000	L 100,001 to 250,000	M 250,001 and over
						SIZE OF ASSETS IN THOUSANDS OF DOLLARS (000 OMITTED)							
1. Number of Enterprises	4436	363	2191	553	292	428	497	64	31	7	4	5	-
2. Total receipts (in millions of dollars)	8233.0	76.5	514.1	350.0	324.6	787.9	2492.3	1011.3	756.6	277.3	321.8	1320.6	-
Selected Operating Factors in Percent of Net Sales													
3. Cost of operations	72.7	85.2	76.1	66.0	70.6	75.3	72.5	77.7	73.8	72.4	69.8	67.9	-
4. Compensation of officers	3.2	0.8	2.8	5.6	9.1	4.2	4.6	2.0	1.1	1.6	0.4	1.1	-
5. Repairs	0.4	0.1	0.7	0.2	0.6	0.4	0.2	0.1	0.3	0.4	0.2	0.7	-
6. Bad debts	0.2	0.8	-	-	-	0.3	0.1	0.3	0.5	0.2	0.2	0.2	-
7. Rent on business property	1.4	1.1	1.3	3.9	2.2	2.0	1.0	0.7	1.1	1.3	1.2	2.1	-
8. Taxes (excl Federal tax)	2.2	0.7	4.2	2.4	2.4	2.0	2.2	1.6	1.5	2.3	2.3	2.5	-
9. Interest	2.3	0.1	0.7	0.8	0.9	1.1	1.7	1.7	2.6	2.9	3.3	5.8	-
10. Deprec/Deplet/Amortiz†	1.3	1.8	1.1	1.1	2.2	0.4	0.9	1.1	1.4	2.2	1.3	2.6	-
11. Advertising	1.1	1.4	0.1	0.3	0.1	0.6	0.7	0.7	1.2	2.4	1.7	2.7	-
12. Pensions & other benef plans	1.2	0.2	0.2	1.1	2.4	0.6	1.2	0.9	1.4	0.8	1.0	2.0	-
13. Other expenses	14.9	13.7	15.1	17.6	6.8	13.7	14.6	11.5	17.0	12.5	19.9	18.1	-
14. Net profit before tax	*	*	*	1.0	2.7	*	0.3	1.7	*	1.0	*	*	-
Selected Financial Ratios (number of times ratio is to one)													
15. Current ratio	1.7	-	-	3.6	2.0	1.8	1.5	1.5	1.4	2.0	1.8	1.8	-
16. Quick ratio	0.7	-	-	1.8	1.4	1.0	0.7	0.6	0.6	0.6	0.5	0.7	-
17. Net sls to net wkg capital	7.1	-	-	8.8	7.9	5.9	9.2	9.6	7.7	4.6	3.5	4.4	-
18. Coverage ratio	1.2	-	-	2.5	6.0	1.9	1.6	2.7	0.5	1.8	1.2	0.6	-
19. Asset turnover	1.9	-	-	-	-	2.3	-	2.5	1.7	1.2	1.1	1.0	-
20. Total liab to net worth	2.5	-	-	0.7	1.5	1.4	3.0	1.9	3.2	1.6	2.5	2.7	-
Selected Financial Factors in Percentages													
21. Debt ratio	71.4	-	-	40.4	60.7	58.9	75.0	66.0	75.9	61.5	71.3	72.6	-
22. Return on assets	5.2	-	-	9.5	16.5	4.6	6.7	11.3	2.3	6.1	4.1	3.0	-
23. Return on equity	-	-	-	7.2	28.5	4.2	2.5	10.4	-	1.7	-	-	-
24. Return on net worth	18.1	-	-	16.0	41.9	11.3	27.0	33.3	9.7	15.8	14.2	11.1	-

†Depreciation largest factor

TABLE II: CORPORATIONS WITH NET INCOME, 1990 EDITION

2388 MANUFACTURING: APPAREL AND OTHER TEXTILE PRODUCTS:
Other apparel and accessories

Item Description For Accounting Period 7/86 Through 6/87	A Total	B Zero Assets	C Under 100	D 100 to 250	E 251 to 500	F 501 to 1,000	G 1,001 to 5,000	H 5,001 to 10,000	I 10,001 to 25,000	J 25,001 to 50,000	K 50,001 to 100,000	L 100,001 to 250,000	M 250,001 and over
1. Number of Enterprises	2612	-	702	480	292	344	369	38	16	4	-	-	-
2. Total receipts (in millions of dollars)	5622.6	-	278.2	310.5	324.6	718.3	1902.8	719.7	401.6	219.3	-	-	-
Selected Operating Factors in Percent of Net Sales													
3. Cost of operations	71.0	-	67.2	65.7	70.6	76.3	70.8	74.4	74.6	74.8	-	-	-
4. Compensation of officers	3.9	-	2.2	5.3	9.1	3.7	5.6	2.1	1.0	1.3	-	-	-
5. Repairs	0.3	-	0.8	0.2	0.6	0.4	0.2	0.1	0.2	0.1	-	-	-
6. Bad debts	0.2	-	-	-	-	0.3	0.1	0.4	0.3	0.1	-	-	-
7. Rent on business property	1.5	-	1.1	3.9	2.2	1.9	1.0	0.9	1.2	1.5	-	-	-
8. Taxes (excl Federal tax)	2.1	-	5.8	2.5	2.4	1.7	2.0	1.5	0.8	2.1	-	-	-
9. Interest	1.5	-	1.0	0.5	0.9	1.0	1.2	1.6	1.2	1.5	-	-	-
10. Deprec/Deplet/Amortiz†	1.1	-	0.8	1.2	2.2	0.3	0.9	1.1	0.9	1.1	-	-	-
11. Advertising	0.8	-	0.2	0.1	0.1	0.3	0.6	0.8	0.6	2.9	-	-	-
12. Pensions & other benef plans	1.1	-	-	1.2	2.4	0.6	1.3	0.3	1.9	0.6	-	-	-
13. Other expenses	13.8	-	16.9	15.7	6.8	12.9	14.2	11.9	14.4	10.5	-	-	-
14. Net profit before tax	2.7	-	4.0	3.7	2.7	0.6	2.1	4.9	2.9	3.5	-	-	-
Selected Financial Ratios (number of times ratio is to one)													
15. Current ratio	1.7	-	1.3	7.4	2.0	1.6	1.7	1.7	1.2	1.7	-	-	-
16. Quick ratio	0.8	-	0.8	3.0	1.4	0.9	0.9	0.7	0.6	0.4	-	-	-
17. Net sls to net wkg capital	7.3	-	44.5	7.6	7.9	8.0	7.9	9.0	12.0	7.0	-	-	-
18. Coverage ratio	3.8	-	5.1	8.9	6.0	2.8	3.4	5.1	3.8	4.4	-	-	-
19. Asset turnover	2.4	-	-	-	-	-	-	-	1.8	1.6	-	-	-
20. Total liab to net worth	1.6	-	-	0.3	1.5	2.3	1.6	1.0	3.6	0.6	-	-	-
Selected Financial Factors in Percentages													
21. Debt ratio	61.9	-	160.2	22.9	60.7	69.3	61.8	50.8	78.4	36.3	-	-	-
22. Return on assets	13.5	-	-	21.8	16.5	7.8	11.0	22.8	8.1	10.5	-	-	-
23. Return on equity	18.3	-	-	22.9	28.5	14.3	13.9	25.5	18.3	7.1	-	-	-
24. Return on net worth	35.5	-	-	28.3	41.9	25.3	28.9	46.3	37.5	16.5	-	-	-

†Depreciation largest factor

TABLE I: CORPORATIONS WITH AND WITHOUT NET INCOME, 1990 EDITION

2390 MANUFACTURING: APPAREL AND OTHER TEXTILE PRODUCTS:

Miscellaneous fabricated textile products; textile products not elsewhere classified

Item Description For Accounting Period 7/86 Through 6/87	A Total	B Zero Assets	C Under 100	D 100 to 250	E 251 to 500	F 501 to 1,000	G 1,001 to 5,000	H 5,001 to 10,000	I 10,001 to 25,000	J 25,001 to 50,000	K 50,001 to 100,000	L 100,001 to 250,000	M 250,001 and over
						SIZE OF ASSETS IN THOUSANDS OF DOLLARS (000 OMITTED)							
1. Number of Enterprises	4673	256	1334	1151	866	344	520	104	75	9	8	6	-
2. Total receipts (in millions of dollars)	11907.7	970.5	310.7	615.6	718.6	796.6	2637.8	1412.7	2114.4	493.5	793.2	1044.1	-

Selected Operating Factors in Percent of Net Sales

	A	B	C	D	E	F	G	H	I	J	K	L	M
3. Cost of operations	71.1	73.5	36.2	69.7	62.6	72.0	74.5	73.7	73.3	69.0	72.4	68.7	-
4. Compensation of officers	3.0	0.6	12.6	6.8	8.6	5.0	3.2	2.1	1.7	1.2	1.7	0.4	-
5. Repairs	0.4	1.1	0.3	0.3	0.5	0.5	0.2	0.1	0.4	0.4	0.3	0.4	-
6. Bad debts	0.3	0.2	-	-	0.2	0.4	0.3	0.4	0.8	0.2	0.1	0.2	-
7. Rent on business property	1.3	1.0	4.2	5.0	3.0	1.2	0.9	0.7	0.7	0.9	1.4	1.0	-
8. Taxes (excl Federal tax)	2.4	2.2	2.4	3.5	2.7	3.3	2.2	2.2	1.9	2.3	2.2	2.5	-
9. Interest	1.8	0.8	1.4	1.2	1.2	1.4	1.6	1.4	1.7	3.0	3.1	3.2	-
10. Deprec/Deplet/Amortiz†	2.3	4.0	2.1	2.2	2.7	1.6	2.0	1.8	2.0	4.2	2.1	2.5	-
11. Advertising	0.9	0.5	1.2	0.9	0.6	0.7	0.9	0.6	0.6	0.7	1.2	2.6	-
12. Pensions & other benef plans	1.2	0.9	4.5	0.7	1.2	1.4	1.2	0.5	0.7	0.9	1.7	2.4	-
13. Other expenses	14.2	12.1	36.9	12.1	16.4	13.7	12.0	13.2	13.5	16.2	15.3	16.0	-
14. Net profit before tax	1.1	3.1	*	*	0.3	*	1.0	3.3	2.7	1.0	*	0.1	-

Selected Financial Ratios (number of times ratio is to one)

	A	B	C	D	E	F	G	H	I	J	K	L	M
15. Current ratio	2.0	-	2.0	2.6	1.4	1.6	1.7	2.3	2.0	1.7	1.8	3.0	-
16. Quick ratio	0.9	-	0.9	1.4	1.0	0.9	0.7	1.1	0.9	0.8	0.7	1.3	-
17. Net sls to net wkg capital	6.3	-	8.7	7.5	11.1	14.5	7.6	4.7	5.4	5.9	4.9	2.8	-
18. Coverage ratio	2.5	-	3.2	0.6	1.9	0.6	2.3	4.2	3.5	1.8	1.2	2.2	-
19. Asset turnover	2.0	-	-	-	2.5	-	2.4	2.0	1.9	1.6	1.3	0.9	-
20. Total liab to net worth	1.6	-	19.5	1.3	2.9	2.0	1.6	0.9	1.0	2.6	2.8	2.1	-

Selected Financial Factors in Percentages

	A	B	C	D	E	F	G	H	I	J	K	L	M
21. Debt ratio	61.8	-	95.1	55.5	74.7	66.9	61.2	48.2	49.2	72.2	74.0	67.4	-
22. Return on assets	8.9	-	15.6	2.3	5.7	3.1	8.8	11.7	11.2	8.5	4.8	6.2	-
23. Return on equity	6.8	-	-	-	6.3	-	8.0	10.4	9.5	3.8	-	1.4	-
24. Return on net worth	23.3	-	-	5.2	22.3	9.3	22.8	22.6	22.0	30.6	18.5	19.0	-

†Depreciation largest factor

2390 MANUFACTURING: APPAREL AND OTHER TEXTILE PRODUCTS:
Miscellaneous fabricated textile products; textile products not elsewhere classified

Item Description For Accounting Period 7/86 Through 6/87	A Total	B Zero Assets	C Under 100	D 100 to 250	E 251 to 500	F 501 to 1,000	G 1,001 to 5,000	H 5,001 to 10,000	I 10,001 to 25,000	J 25,001 to 50,000	K 50,001 to 100,000	L 100,001 to 250,000	M 250,001 and over
1. Number of Enterprises	3376	236	954	647	679	291	383	98	71	-	-	-	-
2. Total receipts (in millions of dollars)	9914.9	925.6	295.3	246.4	553.6	656.9	2045.9	1330.2	2037.3	-	-	-	-
Selected Operating Factors in Percent of Net Sales													
3. Cost of operations	70.0	72.9	33.0	65.9	57.7	71.7	74.1	73.0	72.7				
4. Compensation of officers	3.0	0.5	13.2	7.6	9.2	5.4	3.4	2.1	1.7				
5. Repairs	0.4	1.2	0.2	0.3	0.4	0.6	0.2	0.2	0.4				
6. Bad debts	0.3	0.2	-	-	0.3	0.1	0.3	0.4	0.6				
7. Rent on business property	1.1	1.0	3.9	4.2	2.5	1.4	0.8	0.7	0.7				
8. Taxes (excl Federal tax)	2.3	2.3	2.0	1.6	3.0	3.1	2.4	2.2	2.0				
9. Interest	1.6	0.7	1.2	0.9	0.9	1.1	1.3	1.4	1.6				
10. Deprec/Deplet/Amortiz†	2.4	4.1	2.2	3.2	2.8	1.4	1.6	1.9	2.0				
11. Advertising	0.8	0.5	1.1	1.9	0.8	0.5	0.9	0.6	0.6				
12. Pensions & other benef plans	1.3	0.9	4.7	0.7	1.5	1.6	1.3	0.5	0.7				
13. Other expenses	13.4	11.7	33.3	13.6	15.5	12.0	11.1	13.5	13.6				
14. Net profit before tax	3.4	4.0	5.2	0.1	5.4	1.1	2.6	3.5	3.4				
Selected Financial Ratios (number of times ratio is to one)													
15. Current ratio	2.1	-	1.8	4.7	2.2	2.0	1.6	2.3	2.0				
16. Quick ratio	1.0	-	1.1	2.2	1.5	1.1	0.7	1.1	0.9				
17. Net sls to net wkg capital	6.2	-	13.9	3.3	5.7	9.3	8.3	4.7	5.4				
18. Coverage ratio	4.0	-	9.7	2.4	8.0	2.7	3.6	4.4	3.9				
19. Asset turnover	2.2	-	-	2.0	2.5	-	-	1.9	1.9				
20. Total liab to net worth	1.2	-	2.3	0.8	1.2	1.0	1.4	0.9	1.0				
Selected Financial Factors in Percentages													
21. Debt ratio	54.4	-	69.6	45.0	54.7	50.2	58.4	47.9	49.6				
22. Return on assets	13.8	-	-	4.3	17.8	10.5	11.8	12.1	12.3				
23. Return on equity	15.0	-	-	4.1	31.3	11.6	14.1	10.9	11.7				
24. Return on net worth	30.2	-	-	7.9	39.3	21.0	28.4	23.3	24.4				

†Depreciation largest factor

2415 MANUFACTURING: LUMBER AND WOOD PRODUCTS:
Logging, sawmills, and planing mills

					SIZE OF ASSETS IN THOUSANDS OF DOLLARS (000 OMITTED)								
Item Description For Accounting Period 7/86 Through 6/87	A Totε	B Zero Assets	C Under 100	D 100 to 250	E 251 to 500	F 501 to 1,000	G 1,001 to 5,000	H 5,001 to 10,000	I 10,001 to 25,000	J 25,001 to 50,000	K 50,001 to 100,000	L 100,001 to 250,000	M 250,001 and over
1. Number of Enterprises	5901	249	1780	1176	815	724	925	123	65	21	7	8	8
2. Total receipts (in millions of dollars)	27438.8	205.7	159.0	698.8	838.9	980.3	4610.9	1324.4	1406.1	939.8	375.0	1427.4	14472.5
Selected Operating Factors in Percent of Net Sales													
3. Cost of operations	74.0	75.4	35.5	39.5	49.2	55.9	79.3	77.3	81.0	84.1	77.3	79.4	74.9
4. Compensation of officers	1.2	5.1	14.3	4.2	3.1	3.3	2.3	1.7	1.2	0.9	0.9	0.5	0.2
5. Repairs	2.2	0.1	6.1	5.8	2.6	2.7	0.8	0.5	0.2	0.2	0.2	0.1	3.2
6. Bad debts	0.2	0.5	-	-	-	0.2	0.1	0.2	0.1	0.2	0.2	0.1	0.2
7. Rent on business property	1.5	0.1	3.2	0.5	0.6	0.4	0.4	0.3	0.3	0.2	0.2	0.2	2.6
8. Taxes (excl Federal tax)	2.6	3.9	2.0	4.9	3.1	3.2	2.5	2.6	1.7	1.8	2.7	2.8	2.5
9. Interest	3.5	3.8	3.6	1.7	2.3	2.6	1.8	2.7	2.2	2.6	3.4	4.7	4.5
10. Deprec/Deplet/Amortiz†	5.5	1.9	8.1	6.6	7.0	5.9	3.8	5.5	4.8	5.3	10.6	7.3	5.6
11. Advertising	0.3	-	0.1	0.3	-	0.1	0.1	0.1	0.5	-	0.6	0.1	0.3
12. Pensions & other benef plans	1.4	1.5	0.3	0.4	0.6	0.4	0.5	0.5	1.0	0.7	1.7	0.5	2.2
13. Other expenses	10.7	6.5	29.6	32.7	32.6	25.6	9.1	7.1	8.2	4.6	9.8	6.2	8.9
14. Net profit before tax	*	1.2	*	3.4	*	*	*	1.5	*	*	*	*	*
Selected Financial Ratios (number of times ratio is to one)													
15. Current ratio	1.7	-	1.0	0.8	0.9	1.3	1.7	2.0	1.3	2.1	2.2	1.9	1.8
16. Quick ratio	0.7	-	1.0	0.6	0.7	0.7	0.9	0.8	0.6	0.7	0.6	0.8	0.6
17. Net sls to net wkg capital	7.0	-	-	-	-	22.0	11.7	5.2	14.0	5.8	3.0	6.3	5.4
18. Coverage ratio	2.1	-	2.1	4.5	1.6	1.3	2.4	3.4	3.2	2.7	2.8	2.3	1.9
19. Asset turnover	1.0	-	-	-	-	1.9	2.5	1.4	1.4	1.3	0.7	0.8	0.7
20. Total liab to net worth	1.1	-	-	3.1	2.3	1.9	1.4	1.0	1.3	1.0	1.0	0.9	1.0
Selected Financial Factors in Percentages													
21. Debt ratio	52.3	-	155.2	75.4	69.8	65.1	57.5	50.4	56.0	49.7	48.7	47.9	51.1
22. Return on assets	7.4	-	24.5	22.3	9.9	6.7	10.7	12.7	9.5	9.1	6.9	8.7	6.1
23. Return on equity	5.5	-	-	-	7.5	0.2	10.0	12.3	10.0	9.0	5.7	4.8	3.9
24. Return on net worth	15.6	-	-	90.3	32.8	19.2	25.2	25.7	21.6	18.2	13.4	16.8	12.6

†Depreciation largest factor

TABLE II: CORPORATIONS WITH NET INCOME, 1990 EDITION

2415 MANUFACTURING: LUMBER AND WOOD PRODUCTS:
Logging, sawmills, and planing mills

Item Description For Accounting Period 7/86 Through 6/87	A Total	B Zero Assets	C Under 100	D 100 to 250	E 251 to 500	F 501 to 1,000	G 1,001 to 5,000	H 5,001 to 10,000	I 10,001 to 25,000	J 25,001 to 50,000	K 50,001 to 100,000	L 100,001 to 250,000	M 250,001 and over
1. Number of Enterprises	3878	-	630	904	562	615	730	106	46	17	7	-	-
2. Total receipts (in millions of dollars)	25501.6	-	73.8	558.2	578.7	906.0	3976.7	1205.3	1119.0	787.3	375.0	-	-
Selected Operating Factors in Percent of Net Sales													
3. Cost of operations	73.7	-	18.6	35.3	43.0	53.2	79.0	76.9	77.7	82.7	77.3	-	-
4. Compensation of officers	1.1	-	1.9	5.1	3.7	3.5	2.4	1.7	1.3	0.9	0.9	-	-
5. Repairs	2.3	-	12.5	4.4	3.3	2.9	0.7	0.4	0.3	0.2	0.2	-	-
6. Bad debts	0.1	-	-	-	-	0.1	0.2	0.1	0.1	0.1	0.2	-	-
7. Rent on business property	1.6	-	2.1	0.5	0.3	0.4	0.4	0.2	0.3	0.1	0.2	-	-
8. Taxes (excl Federal tax)	2.6	-	1.6	5.6	2.9	3.1	2.5	2.6	1.7	2.0	2.7	-	-
9. Interest	3.4	-	6.8	1.9	1.5	2.5	1.5	2.5	1.5	2.1	3.4	-	-
10. Deprec/Deplet/Amortiz†	5.1	-	15.1	6.8	6.6	5.8	3.4	5.3	4.6	4.4	10.6	-	-
11. Advertising	0.3	-	-	0.1	-	0.1	0.1	0.1	0.6	-	0.6	-	-
12. Pensions & other benef plans	1.5	-	-	0.5	0.9	0.5	0.5	0.5	1.2	0.8	1.7	-	-
13. Other expenses	10.2	-	32.2	34.3	32.1	25.1	8.3	7.0	8.6	4.1	9.8	-	-
14. Net profit before tax	#	-	9.2	5.5	5.7	2.8	1.0	2.7	2.1	2.6	#	-	-
Selected Financial Ratios (number of times ratio is to one)													
15. Current ratio	1.8	-	-	1.3	2.6	1.2	1.7	2.0	1.9	2.0	2.2	-	-
16. Quick ratio	0.7	-	-	0.9	2.3	0.7	0.9	0.8	0.9	0.7	0.6	-	-
17. Net sls to net wkg capital	6.5	-	-	34.3	10.9	43.3	11.8	5.3	6.7	6.1	3.0	-	-
18. Coverage ratio	2.6	-	-	5.4	6.6	2.6	3.9	4.0	6.9	4.0	2.8	-	-
19. Asset turnover	1.0	-	-	-	-	2.1	-	1.4	1.5	1.4	0.7	-	-
20. Total liab to net worth	1.1	-	-	2.1	0.6	1.3	1.1	1.0	0.9	1.0	1.0	-	-
Selected Financial Factors in Percentages													
21. Debt ratio	51.9	-	-	67.4	37.8	56.2	53.1	50.1	47.0	50.3	48.7	-	-
22. Return on assets	8.5	-	-	-	24.9	13.5	15.8	14.4	15.7	11.3	6.9	-	-
23. Return on equity	7.8	-	-	-	30.4	14.6	19.8	14.9	19.8	14.2	5.7	-	-
24. Return on net worth	17.6	-	-	93.1	40.0	30.7	33.7	28.8	29.7	22.8	13.4	-	-

†Depreciation largest factor

2430 MANUFACTURING: LUMBER AND WOOD PRODUCTS:
Millwork, plywood, and related products

Item Description For Accounting Period 7/86 Through 6/87	A Total	B Zero Assets	C Under 100	D 100 to 250	E 251 to 500	F 501 to 1,000	G 1,001 to 5,000	H 5,001 to 10,000	I 10,001 to 25,000	J 25,001 to 50,000	K 50,001 to 100,000	L 100,001 to 250,000	M 250,001 and over
					SIZE OF ASSETS IN THOUSANDS OF DOLLARS (000 OMITTED)								
1. Number of Enterprises	6034	265	2518	851	696	693	805	108	68	16	3	6	6
2. Total receipts (in millions of dollars)	32384.8	560.9	562.0	327.6	672.0	1775.1	4447.5	1685.6	2204.1	910.7	438.6	2054.8	16745.8
Selected Operating Factors in Percent of Net Sales													
3. Cost of operations	76.6	87.4	61.1	66.2	69.7	81.2	75.9	75.6	77.1	76.8	78.7	78.2	76.7
4. Compensation of officers	1.2	0.4	7.5	3.9	3.3	3.0	3.2	1.2	1.8	1.2	1.1	0.5	0.2
5. Repairs	1.7	1.4	0.6	0.5	0.5	0.6	0.5	0.5	0.2	0.3	0.6	0.8	2.8
6. Bad debts	0.3	0.1	0.1	0.4	0.1	0.3	0.3	0.3	0.2	0.3	0.7	0.3	0.3
7. Rent on business property	0.9	0.4	3.7	3.4	2.5	0.9	0.7	0.8	0.6	0.4	0.7	0.8	0.9
8. Taxes (excl Federal tax)	2.1	1.2	3.6	3.9	3.4	2.1	2.3	2.1	1.7	1.5	0.5	2.0	2.2
9. Interest	2.1	1.0	1.0	3.2	1.1	1.2	1.2	2.3	1.7	1.2	1.0	1.8	2.7
10. Deprec/Deplet/Amortiz†	5.0	1.6	1.9	3.6	2.5	1.9	2.0	2.4	2.7	2.6	1.2	2.5	7.7
11. Advertising	0.6	0.3	0.2	0.6	0.1	0.1	0.2	0.6	0.9	0.6	0.8	0.5	0.7
12. Pensions & other benef plans	1.4	1.6	0.5	1.1	1.1	0.5	1.2	1.4	0.7	1.3	0.5	1.2	1.8
13. Other expenses	9.4	10.4	18.9	21.0	13.3	9.0	9.4	13.0	8.5	11.3	9.2	10.2	8.2
14. Net profit before tax	*	*	0.9	*	2.4	*	3.1	*	3.9	2.5	5.0	1.2	*
Selected Financial Ratios (number of times ratio is to one)													
15. Current ratio	1.3	-	1.6	1.4	1.5	1.8	2.1	1.5	1.9	1.9	2.0	2.2	1.0
16. Quick ratio	0.7	-	1.2	0.6	1.1	0.9	1.1	0.7	0.9	0.9	1.1	1.0	0.5
17. Net sls to net wkg capital	18.2	-	31.2	14.5	13.3	11.7	7.0	11.3	7.9	6.5	9.6	6.1	-
18. Coverage ratio	1.9	-	4.1	-	3.7	1.6	4.4	2.0	4.3	5.4	7.1	2.4	1.3
19. Asset turnover	1.6	-	-	2.3	-	-	2.4	2.3	2.1	1.6	-	2.0	1.2
20. Total liab to net worth	1.3	-	2.3	-	3.0	1.5	1.1	2.0	1.5	1.0	1.3	1.4	1.2
Selected Financial Factors in Percentages													
21. Debt ratio	55.8	-	69.9	116.2	75.0	60.0	52.5	66.2	60.3	48.6	56.1	58.7	54.1
22. Return on assets	6.6	-	27.1	-	12.1	6.4	13.0	10.8	15.4	10.2	20.2	8.6	4.2
23. Return on equity	3.2	-	-	-	30.0	3.0	15.9	10.5	19.6	9.3	21.6	7.6	-
24. Return on net worth	14.9	-	89.8	-	48.5	16.0	27.3	32.0	38.9	19.9	46.0	20.9	9.2

†Depreciation largest factor

2430 MANUFACTURING: LUMBER AND WOOD PRODUCTS:
Millwork, plywood, and related products

Item Description For Accounting Period 7/86 Through 6/87	A Total	B Zero Assets	C Under 100	D 100 to 250	E 251 to 500	F 501 to 1,000	G 1,001 to 5,000	H 5,001 to 10,000	I 10,001 to 25,000	J 25,001 to 50,000	K 50,001 to 100,000	L 100,001 to 250,000	M 250,001 and over
			SIZE OF ASSETS IN THOUSANDS OF DOLLARS (000 OMITTED)										
1. Number of Enterprises	3906	-	1681	347	568	406	680	97	56	-	3	-	-
2. Total receipts (in millions of dollars)	21355.0	-	366.0	208.0	633.7	1238.0	3752.5	1512.8	1905.5	-	438.6	-	-
Selected Operating Factors in Percent of Net Sales													
3. Cost of operations	75.2	-	65.2	57.9	69.1	79.2	74.0	73.8	75.6	-	78.7	-	-
4. Compensation of officers	1.5	-	6.3	4.5	3.2	2.4	3.5	1.3	1.8	-	1.1	-	-
5. Repairs	0.9	-	0.3	0.6	0.5	0.8	0.6	0.5	0.2	-	0.6	-	-
6. Bad debts	0.2	-	0.1	0.6	0.1	0.4	0.3	0.3	0.3	-	0.7	-	-
7. Rent on business property	0.6	-	4.8	2.5	2.6	0.9	0.7	0.8	0.7	-	0.7	-	-
8. Taxes (excl Federal tax)	2.1	-	4.3	3.1	3.1	2.1	2.4	2.1	1.7	-	0.5	-	-
9. Interest	1.6	-	1.3	1.6	1.0	0.8	1.1	2.2	1.6	-	1.0	-	-
10. Deprec/Deplet/Amortiz†	4.9	-	2.3	1.6	2.6	1.3	2.0	2.3	2.6	-	1.2	-	-
11. Advertising	0.7	-	0.3	0.7	0.1	-	0.2	0.7	1.0	-	0.8	-	-
12. Pensions & other benef plans	1.3	-	0.6	1.7	1.0	0.6	1.2	1.5	0.7	-	0.5	-	-
13. Other expenses	8.5	-	12.5	20.6	13.7	8.6	9.7	13.9	8.8	-	9.2	-	-
14. Net profit before tax	2.5	-	2.0	4.6	3.0	2.9	4.3	0.6	5.0	-	5.0	-	-
Selected Financial Ratios (number of times ratio is to one)													
15. Current ratio	1.4	-	2.0	2.5	1.3	1.9	2.2	1.5	2.0	-	2.0	-	-
16. Quick ratio	0.7	-	1.4	1.3	0.9	0.9	1.3	0.7	0.9	-	1.1	-	-
17. Net sls to net wkg capital	16.9	-	19.7	6.4	22.0	12.0	6.8	11.1	7.8	-	9.6	-	-
18. Coverage ratio	4.2	-	4.9	4.2	4.2	6.5	5.8	2.5	5.2	-	7.1	-	-
19. Asset turnover	1.8	-	-	-	-	-	-	2.3	2.2	-	-	-	-
20. Total liab to net worth	1.0	-	4.5	0.8	2.5	1.0	1.0	1.7	1.4	-	1.3	-	-
Selected Financial Factors in Percentages													
21. Debt ratio	49.4	-	81.9	44.6	71.1	49.3	48.8	62.9	58.9	-	56.1	-	-
22. Return on assets	12.1	-	-	21.5	14.4	20.8	16.6	12.5	18.1	-	20.2	-	-
23. Return on equity	12.5	-	-	25.3	32.4	30.6	20.8	14.3	24.0	-	21.6	-	-
24. Return on net worth	23.8	-	-	38.7	50.0	41.0	32.5	33.6	44.1	-	46.0	-	-

†Depreciation largest factor

TABLE I: CORPORATIONS WITH AND WITHOUT NET INCOME, 1990 EDITION

2498 MANUFACTURING: LUMBER AND WOOD PRODUCTS:
Other wood products, including wood buildings and mobile homes

Item Description For Accounting Period 7/86 Through 6/87	A Total	B Zero Assets	C Under 100	D 100 to 250	E 251 to 500	F 501 to 1,000	G 1,001 to 5,000	H 5,001 to 10,000	I 10,001 to 25,000	J 25,001 to 50,000	K 50,001 to 100,000	L 100,001 to 250,000	M 250,001 and over
1. Number of Enterprises	4888	35	1243	1202	856	629	768	80	49	8	7	5	4
2. Total receipts (in millions of dollars)	15648.8	36.3	184.1	801.9	741.4	1073.3	3820.0	1241.5	1712.1	763.3	637.6	1371.3	3266.0

Selected Operating Factors in Percent of Net Sales

3. Cost of operations	75.1	81.5	60.7	65.1	70.9	73.7	75.3	77.8	79.0	79.7	75.4	80.8	72.6
4. Compensation of officers	2.3	2.7	3.3	3.5	6.2	4.1	4.1	1.3	1.3	0.8	0.8	0.6	0.5
5. Repairs	0.9	-	0.3	1.4	0.7	1.3	0.5	0.6	0.2	0.7	0.5	0.3	2.3
6. Bad debts	0.4	0.2	-	0.1	0.1	0.5	0.2	0.1	1.2	0.1	0.2	0.3	0.8
7. Rent on business property	1.0	0.7	2.8	2.7	1.5	1.0	0.8	0.6	0.4	0.4	0.7	0.7	1.2
8. Taxes (excl Federal tax)	2.4	1.0	2.0	3.5	3.3	2.6	2.1	2.0	1.9	1.5	2.2	1.8	2.9
9. Interest	2.7	1.1	0.5	2.6	1.4	1.6	1.6	1.7	1.3	1.6	1.3	1.2	7.7
10. Deprec/Deplet/Amortiz†	2.9	1.0	3.2	2.5	2.2	2.5	2.1	2.9	2.4	2.8	2.1	1.7	5.3
11. Advertising	0.6	0.1	0.2	0.3	0.2	0.2	0.5	0.8	0.5	0.5	1.5	0.9	0.7
12. Pensions & other benef plans	1.3	-	0.6	0.4	2.1	1.2	1.0	0.7	1.1	2.0	1.1	1.0	2.4
13. Other expenses	13.8	10.8	27.4	20.2	15.1	11.5	11.2	13.5	13.3	12.5	17.4	13.2	15.3
14. Net profit before tax	*	0.9	*	*	*	*	0.6	*	*	*	*	*	*

Selected Financial Ratios (number of times ratio is to one)

15. Current ratio	1.4	-	1.3	1.2	1.4	2.2	1.6	1.4	1.4	1.6	2.9	2.1	1.0
16. Quick ratio	0.8	-	1.0	0.7	0.7	1.4	0.8	0.5	0.7	0.7	2.0	1.5	0.8
17. Net sls to net wkg capital	11.2	-	39.5	53.1	15.1	6.7	10.2	13.2	11.4	13.4	3.1	4.8	-
18. Coverage ratio	1.5	-	3.0	0.4	-	1.6	2.5	2.7	0.2	0.6	2.5	3.0	1.3
19. Asset turnover	1.5	-	-	-	2.3	2.4	2.5	1.9	2.1	-	1.4	1.9	0.6
20. Total liab to net worth	2.6	-	1.9	-	2.4	1.1	1.8	3.2	1.8	1.6	1.0	1.1	4.5

Selected Financial Factors in Percentages

21. Debt ratio	72.4	-	65.5	108.1	70.8	53.3	64.0	76.2	64.5	62.1	48.8	51.1	81.7
22. Return on assets	5.8	-	6.0	4.2	-	6.4	10.1	9.1	0.5	2.2	4.6	6.8	5.6
23. Return on equity	0.9	-	5.4	-	-	3.4	10.6	20.1	-	-	1.7	4.9	-
24. Return on net worth	21.2	-	17.5	-	13.7	13.7	28.1	38.2	1.4	5.8	9.0	14.0	30.6

†Depreciation largest factor

TABLE II: CORPORATIONS WITH NET INCOME, 1990 EDITION

2498 MANUFACTURING: LUMBER AND WOOD PRODUCTS:
Other wood products, including wood buildings and mobile homes

Item Description For Accounting Period 7/86 Through 6/87	A Total	B Zero Assets	SIZE OF ASSETS IN THOUSANDS OF DOLLARS (000 OMITTED)										
			C Under 100	D 100 to 250	E 251 to 500	F 501 to 1,000	G 1,001 to 5,000	H 5,001 to 10,000	I 10,001 to 25,000	J 25,001 to 50,000	K 50,001 to 100,000	L 100,001 to 250,000	M 250,001 and over
1. Number of Enterprises	2514	16	510	562	348	433	543	66	23	-	4	-	-
2. Total receipts (in millions of dollars)	10168.2	4.4	110.7	592.8	433.0	645.7	2736.7	1157.8	672.1	-	348.2	-	-
Selected Operating Factors in Percent of Net Sales													
3. Cost of operations	72.6	31.3	57.9	64.8	70.2	66.8	74.4	77.6	72.4	-	77.9	-	-
4. Compensation of officers	2.6	5.2	0.4	3.4	6.3	5.4	4.8	1.2	1.7	-	0.6	-	-
5. Repairs	1.1	0.3	0.6	1.1	0.2	1.1	0.4	0.6	0.3	-	0.8	-	-
6. Bad debts	0.3	-	-	0.1	0.2	0.7	0.1	0.1	0.6	-	0.3	-	-
7. Rent on business property	0.8	3.4	2.6	3.4	1.2	1.1	0.4	0.5	0.3	-	0.7	-	-
8. Taxes (excl Federal tax)	2.6	2.6	2.6	3.3	2.9	3.2	2.2	2.0	2.4	-	3.0	-	-
9. Interest	2.3	-	0.4	2.3	0.9	1.4	1.5	1.5	1.0	-	0.6	-	-
10. Deprec/Deplet/Amortiz†	2.9	1.8	1.4	2.0	1.5	3.0	1.7	2.5	3.5	-	1.7	-	-
11. Advertising	0.4	0.1	-	0.3	0.1	0.2	0.4	0.8	0.4	-	0.4	-	-
12. Pensions & other benef plans	1.6	-	1.0	0.5	2.1	1.5	1.1	0.7	1.5	-	0.3	-	-
13. Other expenses	12.1	29.4	24.6	16.6	11.9	12.5	10.5	13.3	12.2	-	11.9	-	-
14. Net profit before tax	0.7	25.9	8.5	2.2	2.5	3.1	2.5	#	3.7	-	1.8	-	-
Selected Financial Ratios (number of times ratio is to one)													
15. Current ratio	1.5	-	7.9	-	1.4	3.2	1.7	1.3	2.3	-	5.0	-	-
16. Quick ratio	0.9	-	4.3	-	0.8	2.2	0.9	0.4	1.3	-	3.7	-	-
17. Net sls to net wkg capital	9.5	-	11.8	-	14.6	4.7	10.2	17.3	5.2	-	2.0	-	-
18. Coverage ratio	3.4	-	-	-	7.2	4.4	4.0	3.8	6.4	-	-	-	-
19. Asset turnover	1.6	-	-	-	-	2.1	-	2.3	1.8	-	1.3	-	-
20. Total liab to net worth	1.3	-	0.3	-	1.2	0.6	1.4	2.0	0.9	-	0.4	-	-
Selected Financial Factors in Percentages													
21. Debt ratio	57.2	-	21.5	-	55.3	37.6	57.9	66.4	46.1	-	29.6	-	-
22. Return on assets	12.3	-	-	-	19.2	13.0	16.1	12.7	11.6	-	9.0	-	-
23. Return on equity	13.8	-	-	-	32.5	13.9	20.4	24.6	11.8	-	7.3	-	-
24. Return on net worth	28.8	-	-	-	43.0	20.9	38.1	37.9	21.6	-	12.8	-	-

†Depreciation largest factor

TABLE I: CORPORATIONS WITH AND WITHOUT NET INCOME, 1990 EDITION

2500 MANUFACTURING:
Furniture and fixtures

Item Description For Accounting Period 7/86 Through 6/87	A Total	B Zero Assets	SIZE OF ASSETS IN THOUSANDS OF DOLLARS (000 OMITTED)										
			C Under 100	D 100 to 250	E 251 to 500	F 501 to 1,000	G 1,001 to 5,000	H 5,001 to 10,000	I 10,001 to 25,000	J 25,001 to 50,000	K 50,001 to 100,000	L 100,001 to 250,000	M 250,001 and over
1. Number of Enterprises	7677	349	2965	1410	949	596	1024	151	146	40	19	19	9
2. Total receipts (in millions of dollars)	31569.5	903.1	537.4	946.1	1237.1	1335.7	4941.5	2005.9	4279.8	2240.2	2488.3	4825.9	5828.5

Selected Operating Factors in Percent of Net Sales

	A	B	C	D	E	F	G	H	I	J	K	L	M
3. Cost of operations	68.0	71.6	58.6	73.4	69.6	67.9	71.3	67.1	70.6	72.1	69.8	64.1	63.4
4. Compensation of officers	2.2	1.5	10.0	6.4	3.5	5.4	3.9	2.4	1.8	1.2	1.0	1.1	0.5
5. Repairs	0.4	0.2	0.4	0.3	0.3	0.5	0.4	0.3	0.2	0.3	0.6	0.4	0.7
6. Bad debts	0.3	0.5	-	0.2	0.8	0.4	0.5	0.3	0.4	0.2	0.3	0.3	0.2
7. Rent on business property	1.2	1.5	3.4	1.9	2.0	2.0	1.0	1.0	0.6	0.7	0.9	1.1	1.3
8. Taxes (excl Federal tax)	2.7	2.1	4.5	1.9	2.3	2.8	2.6	2.8	2.3	2.2	3.4	2.6	3.0
9. Interest	1.6	2.4	1.4	0.9	1.4	1.0	1.3	1.6	1.4	1.2	1.2	1.6	2.8
10. Deprec/Deplet/Amortiz†	2.6	1.6	1.9	1.5	1.5	1.7	1.8	2.7	2.4	2.3	2.7	2.8	4.1
11. Advertising	1.4	1.7	0.3	0.6	1.1	0.6	1.1	1.7	1.6	1.3	1.0	2.2	1.4
12. Pensions & other benef plans	1.7	1.2	0.3	1.1	0.9	1.4	1.2	1.5	1.7	1.4	1.6	1.9	2.5
13. Other expenses	15.5	12.1	19.8	10.7	19.3	13.3	14.5	18.8	15.0	13.5	14.3	16.7	16.6
14. Net profit before tax	2.4	3.6	*	1.1	*	3.0	0.4	*	2.0	3.6	3.2	5.2	3.5

Selected Financial Ratios (number of times ratio is to one)

	A	B	C	D	E	F	G	H	I	J	K	L	M
15. Current ratio	1.9	-	1.2	2.2	1.5	1.8	1.7	2.0	2.1	2.1	2.6	2.4	1.4
16. Quick ratio	1.0	-	0.7	1.5	0.7	1.1	0.9	0.9	1.1	1.1	1.4	1.3	0.7
17. Net sls to net wkg capital	6.7	-	57.5	10.6	13.5	10.1	7.9	6.1	5.4	4.8	4.6	4.2	12.2
18. Coverage ratio	4.0	-	0.7	2.8	0.8	4.8	2.4	2.0	4.1	5.7	6.6	5.8	3.7
19. Asset turnover	1.9	-	-	-	-	-	2.4	1.9	1.8	1.6	1.8	1.4	1.5
20. Total liab to net worth	1.1	-	-	2.0	3.7	1.5	1.6	1.5	0.9	1.2	1.0	1.0	0.9

Selected Financial Factors in Percentages

	A	B	C	D	E	F	G	H	I	J	K	L	M
21. Debt ratio	52.9	-	111.1	66.3	78.6	60.5	61.4	59.3	48.6	54.3	49.3	49.4	46.8
22. Return on assets	12.4	-	3.8	11.0	3.7	15.0	7.7	6.1	9.9	11.1	14.6	13.0	15.3
23. Return on equity	10.1	-	-	11.2	-	25.0	5.9	1.9	6.3	13.1	15.9	11.9	7.7
24. Return on net worth	26.3	-	-	32.6	17.3	38.0	19.8	14.9	19.3	24.3	28.7	25.7	28.7

†Depreciation largest factor

2500 MANUFACTURING:
Furniture and fixtures

Item Description For Accounting Period 7/86 Through 6/87	A Total	B Zero Assets	C Under 100	D 100 to 250	E 251 to 500	F 501 to 1,000	G 1,001 to 5,000	H 5,001 to 10,000	I 10,001 to 25,000	J 25,001 to 50,000	K 50,001 to 100,000	L 100,001 to 250,000	M 250,001 and over
		SIZE OF ASSETS IN THOUSANDS OF DOLLARS (000 OMITTED)											
1. Number of Enterprises	4660	41	1245	1218	617	516	737	94	119	33	-	15	-
2. Total receipts (in millions of dollars)	26479.1	690.8	327.4	849.6	951.1	1188.5	3934.4	1479.4	3498.5	1976.9	-	4023.5	-
Selected Operating Factors in Percent of Net Sales													
3. Cost of operations	66.9	68.7	53.1	75.9	67.8	67.6	69.6	65.8	68.6	71.0	-	63.4	-
4. Compensation of officers	2.3	1.6	12.7	5.5	3.1	5.7	4.3	2.4	2.0	1.2	-	1.1	-
5. Repairs	0.4	0.2	0.3	0.3	0.2	0.6	0.3	0.2	0.2	0.3	-	0.4	-
6. Bad debts	0.3	0.5	-	0.2	0.8	0.4	0.3	0.3	0.3	0.2	-	0.3	-
7. Rent on business property	1.1	1.7	4.6	2.0	1.7	1.9	1.0	0.9	0.6	0.6	-	1.1	-
8. Taxes (excl Federal tax)	2.7	2.2	5.2	1.7	2.3	2.7	2.7	3.1	2.4	2.2	-	2.7	-
9. Interest	1.1	2.4	1.5	1.0	0.9	0.8	1.1	1.2	1.1	1.3	-	1.2	-
10. Deprec/Deplet/Amortiz†	2.5	1.8	2.0	1.4	1.6	1.5	1.7	2.3	2.3	2.4	-	2.7	-
11. Advertising	1.4	2.1	0.3	0.5	1.0	0.6	1.2	1.5	1.7	1.3	-	2.0	-
12. Pensions & other benef plans	1.7	1.2	0.4	1.2	1.2	1.5	1.5	1.5	1.8	1.5	-	2.1	-
13. Other expenses	14.8	11.9	16.3	7.7	17.3	13.2	13.6	18.2	14.1	13.6	-	16.3	-
14. Net profit before tax	4.8	5.7	3.6	2.6	2.1	3.5	2.7	2.6	4.9	4.4	-	6.7	-
Selected Financial Ratios (number of times ratio is to one)													
15. Current ratio	2.3	-	1.5	2.6	1.7	2.0	1.9	2.2	2.3	2.3	-	2.5	-
16. Quick ratio	1.2	-	1.0	1.7	0.9	1.3	1.0	1.0	1.3	1.3	-	1.5	-
17. Net sls to net wkg capital	5.9	-	26.5	9.9	13.7	9.3	7.7	6.1	4.8	4.6	-	4.1	-
18. Coverage ratio	7.9	-	3.5	4.3	4.0	6.6	4.7	4.5	7.3	6.1	-	8.6	-
19. Asset turnover	2.0	-	-	-	-	-	-	2.2	1.8	1.7	-	1.5	-
20. Total liab to net worth	0.8	-	33.6	1.1	1.4	1.2	1.0	1.1	0.8	1.1	-	0.8	-
Selected Financial Factors in Percentages													
21. Debt ratio	44.5	-	97.1	53.1	58.4	53.4	51.1	51.7	42.8	52.5	-	43.5	-
22. Return on assets	16.4	-	20.1	18.9	14.0	17.2	12.8	12.0	14.0	13.2	-	15.4	-
23. Return on equity	15.8	-	-	22.7	21.0	26.2	14.5	12.0	11.8	15.4	-	13.7	-
24. Return on net worth	29.6	-	-	40.2	33.7	36.9	26.1	24.9	24.4	27.7	-	27.3	-

†Depreciation largest factor

TABLE I. *CORPORATIONS WITH AND WITHOUT NET INCOME, 1990 EDITION*

2625 MANUFACTURING: PAPER AND ALLIED PRODUCTS:
Pulp, paper, and board mills

Item Description For Accounting Period 7/86 Through 6/87	A Tot	B Zero Assets	C Under 100	D 100 to 250	E 251 to 500	F 501 to 1,000	G 1,001 to 5,000	H 5,001 to 10,000	I 10,001 to 25,000	J 25,001 to 50,000	K 50,001 to 100,000	L 100,001 to 250,000	M 250,001 and over
1. Number of Enterprises	446	5	-	148	101	-	94	24	14	13	9	14	24
2. Total receipts (in millions of dollars)	46819.6	1603.5	-	107.8	138.3	-	501.6	249.4	305.0	764.3	1179.3	3089.6	38880.8

Selected Operating Factors in Percent of Net Sales

	A	B	C	D	E	F	G	H	I	J	K	L	M
3. Cost of operations	66.2	65.3	-	66.3	82.7	-	70.1	81.1	71.2	75.1	76.3	68.0	65.3
4. Compensation of officers	0.4	0.2	-	5.8	2.9	-	4.9	1.6	1.5	1.0	0.8	0.7	0.2
5. Repairs	3.1	5.8	-	2.8	-	-	0.7	-	2.2	0.9	0.1	1.6	3.3
6. Bad debts	0.1	0.1	-	-	-	-	0.5	0.1	-	0.1	0.2	0.2	0.1
7. Rent on business property	0.9	1.6	-	-	2.8	-	0.5	0.1	0.2	0.4	0.3	0.4	1.0
8. Taxes (excl Federal tax)	2.3	3.3	-	2.1	1.9	-	2.3	2.6	1.8	1.5	1.4	2.5	2.3
9. Interest	3.1	3.9	-	1.3	1.0	-	1.3	1.8	2.2	1.8	2.1	1.7	3.3
10. Deprec/Deplet/Amortiz†	8.4	6.3	-	4.4	1.7	-	2.7	6.4	6.4	4.4	4.1	5.3	9.1
11. Advertising	1.3	0.6	-	-	0.1	-	0.4	0.2	0.1	0.3	0.3	0.5	1.5
12. Pensions & other benef plans	1.9	1.1	-	2.1	1.1	-	2.9	2.0	0.9	1.7	2.0	1.9	2.0
13. Other expenses	14.1	20.2	-	18.0	5.4	-	11.9	9.1	10.6	10.6	12.2	13.7	14.2
14. Net profit before tax	*	*	-	*	0.4	-	1.8	*	2.9	2.2	0.2	3.5	*

Selected Financial Ratios (number of times ratio is to one)

	A	B	C	D	E	F	G	H	I	J	K	L	M
15. Current ratio	1.3	-	-	1.4	2.7	-	1.9	1.3	2.2	1.7	1.6	1.9	1.2
16. Quick ratio	0.7	-	-	0.4	2.5	-	1.2	0.6	1.1	0.9	0.9	1.1	0.6
17. Net sls to net wkg capital	20.4	-	-	96.7	10.2	-	7.1	19.2	5.5	8.7	10.4	7.2	26.0
18. Coverage ratio	2.1	-	-	-	3.1	-	3.8	-	3.0	2.6	1.8	5.0	2.1
19. Asset turnover	0.9	-	-	-	-	-	1.8	1.4	1.5	1.7	1.7	1.2	0.8
20. Total liab to net worth	1.0	-	-	1.4	0.4	-	1.2	2.4	1.4	1.2	1.7	1.3	0.9

Selected Financial Factors in Percentages

	A	B	C	D	E	F	G	H	I	J	K	L	M
21. Debt ratio	49.3	-	-	57.6	27.2	-	55.0	70.8	57.5	55.4	62.5	56.3	48.6
22. Return on assets	5.6	-	-	-	9.1	-	8.9	-	9.8	7.7	6.2	10.2	5.2
23. Return on equity	3.9	-	-	-	6.6	-	10.6	-	7.2	6.0	3.9	10.3	3.7
24. Return on net worth	11.0	-	-	-	12.5	-	19.7	-	23.0	17.3	16.6	23.4	10.1

†Depreciation largest factor

TABLE II: CORPORATIONS WITH NET INCOME, 1990 EDITION

2625 MANUFACTURING: PAPER AND ALLIED PRODUCTS:
Pulp, paper, and board mills

Item Description For Accounting Period 7/86 Through 6/87	A Total	B Zero Assets	SIZE OF ASSETS IN THOUSANDS OF DOLLARS (000 OMITTED)										
			C Under 100	D 100 to 250	E 251 to 500	F 501 to 1,000	G 1,001 to 5,000	H 5,001 to 10,000	I 10,001 to 25,000	J 25,001 to 50,000	K 50,001 to 100,000	L 100,001 to 250,000	M 250,001 and over
1. Number of Enterprises	165	-	-	-	37	-	67	3	11	9	5	-	-
2. Total receipts (in millions of dollars)	41121.5	-	-	-	33.1	-	478.6	47.7	236.1	554.8	707.5	-	-
Selected Operating Factors in Percent of Net Sales													
3. Cost of operations	65.3	-	-	-	70.3	-	70.1	65.7	69.7	72.9	75.3	-	-
4. Compensation of officers	0.3	-	-	-	0.9	-	4.8	0.8	1.3	1.0	0.7	-	-
5. Repairs	3.1	-	-	-	0.1	-	0.7	-	2.8	1.1	-	-	-
6. Bad debts	0.1	-	-	-	-	-	0.5	0.1	-	0.1	0.3	-	-
7. Rent on business property	0.9	-	-	-	0.1	-	0.5	-	0.1	0.4	0.2	-	-
8. Taxes (excl Federal tax)	2.3	-	-	-	6.1	-	2.2	2.9	1.9	1.5	1.1	-	-
9. Interest	2.9	-	-	-	-	-	1.4	0.1	1.1	1.6	1.6	-	-
10. Deprec/Deplet/Amortiz†	8.3	-	-	-	1.3	-	2.4	2.5	4.4	4.4	2.6	-	-
11. Advertising	1.5	-	-	-	0.4	-	0.3	-	0.1	0.3	0.3	-	-
12. Pensions & other benef plans	2.1	-	-	-	3.4	-	2.9	2.5	0.9	2.2	1.7	-	-
13. Other expenses	14.2	-	-	-	10.1	-	11.7	9.5	12.4	9.9	13.0	-	-
14. Net profit before tax	#	-	-	-	7.3	-	2.5	15.9	5.3	4.6	3.2	-	-
Selected Financial Ratios (number of times ratio is to one)													
15. Current ratio	1.3	-	-	-	4.9	-	1.9	3.8	2.6	2.1	1.7	-	-
16. Quick ratio	0.7	-	-	-	4.7	-	1.2	1.2	1.3	1.3	1.0	-	-
17. Net sls to net wkg capital	17.5	-	-	-	4.1	-	7.3	5.0	4.6	6.8	9.0	-	-
18. Coverage ratio	2.6	-	-	-	-	-	4.3	-	7.5	4.1	4.1	-	-
19. Asset turnover	0.8	-	-	-	2.4	-	2.2	-	1.5	1.7	1.9	-	-
20. Total liab to net worth	0.9	-	-	-	0.2	-	1.1	0.3	0.8	1.1	1.6	-	-
Selected Financial Factors in Percentages													
21. Debt ratio	46.7	-	-	-	15.0	-	52.4	20.1	45.3	51.4	62.1	-	-
22. Return on assets	5.9	-	-	-	19.8	-	12.6	-	12.8	11.7	12.4	-	-
23. Return on equity	4.8	-	-	-	18.4	-	15.4	30.6	11.7	12.2	18.2	-	-
24. Return on net worth	11.1	-	-	-	23.2	-	26.4	56.9	23.3	24.0	32.6	-	-

†Depreciation largest factor

2699 MANUFACTURING: PAPER AND ALLIED PRODUCTS:

Other paper products

Item Description For Accounting Period 7/86 Through 6/87	A Total	B Zero Assets	C Under 100	D 100 to 250	E 251 to 500	F 501 to 1,000	G 1,001 to 5,000	H 5,001 to 10,000	I 10,001 to 25,000	J 25,001 to 50,000	K 50,001 to 100,000	L 100,001 to 250,000	M 250,001 and over
		SIZE OF ASSETS IN THOUSANDS OF DOLLARS (000 OMITTED)											
1. Number of Enterprises	3469	478	527	173	438	699	725	223	129	27	31	9	11
2. Total receipts (in millions of dollars)	37845.1	582.6	371.1	151.9	300.1	1251.7	3526.0	3286.9	3608.5	1389.6	3279.7	2549.5	17547.6
Selected Operating Factors in Percent of Net Sales													
3. Cost of operations	66.8	69.1	80.0	71.4	67.3	71.7	71.4	73.2	73.4	75.2	72.3	72.4	59.9
4. Compensation of officers	1.5	0.8	9.2	4.0	7.4	5.4	4.2	2.9	1.9	1.6	0.9	0.6	0.3
5. Repairs	1.2	0.8	0.2	-	0.4	0.4	0.4	0.5	0.4	0.6	0.6	0.9	1.9
6. Bad debts	0.2	0.5	-	-	0.1	0.1	0.3	0.2	0.2	0.3	0.3	0.3	0.2
7. Rent on business property	0.9	0.8	1.8	5.0	3.4	1.4	1.0	0.6	0.7	0.5	0.6	0.6	1.0
8. Taxes (excl Federal tax)	2.3	2.5	1.1	3.2	2.9	2.5	2.2	2.0	2.1	1.7	2.6	2.1	2.5
9. Interest	2.0	1.7	0.1	0.8	1.1	1.3	2.4	1.4	1.6	1.8	2.0	1.7	2.2
10. Deprec/Deplet/Amortiz†	4.6	3.5	0.7	0.3	2.2	2.4	2.5	3.2	3.2	3.3	4.3	3.8	6.3
11. Advertising	1.0	0.1	0.2	0.4	1.0	0.3	0.2	0.2	0.2	0.7	0.7	0.9	1.6
12. Pensions & other benef plans	2.1	1.6	0.9	-	3.4	0.8	1.3	1.5	1.6	1.4	1.4	2.6	2.8
13. Other expenses	14.6	17.1	6.8	11.9	13.0	12.1	13.1	12.4	13.5	12.5	12.7	11.1	16.9
14. Net profit before tax	2.8	1.5	*	3.0	*	1.6	1.0	1.9	1.2	0.4	1.6	3.0	4.4
Selected Financial Ratios (number of times ratio is to one)													
15. Current ratio	1.8	-	-	4.5	2.5	1.7	1.8	1.7	1.5	1.7	2.0	1.6	1.8
16. Quick ratio	0.9	-	-	3.6	1.5	1.0	1.1	1.0	0.8	0.9	0.9	0.7	0.9
17. Net sls to net wkg capital	7.9	-	-	10.1	5.1	10.0	7.7	9.1	9.7	7.4	6.6	10.8	7.0
18. Coverage ratio	4.2	-	-	5.1	-	2.7	2.0	3.6	3.0	2.2	3.1	3.9	5.4
19. Asset turnover	1.5	-	-	-	2.0	-	2.1	2.1	1.9	1.4	1.5	1.7	1.2
20. Total liab to net worth	1.1	-	-	0.4	1.2	1.6	1.3	1.5	1.7	1.5	1.4	1.2	0.9
Selected Financial Factors in Percentages													
21. Debt ratio	51.8	-	-	27.0	55.4	60.8	56.2	60.0	62.6	59.1	57.9	53.5	47.1
22. Return on assets	12.2	-	-	-	-	8.9	10.2	10.2	8.8	5.7	9.4	11.1	13.9
23. Return on equity	10.8	-	-	17.0	-	9.7	7.1	12.8	9.8	2.5	8.8	9.5	11.8
24. Return on net worth	25.2	-	-	41.5	-	22.8	23.3	25.4	23.4	13.9	22.4	23.8	26.3

†Depreciation largest factor

2699 MANUFACTURING: PAPER AND ALLIED PRODUCTS:

Other paper products

Item Description For Accounting Period 7/86 Through 6/87	A Total	B Zero Assets	C Under 100	D 100 to 250	E 251 to 500	F 501 to 1,000	G 1,001 to 5,000	H 5,001 to 10,000	I 10,001 to 25,000	J 25,001 to 50,000	K 50,001 to 100,000	L 100,001 to 250,000	M 250,001 and over
				SIZE OF ASSETS IN THOUSANDS OF DOLLARS (000 OMITTED)									
1. Number of Enterprises	1733	-	-	37	186	541	518	183	97	14	21	-	-
2. Total receipts (in millions of dollars)	32570.7	-	-	57.5	159.5	903.2	2567.2	2801.3	2835.5	816.2	2507.0	-	-
Selected Operating Factors in Percent of Net Sales													
3. Cost of operations	65.5	-	-	61.3	60.1	70.4	70.6	73.3	72.4	73.1	73.0	-	-
4. Compensation of officers	1.4	-	-	2.7	12.0	6.0	4.5	2.9	1.9	1.7	0.9	-	-
5. Repairs	1.3	-	-	-	0.3	0.3	0.4	0.4	0.4	0.3	0.7	-	-
6. Bad debts	0.2	-	-	-	0.1	0.1	0.3	0.2	0.2	0.3	0.3	-	-
7. Rent on business property	0.9	-	-	3.7	4.7	1.5	1.1	0.5	0.7	0.5	0.7	-	-
8. Taxes (excl Federal tax)	2.4	-	-	2.3	2.6	2.7	2.2	1.9	2.1	1.6	2.8	-	-
9. Interest	1.6	-	-	2.1	0.1	1.2	1.1	1.2	1.4	1.5	1.1	-	-
10. Deprec/Deplet/Amortiz†	4.7	-	-	-	1.0	2.3	2.3	3.0	2.8	2.9	3.3	-	-
11. Advertising	1.0	-	-	-	0.3	0.1	0.2	0.2	0.3	0.8	0.6	-	-
12. Pensions & other benef plans	2.3	-	-	-	5.3	0.9	1.5	1.6	1.7	1.2	1.5	-	-
13. Other expenses	14.6	-	-	17.8	9.2	11.3	12.5	11.7	13.6	12.7	11.3	-	-
14. Net profit before tax	4.1	-	-	10.1	4.3	3.2	3.3	3.1	2.5	3.4	3.8	-	-
Selected Financial Ratios (number of times ratio is to one)													
15. Current ratio	1.8	-	-	2.5	5.8	1.9	2.3	1.7	1.7	2.0	2.0	-	-
16. Quick ratio	1.0	-	-	1.1	4.0	1.1	1.4	1.0	0.9	1.2	1.0	-	-
17. Net sls to net wkg capital	7.5	-	-	14.3	4.2	8.5	5.9	8.6	8.0	6.1	6.9	-	-
18. Coverage ratio	5.8	-	-	5.9	-	4.2	5.5	4.9	4.1	4.7	7.5	-	-
19. Asset turnover	1.5	-	-	-	2.4	-	2.2	2.2	1.9	1.7	1.7	-	-
20. Total liab to net worth	0.9	-	-	0.7	0.1	1.2	0.8	1.4	1.5	1.0	0.9	-	-
Selected Financial Factors in Percentages													
21. Debt ratio	48.0	-	-	39.6	12.2	54.4	44.7	57.5	59.8	49.0	46.0	-	-
22. Return on assets	13.7	-	-	-	14.0	12.7	12.8	13.1	11.0	11.5	13.2	-	-
23. Return on equity	12.9	-	-	-	12.4	15.9	13.5	18.2	13.9	9.7	14.1	-	-
24. Return on net worth	26.3	-	-	-	15.9	27.8	23.0	30.9	27.3	22.6	24.4	-	-

†Depreciation largest factor

2710 MANUFACTURING: PRINTING AND PUBLISHING:

Newspapers

						SIZE OF ASSETS IN THOUSANDS OF DOLLARS (000 OMITTED)							
Item Description For Accounting Period 7/86 Through 6/87	A Total	B Zero Assets	C Under 100	D 100 to 250	E 251 to 500	F 501 to 1,000	G 1,001 to 5,000	H 5,001 to 10,000	I 10,001 to 25,000	J 25,001 to 50,000	K 50,001 to 100,000	L 100,001 to 250,000	M 250,001 and over
1. Number of Enterprises	5548	269	2233	1210	648	301	566	139	79	30	23	19	31
2. Total receipts (in millions of dollars)	45567.9	504.6	391.2	928.7	449.8	407.2	1981.1	974.4	1595.4	1099.8	2052.3	3509.3	31674.2
Selected Operating Factors in Percent of Net Sales													
3. Cost of operations	40.4	45.8	37.5	45.9	39.4	57.3	44.6	45.0	43.9	32.7	46.7	38.1	39.5
4. Compensation of officers	1.5	3.3	2.0	3.1	7.5	4.4	5.0	4.3	1.9	2.1	1.6	1.0	0.9
5. Repairs	0.8	0.9	0.2	0.7	0.7	1.1	0.8	1.0	0.8	1.1	0.5	0.9	0.8
6. Bad debts	0.8	1.1	0.6	0.9	0.5	0.7	0.6	0.7	0.6	0.9	0.8	0.8	0.8
7. Rent on business property	1.4	1.2	1.6	2.3	2.3	2.1	1.2	1.1	1.1	1.1	1.0	0.7	1.5
8. Taxes (excl Federal tax)	3.6	3.4	4.0	2.8	2.9	4.0	3.9	4.4	4.0	4.3	3.7	4.0	3.6
9. Interest	4.7	1.8	2.6	1.1	1.3	2.1	1.7	2.3	3.2	2.9	2.0	2.9	5.8
10. Deprec/Deplet/Amortiz†	6.7	4.5	1.9	2.3	4.3	4.6	4.2	6.5	4.6	7.3	6.0	7.3	7.3
11. Advertising	1.5	0.8	1.5	0.6	1.0	0.2	0.7	0.4	1.2	1.4	1.9	1.3	1.6
12. Pensions & other benef plans	2.5	1.1	1.6	0.8	2.6	1.0	1.9	2.5	2.1	2.5	2.4	3.0	2.6
13. Other expenses	33.5	33.0	46.4	37.7	39.3	21.4	34.5	28.8	28.5	41.3	28.6	34.9	33.5
14. Net profit before tax	2.6	3.1	0.1	1.8	*	1.1	0.9	3.0	8.1	2.4	4.8	5.1	2.1
Selected Financial Ratios (number of times ratio is to one)													
15. Current ratio	1.3	-	1.3	1.1	1.7	2.5	1.9	2.4	1.6	2.1	1.7	1.8	1.1
16. Quick ratio	0.9	-	1.3	1.0	1.6	2.1	1.3	2.0	1.3	1.7	1.3	1.4	0.7
17. Net sls to net wkg capital	17.6	-	56.9	150.1	12.7	6.7	7.8	4.7	8.5	5.7	8.4	8.5	33.1
18. Coverage ratio	3.2	-	2.6	4.5	0.8	2.2	3.9	5.4	4.8	4.6	6.9	3.9	2.9
19. Asset turnover	0.8	-	-	-	2.0	1.9	1.6	0.9	1.3	1.0	1.1	1.1	0.7
20. Total liab to net worth	1.3	-	-	2.2	3.0	1.0	1.5	0.7	1.3	1.1	1.1	1.4	1.4
Selected Financial Factors in Percentages													
21. Debt ratio	57.1	-	143.5	68.5	74.8	49.1	59.4	41.6	56.9	53.3	53.2	58.1	57.4
22. Return on assets	12.1	-	-	24.3	2.0	8.7	10.1	11.2	20.1	13.0	15.4	11.9	11.6
23. Return on equity	10.9	-	-	16.8	-	6.5	11.1	10.8	23.9	12.1	15.8	10.8	10.1
24. Return on net worth	28.1	-	-	77.0	8.0	17.2	24.8	19.3	46.7	27.7	32.8	28.5	27.2

†Depreciation largest factor

TABLE II: CORPORATIONS WITH NET INCOME, 1990 EDITION

2710 MANUFACTURING: PRINTING AND PUBLISHING:
Newspapers

Item Description For Accounting Period 7/86 Through 6/87	A Total	B Zero Assets	C Under 100	D 100 to 250	E 251 to 500	F 501 to 1,000	G 1,001 to 5,000	H 5,001 to 10,000	I 10,001 to 25,000	J 25,001 to 50,000	K 50,001 to 100,000	L 100,001 to 250,000	M 250,001 and over
					SIZE OF ASSETS IN THOUSANDS OF DOLLARS (000 OMITTED)								
1. Number of Enterprises	3655	234	1499	588	447	249	373	122	63	21	-	-	22
2. Total receipts (in millions of dollars)	38274.2	315.2	238.8	440.8	425.2	354.9	1502.1	880.8	1287.3	851.1	-	-	27380.8
Selected Operating Factors in Percent of Net Sales													
3. Cost of operations	40.4	30.2	35.2	27.6	41.2	61.0	41.8	41.8	40.7	30.6	-	-	41.3
4. Compensation of officers	1.4	5.0	1.5	3.4	7.9	4.1	4.6	4.4	1.7	2.2	-	-	0.9
5. Repairs	0.8	0.9	0.3	1.1	0.6	1.0	0.9	0.9	0.8	1.1	-	-	0.8
6. Bad debts	0.8	0.5	0.6	0.9	0.1	0.8	0.5	0.6	0.7	0.9	-	-	0.8
7. Rent on business property	1.3	1.2	2.4	1.4	1.8	2.4	1.1	1.1	0.9	1.0	-	-	1.4
8. Taxes (excl Federal tax)	3.7	4.4	6.5	3.5	2.7	4.0	3.8	4.5	4.2	4.6	-	-	3.5
9. Interest	4.2	1.6	2.5	1.6	1.0	0.8	1.3	2.3	2.9	2.4	-	-	5.2
10. Deprec/Deplet/Amortiz†	6.3	4.4	2.9	4.0	4.1	4.4	4.2	6.4	4.0	5.6	-	-	6.7
11. Advertising	1.5	0.8	1.4	1.0	1.0	0.1	0.5	0.4	0.8	1.3	-	-	1.6
12. Pensions & other benef plans	2.5	1.2	0.8	1.0	2.7	1.0	1.9	2.3	2.3	2.3	-	-	2.6
13. Other expenses	31.7	39.4	41.0	41.6	32.8	17.9	35.0	30.7	30.0	42.3	-	-	30.6
14. Net profit before tax	5.4	10.4	4.9	12.9	4.1	2.5	4.4	4.6	11.0	5.7	-	-	4.6
Selected Financial Ratios (number of times ratio is to one)													
15. Current ratio	1.3	-	1.8	2.7	1.5	2.9	2.3	2.4	1.8	2.4	-	-	1.1
16. Quick ratio	0.9	-	1.8	2.7	1.3	2.5	1.5	2.0	1.4	2.0	-	-	0.8
17. Net sls to net wkg capital	15.8	-	21.4	19.9	27.6	6.3	6.3	4.7	7.5	4.7	-	-	31.3
18. Coverage ratio	4.2	-	5.8	-	6.0	5.9	7.9	6.4	6.4	7.4	-	-	3.7
19. Asset turnover	0.9	-	-	-	-	2.2	1.6	0.9	1.3	1.0	-	-	0.7
20. Total liab to net worth	1.1	-	-	0.6	1.0	0.5	1.1	0.6	0.9	0.9	-	-	1.2
Selected Financial Factors in Percentages													
21. Debt ratio	52.6	-	119.4	36.2	48.6	31.0	51.2	38.7	46.9	48.2	-	-	53.4
22. Return on assets	15.1	-	-	-	16.5	9.6	16.6	13.4	23.9	17.8	-	-	14.2
23. Return on equity	14.8	-	-	-	26.5	8.8	21.4	13.2	24.8	17.9	-	-	13.4
24. Return on net worth	31.8	-	-	-	32.2	14.0	34.0	21.8	45.0	34.4	-	-	30.5

†Depreciation largest factor

TABLE I: CORPORATIONS WITH AND WITHOUT NET INCOME, 1990 EDITION

2720 MANUFACTURING: PRINTING AND PUBLISHING:
Periodicals

Item Description For Accounting Period 7/86 Through 6/87	A Total	B Zero Assets	C Under 100	D 100 to 250	E 251 to 500	F 501 to 1,000	G 1,001 to 5,000	H 5,001 to 10,000	I 10,001 to 25,000	J 25,001 to 50,000	K 50,001 to 100,000	L 100,001 to 250,000	M 250,001 and over
					SIZE OF ASSETS IN THOUSANDS OF DOLLARS (000 OMITTED)								
1. Number of Enterprises	4185	289	1766	1007	503	145	352	48	37	20	6	7	5
2. Total receipts (in millions of dollars)	15036.0	520.0	404.9	394.4	700.0	262.6	1657.1	727.2	966.0	1031.8	402.3	1421.1	6548.6

Selected Operating Factors in Percent of Net Sales

	A	B	C	D	E	F	G	H	I	J	K	L	M
3. Cost of operations	45.6	49.5	67.3	41.5	47.3	50.2	56.5	54.5	36.3	51.3	48.3	60.4	36.7
4. Compensation of officers	3.4	3.3	3.6	10.5	3.7	5.9	10.5	3.3	3.2	2.9	1.4	2.1	1.3
5. Repairs	0.4	0.4	-	0.8	0.6	0.5	0.5	0.2	0.1	0.4	0.3	0.3	0.5
6. Bad debts	0.9	0.8	-	0.2	2.3	3.1	1.1	0.5	0.9	0.9	0.7	0.5	0.8
7. Rent on business property	2.1	1.9	1.2	3.2	1.4	2.2	1.3	1.6	1.6	2.1	2.0	1.7	2.7
8. Taxes (excl Federal tax)	2.2	2.2	0.9	2.1	1.4	1.8	2.0	2.6	2.0	2.3	2.0	2.4	2.3
9. Interest	2.1	1.7	-	1.3	1.2	0.4	0.9	1.4	4.9	1.7	2.5	2.6	2.3
10. Deprec/Deplet/Amortiz†	3.7	0.5	0.3	2.8	3.1	2.2	2.3	2.3	3.5	5.3	5.3	3.8	4.7
11. Advertising	5.6	3.7	0.9	0.5	2.2	0.1	1.6	0.9	2.7	1.9	1.1	4.4	10.4
12. Pensions & other benef plans	1.9	1.4	0.3	3.5	0.8	1.5	1.3	0.9	1.5	2.4	2.4	1.9	2.3
13. Other expenses	34.8	39.2	26.3	34.7	40.3	31.9	23.6	31.1	37.0	40.6	44.6	22.3	39.1
14. Net profit before tax	*	*	*	*	*	0.2	*	0.7	6.3	*	*	*	*

Selected Financial Ratios (number of times ratio is to one)

	A	B	C	D	E	F	G	H	I	J	K	L	M
15. Current ratio	1.5	-	-	0.8	-	1.3	1.1	1.6	1.5	1.4	1.1	1.5	1.7
16. Quick ratio	1.0	-	-	0.7	-	0.7	0.8	1.2	1.2	1.1	0.8	0.8	1.0
17. Net sls to net wkg capital	9.1	-	-	-	-	15.6	27.8	10.6	11.0	8.1	24.9	10.7	5.5
18. Coverage ratio	3.5	-	-	1.0	-	6.6	2.1	4.9	3.0	3.1	-	2.9	4.8
19. Asset turnover	1.3	-	-	2.3	-	2.4	2.0	2.2	1.7	1.3	0.9	1.3	0.9
20. Total liab to net worth	1.8	-	-	-	-	4.8	4.0	4.7	1.7	3.6	4.0	1.2	1.3

Selected Financial Factors in Percentages

	A	B	C	D	E	F	G	H	I	J	K	L	M
21. Debt ratio	64.5	-	-	118.8	-	82.7	80.1	82.5	63.5	78.1	80.0	54.2	56.5
22. Return on assets	9.4	-	-	3.1	-	6.0	3.5	15.2	25.1	7.2	-	9.5	10.2
23. Return on equity	11.0	-	-	-	-	27.9	0.2	-	33.3	10.4	-	7.0	11.4
24. Return on net worth	26.6	-	-	-	-	34.8	17.8	86.6	68.8	32.8	-	20.7	23.5

†Depreciation largest factor

TABLE II: CORPORATIONS WITH NET INCOME, 1990 EDITION

2720 MANUFACTURING: PRINTING AND PUBLISHING:
Periodicals

Item Description For Accounting Period 7/86 Through 6/87	A Total	B Zero Assets	C Under 100	D 100 to 250	E 251 to 500	F 501 to 1,000	G 1,001 to 5,000	H 5,001 to 10,000	I 10,001 to 25,000	J 25,001 to 50,000	K 50,001 to 100,000	L 100,001 to 250,000	M 250,001 and over
SIZE OF ASSETS IN THOUSANDS OF DOLLARS (000 OMITTED)													
1. Number of Enterprises	1868	68	663	503	228	109	200	43	30	14	-	-	-
2. Total receipts (in millions of dollars)	11871.2	371.6	140.4	153.5	342.5	224.9	991.2	720.7	882.0	821.8	-	-	-
Selected Operating Factors in Percent of Net Sales													
3. Cost of operations	44.6	40.5	51.2	36.6	29.3	48.8	54.3	54.6	34.6	56.9	-	-	-
4. Compensation of officers	2.8	3.4	6.8	12.5	5.6	5.2	7.1	3.3	3.3	2.7	-	-	-
5. Repairs	0.5	0.5	-	1.4	1.0	0.3	0.6	0.2	0.1	0.3	-	-	-
6. Bad debts	0.8	1.0	-	0.2	0.9	3.5	1.0	0.5	1.0	1.0	-	-	-
7. Rent on business property	2.2	1.7	1.2	3.4	1.6	1.4	1.0	1.6	1.7	1.6	-	-	-
8. Taxes (excl Federal tax)	2.3	2.1	1.1	2.2	1.4	1.5	2.4	2.6	2.2	2.7	-	-	-
9. Interest	1.8	1.4	-	1.8	0.7	0.5	0.6	1.4	2.5	1.3	-	-	-
10. Deprec/Deplet/Amortiz†	3.8	0.1	0.5	4.2	2.5	0.9	2.7	2.3	3.5	4.6	-	-	-
11. Advertising	6.6	5.0	-	0.9	0.1	0.1	1.1	0.8	2.9	1.3	-	-	-
12. Pensions & other benef plans	2.1	1.7	0.1	3.9	0.5	1.8	1.5	0.9	1.7	3.1	-	-	-
13. Other expenses	32.3	38.7	23.0	23.8	53.0	34.2	22.5	31.0	39.2	35.3	-	-	-
14. Net profit before tax	0.2	3.9	16.1	9.1	3.4	1.8	5.2	0.8	7.3	#	-	-	-
Selected Financial Ratios (number of times ratio is to one)													
15. Current ratio	1.3	-	4.6	1.0	1.4	1.3	1.3	1.5	1.4	1.3	-	-	-
16. Quick ratio	0.7	-	4.1	1.0	1.3	0.6	1.1	1.0	1.1	1.0	-	-	-
17. Net sls to net wkg capital	15.1	-	11.2	-	19.2	17.6	18.0	15.3	11.3	13.8	-	-	-
18. Coverage ratio	5.7	-	-	7.0	7.1	9.7	-	4.9	5.3	8.3	-	-	-
19. Asset turnover	1.4	-	-	1.7	-	-	2.3	2.5	1.8	1.3	-	-	-
20. Total liab to net worth	1.7	-	0.6	2.9	2.9	5.4	1.7	7.6	1.6	2.8	-	-	-
Selected Financial Factors in Percentages													
21. Debt ratio	63.2	-	35.8	74.1	74.5	84.3	62.2	88.3	62.1	73.4	-	-	-
22. Return on assets	14.3	-	-	21.6	18.6	11.7	16.3	17.2	24.3	14.1	-	-	-
23. Return on equity	21.8	-	-	-	-	-	30.4	-	38.4	32.4	-	-	-
24. Return on net worth	38.9	-	-	83.5	72.8	74.2	43.1	-	64.2	53.1	-	-	-

†Depreciation largest factor

2735 MANUFACTURING: PRINTING AND PUBLISHING:

Books, greeting cards, and miscellaneous publishing

Item Description For Accounting Period 7/86 Through 6/87	SIZE OF ASSETS IN THOUSANDS OF DOLLARS (000 OMITTED)												
	A Total	B Zero Assets	C Under 100	D 100 to 250	E 251 to 500	F 501 to 1,000	G 1,001 to 5,000	H 5,001 to 10,000	I 10,001 to 25,000	J 25,001 to 50,000	K 50,001 to 100,000	L 100,001 to 250,000	M 250,001 and over
1. Number of Enterprises	6821	964	3909	289	832	308	357	49	62	20	9	12	10
2. Total receipts (in millions of dollars)	21157.0	914.1	326.8	71.9	667.1	365.9	1332.4	554.5	1464.1	768.4	846.4	2560.8	11284.7
Selected Operating Factors in Percent of Net Sales													
3. Cost of operations	38.3	44.0	47.8	35.1	37.6	48.8	48.9	50.5	56.5	45.9	49.3	48.4	29.0
4. Compensation of officers	2.5	2.6	14.1	10.6	9.6	10.5	5.2	3.7	3.2	3.4	1.4	1.5	1.1
5. Repairs	0.7	0.5	0.3	1.9	0.5	0.7	0.3	0.4	0.6	0.7	0.6	0.5	1.0
6. Bad debts	0.9	1.4	-	-	1.8	0.9	1.3	0.6	0.4	0.6	1.4	0.6	0.9
7. Rent on business property	2.9	1.9	3.4	4.9	2.0	2.4	1.5	1.7	1.6	1.5	1.7	1.8	3.8
8. Taxes (excl Federal tax)	3.4	3.5	2.1	3.7	3.0	3.1	2.1	3.2	2.7	2.0	2.4	2.9	4.0
9. Interest	3.3	14.7	1.3	4.5	2.1	2.8	1.0	1.1	2.8	2.0	1.7	3.5	3.4
10. Deprec/Deplet/Amortiz†	4.8	1.3	2.0	8.8	3.3	4.0	2.0	4.1	4.5	4.0	2.8	4.8	5.8
11. Advertising	3.1	3.0	3.3	2.0	0.5	0.8	2.5	2.4	2.2	4.0	4.2	3.6	3.4
12. Pensions & other benef plans	2.5	1.3	0.5	0.9	2.2	1.7	2.3	1.8	1.7	2.9	1.6	2.1	3.0
13. Other expenses	37.1	49.8	28.2	34.5	36.8	22.8	32.9	31.3	23.5	35.3	31.9	29.3	42.2
14. Net profit before tax	0.5	*	*	*	0.6	1.5	-	*	0.3	*	1.0	1.0	2.4
Selected Financial Ratios (number of times ratio is to one)													
15. Current ratio	1.6	-	0.7	1.5	1.5	1.9	1.4	2.1	1.7	1.4	1.8	2.0	1.5
16. Quick ratio	1.0	-	0.6	0.7	0.9	1.1	0.7	1.4	0.9	0.8	0.9	1.0	1.1
17. Net sls to net wkg capital	5.2	-	-	8.2	11.3	4.7	8.3	3.8	6.3	6.4	5.1	4.3	4.6
18. Coverage ratio	3.8	-	0.4	0.1	1.8	2.4	5.6	5.3	2.6	3.3	4.5	2.3	5.0
19. Asset turnover	1.0	-	-	1.7	2.3	1.5	1.8	1.4	1.5	1.1	1.3	1.1	0.7
20. Total liab to net worth	1.3	-	11.8	10.0	5.6	1.5	2.3	1.1	1.6	1.8	1.7	1.5	1.2
Selected Financial Factors in Percentages													
21. Debt ratio	57.2	-	92.2	90.9	84.9	59.7	69.7	52.4	61.4	64.2	63.0	60.4	54.3
22. Return on assets	12.3	-	1.6	0.7	8.1	10.3	9.8	8.5	11.0	7.0	10.2	8.8	12.3
23. Return on equity	12.4	-	-	-	7.8	14.0	24.5	9.5	11.5	6.1	14.4	6.2	12.5
24. Return on net worth	28.7	-	20.9	7.4	53.7	25.5	32.5	17.9	28.4	19.6	27.5	22.1	27.0

†Depreciation largest factor

2735 MANUFACTURING: PRINTING AND PUBLISHING:

Books, greeting cards, and miscellaneous publishing

Item Description For Accounting Period 7/86 Through 6/87	A Total	B Zero Assets	C Under 100	D 100 to 250	E 251 to 500	F 501 to 1,000	G 1,001 to 5,000	H 5,001 to 10,000	I 10,001 to 25,000	J 25,001 to 50,000	K 50,001 to 100,000	L 100,001 to 250,000	M 250,001 and over
		SIZE OF ASSETS IN THOUSANDS OF DOLLARS (000 OMITTED)											
1. Number of Enterprises	2828	5	1500	-	760	199	242	32	53	12	-	8	-
2. Total receipts (in millions of dollars)	17963.3	709.5	183.9	-	645.2	233.6	1163.4	429.8	1301.6	501.9	-	1961.0	-
Selected Operating Factors in Percent of Net Sales													
3. Cost of operations	35.8	45.7	36.9	-	38.3	44.3	46.7	48.2	55.2	40.0	-	44.1	-
4. Compensation of officers	2.5	0.9	23.2	-	9.9	13.3	5.0	3.3	3.4	3.8	-	1.7	-
5. Repairs	0.8	0.3	0.3	-	0.5	0.9	0.4	0.3	0.7	1.1	-	0.4	-
6. Bad debts	0.9	1.7	-	-	1.3	0.9	1.5	0.7	0.3	0.3	-	0.8	-
7. Rent on business property	2.9	1.3	3.0	-	2.1	2.3	1.3	1.9	1.7	1.7	-	1.8	-
8. Taxes (excl Federal tax)	3.6	3.7	2.9	-	3.1	3.2	2.1	3.4	2.9	2.5	-	3.1	-
9. Interest	2.8	1.3	-	-	2.0	2.9	0.8	1.0	2.5	0.8	-	2.5	-
10. Deprec/Deplet/Amortiz†	4.7	1.2	1.7	-	3.3	4.2	1.9	4.5	4.5	4.0	-	3.7	-
11. Advertising	3.1	3.5	1.1	-	0.5	0.7	2.7	2.4	2.3	3.4	-	4.5	-
12. Pensions & other benef plans	2.5	1.5	-	-	2.3	2.1	2.3	2.0	1.8	3.8	-	2.0	-
13. Other expenses	37.4	44.5	21.0	-	31.9	20.5	32.9	29.6	23.1	38.6	-	31.3	-
14. Net profit before tax	3.0	#	9.9	-	4.8	4.7	2.4	2.7	1.6	#	-	4.1	-
Selected Financial Ratios (number of times ratio is to one)													
15. Current ratio	1.6	-	1.9	-	1.7	1.8	1.4	2.2	1.9	1.7	-	2.2	-
16. Quick ratio	1.1	-	1.6	-	1.0	1.4	0.7	1.5	0.9	1.1	-	1.0	-
17. Net sls to net wkg capital	5.3	-	24.9	-	9.6	5.4	10.8	4.5	5.8	4.0	-	3.7	-
18. Coverage ratio	5.5	-	-	-	3.8	3.9	9.9	8.2	3.3	-	-	3.8	-
19. Asset turnover	1.0	-	-	-	2.4	1.6	2.1	1.6	1.6	1.2	-	1.3	-
20. Total liab to net worth	1.2	-	0.3	-	5.3	1.1	2.1	1.1	1.2	1.3	-	1.0	-
Selected Financial Factors in Percentages													
21. Debt ratio	55.1	-	25.4	-	84.1	53.2	67.6	53.1	54.4	56.2	-	49.1	-
22. Return on assets	14.5	-	-	-	18.7	18.2	16.6	13.5	13.7	11.3	-	12.3	-
23. Return on equity	16.6	-	-	-	-	27.7	43.3	17.9	15.0	13.4	-	10.0	-
24. Return on net worth	32.4	-	-	-	-	38.9	51.2	28.9	30.0	25.8	-	24.1	-

†Depreciation largest factor

Page 87

TABLE I: CORPORATIONS WITH AND WITHOUT NET INCOME, 1990 EDITION

2799 MANUFACTURING: PRINTING AND PUBLISHING:
Commercial and other printing and other printing trade services

Item Description For Accounting Period 7/86 Through 6/87	A Total	B Zero Assets	C Under 100	D 100 to 250	E 251 to 500	F 501 to 1,000	G 1,001 to 5,000	H 5,001 to 10,000	I 10,001 to 25,000	J 25,001 to 50,000	K 50,001 to 100,000	L 100,001 to 250,000	M 250,001 and over
1. Number of Enterprises	27081	686	11023	6189	4181	2041	2427	278	164	41	18	22	10
2. Total receipts (in millions of dollars)	45861.6	1044.7	1480.8	2641.8	3963.4	3239.9	10436.2	3316.1	3895.7	2324.7	1653.1	4884.3	6981.0

Selected Operating Factors in Percent of Net Sales

	A	B	C	D	E	F	G	H	I	J	K	L	M
3. Cost of operations	62.2	51.8	45.1	54.1	55.5	58.3	64.2	65.9	65.4	68.4	71.0	66.3	62.5
4. Compensation of officers	4.3	3.0	12.2	10.6	10.1	5.8	4.6	3.9	2.3	2.0	2.1	0.9	0.5
5. Repairs	0.7	0.8	1.3	1.2	0.7	0.8	0.6	0.5	0.5	0.4	0.3	0.6	0.9
6. Bad debts	0.4	0.4	0.6	0.6	0.5	0.4	0.5	0.5	0.4	0.4	0.3	0.4	0.2
7. Rent on business property	1.5	3.3	5.0	3.3	2.2	2.7	1.0	1.0	1.1	1.1	0.8	0.7	1.0
8. Taxes (excl Federal tax)	2.8	2.6	3.4	3.7	3.0	2.7	2.9	2.3	2.5	1.9	2.2	2.6	3.0
9. Interest	2.4	3.8	1.5	1.6	1.6	2.2	2.1	2.2	2.2	2.2	2.6	2.7	3.6
10. Deprec/Deplet/Amortiz†	5.0	5.0	5.6	4.4	4.2	4.2	4.1	4.2	5.0	4.3	5.2	5.2	7.4
11. Advertising	0.7	1.2	1.2	0.8	0.4	0.5	0.9	0.5	1.0	0.7	1.1	0.6	0.6
12. Pensions & other benef plans	1.7	2.6	0.5	0.8	1.9	1.2	1.7	1.6	1.8	1.7	1.6	2.1	2.3
13. Other expenses	17.5	33.5	30.7	19.4	19.4	21.7	16.7	15.2	16.0	17.7	11.3	16.2	14.1
14. Net profit before tax	0.8	*	*	*	0.5	*	0.7	2.2	1.8	*	1.5	1.7	3.9

Selected Financial Ratios (number of times ratio is to one)

	A	B	C	D	E	F	G	H	I	J	K	L	M
15. Current ratio	1.6	-	-	1.5	1.6	1.7	1.6	1.6	1.5	1.3	2.0	1.7	1.5
16. Quick ratio	1.1	-	-	1.2	1.3	1.2	1.1	1.0	0.9	0.8	1.4	1.1	1.0
17. Net sls to net wkg capital	9.9	-	-	15.7	11.7	10.3	9.9	9.1	9.2	14.9	5.8	7.6	7.9
18. Coverage ratio	2.3	-	-	1.2	1.9	1.4	1.9	2.6	2.5	2.2	4.3	2.6	3.3
19. Asset turnover	1.7	-	-	-	-	2.3	2.0	1.8	1.6	1.7	1.2	1.4	1.1
20. Total liab to net worth	1.7	-	-	2.0	1.7	1.7	1.9	2.0	2.0	2.4	1.3	1.4	1.3

Selected Financial Factors in Percentages

	A	B	C	D	E	F	G	H	I	J	K	L	M
21. Debt ratio	62.9	-	-	66.1	63.4	63.2	65.5	66.6	66.1	70.6	57.0	57.5	56.0
22. Return on assets	9.5	-	-	4.9	8.0	7.0	7.8	9.8	8.9	8.2	13.0	9.5	13.3
23. Return on equity	7.5	-	-	-	7.9	3.2	5.3	11.4	8.1	8.4	14.9	7.3	10.9
24. Return on net worth	25.7	-	-	14.5	21.9	18.9	22.4	29.4	26.2	27.8	30.1	22.4	30.1

†Depreciation largest factor

2799 MANUFACTURING: PRINTING AND PUBLISHING:
Commercial and other printing and other printing trade services

Item Description For Accounting Period 7/86 Through 6/87	A Total	B Zero Assets	SIZE OF ASSETS IN THOUSANDS OF DOLLARS (000 OMITTED)										
			C Under 100	D 100 to 250	E 251 to 500	F 501 to 1,000	G 1,001 to 5,000	H 5,001 to 10,000	I 10,001 to 25,000	J 25,001 to 50,000	K 50,001 to 100,000	L 100,001 to 250,000	M 250,001 and over
1. Number of Enterprises	14884	320	4131	3791	3030	1410	1836	194	107	29	14	15	7
2. Total receipts (in millions of dollars)	34271.9	773.0	575.0	1586.2	2848.3	2179.8	8109.2	2503.9	2687.7	1701.0	1212.2	4064.7	6030.9
Selected Operating Factors in Percent of Net Sales													
3. Cost of operations	60.8	45.6	48.3	50.1	53.2	61.0	62.0	65.5	63.0	65.8	65.6	64.8	60.5
4. Compensation of officers	4.1	2.7	10.8	11.6	10.2	5.8	5.0	4.1	2.5	2.1	2.5	0.9	0.5
5. Repairs	0.6	1.0	0.7	1.4	0.7	0.8	0.5	0.4	0.5	0.3	0.5	0.6	0.7
6. Bad debts	0.4	0.3	0.3	0.7	0.4	0.3	0.4	0.5	0.3	0.4	0.4	0.4	0.2
7. Rent on business property	1.4	4.2	4.2	3.0	2.3	2.7	0.9	1.1	0.9	1.0	0.8	0.7	1.1
8. Taxes (excl Federal tax)	2.8	2.5	2.4	3.8	3.1	2.5	3.0	2.3	2.5	1.7	2.5	2.6	3.1
9. Interest	2.0	4.5	1.2	1.9	1.6	2.0	1.9	2.0	2.0	1.9	2.4	1.8	2.7
10. Deprec/Deplet/Amortiz†	4.7	5.6	4.2	4.1	4.1	3.5	4.1	3.4	4.9	4.0	4.3	4.9	6.9
11. Advertising	0.8	1.5	1.0	0.5	0.4	0.5	1.0	0.6	1.1	0.8	1.5	0.7	0.7
12. Pensions & other benef plans	1.8	3.1	0.4	0.7	1.8	1.4	1.7	1.6	1.8	1.7	1.9	2.0	2.1
13. Other expenses	16.9	35.8	21.5	17.5	19.6	17.0	16.5	14.5	15.7	19.8	12.6	17.4	14.6
14. Net profit before tax	3.7	#	5.0	4.7	2.6	2.5	3.0	4.0	4.8	0.5	5.0	3.2	6.9
Selected Financial Ratios (number of times ratio is to one)													
15. Current ratio	1.8	-	2.6	1.6	1.8	1.7	1.7	1.7	1.8	1.3	2.2	2.0	2.1
16. Quick ratio	1.3	-	2.1	1.3	1.4	1.2	1.2	1.1	1.1	0.9	1.6	1.3	1.4
17. Net sls to net wkg capital	7.6	-	10.4	12.2	10.2	9.5	8.3	8.3	6.8	14.1	4.6	6.5	5.3
18. Coverage ratio	3.9	-	5.7	3.9	3.3	2.8	3.2	3.6	4.2	3.4	6.4	4.2	4.8
19. Asset turnover	1.8	-	-	-	-	2.2	2.0	1.9	1.7	1.7	1.1	1.6	1.3
20. Total liab to net worth	1.2	-	11.8	1.2	1.4	1.5	1.5	1.7	1.4	1.8	1.1	1.0	0.9
Selected Financial Factors in Percentages													
21. Debt ratio	54.9	-	92.2	55.1	57.4	59.8	59.6	63.0	58.5	64.6	52.2	49.3	45.9
22. Return on assets	14.3	-	29.5	19.2	13.9	12.1	11.8	13.3	13.9	11.1	16.4	12.0	16.3
23. Return on equity	15.6	-	-	27.0	20.0	16.6	14.1	18.0	16.3	14.3	19.6	10.6	13.0
24. Return on net worth	31.8	-	-	42.8	32.6	30.1	29.1	36.1	33.5	31.3	34.3	23.7	30.2

†Depreciation largest factor

2815 MANUFACTURING: CHEMICALS AND ALLIED PRODUCTS:
Industrial chemicals, plastics materials and synthetics

						SIZE OF ASSETS IN THOUSANDS OF DOLLARS (000 OMITTED)							
Item Description For Accounting Period 7/86 Through 6/87	A Total	B Zero Assets	C Under 100	D 100 to 250	E 251 to 500	F 501 to 1,000	G 1,001 to 5,000	H 5,001 to 10,000	I 10,001 to 25,000	J 25,001 to 50,000	K 50,001 to 100,000	L 100,001 to 250,000	M 250,001 and over
1. Number of Enterprises	4767	831	903	960	422	514	753	150	83	47	30	30	46
2. Total receipts (in millions of dollars)	141629.0	1089.1	125.9	604.1	341.7	908.0	3587.0	2197.8	2660.5	2140.9	2581.0	5216.0	120177.2
Selected Operating Factors in Percent of Net Sales													
3. Cost of operations	63.8	67.5	65.1	55.8	73.6	53.7	64.3	70.2	72.8	67.0	64.5	72.4	63.1
4. Compensation of officers	0.6	1.6	12.4	11.8	5.0	11.0	4.6	2.6	1.8	1.8	1.0	0.7	0.2
5. Repairs	2.4	1.2	0.5	1.0	0.8	1.0	0.9	0.4	0.6	0.5	0.7	0.7	2.7
6. Bad debts	0.2	0.5	2.4	0.3	-	0.1	0.4	0.2	0.2	1.2	0.3	0.2	0.2
7. Rent on business property	1.4	0.7	1.5	3.6	1.1	1.5	1.3	0.4	0.7	0.8	1.0	0.7	1.5
8. Taxes (excl Federal tax)	2.4	2.8	2.7	2.9	1.7	2.3	2.3	1.8	1.9	1.7	2.3	1.6	2.5
9. Interest	3.7	4.5	2.1	0.6	1.1	0.9	2.2	2.5	1.6	2.4	1.3	3.7	4.0
10. Deprec/Deplet/Amortiz†	6.6	8.8	3.4	3.3	2.7	2.1	3.1	2.9	2.8	4.9	4.3	5.6	7.1
11. Advertising	1.2	0.6	-	0.6	0.5	0.4	0.6	0.2	0.4	1.1	0.4	1.2	1.3
12. Pensions & other benef plans	2.1	1.5	-	1.3	0.6	1.4	1.3	1.2	1.7	2.1	2.1	1.4	2.2
13. Other expenses	19.1	32.4	18.7	16.4	14.0	23.2	18.1	15.3	12.5	16.4	17.2	13.1	19.7
14. Net profit before tax	*	*	*	2.4	*	2.4	0.9	2.3	3.0	0.1	4.9	*	*
Selected Financial Ratios (number of times ratio is to one)													
15. Current ratio	1.3	-	-	1.6	1.6	1.8	1.5	1.4	1.4	1.4	2.6	2.1	1.2
16. Quick ratio	0.8	-	-	1.3	1.1	1.1	0.9	0.8	0.8	0.7	1.5	1.2	0.8
17. Net sls to net wkg capital	13.5	-	-	16.6	12.1	8.0	10.7	13.0	12.2	9.8	3.7	5.2	15.9
18. Coverage ratio	2.6	-	-	5.5	0.8	4.5	2.3	2.7	3.9	2.5	8.5	2.0	2.6
19. Asset turnover	1.0	-	-	-	2.3	2.4	2.0	2.0	1.9	1.3	1.2	1.1	0.9
20. Total liab to net worth	1.5	-	-	1.4	1.3	1.4	1.6	1.8	2.2	1.9	0.8	1.3	1.5
Selected Financial Factors in Percentages													
21. Debt ratio	59.4	-	-	57.5	56.7	57.5	61.3	64.7	69.0	65.0	44.6	56.3	59.5
22. Return on assets	9.3	-	-	11.3	1.8	9.8	10.0	13.5	11.4	8.1	13.4	7.7	9.3
23. Return on equity	8.5	-	-	18.5	-	14.7	7.5	12.4	13.1	5.8	12.3	4.8	8.6
24. Return on net worth	23.0	-	-	26.6	4.2	23.0	25.7	38.2	36.9	23.1	24.1	17.7	22.9

†Depreciation largest factor

TABLE II: CORPORATIONS WITH NET INCOME, 1990 EDITION

2815 MANUFACTURING: CHEMICALS AND ALLIED PRODUCTS:
Industrial chemicals, plastics materials and synthetics

Item Description For Accounting Period 7/86 Through 6/87	A Total	B Zero Assets	C Under 100	D 100 to 250	E 251 to 500	F 501 to 1,000	G 1,001 to 5,000	H 5,001 to 10,000	I 10,001 to 25,000	J 25,001 to 50,000	K 50,001 to 100,000	L 100,001 to 250,000	M 250,001 and over
						SIZE OF ASSETS IN THOUSANDS OF DOLLARS (000 OMITTED)							
1. Number of Enterprises	2684	70	290	826	241	447	493	126	73	34	24	20	39
2. Total receipts (in millions of dollars)	128095.4	255.9	37.2	488.1	183.9	866.3	2748.8	1878.9	2409.8	1747.7	2248.3	4059.0	111171.7
Selected Operating Factors in Percent of Net Sales													
3. Cost of operations	63.4	68.7	-	52.6	62.1	54.4	63.9	67.1	71.2	66.6	63.3	71.9	62.8
4. Compensation of officers	0.6	1.7	-	10.6	5.9	10.9	4.3	2.8	1.8	1.8	1.1	0.7	0.2
5. Repairs	2.4	2.2	-	1.2	1.0	0.9	1.0	0.4	0.6	0.4	0.8	0.8	2.7
6. Bad debts	0.2	1.3	-	0.4	-	0.1	0.5	0.2	0.2	1.3	0.2	0.1	0.1
7. Rent on business property	1.4	0.5	-	4.2	1.2	1.6	1.2	0.4	0.7	0.5	0.9	0.6	1.4
8. Taxes (excl Federal tax)	2.5	3.7	-	3.2	2.2	2.2	2.1	1.9	2.0	1.6	2.4	1.6	2.6
9. Interest	3.5	2.1	-	0.7	0.7	0.9	2.0	2.6	1.2	1.7	1.0	3.2	3.7
10. Deprec/Deplet/Amortiz†	6.5	3.0	-	3.0	3.7	2.0	2.7	3.0	2.8	4.8	4.1	4.9	7.0
11. Advertising	1.3	0.8	-	0.7	0.5	0.3	0.4	0.2	0.4	1.1	0.4	1.5	1.4
12. Pensions & other benef plans	2.1	2.3	-	1.6	0.6	1.4	1.2	1.2	1.8	1.6	2.1	1.2	2.2
13. Other expenses	18.8	13.0	-	18.8	16.1	22.6	16.3	16.4	12.5	14.5	16.9	13.2	19.4
14. Net profit before tax	#	0.7	-	3.0	6.0	2.7	4.4	3.8	4.8	4.1	6.8	0.3	#
Selected Financial Ratios (number of times ratio is to one)													
15. Current ratio	1.3	-	35.1	1.9	2.0	1.6	1.6	1.6	1.4	1.8	2.7	2.4	1.3
16. Quick ratio	0.8	-	30.8	1.5	1.5	1.0	1.0	1.0	0.9	0.9	1.5	1.4	0.8
17. Net sls to net wkg capital	13.2	-	5.5	11.8	7.5	10.0	10.4	9.5	10.1	6.9	3.6	4.7	15.9
18. Coverage ratio	3.1	-	-	5.5	-	4.7	4.2	3.3	6.2	5.5	-	2.8	3.0
19. Asset turnover	1.0	-	-	-	2.2	-	2.3	2.1	1.9	1.5	1.3	1.2	0.9
20. Total liab to net worth	1.3	-	3.5	1.1	0.6	2.0	1.2	1.4	1.9	1.2	0.6	1.0	1.3
Selected Financial Factors in Percentages													
21. Debt ratio	56.0	-	77.9	52.9	35.6	66.4	55.3	57.7	66.0	53.6	37.0	49.0	56.4
22. Return on assets	10.7	-	7.1	13.2	16.6	11.6	19.7	17.6	14.3	13.5	16.7	10.5	10.3
23. Return on equity	10.4	-	27.3	19.5	17.7	22.4	24.5	17.4	20.6	15.7	14.9	8.3	9.8
24. Return on net worth	24.3	-	32.1	28.0	25.7	34.5	44.1	41.7	42.0	29.1	26.6	20.5	23.6

†Depreciation largest factor

TABLE I: CORPORATIONS WITH AND WITHOUT NET INCOME, 1990 EDITION

2830 MANUFACTURING: CHEMICALS AND ALLIED PRODUCTS:
Drugs

Item Description For Accounting Period 7/86 Through 6/87	A Total	B Zero Assets	SIZE OF ASSETS IN THOUSANDS OF DOLLARS (000 OMITTED)										
			C Under 100	D 100 to 250	E 251 to 500	F 501 to 1,000	G 1,001 to 5,000	H 5,001 to 10,000	I 10,001 to 25,000	J 25,001 to 50,000	K 50,001 to 100,000	L 100,001 to 250,000	M 250,001 and over
1. Number of Enterprises	897	14	290	93	15	116	164	41	48	21	34	17	43
2. Total receipts (in millions of dollars)	62211.5	304.3	2.1	60.0	0.2	121.2	700.0	289.6	1201.9	780.6	2336.0	2161.5	54254.2

Selected Operating Factors in Percent of Net Sales

	A	B	C	D	E	F	G	H	I	J	K	L	M
3. Cost of operations	45.3	47.7	-	71.5	-	51.0	59.0	50.3	64.4	49.2	31.0	44.4	45.2
4. Compensation of officers	0.8	1.5	-	5.8	-	8.1	3.7	4.1	1.5	1.4	0.8	0.8	0.6
5. Repairs	0.5	1.2	-	-	-	-	0.4	0.4	0.4	0.2	0.3	0.2	0.6
6. Bad debts	0.2	0.3	-	-	-	0.1	0.2	0.2	0.2	0.2	0.1	0.2	0.2
7. Rent on business property	1.3	0.1	-	4.2	-	2.6	2.1	1.1	1.0	0.9	0.6	0.7	1.3
8. Taxes (excl Federal tax)	2.3	4.0	-	3.2	-	2.3	2.0	2.1	1.3	1.6	1.3	1.1	2.4
9. Interest	3.0	2.8	-	2.0	-	3.6	2.6	2.2	1.6	1.8	0.8	1.4	3.2
10. Deprec/Deplet/Amortiz†	4.2	5.3	-	1.3	-	3.7	2.7	4.0	2.6	2.7	2.4	3.6	4.4
11. Advertising	6.2	6.4	-	0.4	-	0.3	3.5	0.7	1.8	5.4	3.2	1.7	6.8
12. Pensions & other benef plans	2.0	2.4	-	2.0	-	2.6	1.1	1.6	1.1	1.2	1.0	1.3	2.2
13. Other expenses	31.9	48.9	-	39.3	-	32.1	31.1	27.9	17.7	28.8	38.2	31.1	32.0
14. Net profit before tax	2.3	*	*	*	-	*	*	5.4	6.4	6.6	20.3	13.5	1.1

Selected Financial Ratios (number of times ratio is to one)

	A	B	C	D	E	F	G	H	I	J	K	L	M
15. Current ratio	1.4	-	-	-	-	1.9	1.6	2.3	2.3	2.0	2.4	3.9	1.3
16. Quick ratio	0.8	-	-	-	-	1.2	0.7	1.6	1.4	1.0	1.6	2.7	0.7
17. Net sls to net wkg capital	7.0	-	-	-	-	3.8	6.8	3.4	4.5	4.0	3.0	1.7	9.0
18. Coverage ratio	6.7	-	-	-	-	-	-	6.4	7.7	6.5	-	-	6.1
19. Asset turnover	0.7	-	-	-	-	1.4	1.5	1.0	1.4	1.1	0.9	0.7	0.7
20. Total liab to net worth	0.9	-	-	-	-	1.4	1.6	0.8	0.8	0.9	0.4	0.4	0.9

Selected Financial Factors in Percentages

	A	B	C	D	E	F	G	H	I	J	K	L	M
21. Debt ratio	46.4	-	-	-	-	58.5	60.9	45.8	43.1	47.5	29.5	27.9	47.7
22. Return on assets	14.0	-	-	-	-	-	-	14.3	17.6	12.1	23.8	15.9	13.4
23. Return on equity	12.7	-	-	-	-	-	-	10.3	14.7	6.6	17.1	11.3	12.5
24. Return on net worth	26.2	-	-	-	-	-	-	26.3	30.9	23.1	33.8	22.1	25.7

†**Depreciation largest factor**

2830 MANUFACTURING: CHEMICALS AND ALLIED PRODUCTS:

Drugs

Item Description For Accounting Period 7/86 Through 6/87	A Total	B Zero Assets	C Under 100	D 100 to 250	E 251 to 500	F 501 to 1,000	G 1,001 to 5,000	H 5,001 to 10,000	I 10,001 to 25,000	J 25,001 to 50,000	K 50,001 to 100,000	L 100,001 to 250,000	M 250,001 and over
		SIZE OF ASSETS IN THOUSANDS OF DOLLARS (000 OMITTED)											
1. Number of Enterprises	296	-	-	-	-	68	57	37	34	13	28	-	39
2. Total receipts (in millions of dollars)	59257.3	-	-	-	-	111.6	352.2	268.9	852.3	545.8	2138.0	-	53082.4
Selected Operating Factors in Percent of Net Sales													
3. Cost of operations	44.6	-	-	-	-	45.6	57.3	50.6	54.7	45.2	29.2	-	45.2
4. Compensation of officers	0.7	-	-	-	-	6.6	3.4	4.0	1.5	1.0	0.6	-	0.6
5. Repairs	0.5	-	-	-	-	-	0.5	0.4	0.5	0.2	0.3	-	0.6
6. Bad debts	0.1	-	-	-	-	-	0.1	0.2	0.2	0.1	0.1	-	0.2
7. Rent on business property	1.3	-	-	-	-	2.6	2.6	1.1	0.7	0.5	0.5	-	1.3
8. Taxes (excl Federal tax)	2.3	-	-	-	-	2.3	1.9	2.1	1.6	1.4	1.1	-	2.4
9. Interest	3.0	-	-	-	-	3.5	1.6	2.0	1.1	1.2	0.5	-	3.2
10. Deprec/Deplet/Amortiz†	4.2	-	-	-	-	3.1	3.0	4.1	2.6	1.6	2.2	-	4.4
11. Advertising	6.3	-	-	-	-	0.1	2.1	0.7	2.4	6.1	2.8	-	6.7
12. Pensions & other benef plans	2.0	-	-	-	-	2.7	1.3	1.6	1.5	0.5	0.9	-	2.1
13. Other expenses	31.5	-	-	-	-	28.4	20.2	21.4	19.6	23.9	37.2	-	31.7
14. Net profit before tax	3.5	-	-	-	-	5.1	6.0	11.8	13.6	18.3	24.6	-	1.6
Selected Financial Ratios (number of times ratio is to one)													
15. Current ratio	1.4	-	-	-	-	2.3	1.8	2.2	2.8	2.1	2.4	-	1.3
16. Quick ratio	0.8	-	-	-	-	1.5	0.9	1.5	1.7	1.0	1.5	-	0.7
17. Net sls to net wkg capital	7.3	-	-	-	-	4.6	7.7	4.0	3.9	4.1	3.3	-	9.4
18. Coverage ratio	7.2	-	-	-	-	2.9	5.5	-	-	-	-	-	6.3
19. Asset turnover	0.7	-	-	-	-	2.1	2.0	1.1	1.4	1.2	1.0	-	0.7
20. Total liab to net worth	0.8	-	-	-	-	1.8	0.7	0.9	0.5	0.7	0.4	-	0.9
Selected Financial Factors in Percentages													
21. Debt ratio	45.7	-	-	-	-	64.0	40.9	46.1	31.6	39.5	27.1	-	47.3
22. Return on assets	15.0	-	-	-	-	20.6	16.8	21.9	27.7	26.7	29.9	-	13.8
23. Return on equity	13.9	-	-	-	-	29.2	13.4	23.2	23.7	23.3	22.1	-	12.9
24. Return on net worth	27.6	-	-	-	-	57.2	28.5	40.6	40.5	44.1	41.0	-	26.2

†Depreciation largest factor

2840 MANUFACTURING: CHEMICALS AND ALLIED PRODUCTS:
Soap, cleaners, and toilet goods

Item Description For Accounting Period 7/86 Through 6/87	A Total	B Zero Assets	C Under 100	D 100 to 250	E 251 to 500	F 501 to 1,000	G 1,001 to 5,000	H 5,001 to 10,000	I 10,001 to 25,000	J 25,001 to 50,000	K 50,001 to 100,000	L 100,001 to 250,000	M 250,001 and over
						SIZE OF ASSETS IN THOUSANDS OF DOLLARS (000 OMITTED)							
1. Number of Enterprises	1620	56	577	193	297	224	171	20	37	15	11	5	14
2. Total receipts (in millions of dollars)	54349.5	1206.3	36.1	58.6	200.5	410.5	932.9	292.3	802.7	907.4	891.7	1592.5	47017.9
Selected Operating Factors in Percent of Net Sales													
3. Cost of operations	63.0	48.5	-	52.2	63.1	57.5	64.3	58.4	54.0	47.7	43.2	41.0	65.1
4. Compensation of officers	0.6	1.9	-	4.1	6.5	12.4	2.9	4.0	2.5	1.8	1.7	0.9	0.3
5. Repairs	0.7	0.2	-	1.3	0.3	0.6	0.1	0.3	0.2	0.3	0.3	0.6	0.8
6. Bad debts	0.3	0.7	-	-	0.2	0.2	0.2	0.1	0.3	0.2	0.8	0.1	0.3
7. Rent on business property	0.9	1.7	-	1.0	2.0	1.7	0.9	0.6	0.9	0.5	1.1	1.1	0.9
8. Taxes (excl Federal tax)	1.2	3.1	-	3.4	1.8	2.2	2.1	1.9	2.4	1.9	1.9	1.7	1.0
9. Interest	3.4	5.1	-	1.4	2.0	1.7	1.1	1.3	2.4	0.9	2.1	0.5	3.6
10. Deprec/Deplet/Amortiz†	3.1	3.2	-	3.4	1.7	2.7	1.6	3.1	3.2	2.1	3.1	2.5	3.1
11. Advertising	6.3	3.8	-	1.4	2.2	1.1	2.1	9.7	4.2	11.4	12.8	21.4	5.8
12. Pensions & other benef plans	1.6	1.9	-	0.2	4.1	1.5	1.5	1.5	0.9	2.0	2.0	2.0	1.6
13. Other expenses	21.7	35.3	-	19.3	19.2	18.0	19.4	22.2	28.7	26.5	29.7	22.8	21.1
14. Net profit before tax	*	*	*	12.3	*	0.4	3.8	*	0.3	4.7	1.3	5.4	*
Selected Financial Ratios (number of times ratio is to one)													
15. Current ratio	1.3	-	-	3.5	1.6	2.0	2.4	1.7	2.0	1.8	2.4	2.1	1.2
16. Quick ratio	0.7	-	-	2.0	1.1	1.3	1.4	1.0	1.1	1.0	1.3	1.0	0.6
17. Net sls to net wkg capital	12.8	-	-	4.9	6.0	6.9	5.2	7.3	4.7	7.3	3.6	4.6	15.7
18. Coverage ratio	2.4	-	-	-	-	1.7	6.3	4.4	3.0	7.9	3.2	-	2.2
19. Asset turnover	1.0	-	-	2.1	1.9	-	2.1	1.9	1.3	1.7	1.2	1.5	1.0
20. Total liab to net worth	1.6	-	-	0.6	2.7	1.3	1.0	0.9	1.0	0.8	0.9	0.7	1.6
Selected Financial Factors in Percentages													
21. Debt ratio	60.9	-	-	38.9	72.9	56.6	50.5	48.1	50.9	45.8	47.6	39.5	61.8
22. Return on assets	8.2	-	-	-	-	7.3	15.4	10.7	9.3	11.5	8.0	18.3	7.6
23. Return on equity	7.4	-	-	38.4	-	-	13.8	9.4	3.5	9.6	5.3	17.1	6.7
24. Return on net worth	21.0	-	-	56.9	-	16.8	31.1	20.5	19.0	21.2	15.2	30.3	19.8

†Depreciation largest factor

2840 MANUFACTURING: CHEMICALS AND ALLIED PRODUCTS:

Soap, cleaners, and toilet goods

	SIZE OF ASSETS IN THOUSANDS OF DOLLARS (000 OMITTED)												
Item Description For Accounting Period 7/86 Through 6/87	A Total	B Zero Assets	C Under 100	D 100 to 250	E 251 to 500	F 501 to 1,000	G 1,001 to 5,000	H 5,001 to 10,000	I 10,001 to 25,000	J 25,001 to 50,000	K 50,001 to 100,000	L 100,001 to 250,000	M 250,001 and over
1. Number of Enterprises	1085	56	289	193	119	192	156	20	24	11	8	5	11
2. Total receipts (in millions of dollars)	47774.4	1206.3	34.8	58.6	161.1	352.9	873.0	292.3	475.4	716.0	664.7	1592.5	41346.8
Selected Operating Factors in Percent of Net Sales													
3. Cost of operations	64.6	48.5	-	52.2	65.0	55.7	62.5	58.4	52.0	48.0	37.8	41.0	67.1
4. Compensation of officers	0.6	1.9	-	4.1	6.6	13.1	3.2	4.0	2.0	1.9	1.9	0.9	0.3
5. Repairs	0.7	0.2	-	1.3	0.2	0.7	0.1	0.3	0.2	0.3	0.2	0.6	0.8
6. Bad debts	0.4	0.7	-	-	-	0.2	0.2	0.1	0.3	0.2	0.8	0.1	0.4
7. Rent on business property	0.9	1.7	-	1.0	1.5	0.7	0.9	0.6	0.4	0.4	1.3	1.1	0.9
8. Taxes (excl Federal tax)	1.2	3.1	-	3.4	1.4	2.1	1.9	1.9	2.2	1.9	2.1	1.7	1.0
9. Interest	3.1	5.1	-	1.4	1.1	0.5	1.0	1.3	1.5	0.6	1.7	0.5	3.4
10. Deprec/Deplet/Amortiz†	3.0	3.2	-	3.4	1.0	2.7	1.5	3.1	3.4	2.0	3.0	2.5	3.0
11. Advertising	5.7	3.8	-	1.4	0.2	1.3	2.2	9.7	2.4	9.5	15.4	21.4	5.0
12. Pensions & other benef plans	1.6	1.9	-	0.2	5.0	1.7	1.6	1.5	0.5	2.0	1.7	2.0	1.6
13. Other expenses	20.4	35.3	-	19.3	12.2	13.4	20.0	22.2	24.0	25.9	29.5	22.8	19.6
14. Net profit before tax	#	#	-	12.3	5.8	7.9	4.9	#	11.1	7.3	4.6	5.4	#
Selected Financial Ratios (number of times ratio is to one)													
15. Current ratio	1.3	-	5.7	3.5	9.6	3.1	2.8	1.7	2.6	1.8	2.6	2.1	1.2
16. Quick ratio	0.7	-	3.8	2.0	7.5	2.4	1.7	1.0	1.7	1.0	1.5	1.0	0.7
17. Net sls to net wkg capital	12.7	-	12.8	4.9	3.8	5.4	4.7	7.3	4.0	7.9	3.1	4.6	15.8
18. Coverage ratio	2.9	-	-	-	6.5	-	8.1	4.4	-	-	5.7	-	2.6
19. Asset turnover	1.1	-	-	2.1	-	-	2.1	1.9	1.3	1.8	1.1	1.5	1.1
20. Total liab to net worth	1.2	-	0.8	0.6	0.2	0.4	0.9	0.9	0.7	0.7	0.7	0.7	1.3
Selected Financial Factors in Percentages													
21. Debt ratio	54.8	-	45.5	38.9	14.2	28.8	47.2	48.1	41.4	41.8	40.6	39.5	56.0
22. Return on assets	10.2	-	10.7	-	22.3	23.9	17.3	10.7	20.4	16.3	11.3	18.3	9.2
23. Return on equity	9.5	-	19.7	38.4	16.9	26.4	16.6	9.4	18.6	14.9	9.8	17.1	8.3
24. Return on net worth	22.5	-	19.7	56.9	25.9	33.5	32.8	20.5	34.8	27.9	19.1	30.3	20.9

†Depreciation largest factor

2850 MANUFACTURING: CHEMICALS AND ALLIED PRODUCTS:
Paints and allied products

Item Description For Accounting Period 7/86 Through 6/87	A Total	B Zero Assets	C Under 100	D 100 to 250	E 251 to 500	F 501 to 1,000	G 1,001 to 5,000	H 5,001 to 10,000	I 10,001 to 25,000	J 25,001 to 50,000	K 50,001 to 100,000	L 100,001 to 250,000	M 250,001 and over
							SIZE OF ASSETS IN THOUSANDS OF DOLLARS (000 OMITTED)						
1. Number of Enterprises	705	27	-	-	177	114	284	54	27	8	6	7	-
2. Total receipts (in millions of dollars)	9449.3	82.1	-	-	211.7	167.1	1534.2	601.6	1036.1	632.4	750.1	4434.0	-
Selected Operating Factors in Percent of Net Sales													
3. Cost of operations	61.0	70.3	-	-	61.3	47.1	65.6	62.2	69.3	65.3	57.8	57.8	-
4. Compensation of officers	1.7	4.8	-	-	8.1	8.0	3.3	2.9	1.7	1.8	1.0	0.4	-
5. Repairs	0.5	0.1	-	-	0.3	0.3	0.3	0.3	0.2	0.5	0.7	0.7	-
6. Bad debts	0.6	0.7	-	-	0.6	0.4	0.5	0.6	0.9	0.4	0.6	0.5	-
7. Rent on business property	2.0	2.1	-	-	1.4	1.0	1.3	1.0	1.0	1.4	1.7	2.9	-
8. Taxes (excl Federal tax)	2.2	18.5	-	-	2.7	2.0	2.0	2.1	1.4	2.1	2.4	2.3	-
9. Interest	1.1	0.8	-	-	0.7	1.0	0.8	1.0	1.5	1.0	0.5	1.2	-
10. Deprec/Deplet/Amortiz†	2.2	2.1	-	-	1.8	1.4	1.5	1.7	1.9	2.3	1.9	2.7	-
11. Advertising	2.2	2.5	-	-	1.2	1.4	1.4	1.5	2.4	2.1	3.3	2.4	-
12. Pensions & other benef plans	1.8	2.5	-	-	0.9	0.4	1.4	1.3	1.2	1.4	2.5	2.3	-
13. Other expenses	21.7	19.7	-	-	19.3	36.8	20.9	23.4	16.5	17.2	22.0	23.1	-
14. Net profit before tax	3.0	*	-	-	1.7	0.2	1.0	2.0	2.0	4.5	5.6	3.7	-
Selected Financial Ratios (number of times ratio is to one)													
15. Current ratio	1.8	-	-	-	2.0	3.7	2.0	2.3	1.6	2.4	2.5	1.6	-
16. Quick ratio	0.9	-	-	-	1.1	2.4	1.1	1.2	0.9	1.4	1.4	0.6	-
17. Net sls to net wkg capital	6.8	-	-	-	7.5	3.9	6.8	4.1	7.6	5.1	5.5	8.3	-
18. Coverage ratio	6.0	-	-	-	3.9	2.6	4.2	5.9	3.2	8.0	-	5.5	-
19. Asset turnover	1.9	-	-	-	-	2.0	-	1.7	2.2	1.9	1.9	1.7	-
20. Total liab to net worth	1.2	-	-	-	1.1	0.5	1.1	0.8	1.5	0.7	0.6	1.4	-
Selected Financial Factors in Percentages													
21. Debt ratio	54.0	-	-	-	52.0	33.5	52.4	45.4	60.5	42.6	38.8	58.7	-
22. Return on assets	12.5	-	-	-	7.6	5.4	8.9	10.1	10.1	15.6	14.8	11.5	-
23. Return on equity	12.9	-	-	-	9.8	3.0	10.6	8.2	7.9	15.2	14.3	12.6	-
24. Return on net worth	27.1	-	-	-	15.8	8.1	18.6	18.6	25.6	27.2	24.1	27.8	-

†Depreciation largest factor

TABLE II: CORPORATIONS WITH NET INCOME, 1990 EDITION

2850 MANUFACTURING: CHEMICALS AND ALLIED PRODUCTS:
Paints and allied products

Item Description For Accounting Period 7/86 Through 6/87	A Total	B Zero Assets	C Under 100	D 100 to 250	E 251 to 500	F 501 to 1,000	G 1,001 to 5,000	H 5,001 to 10,000	I 10,001 to 25,000	J 25,001 to 50,000	K 50,001 to 100,000	L 100,001 to 250,000	M 250,001 and over
					SIZE OF ASSETS IN THOUSANDS OF DOLLARS (000 OMITTED)								
1. Number of Enterprises	553	-	-	-	177	81	205	43	23	8	6	-	-
2. Total receipts (in millions of dollars)	8854.6	-	-	-	211.7	155.5	1220.0	454.1	936.2	632.4	750.1	-	-
Selected Operating Factors in Percent of Net Sales													
3. Cost of operations	61.0	-	-	-	61.3	46.0	64.5	65.0	71.7	65.3	57.8	-	-
4. Compensation of officers	1.6	-	-	-	8.1	8.6	3.6	3.2	1.8	1.8	1.0	-	-
5. Repairs	0.6	-	-	-	0.3	0.3	0.3	0.3	0.2	0.5	0.7	-	-
6. Bad debts	0.5	-	-	-	0.6	0.4	0.5	0.3	0.4	0.4	0.6	-	-
7. Rent on business property	2.1	-	-	-	1.4	0.5	1.5	0.8	0.6	1.4	1.7	-	-
8. Taxes (excl Federal tax)	2.2	-	-	-	2.7	2.0	1.9	2.3	1.4	2.1	2.4	-	-
9. Interest	1.0	-	-	-	0.7	1.0	0.8	0.4	1.2	1.0	0.5	-	-
10. Deprec/Deplet/Amortiz†	2.2	-	-	-	1.8	1.2	1.6	1.8	1.5	2.3	1.9	-	-
11. Advertising	2.2	-	-	-	1.2	1.4	1.5	1.8	1.8	2.1	3.3	-	-
12. Pensions & other benef plans	1.8	-	-	-	0.9	0.3	1.2	1.5	1.1	1.4	2.5	-	-
13. Other expenses	21.0	-	-	-	19.3	35.5	19.6	16.1	14.9	17.2	22.0	-	-
14. Net profit before tax	3.8	-	-	-	1.7	2.8	3.0	6.5	3.4	4.5	5.6	-	-
Selected Financial Ratios (number of times ratio is to one)													
15. Current ratio	1.9	-	-	-	2.0	6.8	2.0	4.2	1.8	2.4	2.5	-	-
16. Quick ratio	0.9	-	-	-	1.1	4.4	1.2	2.1	0.9	1.4	1.4	-	-
17. Net sls to net wkg capital	6.6	-	-	-	7.5	3.8	7.6	2.8	6.4	5.1	5.5	-	-
18. Coverage ratio	7.1	-	-	-	3.9	5.3	6.7	-	4.6	8.0	-	-	-
19. Asset turnover	1.9	-	-	-	-	2.3	-	1.7	2.2	1.9	1.9	-	-
20. Total liab to net worth	1.1	-	-	-	1.1	0.4	1.1	0.4	1.3	0.7	0.6	-	-
Selected Financial Factors in Percentages													
21. Debt ratio	52.7	-	-	-	52.0	28.1	51.4	30.0	56.3	42.6	38.8	-	-
22. Return on assets	14.0	-	-	-	7.6	12.2	15.3	15.8	12.5	15.6	14.8	-	-
23. Return on equity	15.4	-	-	-	9.8	11.4	21.9	14.3	12.6	15.2	14.3	-	-
24. Return on net worth	29.6	-	-	-	15.8	16.9	31.4	22.5	28.6	27.2	24.1	-	-

†Depreciation largest factor

2898 MANUFACTURING: CHEMICALS AND ALLIED PRODUCTS:
Agricultural and other chemical products

Item Description For Accounting Period 7/86 Through 6/87	A Total	B Zero Assets	SIZE OF ASSETS IN THOUSANDS OF DOLLARS (000 OMITTED)										
			C Under 100	D 100 to 250	E 251 to 500	F 501 to 1,000	G 1,001 to 5,000	H 5,001 to 10,000	I 10,001 to 25,000	J 25,001 to 50,000	K 50,001 to 100,000	L 100,001 to 250,000	M 250,001 and over
1. Number of Enterprises	2989	379	1363	270	217	182	422	46	53	23	12	9	13
2. Total receipts (in millions of dollars)	22344.2	595.0	305.3	162.4	151.5	234.8	1850.5	608.6	1444.2	1352.8	930.4	1609.1	13099.6
Selected Operating Factors in Percent of Net Sales													
3. Cost of operations	66.7	77.8	79.2	75.1	63.7	57.3	73.4	76.7	69.7	76.0	84.9	60.6	62.5
4. Compensation of officers	1.2	1.8	3.7	3.6	2.6	12.4	4.4	2.7	1.7	1.3	0.7	1.0	0.4
5. Repairs	1.0	0.4	0.2	0.6	2.8	0.5	0.7	0.6	0.5	0.2	0.3	1.4	1.2
6. Bad debts	0.3	3.2	0.3	-	0.1	0.6	0.4	0.7	0.3	0.8	0.1	0.5	0.1
7. Rent on business property	1.5	1.0	3.7	-	0.9	1.4	1.4	0.9	0.7	0.6	1.2	1.0	1.8
8. Taxes (excl Federal tax)	2.1	0.9	1.1	1.1	3.2	2.3	1.6	1.2	1.2	1.4	1.1	2.2	2.6
9. Interest	2.9	3.1	3.0	1.4	6.5	1.2	1.7	1.8	2.2	1.7	2.7	2.7	3.4
10. Deprec/Deplet/Amortiz†	4.9	5.8	0.9	2.9	3.7	1.9	2.5	3.5	2.4	3.0	4.5	5.7	5.9
11. Advertising	2.6	0.1	0.4	0.3	0.1	1.5	0.3	0.9	1.2	1.4	0.5	0.9	4.0
12. Pensions & other benef plans	2.0	1.1	0.1	2.1	0.8	1.7	1.0	0.5	0.9	1.0	0.9	2.5	2.6
13. Other expenses	19.1	26.7	28.3	10.2	14.6	21.2	15.9	12.9	17.1	14.7	11.0	20.3	20.7
14. Net profit before tax	*	*	*	2.7	1.0	*	*	*	2.1	*	*	1.2	*
Selected Financial Ratios (number of times ratio is to one)													
15. Current ratio	1.3	-	1.2	2.3	0.7	3.4	1.7	1.4	1.3	1.3	1.5	1.4	1.2
16. Quick ratio	0.7	-	1.0	2.1	0.5	2.4	1.0	0.8	0.7	0.7	0.7	0.8	0.6
17. Net sls to net wkg capital	12.1	-	77.6	10.3	-	3.1	7.3	11.5	13.2	13.8	7.1	9.2	14.1
18. Coverage ratio	2.2	-	1.8	3.0	1.4	1.0	1.5	1.9	3.1	2.1	-	3.2	2.7
19. Asset turnover	1.1	-	-	-	2.2	1.7	1.9	1.8	1.7	1.5	1.2	1.1	0.8
20. Total liab to net worth	1.4	-	-	1.3	11.3	0.4	1.5	2.7	2.2	1.7	4.1	1.1	1.3
Selected Financial Factors in Percentages													
21. Debt ratio	59.0	-	195.2	56.2	91.9	27.2	60.1	72.9	68.8	62.7	80.3	51.6	57.3
22. Return on assets	6.8	-	-	11.8	19.5	2.1	5.1	6.0	11.4	5.6	-	9.1	7.6
23. Return on equity	4.4	-	-	15.2	-	-	-	4.6	15.7	-	-	6.0	7.1
24. Return on net worth	16.5	-	-	27.0	-	2.9	12.7	22.1	36.4	14.9	-	18.7	17.8

†Depreciation largest factor

TABLE II: CORPORATIONS WITH NET INCOME, 1990 EDITION

2898 MANUFACTURING: CHEMICALS AND ALLIED PRODUCTS:
Agricultural and other chemical products

Item Description For Accounting Period 7/86 Through 6/87	A Total	B Zero Assets	C Under 100	D 100 to 250	E 251 to 500	F 501 to 1,000	G 1,001 to 5,000	H 5,001 to 10,000	I 10,001 to 25,000	J 25,001 to 50,000	K 50,001 to 100,000	L 100,001 to 250,000	M 250,001 and over
1. Number of Enterprises	1567	49	541	270	122	167	320	35	34	12	-	6	10
2. Total receipts (in millions of dollars)	16897.8	306.4	276.2	162.4	95.8	224.5	1472.9	576.1	1046.4	874.3	-	1172.6	10690.3
Selected Operating Factors in Percent of Net Sales													
3. Cost of operations	64.1	69.4	76.5	75.1	55.3	59.3	71.8	77.2	66.4	71.1	-	60.7	61.2
4. Compensation of officers	1.3	2.9	3.9	3.6	3.3	11.9	4.7	2.5	1.8	1.3	-	1.0	0.3
5. Repairs	0.8	0.7	0.2	0.6	3.6	0.5	0.8	0.6	0.5	0.2	-	1.1	0.9
6. Bad debts	0.3	6.2	0.4	-	-	0.3	0.3	0.7	0.2	0.3	-	0.6	0.1
7. Rent on business property	1.2	1.3	3.2	-	-	1.3	1.5	0.9	0.6	0.3	-	0.7	1.4
8. Taxes (excl Federal tax)	2.1	1.1	1.1	1.1	3.8	2.0	1.5	1.1	1.4	1.3	-	2.5	2.3
9. Interest	2.5	3.5	3.2	1.4	8.4	0.7	1.2	1.6	1.7	1.3	-	1.5	3.0
10. Deprec/Deplet/Amortiz†	4.4	3.3	0.5	2.9	3.8	1.9	2.1	2.6	1.8	2.5	-	4.5	5.5
11. Advertising	3.2	0.1	0.2	0.3	-	0.2	0.4	0.9	1.5	1.7	-	0.4	4.8
12. Pensions & other benef plans	2.2	1.1	0.1	2.1	1.1	1.8	1.1	0.4	1.1	1.1	-	2.0	2.9
13. Other expenses	19.4	8.7	28.3	10.2	12.2	17.8	14.2	11.3	16.7	14.2	-	20.1	21.8
14. Net profit before tax	#	1.7	#	2.7	8.5	2.3	0.4	0.2	6.3	4.7	-	4.9	#
Selected Financial Ratios (number of times ratio is to one)													
15. Current ratio	1.3	-	-	2.3	2.6	3.9	1.8	1.2	1.6	2.0	-	2.1	1.2
16. Quick ratio	0.7	-	-	2.1	2.3	2.8	1.0	0.8	0.8	1.1	-	1.3	0.6
17. Net sls to net wkg capital	10.9	-	-	10.3	13.2	3.0	7.2	20.3	8.2	6.1	-	5.5	14.9
18. Coverage ratio	4.1	-	-	3.0	2.2	6.3	4.7	3.3	6.0	8.2	-	7.4	3.8
19. Asset turnover	1.1	-	-	-	-	1.8	2.2	2.2	1.9	1.7	-	1.1	0.9
20. Total liab to net worth	1.3	-	-	1.3	2.0	0.3	1.3	1.6	1.3	1.1	-	0.7	1.4
Selected Financial Factors in Percentages													
21. Debt ratio	56.1	-	-	56.2	66.7	23.4	56.7	60.8	56.2	51.9	-	39.8	57.8
22. Return on assets	11.5	-	-	11.8	-	8.3	12.2	11.2	19.0	18.7	-	12.6	10.2
23. Return on equity	13.6	-	-	15.2	-	8.3	15.7	14.7	26.7	21.1	-	10.1	12.3
24. Return on net worth	26.3	-	-	27.0	10.8	28.1	28.1	28.5	43.5	38.9	-	20.9	24.2

†Depreciation largest factor

TABLE I: CORPORATIONS WITH AND WITHOUT NET INCOME, 1990 EDITION

2910 MANUFACTURING: PETROLEUM (INCLUDING INTEGRATED) AND COAL PRODUCTS:
Petroleum refining (including integrated)

Item Description For Accounting Period 7/86 Through 6/87	A Total	B Zero Assets	C Under 100	D 100 to 250	E 251 to 500	F 501 to 1,000	G 1,001 to 5,000	H 5,001 to 10,000	I 10,001 to 25,000	J 25,001 to 50,000	K 50,001 to 100,000	L 100,001 to 250,000	M 250,001 and over
							SIZE OF ASSETS IN THOUSANDS OF DOLLARS (000 OMITTED)						
1. Number of Enterprises	752	14	305	194	63	15	73	11	9	15	11	5	38
2. Total receipts (in millions of dollars)	352054.6	1129.4	44.1	28.8	54.2	13.0	572.2	144.9	213.2	2662.4	2181.4	1819.9	343191.1
Selected Operating Factors in Percent of Net Sales													
3. Cost of operations	69.9	92.9	105.7	26.6	-	63.2	90.2	96.5	81.2	94.4	92.6	84.7	69.4
4. Compensation of officers	0.1	0.2	-	28.9	-	-	2.2	-	0.2	0.3	0.3	0.2	0.1
5. Repairs	1.4	0.1	0.1	-	-	-	0.1	-	0.3	0.2	-	1.0	1.5
6. Bad debts	0.2	-	0.1	-	-	-	-	0.4	0.9	0.3	0.1	0.2	0.2
7. Rent on business property	1.2	0.4	-	6.6	-	-	0.3	-	0.6	0.1	0.4	0.7	1.2
8. Taxes (excl Federal tax)	4.8	0.4	0.2	5.8	-	4.3	0.6	0.2	2.0	0.3	0.5	1.0	5.0
9. Interest	5.9	1.1	2.2	-	-	9.3	1.4	6.1	7.5	1.3	1.5	2.0	6.0
10. Deprec/Deplet/Amortiz†	7.6	5.8	0.2	28.2	-	27.0	4.2	0.8	7.4	1.2	3.5	3.3	7.7
11. Advertising	0.3	0.4	0.3	-	-	-	-	0.1	-	-	-	-	0.3
12. Pensions & other benef plans	1.1	0.1	-	-	-	5.1	0.5	0.4	0.2	0.1	0.2	0.2	1.2
13. Other expenses	15.6	4.3	4.2	37.3	-	11.2	6.1	11.9	12.9	3.5	3.9	5.8	15.9
14. Net profit before tax	*	*	*	*	*	*	*	*	*	*	*	0.9	*
Selected Financial Ratios (number of times ratio is to one)													
15. Current ratio	1.3	-	-	15.6	1.0	-	-	-	0.2	1.4	0.8	1.6	1.3
16. Quick ratio	0.9	-	-	7.4	1.0	-	-	-	0.1	0.8	0.5	0.7	0.9
17. Net sls to net wkg capital	11.0	-	-	1.5	0.7	-	-	-	-	32.9	-	17.9	10.7
18. Coverage ratio	1.7	-	-	-	-	-	-	-	0.2	0.5	0.7	2.6	1.7
19. Asset turnover	0.6	-	-	0.8	-	-	-	-	1.5	-	-	-	0.6
20. Total liab to net worth	1.3	-	-	0.1	0.4	-	-	-	-	6.1	-	1.2	1.3
Selected Financial Factors in Percentages													
21. Debt ratio	56.3	-	-	10.2	29.3	-	-	-	118.3	85.9	102.0	54.6	56.2
22. Return on assets	5.6	-	-	-	-	-	-	-	1.8	3.2	2.8	14.8	5.6
23. Return on equity	1.8	-	-	-	-	-	-	-	-	-	-	11.5	1.8
24. Return on net worth	12.9	-	-	-	-	-	-	-	-	22.4	-	32.6	12.8

†Depreciation largest factor

2910 MANUFACTURING: PETROLEUM (INCLUDING INTEGRATED) AND COAL PRODUCTS:

Petroleum refining (including integrated)

Item Description For Accounting Period 7/86 Through 6/87	A Total	B Zero Assets	C Under 100	D 100 to 250	E 251 to 500	F 501 to 1,000	G 1,001 to 5,000	H 5,001 to 10,000	I 10,001 to 25,000	J 25,001 to 50,000	K 50,001 to 100,000	L 100,001 to 250,000	M 250,001 and over
	SIZE OF ASSETS IN THOUSANDS OF DOLLARS (000 OMITTED)												
1. Number of Enterprises	252	-	5	134	-	-	15	-	4	-	5	-	18
2. Total receipts (in millions of dollars)	233851.7	-	24.5	25.6	-	-	48.1	-	56.8	-	1232.3	-	230519.2
Selected Operating Factors in Percent of Net Sales													
3. Cost of operations	69.3	-	117.7	26.9	-	-	60.0	-	54.1	-	89.7	-	69.0
4. Compensation of officers	0.1	-	-	26.2	-	-	4.7	-	0.5	-	0.3	-	0.1
5. Repairs	1.5	-	0.2	-	-	-	0.1	-	-	-	-	-	1.5
6. Bad debts	0.2	-	0.3	-	-	-	-	-	0.5	-	0.1	-	0.2
7. Rent on business property	1.2	-	0.1	4.5	-	-	0.6	-	1.0	-	0.2	-	1.2
8. Taxes (excl Federal tax)	4.8	-	0.5	4.5	-	-	0.7	-	3.3	-	0.5	-	4.9
9. Interest	5.3	-	6.3	-	-	-	1.8	-	5.7	-	1.2	-	5.3
10. Deprec/Deplet/Amortiz†	6.5	-	0.5	2.1	-	-	0.4	-	9.7	-	2.3	-	6.6
11. Advertising	0.4	-	-	-	-	-	-	-	-	-	-	-	0.4
12. Pensions & other benef plans	1.0	-	0.1	-	-	-	-	-	0.3	-	0.2	-	1.0
13. Other expenses	15.3	-	9.4	21.0	-	-	18.5	-	7.6	-	3.3	-	15.4
14. Net profit before tax	#	-	#	14.8	-	-	13.2	-	17.3	-	2.2	-	#
Selected Financial Ratios (number of times ratio is to one)													
15. Current ratio	1.1	-	-	45.4	-	-	0.9	-	1.5	-	1.1	-	1.1
16. Quick ratio	0.7	-	-	21.8	-	-	0.9	-	0.8	-	0.6	-	0.7
17. Net sls to net wkg capital	56.8	-	-	1.4	-	-	-	-	14.5	-	88.4	-	58.2
18. Coverage ratio	2.8	-	-	-	-	-	8.5	-	4.8	-	4.0	-	2.8
19. Asset turnover	0.6	-	-	1.3	-	-	2.3	-	1.2	-	-	-	0.6
20. Total liab to net worth	0.9	-	-	-	-	-	1.9	-	2.5	-	4.7	-	0.9
Selected Financial Factors in Percentages													
21. Debt ratio	47.0	-	-	2.0	-	-	65.6	-	71.0	-	82.3	-	46.9
22. Return on assets	9.3	-	-	21.6	-	-	-	-	-	-	14.7	-	9.2
23. Return on equity	6.6	-	-	19.1	-	-	-	-	-	-	36.5	-	6.5
24. Return on net worth	17.5	-	-	22.1	-	-	99.6	-	-	-	83.2	-	17.4

†Depreciation largest factor

TABLE I: CORPORATIONS WITH AND WITHOUT NET INCOME, 1990 EDITION

2998 MANUFACTURING: PETROLEUM (INCLUDING INTEGRATED) AND COAL PRODUCTS:
Petroleum and coal products, not elsewhere classified

Item Description For Accounting Period 7/86 Through 6/87	A Total	B Zero Assets	C Under 100	D 100 to 250	E 251 to 500	F 501 to 1,000	G 1,001 to 5,000	H 5,001 to 10,000	I 10,001 to 25,000	J 25,001 to 50,000	K 50,001 to 100,000	L 100,001 to 250,000	M 250,001 and over
SIZE OF ASSETS IN THOUSANDS OF DOLLARS (000 OMITTED)													
1. Number of Enterprises	1710	172	501	272	308	194	202	29	17	6	4	5	-
2. Total receipts (in millions of dollars)	7464.5	137.5	84.8	100.6	114.6	441.5	1078.8	658.2	416.7	452.1	689.4	3290.3	-
Selected Operating Factors in Percent of Net Sales													
3. Cost of operations	73.8	78.9	80.3	53.0	44.8	80.0	76.0	73.4	75.8	85.2	94.5	66.8	-
4. Compensation of officers	2.2	4.8	10.7	0.7	9.6	5.7	2.8	4.1	2.0	0.9	0.2	1.0	-
5. Repairs	2.1	-	-	5.0	0.6	0.1	0.2	1.4	0.2	0.1	0.2	4.4	-
6. Bad debts	0.4	5.0	-	0.3	-	0.1	0.7	0.2	0.2	0.1	-	0.4	-
7. Rent on business property	1.2	-	1.3	2.8	2.4	0.5	0.6	1.0	1.1	1.0	0.1	1.9	-
8. Taxes (excl Federal tax)	1.6	2.7	1.3	2.9	3.8	1.5	1.3	2.9	1.8	1.1	0.3	1.7	-
9. Interest	2.4	4.3	-	4.8	2.6	0.8	1.4	0.9	1.2	3.0	1.3	3.6	-
10. Deprec/Deplet/Amortiz†	4.7	-	0.5	5.7	6.8	1.7	3.0	3.1	3.7	4.3	2.2	7.2	-
11. Advertising	0.3	-	-	0.9	0.1	0.1	0.3	0.3	0.2	0.1	-	0.4	-
12. Pensions & other benef plans	1.3	-	1.9	2.0	1.0	0.2	0.5	0.6	0.7	0.4	0.1	2.5	-
13. Other expenses	13.0	42.0	3.4	19.4	27.1	7.2	8.8	12.8	6.6	6.7	3.8	18.1	-
14. Net profit before tax	*	*	0.6	2.5	1.2	2.1	4.4	*	6.5	*	*	*	-
Selected Financial Ratios (number of times ratio is to one)													
15. Current ratio	1.5	-	3.2	1.6	1.2	1.1	1.8	1.5	2.0	1.4	0.8	1.5	-
16. Quick ratio	1.1	-	3.2	1.0	1.1	0.7	1.0	0.9	1.2	0.9	0.7	1.1	-
17. Net sls to net wkg capital	6.8	-	11.9	14.3	14.5	75.4	9.5	15.9	7.1	17.4	-	3.7	-
18. Coverage ratio	2.9	-	-	1.8	3.0	4.2	4.9	1.7	7.5	3.0	-	2.7	-
19. Asset turnover	1.1	-	-	2.3	1.0	-	-	-	1.7	1.8	2.1	0.6	-
20. Total liab to net worth	1.2	-	0.5	5.3	1.3	1.4	1.8	1.3	0.8	5.4	2.5	1.1	-
Selected Financial Factors in Percentages													
21. Debt ratio	55.3	-	30.9	84.1	56.4	58.9	63.7	56.9	44.6	84.5	71.0	52.2	-
22. Return on assets	7.4	-	5.1	19.9	8.0	11.3	17.4	4.1	16.0	15.7	-	5.9	-
23. Return on equity	7.1	-	5.7	40.5	11.2	10.4	31.6	-	14.7	-	-	5.1	-
24. Return on net worth	16.6	-	7.3	-	18.3	27.6	47.9	9.6	28.9	-	-	12.3	-

†Depreciation largest factor

TABLE II: CORPORATIONS WITH NET INCOME, 1990 EDITION

2998 MANUFACTURING: PETROLEUM (INCLUDING INTEGRATED) AND COAL PRODUCTS:
Petroleum and coal products, not elsewhere classified

Item Description For Accounting Period 7/86 Through 6/87	A Total	B Zero Assets	C Under 100	D 100 to 250	E 251 to 500	F 501 to 1,000	G 1,001 to 5,000	H 5,001 to 10,000	I 10,001 to 25,000	J 25,001 to 50,000	K 50,001 to 100,000	L 100,001 to 250,000	M 250,001 and over
SIZE OF ASSETS IN THOUSANDS OF DOLLARS (000 OMITTED)													
1. Number of Enterprises	1044	-	201	132	-	143	169	23	17	-	-	-	-
2. Total receipts (in millions of dollars)	5169.9	-	84.8	44.8	-	259.2	1026.9	602.2	416.7	-	-	-	-
Selected Operating Factors in Percent of Net Sales													
3. Cost of operations	70.3	-	80.3	69.6	-	69.0	76.2	72.8	75.8	-	-	-	-
4. Compensation of officers	2.6	-	10.7	-	-	9.2	2.8	4.2	2.0	-	-	-	-
5. Repairs	2.7	-	-	-	-	0.1	0.2	1.5	0.2	-	-	-	-
6. Bad debts	0.4	-	-	0.7	-	0.1	0.3	0.2	0.2	-	-	-	-
7. Rent on business property	1.3	-	1.3	-	-	0.6	0.6	0.8	1.1	-	-	-	-
8. Taxes (excl Federal tax)	1.7	-	1.3	1.8	-	2.4	1.3	2.9	1.8	-	-	-	-
9. Interest	1.3	-	-	0.4	-	0.8	1.4	0.5	1.2	-	-	-	-
10. Deprec/Deplet/Amortiz†	4.0	-	0.5	0.2	-	2.0	2.8	2.1	3.7	-	-	-	-
11. Advertising	0.3	-	-	2.0	-	0.1	0.3	0.3	0.2	-	-	-	-
12. Pensions & other benef plans	0.8	-	1.9	1.3	-	0.3	0.4	0.6	0.7	-	-	-	-
13. Other expenses	11.4	-	3.1	11.3	-	9.3	8.4	12.8	6.6	-	-	-	-
14. Net profit before tax	3.2	-	0.9	12.7	-	6.1	5.3	1.3	6.5	-	-	-	-
Selected Financial Ratios (number of times ratio is to one)													
15. Current ratio	1.6	-	3.1	5.3	-	2.2	1.7	1.9	2.0	-	-	-	-
16. Quick ratio	1.1	-	3.1	3.4	-	1.4	1.0	1.2	1.2	-	-	-	-
17. Net sls to net wkg capital	8.5	-	12.4	3.4	-	6.8	10.5	11.4	7.1	-	-	-	-
18. Coverage ratio	6.9	-	-	-	-	9.8	5.5	6.2	7.5	-	-	-	-
19. Asset turnover	1.5	-	-	-	-	-	-	-	1.7	-	-	-	-
20. Total liab to net worth	1.0	-	0.5	0.2	-	0.7	1.6	0.7	0.8	-	-	-	-
Selected Financial Factors in Percentages													
21. Debt ratio	48.8	-	31.8	18.9	-	41.7	61.3	41.0	44.6	-	-	-	-
22. Return on assets	14.0	-	7.6	-	-	20.8	20.5	9.5	16.0	-	-	-	-
23. Return on equity	16.6	-	9.5	34.7	-	21.5	36.5	7.4	14.7	-	-	-	-
24. Return on net worth	27.4	-	11.1	44.7	-	35.6	52.8	16.1	28.9	-	-	-	-

†Depreciation largest factor

3050 MANUFACTURING: RUBBER AND MISCELLANEOUS PLASTICS PRODUCTS:

Rubber products; plastic footwear, hose and belting

Item Description For Accounting Period 7/86 Through 6/87	A Total	B Zero Assets	C Under 100	D 100 to 250	E 251 to 500	F 501 to 1,000	G 1,001 to 5,000	H 5,001 to 10,000	I 10,001 to 25,000	J 25,001 to 50,000	K 50,001 to 100,000	L 100,001 to 250,000	M 250,001 and over
				SIZE OF ASSETS IN THOUSANDS OF DOLLARS (000 OMITTED)									
1. Number of Enterprises	1893	38	362	171	367	269	522	64	59	17	3	3	17
2. Total receipts (in millions of dollars)	32052.3	105.9	23.5	66.1	260.5	442.4	2394.1	732.2	1311.9	909.4	391.7	527.7	24886.9
Selected Operating Factors in Percent of Net Sales													
3. Cost of operations	66.6	78.5	80.8	45.7	62.6	64.4	69.5	59.8	73.0	69.0	71.8	59.7	66.2
4. Compensation of officers	1.0	1.3	6.7	17.0	6.4	7.4	3.9	3.2	1.6	1.8	0.6	1.4	0.3
5. Repairs	2.0	0.3	4.0	-	0.5	0.4	0.6	0.4	0.1	0.4	1.4	2.3	2.4
6. Bad debts	0.3	-	-	-	-	0.1	0.3	0.2	0.2	0.2	0.1	0.3	0.3
7. Rent on business property	1.4	0.1	-	7.9	3.6	2.5	0.7	0.3	0.7	0.6	0.5	0.4	1.6
8. Taxes (excl Federal tax)	2.0	1.1	8.1	4.3	1.7	3.1	2.3	4.2	2.0	2.7	2.0	3.2	1.8
9. Interest	3.4	0.8	5.8	-	1.7	1.2	1.1	1.8	1.9	1.7	1.0	1.1	3.9
10. Deprec/Deplet/Amortiz†	3.5	1.4	-	1.2	3.3	2.9	2.4	4.3	2.5	3.4	4.0	5.3	3.6
11. Advertising	1.5	0.4	-	0.9	1.2	1.9	0.6	0.9	0.6	0.9	0.2	0.1	1.7
12. Pensions & other benef plans	2.6	0.9	-	2.1	0.5	2.0	1.7	2.4	1.7	2.9	2.3	5.6	2.7
13. Other expenses	18.1	14.9	17.2	16.3	21.5	17.5	13.9	17.2	13.6	14.2	12.1	16.7	19.1
14. Net profit before tax	*	0.3	*	4.6	*	*	3.0	5.3	2.1	2.2	4.0	3.9	*
Selected Financial Ratios (number of times ratio is to one)													
15. Current ratio	1.4	-	-	118.7	2.0	2.3	2.0	2.1	1.7	2.1	1.9	2.2	1.2
16. Quick ratio	0.8	-	-	86.9	1.0	1.7	1.2	1.0	1.0	1.2	1.1	1.2	0.7
17. Net sls to net wkg capital	12.1	-	-	3.5	5.1	6.1	6.8	6.0	6.7	4.9	7.0	5.2	16.9
18. Coverage ratio	2.1	-	-	-	-	-	4.4	4.5	3.5	4.0	6.5	9.6	1.9
19. Asset turnover	1.2	-	-	-	2.0	2.4	2.4	1.6	1.5	1.4	1.7	1.1	1.0
20. Total liab to net worth	1.2	-	-	-	2.1	0.9	0.9	1.0	1.6	0.8	1.1	0.5	1.3
Selected Financial Factors in Percentages													
21. Debt ratio	55.1	-	-	0.6	67.9	48.3	48.1	51.0	60.7	45.4	52.8	31.3	55.9
22. Return on assets	8.1	-	-	12.6	-	-	11.4	12.7	10.1	9.6	11.0	11.3	7.8
23. Return on equity	5.6	-	-	12.7	-	-	11.1	11.4	10.7	8.2	11.2	8.4	5.1
24. Return on net worth	18.0	-	-	12.7	-	-	21.9	25.8	25.8	17.5	23.4	16.4	17.6

†Depreciation largest factor

TABLE II: CORPORATIONS WITH NET INCOME, 1990 EDITION

3050 MANUFACTURING: RUBBER AND MISCELLANEOUS PLASTICS PRODUCTS:
Rubber products; plastic footwear, hose and belting

Item Description For Accounting Period 7/86 Through 6/87	A Total	B Zero Assets	C Under 100	D 100 to 250	E 251 to 500	F 501 to 1,000	G 1,001 to 5,000	H 5,001 to 10,000	I 10,001 to 25,000	J 25,001 to 50,000	K 50,001 to 100,000	L 100,001 to 250,000	M 250,001 and over
SIZE OF ASSETS IN THOUSANDS OF DOLLARS (000 OMITTED)													
1. Number of Enterprises	1164	33	-	171	221	167	437	54	48	13	3	3	13
2. Total receipts (in millions of dollars)	29375.8	95.0	-	66.1	122.2	335.5	2071.8	620.7	1104.9	750.6	391.7	527.7	23289.6
Selected Operating Factors in Percent of Net Sales													
3. Cost of operations	66.0	71.5	-	45.7	48.6	64.4	68.4	58.1	71.6	68.2	71.8	59.7	65.8
4. Compensation of officers	0.9	1.5	-	17.0	4.0	8.9	3.7	3.1	1.7	1.6	0.6	1.4	0.3
5. Repairs	2.1	0.3	-	-	0.7	0.3	0.7	0.4	-	0.5	1.4	2.3	2.5
6. Bad debts	0.3	0.1	-	-	-	0.2	0.2	0.1	0.2	0.2	0.1	0.3	0.3
7. Rent on business property	1.4	0.1	-	7.9	2.2	2.1	0.6	0.3	0.5	0.5	0.5	0.4	1.6
8. Taxes (excl Federal tax)	2.0	1.2	-	4.3	0.6	3.1	2.4	4.4	1.8	2.7	2.0	3.2	1.9
9. Interest	3.3	0.9	-	-	3.2	0.7	1.0	1.4	1.5	1.6	1.0	1.1	3.9
10. Deprec/Deplet/Amortiz†	3.4	1.5	-	1.2	4.6	1.3	2.4	3.8	2.5	3.2	4.0	5.3	3.5
11. Advertising	1.5	0.5	-	0.9	1.3	-	0.6	0.8	0.6	0.9	0.2	0.1	1.7
12. Pensions & other benef plans	2.6	1.0	-	2.1	0.4	2.5	1.6	2.2	1.6	3.1	2.3	5.6	2.6
13. Other expenses	18.3	16.0	-	16.3	33.3	11.4	14.4	16.6	12.8	13.2	12.1	16.7	19.4
14. Net profit before tax	#	5.4	-	4.6	1.1	5.1	4.0	8.8	5.2	4.3	4.0	3.9	#
Selected Financial Ratios (number of times ratio is to one)													
15. Current ratio	1.4	-	-	118.7	3.6	3.5	2.2	2.3	1.8	2.1	1.9	2.2	1.2
16. Quick ratio	0.8	-	-	86.9	1.6	2.6	1.3	1.2	1.1	1.3	1.1	1.2	0.7
17. Net sls to net wkg capital	12.5	-	-	3.5	2.5	5.1	6.4	6.3	6.8	5.0	7.0	5.2	17.9
18. Coverage ratio	2.4	-	-	-	1.5	9.3	5.7	8.3	5.2	5.6	6.5	9.6	2.0
19. Asset turnover	1.1	-	-	-	1.4	-	2.3	1.6	1.6	1.4	1.7	1.1	1.0
20. Total liab to net worth	1.2	-	-	-	1.6	0.4	0.8	0.9	1.4	0.7	1.1	0.5	1.2
Selected Financial Factors in Percentages													
21. Debt ratio	53.5	-	-	0.6	62.1	29.3	45.0	46.7	58.1	42.6	52.8	31.3	54.8
22. Return on assets	9.0	-	-	12.6	6.8	19.1	13.6	18.8	12.0	12.5	11.0	11.3	8.3
23. Return on equity	7.1	-	-	12.7	5.4	21.2	14.1	21.0	14.6	12.0	11.2	8.4	5.8
24. Return on net worth	19.3	-	-	12.7	17.9	27.0	24.8	35.3	28.6	21.8	23.4	16.4	18.3

†Depreciation largest factor

3070 MANUFACTURING: RUBBER AND MISCELLANEOUS PLASTICS PRODUCTS:
Miscellaneous plastics products

Item Description For Accounting Period 7/86 Through 6/87	A Total	B Zero Assets	C Under 100	D 100 to 250	E 251 to 500	F 501 to 1,000	G 1,001 to 5,000	H 5,001 to 10,000	I 10,001 to 25,000	J 25,001 to 50,000	K 50,001 to 100,000	L 100,001 to 250,000	M 250,001 and over
						SIZE OF ASSETS IN THOUSANDS OF DOLLARS (000 OMITTED)							
1. Number of Enterprises	10737	497	3000	1443	2098	1120	1958	332	182	66	24	14	3
2. Total receipts (in millions of dollars)	31055.4	688.1	374.2	575.9	1922.7	1740.8	8136.7	4090.0	4399.0	3098.5	2255.1	2345.3	1429.1
Selected Operating Factors in Percent of Net Sales													
3. Cost of operations	68.3	71.1	40.7	57.0	65.2	63.6	69.5	70.1	69.3	70.3	67.2	70.7	67.7
4. Compensation of officers	3.0	2.9	9.0	13.2	6.7	4.1	3.8	2.6	1.9	1.4	1.0	0.9	0.6
5. Repairs	0.5	0.7	0.7	1.1	0.5	0.5	0.3	0.6	0.5	0.3	0.5	0.6	-
6. Bad debts	0.3	0.2	0.3	0.2	0.7	0.2	0.4	0.3	0.2	0.3	0.3	0.3	0.1
7. Rent on business property	1.0	0.8	4.3	2.9	1.6	1.9	1.0	0.7	0.6	1.0	0.9	0.7	0.1
8. Taxes (excl Federal tax)	2.3	2.2	3.5	2.8	3.2	2.6	2.4	2.2	2.2	2.1	2.5	1.9	0.8
9. Interest	2.4	1.9	2.2	1.2	1.0	1.8	1.9	1.9	2.1	2.3	3.4	4.3	6.1
10. Deprec/Deplet/Amortiz†	4.0	3.8	5.0	3.2	2.7	3.5	3.8	3.5	4.4	3.9	4.5	4.3	6.1
11. Advertising	0.9	0.9	1.2	0.3	0.7	0.7	0.7	1.0	0.6	1.0	0.6	0.9	4.1
12. Pensions & other benef plans	1.3	2.1	0.7	1.6	1.6	1.3	1.4	1.1	1.4	1.7	1.7	1.4	0.4
13. Other expenses	15.1	13.4	32.4	21.9	14.7	19.4	13.6	14.3	13.9	14.3	15.8	15.8	17.9
14. Net profit before tax	0.9	-	-	*	1.4	0.4	1.2	1.7	2.9	1.4	1.6	*	*
Selected Financial Ratios (number of times ratio is to one)													
15. Current ratio	1.6	-	1.4	1.2	2.0	1.9	1.5	1.5	1.5	1.9	1.6	1.3	1.4
16. Quick ratio	0.9	-	1.1	0.9	1.4	1.1	0.9	0.9	0.8	1.0	0.9	0.7	1.1
17. Net sls to net wkg capital	8.6	-	14.8	19.4	7.4	6.9	9.7	8.7	8.7	5.5	6.9	10.2	12.8
18. Coverage ratio	2.3	-	1.6	1.7	3.2	1.9	2.1	2.5	3.4	3.0	2.9	1.9	0.8
19. Asset turnover	1.6	-	-	2.1	-	2.1	1.9	1.8	1.5	1.3	1.3	1.0	0.9
20. Total liab to net worth	2.0	-	-	2.2	2.1	1.4	2.3	1.7	1.8	1.5	1.9	2.2	2.3
Selected Financial Factors in Percentages													
21. Debt ratio	66.3	-	106.9	68.6	67.3	58.1	69.9	63.0	64.5	60.6	65.9	68.7	69.6
22. Return on assets	8.7	-	8.9	4.4	8.0	7.0	7.7	8.4	10.7	9.0	13.1	7.7	4.6
23. Return on equity	7.6	-	-	2.9	11.6	6.4	6.3	6.8	12.0	7.9	14.2	6.6	-
24. Return on net worth	25.9	-	-	14.1	24.5	16.6	25.7	22.8	30.1	22.9	38.3	24.6	15.1

†Depreciation largest factor

TABLE II: CORPORATIONS WITH NET INCOME, 1990 EDITION

3070 MANUFACTURING: RUBBER AND MISCELLANEOUS PLASTICS PRODUCTS:
Miscellaneous plastics products

Item Description For Accounting Period 7/86 Through 6/87	A Total	B Zero Assets	C Under 100	D 100 to 250	E 251 to 500	F 501 to 1,000	G 1,001 to 5,000	H 5,001 to 10,000	I 10,001 to 25,000	J 25,001 to 50,000	K 50,001 to 100,000	L 100,001 to 250,000	M 250,001 and over
						SIZE OF ASSETS IN THOUSANDS OF DOLLARS (000 OMITTED)							
1. Number of Enterprises	7241	424	1991	814	1564	666	1333	231	139	47	20	11	-
2. Total receipts (in millions of dollars)	23183.0	638.8	232.5	369.1	1504.6	1155.5	6107.0	2962.1	3620.3	2195.1	2010.6	2387.5	-
Selected Operating Factors in Percent of Net Sales													
3. Cost of operations	67.4	70.4	39.7	57.8	64.6	64.1	67.3	67.6	68.4	69.2	67.0	71.5	-
4. Compensation of officers	2.9	1.5	9.5	9.7	6.5	3.6	4.0	2.9	1.8	1.4	1.0	0.8	-
5. Repairs	0.5	0.5	0.5	0.6	0.5	0.4	0.4	0.6	0.5	0.3	0.5	0.4	-
6. Bad debts	0.3	0.2	0.5	0.2	0.8	0.3	0.4	0.4	0.1	0.2	0.2	0.2	-
7. Rent on business property	0.9	0.5	4.9	2.3	1.4	1.4	1.0	0.7	0.6	0.9	0.9	0.7	-
8. Taxes (excl Federal tax)	2.3	2.2	3.5	2.7	2.8	2.3	2.4	2.3	2.3	2.0	2.5	1.9	-
9. Interest	1.9	1.6	1.3	1.3	1.0	1.5	1.5	1.5	2.0	1.9	3.5	3.0	-
10. Deprec/Deplet/Amortiz†	3.7	3.1	3.6	2.3	2.6	2.9	3.6	3.3	4.4	3.9	4.6	4.3	-
11. Advertising	0.7	1.0	0.5	0.1	0.8	0.8	0.6	0.9	0.6	0.9	0.5	0.7	-
12. Pensions & other benef plans	1.4	2.1	0.3	1.8	1.2	1.4	1.5	1.1	1.4	1.5	1.6	1.3	-
13. Other expenses	13.9	12.0	31.1	21.3	13.3	16.1	13.1	13.9	13.4	12.5	14.8	14.0	-
14. Net profit before tax	4.1	4.9	4.6	#	4.5	5.2	4.2	4.8	4.5	5.3	2.9	1.2	-
Selected Financial Ratios (number of times ratio is to one)													
15. Current ratio	1.7	-	1.8	1.7	2.1	2.1	1.7	1.8	1.6	2.0	1.7	1.5	-
16. Quick ratio	1.0	-	1.4	1.2	1.5	1.3	1.1	1.0	0.9	1.2	0.9	0.8	-
17. Net sls to net wkg capital	7.7	-	11.6	8.1	7.7	6.2	8.1	7.1	8.5	5.1	6.8	9.4	-
18. Coverage ratio	4.3	-	5.8	5.7	6.1	5.1	4.4	5.0	4.5	5.5	3.3	2.6	-
19. Asset turnover	1.8	-	-	2.5	-	2.3	2.1	1.9	1.6	1.3	1.4	1.3	-
20. Total liab to net worth	1.5	-	-	1.4	1.3	1.3	1.6	1.2	1.6	1.2	1.9	1.8	-
Selected Financial Factors in Percentages													
21. Debt ratio	60.3	-	122.6	57.7	55.6	56.2	62.0	54.5	60.9	53.5	65.2	63.9	-
22. Return on assets	14.2	-	24.5	18.2	16.3	17.7	13.7	13.5	13.8	13.8	15.9	9.6	-
23. Return on equity	18.5	-	-	31.3	25.4	30.2	19.5	15.9	16.9	15.6	19.2	10.0	-
24. Return on net worth	35.7	-	-	43.0	36.7	40.4	36.0	29.7	35.3	29.7	45.6	26.7	-

†Depreciation largest factor

TABLE I: CORPORATIONS WITH AND WITHOUT NET INCOME, 1990 EDITION

3140 MANUFACTURING: LEATHER AND LEATHER PRODUCTS:
Footwear, except rubber

Item Description For Accounting Period 7/86 Through 6/87	A Total	B Zero Assets	C Under 100	D 100 to 250	E 251 to 500	F 501 to 1,000	G 1,001 to 5,000	H 5,001 to 10,000	I 10,001 to 25,000	J 25,001 to 50,000	K 50,001 to 100,000	L 100,001 to 250,000	M 250,001 and over
1. Number of Enterprises	396	11	171	4	-	58	83	20	23	11	7	3	4
2. Total receipts (in millions of dollars)	9620.8	264.9	11.7	3.6	-	47.6	265.7	315.1	554.7	723.7	737.6	858.4	5837.9
Selected Operating Factors in Percent of Net Sales													
3. Cost of operations	68.2	75.4	-	-	-	56.9	77.8	72.7	81.7	67.6	65.8	66.9	66.5
4. Compensation of officers	0.9	1.4	-	-	-	7.7	3.6	2.7	1.6	0.9	1.5	0.7	0.6
5. Repairs	0.5	0.3	-	-	-	1.0	0.1	0.3	0.1	0.4	0.3	0.7	0.7
6. Bad debts	0.4	0.5	-	-	-	0.1	0.7	0.4	0.2	0.4	0.4	0.4	0.3
7. Rent on business property	2.5	0.9	-	-	-	4.5	0.4	0.7	0.4	1.8	1.6	2.7	3.2
8. Taxes (excl Federal tax)	2.3	2.3	-	-	-	6.1	2.1	2.8	1.5	2.2	2.3	2.6	2.4
9. Interest	3.0	1.7	-	-	-	2.0	2.0	0.8	1.2	2.0	1.8	1.9	3.8
10. Deprec/Deplet/Amortiz†	2.1	1.6	-	-	-	5.3	1.0	1.0	1.5	2.6	1.7	2.4	2.2
11. Advertising	2.6	5.1	-	-	-	2.1	0.5	1.6	1.7	2.9	4.2	4.7	2.1
12. Pensions & other benef plans	1.5	1.9	-	-	-	1.3	1.7	1.0	0.9	1.1	1.2	1.8	1.7
13. Other expenses	17.3	16.1	-	-	-	28.6	12.3	11.1	10.4	19.3	16.2	17.6	18.3
14. Net profit before tax	*	*	-	*	-	*	*	4.9	*	*	3.0	*	*
Selected Financial Ratios (number of times ratio is to one)													
15. Current ratio	2.5	-	-	-	-	-	1.8	2.3	2.2	1.8	2.8	2.3	2.8
16. Quick ratio	1.3	-	-	-	-	-	0.9	1.2	1.3	0.8	1.4	0.8	1.5
17. Net sls to net wkg capital	3.2	-	-	-	-	-	5.2	3.7	3.8	4.9	2.9	3.1	2.8
18. Coverage ratio	2.6	-	-	-	-	-	1.5	8.9	2.0	1.2	5.3	2.9	2.8
19. Asset turnover	1.2	-	-	-	-	-	1.8	1.9	1.5	1.7	1.4	1.2	1.1
20. Total liab to net worth	1.9	-	-	-	-	-	0.9	0.7	0.8	1.6	0.8	0.7	2.7
Selected Financial Factors in Percentages													
21. Debt ratio	65.9	-	-	-	-	-	47.8	42.1	44.1	61.5	45.6	42.1	73.1
22. Return on assets	9.7	-	-	-	-	-	5.5	13.3	3.7	4.1	12.8	6.6	11.1
23. Return on equity	11.4	-	-	-	-	-	0.9	11.5	-	-	12.9	4.5	19.5
24. Return on net worth	28.4	-	-	-	-	-	10.4	23.0	6.6	10.6	23.5	11.3	41.4

†Depreciation largest factor

3140 MANUFACTURING: LEATHER AND LEATHER PRODUCTS:
Footwear, except rubber

Item Description For Accounting Period 7/86 Through 6/87	A Total	B Zero Assets	C Under 100	D 100 to 250	E 251 to 500	F 501 to 1,000	G 1,001 to 5,000	H 5,001 to 10,000	I 10,001 to 25,000	J 25,001 to 50,000	K 50,001 to 100,000	L 100,001 to 250,000	M 250,001 and over
				SIZE OF ASSETS IN THOUSANDS OF DOLLARS (000 OMITTED)									
1. Number of Enterprises	271	-	171	-	-	-	43	20	16	-	-	-	-
2. Total receipts (in millions of dollars)	7832.0	-	11.7	-	-	-	165.7	315.1	368.5	-	-	-	-
Selected Operating Factors in Percent of Net Sales													
3. Cost of operations	67.1	-	-	-	-	-	77.3	72.7	79.2	-	-	-	-
4. Compensation of officers	0.9	-	-	-	-	-	3.5	2.7	1.9	-	-	-	-
5. Repairs	0.5	-	-	-	-	-	0.1	0.3	-	-	-	-	-
6. Bad debts	0.3	-	-	-	-	-	0.1	0.4	0.1	-	-	-	-
7. Rent on business property	2.6	-	-	-	-	-	0.5	0.7	0.4	-	-	-	-
8. Taxes (excl Federal tax)	2.3	-	-	-	-	-	2.5	2.8	1.9	-	-	-	-
9. Interest	2.9	-	-	-	-	-	0.3	0.8	0.7	-	-	-	-
10. Deprec/Deplet/Amortiz†	2.1	-	-	-	-	-	1.2	1.0	1.1	-	-	-	-
11. Advertising	2.3	-	-	-	-	-	0.3	1.6	0.7	-	-	-	-
12. Pensions & other benef plans	1.6	-	-	-	-	-	2.6	1.0	1.3	-	-	-	-
13. Other expenses	16.6	-	-	-	-	-	7.8	11.1	7.8	-	-	-	-
14. Net profit before tax	0.8	-	-	-	-	-	3.8	4.9	4.9	-	-	-	-
Selected Financial Ratios (number of times ratio is to one)													
15. Current ratio	2.8	-	-	-	-	-	2.5	2.3	2.0	-	-	-	-
16. Quick ratio	1.5	-	-	-	-	-	1.1	1.2	1.1	-	-	-	-
17. Net sls to net wkg capital	2.9	-	-	-	-	-	4.9	3.7	4.2	-	-	-	-
18. Coverage ratio	3.7	-	-	-	-	-	-	8.9	-	-	-	-	-
19. Asset turnover	1.2	-	-	-	-	-	2.5	1.9	1.5	-	-	-	-
20. Total liab to net worth	1.8	-	-	-	-	-	0.6	0.7	0.7	-	-	-	-
Selected Financial Factors in Percentages													
21. Debt ratio	64.7	-	-	-	-	-	35.8	42.1	41.7	-	-	-	-
22. Return on assets	12.4	-	-	-	-	-	11.1	13.3	13.6	-	-	-	-
23. Return on equity	18.8	-	-	-	-	-	11.4	11.5	15.1	-	-	-	-
24. Return on net worth	35.2	-	-	-	-	-	17.2	23.0	23.3	-	-	-	-

†Depreciation largest factor

TABLE I: CORPORATIONS WITH AND WITHOUT NET INCOME, 1990 EDITION

3198 MANUFACTURING: LEATHER AND LEATHER PRODUCTS:
Leather and leather products, not elsewhere classified

Item Description For Accounting Period 7/86 Through 6/87	A Total	B Zero Assets	SIZE OF ASSETS IN THOUSANDS OF DOLLARS (000 OMITTED)										
			C Under 100	D 100 to 250	E 251 to 500	F 501 to 1,000	G 1,001 to 5,000	H 5,001 to 10,000	I 10,001 to 25,000	J 25,001 to 50,000	K 50,001 to 100,000	L 100,001 to 250,000	M 250,001 and over
1. Number of Enterprises	1639	3	782	367	43	230	167	24	14	6	3	-	-
2. Total receipts (in millions of dollars)	3457.8	18.0	179.4	177.1	30.5	682.0	1017.4	343.5	302.1	418.7	289.3	-	-
Selected Operating Factors in Percent of Net Sales													
3. Cost of operations	76.0	49.8	64.7	65.5	64.2	85.2	78.0	77.0	76.5	73.9	64.9	-	-
4. Compensation of officers	3.0	1.1	3.6	8.2	6.5	2.8	3.3	1.2	5.2	1.1	1.0	-	-
5. Repairs	0.4	13.0	-	0.9	0.8	0.2	0.2	0.2	0.1	0.7	0.8	-	-
6. Bad debts	0.4	0.4	0.2	-	0.1	0.2	0.6	0.8	0.5	0.1	0.2	-	-
7. Rent on business property	1.4	2.7	3.7	9.1	3.3	0.8	0.7	1.1	0.1	1.4	0.6	-	-
8. Taxes (excl Federal tax)	1.7	4.3	1.5	3.0	1.9	1.4	1.8	1.8	0.8	1.5	1.9	-	-
9. Interest	1.2	2.4	1.2	1.0	5.3	0.5	1.2	2.3	1.8	1.0	1.5	-	-
10. Deprec/Deplet/Amortiz†	1.3	11.7	2.5	0.8	0.1	0.7	1.1	1.1	0.9	2.3	2.1	-	-
11. Advertising	0.8	-	0.3	0.6	1.6	0.1	1.3	0.6	0.9	1.0	1.3	-	-
12. Pensions & other benef plans	1.4	3.5	1.8	1.9	0.3	1.2	1.2	0.6	1.1	1.5	2.9	-	-
13. Other expenses	12.1	21.2	17.0	11.9	13.6	6.6	11.7	15.0	10.2	13.6	18.9	-	-
14. Net profit before tax	0.3	*	3.5	*	2.3	0.3	*	*	1.9	1.9	3.9	-	-
Selected Financial Ratios (number of times ratio is to one)													
15. Current ratio	1.8	-	2.1	2.9	2.2	1.4	1.4	1.5	2.1	2.2	2.8	-	-
16. Quick ratio	0.9	-	0.9	1.6	1.3	0.7	0.7	0.6	1.2	1.1	1.6	-	-
17. Net sls to net wkg capital	7.3	-	17.0	5.3	4.9	17.8	10.8	7.3	4.3	5.9	2.7	-	-
18. Coverage ratio	2.3	-	4.2	-	1.5	2.5	1.0	0.5	4.5	3.8	6.0	-	-
19. Asset turnover	2.2	-	-	-	-	-	2.4	2.0	1.4	1.9	1.1	-	-
20. Total liab to net worth	1.5	-	4.8	1.1	3.9	2.1	2.6	4.7	0.9	1.0	0.6	-	-
Selected Financial Factors in Percentages													
21. Debt ratio	60.4	-	82.7	53.2	79.5	67.9	72.1	82.5	48.2	50.0	37.7	-	-
22. Return on assets	6.2	-	21.7	-	20.9	4.8	2.8	2.3	10.8	7.2	9.5	-	-
23. Return on equity	4.4	-	-	-	28.6	7.6	-	-	9.9	6.4	7.7	-	-
24. Return on net worth	15.6	-	-	-	14.9	14.9	10.0	13.3	20.9	14.4	15.2	-	-

†Depreciation largest factor

Page 110

3198 MANUFACTURING: LEATHER AND LEATHER PRODUCTS:

Leather and leather products, not elsewhere classified

	SIZE OF ASSETS IN THOUSANDS OF DOLLARS (000 OMITTED)												
Item Description For Accounting Period 7/86 Through 6/87	A Total	B Zero Assets	C Under 100	D 100 to 250	E 251 to 500	F 501 to 1,000	G 1,001 to 5,000	H 5,001 to 10,000	I 10,001 to 25,000	J 25,001 to 50,000	K 50,001 to 100,000	L 100,001 to 250,000	M 250,001 and over
1. Number of Enterprises	1098	-	610	156	43	158	98	14	11	-	-	-	-
2. Total receipts (in millions of dollars)	2504.8	-	94.8	56.8	30.5	572.4	686.9	212.1	203.7	-	-	-	-
Selected Operating Factors in Percent of Net Sales													
3. Cost of operations	74.0	-	56.9	59.4	64.2	85.9	73.8	67.3	66.7	-	-	-	-
4. Compensation of officers	3.0	-	-	13.3	6.5	2.9	3.9	1.2	7.0	-	-	-	-
5. Repairs	0.3	-	-	1.2	0.8	0.2	0.2	0.2	0.1	-	-	-	-
6. Bad debts	0.3	-	-	-	0.1	0.2	0.5	0.6	0.7	-	-	-	-
7. Rent on business property	0.9	-	3.4	4.2	3.3	0.8	0.6	1.6	0.1	-	-	-	-
8. Taxes (excl Federal tax)	1.6	-	1.6	1.1	1.9	1.2	1.9	1.8	1.1	-	-	-	-
9. Interest	1.0	-	1.1	0.3	5.3	0.4	0.7	2.0	1.2	-	-	-	-
10. Deprec/Deplet/Amortiz†	1.3	-	3.7	0.4	0.1	0.5	1.0	0.7	1.3	-	-	-	-
11. Advertising	0.8	-	-	0.1	1.6	0.1	1.4	1.0	1.4	-	-	-	-
12. Pensions & other benef plans	1.4	-	1.3	0.4	0.3	0.9	1.3	1.0	1.4	-	-	-	-
13. Other expenses	12.2	-	22.3	17.8	13.6	5.9	10.9	21.0	13.6	-	-	-	-
14. Net profit before tax	3.2	-	9.7	1.8	2.3	1.0	3.8	1.6	5.4	-	-	-	-
Selected Financial Ratios (number of times ratio is to one)													
15. Current ratio	2.0	-	2.0	4.9	2.2	1.5	1.8	1.4	2.7	-	-	-	-
16. Quick ratio	1.1	-	1.0	3.0	1.3	0.9	1.0	0.7	1.6	-	-	-	-
17. Net sls to net wkg capital	6.2	-	24.7	4.5	4.9	16.6	8.1	8.6	2.8	-	-	-	-
18. Coverage ratio	5.6	-	9.8	9.1	1.5	4.5	6.7	2.0	-	-	-	-	-
19. Asset turnover	2.1	-	-	2.5	-	-	-	2.2	1.1	-	-	-	-
20. Total liab to net worth	0.9	-	1.6	0.2	3.9	1.4	1.0	4.0	0.6	-	-	-	-
Selected Financial Factors in Percentages													
21. Debt ratio	48.3	-	62.0	15.2	79.5	58.8	49.9	80.0	38.3	-	-	-	-
22. Return on assets	11.7	-	-	6.4	20.9	8.6	13.4	8.6	14.1	-	-	-	-
23. Return on equity	13.9	-	-	5.8	28.6	14.9	19.0	20.0	14.4	-	-	-	-
24. Return on net worth	22.5	-	-	7.6	-	21.0	26.8	43.2	22.9	-	-	-	-

†Depreciation largest factor

TABLE I: CORPORATIONS WITH AND WITHOUT NET INCOME, 1990 EDITION

3225 MANUFACTURING: STONE, CLAY, AND GLASS PRODUCTS:
Glass products

Item Description For Accounting Period 7/86 Through 6/87	A Total	B Zero Assets	C Under 100	D 100 to 250	E 251 to 500	F 501 to 1,000	G 1,001 to 5,000	H 5,001 to 10,000	I 10,001 to 25,000	J 25,001 to 50,000	K 50,001 to 100,000	L 100,001 to 250,000	M 250,001 and over
1. Number of Enterprises	1368	-	530	-	272	-	272	36	13	14	6	-	13
2. Total receipts (in millions of dollars)	22487.9	-	142.3	-	347.2	-	1184.8	178.5	162.3	734.3	1036.0	-	17085.8

Selected Operating Factors in Percent of Net Sales

Item Description	A	B	C	D	E	F	G	H	I	J	K	L	M
3. Cost of operations	62.8	-	43.8	-	65.6	-	67.5	69.7	68.3	70.6	71.1	-	61.4
4. Compensation of officers	1.0	-	8.5	-	5.0	-	3.9	3.0	5.3	0.8	0.5	-	0.4
5. Repairs	3.3	-	0.4	-	0.3	-	0.4	-	2.7	0.4	0.2	-	4.0
6. Bad debts	0.2	-	-	-	-	-	0.4	0.5	-	0.2	0.1	-	0.2
7. Rent on business property	1.3	-	3.5	-	2.3	-	0.4	0.1	0.3	0.9	1.0	-	1.5
8. Taxes (excl Federal tax)	3.2	-	6.1	-	2.2	-	2.1	2.1	3.1	2.1	2.5	-	3.4
9. Interest	3.0	-	0.9	-	1.1	-	1.5	4.5	2.8	1.7	1.1	-	3.4
10. Deprec/Deplet/Amortiz†	5.9	-	2.0	-	3.0	-	2.4	8.0	3.5	6.3	5.7	-	6.3
11. Advertising	0.8	-	0.1	-	1.1	-	0.5	0.2	0.2	0.4	0.9	-	0.9
12. Pensions & other benef plans	2.4	-	1.6	-	0.5	-	1.6	0.6	2.4	2.5	2.4	-	2.6
13. Other expenses	15.5	-	37.5	-	17.2	-	14.1	13.2	19.8	11.2	12.0	-	15.5
14. Net profit before tax	0.6	-	*	-	1.7	-	5.2	*	*	2.9	2.5	-	0.4

Selected Financial Ratios (number of times ratio is to one)

Item Description	A	B	C	D	E	F	G	H	I	J	K	L	M
15. Current ratio	2.6	-	1.5	-	1.5	-	2.1	1.3	1.1	1.8	2.1	-	2.8
16. Quick ratio	2.1	-	1.5	-	1.0	-	1.3	0.6	0.5	1.0	0.9	-	2.3
17. Net sls to net wkg capital	2.1	-	30.7	-	14.1	-	5.2	9.2	38.7	7.7	5.6	-	1.7
18. Coverage ratio	3.4	-	-	-	3.1	-	5.0	0.9	-	4.0	4.6	-	3.5
19. Asset turnover	0.5	-	-	-	-	-	2.1	0.7	0.9	1.4	1.5	-	0.4
20. Total liab to net worth	2.4	-	23.9	-	1.9	-	1.0	1.5	0.7	1.1	1.1	-	2.6

Selected Financial Factors in Percentages

Item Description	A	B	C	D	E	F	G	H	I	J	K	L	M
21. Debt ratio	70.9	-	96.0	-	65.7	-	50.9	59.6	40.1	52.7	53.3	-	71.9
22. Return on assets	5.2	-	-	-	11.2	-	15.7	2.8	-	9.4	7.5	-	4.9
23. Return on equity	7.9	-	-	-	16.5	-	19.9	-	-	9.1	7.3	-	7.8
24. Return on net worth	18.0	-	-	-	32.6	-	32.0	7.0	-	19.9	16.1	-	17.5

†Depreciation largest factor

Page 112

TABLE II: CORPORATIONS WITH NET INCOME, 1990 EDITION

3225 MANUFACTURING: STONE, CLAY, AND GLASS PRODUCTS:
Glass products

Item Description For Accounting Period 7/86 Through 6/87	A Total	B Zero Assets	C Under 100	D 100 to 250	E 251 to 500	F 501 to 1,000	G 1,001 to 5,000	H 5,001 to 10,000	I 10,001 to 25,000	J 25,001 to 50,000	K 50,001 to 100,000	L 100,001 to 250,000	M 250,001 and over
1. Number of Enterprises	1051	40	362	-	230	120	253	10	7	-	6	-	-
2. Total receipts (in millions of dollars)	19683.9	296.0	62.7	-	301.4	313.0	1075.1	89.6	153.1	-	1036.0	-	-
Selected Operating Factors in Percent of Net Sales													
3. Cost of operations	61.6	77.2	41.4	-	63.8	53.6	67.9	66.8	61.9	-	71.1	-	-
4. Compensation of officers	1.0	1.2	1.1	-	5.1	9.0	4.1	2.7	4.6	-	0.5	-	-
5. Repairs	3.5	0.1	-	-	0.3	1.1	0.4	-	2.7	-	0.2	-	-
6. Bad debts	0.2	0.2	-	-	-	-	0.4	0.3	-	-	0.1	-	-
7. Rent on business property	1.4	0.3	4.5	-	2.7	1.3	0.4	0.2	0.2	-	1.0	-	-
8. Taxes (excl Federal tax)	3.2	1.6	3.3	-	2.1	3.0	2.0	1.5	2.9	-	2.5	-	-
9. Interest	3.1	3.0	1.7	-	1.0	1.3	1.2	2.4	1.1	-	1.1	-	-
10. Deprec/Deplet/Amortiz†	5.8	3.1	3.3	-	2.9	3.1	2.0	3.0	2.1	-	5.7	-	-
11. Advertising	0.8	0.4	-	-	1.2	0.3	0.6	0.2	0.1	-	0.9	-	-
12. Pensions & other benef plans	2.4	0.9	3.6	-	0.6	0.2	1.2	0.8	2.4	-	2.4	-	-
13. Other expenses	15.4	6.4	29.9	-	17.4	21.8	13.8	10.6	15.3	-	12.0	-	-
14. Net profit before tax	1.6	5.6	1.2	-	2.9	5.3	6.0	11.5	6.7	-	2.5	-	-
Selected Financial Ratios (number of times ratio is to one)													
15. Current ratio	2.8	-	1.2	-	1.5	2.3	2.3	1.3	3.0	-	2.1	-	-
16. Quick ratio	2.2	-	1.2	-	1.1	1.6	1.4	0.8	1.4	-	0.9	-	-
17. Net sls to net wkg capital	1.9	-	144.4	-	14.3	8.3	4.8	17.7	4.9	-	5.6	-	-
18. Coverage ratio	3.9	-	1.8	-	4.5	5.0	6.4	6.4	9.2	-	4.6	-	-
19. Asset turnover	0.5	-	-	-	-	-	2.2	1.6	1.5	-	1.5	-	-
20. Total liab to net worth	2.5	-	18.0	-	1.9	1.6	0.9	1.0	0.6	-	1.1	-	-
Selected Financial Factors in Percentages													
21. Debt ratio	71.2	-	94.7	-	65.7	61.6	46.4	49.1	35.7	-	53.3	-	-
22. Return on assets	5.5	-	26.5	-	14.9	22.7	17.3	24.4	15.0	-	7.5	-	-
23. Return on equity	9.0	-	-	-	27.5	33.0	21.4	40.5	17.3	-	7.3	-	-
24. Return on net worth	18.9	-	-	-	43.5	59.2	32.2	48.0	23.3	-	16.1	-	-

†Depreciation largest factor

3240 MANUFACTURING: STONE, CLAY, AND GLASS PRODUCTS:
Cement, hydraulic

Item Description For Accounting Period 7/86 Through 6/87	A Total	B Zero Assets	C Under 100	D 100 to 250	E 251 to 500	F 501 to 1,000	G 1,001 to 5,000	H 5,001 to 10,000	I 10,001 to 25,000	J 25,001 to 50,000	K 50,001 to 100,000	L 100,001 to 250,000	M 250,001 and over
		SIZE OF ASSETS IN THOUSANDS OF DOLLARS (000 OMITTED)											
1. Number of Enterprises	191	-	-	-	-	-	31	-	7	6	5	5	10
2. Total receipts (in millions of dollars)	6313.9	-	-	-	-	-	215.6	-	124.8	225.9	278.6	659.2	4587.1
Selected Operating Factors in Percent of Net Sales													
3. Cost of operations	62.9	-	-	-	-	-	74.5	-	29.5	72.7	75.4	65.1	61.0
4. Compensation of officers	0.9	-	-	-	-	-	5.0	-	1.0	1.4	0.4	1.1	0.6
5. Repairs	2.4	-	-	-	-	-	0.2	-	1.8	0.5	0.1	2.2	2.9
6. Bad debts	0.5	-	-	-	-	-	0.5	-	1.9	0.4	0.6	0.6	0.5
7. Rent on business property	2.9	-	-	-	-	-	0.4	-	1.0	1.1	0.2	1.0	3.6
8. Taxes (excl Federal tax)	2.8	-	-	-	-	-	3.3	-	7.8	1.8	1.7	2.8	2.8
9. Interest	5.6	-	-	-	-	-	0.4	-	1.8	7.3	2.7	3.8	6.4
10. Deprec/Deplet/Amortiz†	9.5	-	-	-	-	-	0.5	-	35.9	5.3	9.2	7.0	9.9
11. Advertising	0.2	-	-	-	-	-	0.1	-	0.2	0.1	0.1	0.8	0.1
12. Pensions & other benef plans	2.5	-	-	-	-	-	3.1	-	1.3	0.9	2.1	3.1	2.7
13. Other expenses	17.6	-	-	-	-	-	8.3	-	15.2	12.3	10.6	12.1	19.9
14. Net profit before tax	*	-	-	-	-	-	3.7	-	2.6	*	*	0.4	*
Selected Financial Ratios (number of times ratio is to one)													
15. Current ratio	1.7	-	-	-	-	-	1.7	-	3.0	1.2	1.7	2.9	1.6
16. Quick ratio	0.8	-	-	-	-	-	1.2	-	1.8	0.7	0.9	2.0	0.7
17. Net sls to net wkg capital	6.5	-	-	-	-	-	10.4	-	3.7	16.4	7.7	2.7	7.7
18. Coverage ratio	1.2	-	-	-	-	-	-	-	2.9	2.4	1.1	4.8	0.9
19. Asset turnover	0.7	-	-	-	-	-	-	-	1.3	0.8	0.8	0.8	0.6
20. Total liab to net worth	1.1	-	-	-	-	-	0.9	-	0.6	2.5	1.0	1.2	1.0
Selected Financial Factors in Percentages													
21. Debt ratio	51.6	-	-	-	-	-	46.8	-	37.1	71.3	49.7	54.1	50.7
22. Return on assets	4.9	-	-	-	-	-	13.4	-	6.3	15.0	2.5	15.3	3.4
23. Return on equity	-	-	-	-	-	-	14.6	-	4.2	25.1	0.1	21.3	-
24. Return on net worth	10.0	-	-	-	-	-	25.2	-	10.0	52.2	5.0	33.3	6.9

†Depreciation largest factor

TABLE II: CORPORATIONS WITH NET INCOME, 1990 EDITION

3240 MANUFACTURING: STONE, CLAY, AND GLASS PRODUCTS:
Cement, hydraulic

Item Description For Accounting Period 7/86 Through 6/87	A Total	B Zero Assets	C Under 100	D 100 to 250	E 251 to 500	F 501 to 1,000	G 1,001 to 5,000	H 5,001 to 10,000	I 10,001 to 25,000	J 25,001 to 50,000	K 50,001 to 100,000	L 100,001 to 250,000	M 250,001 and over
1. Number of Enterprises	98	-	-	-	-	42	31	-	7	-	-	5	5
2. Total receipts (in millions of dollars)	4177.5	-	-	-	-	68.9	215.6	-	124.8	-	-	659.2	2635.6

Selected Operating Factors in Percent of Net Sales

	A	B	C	D	E	F	G	H	I	J	K	L	M
3. Cost of operations	60.6	-	-	-	-	68.9	74.5	-	29.5	-	-	65.1	57.6
4. Compensation of officers	0.9	-	-	-	-	0.5	5.0	-	1.0	-	-	1.1	0.5
5. Repairs	2.8	-	-	-	-	-	0.2	-	1.8	-	-	2.2	3.8
6. Bad debts	0.4	-	-	-	-	0.3	0.5	-	1.9	-	-	0.6	0.3
7. Rent on business property	2.3	-	-	-	-	0.3	0.4	-	1.0	-	-	1.0	3.1
8. Taxes (excl Federal tax)	2.6	-	-	-	-	3.2	3.3	-	7.8	-	-	2.8	2.4
9. Interest	4.2	-	-	-	-	1.0	0.4	-	1.8	-	-	3.8	4.9
10. Deprec/Deplet/Amortiz†	9.1	-	-	-	-	1.6	0.5	-	35.9	-	-	7.0	9.6
11. Advertising	0.2	-	-	-	-	0.4	0.1	-	0.2	-	-	0.8	0.1
12. Pensions & other benef plans	2.4	-	-	-	-	0.5	3.1	-	1.3	-	-	3.1	2.5
13. Other expenses	15.9	-	-	-	-	20.4	8.3	-	15.2	-	-	12.1	18.3
14. Net profit before tax	#	-	-	-	-	2.9	3.7	-	2.6	-	-	0.4	#

Selected Financial Ratios (number of times ratio is to one)

	A	B	C	D	E	F	G	H	I	J	K	L	M
15. Current ratio	1.7	-	-	-	-	2.9	1.7	-	3.0	-	-	2.9	1.4
16. Quick ratio	0.8	-	-	-	-	1.1	1.2	-	1.8	-	-	2.0	0.5
17. Net sls to net wkg capital	6.6	-	-	-	-	2.9	10.4	-	3.7	-	-	2.7	9.2
18. Coverage ratio	3.2	-	-	-	-	5.7	-	-	2.9	-	-	4.8	2.8
19. Asset turnover	0.9	-	-	-	-	1.7	-	-	1.3	-	-	0.8	0.7
20. Total liab to net worth	1.2	-	-	-	-	0.5	0.9	-	0.6	-	-	1.2	1.2

Selected Financial Factors in Percentages

	A	B	C	D	E	F	G	H	I	J	K	L	M
21. Debt ratio	54.3	-	-	-	-	35.1	46.8	-	37.1	-	-	54.1	55.0
22. Return on assets	11.2	-	-	-	-	9.5	13.4	-	6.3	-	-	15.3	10.1
23. Return on equity	12.3	-	-	-	-	9.5	14.6	-	4.2	-	-	21.3	9.9
24. Return on net worth	24.5	-	-	-	-	14.6	25.2	-	10.0	-	-	33.3	22.4

†Depreciation largest factor

SIZE OF ASSETS IN THOUSANDS OF DOLLARS (000 OMITTED)

3270 MANUFACTURING: STONE, CLAY, AND GLASS PRODUCTS:
Concrete, gypsum, and plaster products

Item Description For Accounting Period 7/86 Through 6/87	A Total	B Zero Assets	C Under 100	D 100 to 250	E 251 to 500	F 501 to 1,000	G 1,001 to 5,000	H 5,001 to 10,000	I 10,001 to 25,000	J 25,001 to 50,000	K 50,001 to 100,000	L 100,001 to 250,000	M 250,001 and over
						SIZE OF ASSETS IN THOUSANDS OF DOLLARS (000 OMITTED)							
1. Number of Enterprises	5201	766	1112	336	690	827	1190	154	75	24	11	7	9
2. Total receipts (in millions of dollars)	22683.9	870.7	158.3	174.7	547.2	1405.2	5171.6	2029.8	1566.9	1230.8	949.4	1481.7	7097.3
Selected Operating Factors in Percent of Net Sales													
3. Cost of operations	67.5	60.5	37.3	64.6	65.0	65.0	68.6	65.3	65.3	70.3	72.6	64.0	69.6
4. Compensation of officers	1.9	1.5	19.7	4.6	3.5	3.2	3.2	2.1	2.4	1.5	1.2	0.7	0.4
5. Repairs	1.3	4.4	1.6	1.4	1.5	1.9	1.3	1.2	1.4	0.4	0.8	2.0	0.9
6. Bad debts	0.5	0.3	0.9	-	0.8	1.0	0.5	0.7	0.7	0.4	0.6	0.2	0.4
7. Rent on business property	0.8	0.8	1.7	-	0.9	0.8	0.7	1.3	0.8	0.2	0.8	0.2	0.9
8. Taxes (excl Federal tax)	2.6	4.0	5.9	8.6	4.0	3.2	2.5	3.0	3.3	2.8	2.3	2.9	1.7
9. Interest	2.7	1.3	1.0	2.3	1.4	1.7	1.2	1.4	2.2	2.0	2.0	2.2	5.0
10. Deprec/Deplet/Amortiz†	5.2	3.6	6.2	4.0	5.6	4.1	3.7	4.5	6.2	5.4	4.4	6.7	6.7
11. Advertising	0.4	0.7	0.7	2.3	0.7	0.3	0.3	0.1	0.2	0.2	0.1	0.3	0.6
12. Pensions & other benef plans	1.3	1.7	1.1	1.3	0.8	1.2	1.3	1.5	1.5	1.3	1.1	2.0	1.0
13. Other expenses	13.9	16.8	36.4	11.5	20.9	17.5	14.8	14.7	14.6	9.2	11.6	11.8	12.4
14. Net profit before tax	1.9	4.4	*	*	*	0.1	1.9	4.2	1.4	6.3	2.5	7.0	0.4
Selected Financial Ratios (number of times ratio is to one)													
15. Current ratio	1.5	-	-	3.3	1.2	1.6	1.6	1.7	1.6	2.0	2.2	1.6	1.4
16. Quick ratio	1.0	-	-	1.0	0.9	1.2	1.2	1.2	1.2	1.3	1.1	1.0	0.7
17. Net sls to net wkg capital	9.9	-	-	5.1	28.8	12.8	10.5	8.9	9.1	7.3	5.2	5.9	11.4
18. Coverage ratio	3.3	-	-	1.2	-	1.5	4.2	5.4	3.3	5.7	3.9	5.2	2.7
19. Asset turnover	1.2	-	-	-	2.3	2.4	2.1	1.8	1.3	1.6	1.2	1.2	0.7
20. Total liab to net worth	1.6	-	-	-	1.5	1.3	1.2	1.2	1.2	0.9	1.0	1.1	2.0
Selected Financial Factors in Percentages													
21. Debt ratio	61.3	-	-	118.9	59.2	56.2	55.3	55.2	54.8	46.6	49.4	53.0	66.8
22. Return on assets	10.8	-	-	6.9	-	6.5	10.8	13.4	10.0	18.2	9.4	13.5	9.2
23. Return on equity	11.7	-	-	-	-	0.5	10.0	15.9	8.0	16.6	8.7	13.0	11.7
24. Return on net worth	27.9	-	-	-	-	14.8	24.2	30.0	22.0	34.0	18.5	28.6	27.8

†Depreciation largest factor

TABLE II: CORPORATIONS WITH NET INCOME, 1990 EDITION

3270 MANUFACTURING: STONE, CLAY, AND GLASS PRODUCTS:
Concrete, gypsum, and plaster products

Item Description For Accounting Period 7/86 Through 6/87	A Total	B Zero Assets	C Under 100	D 100 to 250	E 251 to 500	F 501 to 1,000	G 1,001 to 5,000	H 5,001 to 10,000	I 10,001 to 25,000	J 25,001 to 50,000	K 50,001 to 100,000	L 100,001 to 250,000	M 250,001 and over
1. Number of Enterprises	3301	484	488	168	441	451	1018	148	60	-	-	7	6
2. Total receipts (in millions of dollars)	19414.6	791.5	104.1	102.6	324.5	961.3	4392.2	2019.6	1318.7	-	-	1481.7	6024.7

Selected Operating Factors in Percent of Net Sales

Item	A	B	C	D	E	F	G	H	I	J	K	L	M
3. Cost of operations	66.2	58.4	29.3	69.5	61.2	62.2	66.8	65.3	63.0	-	-	64.0	68.8
4. Compensation of officers	1.9	1.5	14.2	-	3.6	3.8	3.4	2.1	2.7	-	-	0.7	0.5
5. Repairs	1.3	4.6	2.3	1.2	1.0	1.9	1.5	1.2	1.5	-	-	2.0	0.8
6. Bad debts	0.5	0.4	-	-	0.2	1.0	0.4	0.7	0.4	-	-	0.2	0.4
7. Rent on business property	0.7	0.7	1.0	-	0.4	0.6	0.8	1.3	0.8	-	-	0.2	0.6
8. Taxes (excl Federal tax)	2.6	4.0	5.0	7.9	5.0	3.2	2.4	3.1	3.4	-	-	2.9	1.7
9. Interest	2.1	1.1	1.0	3.6	1.5	1.5	1.2	1.4	1.7	-	-	2.2	3.5
10. Deprec/Deplet/Amortiz†	5.3	3.6	6.6	4.2	5.0	3.3	3.6	4.5	6.0	-	-	6.7	7.0
11. Advertising	0.4	0.7	1.0	3.8	1.0	0.3	0.3	0.1	0.3	-	-	0.3	0.6
12. Pensions & other benef plans	1.3	1.8	1.6	-	1.0	1.5	1.2	1.5	1.8	-	-	2.0	1.0
13. Other expenses	13.3	15.7	28.0	7.7	17.3	17.6	14.8	14.6	14.7	-	-	11.8	11.3
14. Net profit before tax	4.4	7.5	10.0	2.1	2.8	3.1	3.6	4.2	3.7	-	-	7.0	3.8

Selected Financial Ratios (number of times ratio is to one)

Item	A	B	C	D	E	F	G	H	I	J	K	L	M
15. Current ratio	1.6	-	4.2	2.2	2.1	1.7	1.7	1.7	1.7	-	-	1.6	1.4
16. Quick ratio	1.0	-	4.2	0.5	1.4	1.5	1.3	1.3	1.3	-	-	1.0	0.7
17. Net sls to net wkg capital	9.2	-	7.5	8.7	8.5	13.4	8.8	8.9	7.5	-	-	5.9	12.8
18. Coverage ratio	4.9	-	-	1.7	3.9	3.7	5.6	5.5	5.6	-	-	5.2	3.9
19. Asset turnover	1.3	-	-	-	2.2	-	2.1	1.9	1.3	-	-	1.2	0.7
20. Total liab to net worth	1.4	-	0.1	-	1.1	1.0	1.1	1.2	1.0	-	-	1.1	1.6

Selected Financial Factors in Percentages

Item	A	B	C	D	E	F	G	H	I	J	K	L	M
21. Debt ratio	57.4	-	12.6	-	53.4	49.2	53.1	54.2	49.5	-	-	53.0	62.0
22. Return on assets	13.0	-	-	21.1	13.2	17.3	14.5	14.0	12.6	-	-	13.5	9.9
23. Return on equity	15.9	-	39.4	-	17.9	17.3	16.0	16.2	12.6	-	-	13.0	13.6
24. Return on net worth	30.5	-	44.6	-	28.3	34.1	30.9	30.6	25.0	-	-	28.6	26.1

†Depreciation largest factor

SIZE OF ASSETS IN THOUSANDS OF DOLLARS (000 OMITTED)

TABLE I: CORPORATIONS WITH AND WITHOUT NET INCOME, 1990 EDITION

3298 MANUFACTURING: STONE, CLAY, AND GLASS PRODUCTS:
Other nonmetallic mineral products

Item Description For Accounting Period 7/86 Through 6/87	A Total	B Zero Assets	SIZE OF ASSETS IN THOUSANDS OF DOLLARS (000 OMITTED)										
			C Under 100	D 100 to 250	E 251 to 500	F 501 to 1,000	G 1,001 to 5,000	H 5,001 to 10,000	I 10,001 to 25,000	J 25,001 to 50,000	K 50,001 to 100,000	L 100,001 to 250,000	M 250,001 and over
1. Number of Enterprises	3853	212	1238	923	538	221	515	118	51	18	10	5	4
2. Total receipts (in millions of dollars)	14450.1	120.5	276.7	598.8	447.2	398.3	1821.8	1340.2	838.4	889.6	713.2	1170.5	5834.8
Selected Operating Factors in Percent of Net Sales													
3. Cost of operations	66.0	70.0	46.5	75.2	63.6	58.1	66.4	71.0	64.5	73.3	69.8	68.8	63.5
4. Compensation of officers	2.0	3.0	9.0	6.0	5.5	7.7	3.9	2.0	1.9	1.1	0.7	0.7	0.4
5. Repairs	1.7	0.4	0.5	0.1	0.7	0.1	1.2	0.3	0.1	0.4	0.4	0.8	3.4
6. Bad debts	0.5	2.2	0.1	0.3	1.0	0.5	0.7	0.6	0.4	0.4	1.2	0.6	0.3
7. Rent on business property	1.3	0.7	3.2	1.1	1.2	2.3	1.1	0.4	0.5	0.4	0.8	1.5	1.6
8. Taxes (excl Federal tax)	2.6	2.6	2.4	1.8	3.8	3.3	3.6	2.4	3.0	1.8	1.6	2.5	2.6
9. Interest	2.3	1.0	0.3	0.4	0.8	1.6	1.8	2.1	3.3	2.0	3.5	2.6	2.7
10. Deprec/Deplet/Amortiz†	4.7	16.6	2.4	1.1	2.7	1.3	3.4	4.0	5.1	4.4	5.5	4.3	6.0
11. Advertising	0.8	0.1	0.1	0.4	1.2	0.6	0.4	0.2	0.6	0.4	1.0	0.8	1.3
12. Pensions & other benef plans	2.2	1.3	0.3	1.0	1.7	1.6	1.8	1.5	1.5	1.3	1.8	1.2	3.2
13. Other expenses	15.0	18.7	34.6	9.8	15.9	20.7	16.9	14.5	16.0	11.7	14.8	14.7	13.9
14. Net profit before tax	0.9	*	0.6	2.8	1.9	2.2	*	1.0	3.1	2.8	*	1.5	1.1
Selected Financial Ratios (number of times ratio is to one)													
15. Current ratio	1.5	-	7.2	1.3	1.7	1.5	1.6	2.2	2.7	2.0	1.5	2.2	1.1
16. Quick ratio	0.8	-	4.0	1.1	1.1	0.9	0.8	1.1	1.3	1.0	0.7	1.1	0.6
17. Net sls to net wkg capital	8.7	-	7.2	21.7	10.7	10.7	7.7	4.8	3.1	5.5	6.4	4.7	27.7
18. Coverage ratio	2.8	-	5.1	7.8	6.7	2.9	0.9	2.4	2.8	4.0	1.3	3.5	3.1
19. Asset turnover	1.4	-	-	-	-	-	1.8	1.6	1.0	1.4	0.9	1.2	1.2
20. Total liab to net worth	2.4	-	0.6	2.0	2.4	1.4	1.6	1.3	1.3	0.9	1.2	1.5	6.1
Selected Financial Factors in Percentages													
21. Debt ratio	70.6	-	35.6	66.2	70.9	58.8	61.7	56.4	56.2	48.3	53.7	60.4	86.0
22. Return on assets	8.8	-	5.6	13.6	14.1	11.5	2.9	8.1	9.5	11.1	4.1	11.5	9.8
23. Return on equity	9.9	-	7.0	31.3	24.9	13.2	-	4.7	6.7	9.1	-	14.1	25.1
24. Return on net worth	29.9	-	8.7	40.3	48.4	27.9	7.6	18.7	21.6	21.5	8.9	29.1	69.8

†Depreciation largest factor

3298 MANUFACTURING: STONE, CLAY, AND GLASS PRODUCTS:
Other nonmetallic mineral products

Item Description For Accounting Period 7/86 Through 6/87	A Total	B Zero Assets	C Under 100	D 100 to 250	E 251 to 500	F 501 to 1,000	G 1,001 to 5,000	H 5,001 to 10,000	I 10,001 to 25,000	J 25,001 to 50,000	K 50,001 to 100,000	L 100,001 to 250,000	M 250,001 and over
					SIZE OF ASSETS IN THOUSANDS OF DOLLARS (000 OMITTED)								
1. Number of Enterprises	2421	44	488	755	479	207	300	85	36	14	6	-	-
2. Total receipts (in millions of dollars)	11276.0	118.4	110.5	353.4	407.0	398.3	1105.6	984.2	598.0	718.8	358.2	-	-
					Selected Operating Factors in Percent of Net Sales								
3. Cost of operations	65.2	71.4	62.6	67.3	61.0	58.1	60.3	68.9	61.8	71.2	64.6	-	-
4. Compensation of officers	1.7	3.0	3.6	5.5	6.1	7.6	4.1	2.0	2.0	1.1	0.9	-	-
5. Repairs	1.9	0.4	0.5	0.2	0.6	0.1	1.8	0.2	0.1	0.2	0.2	-	-
6. Bad debts	0.4	2.2	0.2	0.3	0.5	0.5	0.4	0.3	0.3	0.4	0.5	-	-
7. Rent on business property	1.2	0.7	-	1.7	0.8	2.3	1.0	0.3	0.4	0.4	1.2	-	-
8. Taxes (excl Federal tax)	2.6	2.5	2.7	2.7	4.2	3.3	3.8	2.4	3.3	2.0	1.2	-	-
9. Interest	2.2	1.0	0.6	0.7	0.7	1.6	1.5	2.1	2.5	1.6	2.5	-	-
10. Deprec/Deplet/Amortiz†	4.7	3.3	3.3	1.5	2.9	1.3	3.3	4.1	5.3	4.6	5.1	-	-
11. Advertising	0.9	0.1	0.2	0.6	1.3	0.6	0.4	0.3	0.5	0.5	1.7	-	-
12. Pensions & other benef plans	2.2	1.3	0.3	1.6	1.9	1.6	2.5	1.2	1.5	1.2	1.9	-	-
13. Other expenses	13.8	17.1	21.7	13.2	16.1	20.4	17.1	13.9	15.3	11.6	16.1	-	-
14. Net profit before tax	3.2	#	4.3	4.7	3.9	2.6	3.8	4.3	7.0	5.2	4.1	-	-
					Selected Financial Ratios (number of times ratio is to one)								
15. Current ratio	1.5	-	8.2	1.3	2.3	1.5	1.8	2.8	2.5	2.0	1.7	-	-
16. Quick ratio	0.8	-	6.1	1.0	1.5	0.9	1.0	1.4	1.3	1.2	0.8	-	-
17. Net sls to net wkg capital	9.0	-	9.9	17.6	7.7	10.4	6.5	4.0	3.2	6.3	4.9	-	-
18. Coverage ratio	4.1	-	9.0	8.3	-	3.1	4.5	4.3	5.2	6.6	3.7	-	-
19. Asset turnover	1.4	-	-	-	-	-	1.9	1.6	1.1	1.5	0.8	-	-
20. Total liab to net worth	3.2	-	0.1	1.5	1.0	1.6	1.3	1.1	1.3	0.7	1.0	-	-
					Selected Financial Factors in Percentages								
21. Debt ratio	76.2	-	5.3	60.3	50.2	61.9	55.6	51.8	57.2	41.6	49.2	-	-
22. Return on assets	12.9	-	20.7	17.5	20.7	13.3	12.9	13.7	13.8	15.1	7.2	-	-
23. Return on equity	25.8	-	19.4	34.5	26.9	18.0	16.8	14.3	15.2	13.8	7.3	-	-
24. Return on net worth	54.3	-	21.8	44.0	41.6	34.9	29.0	28.5	32.4	25.9	14.2	-	-

†Depreciation largest factor

3370 MANUFACTURING: PRIMARY METAL INDUSTRIES:

Ferrous metal industries; miscellaneous primary metal products

	SIZE OF ASSETS IN THOUSANDS OF DOLLARS (000 OMITTED)												
Item Description For Accounting Period 7/86 Through 6/87	A Total	B Zero Assets	C Under 100	D 100 to 250	E 251 to 500	F 501 to 1,000	G 1,001 to 5,000	H 5,001 to 10,000	I 10,001 to 25,000	J 25,001 to 50,000	K 50,001 to 100,000	L 100,001 to 250,000	M 250,001 and over
1. Number of Enterprises	2293	44	354	364	217	503	506	119	72	33	20	28	32
2. Total receipts (in millions of dollars)	65063.3	635.5	102.6	195.3	174.9	670.5	2231.4	1290.8	1600.7	1789.1	1657.2	5887.6	48827.6
Selected Operating Factors in Percent of Net Sales													
3. Cost of operations	74.8	75.4	30.1	54.0	67.7	61.2	70.8	79.1	79.5	77.4	75.8	77.1	74.6
4. Compensation of officers	0.6	0.9	23.9	8.6	9.2	5.0	4.0	2.2	1.6	1.2	1.0	0.6	0.2
5. Repairs	3.8	3.1	1.1	0.7	0.5	1.5	1.6	0.6	0.3	1.2	1.1	2.4	4.6
6. Bad debts	0.4	0.1	2.0	-	2.5	0.4	0.4	0.4	0.4	0.2	0.2	0.2	0.4
7. Rent on business property	1.3	0.9	-	2.5	0.9	3.3	1.2	0.9	0.6	0.6	0.6	0.8	1.4
8. Taxes (excl Federal tax)	2.1	2.6	5.2	4.6	4.3	4.0	3.0	2.7	2.2	2.3	2.6	1.9	2.0
9. Interest	3.2	0.6	1.7	2.4	1.4	1.9	2.3	1.7	1.6	2.1	2.3	2.8	3.5
10. Deprec/Deplet/Amortiz†	4.5	2.1	3.5	6.0	10.0	5.1	3.4	3.4	3.9	3.9	4.5	4.2	4.6
11. Advertising	0.2	1.4	0.2	0.1	0.1	0.1	0.2	0.3	0.2	0.3	0.2	0.2	0.2
12. Pensions & other benef plans	3.4	2.7	1.8	1.1	0.1	2.2	2.2	2.1	2.0	1.9	2.5	2.7	3.8
13. Other expenses	10.2	7.5	26.6	17.5	17.1	15.2	13.2	10.4	7.5	8.6	11.2	9.2	10.2
14. Net profit before tax	*	2.7	3.9	2.5	*	0.1	*	*	0.2	0.3	*	*	*
Selected Financial Ratios (number of times ratio is to one)													
15. Current ratio	1.5	-	1.3	0.7	1.1	1.6	1.4	1.6	1.7	1.6	1.9	1.7	1.5
16. Quick ratio	0.8	-	1.2	0.6	0.9	0.9	0.9	0.9	0.9	0.7	0.9	0.8	0.8
17. Net sls to net wkg capital	8.2	-	22.7	-	61.7	8.6	10.9	7.0	6.3	7.7	5.0	6.1	8.5
18. Coverage ratio	1.0	-	-	2.3	-	1.7	0.8	1.0	2.2	2.1	1.7	1.1	0.9
19. Asset turnover	1.2	-	-	-	2.1	1.9	1.8	1.5	1.5	1.6	1.1	1.3	1.1
20. Total liab to net worth	4.0	-	8.1	-	2.5	7.0	1.9	1.4	1.6	1.8	1.4	2.1	5.1
Selected Financial Factors in Percentages													
21. Debt ratio	80.0	-	89.0	130.9	71.3	87.4	65.9	57.6	62.0	64.3	58.0	67.8	83.6
22. Return on assets	3.6	-	-	23.1	-	5.9	3.4	2.4	5.1	7.0	4.2	3.8	3.4
23. Return on equity	-	-	-	-	-	13.2	-	-	3.5	3.7	0.1	-	-
24. Return on net worth	18.1	-	-	-	-	47.2	9.8	5.7	13.4	19.6	10.1	11.7	20.6

†Depreciation largest factor

3370 MANUFACTURING: PRIMARY METAL INDUSTRIES:

Ferrous metal industries; miscellaneous primary metal products

Item Description For Accounting Period 7/86 Through 6/87	A Total	B Zero Assets	C Under 100	D 100 to 250	E 251 to 500	F 501 to 1,000	G 1,001 to 5,000	H 5,001 to 10,000	I 10,001 to 25,000	J 25,001 to 50,000	K 50,001 to 100,000	L 100,001 to 250,000	M 250,001 and over
					SIZE OF ASSETS IN THOUSANDS OF DOLLARS (000 OMITTED)								
1. Number of Enterprises	1329	17	204	214	65	355	306	64	43	18	11	16	13
2. Total receipts (in millions of dollars)	27775.9	487.7	69.1	150.6	48.1	464.0	1281.1	603.0	1082.1	1111.3	1065.6	3643.7	17769.6
Selected Operating Factors in Percent of Net Sales													
3. Cost of operations	71.0	71.3	33.2	48.7	71.0	57.8	67.8	72.9	75.7	73.3	75.3	75.1	70.2
4. Compensation of officers	0.9	0.4	29.6	8.0	8.9	5.0	4.8	2.2	1.8	1.4	1.0	0.7	0.2
5. Repairs	2.7	4.0	0.9	0.9	0.8	0.8	1.7	0.7	0.2	1.6	1.3	1.7	3.4
6. Bad debts	0.3	0.1	3.1	-	-	0.2	0.4	0.1	0.3	0.1	0.2	0.2	0.4
7. Rent on business property	1.3	0.9	-	2.3	-	4.1	1.2	0.8	0.4	0.5	0.5	0.5	1.5
8. Taxes (excl Federal tax)	2.5	2.5	5.4	5.3	4.6	3.9	2.7	2.5	2.5	2.9	2.3	1.8	2.5
9. Interest	3.0	0.7	-	2.9	0.9	1.7	1.6	1.0	0.9	1.6	1.4	2.5	3.8
10. Deprec/Deplet/Amortiz†	4.3	1.7	0.6	7.1	7.6	4.6	3.7	4.6	3.2	4.5	3.4	3.6	4.6
11. Advertising	0.3	1.8	0.3	0.2	-	0.1	0.3	0.1	0.3	0.2	0.2	0.1	0.4
12. Pensions & other benef plans	2.6	3.4	2.8	1.5	-	2.9	2.0	2.7	2.2	2.4	2.0	2.2	2.8
13. Other expenses	11.1	6.8	15.3	19.7	7.0	15.7	11.7	9.1	7.6	8.2	10.5	8.3	12.2
14. Net profit before tax	-	6.4	8.8	3.4	#	3.2	2.1	3.3	4.9	3.3	1.9	3.3	#
Selected Financial Ratios (number of times ratio is to one)													
15. Current ratio	1.7	-	16.3	-	1.6	1.7	2.3	2.4	2.1	2.3	2.2	2.0	1.6
16. Quick ratio	0.8	-	14.6	-	1.3	0.8	1.5	1.7	1.2	1.1	1.1	1.0	0.7
17. Net sls to net wkg capital	6.7	-	5.0	-	8.7	7.0	5.4	4.2	5.4	5.4	4.7	4.8	7.8
18. Coverage ratio	2.6	-	-	-	2.5	3.3	3.8	7.7	8.5	4.6	5.3	3.1	2.2
19. Asset turnover	1.2	-	-	-	2.1	1.9	1.8	1.3	1.7	1.7	1.3	1.3	1.1
20. Total liab to net worth	2.6	-	0.1	-	1.8	12.4	0.8	0.5	1.0	0.8	1.0	1.7	3.8
Selected Financial Factors in Percentages													
21. Debt ratio	72.2	-	5.6	-	64.0	92.5	45.1	34.9	49.6	45.8	50.6	62.2	79.1
22. Return on assets	9.8	-	-	-	4.7	10.2	11.3	9.6	12.8	12.0	10.2	10.0	9.0
23. Return on equity	14.5	-	-	-	8.0	-	11.5	8.8	17.6	10.3	10.5	11.4	15.3
24. Return on net worth	35.2	-	-	-	13.1	-	20.5	14.7	25.4	22.2	20.6	26.6	43.1

†Depreciation largest factor

TABLE I: CORPORATIONS WITH AND WITHOUT NET INCOME, 1990 EDITION

3380 MANUFACTURING: PRIMARY METAL INDUSTRIES:
Nonferrous metal industries

Item Description For Accounting Period 7/86 Through 6/87	A Total	B Zero Assets	C Under 100	D 100 to 250	E 251 to 500	F 501 to 1,000	G 1,001 to 5,000	H 5,001 to 10,000	I 10,001 to 25,000	J 25,001 to 50,000	K 50,001 to 100,000	L 100,001 to 250,000	M 250,001 and over
							SIZE OF ASSETS IN THOUSANDS OF DOLLARS (000 OMITTED)						
1. Number of Enterprises	2085	94	214	571	194	272	466	98	105	31	8	10	21
2. Total receipts (in millions of dollars)	51361.2	54.6	156.5	380.4	205.3	593.2	2629.1	1283.1	3031.5	1817.8	827.2	2010.5	38372.0
Selected Operating Factors in Percent of Net Sales													
3. Cost of operations	81.6	80.2	88.9	69.5	62.7	81.9	77.9	75.8	77.4	82.9	80.6	77.7	82.9
4. Compensation of officers	0.7	6.1	2.5	1.9	7.5	3.1	3.5	2.4	1.7	0.9	0.7	0.4	0.2
5. Repairs	0.9	0.2	1.3	0.8	0.6	0.3	1.1	0.3	0.6	0.4	1.5	0.9	0.9
6. Bad debts	0.5	1.4	-	0.1	0.3	0.1	0.3	0.1	0.5	0.3	0.2	0.2	0.6
7. Rent on business property	1.1	-	0.2	2.2	2.1	0.2	0.4	0.6	0.4	0.7	0.8	1.2	1.2
8. Taxes (excl Federal tax)	1.6	5.1	0.8	1.4	1.8	1.4	2.0	2.2	2.0	1.4	2.0	1.9	1.5
9. Interest	6.8	15.4	0.3	1.4	1.8	0.8	1.7	1.3	1.8	1.7	2.3	2.5	8.6
10. Deprec/Deplet/Amortiz†	4.4	5.3	0.7	3.0	2.6	1.9	2.7	3.3	3.3	3.4	3.2	4.7	4.9
11. Advertising	0.7	0.4	0.1	0.1	-	0.4	0.2	0.3	0.2	0.2	0.2	0.6	0.8
12. Pensions & other benef plans	1.7	2.8	-	0.5	2.9	0.3	1.3	1.0	1.3	0.9	1.9	2.9	1.7
13. Other expenses	9.5	29.5	2.1	17.6	14.5	8.6	10.2	12.0	10.6	9.6	8.6	9.6	9.1
14. Net profit before tax	*	*	3.1	1.5	3.2	1.0	*	0.7	0.2	*	*	*	*
Selected Financial Ratios (number of times ratio is to one)													
15. Current ratio	1.1	-	53.5	1.0	1.3	1.7	1.3	1.7	1.3	1.4	1.9	1.7	1.1
16. Quick ratio	0.8	-	23.6	0.6	1.1	1.1	0.8	0.9	0.7	0.8	0.9	0.7	0.8
17. Net sls to net wkg capital	15.6	-	10.2	-	23.7	13.1	20.7	7.3	12.4	11.1	5.5	6.0	19.3
18. Coverage ratio	1.1	-	-	2.7	2.9	3.6	1.4	2.3	2.0	1.8	0.8	1.9	1.1
19. Asset turnover	0.7	-	-	-	-	-	2.5	1.9	1.8	1.6	1.5	1.2	0.5
20. Total liab to net worth	1.9	-	-	16.0	6.6	1.0	1.7	1.4	1.6	1.8	5.0	1.7	1.9
Selected Financial Factors in Percentages													
21. Debt ratio	65.4	-	1.5	94.1	86.8	50.6	62.4	58.9	61.1	63.6	83.4	62.4	65.6
22. Return on assets	5.0	-	28.7	11.9	16.4	9.4	6.0	5.8	6.3	4.8	2.9	5.4	5.0
23. Return on equity	0.9	-	26.5	-	-	8.5	1.2	3.1	3.2	0.7	-	6.1	0.7
24. Return on net worth	14.6	-	29.1	-	-	19.0	15.9	14.0	16.2	13.1	17.2	14.4	14.4

†Depreciation largest factor

TABLE II: CORPORATIONS WITH NET INCOME, 1990 EDITION

3380 MANUFACTURING: PRIMARY METAL INDUSTRIES:
Nonferrous metal industries

Item Description For Accounting Period 7/86 Through 6/87	A Total	B Zero Assets	C Under 100	D 100 to 250	E 251 to 500	F 501 to 1,000	G 1,001 to 5,000	H 5,001 to 10,000	I 10,001 to 25,000	J 25,001 to 50,000	K 50,001 to 100,000	L 100,001 to 250,000	M 250,001 and over
1. Number of Enterprises	1707	17	214	571	194	218	327	63	66	17	4	5	10
2. Total receipts (in millions of dollars)	31397.3	34.6	156.5	380.4	205.3	457.0	1989.0	855.9	1787.1	996.8	422.2	1330.1	22782.3
Selected Operating Factors in Percent of Net Sales													
3. Cost of operations	80.5	69.5	88.9	69.5	62.7	79.3	75.2	70.8	70.5	78.5	73.4	72.9	83.5
4. Compensation of officers	0.9	3.8	2.5	1.9	7.5	3.3	3.6	2.8	2.2	1.1	0.7	0.5	0.3
5. Repairs	0.6	-	1.3	0.8	0.6	0.3	1.2	0.3	0.6	0.3	2.4	1.2	0.4
6. Bad debts	0.7	-	-	0.1	0.3	0.1	0.3	0.2	0.1	0.2	0.3	0.3	0.9
7. Rent on business property	1.0	-	0.2	2.2	2.1	0.2	0.5	0.7	0.6	0.3	0.5	0.5	1.2
8. Taxes (excl Federal tax)	1.4	2.2	0.8	1.4	1.8	1.6	2.0	2.3	2.2	1.6	2.6	1.7	1.2
9. Interest	9.0	4.5	0.3	1.4	1.8	0.6	1.1	1.3	1.8	1.2	1.8	2.4	12.3
10. Deprec/Deplet/Amortiz†	4.6	7.7	0.7	3.0	2.6	1.7	2.3	2.7	3.8	3.3	4.2	4.2	5.2
11. Advertising	0.9	0.1	0.1	0.1	-	0.5	0.2	0.4	0.3	0.2	0.2	0.8	1.2
12. Pensions & other benef plans	1.0	1.8	-	0.5	2.9	0.4	1.4	1.3	1.4	0.7	2.4	2.3	0.8
13. Other expenses	10.1	7.6	2.1	17.6	14.5	9.0	9.2	13.8	12.7	8.5	8.9	13.0	9.7
14. Net profit before tax	#	2.8	3.1	1.5	3.2	3.0	3.0	3.4	3.8	4.1	2.6	0.2	#
Selected Financial Ratios (number of times ratio is to one)													
15. Current ratio	1.1	-	53.5	1.0	1.3	2.2	1.6	1.9	1.5	1.8	2.0	2.6	1.0
16. Quick ratio	0.8	-	23.6	0.6	1.1	1.6	1.1	1.0	0.9	1.0	1.0	1.3	0.7
17. Net sls to net wkg capital	32.6	-	10.2	-	23.7	10.3	11.7	6.3	9.7	6.2	5.9	4.0	-
18. Coverage ratio	1.4	-	-	2.7	2.9	8.1	4.4	4.7	4.1	5.4	3.4	3.8	1.2
19. Asset turnover	0.5	-	-	-	-	-	-	2.0	1.6	1.7	1.5	1.4	0.4
20. Total liab to net worth	1.7	-	-	16.0	6.6	0.7	1.1	1.5	1.1	1.2	2.0	1.5	1.8
Selected Financial Factors in Percentages													
21. Debt ratio	63.5	-	1.5	94.1	86.8	40.4	52.4	59.5	52.7	53.7	66.8	59.1	64.1
22. Return on assets	6.5	-	28.7	11.9	16.4	15.4	13.3	11.8	11.9	11.2	9.1	12.6	6.0
23. Return on equity	3.9	-	26.5	-	-	17.1	17.5	15.0	12.8	12.3	10.5	21.5	2.6
24. Return on net worth	17.7	-	29.1	-	25.8	25.8	28.0	29.0	25.2	24.1	27.3	30.8	16.6

†Depreciation largest factor

TABLE I: CORPORATIONS WITH AND WITHOUT NET INCOME, 1990 EDITION

3410 MANUFACTURING: FABRICATED METAL PRODUCTS:
Metal cans and shipping containers

Item Description For Accounting Period 7/86 Through 6/87	A Total	B Zero Assets	C Under 100	D 100 to 250	E 251 to 500	F 501 to 1,000	G 1,001 to 5,000	H 5,001 to 10,000	I 10,001 to 25,000	J 25,001 to 50,000	K 50,001 to 100,000	L 100,001 to 250,000	M 250,001 and over
1. Number of Enterprises	245	-	-	148	-	-	-	3	19	5	-	3	4
2. Total receipts (in millions of dollars)	10167.8	-	-	64.6	-	-	-	52.0	582.6	227.7	-	658.5	8282.1
Selected Operating Factors in Percent of Net Sales													
3. Cost of operations	70.6	-	-	62.4	-	-	-	48.9	79.9	80.6	-	71.3	70.0
4. Compensation of officers	0.9	-	-	23.4	-	-	-	2.1	1.3	0.5	-	0.7	0.6
5. Repairs	1.6	-	-	0.9	-	-	-	-	0.8	0.4	-	1.3	1.7
6. Bad debts	1.4	-	-	0.3	-	-	-	0.3	0.2	0.1	-	-	1.7
7. Rent on business property	1.4	-	-	9.0	-	-	-	1.6	0.3	0.8	-	0.4	1.6
8. Taxes (excl Federal tax)	1.9	-	-	0.8	-	-	-	2.3	1.6	1.8	-	3.1	1.8
9. Interest	4.0	-	-	4.8	-	-	-	-	1.4	4.4	-	1.4	4.6
10. Deprec/Deplet/Amortiz†	3.2	-	-	-	-	-	-	2.0	4.2	4.7	-	4.1	3.1
11. Advertising	2.4	-	-	0.1	-	-	-	3.9	0.2	0.1	-	0.3	2.9
12. Pensions & other benef plans	2.5	-	-	0.4	-	-	-	2.9	1.1	1.5	-	0.8	2.7
13. Other expenses	12.5	-	-	8.9	-	-	-	17.4	9.5	9.3	-	10.0	12.9
14. Net profit before tax	*	-	-	*	-	-	-	18.6	*	*	-	6.6	*
Selected Financial Ratios (number of times ratio is to one)													
15. Current ratio	0.9	-	-	-	-	-	-	6.8	1.7	1.2	-	2.5	0.8
16. Quick ratio	0.4	-	-	-	-	-	-	5.1	0.9	0.6	-	1.4	0.3
17. Net sls to net wkg capital	-	-	-	-	-	-	-	2.2	8.1	17.8	-	4.5	-
18. Coverage ratio	2.2	-	-	-	-	-	-	-	2.6	1.0	-	6.9	2.2
19. Asset turnover	0.7	-	-	-	-	-	-	1.7	1.9	1.2	-	1.6	0.7
20. Total liab to net worth	1.7	-	-	-	-	-	-	0.2	1.5	2.4	-	0.8	1.8
Selected Financial Factors in Percentages													
21. Debt ratio	63.4	-	-	-	-	-	-	17.3	59.3	70.8	-	44.1	63.8
22. Return on assets	6.7	-	-	-	-	-	-	-	6.7	5.1	-	15.4	6.4
23. Return on equity	6.2	-	-	-	-	-	-	39.8	4.5	-	-	14.0	6.0
24. Return on net worth	18.2	-	-	-	-	-	-	39.8	16.5	17.6	-	27.5	17.6

†Depreciation largest factor

3410 MANUFACTURING: FABRICATED METAL PRODUCTS:
Metal cans and shipping containers

						SIZE OF ASSETS IN THOUSANDS OF DOLLARS (000 OMITTED)							
Item Description For Accounting Period 7/86 Through 6/87	A Total	B Zero Assets	C Under 100	D 100 to 250	E 251 to 500	F 501 to 1,000	G 1,001 to 5,000	H 5,001 to 10,000	I 10,001 to 25,000	J 25,001 to 50,000	K 50,001 to 100,000	L 100,001 to 250,000	M 250,001 and over
1. Number of Enterprises	68	-	-	-	-	-	43	3	8	-	-	-	4
2. Total receipts (in millions of dollars)	9557.4	-	-	-	-	-	221.1	52.0	231.3	-	-	-	8282.1
Selected Operating Factors in Percent of Net Sales													
3. Cost of operations	69.9	-	-	-	-	-	59.9	48.9	73.0	-	-	-	70.0
4. Compensation of officers	0.7	-	-	-	-	-	5.4	2.1	1.2	-	-	-	0.6
5. Repairs	1.7	-	-	-	-	-	1.0	-	1.9	-	-	-	1.7
6. Bad debts	1.5	-	-	-	-	-	0.2	0.3	0.4	-	-	-	1.7
7. Rent on business property	1.4	-	-	-	-	-	0.7	1.6	0.4	-	-	-	1.6
8. Taxes (excl Federal tax)	1.9	-	-	-	-	-	2.8	2.3	1.8	-	-	-	1.8
9. Interest	4.1	-	-	-	-	-	1.6	-	0.3	-	-	-	4.6
10. Deprec/Deplet/Amortiz†	3.2	-	-	-	-	-	2.8	2.0	3.4	-	-	-	3.1
11. Advertising	2.5	-	-	-	-	-	0.1	3.9	0.3	-	-	-	2.9
12. Pensions & other benef plans	2.6	-	-	-	-	-	4.9	2.9	1.0	-	-	-	2.7
13. Other expenses	12.8	-	-	-	-	-	19.1	17.4	11.7	-	-	-	12.9
14. Net profit before tax	#	-	-	-	-	-	1.5	18.6	4.6	-	-	-	#
Selected Financial Ratios (number of times ratio is to one)													
15. Current ratio	0.9	-	-	-	-	-	1.6	6.8	3.0	-	-	-	0.8
16. Quick ratio	0.3	-	-	-	-	-	1.0	5.1	1.6	-	-	-	0.3
17. Net sls to net wkg capital	-	-	-	-	-	-	13.3	2.2	4.2	-	-	-	-
18. Coverage ratio	2.4	-	-	-	-	-	2.3	-	-	-	-	-	2.2
19. Asset turnover	0.7	-	-	-	-	-	-	1.7	1.8	-	-	-	0.7
20. Total liab to net worth	1.7	-	-	-	-	-	3.2	0.2	0.5	-	-	-	1.8
Selected Financial Factors in Percentages													
21. Debt ratio	62.7	-	-	-	-	-	76.1	17.3	33.6	-	-	-	63.8
22. Return on assets	6.9	-	-	-	-	-	10.4	-	16.8	-	-	-	6.4
23. Return on equity	6.8	-	-	-	-	-	16.5	39.8	16.3	-	-	-	6.0
24. Return on net worth	18.5	-	-	-	-	-	43.6	39.8	25.3	-	-	-	17.6

†Depreciation largest factor

TABLE I. CORPORATIONS WITH AND WITHOUT NET INCOME, 1990 EDITION

3428 MANUFACTURING: FABRICATED METAL PRODUCTS:

Cutlery, hand tools, and hardware; screw machine products, bolts, and similar products

Item Description For Accounting Period 7/86 Through 6/87	A Total	B Zero Assets	C Under 100	D 100 to 250	E 251 to 500	F 501 to 1,000	G 1,001 to 5,000	H 5,001 to 10,000	I 10,001 to 25,000	J 25,001 to 50,000	K 50,001 to 100,000	L 100,001 to 250,000	M 250,001 and over
					SIZE OF ASSETS IN THOUSANDS OF DOLLARS (000 OMITTED)								
1. Number of Enterprises	4071	239	1607	463	773	220	610	74	37	23	14	4	6
2. Total receipts (in millions of dollars)	17384.2	262.7	234.7	172.1	652.2	239.2	2013.7	918.8	1134.4	1172.6	1126.7	1221.6	8235.5
Selected Operating Factors in Percent of Net Sales													
3. Cost of operations	62.7	75.4	42.1	52.9	66.2	67.1	65.3	70.6	69.1	67.6	59.4	74.8	58.1
4. Compensation of officers	2.4	3.8	19.2	13.3	8.6	10.7	5.9	3.0	1.7	1.7	1.5	0.6	0.4
5. Repairs	0.9	0.7	0.4	1.2	0.3	0.5	0.5	0.5	0.5	0.8	0.3	0.8	1.3
6. Bad debts	0.4	0.4	-	-	0.2	0.2	0.4	0.3	0.2	0.3	0.2	0.2	0.6
7. Rent on business property	1.2	1.5	5.1	1.9	0.6	1.7	1.1	0.8	0.6	0.7	0.6	1.6	1.4
8. Taxes (excl Federal tax)	2.4	3.1	3.2	3.8	4.4	2.6	3.0	2.6	2.8	3.1	2.4	2.7	1.7
9. Interest	3.0	1.4	1.0	1.9	2.1	1.8	2.2	1.8	1.7	1.9	2.7	2.0	4.3
10. Deprec/Deplet/Amortiz†	4.4	3.2	3.9	6.2	4.2	2.4	3.8	3.7	3.5	4.1	4.1	2.7	5.3
11. Advertising	2.0	0.9	0.3	2.3	0.3	0.1	0.7	0.9	2.4	0.7	1.5	1.0	3.0
12. Pensions & other benef plans	3.6	2.5	7.4	3.0	1.9	0.7	1.8	0.8	2.2	2.5	4.2	3.0	4.8
13. Other expenses	17.1	13.8	18.9	8.6	11.4	9.9	13.7	14.6	13.8	13.6	18.6	10.0	21.1
14. Net profit before tax	*	*	*	4.9	*	2.3	1.6	0.4	1.5	3.0	4.5	0.6	*
Selected Financial Ratios (number of times ratio is to one)													
15. Current ratio	1.3	-	4.2	3.0	1.4	2.0	1.8	1.8	2.5	2.6	2.9	1.4	0.9
16. Quick ratio	0.5	-	3.9	1.6	0.7	1.4	1.0	0.8	1.1	1.1	1.4	0.7	0.3
17. Net sls to net wkg capital	13.2	-	6.8	5.3	14.6	7.3	6.2	6.8	4.7	4.4	2.8	12.2	-
18. Coverage ratio	2.9	-	-	3.9	2.2	3.7	2.3	2.6	3.1	3.7	4.3	2.6	2.8
19. Asset turnover	1.1	-	-	2.1	2.2	1.8	1.6	1.6	1.7	1.4	1.1	1.5	0.8
20. Total liab to net worth	1.3	-	1.0	1.7	2.7	0.7	1.1	1.6	0.9	1.0	0.9	2.4	1.3
Selected Financial Factors in Percentages													
21. Debt ratio	55.9	-	48.7	63.1	72.7	42.6	51.7	61.5	48.2	49.5	46.3	70.6	56.4
22. Return on assets	9.3	-	-	15.0	10.0	12.0	8.1	7.7	9.2	9.8	12.9	7.6	9.0
23. Return on equity	8.5	-	-	25.0	19.0	13.8	5.5	4.7	8.7	9.4	10.7	8.8	7.9
24. Return on net worth	21.2	-	-	40.5	36.6	20.9	16.8	20.0	17.6	19.4	24.1	25.8	20.7

†Depreciation largest factor

TABLE II: CORPORATIONS WITH NET INCOME, 1990 EDITION

3428 MANUFACTURING: FABRICATED METAL PRODUCTS:
Cutlery, hand tools, and hardware; screw machine products, bolts, and similar products

Item Description For Accounting Period 7/86 Through 6/87	A Total	B Zero Assets	C Under 100	D 100 to 250	E 251 to 500	F 501 to 1,000	G 1,001 to 5,000	H 5,001 to 10,000	I 10,001 to 25,000	J 25,001 to 50,000	K 50,001 to 100,000	L 100,001 to 250,000	M 250,001 and over
						SIZE OF ASSETS IN THOUSANDS OF DOLLARS (000 OMITTED)							
1. Number of Enterprises	2362	227	527	463	387	184	471	40	23	19	-	-	6
2. Total receipts (in millions of dollars)	15051.0	234.3	71.3	172.1	388.5	208.0	1578.4	499.2	717.9	954.9	-	-	8235.5

Selected Operating Factors in Percent of Net Sales

	A	B	C	D	E	F	G	H	I	J	K	L	M
3. Cost of operations	61.8	74.8	61.5	52.9	65.4	67.5	64.7	67.0	67.8	66.2	-	-	58.1
4. Compensation of officers	1.9	4.1	13.8	13.3	7.2	10.7	5.7	2.8	1.7	1.8	-	-	0.4
5. Repairs	1.0	0.8	-	1.2	0.1	0.5	0.5	0.6	0.7	0.8	-	-	1.3
6. Bad debts	0.4	0.5	-	-	0.2	0.2	0.4	0.2	0.2	0.3	-	-	0.6
7. Rent on business property	1.2	1.7	4.5	1.9	0.5	0.9	1.0	0.8	0.4	0.6	-	-	1.4
8. Taxes (excl Federal tax)	2.4	3.2	4.0	3.8	4.4	2.8	3.1	3.0	3.3	3.3	-	-	1.7
9. Interest	3.1	1.5	2.0	1.9	2.0	1.4	1.8	1.7	1.2	1.7	-	-	4.3
10. Deprec/Deplet/Amortiz†	4.5	3.1	1.2	6.2	3.6	2.4	3.8	3.9	3.3	4.0	-	-	5.3
11. Advertising	2.1	1.0	-	2.3	0.4	0.1	0.6	1.2	1.2	0.7	-	-	3.0
12. Pensions & other benef plans	3.7	2.6	3.8	3.0	1.5	0.8	2.0	0.8	2.6	1.9	-	-	4.8
13. Other expenses	17.1	13.6	4.8	8.6	12.1	8.8	12.0	11.5	11.5	14.4	-	-	21.1
14. Net profit before tax	0.8	#	4.4	4.9	2.6	3.9	4.4	6.5	6.1	4.3	-	-	#

Selected Financial Ratios (number of times ratio is to one)

	A	B	C	D	E	F	G	H	I	J	K	L	M
15. Current ratio	1.2	-	1.9	3.0	1.4	2.3	2.2	2.0	2.5	2.5	-	-	0.9
16. Quick ratio	0.5	-	1.7	1.6	0.7	1.5	1.3	1.0	1.1	1.1	-	-	0.3
17. Net sls to net wkg capital	15.3	-	11.4	5.3	15.1	6.4	5.4	6.0	5.1	4.6	-	-	-
18. Coverage ratio	3.3	-	3.2	3.9	4.5	5.8	4.0	5.4	7.2	4.9	-	-	2.8
19. Asset turnover	1.0	-	-	2.1	2.4	1.9	1.8	1.7	1.8	1.4	-	-	0.8
20. Total liab to net worth	1.2	-	8.3	1.7	2.3	0.7	0.8	1.2	0.5	0.9	-	-	1.3

Selected Financial Factors in Percentages

	A	B	C	D	E	F	G	H	I	J	K	L	M
21. Debt ratio	54.4	-	89.2	63.1	70.0	40.8	45.2	54.5	34.4	48.1	-	-	56.4
22. Return on assets	10.5	-	17.7	15.0	21.7	15.4	13.2	16.4	14.8	11.8	-	-	9.0
23. Return on equity	10.5	-	-	25.0	-	19.7	13.4	17.0	15.4	12.4	-	-	7.9
24. Return on net worth	23.1	-	-	40.5	72.3	26.1	24.1	36.1	22.5	22.7	-	-	20.7

†Depreciation largest factor

3430 MANUFACTURING: FABRICATED METAL PRODUCTS:
Plumbing and heating, except electric and warm air

Item Description For Accounting Period 7/86 Through 6/87	A Total	B Zero Assets	C Under 100	D 100 to 250	E 251 to 500	F 501 to 1,000	G 1,001 to 5,000	H 5,001 to 10,000	I 10,001 to 25,000	J 25,001 to 50,000	K 50,001 to 100,000	L 100,001 to 250,000	M 250,001 and over
						SIZE OF ASSETS IN THOUSANDS OF DOLLARS (000 OMITTED)							
1. Number of Enterprises	957	14	316	212	-	107	200	40	45	6	12	-	5
2. Total receipts (in millions of dollars)	8828.8	196.6	4.3	72.6	-	142.2	914.7	635.5	1120.7	328.9	1383.0	-	4030.2
Selected Operating Factors in Percent of Net Sales													
3. Cost of operations	63.8	58.9	-	76.3	-	66.9	64.8	67.5	65.2	58.3	62.9	-	63.2
4. Compensation of officers	1.8	1.9	-	2.5	-	7.6	6.9	3.2	2.4	2.0	0.7	-	0.3
5. Repairs	0.7	3.0	-	0.9	-	0.6	0.4	-	0.8	0.8	0.7	-	0.7
6. Bad debts	0.3	0.2	-	0.2	-	-	0.8	0.3	0.2	0.2	0.3	-	0.3
7. Rent on business property	0.6	1.1	-	2.8	-	1.8	1.0	0.1	0.3	0.4	0.9	-	0.6
8. Taxes (excl Federal tax)	2.7	3.9	-	2.6	-	1.6	2.1	2.2	2.5	3.4	2.2	-	3.0
9. Interest	4.1	3.3	-	2.1	-	0.8	1.2	1.4	4.0	2.0	2.2	-	6.2
10. Deprec/Deplet/Amortiz†	3.1	3.6	-	5.2	-	1.1	1.9	1.8	2.2	2.6	3.2	-	4.0
11. Advertising	1.8	1.0	-	1.7	-	1.1	0.8	1.5	1.3	2.0	1.5	-	2.5
12. Pensions & other benef plans	2.0	3.3	-	0.6	-	1.4	1.6	0.9	1.9	2.8	2.2	-	2.2
13. Other expenses	16.7	17.7	-	18.2	-	15.4	16.2	17.3	16.6	20.4	18.5	-	15.7
14. Net profit before tax	2.4	2.1	*	*	-	1.7	2.3	3.8	2.6	5.1	4.7	-	1.3
Selected Financial Ratios (number of times ratio is to one)													
15. Current ratio	2.2	-	26.7	2.0	-	3.5	2.1	2.2	2.0	2.4	2.1	-	2.3
16. Quick ratio	1.1	-	18.8	0.6	-	2.5	1.0	1.2	1.0	1.1	0.9	-	1.1
17. Net sls to net wkg capital	4.7	-	-	5.6	-	3.2	5.0	4.9	6.0	4.9	4.9	-	4.2
18. Coverage ratio	2.9	-	-	-	-	6.4	4.2	4.7	2.1	4.6	4.4	-	2.6
19. Asset turnover	0.9	-	-	1.5	-	1.9	1.9	2.0	1.6	1.6	1.4	-	0.5
20. Total liab to net worth	0.8	-	-	61.7	-	0.7	1.3	1.6	0.7	0.8	1.2	-	0.8
Selected Financial Factors in Percentages													
21. Debt ratio	45.3	-	2.3	98.4	-	42.4	56.3	61.7	40.4	44.9	53.8	-	42.8
22. Return on assets	10.0	-	29.5	-	-	9.5	9.4	13.3	13.1	14.8	13.0	-	8.8
23. Return on equity	6.8	-	28.5	-	-	11.3	10.7	17.1	5.6	11.7	13.3	-	5.4
24. Return on net worth	18.2	-	30.2	-	-	16.5	21.5	34.5	22.0	26.9	28.1	-	15.4

†Depreciation largest factor

TABLE II: CORPORATIONS WITH NET INCOME, 1990 EDITION

3430 MANUFACTURING: FABRICATED METAL PRODUCTS:
Plumbing and heating, except electric and warm air

Item Description For Accounting Period 7/86 Through 6/87	A Total	B Zero Assets	C Under 100	D 100 to 250	E 251 to 500	F 501 to 1,000	G 1,001 to 5,000	H 5,001 to 10,000	I 10,001 to 25,000	J 25,001 to 50,000	K 50,001 to 100,000	L 100,001 to 250,000	M 250,001 and over
						SIZE OF ASSETS IN THOUSANDS OF DOLLARS (000 OMITTED)							
1. Number of Enterprises	687	-	316	-	-	107	162	40	29	6	-	-	-
2. Total receipts (in millions of dollars)	7388.9	-	4.3	-	-	142.2	832.1	635.5	705.4	328.9	-	-	-
Selected Operating Factors in Percent of Net Sales													
3. Cost of operations	63.1	-	-	-	-	66.9	64.6	67.5	63.6	58.3	-	-	-
4. Compensation of officers	1.9	-	-	-	-	7.6	6.9	3.2	2.5	2.0	-	-	-
5. Repairs	0.7	-	-	-	-	0.6	0.5	-	0.7	0.8	-	-	-
6. Bad debts	0.3	-	-	-	-	-	0.6	0.3	0.2	0.2	-	-	-
7. Rent on business property	0.7	-	-	-	-	1.8	0.9	0.1	0.1	0.4	-	-	-
8. Taxes (excl Federal tax)	2.6	-	-	-	-	1.6	2.0	2.2	2.8	3.4	-	-	-
9. Interest	2.7	-	-	-	-	0.8	1.1	1.4	1.5	2.0	-	-	-
10. Deprec/Deplet/Amortiz†	2.9	-	-	-	-	1.1	1.7	1.8	2.3	2.6	-	-	-
11. Advertising	2.0	-	-	-	-	1.1	0.6	1.5	1.1	2.0	-	-	-
12. Pensions & other benef plans	2.0	-	-	-	-	1.4	1.7	0.9	2.1	2.8	-	-	-
13. Other expenses	16.5	-	#	-	-	15.4	14.4	17.3	16.6	20.4	-	-	-
14. Net profit before tax	4.6	-	-	-	-	1.7	5.0	3.8	6.5	5.1	-	-	-
Selected Financial Ratios (number of times ratio is to one)													
15. Current ratio	2.2	-	26.7	-	-	3.5	2.1	2.2	2.2	2.4	-	-	-
16. Quick ratio	1.1	-	18.8	-	-	2.5	1.0	1.2	1.3	1.1	-	-	-
17. Net sls to net wkg capital	4.9	-	-	-	-	3.2	5.3	4.9	5.9	4.9	-	-	-
18. Coverage ratio	4.7	-	-	-	-	6.4	6.7	4.7	6.7	4.6	-	-	-
19. Asset turnover	1.0	-	-	-	-	1.9	2.0	2.0	1.5	1.6	-	-	-
20. Total liab to net worth	0.7	-	-	-	-	0.7	0.9	1.6	0.6	0.8	-	-	-
Selected Financial Factors in Percentages													
21. Debt ratio	40.7	-	2.3	-	-	42.4	48.3	61.7	35.6	44.9	-	-	-
22. Return on assets	12.4	-	29.5	-	-	9.5	14.6	13.3	15.9	14.8	-	-	-
23. Return on equity	10.0	-	28.5	-	-	11.3	18.5	17.1	12.5	11.7	-	-	-
24. Return on net worth	20.8	-	30.2	-	-	16.5	28.2	34.5	24.7	26.9	-	-	-

†Depreciation largest factor

TABLE I: CORPORATIONS WITH AND WITHOUT NET INCOME, 1990 EDITION

3440 MANUFACTURING: FABRICATED METAL PRODUCTS:
Fabricated structural metal products

Item Description For Accounting Period 7/86 Through 6/87	A Total	B Zero Assets	C Under 100	D 100 to 250	E 251 to 500	F 501 to 1,000	G 1,001 to 5,000	H 5,001 to 10,000	I 10,001 to 25,000	J 25,001 to 50,000	K 50,001 to 100,000	L 100,001 to 250,000	M 250,001 and over
						SIZE OF ASSETS IN THOUSANDS OF DOLLARS (000 OMITTED)							
1. Number of Enterprises	9418	1085	2614	997	1382	1035	1797	265	147	44	27	16	9
2. Total receipts (in millions of dollars)	36426.0	1312.6	1018.8	474.1	1564.8	1748.7	7470.4	3305.3	3573.0	2133.4	2633.3	3352.3	7839.4
Selected Operating Factors in Percent of Net Sales													
3. Cost of operations	73.1	72.6	75.3	62.8	63.2	66.6	74.7	70.7	77.8	72.9	78.0	73.2	72.5
4. Compensation of officers	2.7	1.4	5.2	6.7	10.0	6.5	4.0	2.5	2.0	1.6	0.9	0.7	0.5
5. Repairs	0.5	0.7	0.3	0.6	0.3	0.4	0.4	0.5	0.2	0.3	0.6	0.4	1.1
6. Bad debts	0.3	0.6	-	-	0.5	0.4	0.4	0.6	0.4	0.4	0.4	0.3	0.2
7. Rent on business property	1.0	1.5	1.6	2.1	1.2	1.7	0.8	0.9	0.7	0.7	0.7	0.8	1.1
8. Taxes (excl Federal tax)	2.3	2.7	1.6	4.0	2.9	3.4	2.6	2.2	2.1	2.1	1.8	2.2	2.2
9. Interest	2.2	1.4	0.6	1.4	1.1	1.2	1.5	1.5	2.1	2.0	2.3	2.4	3.9
10. Deprec/Deplet/Amortiz†	3.0	3.0	1.1	4.7	2.7	3.1	2.2	2.6	2.9	2.9	3.0	3.2	3.9
11. Advertising	0.5	1.1	0.4	0.2	0.3	0.4	0.4	0.5	0.4	0.6	0.5	0.6	0.5
12. Pensions & other benef plans	1.8	2.3	0.4	0.8	1.5	2.6	1.3	2.0	1.7	1.7	1.4	2.0	2.4
13. Other expenses	13.5	13.9	14.1	20.5	13.5	15.4	11.0	16.3	11.4	14.4	12.8	12.4	15.2
14. Net profit before tax	*	*	*	*	2.8	*	0.7	*	*	0.4	*	1.8	*
Selected Financial Ratios (number of times ratio is to one)													
15. Current ratio	1.6	-	1.4	0.9	2.3	1.8	1.5	1.6	1.6	1.8	2.4	2.2	1.2
16. Quick ratio	0.9	-	0.9	0.7	1.8	1.1	0.9	0.8	0.9	1.0	1.1	1.2	0.7
17. Net sls to net wkg capital	8.2	-	57.2	-	7.7	7.2	10.5	6.9	7.2	5.2	3.7	5.1	15.8
18. Coverage ratio	2.2	-	4.1	-	4.5	0.7	2.3	2.3	1.3	2.6	2.7	3.3	1.9
19. Asset turnover	1.5	-	-	2.4	-	2.3	2.2	1.7	1.6	1.4	1.3	1.3	0.8
20. Total liab to net worth	1.7	-	90.3	25.7	1.0	1.4	2.1	1.5	1.9	1.2	1.6	1.1	2.0
Selected Financial Factors in Percentages													
21. Debt ratio	63.4	-	98.9	96.3	49.7	58.3	67.2	60.3	65.5	54.9	61.7	53.4	66.7
22. Return on assets	7.0	-	20.8	-	15.0	1.9	7.3	5.9	4.1	7.3	8.0	10.5	6.1
23. Return on equity	5.3	-	-	-	17.5	-	8.0	2.7	-	5.3	7.9	9.0	4.3
24. Return on net worth	19.2	-	-	-	29.7	4.5	22.3	14.8	11.9	16.3	20.8	22.4	18.4

†Depreciation largest factor

Page 130

TABLE II: CORPORATIONS WITH NET INCOME, 1990 EDITION

3440 MANUFACTURING: FABRICATED METAL PRODUCTS:
Fabricated structural metal products

Item Description For Accounting Period 7/86 Through 6/87	A Total	B Zero Assets	C Under 100	D 100 to 250	E 251 to 500	F 501 to 1,000	G 1,001 to 5,000	H 5,001 to 10,000	I 10,001 to 25,000	J 25,001 to 50,000	K 50,001 to 100,000	L 100,001 to 250,000	M 250,001 and over
						SIZE OF ASSETS IN THOUSANDS OF DOLLARS (000 OMITTED)							
1. Number of Enterprises	5696	-	1525	572	1244	609	1298	187	77	30	19	11	-
2. Total receipts (in millions of dollars)	26393.7	-	830.4	231.1	1430.6	1084.4	5620.4	2446.3	2059.6	1361.7	2206.2	2600.6	-
Selected Operating Factors in Percent of Net Sales													
3. Cost of operations	71.3	-	83.2	64.1	61.1	62.1	73.3	68.6	74.1	71.8	77.8	73.1	-
4. Compensation of officers	2.8	-	2.5	5.1	10.5	6.8	4.4	2.7	2.5	1.8	0.9	0.7	-
5. Repairs	0.6	-	0.2	0.5	0.3	0.5	0.4	0.4	0.2	0.4	0.7	0.4	-
6. Bad debts	0.3	-	-	0.1	0.3	0.4	0.2	0.7	0.4	0.2	0.4	0.3	-
7. Rent on business property	0.9	-	0.8	1.3	0.9	1.5	0.6	1.0	0.7	0.3	0.7	0.8	-
8. Taxes (excl Federal tax)	2.4	-	1.2	2.4	2.8	3.3	2.5	1.9	2.4	2.2	1.7	2.3	-
9. Interest	1.8	-	0.3	0.2	1.0	1.0	1.1	1.2	1.2	1.5	2.0	1.5	-
10. Deprec/Deplet/Amortiz†	2.9	-	0.5	5.2	2.7	3.4	2.2	1.8	2.2	3.0	2.1	3.0	-
11. Advertising	0.5	-	0.2	0.2	0.3	0.5	0.4	0.4	0.5	0.5	0.5	0.6	-
12. Pensions & other benef plans	1.7	-	0.3	0.1	1.6	2.4	1.4	1.7	1.9	1.8	1.3	1.4	-
13. Other expenses	12.7	-	8.6	14.2	14.1	15.3	10.1	16.7	9.9	13.2	12.8	12.4	-
14. Net profit before tax	2.1	-	2.2	6.6	4.4	2.8	3.4	2.9	4.0	3.3	#	3.5	-
Selected Financial Ratios (number of times ratio is to one)													
15. Current ratio	1.9	-	1.9	0.8	2.7	2.5	1.8	1.7	1.8	2.0	2.5	2.4	-
16. Quick ratio	1.1	-	1.3	0.6	2.2	1.5	1.2	0.9	1.0	1.2	1.1	1.4	-
17. Net sls to net wkg capital	6.4	-	42.1	-	6.7	5.6	7.7	6.8	6.2	4.5	3.6	4.6	-
18. Coverage ratio	4.1	-	-	-	6.9	4.8	5.0	5.3	5.4	5.5	3.7	6.2	-
19. Asset turnover	1.7	-	-	2.1	-	2.4	2.3	1.8	1.7	1.3	1.4	1.5	-
20. Total liab to net worth	1.3	-	2.6	3.6	0.7	0.7	1.4	1.5	1.2	0.8	1.5	0.8	-
Selected Financial Factors in Percentages													
21. Debt ratio	55.9	-	72.2	78.2	41.6	41.0	57.6	59.5	53.8	45.8	60.0	45.6	-
22. Return on assets	12.0	-	-	15.2	19.4	11.4	12.4	11.6	11.3	10.5	10.2	13.7	-
23. Return on equity	14.1	-	-	-	23.0	11.7	18.3	15.2	12.9	10.0	12.2	13.1	-
24. Return on net worth	27.2	-	-	69.6	33.2	19.3	29.3	28.7	24.5	19.4	25.5	25.2	-

†Depreciation largest factor

TABLE I: CORPORATIONS WITH AND WITHOUT NET INCOME, 1990 EDITION

3460 MANUFACTURING: FABRICATED METAL PRODUCTS:

Metal forgings and stampings

SIZE OF ASSETS IN THOUSANDS OF DOLLARS (000 OMITTED)

Item Description For Accounting Period 7/86 Through 6/87	A Total	B Zero Assets	C Under 100	D 100 to 250	E 251 to 500	F 501 to 1,000	G 1,001 to 5,000	H 5,001 to 10,000	I 10,001 to 25,000	J 25,001 to 50,000	K 50,001 to 100,000	L 100,001 to 250,000	M 250,001 and over
1. Number of Enterprises	3340	55	452	296	869	706	685	155	83	26	7	3	3
2. Total receipts (in millions of dollars)	15153.6	788.2	109.0	125.8	660.2	1081.1	3262.2	1744.9	2103.6	1384.2	804.5	413.6	2676.5
Selected Operating Factors in Percent of Net Sales													
3. Cost of operations	70.3	74.3	37.6	51.2	58.7	63.1	70.9	73.5	75.0	70.5	72.9	65.6	70.7
4. Compensation of officers	3.4	1.1	16.5	10.8	15.1	8.9	4.0	3.5	2.4	1.0	1.3	0.5	0.5
5. Repairs	1.1	0.4	0.9	0.9	0.6	0.8	0.6	0.5	0.3	0.5	0.8	3.1	3.6
6. Bad debts	0.7	0.1	-	-	0.1	0.2	0.3	0.4	0.2	0.3	0.1	0.3	3.3
7. Rent on business property	0.9	0.6	8.5	4.2	2.2	1.5	0.7	0.6	0.5	0.5	0.5	1.0	1.0
8. Taxes (excl Federal tax)	2.8	3.2	3.1	3.9	3.5	3.5	3.1	2.7	2.1	2.0	2.7	3.2	2.5
9. Interest	2.2	5.3	0.6	0.4	1.3	1.6	1.8	1.9	1.6	3.1	0.7	1.8	3.0
10. Deprec/Deplet/Amortiz†	3.9	5.8	4.3	2.0	4.1	4.1	4.0	4.1	3.7	4.6	2.6	4.5	3.3
11. Advertising	0.3	0.1	0.1	0.3	0.5	0.1	0.3	0.3	0.2	0.9	0.3	1.6	0.1
12. Pensions & other benef plans	2.8	2.9	1.4	4.0	1.4	2.5	2.0	1.6	1.9	2.5	2.1	4.8	5.7
13. Other expenses	12.1	5.8	30.7	27.3	16.3	12.4	11.5	10.1	8.9	14.2	8.4	16.4	15.6
14. Net profit before tax	*	0.4	*	*	*	1.3	0.8	0.8	3.2	*	7.6	*	*
Selected Financial Ratios (number of times ratio is to one)													
15. Current ratio	1.6	-	20.3	-	2.1	2.1	1.5	1.7	1.4	1.2	1.9	3.4	1.5
16. Quick ratio	0.9	-	12.4	-	1.5	1.4	0.8	1.0	0.8	0.6	1.0	2.0	0.7
17. Net sls to net wkg capital	8.3	-	4.3	-	6.3	6.2	10.2	7.1	10.5	16.1	6.3	2.5	6.9
18. Coverage ratio	2.0	-	2.9	-	2.3	2.7	1.9	2.3	4.2	1.4	-	0.4	-
19. Asset turnover	1.6	-	-	-	2.1	2.0	2.0	1.7	1.7	1.4	1.6	1.1	1.0
20. Total liab to net worth	1.5	-	0.7	-	1.0	1.4	1.7	1.3	2.0	1.8	0.8	0.9	1.4
Selected Financial Factors in Percentages													
21. Debt ratio	59.2	-	41.4	-	50.1	57.8	62.7	56.8	66.3	63.9	45.4	46.8	57.8
22. Return on assets	6.9	-	7.0	-	6.3	8.6	6.9	7.5	11.2	6.2	19.2	0.7	-
23. Return on equity	3.0	-	7.7	-	5.0	7.0	4.4	4.2	14.3	0.8	18.9	-	-
24. Return on net worth	16.9	-	11.9	-	12.6	20.4	18.6	17.3	33.2	17.1	35.2	1.3	-

†Depreciation largest factor

TABLE II: CORPORATIONS WITH NET INCOME, 1990 EDITION

3460 MANUFACTURING: FABRICATED METAL PRODUCTS:
Metal forgings and stampings

Item Description / For Accounting Period / 7/86 Through 6/87	A Total	B Zero Assets	SIZE OF ASSETS IN THOUSANDS OF DOLLARS (000 OMITTED)										
			C Under 100	D 100 to 250	E 251 to 500	F 501 to 1,000	G 1,001 to 5,000	H 5,001 to 10,000	I 10,001 to 25,000	J 25,001 to 50,000	K 50,001 to 100,000	L 100,001 to 250,000	M 250,001 and over
1. Number of Enterprises	2218	14	452	148	451	544	419	97	-	17	-	-	-
2. Total receipts (in millions of dollars)	9537.2	758.7	109.0	49.8	347.6	848.3	2294.7	1102.3	-	1033.8	-	-	-
Selected Operating Factors in Percent of Net Sales													
3. Cost of operations	69.1	74.5	37.6	46.4	57.2	60.0	68.7	70.7	-	68.1	-	-	-
4. Compensation of officers	3.8	0.9	16.5	9.6	12.6	9.8	4.4	4.0	-	1.1	-	-	-
5. Repairs	0.5	0.4	0.9	0.6	0.1	0.9	0.7	0.6	-	0.3	-	-	-
6. Bad debts	0.1	-	-	-	-	0.2	0.1	0.2	-	0.3	-	-	-
7. Rent on business property	0.8	0.7	8.5	6.1	1.7	1.7	0.7	0.6	-	0.5	-	-	-
8. Taxes (excl Federal tax)	2.8	3.1	3.1	3.0	4.8	3.4	3.1	2.7	-	2.0	-	-	-
9. Interest	1.8	5.5	0.6	-	1.0	1.3	1.5	1.6	-	2.6	-	-	-
10. Deprec/Deplet/Amortiz†	3.6	5.8	4.3	2.5	3.5	4.0	3.5	4.0	-	3.1	-	-	-
11. Advertising	0.4	0.1	0.1	0.5	0.3	0.1	0.3	0.2	-	1.2	-	-	-
12. Pensions & other benef plans	2.1	2.6	1.4	2.6	1.9	2.8	1.8	1.7	-	2.1	-	-	-
13. Other expenses	10.8	5.4	30.7	27.7	12.3	11.8	10.9	9.1	-	15.8	-	-	-
14. Net profit before tax	4.2	1.0	#	1.0	4.6	4.0	4.3	4.6	-	2.9	-	-	-
Selected Financial Ratios (number of times ratio is to one)													
15. Current ratio	1.9	-	20.3	3.6	2.3	2.4	1.8	2.1	-	1.5	-	-	-
16. Quick ratio	1.1	-	12.4	2.9	1.8	1.6	1.1	1.3	-	0.8	-	-	-
17. Net sls to net wkg capital	7.3	-	4.3	5.0	6.6	5.4	8.3	5.8	-	9.4	-	-	-
18. Coverage ratio	4.5	-	2.9	-	8.3	5.2	4.5	4.3	-	2.7	-	-	-
19. Asset turnover	2.1	-	-	-	2.3	2.1	2.3	1.8	-	1.6	-	-	-
20. Total liab to net worth	1.1	-	0.7	0.8	0.8	0.9	1.2	0.9	-	1.4	-	-	-
Selected Financial Factors in Percentages													
21. Debt ratio	51.5	-	41.4	43.8	43.9	48.5	53.7	48.1	-	58.5	-	-	-
22. Return on assets	16.4	-	7.0	3.6	19.6	14.0	15.3	12.9	-	11.2	-	-	-
23. Return on equity	17.5	-	7.7	5.5	27.0	15.9	19.9	11.6	-	10.9	-	-	-
24. Return on net worth	33.7	-	11.9	6.4	35.0	27.3	33.0	24.8	-	27.0	-	-	-

†Depreciation largest factor

3470 MANUFACTURING: FABRICATED METAL PRODUCTS:

Coating, engraving, and allied services

Item Description For Accounting Period 7/86 Through 6/87	A Total	B Zero Assets	C Under 100	D 100 to 250	E 251 to 500	F 501 to 1,000	G 1,001 to 5,000	H 5,001 to 10,000	I 10,001 to 25,000	J 25,001 to 50,000	K 50,001 to 100,000	L 100,001 to 250,000	M 250,001 and over
			SIZE OF ASSETS IN THOUSANDS OF DOLLARS (000 OMITTED)										
1. Number of Enterprises	2283	22	401	427	331	575	442	65	16	5	-	-	-
2. Total receipts (in millions of dollars)	4496.1	24.4	75.3	208.1	213.2	838.7	1431.4	835.8	346.8	522.6	-	-	-
				Selected Operating Factors in Percent of Net Sales									
3. Cost of operations	63.0	67.5	66.1	64.2	48.0	54.2	59.3	71.4	73.5	72.8	-	-	-
4. Compensation of officers	5.0	2.7	5.0	7.0	9.7	7.3	5.3	3.8	1.7	1.1	-	-	-
5. Repairs	0.8	-	2.3	0.2	0.4	1.0	0.9	0.9	0.4	0.8	-	-	-
6. Bad debts	0.4	-	-	-	-	0.5	0.3	0.1	1.6	0.3	-	-	-
7. Rent on business property	1.3	0.7	2.8	2.8	2.7	2.8	1.1	0.2	0.2	1.0	-	-	-
8. Taxes (excl Federal tax)	3.4	3.5	5.4	5.6	3.5	3.6	3.6	2.8	1.9	2.8	-	-	-
9. Interest	1.8	0.5	4.5	2.1	2.7	1.7	1.6	1.4	2.3	1.7	-	-	-
10. Deprec/Deplet/Amortiz†	4.0	5.3	2.5	4.7	4.3	5.0	3.6	3.8	3.4	4.1	-	-	-
11. Advertising	0.3	0.1	0.7	0.4	0.7	0.3	0.4	0.3	0.2	0.1	-	-	-
12. Pensions & other benef plans	1.8	0.4	2.4	-	0.3	1.2	3.0	1.7	2.7	0.7	-	-	-
13. Other expenses	16.8	7.5	21.4	17.0	24.3	21.1	21.2	12.4	7.7	7.1	-	-	-
14. Net profit before tax	1.4	11.8	*	*	3.4	1.3	*	1.2	4.4	7.5	-	-	-
				Selected Financial Ratios (number of times ratio is to one)									
15. Current ratio	1.5	-	-	-	1.2	1.9	1.5	1.3	1.4	2.4	-	-	-
16. Quick ratio	1.0	-	-	-	1.0	1.5	1.0	0.8	1.0	1.4	-	-	-
17. Net sls to net wkg capital	10.8	-	-	-	23.7	8.4	9.9	13.9	9.8	4.9	-	-	-
18. Coverage ratio	3.0	-	-	-	2.7	2.4	1.9	3.1	5.5	7.8	-	-	-
19. Asset turnover	1.7	-	-	-	1.8	2.1	1.8	1.7	1.4	1.3	-	-	-
20. Total liab to net worth	1.6	-	-	-	3.4	1.7	1.7	1.9	1.3	0.5	-	-	-
				Selected Financial Factors in Percentages									
21. Debt ratio	61.0	-	-	-	77.3	62.5	63.4	66.0	55.7	33.3	-	-	-
22. Return on assets	9.2	-	-	-	13.4	8.4	5.4	7.2	18.2	16.9	-	-	-
23. Return on equity	7.8	-	-	-	32.1	9.7	1.8	8.0	18.4	11.5	-	-	-
24. Return on net worth	23.5	-	-	-	59.1	22.5	14.8	21.1	41.0	25.3	-	-	-

†Depreciation largest factor

3470 MANUFACTURING: FABRICATED METAL PRODUCTS:
Coating, engraving, and allied services

Item Description For Accounting Period 7/86 Through 6/87	A Total	B Zero Assets	C Under 100	D 100 to 250	E 251 to 500	F 501 to 1,000	G 1,001 to 5,000	H 5,001 to 10,000	I 10,001 to 25,000	J 25,001 to 50,000	K 50,001 to 100,000	L 100,001 to 250,000	M 250,001 and over
					SIZE OF ASSETS IN THOUSANDS OF DOLLARS (000 OMITTED)								
1. Number of Enterprises	1328	22	191	129	202	395	321	51	-	-	-	-	-
2. Total receipts (in millions of dollars)	3533.6	24.4	24.3	115.7	167.7	558.9	1176.8	734.0	-	-	-	-	-
				Selected Operating Factors in Percent of Net Sales									
3. Cost of operations	60.7	67.5	58.2	57.2	42.1	48.6	56.6	71.0	-	-	-	-	-
4. Compensation of officers	5.0	2.7	-	6.2	7.9	9.0	5.8	3.7	-	-	-	-	-
5. Repairs	0.9	-	6.6	0.2	0.5	1.2	0.7	1.0	-	-	-	-	-
6. Bad debts	0.3	-	-	-	-	0.7	0.2	0.1	-	-	-	-	-
7. Rent on business property	1.3	0.7	1.9	3.1	2.7	2.7	1.2	0.1	-	-	-	-	-
8. Taxes (excl Federal tax)	3.5	3.5	8.1	7.6	3.7	3.9	3.9	2.8	-	-	-	-	-
9. Interest	1.4	0.5	0.6	1.2	2.4	1.3	1.2	1.1	-	-	-	-	-
10. Deprec/Deplet/Amortiz†	3.6	5.3	1.5	3.9	4.2	4.4	3.4	3.0	-	-	-	-	-
11. Advertising	0.3	0.1	-	0.6	0.9	0.3	-0.4	0.3	-	-	-	-	-
12. Pensions & other benef plans	1.9	0.4	-	-	0.5	1.7	3.1	1.6	-	-	-	-	-
13. Other expenses	16.4	7.5	11.2	19.0	25.6	22.8	19.7	12.5	-	-	-	-	-
14. Net profit before tax	4.7	11.8	11.9	1.0	9.5	3.4	3.8	2.8	-	-	-	-	-
				Selected Financial Ratios (number of times ratio is to one)									
15. Current ratio	1.8	-	2.3	1.7	1.7	2.5	1.9	1.3	-	-	-	-	-
16. Quick ratio	1.2	-	2.3	1.3	1.4	2.0	1.2	0.7	-	-	-	-	-
17. Net sls to net wkg capital	7.5	-	18.4	14.9	10.1	5.9	7.2	14.4	-	-	-	-	-
18. Coverage ratio	6.2	-	-	2.0	5.6	4.7	5.8	4.8	-	-	-	-	-
19. Asset turnover	1.8	-	-	-	2.5	2.1	2.0	1.9	-	-	-	-	-
20. Total liab to net worth	1.0	-	0.1	1.9	1.1	0.8	1.0	1.9	-	-	-	-	-
				Selected Financial Factors in Percentages									
21. Debt ratio	48.6	-	11.7	65.7	52.8	45.5	49.5	65.2	-	-	-	-	-
22. Return on assets	15.4	-	-	8.9	-	13.0	13.4	9.8	-	-	-	-	-
23. Return on equity	17.3	-	36.7	12.5	-	15.4	17.0	14.4	-	-	-	-	-
24. Return on net worth	30.0	-	38.7	26.1	70.7	23.9	26.6	28.2	-	-	-	-	-

†Depreciation largest factor

3480 MANUFACTURING: FABRICATED METAL PRODUCTS:

Ordnance and accessories, except vehicles and guided missiles

Item Description For Accounting Period 7/86 Through 6/87	A Total	B Zero Assets	C Under 100	D 100 to 250	E 251 to 500	F 501 to 1,000	G 1,001 to 5,000	H 5,001 to 10,000	I 10,001 to 25,000	J 25,001 to 50,000	K 50,001 to 100,000	L 100,001 to 250,000	M 250,001 and over
					SIZE OF ASSETS IN THOUSANDS OF DOLLARS (000 OMITTED)								
1. Number of Enterprises	248	-	-	-	187	-	-	6	18	-	3	-	-
2. Total receipts (in millions of dollars)	1581.1	-	-	-	282.1	-	-	75.2	476.7	-	563.4	-	-
Selected Operating Factors in Percent of Net Sales													
3. Cost of operations	67.7	-	-	-	69.0	-	-	55.4	73.8	-	64.9	-	-
4. Compensation of officers	3.0	-	-	-	7.5	-	-	2.9	2.7	-	1.2	-	-
5. Repairs	0.2	-	-	-	-	-	-	-	0.3	-	-	-	-
6. Bad debts	0.2	-	-	-	0.2	-	-	0.5	0.1	-	0.4	-	-
7. Rent on business property	0.3	-	-	-	0.1	-	-	1.7	0.2	-	0.1	-	-
8. Taxes (excl Federal tax)	3.1	-	-	-	1.8	-	-	2.1	3.2	-	3.7	-	-
9. Interest	2.8	-	-	-	1.1	-	-	3.8	1.3	-	2.7	-	-
10. Deprec/Deplet/Amortiz†	3.1	-	-	-	2.9	-	-	3.0	2.5	-	2.5	-	-
11. Advertising	1.0	-	-	-	1.6	-	-	4.9	0.8	-	0.7	-	-
12. Pensions & other benef plans	1.5	-	-	-	-	-	-	0.6	2.0	-	1.4	-	-
13. Other expenses	13.9	-	-	-	14.1	-	-	9.4	10.3	-	15.8	-	-
14. Net profit before tax	3.2	-	-	-	1.7	-	-	15.7	2.8	-	6.6	-	-
Selected Financial Ratios (number of times ratio is to one)													
15. Current ratio	1.8	-	-	-	1.8	-	-	2.2	1.7	-	2.0	-	-
16. Quick ratio	0.9	-	-	-	1.4	-	-	1.3	0.8	-	1.0	-	-
17. Net sls to net wkg capital	5.4	-	-	-	14.0	-	-	6.8	4.3	-	4.2	-	-
18. Coverage ratio	2.9	-	-	-	2.5	-	-	5.2	4.3	-	4.9	-	-
19. Asset turnover	1.7	-	-	-	-	-	-	2.0	1.3	-	1.4	-	-
20. Total liab to net worth	1.5	-	-	-	1.6	-	-	2.1	1.5	-	1.3	-	-
Selected Financial Factors in Percentages													
21. Debt ratio	60.7	-	-	-	61.5	-	-	68.2	59.9	-	56.9	-	-
22. Return on assets	13.6	-	-	-	10.0	-	-	-	7.2	-	18.3	-	-
23. Return on equity	11.8	-	-	-	13.0	-	-	-	9.3	-	18.5	-	-
24. Return on net worth	34.5	-	-	-	26.0	-	-	-	18.0	-	42.4	-	-

†Depreciation largest factor

Page 136

3480 MANUFACTURING: FABRICATED METAL PRODUCTS:
Ordnance and accessories, except vehicles and guided missiles

Item Description For Accounting Period 7/86 Through 6/87	A Total	B Zero Assets	C Under 100	D 100 to 250	E 251 to 500	F 501 to 1,000	G 1,001 to 5,000	H 5,001 to 10,000	I 10,001 to 25,000	J 25,001 to 50,000	K 50,001 to 100,000	L 100,001 to 250,000	M 250,001 and over
							SIZE OF ASSETS IN THOUSANDS OF DOLLARS (000 OMITTED)						
1. Number of Enterprises	188	-	-	-	129	-	33	6	-	-	-	-	-
2. Total receipts (in millions of dollars)	1453.7	-	-	-	244.9	-	102.7	75.2	-	-	-	-	-
Selected Operating Factors in Percent of Net Sales													
3. Cost of operations	67.5	-	.	-	69.4	-	58.7	55.4	-	-	-	-	-
4. Compensation of officers	3.0	-	-	-	8.6	-	2.4	2.9	-	-	-	-	-
5. Repairs	0.2	-	-	-	-	-	1.0	-	-	-	-	-	-
6. Bad debts	0.3	-	-	-	0.2	-	-	0.5	-	-	-	-	-
7. Rent on business property	0.3	-	-	-	0.1	-	1.3	1.7	-	-	-	-	-
8. Taxes (excl Federal tax)	3.1	-	-	-	1.8	-	3.1	2.1	-	-	-	-	-
9. Interest	2.0	-	-	-	1.1	-	3.0	3.8	-	-	-	-	-
10. Deprec/Deplet/Amortiz†	2.6	-	-	-	2.5	-	4.9	3.0	-	-	-	-	-
11. Advertising	1.1	-	-	-	1.8	-	-	4.9	-	-	-	-	-
12. Pensions & other benef plans	1.2	-	-	-	-	-	-	0.6	-	-	-	-	-
13. Other expenses	13.6	-	-	-	12.5	-	24.6	9.4	-	-	-	-	-
14. Net profit before tax	5.1	-	-	-	2.0	-	1.0	15.7	-	-	-	-	-
Selected Financial Ratios (number of times ratio is to one)													
15. Current ratio	1.9	-	-	-	1.9	-	2.1	2.2	-	-	-	-	-
16. Quick ratio	0.9	-	-	-	1.3	-	0.7	1.3	-	-	-	-	-
17. Net sls to net wkg capital	4.9	-	-	-	14.8	-	6.2	6.8	-	-	-	-	-
18. Coverage ratio	4.6	-	-	-	2.8	-	1.8	5.2	-	-	-	-	-
19. Asset turnover	1.6	-	-	-	-	-	1.9	2.0	-	-	-	-	-
20. Total liab to net worth	1.5	-	-	-	1.2	-	6.1	2.1	-	-	-	-	-
Selected Financial Factors in Percentages													
21. Debt ratio	59.8	-	-	-	54.7	-	85.9	68.2	-	-	-	-	-
22. Return on assets	14.9	-	-	-	12.7	-	10.0	-	-	-	-	-	-
23. Return on equity	18.0	-	-	-	15.2	-	30.7	-	-	-	-	-	-
24. Return on net worth	36.9	-	-	-	28.1	-	70.8	-	-	-	-	-	-

†Depreciation largest factor

3490 MANUFACTURING: FABRICATED METAL PRODUCTS:
Miscellaneous fabricated metal products

Item Description For Accounting Period 7/86 Through 6/87	A Total	B Zero Assets	C Under 100	D 100 to 250	E 251 to 500	F 501 to 1,000	G 1,001 to 5,000	H 5,001 to 10,000	I 10,001 to 25,000	J 25,001 to 50,000	K 50,001 to 100,000	L 100,001 to 250,000	M 250,001 and over
	SIZE OF ASSETS IN THOUSANDS OF DOLLARS (000 OMITTED)												
1. Number of Enterprises	26962	1139	10719	5141	3684	2546	2783	473	298	92	40	28	18
2. Total receipts (in millions of dollars)	59080.6	883.2	1291.2	2255.8	3088.5	4045.2	10791.2	5201.4	6700.8	4102.9	3770.9	4810.2	12139.3
Selected Operating Factors in Percent of Net Sales													
3. Cost of operations	68.4	69.4	56.3	52.6	60.5	65.6	67.9	72.2	72.8	74.5	72.4	73.5	66.3
4. Compensation of officers	3.4	4.5	10.2	13.5	7.6	6.8	4.6	2.7	1.9	1.4	1.0	0.7	0.7
5. Repairs	0.6	0.5	1.1	0.5	0.6	0.4	0.5	0.4	0.4	0.6	0.9	0.8	0.7
6. Bad debts	0.4	0.2	0.8	0.2	0.2	0.5	0.4	0.3	0.3	1.1	0.2	0.3	0.3
7. Rent on business property	1.3	1.7	4.3	2.2	2.3	1.8	1.1	0.8	0.7	1.1	0.7	1.0	1.6
8. Taxes (excl Federal tax)	2.6	2.3	4.2	3.1	3.7	3.0	2.7	2.2	2.2	2.1	2.3	2.3	2.9
9. Interest	3.2	3.1	1.7	1.4	1.9	1.9	1.8	1.9	2.4	2.4	2.4	2.5	8.2
10. Deprec/Deplet/Amortiz†	4.0	3.0	3.3	4.3	4.8	3.5	3.1	2.9	3.5	3.3	3.6	3.7	6.4
11. Advertising	0.6	0.4	0.6	0.3	0.3	0.4	0.6	0.5	0.8	0.6	0.7	0.6	0.8
12. Pensions & other benef plans	2.1	1.5	0.7	3.1	1.9	1.8	1.8	2.2	1.8	2.0	1.7	2.8	2.8
13. Other expenses	15.4	14.0	24.8	19.3	15.5	14.3	14.3	12.8	13.8	13.1	13.8	13.4	19.2
14. Net profit before tax	*	*	*	*	0.7	*	1.2	1.1	*	*	0.3	*	*
Selected Financial Ratios (number of times ratio is to one)													
15. Current ratio	1.5	-	-	1.6	1.8	1.9	1.7	1.6	1.7	1.5	2.0	1.9	1.3
16. Quick ratio	0.8	-	-	1.1	1.2	1.3	0.9	0.8	0.9	0.7	1.1	1.0	0.7
17. Net sls to net wkg capital	5.9	-	-	11.8	9.2	7.4	7.1	6.6	5.7	6.6	4.1	4.8	4.0
18. Coverage ratio	1.7	-	-	1.7	1.9	2.0	2.5	2.4	1.6	1.4	2.5	1.9	1.5
19. Asset turnover	1.2	-	-	2.5	2.3	2.2	1.8	1.6	1.5	1.3	1.2	1.2	0.5
20. Total liab to net worth	2.2	-	-	3.2	1.6	1.4	1.5	1.8	1.4	1.7	1.4	1.7	3.5
Selected Financial Factors in Percentages													
21. Debt ratio	68.8	-	-	75.9	61.2	57.9	59.2	64.3	58.8	63.4	57.8	63.1	78.0
22. Return on assets	6.5	-	-	5.9	8.3	8.3	8.2	7.2	5.6	4.6	7.2	5.6	6.4
23. Return on equity	3.9	-	-	5.5	6.4	6.1	7.3	5.3	0.5	-	5.0	1.9	5.2
24. Return on net worth	20.9	-	-	24.5	21.3	19.8	20.0	20.2	13.5	12.5	17.0	15.3	28.8

†Depreciation largest factor

TABLE II: CORPORATIONS WITH NET INCOME, 1990 EDITION

3490 MANUFACTURING: FABRICATED METAL PRODUCTS:
Miscellaneous fabricated metal products

Item Description For Accounting Period 7/86 Through 6/87	A Total	B Zero Assets	C Under 100	D 100 to 250	E 251 to 500	F 501 to 1,000	G 1,001 to 5,000	H 5,001 to 10,000	I 10,001 to 25,000	J 25,001 to 50,000	K 50,001 to 100,000	L 100,001 to 250,000	M 250,001 and over
					SIZE OF ASSETS IN THOUSANDS OF DOLLARS (000 OMITTED)								
1. Number of Enterprises	15038	326	4856	3021	2306	1813	2111	323	173	56	29	15	10
2. Total receipts (in millions of dollars)	39876.7	644.7	636.1	1627.7	2049.2	3083.6	8593.4	3831.7	4128.3	2481.7	2790.8	3006.6	7003.0
Selected Operating Factors in Percent of Net Sales													
3. Cost of operations	65.4	68.4	45.0	47.6	60.6	63.5	66.2	69.5	70.0	70.7	70.4	71.5	60.8
4. Compensation of officers	3.7	4.1	9.5	15.0	7.6	7.0	4.8	2.7	2.1	1.6	0.8	0.8	0.6
5. Repairs	0.5	0.2	1.3	0.5	0.5	0.5	0.5	0.3	0.5	0.6	1.0	0.6	0.6
6. Bad debts	0.3	0.1	0.2	0.1	0.2	0.5	0.3	0.3	0.3	0.3	0.2	0.3	0.2
7. Rent on business property	1.2	1.4	4.0	1.6	2.1	1.6	1.1	0.8	0.8	1.2	0.8	0.9	1.6
8. Taxes (excl Federal tax)	2.7	2.3	5.0	2.9	3.3	2.8	2.5	2.3	2.5	2.4	2.3	2.3	3.3
9. Interest	1.9	2.0	1.3	0.9	1.2	1.6	1.6	1.4	1.6	2.0	2.5	2.2	3.2
10. Deprec/Deplet/Amortiz†	3.2	2.6	3.6	3.5	4.0	3.3	3.0	2.5	2.6	3.0	3.1	3.2	4.3
11. Advertising	0.7	0.4	0.4	0.3	0.4	0.3	0.6·	0.5	0.9	0.7	0.8	0.8	0.9
12. Pensions & other benef plans	2.3	1.9	0.8	3.7	1.6	2.0	1.7	2.2	2.1	2.0	1.6	2.6	3.5
13. Other expenses	15.2	14.2	22.9	19.0	13.3	13.6	13.5	12.4	13.9	12.0	13.6	12.7	22.7
14. Net profit before tax	2.9	2.4	6.0	4.9	5.2	3.3	4.2	5.1	2.7	3.5	2.9	2.1	#
Selected Financial Ratios (number of times ratio is to one)													
15. Current ratio	2.1	-	2.1	1.7	2.0	2.3	2.0	2.0	2.1	1.8	2.1	2.1	2.3
16. Quick ratio	1.2	-	1.6	1.3	1.4	1.6	1.1	1.0	1.1	0.9	1.2	1.1	1.3
17. Net sls to net wkg capital	5.0	-	9.1	11.4	7.9	6.0	6.1	5.3	4.6	5.3	4.4	5.1	3.1
18. Coverage ratio	4.3	-	7.3	8.0	5.9	3.7	4.6	5.5	4.4	4.6	3.6	3.9	3.6
19. Asset turnover	1.5	-	-	-	2.5	2.4	1.9	1.7	1.6	1.3	1.3	1.4	0.8
20. Total liab to net worth	1.3	-	4.5	1.9	1.1	1.0	1.1	1.0	0.9	1.2	1.3	1.5	1.5
Selected Financial Factors in Percentages													
21. Debt ratio	55.8	-	81.9	65.0	52.2	50.0	52.5	50.8	48.5	53.6	56.1	59.8	60.5
22. Return on assets	12.1	-	-	20.4	18.1	14.3	13.9	13.6	11.1	12.3	11.7	12.3	8.7
23. Return on equity	14.8	-	-	46.5	26.6	16.7	17.4	16.0	10.0	14.4	12.1	13.6	10.5
24. Return on net worth	27.4	-	-	58.1	37.8	28.6	29.2	27.6	21.6	26.5	26.6	30.5	22.1

†Depreciation largest factor

TABLE I: CORPORATIONS WITH AND WITHOUT NET INCOME, 1990 EDITION

3520 MANUFACTURING: MACHINERY, EXCEPT ELECTRICAL:
Farm machinery

Item Description For Accounting Period 7/86 Through 6/87	A Total	B Zero Assets	C Under 100	D 100 to 250	E 251 to 500	F 501 to 1,000	G 1,001 to 5,000	H 5,001 to 10,000	I 10,001 to 25,000	J 25,001 to 50,000	K 50,001 to 100,000	L 100,001 to 250,000	M 250,001 and over
						SIZE OF ASSETS IN THOUSANDS OF DOLLARS (000 OMITTED)							
1. Number of Enterprises	1954	6	1016	65	212	180	388	42	21	10	3	5	5
2. Total receipts (in millions of dollars)	10698.5	89.7	82.1	25.9	122.8	257.5	1035.3	387.4	419.7	508.6	216.9	1186.2	6366.3
Selected Operating Factors in Percent of Net Sales													
3. Cost of operations	72.0	88.0	65.9	-	65.8	71.1	66.5	70.5	74.1	68.1	72.8	80.2	71.4
4. Compensation of officers	0.9	0.2	3.5	-	4.1	2.4	4.1	2.7	2.1	1.3	0.9	0.5	0.1
5. Repairs	2.0	0.4	1.6	-	2.6	0.1	0.5	0.4	0.2	0.2	0.2	0.6	3.1
6. Bad debts	0.6	3.1	-	-	0.6	0.6	0.4	0.2	0.4	0.4	0.5	0.3	0.7
7. Rent on business property	1.2	1.2	1.1	-	1.0	0.8	0.9	0.2	0.4	0.6	0.3	1.0	1.5
8. Taxes (excl Federal tax)	2.1	0.8	2.6	-	3.6	2.0	2.4	2.0	2.1	1.6	1.2	1.8	2.2
9. Interest	4.7	6.7	3.4	-	4.2	2.2	2.8	3.3	3.3	1.9	3.0	2.9	6.0
10. Deprec/Deplet/Amortiz†	3.8	2.1	3.7	-	5.1	1.7	2.0	2.6	2.3	2.5	1.9	2.0	4.9
11. Advertising	1.4	1.3	2.0	-	2.1	1.1	1.3	0.7	0.9	0.6	2.6	0.9	1.5
12. Pensions & other benef plans	3.4	1.9	0.3	-	0.3	0.7	0.9	1.7	0.8	1.6	3.4	1.2	5.0
13. Other expenses	18.0	27.0	45.6	-	18.4	15.1	18.5	13.3	16.0	21.5	16.7	13.7	18.6
14. Net profit before tax	*	*	*	*	*	2.2	*	2.4	*	*	*	*	*
Selected Financial Ratios (number of times ratio is to one)													
15. Current ratio	1.9	-	-	3.6	2.3	2.0	1.7	2.1	2.2	1.7	1.8	1.3	2.0
16. Quick ratio	1.4	-	-	3.6	1.1	0.9	0.6	0.9	1.0	0.7	0.9	0.7	1.7
17. Net sls to net wkg capital	2.6	-	-	4.6	3.0	4.2	4.3	4.1	3.2	6.2	2.8	7.4	2.0
18. Coverage ratio	0.6	-	-	-	-	3.0	2.2	2.5	1.0	3.2	0.7	0.6	0.4
19. Asset turnover	0.8	-	-	2.1	1.3	1.8	1.3	1.4	1.3	1.6	0.9	1.1	0.7
20. Total liab to net worth	2.4	-	-	0.3	1.7	1.3	1.7	1.7	0.8	1.5	1.2	2.5	2.7
Selected Financial Factors in Percentages													
21. Debt ratio	70.5	-	-	22.2	63.2	57.1	62.8	62.8	45.3	60.3	53.7	71.4	72.9
22. Return on assets	2.4	-	-	-	-	11.6	8.0	11.8	4.1	9.6	2.0	2.0	1.7
23. Return on equity	-	-	-	-	-	16.0	7.3	16.3	-	10.2	-	-	-
24. Return on net worth	8.1	-	-	-	-	27.0	21.3	31.7	7.5	24.2	4.3	6.8	6.2

†Depreciation largest factor

3520 MANUFACTURING: MACHINERY, EXCEPT ELECTRICAL:
Farm machinery

Item Description For Accounting Period 7/86 Through 6/87	A Total	B Zero Assets	SIZE OF ASSETS IN THOUSANDS OF DOLLARS (000 OMITTED)										
			C Under 100	D 100 to 250	E 251 to 500	F 501 to 1,000	G 1,001 to 5,000	H 5,001 to 10,000	I 10,001 to 25,000	J 25,001 to 50,000	K 50,001 to 100,000	L 100,001 to 250,000	M 250,001 and over
1. Number of Enterprises	1142	-	639	-	65	110	257	38	13	-	-	-	-
2. Total receipts (in millions of dollars)	4452.6	-	40.4	-	58.1	185.5	798.6	357.6	269.9	-	-	-	-

Selected Operating Factors in Percent of Net Sales

	A	B	C	D	E	F	G	H	I	J	K	L	M
3. Cost of operations	71.8	-	65.8	-	62.4	71.1	65.5	71.3	75.2	-	-	-	-
4. Compensation of officers	1.6	-	-	-	4.7	2.7	4.0	2.7	1.8	-	-	-	-
5. Repairs	0.6	-	1.9	-	4.2	0.1	0.4	0.3	0.1	-	-	-	-
6. Bad debts	0.4	-	-	-	-	0.8	0.3	-	0.3	-	-	-	-
7. Rent on business property	0.6	-	-	-	-	0.8	0.9	0.2	0.2	-	-	-	-
8. Taxes (excl Federal tax)	2.0	-	1.5	-	5.1	2.2	2.5	2.0	1.9	-	-	-	-
9. Interest	2.2	-	0.2	-	-	1.7	2.2	3.3	1.2	-	-	-	-
10. Deprec/Deplet/Amortiz†	2.2	-	1.7	-	4.0	1.7	1.7	2.6	2.1	-	-	-	-
11. Advertising	1.5	-	0.2	-	1.8	1.0	1.2	0.7	0.4	-	-	-	-
12. Pensions & other benef plans	1.2	-	-	-	-	0.7	0.9	1.7	0.5	-	-	-	-
13. Other expenses	14.2	-	25.2	-	15.3	12.3	16.4	12.1	12.7	-	-	-	-
14. Net profit before tax	1.7	-	3.5	-	2.5	4.9	4.0	3.1	3.6	-	-	-	-

Selected Financial Ratios (number of times ratio is to one)

	A	B	C	D	E	F	G	H	I	J	K	L	M
15. Current ratio	1.8	-	-	-	52.6	2.6	1.7	2.0	2.6	-	-	-	-
16. Quick ratio	0.9	-	-	-	38.0	1.3	0.6	1.0	1.3	-	-	-	-
17. Net sls to net wkg capital	5.0	-	-	-	2.6	3.9	5.0	4.3	2.6	-	-	-	-
18. Coverage ratio	3.1	-	-	-	-	4.7	3.9	2.7	5.1	-	-	-	-
19. Asset turnover	1.6	-	-	-	2.0	2.0	1.5	1.5	1.3	-	-	-	-
20. Total liab to net worth	1.4	-	-	-	-	1.1	1.5	1.8	0.7	-	-	-	-

Selected Financial Factors in Percentages

	A	B	C	D	E	F	G	H	I	J	K	L	M
21. Debt ratio	58.3	-	-	-	1.5	53.2	60.2	64.4	40.8	-	-	-	-
22. Return on assets	10.6	-	-	-	7.5	16.3	12.9	13.0	8.3	-	-	-	-
23. Return on equity	12.0	-	-	-	6.4	24.5	18.5	20.0	9.9	-	-	-	-
24. Return on net worth	25.5	-	-	-	7.6	34.8	32.4	36.6	14.0	-	-	-	-

†Depreciation largest factor

3530 MANUFACTURING: MACHINERY, EXCEPT ELECTRICAL:

Construction and related machinery

Item Description For Accounting Period 7/86 Through 6/87	A Total	B Zero Assets	C Under 100	D 100 to 250	E 251 to 500	F 501 to 1,000	G 1,001 to 5,000	H 5,001 to 10,000	I 10,001 to 25,000	J 25,001 to 50,000	K 50,001 to 100,000	L 100,001 to 250,000	M 250,001 and over
		SIZE OF ASSETS IN THOUSANDS OF DOLLARS (000 OMITTED)											
1. Number of Enterprises	1763	6	571	215	195	207	395	66	54	17	11	10	16
2. Total receipts (in millions of dollars)	28939.1	296.8	136.7	62.5	109.7	318.1	1584.1	659.8	944.1	699.8	903.7	1467.1	21756.7
Selected Operating Factors in Percent of Net Sales													
3. Cost of operations	70.8	-	65.3	74.8	67.1	71.1	70.5	67.2	74.2	80.5	70.5	68.5	71.1
4. Compensation of officers	0.9	-	8.9	5.9	5.6	3.0	3.8	3.7	1.8	1.3	1.2	1.2	0.4
5. Repairs	1.0	-	0.2	0.8	0.2	0.2	0.4	0.5	0.9	0.4	0.8	1.0	1.1
6. Bad debts	0.4	-	0.5	-	0.1	1.1	0.4	0.2	0.2	0.5	0.3	0.5	0.4
7. Rent on business property	1.4	-	2.0	2.3	1.0	1.4	0.5	0.9	0.6	0.9	1.2	1.4	1.5
8. Taxes (excl Federal tax)	2.7	-	2.2	1.7	2.8	1.3	2.3	2.8	1.9	1.5	2.8	3.0	2.8
9. Interest	4.2	-	0.4	1.2	3.6	2.8	2.4	2.0	2.9	2.7	4.1	3.7	4.6
10. Deprec/Deplet/Amortiz†	5.7	-	1.9	0.6	4.4	7.0	2.7	2.6	2.9	3.3	5.0	4.7	6.4
11. Advertising	0.6	-	0.4	0.4	0.4	0.7	0.8	1.9	0.6	0.6	0.7	0.3	0.5
12. Pensions & other benef plans	3.0	-	-	0.2	2.6	0.8	1.1	2.2	1.5	1.4	3.5	1.9	3.4
13. Other expenses	19.0	-	19.2	26.6	12.9	16.9	20.2	16.5	16.5	15.1	17.2	18.1	18.2
14. Net profit before tax	*	*	*	*	*	*	*	*	*	*	*	*	*
Selected Financial Ratios (number of times ratio is to one)													
15. Current ratio	1.5	-	1.9	2.2	1.0	-	1.6	1.5	1.4	1.9	1.8	1.3	1.5
16. Quick ratio	0.9	-	0.8	1.3	0.6	-	0.8	0.8	0.6	0.8	0.8	0.6	0.9
17. Net sls to net wkg capital	5.3	-	15.7	3.7	-	-	6.6	7.9	6.1	3.7	4.1	7.7	5.0
18. Coverage ratio	0.8	-	3.8	-	1.0	-	-	2.2	1.1	-	0.2	1.2	1.0
19. Asset turnover	0.9	-	-	2.0	1.8	-	1.7	1.5	1.1	1.1	1.1	0.9	0.8
20. Total liab to net worth	1.5	-	1.0	1.6	1.7	-	2.2	1.9	2.1	1.8	2.1	1.5	1.4
Selected Financial Factors in Percentages													
21. Debt ratio	59.6	-	49.7	61.9	63.0	-	69.1	66.0	67.8	64.2	68.0	60.6	58.1
22. Return on assets	2.9	-	8.7	-	6.5	-	-	6.7	3.3	-	0.9	4.2	3.6
23. Return on equity	-	-	9.3	-	-	-	-	4.4	-	-	-	-	-
24. Return on net worth	7.2	-	17.3	-	17.6	-	-	19.8	10.2	-	2.8	10.6	8.7

†Depreciation largest factor

3530 MANUFACTURING: MACHINERY, EXCEPT ELECTRICAL:
Construction and related machinery

Item Description For Accounting Period 7/86 Through 6/87	A Total	B Zero Assets	C Under 100	D 100 to 250	E 251 to 500	F 501 to 1,000	G 1,001 to 5,000	H 5,001 to 10,000	I 10,001 to 25,000	J 25,001 to 50,000	K 50,001 to 100,000	L 100,001 to 250,000	M 250,001 and over
			SIZE OF ASSETS IN THOUSANDS OF DOLLARS (000 OMITTED)										
1. Number of Enterprises	682	-	37	150	64	117	207	42	40	-	4	4	-
2. Total receipts (in millions of dollars)	18184.9	-	14.2	20.1	50.9	159.0	988.3	523.8	750.4	-	328.3	763.8	-
Selected Operating Factors in Percent of Net Sales													
3. Cost of operations	70.3	-	47.1	60.1	64.1	70.4	66.7	67.7	72.3	-	64.3	70.0	-
4. Compensation of officers	0.8	-	35.1	-	6.8	0.7	4.1	3.6	2.0	-	1.2	1.5	-
5. Repairs	1.2	-	1.3	0.8	-	0.3	0.4	0.4	0.9	-	1.3	0.7	-
6. Bad debts	0.3	-	-	-	-	1.7	0.3	0.2	0.2	-	0.2	0.3	-
7. Rent on business property	1.3	-	0.3	3.6	1.5	1.6	0.4	0.8	0.6	-	0.8	0.8	-
8. Taxes (excl Federal tax)	2.5	-	3.3	1.1	1.9	1.3	2.6	2.6	1.8	-	2.0	2.7	-
9. Interest	3.1	-	-	3.7	-	1.8	1.2	1.4	2.0	-	1.9	1.3	-
10. Deprec/Deplet/Amortiz†	5.2	-	0.1	1.5	2.1	1.6	2.6	1.3	2.6	-	6.3	2.1	-
11. Advertising	0.5	-	0.4	0.5	0.8	0.2	0.9	2.0	0.6	-	1.0	0.3	-
12. Pensions & other benef plans	3.1	-	-	0.8	3.8	-	1.3	2.5	1.4	-	1.4	1.2	-
13. Other expenses	14.5	-	14.5	10.7	12.4	13.8	17.0	13.3	14.6	-	17.2	12.8	-
14. Net profit before tax	#	-	#	17.2	6.6	6.6	2.5	4.2	1.0	-	2.4	6.3	-
Selected Financial Ratios (number of times ratio is to one)													
15. Current ratio	1.7	-	-	2.2	3.3	1.3	2.1	1.9	1.6	-	2.0	1.9	-
16. Quick ratio	1.1	-	-	0.9	2.0	0.7	1.2	1.0	0.8	-	1.0	0.9	-
17. Net sls to net wkg capital	4.8	-	-	2.5	4.2	11.5	5.0	5.8	5.0	-	3.9	3.5	-
18. Coverage ratio	2.5	-	-	5.7	-	5.0	4.7	5.6	2.8	-	4.3	8.3	-
19. Asset turnover	1.0	-	-	1.3	2.3	2.0	1.9	2.0	1.1	-	1.1	1.2	-
20. Total liab to net worth	1.3	-	-	3.6	0.3	2.1	1.2	1.1	1.3	-	0.9	1.2	-
Selected Financial Factors in Percentages													
21. Debt ratio	56.5	-	-	78.3	24.4	67.5	54.2	52.7	57.3	-	47.3	53.7	-
22. Return on assets	7.7	-	-	27.6	19.4	18.0	10.9	16.0	6.3	-	8.7	12.7	-
23. Return on equity	7.3	-	-	-	20.6	43.0	14.9	20.2	7.9	-	6.6	13.8	-
24. Return on net worth	17.8	-	-	-	25.7	55.2	23.7	33.8	14.7	-	16.4	27.5	-

†Depreciation largest factor

TABLE I: CORPORATIONS WITH AND WITHOUT NET INCOME, 1990 EDITION

3540 MANUFACTURING: MACHINERY, EXCEPT ELECTRICAL:
Metalworking machinery

Item Description For Accounting Period 7/86 Through 6/87	A Total	B Zero Assets	SIZE OF ASSETS IN THOUSANDS OF DOLLARS (000 OMITTED)										
			C Under 100	D 100 to 250	E 251 to 500	F 501 to 1,000	G 1,001 to 5,000	H 5,001 to 10,000	I 10,001 to 25,000	J 25,001 to 50,000	K 50,001 to 100,000	L 100,001 to 250,000	M 250,001 and over
1. Number of Enterprises	6501	679	1421	1027	879	1280	918	171	72	22	15	9	6
2. Total receipts (in millions of dollars)	17938.6	216.4	129.8	502.7	707.9	2013.3	3376.3	1679.0	1533.2	972.1	1140.5	1725.5	3942.0
Selected Operating Factors in Percent of Net Sales													
3. Cost of operations	65.3	73.0	48.0	56.7	53.2	65.8	64.2	68.3	68.5	69.3	71.1	66.9	63.5
4. Compensation of officers	4.0	6.5	9.3	15.4	11.1	9.0	5.5	3.7	2.3	1.8	1.3	1.0	0.3
5. Repairs	0.7	0.1	0.8	0.6	0.5	0.5	0.4	0.5	0.4	0.5	0.7	0.7	1.2
6. Bad debts	0.3	0.3	-	0.8	0.4	0.1	0.1	0.6	0.4	0.2	0.4	0.3	0.3
7. Rent on business property	1.2	1.4	2.3	2.5	2.5	1.1	0.9	0.9	0.4	0.6	0.7	1.0	2.0
8. Taxes (excl Federal tax)	3.3	2.3	4.2	3.8	4.9	3.1	3.9	3.2	3.2	2.3	2.8	2.7	3.2
9. Interest	2.9	0.8	2.6	1.4	2.1	1.8	2.7	2.2	2.3	3.3	2.5	2.9	4.8
10. Deprec/Deplet/Amortiz†	4.4	1.1	10.1	2.7	5.0	3.8	4.7	3.9	4.3	3.2	3.6	6.2	4.4
11. Advertising	1.4	0.5	0.2	0.2	0.2	0.4	0.5	0.6	0.8	0.7	1.3	0.8	4.2
12. Pensions & other benef plans	2.6	2.8	0.6	0.7	3.0	2.7	2.2	1.8	1.8	2.6	2.9	2.9	3.8
13. Other expenses	15.9	13.2	22.5	15.0	19.0	11.7	13.9	15.4	12.5	17.2	14.8	17.5	20.2
14. Net profit before tax	*	*	*	0.2	*	-	1.0	*	3.1	*	*	*	*
Selected Financial Ratios (number of times ratio is to one)													
15. Current ratio	1.7	-	2.0	2.5	1.8	1.8	1.8	1.7	2.1	1.8	2.2	1.5	1.7
16. Quick ratio	1.0	-	1.6	2.1	1.2	1.2	0.9	0.9	1.1	0.9	1.1	0.7	1.0
17. Net sls to net wkg capital	4.8	-	5.5	7.1	8.2	7.5	6.0	5.1	3.8	4.2	3.4	5.9	3.6
18. Coverage ratio	1.6	-	3.7	1.8	0.7	1.8	2.0	1.8	3.3	1.4	1.9	2.6	0.8
19. Asset turnover	1.2	-	1.3	-	2.1	2.1	1.5	1.3	1.3	1.1	1.1	1.1	0.8
20. Total liab to net worth	1.3	-	1.3	1.1	1.3	1.2	1.3	1.4	1.1	1.7	1.0	1.4	1.2
Selected Financial Factors in Percentages													
21. Debt ratio	55.5	-	57.0	53.4	56.0	54.3	56.4	57.7	52.8	62.4	50.8	57.5	54.6
22. Return on assets	5.9	-	12.3	6.8	2.8	6.6	8.0	5.4	9.8	5.0	5.1	7.9	3.2
23. Return on equity	1.7	-	17.7	2.8	-	4.5	4.8	-	8.9	-	1.7	7.7	-
24. Return on net worth	13.3	-	28.5	14.5	6.5	14.5	18.3	12.7	20.8	13.2	10.3	18.6	7.1

†Depreciation largest factor

TABLE II: CORPORATIONS WITH NET INCOME, 1990 EDITION

3540 MANUFACTURING: MACHINERY, EXCEPT ELECTRICAL:
Metalworking machinery

Item Description For Accounting Period 7/86 Through 6/87	A Total	B Zero Assets	C Under 100	D 100 to 250	E 251 to 500	F 501 to 1,000	G 1,001 to 5,000	H 5,001 to 10,000	I 10,001 to 25,000	J 25,001 to 50,000	K 50,001 to 100,000	L 100,001 to 250,000	M 250,001 and over
SIZE OF ASSETS IN THOUSANDS OF DOLLARS (000 OMITTED)													
1. Number of Enterprises	4172	343	846	813	578	786	613	103	58	-	9	-	-
2. Total receipts (in millions of dollars)	11453.3	174.9	108.8	438.8	525.1	1372.8	2438.7	1146.7	1203.2	-	724.6	-	-
Selected Operating Factors in Percent of Net Sales													
3. Cost of operations	63.5	72.2	48.9	55.2	51.3	62.9	62.4	63.2	64.4	-	73.6	-	-
4. Compensation of officers	4.8	6.5	8.9	15.0	12.2	9.7	6.1	4.1	2.3	-	1.0	-	-
5. Repairs	0.7	-	0.2	0.7	0.3	0.5	0.4	0.5	0.4	-	0.3	-	-
6. Bad debts	0.2	0.4	-	0.9	0.3	0.1	0.1	0.3	0.4	-	0.4	-	-
7. Rent on business property	0.9	1.2	1.4	2.1	1.5	1.3	0.7	1.0	0.4	-	0.3	-	-
8. Taxes (excl Federal tax)	3.3	1.7	3.9	4.0	4.8	3.1	3.9	3.1	3.0	-	2.3	-	-
9. Interest	1.9	0.7	1.9	0.8	1.7	1.4	2.0	1.8	2.4	-	2.3	-	-
10. Deprec/Deplet/Amortiz†	4.2	0.3	6.4	2.3	3.9	3.5	4.4	3.5	4.7	-	3.5	-	-
11. Advertising	0.5	0.3	0.3	0.1	0.2	0.3	0.5	0.6	0.8	-	1.0	-	-
12. Pensions & other benef plans	2.6	1.5	0.7	0.8	3.4	3.1	2.3	1.7	1.9	-	1.7	-	-
13. Other expenses	13.9	11.4	16.0	14.7	17.9	10.9	12.5	15.5	12.8	-	11.4	-	-
14. Net profit before tax	3.5	3.8	11.4	3.4	2.5	3.2	4.7	4.7	6.5	-	2.2	-	-
Selected Financial Ratios (number of times ratio is to one)													
15. Current ratio	1.9	-	3.6	3.0	2.0	1.8	2.0	2.0	2.1	-	2.0	-	-
16. Quick ratio	1.0	-	3.2	2.5	1.5	1.2	1.0	1.1	1.1	-	1.0	-	-
17. Net sls to net wkg capital	4.8	-	4.3	5.8	8.1	7.8	5.2	4.6	3.7	-	3.6	-	-
18. Coverage ratio	4.5	-	-	6.3	2.8	4.0	4.1	5.2	4.6	-	3.3	-	-
19. Asset turnover	1.4	-	1.6	-	2.5	2.2	1.6	1.5	1.3	-	1.2	-	-
20. Total liab to net worth	1.0	-	0.5	0.7	0.9	1.1	1.1	1.0	1.1	-	1.1	-	-
Selected Financial Factors in Percentages													
21. Debt ratio	49.1	-	33.3	42.3	46.3	51.5	52.0	49.0	51.8	-	52.8	-	-
22. Return on assets	11.5	-	-	15.3	11.6	12.7	12.8	13.2	14.0	-	8.9	-	-
23. Return on equity	12.2	-	45.7	18.7	11.6	16.9	14.6	12.4	16.2	-	7.8	-	-
24. Return on net worth	22.7	-	53.3	26.5	21.7	26.1	26.7	25.9	29.1	-	18.9	-	-

†Depreciation largest factor

TABLE I: CORPORATIONS WITH AND WITHOUT NET INCOME, 1990 EDITION

3550 MANUFACTURING: MACHINERY, EXCEPT ELECTRICAL:
Special industry machinery

						SIZE OF ASSETS IN THOUSANDS OF DOLLARS (000 OMITTED)							
Item Description For Accounting Period 7/86 Through 6/87	A Total	B Zero Assets	C Under 100	D 100 to 250	E 251 to 500	F 501 to 1,000	G 1,001 to 5,000	H 5,001 to 10,000	I 10,001 to 25,000	J 25,001 to 50,000	K 50,001 to 100,000	L 100,001 to 250,000	M 250,001 and over
1. Number of Enterprises	4338	58	960	878	704	514	892	137	103	56	22	9	4
2. Total receipts (in millions of dollars)	17860.4	239.8	135.8	312.2	576.6	596.5	4016.1	1566.8	2122.2	2175.1	1961.9	1499.3	2658.1
Selected Operating Factors in Percent of Net Sales													
3. Cost of operations	65.7	62.2	72.4	68.9	53.6	64.4	64.3	65.4	60.1	64.5	70.0	70.1	70.6
4. Compensation of officers	2.8	4.8	13.4	3.6	9.4	7.1	4.3	3.3	1.8	1.8	1.3	0.9	0.6
5. Repairs	0.5	0.5	1.8	0.9	0.5	0.5	0.4	0.5	0.5	0.4	0.7	0.4	0.7
6. Bad debts	0.3	0.1	-	-	0.2	0.5	0.2	0.4	0.3	0.2	0.4	0.5	0.5
7. Rent on business property	1.2	1.0	2.9	2.0	3.1	2.3	0.9	0.7	0.9	0.7	0.9	1.1	2.2
8. Taxes (excl Federal tax)	2.5	3.7	3.8	2.0	3.1	3.8	2.4	2.6	2.6	2.9	2.6	1.6	2.1
9. Interest	2.6	1.3	0.8	0.7	3.0	2.6	1.9	2.1	2.8	2.6	2.5	3.8	3.7
10. Deprec/Deplet/Amortiz†	3.6	1.6	3.0	2.0	4.2	5.4	3.0	2.7	5.1	4.4	3.2	3.2	3.9
11. Advertising	0.8	0.6	-	0.4	0.5	0.9	0.8	0.8	0.8	0.9	0.7	1.1	0.5
12. Pensions & other benef plans	2.4	3.4	0.8	0.4	0.6	1.2	1.9	1.9	2.0	2.8	3.8	1.2	4.0
13. Other expenses	20.6	13.1	15.2	22.4	24.3	14.0	19.4	17.9	23.8	18.6	17.5	22.8	26.4
14. Net profit before tax	*	7.7	*	*	*	*	0.5	1.7	*	0.2	*	*	*
Selected Financial Ratios (number of times ratio is to one)													
15. Current ratio	1.7	-	-	2.7	1.5	1.4	1.7	1.6	1.8	1.8	1.9	1.5	1.4
16. Quick ratio	0.9	-	-	1.7	0.9	0.9	0.9	0.8	0.8	0.8	1.0	0.8	0.9
17. Net sls to net wkg capital	5.5	-	-	4.2	10.7	10.2	6.5	6.5	4.0	4.2	4.3	6.0	5.6
18. Coverage ratio	1.8	-	-	2.2	1.2	0.5	2.2	2.9	1.9	2.5	2.4	0.5	0.8
19. Asset turnover	1.3	-	-	2.0	2.2	1.7	1.9	1.6	1.3	1.1	1.2	1.0	0.7
20. Total liab to net worth	1.6	-	-	2.7	5.5	3.2	1.5	1.6	1.9	1.5	1.7	3.5	1.0
Selected Financial Factors in Percentages													
21. Debt ratio	61.9	-	-	72.9	84.5	76.2	60.5	61.1	65.4	59.2	63.4	78.0	49.7
22. Return on assets	5.8	-	-	2.9	7.7	2.4	7.9	9.5	6.8	7.3	7.1	2.0	2.0
23. Return on equity	1.7	-	-	3.0	5.2	-	4.7	9.3	3.9	4.7	5.2	-	-
24. Return on net worth	15.2	-	-	10.5	49.7	10.0	19.9	24.5	19.7	18.0	19.2	9.1	4.0

†Depreciation largest factor

3550 MANUFACTURING: MACHINERY, EXCEPT ELECTRICAL:
Special industry machinery

						SIZE OF ASSETS IN THOUSANDS OF DOLLARS (000 OMITTED)							
Item Description For Accounting Period 7/86 Through 6/87	A Total	B Zero Assets	C Under 100	D 100 to 250	E 251 to 500	F 501 to 1,000	G 1,001 to 5,000	H 5,001 to 10,000	I 10,001 to 25,000	J 25,001 to 50,000	K 50,001 to 100,000	L 100,001 to 250,000	M 250,001 and over
1. Number of Enterprises	2231	47	212	428	406	329	590	87	73	-	18	4	-
2. Total receipts (in millions of dollars)	12636.8	227.5	76.9	209.9	346.4	476.3	2968.8	1074.9	1482.0	-	1594.2	713.1	-
Selected Operating Factors in Percent of Net Sales													
3. Cost of operations	63.2	61.2	47.2	75.7	53.1	60.8	63.6	61.6	58.7	-	66.6	64.8	-
4. Compensation of officers	3.0	4.8	16.6	5.4	11.5	7.7	4.6	3.2	1.8	-	1.3	0.8	-
5. Repairs	0.5	0.5	3.2	1.1	0.5	0.6	0.4	0.6	0.7	-	0.8	0.3	-
6. Bad debts	0.3	0.1	-	-	0.1	0.5	0.1	0.1	0.3	-	0.3	0.3	-
7. Rent on business property	1.1	1.1	5.1	1.3	3.4	2.6	0.9	0.7	0.7	-	1.0	1.2	-
8. Taxes (excl Federal tax)	2.7	3.7	4.8	2.2	2.8	3.7	2.6	2.5	2.8	-	2.7	1.8	-
9. Interest	2.0	1.4	1.0	0.9	2.5	1.5	1.3	1.3	2.4	-	2.1	2.9	-
10. Deprec/Deplet/Amortiz†	3.7	1.2	3.3	0.7	4.6	5.8	3.1	2.7	5.7	-	3.4	4.8	-
11. Advertising	0.8	0.6	-	0.4	0.7	0.9	0.8	0.7	0.8	-	0.8	1.4	-
12. Pensions & other benef plans	2.4	3.4	1.4	0.1	1.1	1.2	2.1	2.1	1.9	-	4.2	1.5	-
13. Other expenses	19.2	13.6	14.8	13.8	19.4	11.2	16.2	18.7	22.0	-	17.6	22.6	-
14. Net profit before tax	1.1	8.4	2.6	#	0.3	3.5	4.3	5.8	2.2	-	#	#	-
Selected Financial Ratios (number of times ratio is to one)													
15. Current ratio	1.9	-	2.2	4.8	1.8	2.5	2.0	1.7	2.2	-	2.0	1.7	-
16. Quick ratio	1.1	-	1.4	3.0	1.0	1.9	1.1	1.0	1.0	-	1.1	1.1	-
17. Net sls to net wkg capital	4.5	-	10.2	4.6	8.2	6.1	5.7	6.2	3.6	-	4.2	4.6	-
18. Coverage ratio	4.4	-	4.3	6.0	3.0	4.3	5.4	7.2	3.6	-	4.6	2.5	-
19. Asset turnover	1.3	-	-	-	2.3	2.1	2.0	1.6	1.3	-	1.2	0.9	-
20. Total liab to net worth	1.0	-	1.4	1.1	2.3	0.8	1.1	1.0	1.3	-	1.4	1.6	-
Selected Financial Factors in Percentages													
21. Debt ratio	50.7	-	58.9	52.7	70.1	45.1	51.7	50.2	56.4	-	57.6	62.0	-
22. Return on assets	11.1	-	15.5	14.0	16.9	13.5	13.9	15.3	11.1	-	11.2	6.6	-
23. Return on equity	12.0	-	24.4	21.7	35.5	14.7	16.2	18.3	11.9	-	14.2	6.4	-
24. Return on net worth	22.5	-	37.6	29.7	56.5	24.5	28.8	30.7	25.5	-	26.5	17.4	-

†Depreciation largest factor

TABLE I: *CORPORATIONS WITH AND WITHOUT NET INCOME, 1990 EDITION*

3560 MANUFACTURING: MACHINERY, EXCEPT ELECTRICAL:
General industrial machinery

Item Description For Accounting Period 7/86 Through 6/87	A Total	B Zero Assets	C Under 100	D 100 to 250	E 251 to 500	F 501 to 1,000	G 1,001 to 5,000	H 5,001 to 10,000	I 10,001 to 25,000	J 25,001 to 50,000	K 50,001 to 100,000	L 100,001 to 250,000	M 250,001 and over
					SIZE OF ASSETS IN THOUSANDS OF DOLLARS (000 OMITTED)								
1. Number of Enterprises	4006	276	1495	499	439	469	580	109	64	32	19	9	14
2. Total receipts (in millions of dollars)	20694.6	396.7	168.4	310.4	283.1	759.1	2247.2	1380.6	1517.9	1175.5	2025.8	1579.6	8850.1

Selected Operating Factors in Percent of Net Sales

	A	B	C	D	E	F	G	H	I	J	K	L	M
3. Cost of operations	65.7	57.8	38.3	67.3	48.5	67.1	68.3	69.0	69.9	67.9	64.4	65.1	65.1
4. Compensation of officers	1.9	2.5	12.9	10.6	5.5	7.3	3.7	2.5	2.1	1.3	1.1	1.0	0.6
5. Repairs	1.0	1.4	0.7	0.4	0.3	0.4	0.3	0.2	0.3	0.4	0.6	1.5	1.6
6. Bad debts	0.3	0.2	-	-	0.1	0.1	0.5	0.2	0.4	0.3	0.2	0.4	0.2
7. Rent on business property	1.5	1.6	5.2	2.0	2.7	1.4	1.0	1.2	0.8	0.6	0.9	1.2	2.0
8. Taxes (excl Federal tax)	2.8	3.8	3.6	3.6	4.6	2.9	2.4	2.4	2.0	2.8	2.6	2.4	3.0
9. Interest	2.3	3.4	1.2	0.9	1.4	2.1	2.0	1.4	2.6	2.2	1.7	3.0	2.6
10. Deprec/Deplet/Amortiz†	3.9	3.2	5.2	2.0	6.9	3.0	2.7	2.2	2.4	3.6	3.9	5.0	4.6
11. Advertising	0.8	0.8	4.1	0.7	0.4	0.9	0.8	0.7	0.8	1.8	0.7	0.9	0.6
12. Pensions & other benef plans	3.0	3.0	-	-	2.8	1.7	1.8	2.2	1.2	2.1	2.5	2.6	4.4
13. Other expenses	19.3	41.2	34.8	13.3	21.6	12.2	15.7	17.6	18.4	16.6	19.4	19.3	20.6
14. Net profit before tax	*	*	*	*	5.2	0.9	0.8	0.4	*	0.4	2.0	*	*

Selected Financial Ratios (number of times ratio is to one)

	A	B	C	D	E	F	G	H	I	J	K	L	M
15. Current ratio	1.4	-	-	2.5	2.3	2.1	1.8	2.1	1.9	2.0	1.9	1.7	1.1
16. Quick ratio	0.7	-	-	1.9	1.6	0.8	0.9	0.9	0.9	1.1	0.8	0.9	0.5
17. Net sls to net wkg capital	8.4	-	-	8.4	4.7	5.1	6.1	4.8	4.6	3.4	4.7	5.7	50.6
18. Coverage ratio	1.8	-	-	2.9	7.2	1.8	2.3	3.0	2.0	2.9	3.9	2.4	1.1
19. Asset turnover	1.1	-	-	-	1.8	2.1	1.9	1.7	1.4	1.0	1.3	1.0	0.9
20. Total liab to net worth	1.2	-	-	1.3	1.0	1.5	1.5	1.0	1.3	0.9	1.0	1.2	1.2

Selected Financial Factors in Percentages

	A	B	C	D	E	F	G	H	I	J	K	L	M
21. Debt ratio	54.5	-	-	56.8	50.9	60.4	59.4	50.6	57.3	46.9	49.0	54.6	54.9
22. Return on assets	4.8	-	-	10.6	17.9	7.8	8.6	7.3	7.6	6.5	9.0	7.1	2.6
23. Return on equity	0.8	-	-	11.8	27.0	6.1	6.2	3.9	3.7	2.3	6.7	4.7	-
24. Return on net worth	10.5	-	-	24.4	36.3	19.6	21.2	14.8	17.7	12.3	17.7	15.5	5.6

†Depreciation largest factor

TABLE II: CORPORATIONS WITH NET INCOME, 1990 EDITION

3560 MANUFACTURING: MACHINERY, EXCEPT ELECTRICAL:
General industrial machinery

Item Description For Accounting Period 7/86 Through 6/87	A Total	B Zero Assets	C Under 100	D 100 to 250	E 251 to 500	F 501 to 1,000	G 1,001 to 5,000	H 5,001 to 10,000	I 10,001 to 25,000	J 25,001 to 50,000	K 50,001 to 100,000	L 100,001 to 250,000	M 250,001 and over
							SIZE OF ASSETS IN THOUSANDS OF DOLLARS (000 OMITTED)						
1. Number of Enterprises	2379	17	747	434	337	257	431	82	33	17	11	6	8
2. Total receipts (in millions of dollars)	12325.1	55.2	91.5	266.3	218.6	418.1	1940.8	1104.5	823.7	671.9	1273.1	1271.6	4189.8
Selected Operating Factors in Percent of Net Sales													
3. Cost of operations	62.7	73.4	39.1	67.6	45.3	64.5	67.6	67.3	69.0	63.2	63.4	63.8	58.0
4. Compensation of officers	2.1	3.8	6.9	11.3	4.6	6.6	3.6	2.0	1.7	1.3	1.3	0.9	0.8
5. Repairs	0.8	-	0.5	0.2	0.3	0.4	0.3	0.2	0.1	0.3	0.5	1.6	1.3
6. Bad debts	0.3	0.3	-	-	0.1	0.1	0.2	0.2	0.2	0.2	0.2	0.3	0.3
7. Rent on business property	1.2	0.3	7.5	1.3	1.8	1.2	1.0	1.2	0.6	0.5	0.8	1.3	1.5
8. Taxes (excl Federal tax)	2.8	2.1	2.9	3.5	4.4	3.0	2.4	2.3	1.8	3.2	2.9	2.4	3.3
9. Interest	1.8	1.0	1.1	0.3	1.4	1.9	1.6	1.2	2.8	1.3	1.1	2.4	2.2
10. Deprec/Deplet/Amortiz†	3.3	1.9	4.2	0.9	7.5	2.9	2.5	1.9	2.3	2.7	3.1	5.4	3.8
11. Advertising	0.8	1.3	0.6	0.9	0.4	1.5	0.8	0.6	0.8	1.3	0.7	1.0	0.7
12. Pensions & other benef plans	2.8	0.6	-	-	3.4	1.9	1.9	2.0	1.0	2.2	2.4	2.8	4.4
13. Other expenses	18.8	8.3	33.2	12.8	21.0	10.7	15.0	16.8	14.1	15.5	17.6	19.1	24.0
14. Net profit before tax	2.6	7.0	4.0	1.2	9.8	5.3	3.1	4.3	5.6	8.3	6.0	#	#
Selected Financial Ratios (number of times ratio is to one)													
15. Current ratio	1.9	-	3.2	2.8	6.5	2.1	1.8	2.1	2.0	2.3	2.1	2.2	1.7
16. Quick ratio	1.0	-	2.7	2.2	5.6	0.6	0.9	0.9	1.0	1.3	1.0	1.1	0.9
17. Net sls to net wkg capital	5.0	-	5.8	7.5	3.2	5.1	6.6	5.0	4.5	2.8	4.6	4.9	5.3
18. Coverage ratio	5.0	-	5.1	-	-	3.9	3.7	5.8	4.6	9.8	-	3.9	4.2
19. Asset turnover	1.3	-	-	-	1.7	2.2	2.1	1.8	1.4	1.0	1.4	1.1	1.0
20. Total liab to net worth	1.0	-	0.8	0.8	0.5	1.4	1.3	0.9	1.1	0.6	0.8	1.2	1.0
Selected Financial Factors in Percentages													
21. Debt ratio	49.4	-	44.8	44.5	34.5	59.0	57.3	47.7	53.1	38.7	43.8	53.5	49.2
22. Return on assets	11.7	-	13.4	16.0	26.2	15.9	12.3	12.9	18.4	13.7	16.2	10.4	8.8
23. Return on equity	12.0	-	16.6	22.5	32.5	24.6	14.4	12.8	21.4	11.4	16.1	10.3	8.1
24. Return on net worth	23.2	-	24.3	28.7	40.0	38.8	28.8	24.7	39.1	22.4	28.9	22.3	17.4

†Depreciation largest factor

3570 MANUFACTURING: MACHINERY, EXCEPT ELECTRICAL:

Office and computing machines

Item Description For Accounting Period 7/86 Through 6/87	A Total	B 'ero Assets	C Under 100	D 100 to 250	E 251 to 500	F 501 to 1,000	G 1,001 to 5,000	H 5,001 to 10,000	I 10,001 to 25,000	J 25,001 to 50,000	K 50,001 to 100,000	L 100,001 to 250,000	M 250,001 and over
					SIZE OF ASSETS IN THOUSANDS OF DOLLARS (000 OMITTED)								
1. Number of Enterprises	997	12	535	11	13	84	157	67	35	23	17	18	24
2. Total receipts (in millions of dollars)	93003.4	38.6	75.8	-	29.0	107.8	631.2	593.2	729.9	748.6	1206.7	2824.8	86017.8
Selected Operating Factors in Percent of Net Sales													
3. Cost of operations	54.7	50.9	77.2	-	-	-	58.1	61.9	62.6	55.4	55.2	60.0	54.2
4. Compensation of officers	0.7	4.7	11.5	-	-	-	7.9	4.4	2.3	3.2	1.6	1.3	0.4
5. Repairs	0.6	0.4	-	-	-	-	0.6	0.5	0.4	0.4	0.4	0.3	0.6
6. Bad debts	0.6	0.4	2.9	-	-	-	0.9	0.5	0.5	0.7	0.6	0.5	0.6
7. Rent on business property	2.6	3.5	4.1	-	-	-	4.2	1.2	3.1	2.0	2.8	3.1	2.6
8. Taxes (excl Federal tax)	3.8	1.7	1.2	-	-	-	3.0	2.4	2.1	2.9	1.5	2.3	4.0
9. Interest	5.8	2.5	0.5	-	-	-	1.7	2.5	1.7	4.5	1.4	2.8	6.1
10. Deprec/Deplet/Amortiz†	8.0	1.0	1.3	-	-	-	5.7	4.4	4.2	4.9	4.1	4.5	8.4
11. Advertising	1.3	4.0	4.4	-	-	-	2.6	2.2	1.5	2.4	1.3	1.8	1.2
12. Pensions & other benef plans	4.5	4.9	0.4	-	-	-	3.8	1.0	2.3	2.2	2.1	2.0	4.8
13. Other expenses	53.5	54.8	18.0	-	-	-	34.6	27.7	23.3	42.5	31.8	32.4	55.8
14. Net profit before tax	*	*	*	-	*	*	*	*	*	*	*	*	*
Selected Financial Ratios (number of times ratio is to one)													
15. Current ratio	1.6	-	-	-	-	-	1.6	1.5	1.7	1.9	3.5	2.6	1.5
16. Quick ratio	1.0	-	-	-	-	-	0.8	0.8	0.9	1.0	2.1	1.7	0.9
17. Net sls to net wkg capital	3.0	-	-	-	-	-	6.0	5.9	4.6	2.8	1.8	2.4	3.1
18. Coverage ratio	2.6	-	-	-	-	-	-	-	0.2	1.3	1.4	1.3	2.7
19. Asset turnover	0.6	-	-	-	-	-	1.4	1.3	1.4	0.7	1.0	0.9	0.5
20. Total liab to net worth	1.5	-	-	-	-	-	1.4	1.3	1.4	2.4	0.6	1.0	1.6
Selected Financial Factors in Percentages													
21. Debt ratio	60.4	-	-	-	-	-	58.6	56.5	58.0	70.9	37.1	49.6	60.8
22. Return on assets	8.5	-	-	-	-	-	-	-	0.6	4.3	1.8	3.2	9.0
23. Return on equity	5.8	-	-	-	-	-	-	-	-	-	-	-	7.0
24. Return on net worth	21.3	-	-	-	-	-	-	-	1.3	14.8	2.9	6.4	22.9

†Depreciation largest factor

Page 150

3570 MANUFACTURING: MACHINERY, EXCEPT ELECTRICAL:

Office and computing machines

Item Description For Accounting Period 7/86 Through 6/87	A Total	B Zero Assets	C Under 100	D 100 to 250	E 251 to 500	F 501 to 1,000	G 1,001 to 5,000	H 5,001 to 10,000	I 10,001 to 25,000	J 25,001 to 50,000	K 50,001 to 100,000	L 100,001 to 250,000	M 250,001 and over
		SIZE OF ASSETS IN THOUSANDS OF DOLLARS (000 OMITTED)											
1. Number of Enterprises	231	-	-	-	-	37	86	41	23	-	10	10	12
2. Total receipts (in millions of dollars)	72812.8	-	-	-	-	90.7	348.7	389.0	552.1	-	586.6	1500.4	68894.8
Selected Operating Factors in Percent of Net Sales													
3. Cost of operations	52.7	-	-	-	-	69.1	58.4	58.2	59.5	-	48.7	52.8	52.6
4. Compensation of officers	0.6	-	-	-	-	11.0	10.6	3.9	2.1	-	1.7	1.3	0.4
5. Repairs	0.6	-	-	-	-	-	0.4	0.7	0.2	-	0.4	0.3	0.6
6. Bad debts	0.5	-	-	-	-	-	0.4	0.2	0.5	-	0.6	0.5	0.5
7. Rent on business property	2.7	-	-	-	-	-	3.0	0.9	2.0	-	1.7	2.6	2.8
8. Taxes (excl Federal tax)	4.4	-	-	-	-	0.4	2.8	2.9	1.8	-	1.7	2.7	4.5
9. Interest	4.9	-	-	-	-	0.5	0.4	1.6	1.1	-	1.2	2.7	5.1
10. Deprec/Deplet/Amortiz†	8.6	-	-	-	-	-	5.6	3.5	3.8	-	3.9	4.7	9.0
11. Advertising	1.4	-	-	-	-	0.1	1.9	1.6	1.3	-	1.0	1.3	1.4
12. Pensions & other benef plans	4.8	-	-	-	-	2.9	2.6	1.1	1.6	-	1.4	1.8	5.0
13. Other expenses	61.7	-	-	-	-	14.5	17.6	22.4	17.7	-	30.5	32.5	64.5
14. Net profit before tax	#	-	-	-	-	1.5	#	3.0	8.4	-	7.2	#	#
Selected Financial Ratios (number of times ratio is to one)													
15. Current ratio	1.6	-	-	-	-	1.3	2.1	1.8	2.1	-	5.1	3.6	1.6
16. Quick ratio	1.0	-	-	-	-	1.1	1.4	1.0	1.1	-	3.5	2.6	0.9
17. Net sls to net wkg capital	2.8	-	-	-	-	21.1	4.9	4.4	4.0	-	1.3	1.8	2.9
18. Coverage ratio	4.2	-	-	-	-	4.9	-	4.0	-	-	-	4.5	4.1
19. Asset turnover	0.6	-	-	-	-	-	1.7	1.4	1.5	-	0.9	0.8	0.5
20. Total liab to net worth	1.4	-	-	-	-	2.0	0.7	1.2	1.1	-	0.4	0.8	1.4
Selected Financial Factors in Percentages													
21. Debt ratio	57.9	-	-	-	-	66.5	39.2	54.1	51.6	-	29.9	44.6	58.4
22. Return on assets	11.3	-	-	-	-	7.4	13.6	8.9	15.9	-	10.4	9.9	11.2
23. Return on equity	11.1	-	-	-	-	14.4	13.0	12.2	19.7	-	8.3	8.5	11.1
24. Return on net worth	26.8	-	-	-	-	22.0	22.4	19.3	33.0	-	14.8	17.9	27.0

†Depreciation largest factor

3598 MANUFACTURING: MACHINERY, EXCEPT ELECTRICAL:
Other machinery, except electrical

	SIZE OF ASSETS IN THOUSANDS OF DOLLARS (000 OMITTED)												
Item Description For Accounting Period 7/86 Through 6/87	A Total	B Zero Assets	C Under 100	D 100 to 250	E 251 to 500	F 501 to 1,000	G 1,001 to 5,000	H 5,001 to 10,000	I 10,001 to 25,000	J 25,001 to 50,000	K 50,001 to 100,000	L 100,001 to 250,000	M 250,001 and over
1. Number of Enterprises	5620	58	1515	1199	1258	700	644	128	56	30	15	4	13
2. Total receipts (in millions of dollars)	24053.7	350.0	349.1	441.2	1089.5	1208.9	2357.3	1284.1	1482.5	1572.2	1148.1	680.3	12090.4
Selected Operating Factors in Percent of Net Sales													
3. Cost of operations	69.0	67.2	57.6	45.2	60.7	68.4	64.9	63.7	71.9	71.4	64.0	70.1	72.3
4. Compensation of officers	2.0	1.4	7.6	8.7	6.6	5.3	4.3	4.5	1.7	1.4	1.1	0.9	0.4
5. Repairs	0.6	0.2	0.7	0.6	0.7	0.5	0.4	0.3	0.1	0.5	0.5	0.4	0.8
6. Bad debts	0.3	0.1	-	0.9	0.3	0.2	0.1	0.2	0.3	0.4	0.3	0.6	0.3
7. Rent on business property	1.1	1.1	5.1	4.4	2.3	1.5	1.0	1.1	0.5	0.5	1.1	0.7	1.0
8. Taxes (excl Federal tax)	2.3	2.7	2.5	3.8	3.0	2.8	2.9	2.6	1.9	1.9	2.5	1.5	2.1
9. Interest	2.1	1.4	0.3	4.0	1.4	1.3	2.2	2.0	1.9	1.4	3.7	0.9	2.3
10. Deprec/Deplet/Amortiz†	3.8	2.1	2.3	3.2	3.6	3.8	3.5	3.6	2.4	2.5	3.5	2.3	4.6
11. Advertising	1.2	0.6	0.1	1.0	0.9	0.6	0.6	0.5	0.8	0.9	2.0	1.2	1.6
12. Pensions & other benef plans	2.3	1.1	3.4	6.9	1.6	1.8	1.9	2.6	1.6	1.8	3.1	2.0	2.4
13. Other expenses	16.3	24.6	26.3	27.4	17.6	15.6	18.0	17.7	13.8	15.9	17.2	16.0	15.0
14. Net profit before tax	*	*	*	*	1.3	*	0.2	1.2	3.1	1.4	1.0	3.4	*
Selected Financial Ratios (number of times ratio is to one)													
15. Current ratio	1.6	-	-	0.8	1.7	2.0	2.0	1.9	2.7	1.7	1.5	1.8	1.5
16. Quick ratio	0.9	-	-	0.6	1.1	1.3	1.2	1.1	1.4	0.9	0.6	1.0	0.9
17. Net sls to net wkg capital	6.0	-	-	-	9.1	7.7	5.1	4.7	3.8	5.1	5.1	4.7	6.2
18. Coverage ratio	2.5	-	-	-	2.5	3.2	2.1	2.7	3.7	4.8	2.4	6.0	2.2
19. Asset turnover	1.1	-	-	2.1	2.4	2.3	1.7	1.4	1.6	1.4	1.0	1.4	0.8
20. Total liab to net worth	1.4	-	-	64.9	1.1	1.2	1.4	1.3	1.0	1.2	2.4	1.1	1.4
Selected Financial Factors in Percentages													
21. Debt ratio	58.5	-	-	98.5	51.3	55.0	58.1	57.2	50.0	54.8	70.9	51.1	58.3
22. Return on assets	5.5	-	-	-	8.2	9.5	7.4	7.6	11.3	9.9	9.1	8.0	4.0
23. Return on equity	3.7	-	-	-	8.2	7.9	5.2	5.4	11.8	10.8	8.4	8.6	2.0
24. Return on net worth	13.2	-	-	-	16.8	21.2	17.8	17.7	22.7	21.8	31.1	16.4	9.5

†Depreciation largest factor

3598 MANUFACTURING: MACHINERY, EXCEPT ELECTRICAL:
Other machinery, except electrical

Item Description For Accounting Period 7/86 Through 6/87	A Total	B Zero Assets	C Under 100	D 100 to 250	E 251 to 500	F 501 to 1,000	G 1,001 to 5,000	H 5,001 to 10,000	I 10,001 to 25,000	J 25,001 to 50,000	K 50,001 to 100,000	L 100,001 to 250,000	M 250,001 and over
					SIZE OF ASSETS IN THOUSANDS OF DOLLARS (000 OMITTED)								
1. Number of Enterprises	2996	15	214	797	822	541	438	76	52	22	9	4	7
2. Total receipts (in millions of dollars)	16870.1	293.9	23.7	323.8	842.1	1037.0	1647.5	815.5	1452.0	1260.0	809.8	680.3	7684.6
Selected Operating Factors in Percent of Net Sales													
3. Cost of operations	68.3	66.2	70.3	33.8	58.9	67.7	63.4	58.5	71.9	71.1	63.4	70.1	72.3
4. Compensation of officers	2.0	1.3	* -	9.3	6.5	4.7	4.5	4.5	1.7	1.3	1.3	0.9	0.3
5. Repairs	0.4	0.2	-	0.7	0.6	0.5	0.4	0.3	0.1	0.4	0.3	0.4	0.5
6. Bad debts	0.3	0.1	-	0.3	0.4	0.2	0.1	0.2	0.2	0.4	0.2	0.6	0.3
7. Rent on business property	1.0	1.1	-	5.5	2.4	1.6	1.0	1.1	0.4	0.4	0.8	0.7	0.7
8. Taxes (excl Federal tax)	2.3	2.9	1.8	3.8	2.9	2.4	2.7	2.9	1.9	1.9	2.2	1.5	2.3
9. Interest	1.5	1.6	0.1	0.7	1.1	1.1	1.7	1.4	1.7	1.0	3.2	0.9	1.5
10. Deprec/Deplet/Amortiz†	3.3	1.6	4.3	3.5	3.4	3.3	3.3	3.0	2.5	2.1	3.2	2.3	3.9
11. Advertising	1.3	0.5	-	0.6	1.1	0.6	0.6	0.5	0.7	0.7	2.6	1.2	1.9
12. Pensions & other benef plans	2.0	1.2	-	9.4	1.3	1.6	2.3	2.3	1.5	1.2	2.5	2.0	1.9
13. Other expenses	14.9	20.2	5.3	29.1	17.5	16.1	16.5	17.8	13.6	14.2	15.2	16.0	13.3
14. Net profit before tax	2.7	3.1	18.2	3.3	3.9	0.2	3.5	7.5	3.8	5.3	5.1	3.4	1.1
Selected Financial Ratios (number of times ratio is to one)													
15. Current ratio	2.0	-	84.5	5.1	1.7	2.2	2.4	2.1	2.7	1.9	2.0	1.8	1.9
16. Quick ratio	1.0	-	83.7	4.1	1.1	1.4	1.5	1.3	1.4	0.9	1.0	1.0	0.8
17. Net sls to net wkg capital	5.5	-	7.1	4.6	10.0	7.3	4.6	4.7	3.9	4.6	4.6	4.7	6.1
18. Coverage ratio	5.6	-	-	7.3	4.9	5.9	4.3	7.5	4.4	8.5	3.9	6.0	5.8
19. Asset turnover	1.3	-	-	2.3	-	-	1.7	1.7	1.7	1.6	1.3	1.4	1.0
20. Total liab to net worth	0.9	-	0.4	0.3	1.2	1.1	1.1	1.0	0.8	1.1	1.2	1.1	0.8
Selected Financial Factors in Percentages													
21. Debt ratio	46.8	-	29.4	22.6	54.2	52.3	51.7	49.9	45.4	51.5	54.5	51.1	44.6
22. Return on assets	10.9	-	-	12.7	15.7	16.1	12.7	16.8	12.2	13.6	16.3	8.0	8.4
23. Return on equity	11.1	-	-	11.8	24.3	19.6	15.0	20.3	12.7	16.7	15.5	8.6	7.6
24. Return on net worth	20.4	-	82.6	16.4	34.3	33.7	26.3	33.5	22.4	28.1	35.7	16.4	15.1

†Depreciation largest factor

3630 MANUFACTURING: ELECTRICAL AND ELECTRONIC EQUIPMENT:
Household appliances

Item Description For Accounting Period 7/86 Through 6/87	A Total	B Zero Assets	C Under 100	D 100 to 250	E 251 to 500	F 501 to 1,000	G 1,001 to 5,000	H 5,001 to 10,000	I 10,001 to 25,000	J 25,001 to 50,000	K 50,001 to 100,000	L 100,001 to 250,000	M 250,001 and over
					SIZE OF ASSETS IN THOUSANDS OF DOLLARS (000 OMITTED)								
1. Number of Enterprises	257	10	-	139	-	37	23	6	10	10	6	6	9
2. Total receipts (in millions of dollars)	15323.3	152.2	-	69.0	-	68.2	129.5	71.5	234.7	674.4	646.8	998.9	12278.2
Selected Operating Factors in Percent of Net Sales													
3. Cost of operations	71.2	60.2	-	67.3	-	70.3	70.8	44.4	56.3	69.1	70.5	69.7	72.1
4. Compensation of officers	0.5	0.2	-	6.3	-	9.3	1.9	7.6	2.2	1.0	0.7	1.0	0.3
5. Repairs	0.7	0.1	-	0.4	-	-	0.2	-	0.7	0.2	0.7	0.1	0.8
6. Bad debts	0.2	-	-	0.5	-	0.3	0.4	0.2	0.2	0.2	0.2	0.3	0.2
7. Rent on business property	0.8	0.1	-	2.4	-	-	0.6	-	0.1	0.3	0.5	1.1	0.9
8. Taxes (excl Federal tax)	2.3	0.6	-	1.2	-	3.6	1.1	1.7	2.8	1.4	2.4	2.0	2.4
9. Interest	2.8	0.9	-	0.7	-	1.7	2.0	-	1.3	1.4	2.6	2.2	3.0
10. Deprec/Deplet/Amortiz†	2.9	1.7	-	1.4	-	0.4	1.2	2.0	2.7	2.2	2.6	2.6	3.0
11. Advertising	2.4	4.2	-	2.7	-	0.3	0.4	6.6	3.3	5.8	1.7	1.8	2.2
12. Pensions & other benef plans	2.0	0.5	-	-	-	3.8	0.2	2.0	2.9	0.7	3.3	1.1	2.1
13. Other expenses	14.9	29.2	-	16.4	-	8.2	13.1	34.2	16.7	13.5	20.2	17.2	14.2
14. Net profit before tax	*	2.3	-	0.7	-	2.1	8.1	1.3	10.8	4.2	*	0.9	*
Selected Financial Ratios (number of times ratio is to one)													
15. Current ratio	1.7	-	-	1.4	-	3.7	1.9	3.8	3.3	1.9	2.7	2.4	1.7
16. Quick ratio	1.0	-	-	0.3	-	2.5	1.1	3.0	2.1	1.1	1.1	1.3	1.0
17. Net sls to net wkg capital	4.6	-	-	13.7	-	5.0	6.9	3.1	3.4	6.3	3.8	3.0	4.7
18. Coverage ratio	2.5	-	-	3.1	-	2.5	5.4	-	9.9	4.8	3.3	3.0	2.2
19. Asset turnover	1.0	-	-	-	-	-	-	1.5	1.8	1.8	1.4	1.1	0.9
20. Total liab to net worth	1.0	-	-	3.2	-	0.4	1.9	0.2	0.6	1.4	1.1	1.6	1.0
Selected Financial Factors in Percentages													
21. Debt ratio	50.8	-	-	76.1	-	26.6	65.5	17.9	38.9	58.4	51.6	62.0	50.0
22. Return on assets	6.6	-	-	8.9	-	13.0	29.9	6.9	23.2	12.1	11.7	7.4	5.8
23. Return on equity	4.0	-	-	21.5	-	8.8	-	8.4	18.6	11.4	10.2	8.7	2.9
24. Return on net worth	13.3	-	-	37.3	-	17.7	86.6	8.4	38.0	29.0	24.2	19.4	11.6

†Depreciation largest factor

TABLE II: CORPORATIONS WITH NET INCOME, 1990 EDITION

3630 MANUFACTURING: ELECTRICAL AND ELECTRONIC EQUIPMENT:
Household appliances

Item Description For Accounting Period 7/86 Through 6/87	A Total	B Zero Assets	C Under 100	D 100 to 250	E 251 to 500	F 501 to 1,000	G 1,001 to 5,000	H 5,001 to 10,000	I 10,001 to 25,000	J 25,001 to 50,000	K 50,001 to 100,000	L 100,001 to 250,000	M 250,001 and over
						SIZE OF ASSETS IN THOUSANDS OF DOLLARS (000 OMITTED)							
1. Number of Enterprises	251	10	-	139	-	37	23	6	10	-	-	-	-
2. Total receipts (in millions of dollars)	11674.6	152.2	-	69.0	-	68.2	129.5	71.5	234.7	-	-	-	-
Selected Operating Factors in Percent of Net Sales													
3. Cost of operations	68.9	60.2	-	67.3	-	70.3	70.8	44.4	56.3	-	-	-	-
4. Compensation of officers	0.6	0.2	-	6.3	-	9.3	1.9	7.6	2.2	-	-	-	-
5. Repairs	0.7	0.1	-	0.4	-	-	0.2	-	0.7	-	-	-	-
6. Bad debts	0.2	-	-	0.5	-	0.3	0.4	0.2	0.2	-	-	-	-
7. Rent on business property	0.7	0.1	-	2.4	-	-	0.6	-	0.1	-	-	-	-
8. Taxes (excl Federal tax)	2.5	0.6	-	1.2	-	3.6	1.1	1.7	2.8	-	-	-	-
9. Interest	1.9	0.9	-	0.7	-	1.7	2.0	-	1.3	-	-	-	-
10. Deprec/Deplet/Amortiz†	3.3	1.7	-	1.4	-	0.4	1.2	2.0	2.7	-	-	-	-
11. Advertising	2.6	4.2	-	2.7	-	0.3	0.4.	6.6	3.3	-	-	-	-
12. Pensions & other benef plans	2.0	0.5	-	-	-	3.8	0.2	2.0	2.9	-	-	-	-
13. Other expenses	14.0	29.2	-	16.4	-	8.2	13.1	34.2	16.7	-	-	-	-
14. Net profit before tax	2.6	2.3	-	0.7	-	2.1	8.1	1.3	10.8	-	-	-	-
Selected Financial Ratios (number of times ratio is to one)													
15. Current ratio	1.9	-	-	1.4	-	3.7	1.9	3.8	3.3	-	-	-	-
16. Quick ratio	1.0	-	-	0.3	-	2.5	1.1	3.0	2.1	-	-	-	-
17. Net sls to net wkg capital	4.3	-	-	13.7	-	5.0	6.9	3.1	3.4	-	-	-	-
18. Coverage ratio	4.4	-	-	3.1	-	2.5	5.4	-	9.9	-	-	-	-
19. Asset turnover	1.0	-	-	-	-	-	-	1.5	1.8	-	-	-	-
20. Total liab to net worth	0.8	-	-	3.2	-	0.4	1.9	0.2	0.6	-	-	-	-
Selected Financial Factors in Percentages													
21. Debt ratio	44.8	-	-	76.1	-	26.6	65.5	17.9	38.9	-	-	-	-
22. Return on assets	8.3	-	-	8.9	-	13.0	29.9	6.9	23.2	-	-	-	-
23. Return on equity	7.0	-	-	21.5	-	8.8	-	8.4	18.6	-	-	-	-
24. Return on net worth	15.1	-	-	37.3	-	17.7	86.6	8.4	38.0	-	-	-	-

†Depreciation largest factor

3665 MANUFACTURING: ELECTRICAL AND ELECTRONIC EQUIPMENT:
Radio, television, and communication equipment

Item Description For Accounting Period 7/86 Through 6/87	A Total	B Zero Assets	C Under 100	D 100 to 250	E 251 to 500	F 501 to 1,000	G 1,001 to 5,000	H 5,001 to 10,000	I 10,001 to 25,000	J 25,001 to 50,000	K 50,001 to 100,000	L 100,001 to 250,000	M 250,001 and over
					SIZE OF ASSETS IN THOUSANDS OF DOLLARS (000 OMITTED)								
1. Number of Enterprises	2422	21	1253	292	108	218	292	83	72	29	22	13	19
2. Total receipts (in millions of dollars)	44478.2	5771.6	319.0	111.0	51.7	294.1	1106.9	797.2	1445.3	1198.8	1989.6	2780.0	28612.9
Selected Operating Factors in Percent of Net Sales													
3. Cost of operations	63.0	74.9	34.6	76.4	40.1	52.7	62.8	61.3	60.3	66.1	67.3	69.7	59.6
4. Compensation of officers	1.0	0.3	18.9	-	19.8	3.4	5.4	3.6	3.6	1.4	1.5	0.7	0.4
5. Repairs	0.6	1.0	0.2	0.3	0.3	0.4	0.2	0.4	0.4	0.2	0.3	0.4	0.7
6. Bad debts	0.8	0.3	-	0.1	-	0.5	0.6	0.8	0.7	0.3	0.6	0.1	1.0
7. Rent on business property	1.3	2.1	2.5	2.2	-	2.6	1.1	2.8	1.1	0.9	1.2	1.2	1.2
8. Taxes (excl Federal tax)	3.0	2.2	3.6	1.6	2.9	5.3	1.8	2.6	2.6	1.2	1.8	1.6	3.6
9. Interest	5.8	1.6	0.4	0.4	0.7	1.2	2.0	2.4	1.3	1.2	2.4	1.9	8.4
10. Deprec/Deplet/Amortiz†	4.8	3.0	6.3	1.2	1.2	4.7	2.8	3.0	2.5	2.8	4.7	5.6	5.5
11. Advertising	1.5	2.0	4.0	2.6	0.3	3.6	1.8	1.8	1.4	0.7	2.0	2.5	1.2
12. Pensions & other benef plans	2.5	2.3	-	0.5	1.0	1.2	1.8	1.4	1.0	1.1	1.6	1.8	2.9
13. Other expenses	26.6	10.2	40.4	17.7	21.2	40.1	23.8	27.7	20.8	17.3	21.9	17.1	32.4
14. Net profit before tax	*	0.1	*	*	12.5	*	*	*	4.3	6.8	*	*	*
Selected Financial Ratios (number of times ratio is to one)													
15. Current ratio	1.8	-	0.9	1.4	2.1	1.0	1.7	1.7	2.5	3.2	1.8	1.6	1.8
16. Quick ratio	0.9	-	0.9	0.7	1.0	0.8	0.9	0.9	1.3	1.9	1.0	0.9	0.9
17. Net sls to net wkg capital	2.6	-	-	15.3	5.3	-	4.9	4.9	3.2	2.5	4.0	5.5	1.9
18. Coverage ratio	1.4	-	1.1	-	-	-	-	-	5.9	9.2	1.3	2.7	1.3
19. Asset turnover	0.7	-	-	-	1.1	1.7	1.5	1.4	1.3	1.2	1.2	1.3	0.5
20. Total liab to net worth	2.3	-	1.7	1.0	1.4	4.1	1.5	1.6	0.8	0.7	1.2	1.2	2.7
Selected Financial Factors in Percentages													
21. Debt ratio	69.9	-	63.5	50.8	58.7	80.4	60.2	61.0	43.0	39.9	53.6	54.5	72.6
22. Return on assets	6.0	-	4.2	-	-	-	-	-	10.5	13.3	3.6	6.5	5.5
23. Return on equity	2.2	-	0.1	-	-	-	-	-	6.0	10.0	-	5.2	2.0
24. Return on net worth	19.9	-	11.5	-	84.9	-	-	-	18.4	22.2	7.8	14.3	20.0

†Depreciation largest factor

TABLE II: CORPORATIONS WITH NET INCOME, 1990 EDITION

3665 MANUFACTURING: ELECTRICAL AND ELECTRONIC EQUIPMENT:
Radio, television, and communication equipment

SIZE OF ASSETS IN THOUSANDS OF DOLLARS (000 OMITTED)

Item Description / For Accounting Period / 7/86 Through 6/87	A Total	B Zero Assets	C Under 100	D 100 to 250	E 251 to 500	F 501 to 1,000	G 1,001 to 5,000	H 5,001 to 10,000	I 10,001 to 25,000	J 25,001 to 50,000	K 50,001 to 100,000	L 100,001 to 250,000	M 250,001 and over
1. Number of Enterprises	1288	5	638	137	39	162	151	37	60	-	-	-	-
2. Total receipts (in millions of dollars)	36337.7	5728.1	55.9	47.1	36.9	226.2	733.4	411.7	1340.4	-	-	-	-
Selected Operating Factors in Percent of Net Sales													
3. Cost of operations	59.6	74.9	-	84.5	47.1	57.3	62.2	64.7	59.5	-	-	-	-
4. Compensation of officers	0.8	0.3	-	-	-	3.3	5.3	3.3	3.4	-	-	-	-
5. Repairs	0.7	1.0	-	0.8	-	0.2	0.2	0.4	0.3	-	-	-	-
6. Bad debts	0.8	0.3	-	0.1	-	0.6	0.3	0.8	0.6	-	-	-	-
7. Rent on business property	1.3	2.1	-	2.7	-	2.2	0.5	1.0	1.0	-	-	-	-
8. Taxes (excl Federal tax)	3.3	2.2	-	1.7	1.8	6.1	1.3	2.7	2.5	-	-	-	-
9. Interest	6.6	1.6	-	-	-	1.4	1.2	1.7	1.2	-	-	-	-
10. Deprec/Deplet/Amortiz†	5.1	3.0	-	1.4	-	3.9	1.3	2.2	2.2	-	-	-	-
11. Advertising	1.2	2.0	-	1.7	0.3	1.2	2.1	0.4	1.3	-	-	-	-
12. Pensions & other benef plans	2.7	2.3	-	-	1.1	1.0	2.2	1.1	0.9	-	-	-	-
13. Other expenses	27.9	9.7	-	8.3	13.4	20.8	16.2	15.1	17.1	-	-	-	-
14. Net profit before tax	#	0.6	#	#	36.3	2.0	7.2	6.6	10.0	-	-	-	-
Selected Financial Ratios (number of times ratio is to one)													
15. Current ratio	1.8	-	2.9	2.1	-	1.3	2.2	2.3	2.4	-	-	-	-
16. Quick ratio	0.9	-	2.7	1.5	-	1.0	1.3	1.0	1.3	-	-	-	-
17. Net sls to net wkg capital	2.3	-	6.5	5.8	-	16.4	4.0	4.3	3.4	-	-	-	-
18. Coverage ratio	1.8	-	-	-	-	-	8.1	7.7	-	-	-	-	-
19. Asset turnover	0.7	-	1.7	-	-	1.8	1.8	1.6	1.4	-	-	-	-
20. Total liab to net worth	2.3	-	2.2	0.7	-	2.5	0.8	1.0	0.7	-	-	-	-
Selected Financial Factors in Percentages													
21. Debt ratio	70.1	-	69.0	41.7	71.2	43.2	43.2	48.8	41.7	-	-	-	-
22. Return on assets	8.0	-	-	3.3	26.3	-	18.2	21.6	19.0	-	-	-	-
23. Return on equity	7.5	-	-	5.6	-	-	22.5	23.5	19.1	-	-	-	-
24. Return on net worth	26.6	-	-	5.6	91.5	-	32.1	42.2	32.7	-	-	-	-

†Depreciation largest factor

3670 MANUFACTURING: ELECTRICAL AND ELECTRONIC EQUIPMENT:
Electronic components and accessories

Item Description For Accounting Period 7/86 Through 6/87	A Total	B) Assets	C Under 100	D 100 to 250	E 251 to 500	F 501 to 1,000	G 1,001 to 5,000	H 5,001 to 10,000	I 10,001 to 25,000	J 25,001 to 50,000	K 50,001 to 100,000	L 100,001 to 250,000	M 250,001 and over
					SIZE OF ASSETS IN THOUSANDS OF DOLLARS (000 OMITTED)								
1. Number of Enterprises	11776	512	5144	1329	1261	1115	1542	342	274	90	77	54	38
2. Total receipts (in millions of dollars)	93172.5	1820.9	320.4	330.9	972.0	1599.6	6324.6	3566.6	5353.3	3379.0	5538.3	7801.5	56165.4
Selected Operating Factors in Percent of Net Sales													
3. Cost of operations	64.7	69.8	49.1	62.3	57.6	59.5	64.0	64.5	66.7	63.2	63.3	65.9	64.9
4. Compensation of officers	1.5	2.4	14.2	3.0	9.9	9.8	5.2	3.3	2.6	2.0	1.5	1.0	0.3
5. Repairs	0.9	0.3	0.6	0.1	0.4	0.3	0.3	0.4	0.4	0.5	0.5	0.5	1.2
6. Bad debts	0.4	1.2	0.4	1.2	0.4	0.8	0.4	0.6	0.6	1.3	0.3	0.4	0.3
7. Rent on business property	1.7	2.5	4.8	3.2	2.0	2.4	1.2	1.7	2.3	1.2	1.4	1.5	1.7
8. Taxes (excl Federal tax)	2.7	1.5	2.9	2.2	3.9	2.8	2.6	2.5	2.4	2.6	2.4	2.2	2.8
9. Interest	1.9	1.5	2.4	1.1	0.8	1.7	1.9	2.3	2.4	2.3	2.4	2.3	1.8
10. Deprec/Deplet/Amortiz†	4.6	2.1	4.8	2.4	2.5	3.9	2.9	4.0	3.7	4.6	5.1	5.1	4.9
11. Advertising	1.3	2.0	1.9	3.0	1.3	1.2	1.1	1.2	1.7	1.5	1.5	1.1	1.2
12. Pensions & other benef plans	2.5	1.6	-	0.1	1.2	3.1	1.6	1.7	1.5	1.9	1.9	2.0	3.0
13. Other expenses	21.8	19.0	29.9	22.9	20.4	22.8	21.5	25.0	23.0	23.8	23.0	23.9	21.1
14. Net profit before tax	*	*	*	*	*	*	*	*	*	*	*	*	*
Selected Financial Ratios (number of times ratio is to one)													
15. Current ratio	1.9	-	1.7	1.3	3.2	2.2	1.7	1.6	2.0	2.1	2.1	2.4	1.8
16. Quick ratio	1.0	-	0.6	0.5	2.0	1.1	1.0	0.9	1.1	1.2	1.2	1.3	0.9
17. Net sls to net wkg capital	4.3	-	9.1	11.4	3.9	4.9	6.3	5.5	3.9	3.3	3.1	2.8	4.6
18. Coverage ratio	1.6	-	-	1.0	3.1	0.7	0.5	-	-	0.4	1.8	0.9	2.4
19. Asset turnover	1.1	-	2.2	1.6	2.1	1.9	1.8	1.4	1.2	1.1	1.0	0.9	1.1
20. Total liab to net worth	1.1	-	11.7	3.5	0.5	1.6	1.7	1.5	1.1	0.9	1.0	0.8	1.1
Selected Financial Factors in Percentages													
21. Debt ratio	51.7	-	92.1	77.8	34.8	61.7	63.1	60.0	53.2	48.2	50.2	42.9	51.9
22. Return on assets	3.4	-	-	1.7	4.9	2.4	1.8	-	-	1.0	4.2	1.9	4.5
23. Return on equity	-	-	-	-	3.5	-	-	-	-	-	-	-	2.1
24. Return on net worth	7.1	-	-	7.5	7.4	6.3	4.9	-	-	1.9	8.5	3.2	9.3

†Depreciation largest factor

3670 MANUFACTURING: ELECTRICAL AND ELECTRONIC EQUIPMENT:
Electronic components and accessories

Item Description For Accounting Period 7/86 Through 6/87	A Total	B Zero Assets	SIZE OF ASSETS IN THOUSANDS OF DOLLARS (000 OMITTED)										
			C Under 100	D 100 to 250	E 251 to 500	F 501 to 1,000	G 1,001 to 5,000	H 5,001 to 10,000	I 10,001 to 25,000	J 25,001 to 50,000	K 50,001 to 100,000	L 100,001 to 250,000	M 250,001 and over
1. Number of Enterprises	6053	184	2120	726	778	753	1038	154	147	52	44	28	29
2. Total receipts (in millions of dollars)	73665.4	1641.3	159.3	264.9	668.1	1305.4	4674.6	1747.2	3087.7	2147.9	3365.1	4707.3	49896.7
Selected Operating Factors in Percent of Net Sales													
3. Cost of operations	63.9	70.7	40.1	68.2	57.6	59.4	62.6	57.1	61.3	60.2	57.9	64.5	65.0
4. Compensation of officers	1.3	1.9	16.4	0.8	11.4	9.7	5.0	3.3	2.5	2.1	1.5	1.0	0.3
5. Repairs	1.0	0.3	0.2	0.1	0.3	0.2	0.2	0.2	0.3	0.3	0.4	0.3	1.3
6. Bad debts	0.3	1.2	0.6	1.1	0.2	0.8	0.2	0.2	0.5	0.4	0.2	0.3	0.3
7. Rent on business property	1.5	1.5	1.8	2.1	2.5	2.0	1.0	1.2	1.0	0.9	1.0	1.0	1.6
8. Taxes (excl Federal tax)	2.7	1.4	2.9	2.1	2.8	2.5	2.6	2.6	2.0	2.5	2.6	2.1	2.9
9. Interest	1.6	1.2	1.2	0.6	0.5	1.1	1.6	1.4	1.7	1.7	1.7	1.6	1.6
10. Deprec/Deplet/Amortiz†	4.1	1.3	3.0	2.2	2.3	3.2	2.3	2.9	3.0	3.2	4.6	3.4	4.6
11. Advertising	1.2	2.0	1.9	3.7	1.6	0.6	0.7	1.3	1.2	1.4	1.5	1.1	1.2
12. Pensions & other benef plans	2.7	1.7	0.1	-	1.3	3.5	1.7	2.0	1.1	1.8	1.8	1.7	3.2
13. Other expenses	19.5	16.6	19.4	17.2	16.7	18.8	17.6	20.3	19.3	18.5	21.6	20.0	19.7
14. Net profit before tax	0.2	0.2	12.4	1.9	2.8	#	4.5	7.5	6.1	7.0	5.2	3.0	#
Selected Financial Ratios (number of times ratio is to one)													
15. Current ratio	1.9	-	2.9	1.0	3.5	2.5	1.8	2.6	2.9	2.9	2.8	2.7	1.8
16. Quick ratio	1.0	-	1.4	0.5	2.3	1.3	1.0	1.3	1.7	1.8	1.6	1.4	0.9
17. Net sls to net wkg capital	4.3	-	5.9	158.8	3.8	4.9	6.1	3.7	3.2	2.7	2.5	2.8	4.7
18. Coverage ratio	4.4	-	-	7.5	-	6.1	4.7	7.3	7.4	6.6	7.3	5.4	3.6
19. Asset turnover	1.2	-	2.5	2.3	2.3	2.2	1.9	1.6	1.3	1.2	1.0	1.1	1.1
20. Total liab to net worth	1.0	-	0.7	3.2	0.4	1.0	1.3	0.9	0.8	0.7	0.7	0.8	1.1
Selected Financial Factors in Percentages													
21. Debt ratio	50.2	-	40.9	76.4	30.4	48.8	56.3	46.1	42.7	41.5	40.9	42.9	52.1
22. Return on assets	8.2	-	-	9.8	13.5	15.7	14.8	16.0	16.2	13.1	12.3	9.7	6.2
23. Return on equity	8.1	-	-	33.0	15.4	19.6	21.2	17.3	17.0	11.0	10.5	9.0	5.5
24. Return on net worth	16.5	-	96.0	41.3	19.5	30.8	33.9	29.6	28.2	22.3	20.8	17.0	13.0

†Depreciation largest factor

3698 MANUFACTURING: ELECTRICAL AND ELECTRONIC EQUIPMENT:
Other electrical equipment

Item Description For Accounting Period 7/86 Through 6/87	A Total	B Zero Assets	C Under 100	D 100 to 250	E 251 to 500	F 501 to 1,000	G 1,001 to 5,000	H 5,001 to 10,000	I 10,001 to 25,000	J 25,001 to 50,000	K 50,001 to 100,000	L 100,001 to 250,000	M 250,001 and over
					SIZE OF ASSETS IN THOUSANDS OF DOLLARS (000 OMITTED)								
1. Number of Enterprises	7972	343	3109	1065	715	1037	1090	259	184	67	44	32	27
2. Total receipts (in millions of dollars)	96090.4	430.9	213.4	468.9	596.9	1412.0	4685.9	2989.5	3843.8	2894.5	3724.9	5728.2	69101.5
Selected Operating Factors in Percent of Net Sales													
3. Cost of operations	63.3	65.3	63.5	51.6	58.5	62.2	65.4	64.1	67.2	60.6	63.5	66.0	62.8
4. Compensation of officers	1.1	1.5	12.7	7.8	9.3	8.5	5.2	3.5	2.3	1.8	1.2	0.7	0.3
5. Repairs	0.6	0.4	0.3	1.4	0.1	0.5	0.2	0.3	0.3	0.6	0.7	0.7	0.7
6. Bad debts	0.7	0.2	0.6	0.8	0.2	0.4	0.5	0.6	0.2	0.4	0.2	0.3	0.8
7. Rent on business property	1.4	1.4	3.2	3.8	2.1	2.1	1.3	1.3	0.9	1.4	1.2	1.2	1.5
8. Taxes (excl Federal tax)	2.6	3.0	4.9	3.0	3.1	2.8	2.6	2.6	2.2	2.2	2.6	2.4	2.6
9. Interest	5.9	3.6	2.2	1.7	1.3	1.9	1.5	1.7	1.6	2.1	1.8	2.7	7.6
10. Deprec/Deplet/Amortiz†	7.4	4.2	3.4	2.5	2.7	3.3	2.8	2.5	3.3	3.8	3.9	5.3	9.0
11. Advertising	1.1	1.2	0.1	1.0	1.2	0.7	0.8	1.3	0.8	1.2	1.5	0.7	1.1
12. Pensions & other benef plans	2.9	1.6	0.3	1.0	0.9	2.0	1.7	1.6	1.4	2.3	2.5	2.3	3.3
13. Other expenses	18.6	23.9	30.4	19.5	19.3	22.2	20.3	22.7	18.3	21.8	20.9	20.0	17.8
14. Net profit before tax	*	*	*	5.9	1.3	*	*	*	1.5	1.8	*	*	*
Selected Financial Ratios (number of times ratio is to one)													
15. Current ratio	1.7	-	-	1.4	2.8	1.8	1.6	2.0	2.1	2.2	2.2	2.4	1.6
16. Quick ratio	1.0	-	-	1.0	1.5	1.0	0.9	1.2	1.1	1.2	1.1	1.3	0.9
17. Net sls to net wkg capital	2.7	-	-	16.3	4.4	5.7	6.6	4.5	3.9	3.5	3.6	3.5	2.3
18. Coverage ratio	1.8	-	-	4.7	2.6	-	0.7	1.1	3.2	3.1	3.6	1.8	1.7
19. Asset turnover	0.6	-	-	-	2.2	1.8	1.9	1.6	1.4	1.2	1.1	1.1	0.5
20. Total liab to net worth	2.8	-	-	2.1	1.6	2.2	1.7	1.0	0.9	1.1	1.0	1.4	3.3
Selected Financial Factors in Percentages													
21. Debt ratio	73.7	-	-	67.3	61.2	68.6	62.6	50.1	46.8	51.5	48.8	58.4	76.5
22. Return on assets	6.1	-	-	21.0	7.5	-	2.1	2.8	7.0	7.9	7.4	5.6	6.2
23. Return on equity	5.5	-	-	43.0	9.4	-	-	-	2.7	4.7	4.4	1.5	7.0
24. Return on net worth	23.3	-	-	64.0	19.2	-	5.5	5.7	13.2	16.2	14.4	13.4	26.3

†Depreciation largest factor

3698 MANUFACTURING: ELECTRICAL AND ELECTRONIC EQUIPMENT:
Other electrical equipment

							SIZE OF ASSETS IN THOUSANDS OF DOLLARS (000 OMITTED)						
Item Description For Accounting Period 7/86 Through 6/87	A Total	B Zero Assets	C Under 100	D 100 to 250	E 251 to 500	F 501 to 1,000	G 1,001 to 5,000	H 5,001 to 10,000	I 10,001 to 25,000	J 25,001 to 50,000	K 50,001 to 100,000	L 100,001 to 250,000	M 250,001 and over
1. Number of Enterprises	5454	314	1589	998	618	732	760	190	140	48	27	19	20
2. Total receipts (in millions of dollars)	86780.3	330.3	86.0	441.6	585.9	1181.2	3672.7	2383.3	3007.3	2082.7	2510.9	3609.9	66888.3
Selected Operating Factors in Percent of Net Sales													
3. Cost of operations	62.5	60.4	50.0	50.8	57.5	60.3	64.6	63.4	64.2	58.0	61.0	65.4	62.5
4. Compensation of officers	1.0	1.7	13.5	8.3	9.5	8.3	5.1	3.1	2.1	1.8	1.1	0.7	0.3
5. Repairs	0.6	0.3	0.4	1.4	0.1	0.5	0.2	0.3	0.3	0.5	0.6	0.7	0.7
6. Bad debts	0.7	0.1	-	0.8	0.2	0.4	0.3	0.5	0.2	0.2	0.1	0.3	0.9
7. Rent on business property	1.4	1.2	0.9	4.1	2.0	1.5	1.0	1.0	0.8	1.1	1.1	1.1	1.5
8. Taxes (excl Federal tax)	2.6	2.8	3.6	2.7	3.0	2.6	2.5	2.6	2.2	2.4	2.6	2.5	2.6
9. Interest	6.2	1.6	.0.9	1.5	1.1	1.3	1.1	1.1	1.3	1.3	1.4	2.1	7.7
10. Deprec/Deplet/Amortiz†	7.7	1.9	2.8	2.4	2.6	3.0	2.1	2.2	3.0	3.2	3.3	4.1	9.2
11. Advertising	1.1	0.8	0.2	0.9	1.2	0.5	0.8	0.9	0.9	1.4	1.7	0.8	1.1
12. Pensions & other benef plans	2.9	1.8	0.1	0.8	0.9	1.9	1.7	1.7	1.2	2.1	2.3	2.0	3.2
13. Other expenses	17.9	19.9	19.8	19.5	18.6	17.8	16.5	18.5	16.1	20.1	20.4	18.9	17.8
14. Net profit before tax	#	7.5	7.8	6.8	3.3	1.9	4.1	4.7	7.7	7.9	4.4	1.4	#
Selected Financial Ratios (number of times ratio is to one)													
15. Current ratio	1.7	-	16.9	1.5	2.5	2.2	1.8	2.1	2.5	2.4	2.3	3.3	1.6
16. Quick ratio	1.0	-	6.6	1.1	1.5	1.2	1.0	1.2	1.3	1.3	1.3	1.8	0.9
17. Net sls to net wkg capital	2.6	-	5.1	13.2	5.1	5.0	6.4	4.9	3.5	3.3	3.6	2.9	2.3
18. Coverage ratio	2.0	-	-	5.9	4.6	4.9	6.3	7.3	8.3	8.6	8.1	4.0	1.8
19. Asset turnover	0.6	-	-	-	2.5	2.1	2.1	1.8	1.4	1.2	1.2	1.2	0.5
20. Total liab to net worth	2.9	-	0.5	1.6	1.3	1.2	1.3	0.9	0.7	0.8	0.7	1.0	3.3
Selected Financial Factors in Percentages													
21. Debt ratio	74.0	-	31.9	61.9	55.7	54.8	57.1	48.6	41.5	43.1	42.5	50.1	76.7
22. Return on assets	7.2	-	23.4	23.4	12.5	13.1	15.1	14.0	15.3	14.1	13.7	9.6	6.5
23. Return on equity	9.2	-	26.3	43.8	19.6	17.9	19.1	15.4	15.4	14.2	12.1	8.2	7.9
24. Return on net worth	27.7	-	34.3	61.4	28.1	29.0	35.1	27.2	26.2	24.7	23.8	19.3	27.9

†Depreciation largest factor

TABLE I: CORPORATIONS WITH AND WITHOUT NET INCOME, 1990 EDITION

3710 MANUFACTURING:
Motor vehicles and equipment

Item Description For Accounting Period 7/86 Through 6/87	A Total	B Zero Assets	SIZE OF ASSETS IN THOUSANDS OF DOLLARS (000 OMITTED)										
			C Under 100	D 100 to 250	E 251 to 500	F 501 to 1,000	G 1,001 to 5,000	H 5,001 to 10,000	I 10,001 to 25,000	J 25,001 to 50,000	K 50,001 to 100,000	L 100,001 to 250,000	M 250,001 and over
1. Number of Enterprises	2592	29	652	611	151	462	396	88	93	40	27	20	25
2. Total receipts (in millions of dollars)	257885.3	580.3	36.6	62.1	154.0	881.5	1866.3	1143.0	2253.0	2347.9	2739.7	4000.5	241820.4
Selected Operating Factors in Percent of Net Sales													
3. Cost of operations	72.3	81.6	57.4	54.5	74.7	72.0	73.5	75.9	72.8	75.5	75.6	68.6	72.3
4. Compensation of officers	0.2	1.1	18.6	0.4	7.2	4.7	4.3	3.0	1.9	1.5	0.7	0.7	0.1
5. Repairs	0.7	1.0	-	2.1	0.2	0.2	0.3	0.3	0.3	0.5	0.5	1.7	0.7
6. Bad debts	0.5	0.9	-	-	-	0.3	0.8	0.5	0.2	0.2	0.2	0.2	0.5
7. Rent on business property	1.0	0.6	-	9.6	0.6	1.5	0.9	0.5	0.5	0.4	0.6	0.7	1.1
8. Taxes (excl Federal tax)	2.3	1.5	2.7	5.6	1.7	2.3	2.0	2.2	2.3	2.3	2.5	2.5	2.3
9. Interest	6.3	2.7	2.6	12.2	1.6	1.5	1.4	1.0	2.1	1.5	2.2	2.5	6.6
10. Deprec/Deplet/Amortiz†	6.9	3.8	5.1	15.5	1.6	1.1	1.7	1.9	3.4	2.9	3.3	2.7	7.2
11. Advertising	0.9	0.6	-	0.4	1.2	1.1	0.7	2.0	1.1	1.0	0.4	0.8	0.9
12. Pensions & other benef plans	3.5	3.4	-	-	2.0	1.0	1.1	0.9	1.4	2.0	2.2	3.4	3.6
13. Other expenses	11.9	11.9	12.1	34.9	12.1	16.3	14.4	13.3	13.9	12.5	10.6	13.3	11.8
14. Net profit before tax	*	*	1.5	*	*	*	*	*	0.1	*	1.2	2.9	*
Selected Financial Ratios (number of times ratio is to one)													
15. Current ratio	1.4	-	-	10.0	5.2	2.2	1.8	2.3	1.6	2.0	1.6	2.3	1.4
16. Quick ratio	1.2	-	-	4.0	0.7	1.0	0.9	1.0	0.8	1.0	0.7	1.2	1.2
17. Net sls to net wkg capital	4.2	-	-	0.8	4.6	5.9	6.1	4.4	6.7	5.4	7.4	3.9	4.1
18. Coverage ratio	1.3	-	-	-	-	1.1	1.3	1.2	1.9	4.7	2.3	3.5	1.3
19. Asset turnover	0.7	-	-	0.5	-	2.4	2.1	1.8	1.6	1.7	1.4	1.2	0.7
20. Total liab to net worth	3.2	-	-	2.2	1.3	1.6	1.4	1.2	1.7	1.3	1.8	1.5	3.3
Selected Financial Factors in Percentages													
21. Debt ratio	76.1	-	-	68.7	55.8	61.6	58.7	55.0	62.3	57.3	63.9	59.9	76.6
22. Return on assets	6.0	-	-	-	-	4.0	3.7	2.2	6.3	12.2	7.0	10.6	6.0
23. Return on equity	3.4	-	-	-	-	-	-	-	1.2	12.4	4.5	9.9	3.4
24. Return on net worth	25.3	-	-	-	-	10.3	8.9	4.9	16.7	28.5	19.5	26.5	25.6

†Depreciation largest factor

3710 MANUFACTURING:
Motor vehicles and equipment

		SIZE OF ASSETS IN THOUSANDS OF DOLLARS (000 OMITTED)											
Item Description For Accounting Period 7/86 Through 6/87	A Total	B Zero Assets	C Under 100	D 100 to 250	E 251 to 500	F 501 to 1,000	G 1,001 to 5,000	H 5,001 to 10,000	I 10,001 to 25,000	J 25,001 to 50,000	K 50,001 to 100,000	L 100,001 to 250,000	M 250,001 and over
1. Number of Enterprises	1318	9	320	301	16	237	242	60	51	34	17	15	16
2. Total receipts (in millions of dollars)	232950.7	66.3	36.6	13.9	38.8	603.4	1456.7	863.5	1474.9	2102.1	2091.1	3470.8	220732.4
Selected Operating Factors in Percent of Net Sales													
3. Cost of operations	71.2	60.9	57.4	-	75.1	72.2	72.1	76.3	74.7	74.8	73.6	68.2	71.1
4. Compensation of officers	0.2	2.4	18.6	-	-	4.7	4.5	3.4	2.0	1.5	0.7	0.6	0.1
5. Repairs	0.8	-	-	-	0.1	0.2	0.2	0.4	0.2	0.5	0.5	1.8	0.8
6. Bad debts	0.5	0.1	-	-	-	0.1	0.5	0.3	0.2	0.2	0.2	0.2	0.6
7. Rent on business property	1.0	0.3	-	-	2.0	1.3	0.6	0.6	0.3	0.4	0.5	0.7	1.0
8. Taxes (excl Federal tax)	2.4	3.2	2.5	-	1.7	2.2	2.1	2.4	2.1	2.4	2.5	2.5	2.4
9. Interest	6.6	0.1	2.7	-	0.4	0.9	1.1	0.7	1.1	1.4	1.8	1.6	6.9
10. Deprec/Deplet/Amortiz†	7.3	0.8	4.1	-	0.4	1.0	1.3	1.7	2.0	2.9	3.0	2.6	7.6
11. Advertising	0.9	0.5	-	-	3.3	0.8	0.6	0.5	1.0	0.9	0.4	0.5	0.9
12. Pensions & other benef plans	3.6	1.3	-	-	0.5	1.0	1.2	1.0	1.5	1.8	1.9	3.1	3.7
13. Other expenses	12.2	15.7	12.1	-	15.1	13.4	13.0	10.4	10.3	12.2	11.0	13.0	12.2
14. Net profit before tax	#	14.7	2.6	#	1.4	2.2	2.8	2.3	4.6	1.0	3.9	5.2	#
Selected Financial Ratios (number of times ratio is to one)													
15. Current ratio	1.4	-	-	-	1.4	2.4	2.4	2.9	2.0	2.3	1.9	2.3	1.4
16. Quick ratio	1.2	-	-	-	0.3	1.3	1.2	1.3	1.0	1.2	0.9	1.1	1.2
17. Net sls to net wkg capital	4.0	-	26.4	0.2	18.7	5.9	4.5	4.1	5.9	5.2	6.1	4.5	4.0
18. Coverage ratio	1.4	-	2.3	3.6	5.0	5.8	4.8	6.8	6.5	6.4	4.1	6.4	1.4
19. Asset turnover	0.7	-	-	-	-	-	2.1	2.0	2.0	1.8	1.6	1.4	0.7
20. Total liab to net worth	3.2	-	4.7	1.1	19.3	1.0	1.0	0.9	1.1	1.2	1.2	1.1	3.3
Selected Financial Factors in Percentages													
21. Debt ratio	76.1	-	82.3	52.2	95.1	50.8	50.4	46.9	52.2	53.7	55.3	53.0	76.6
22. Return on assets	6.3	-	29.4	11.2	10.4	15.8	10.9	9.5	14.8	15.6	11.7	14.7	6.2
23. Return on equity	4.6	-	-	14.5	-	19.7	11.3	11.2	16.7	17.4	11.8	16.1	4.1
24. Return on net worth	26.5	-	-	23.5	-	32.2	21.9	17.9	31.0	33.7	26.1	31.3	26.4

†Depreciation largest factor

3725 MANUFACTURING: TRANSPORTATION EQUIPMENT, EXCEPT MOTOR VEHICLES:
Aircraft, guided missiles, and parts

Item Description For Accounting Period 7/86 Through 6/87	SIZE OF ASSETS IN THOUSANDS OF DOLLARS (000 OMITTED)												
	A Total	B Zero Assets	C Under 100	D 100 to 250	E 251 to 500	F 501 to 1,000	G 1,001 to 5,000	H 5,001 to 10,000	I 10,001 to 25,000	J 25,001 to 50,000	K 50,001 to 100,000	L 100,001 to 250,000	M 250,001 and over
1. Number of Enterprises	1467	-	-	673	127	125	224	38	45	8	3	8	17
2. Total receipts (in millions of dollars)	98868.9	-	-	83.5	136.4	194.5	981.6	379.8	664.8	362.9	138.8	1565.3	94328.4
Selected Operating Factors in Percent of Net Sales													
3. Cost of operations	72.8	-	-	61.7	30.9	60.1	65.4	72.1	65.2	69.1	70.1	68.7	73.2
4. Compensation of officers	0.4	-	-	1.1	10.9	4.1	4.3	5.2	3.2	1.7	0.9	1.2	0.3
5. Repairs	0.8	-	-	1.5	0.2	0.7	0.3	0.3	1.0	0.3	0.3	0.7	0.8
6. Bad debts	0.2	-	-	-	-	0.7	0.5	0.1	0.5	0.4	0.1	0.1	0.2
7. Rent on business property	1.1	-	-	3.9	3.0	2.8	1.4	0.2	0.5	0.8	7.2	0.6	1.1
8. Taxes (excl Federal tax)	2.3	-	-	0.8	3.6	4.9	2.9	2.8	3.0	3.0	0.6	2.6	2.3
9. Interest	2.7	-	-	7.0	1.4	2.8	1.5	4.4	3.0	2.5	5.1	3.6	2.7
10. Deprec/Deplet/Amortiz†	4.8	-	-	5.8	1.7	2.2	2.4	2.3	5.7	4.4	3.4	3.4	4.8
11. Advertising	0.3	-	-	0.6	0.2	1.6	0.2	-	0.3	0.4	0.2	0.4	0.3
12. Pensions & other benef plans	2.3	-	-	1.0	3.1	0.1	2.3	1.1	2.5	2.3	0.9	2.1	2.4
13. Other expenses	16.4	-	-	18.9	54.9	22.1	16.3	10.8	14.8	18.2	13.6	16.0	16.4
14. Net profit before tax	*	-	-	*	*	*	2.5	0.7	0.3	*	*	0.6	*
Selected Financial Ratios (number of times ratio is to one)													
15. Current ratio	1.4	-	-	1.9	-	1.5	1.9	1.8	1.5	0.8	1.8	1.8	1.4
16. Quick ratio	0.5	-	-	1.5	-	0.5	0.9	0.6	0.5	0.4	0.6	1.0	0.5
17. Net sls to net wkg capital	6.4	-	-	2.6	-	8.3	5.7	4.5	5.2	-	1.9	3.7	6.4
18. Coverage ratio	2.3	-	-	1.0	-	0.4	4.8	3.2	2.1	1.2	1.0	3.0	2.3
19. Asset turnover	1.0	-	-	0.8	-	2.0	1.7	1.4	0.9	1.2	0.6	1.0	1.0
20. Total liab to net worth	2.2	-	-	1.5	-	3.1	1.0	1.3	1.4	-	5.3	1.6	2.2
Selected Financial Factors in Percentages													
21. Debt ratio	69.0	-	-	59.4	-	75.8	50.0	56.6	59.1	109.1	84.1	61.6	69.1
22. Return on assets	6.1	-	-	5.8	-	2.2	12.1	19.7	5.6	3.8	2.9	10.8	6.0
23. Return on equity	8.5	-	-	-	-	-	14.0	23.4	2.1	-	-	10.0	8.6
24. Return on net worth	19.8	-	-	14.3	-	9.2	24.2	45.4	13.7	-	18.3	28.2	19.5

†Depreciation largest factor

TABLE II: CORPORATIONS WITH NET INCOME, 1990 EDITION

3725 MANUFACTURING: TRANSPORTATION EQUIPMENT, EXCEPT MOTOR VEHICLES:
Aircraft, guided missiles, and parts

Item Description For Accounting Period 7/86 Through 6/87	A Total	B Zero Assets	C Under 100	D 100 to 250	E 251 to 500	F 501 to 1,000	G 1,001 to 5,000	H 5,001 to 10,000	I 10,001 to 25,000	J 25,001 to 50,000	K 50,001 to 100,000	L 100,001 to 250,000	M 250,001 and over
						SIZE OF ASSETS IN THOUSANDS OF DOLLARS (000 OMITTED)							
1. Number of Enterprises	780	-	-	305	69	102	204	38	32	8	-	-	13
2. Total receipts (in millions of dollars)	75239.4	-	-	21.3	77.6	194.4	976.2	379.8	590.6	415.0	-	-	71329.1
Selected Operating Factors in Percent of Net Sales													
3. Cost of operations	72.6	-	-	• 68.1	-	60.1	64.7	72.1	64.2	67.8	-	-	73.1
4. Compensation of officers	0.4	-	-	-	9.0	2.9	4.3	5.2	3.4	1.3	-	-	0.2
5. Repairs	0.9	-	-	-	0.4	0.7	0.3	0.3	0.6	0.3	-	-	0.9
6. Bad debts	0.2	-	-	-	-	0.7	0.4	0.1	-	0.2	-	-	0.2
7. Rent on business property	1.0	-	-	5.5	5.3	2.5	1.4	0.2	0.5	2.7	-	-	1.0
8. Taxes (excl Federal tax)	2.3	-	-	1.7	2.8	3.8	2.9	2.8	3.1	2.2	-	-	2.3
9. Interest	2.4	-	-	2.4	-	2.7	1.4	4.4	1.5	3.3	-	-	2.4
10. Deprec/Deplet/Amortiz†	4.8	-	-	0.9	3.1	1.9	2.3	2.3	5.0	4.3	-	-	4.9
11. Advertising	0.3	-	-	-	0.3	1.6	0.2	-	0.2	0.3	-	-	0.3
12. Pensions & other benef plans	2.3	-	-	-	0.2	0.1	2.4	1.1	2.7	2.2	-	-	2.3
13. Other expenses	15.7	-	-	7.4	81.4	18.1	15.2	10.8	12.6	11.6	-	-	15.6
14. Net profit before tax	#	-	-	14.0	#	4.9	4.5	0.7	6.2	3.8	-	-	#
Selected Financial Ratios (number of times ratio is to one)													
15. Current ratio	1.4	-	-	2.8	-	1.5	2.1	1.8	2.0	1.9	-	-	1.4
16. Quick ratio	0.6	-	-	2.6	-	0.5	1.0	0.6	0.8	0.7	-	-	0.5
17. Net sls to net wkg capital	6.1	-	-	0.7	-	9.1	5.1	4.5	3.9	3.8	-	-	6.3
18. Coverage ratio	3.3	-	-	9.1	-	2.9	6.2	3.2	6.4	3.1	-	-	3.2
19. Asset turnover	1.0	-	-	0.4	-	2.5	1.9	1.4	1.1	1.0	-	-	1.0
20. Total liab to net worth	2.2	-	-	0.6	-	3.0	0.8	1.3	0.8	1.8	-	-	2.2
Selected Financial Factors in Percentages													
21. Debt ratio	68.3	-	-	38.7	-	75.2	45.3	56.6	43.2	63.9	-	-	69.0
22. Return on assets	8.0	-	-	9.3	-	19.3	16.8	19.7	10.7	10.3	-	-	7.7
23. Return on equity	14.0	-	-	11.4	-	36.7	20.3	23.4	10.9	12.4	-	-	13.9
24. Return on net worth	25.0	-	-	15.1	-	77.7	30.7	45.4	18.8	28.5	-	-	24.8

†Depreciation largest factor

3730 MANUFACTURING: TRANSPORTATION EQUIPMENT, EXCEPT MOTOR VEHICLES:

Ship and boat building and repairing

	SIZE OF ASSETS IN THOUSANDS OF DOLLARS (000 OMITTED)												
Item Description For Accounting Period 7/86 Through 6/87	A Total	B Zero Assets	C Under 100	D 100 to 250	E 251 to 500	F 501 to 1,000	G 1,001 to 5,000	H 5,001 to 10,000	I 10,001 to 25,000	J 25,001 to 50,000	K 50,001 to 100,000	L 100,001 to 250,000	M 250,001 and over
1. Number of Enterprises	1589	-	-	209	43	191	234	63	37	11	6	6	-
2. Total receipts (in millions of dollars)	6587.9	-	-	52.6	35.1	286.3	1002.6	962.1	1008.0	537.5	619.3	1761.5	-
Selected Operating Factors in Percent of Net Sales													
3. Cost of operations	77.8	-	-	56.5	72.0	80.6	70.3	79.9	81.1	80.6	77.1	80.1	-
4. Compensation of officers	2.3	-	-	13.2	14.6	2.1	4.8	1.6	1.5	2.0	0.8	1.4	-
5. Repairs	0.6	-	-	-	-	0.1	0.4	0.9	0.2	0.5	0.4	0.9	-
6. Bad debts	0.3	-	-	-	1.5	0.4	0.5	0.2	0.3	0.5	0.2	0.1	-
7. Rent on business property	0.9	-	-	2.6	0.6	1.1	0.8	1.0	0.6	1.4	0.8	0.8	-
8. Taxes (excl Federal tax)	2.5	-	-	3.3	5.3	2.3	2.5	2.5	1.7	3.8	2.6	2.5	-
9. Interest	2.4	-	-	1.8	1.0	1.9	1.3	1.9	2.3	2.4	4.2	3.1	-
10. Deprec/Deplet/Amortiz†	3.6	-	-	3.7	9.8	2.3	2.9	2.2	2.2	5.2	4.5	5.0	-
11. Advertising	1.0	-	-	1.6	0.4	1.6	1.4	0.4	1.7	0.5	1.2	0.6	-
12. Pensions & other benef plans	1.6	-	-	2.9	5.8	0.2	1.1	0.7	1.6	2.1	2.6	2.0	-
13. Other expenses	10.6	-	-	18.1	7.2	14.0	14.0	12.4	11.6	11.3	9.9	5.3	-
14. Net profit before tax	*	-	-	*	*	*	-	*	*	*	*	*	-
Selected Financial Ratios (number of times ratio is to one)													
15. Current ratio	0.9	-	-	4.3	2.8	2.6	0.3	1.4	1.1	1.3	1.2	1.0	-
16. Quick ratio	0.5	-	-	3.0	1.4	0.8	0.2	0.6	0.7	0.7	0.3	0.6	-
17. Net sls to net wkg capital	-	-	-	2.8	6.0	4.3	-	12.7	37.4	12.0	16.6	-	-
18. Coverage ratio	1.0	-	-	1.6	-	-	1.9	-	1.1	0.5	1.6	1.1	-
19. Asset turnover	1.4	-	-	1.6	1.8	1.9	1.9	2.0	1.5	1.3	1.3	1.0	-
20. Total liab to net worth	6.8	-	-	0.5	0.2	1.7	-	3.9	3.7	1.7	5.2	3.5	-
Selected Financial Factors in Percentages													
21. Debt ratio	87.2	-	-	33.7	16.2	62.9	169.7	79.5	78.8	62.6	84.0	77.6	-
22. Return on assets	3.4	-	-	4.3	-	-	4.7	-	3.8	1.6	8.7	3.2	-
23. Return on equity	-	-	-	2.3	-	-	-	-	-	-	14.8	-	-
24. Return on net worth	26.2	-	-	6.5	-	-	-	-	18.1	4.2	53.9	14.2	-

†Depreciation largest factor

Page 166

TABLE II: CORPORATIONS WITH NET INCOME, 1990 EDITION

3730 MANUFACTURING: TRANSPORTATION EQUIPMENT, EXCEPT MOTOR VEHICLES:
Ship and boat building and repairing

Item Description For Accounting Period 7/86 Through 6/87	A Total	B Zero Assets	C Under 100	D 100 to 250	E 251 to 500	F 501 to 1,000	G 1,001 to 5,000	H 5,001 to 10,000	I 10,001 to 25,000	J 25,001 to 50,000	K 50,001 to 100,000	L 100,001 to 250,000	M 250,001 and over
					SIZE OF ASSETS IN THOUSANDS OF DOLLARS (000 OMITTED)								
1. Number of Enterprises	755	4	244	150	-	125	161	34	25	5	-	-	-
2. Total receipts (in millions of dollars)	4363.9	270.8	50.8	51.1	-	237.7	804.7	452.5	842.3	311.8	-	-	-
Selected Operating Factors in Percent of Net Sales													
3. Cost of operations	75.3	76.8	38.6	57.6	-	80.9	71.4	76.0	78.6	75.8	-	-	-
4. Compensation of officers	2.5	0.8	11.7	7.4	-	2.3	5.0	1.7	1.5	2.0	-	-	-
5. Repairs	0.5	0.4	0.3	-	-	0.1	0.5	1.7	0.2	0.3	-	-	-
6. Bad debts	0.3	0.2	-	-	-	0.4	0.6	-	0.2	0.4	-	-	-
7. Rent on business property	0.7	0.5	8.7	2.6	-	0.8	0.4	1.1	0.4	1.4	-	-	-
8. Taxes (excl Federal tax)	2.3	2.1	2.7	2.6	-	2.1	2.3	3.1	1.8	3.8	-	-	-
9. Interest	1.3	2.0	0.4	1.8	-	0.6	0.9	1.1	1.8	1.2	-	-	-
10. Deprec/Deplet/Amortiz†	2.4	2.5	2.8	3.4	-	0.8	2.2	2.6	1.7	3.4	-	-	-
11. Advertising	0.9	1.2	0.2	1.6	-	0.6	1.3	0.1	1.1	0.6	-	-	-
12. Pensions & other benef plans	1.4	2.0	-	2.9	-	0.2	0.9	0.9	1.8	1.7	-	-	-
13. Other expenses	9.8	14.0	33.9	17.1	-	13.0	12.6	11.1	7.6	8.4	-	-	-
14. Net profit before tax	2.6	#	0.7	3.0	-	#	1.9	0.6	3.3	1.0	-	-	-
Selected Financial Ratios (number of times ratio is to one)													
15. Current ratio	0.9	-	1.2	2.8	-	3.4	0.3	1.5	1.7	1.4	-	-	-
16. Quick ratio	0.4	-	0.9	1.5	-	1.3	0.1	0.8	1.2	0.9	-	-	-
17. Net sls to net wkg capital	-	-	47.4	5.1	-	4.1	-	9.7	8.8	12.6	-	-	-
18. Coverage ratio	5.2	-	2.7	4.6	-	4.5	4.6	2.3	3.9	6.6	-	-	-
19. Asset turnover	2.1	-	-	2.5	-	2.4	2.1	1.9	2.1	1.8	-	-	-
20. Total liab to net worth	5.2	-	1.4	1.0	-	1.0	-	1.8	1.1	1.1	-	-	-
Selected Financial Factors in Percentages													
21. Debt ratio	83.9	-	58.9	50.9	-	49.1	196.5	63.6	51.9	52.5	-	-	-
22. Return on assets	14.0	-	4.4	20.6	-	6.1	8.5	4.5	14.5	14.3	-	-	-
23. Return on equity	-	-	5.8	32.8	-	8.4	-	4.3	16.0	14.5	-	-	-
24. Return on net worth	86.6	-	10.8	41.9	-	12.0	-	12.4	30.2	30.2	-	-	-

†Depreciation largest factor

TABLE I: CORPORATIONS WITH AND WITHOUT NET INCOME, 1990 EDITION

3798 MANUFACTURING: TRANSPORTATION EQUIPMENT, EXCEPT MOTOR VEHICLES:
Other transportation equipment, except motor vehicles

Item Description For Accounting Period 7/86 Through 6/87	A Total	B Zero Assets	C Under 100	D 100 to 250	E 251 to 500	F 501 to 1,000	G 1,001 to 5,000	H 5,001 to 10,000	I 10,001 to 25,000	J 25,001 to 50,000	K 50,001 to 100,000	L 100,001 to 250,000	M 250,001 and over
1. Number of Enterprises	1329	8	621	272	78	68	168	64	27	9	4	4	5
2. Total receipts (in millions of dollars)	9614.1	317.2	159.4	14.7	59.2	95.0	696.5	906.8	951.5	483.2	601.9	1140.0	4188.6
Selected Operating Factors in Percent of Net Sales													
3. Cost of operations	77.4	76.0	74.0	-	85.1	77.6	75.6	72.4	77.1	62.4	82.4	78.2	79.9
4. Compensation of officers	1.3	-	8.9	-	4.4	2.8	5.0	3.2	1.1	1.7	0.5	0.5	0.2
5. Repairs	0.4	0.2	0.1	-	-	0.2	0.4	0.3	0.1	0.1	0.3	1.6	0.3
6. Bad debts	0.2	0.3	-	-	-	0.1	0.3	0.1	0.1	0.4	0.2	0.2	0.3
7. Rent on business property	0.7	0.2	5.0	-	1.9	0.7	0.4	1.1	0.7	0.7	0.7	0.3	0.6
8. Taxes (excl Federal tax)	1.9	2.0	2.4	-	2.0	1.6	2.1	2.0	1.5	2.0	1.4	2.4	1.7
9. Interest	2.4	0.7	4.3	-	0.6	2.2	1.3	0.8	1.7	3.3	2.3	2.8	2.9
10. Deprec/Deplet/Amortiz†	2.5	0.5	2.3	-	0.2	0.4	1.5	2.1	2.5	5.4	1.9	3.6	2.2
11. Advertising	0.9	1.4	0.8	-	-	0.8	0.6	0.6	0.8	2.1	1.3	1.1	0.7
12. Pensions & other benef plans	1.2	0.9	0.6	-	0.6	0.2	0.9	1.4	0.9	2.1	1.4	1.3	1.2
13. Other expenses	12.7	15.3	21.0	-	2.2	12.8	11.1	14.0	11.6	12.8	8.0	13.6	12.9
14. Net profit before tax	*	2.5	*	*	3.0	0.6	0.8	2.0	1.9	7.0	*	*	*
Selected Financial Ratios (number of times ratio is to one)													
15. Current ratio	1.5	-	-	-	3.1	2.4	1.7	2.0	1.4	1.4	1.3	1.1	1.6
16. Quick ratio	0.8	-	-	-	2.2	0.9	0.6	1.1	0.7	0.7	0.5	0.4	1.1
17. Net sls to net wkg capital	9.4	-	-	-	3.7	4.2	7.1	5.9	9.4	8.1	15.1	25.5	7.6
18. Coverage ratio	2.1	-	-	-	5.8	2.2	1.9	9.0	3.4	3.7	1.6	1.7	1.7
19. Asset turnover	1.5	-	-	-	2.5	2.2	2.3	1.9	1.8	1.3	2.1	1.6	1.2
20. Total liab to net worth	1.7	-	-	-	0.6	3.3	1.8	1.1	1.8	2.0	2.8	4.0	1.2
Selected Financial Factors in Percentages													
21. Debt ratio	63.1	-	-	-	38.2	76.5	64.6	51.5	64.3	66.7	73.6	79.8	53.7
22. Return on assets	7.6	-	-	-	9.1	10.8	5.5	13.4	10.4	15.9	7.5	7.2	6.1
23. Return on equity	5.8	-	-	-	10.3	21.0	3.6	16.0	8.7	27.7	9.5	10.6	3.0
24. Return on net worth	20.6	-	-	-	14.7	46.0	15.4	27.6	29.1	47.6	28.5	35.7	13.1

†Depreciation largest factor

Page 168

TABLE II: CORPORATIONS WITH NET INCOME, 1990 EDITION

3798 MANUFACTURING: TRANSPORTATION EQUIPMENT, EXCEPT MOTOR VEHICLES:
Other transportation equipment, except motor vehicles

Item Description For Accounting Period 7/86 Through 6/87	A Total	B Zero Assets	C Under 100	D 100 to 250	E 251 to 500	F 501 to 1,000	G 1,001 to 5,000	H 5,001 to 10,000	I 10,001 to 25,000	J 25,001 to 50,000	K 50,001 to 100,000	L 100,001 to 250,000	M 250,001 and over
1. Number of Enterprises	583	-	-	229	78	68	125	46	19	9	-	4	-
2. Total receipts (in millions of dollars)	7112.8	-	-	14.3	59.2	95.0	544.6	692.6	744.3	758.3	-	1140.0	-
Selected Operating Factors in Percent of Net Sales													
3. Cost of operations	75.7	-	-	81.0	85.1	77.6	72.6	69.6	76.5	69.6	-	78.2	-
4. Compensation of officers	1.3	-	-	3.1	4.4	2.8	5.6	3.7	0.9	1.2	-	0.5	-
5. Repairs	0.4	-	-	2.5	-	0.2	0.4	0.1	0.2	0.1	-	1.6	-
6. Bad debts	0.1	-	-	-	-	0.1	0.2	0.1	0.1	0.2	-	0.2	-
7. Rent on business property	0.5	-	-	3.1	1.9	0.7	0.4	0.7	0.6	0.9	-	0.3	-
8. Taxes (excl Federal tax)	2.0	-	-	8.6	2.0	1.6	2.1	1.9	1.6	1.9	-	2.4	-
9. Interest	1.5	-	-	5.9	0.6	2.2	1.0	0.3	1.3	2.3	-	2.8	-
10. Deprec/Deplet/Amortiz†	2.4	-	-	4.4	0.2	0.4	1.2	1.3	2.7	3.7	-	3.6	-
11. Advertising	1.0	-	-	0.2	-	0.8	0.7	0.7	0.7	1.9	-	1.1	-
12. Pensions & other benef plans	1.2	-	-	-	0.6	0.2	1.0	1.5	0.8	1.7	-	1.3	-
13. Other expenses	12.6	-	-	22.2	2.2	12.8	10.0	11.5	9.9	10.4	-	13.6	-
14. Net profit before tax	1.3	-	-	#	3.0	0.6	4.8	8.6	4.7	6.1	-	#	-
Selected Financial Ratios (number of times ratio is to one)													
15. Current ratio	1.6	-	-	-	3.1	2.4	2.1	2.7	1.5	1.4	-	1.1	-
16. Quick ratio	0.9	-	-	-	2.2	0.9	0.7	1.6	0.7	0.6	-	0.4	-
17. Net sls to net wkg capital	7.9	-	-	-	3.7	4.2	6.1	4.5	9.8	10.9	-	25.5	-
18. Coverage ratio	4.6	-	-	-	5.8	2.2	6.4	-	6.2	4.2	-	1.7	-
19. Asset turnover	1.8	-	-	-	2.5	2.2	2.5	2.2	2.1	1.8	-	1.6	-
20. Total liab to net worth	1.7	-	-	-	0.6	3.3	1.2	0.6	1.4	2.1	-	4.0	-
Selected Financial Factors in Percentages													
21. Debt ratio	62.8	-	-	-	38.2	76.5	55.1	37.0	57.9	68.0	-	79.8	-
22. Return on assets	12.7	-	-	-	9.1	10.8	15.2	22.4	16.9	17.2	-	7.2	-
23. Return on equity	18.9	-	-	-	10.3	21.0	24.2	25.1	18.3	34.5	-	10.6	-
24. Return on net worth	34.2	-	-	-	14.7	46.0	33.8	35.6	40.0	53.7	-	35.7	-

†Depreciation largest factor

TABLE I: CORPORATIONS WITH AND WITHOUT NET INCOME, 1990 EDITION

3815 MANUFACTURING: INSTRUMENTS AND RELATED PRODUCTS:
Scientific instruments and measuring devices; watches and clocks

Item Description For Accounting Period 7/86 Through 6/87	A Total	B Z₁ Assets	C Under 100	D 100 to 250	E 251 to 500	F 501 to 1,000	G 1,001 to 5,000	H 5,001 to 10,000	I 10,001 to 25,000	J 25,001 to 50,000	K 50,001 to 100,000	L 100,001 to 250,000	M 250,001 and over
1. Number of Enterprises	2403	22	508	565	371	236	403	115	113	32	10	18	11
2. Total receipts (in millions of dollars)	22973.2	149.2	130.4	171.3	312.5	267.8	1497.4	1139.9	1964.7	1448.5	712.9	2885.1	12293.6
Selected Operating Factors in Percent of Net Sales													
3. Cost of operations	58.8	64.9	45.6	40.7	57.8	55.1	51.8	59.6	56.9	58.4	54.2	55.4	61.6
4. Compensation of officers	1.7	5.2	3.8	13.9	7.3	7.5	5.3	4.4	2.9	1.8	1.4	1.1	0.4
5. Repairs	0.9	0.5	0.1	0.2	-	0.3	0.3	0.3	0.3	0.4	0.6	1.3	1.2
6. Bad debts	0.4	0.2	7.6	0.1	1.0	0.2	0.4	0.7	0.2	0.2	0.3	0.3	0.3
7. Rent on business property	1.4	0.8	2.6	4.3	2.4	2.2	1.6	1.3	0.9	1.0	1.4	1.9	1.3
8. Taxes (excl Federal tax)	3.1	0.9	2.1	3.1	1.3	2.5	2.6	3.3	2.2	2.9	3.6	2.9	3.5
9. Interest	1.8	2.8	0.8	0.7	2.7	2.2	1.7	1.9	2.6	2.2	2.2	1.8	1.7
10. Deprec/Deplet/Amortiz†	3.9	3.6	1.2	1.8	1.0	2.8	2.8	3.6	3.3	3.8	4.6	3.8	4.3
11. Advertising	1.5	0.9	-	2.6	0.2	2.2	1.4	1.5	1.5	1.8	3.6	1.4	1.4
12. Pensions & other benef plans	2.6	1.9	0.3	2.6	3.7	0.9	1.8	2.8	1.6	2.0	2.5	3.9	2.6
13. Other expenses	26.1	34.8	30.2	24.1	28.1	35.4	30.8	24.0	28.4	23.0	25.1	27.4	25.2
14. Net profit before tax	*	*	5.7	5.9	*	*	*	*	*	2.5	0.5	*	*
Selected Financial Ratios (number of times ratio is to one)													
15. Current ratio	2.2	-	3.1	5.6	1.2	2.6	2.0	2.4	2.0	3.0	2.7	2.7	2.0
16. Quick ratio	1.3	-	2.9	4.2	0.8	1.5	1.2	1.2	1.0	1.7	1.5	1.4	1.3
17. Net sls to net wkg capital	3.4	-	17.0	2.7	17.2	3.5	4.7	3.4	3.3	2.9	2.7	2.4	3.8
18. Coverage ratio	2.6	-	8.0	-	-	-	3.3	0.4	2.0	4.6	2.9	3.0	2.7
19. Asset turnover	1.1	-	-	2.1	2.4	1.6	1.6	1.4	1.1	1.2	0.9	1.0	1.0
20. Total liab to net worth	0.9	-	0.8	0.4	-	3.3	1.2	1.2	1.1	0.7	0.8	0.9	0.8
Selected Financial Factors in Percentages													
21. Debt ratio	47.3	-	45.4	28.9	109.1	76.5	54.8	54.5	52.3	42.2	45.3	47.6	45.1
22. Return on assets	5.3	-	-	17.9	-	-	9.1	1.0	5.3	12.5	5.9	5.2	4.7
23. Return on equity	2.5	-	-	19.8	-	-	4.0	-	-	9.5	3.3	1.6	2.9
24. Return on net worth	10.1	-	78.7	25.2	-	20.2	20.2	2.2	11.2	21.7	10.7	9.9	8.5

†Depreciation largest factor

TABLE II: CORPORATIONS WITH NET INCOME, 1990 EDITION

3815 MANUFACTURING: INSTRUMENTS AND RELATED PRODUCTS:
Scientific instruments and measuring devices; watches and clocks

Item Description For Accounting Period 7/86 Through 6/87	A Total	B Zero Assets	SIZE OF ASSETS IN THOUSANDS OF DOLLARS (000 OMITTED)										
			C Under 100	D 100 to 250	E 251 to 500	F 501 to 1,000	G 1,001 to 5,000	H 5,001 to 10,000	I 10,001 to 25,000	J 25,001 to 50,000	K 50,001 to 100,000	L 100,001 to 250,000	M 250,001 and over
1. Number of Enterprises	1963	-	508	565	230	143	315	61	72	24	7	10	-
2. Total receipts (in millions of dollars)	19022.2	-	130.4	171.3	249.0	164.5	1185.9	716.1	1256.7	1226.0	535.6	1757.2	-
Selected Operating Factors in Percent of Net Sales													
3. Cost of operations	58.5	-	45.6	40.7	61.2	48.0	49.5	58.1	57.0	57.1	51.8	50.4	-
4. Compensation of officers	1.5	-	3.8	13.9	6.0	7.4	5.7	4.6	3.0	1.7	1.3	1.1	-
5. Repairs	1.0	-	0.1	0.2	-	0.3	0.4	0.3	0.2	0.3	0.7	1.6	-
6. Bad debts	0.3	-	7.6	0.1	1.3	-	0.5	0.1	0.2	0.1	0.2	0.3	-
7. Rent on business property	1.3	-	2.6	4.3	1.2	2.4	1.7	1.0	0.7	1.0	1.0	1.4	-
8. Taxes (excl Federal tax)	3.2	-	2.1	3.1	1.0	2.5	2.6	3.8	1.7	3.0	3.9	3.0	-
9. Interest	1.5	-	0.8	0.7	1.3	2.3	1.6	1.4	1.6	1.4	1.8	1.3	-
10. Deprec/Deplet/Amortiz†	3.7	-	1.2	1.8	0.6	3.7	2.5	2.3	2.6	2.8	4.4	3.2	-
11. Advertising	1.5	-	-	2.6	0.1	2.6	1.2	0.7	1.6	1.8	4.3	1.4	-
12. Pensions & other benef plans	2.5	-	0.3	2.6	4.6	0.4	1.9	3.0	1.5	2.0	2.5	3.5	-
13. Other expenses	24.8	-	30.2	24.1	16.8	29.1	27.1	19.2	24.1	23.4	23.6	28.5	-
14. Net profit before tax	0.2	-	5.7	5.9	5.9	1.3	5.3	5.5	5.8	5.4	4.5	4.3	-
Selected Financial Ratios (number of times ratio is to one)													
15. Current ratio	2.3	-	3.1	5.6	2.4	3.7	2.3	2.3	2.6	2.9	2.8	3.0	-
16. Quick ratio	1.4	-	2.9	4.2	1.7	2.3	1.4	1.0	1.4	1.7	1.5	2.0	-
17. Net sls to net wkg capital	3.5	-	17.0	2.7	5.5	2.7	4.8	4.4	2.6	3.2	2.8	2.1	-
18. Coverage ratio	4.9	-	8.0	-	6.4	5.0	7.3	6.2	7.0	8.7	5.3	9.2	-
19. Asset turnover	1.2	-	-	2.1	-	1.5	1.8	1.7	1.0	1.4	1.0	1.0	-
20. Total liab to net worth	0.8	-	0.8	0.4	2.3	2.2	1.0	0.8	0.7	0.7	0.8	0.6	-
Selected Financial Factors in Percentages													
21. Debt ratio	42.8	-	45.4	28.9	69.8	68.8	48.6	44.3	40.9	39.5	43.1	38.7	-
22. Return on assets	8.4	-	-	17.9	24.0	17.1	21.4	14.6	12.0	16.4	9.2	11.7	-
23. Return on equity	7.3	-	-	19.8	-	36.1	23.3	17.4	10.6	14.6	8.1	9.7	-
24. Return on net worth	14.7	-	78.7	25.2	79.4	54.8	41.7	26.3	20.2	27.2	16.1	19.1	-

†Depreciation largest factor

3845 MANUFACTURING: INSTRUMENTS AND RELATED PRODUCTS:

Optical, medical, and ophthalmic goods

Item Description For Accounting Period 7/86 Through 6/87	A Total	B Zero Assets	SIZE OF ASSETS IN THOUSANDS OF DOLLARS (000 OMITTED)										
			C Under 100	D 100 to 250	E 251 to 500	F 501 to 1,000	G 1,001 to 5,000	H 5,001 to 10,000	I 10,001 to 25,000	J 25,001 to 50,000	K 50,001 to 100,000	L 100,001 to 250,000	M 250,001 and over
1. Number of Enterprises	4913	55	3103	430	357	236	467	117	71	24	25	21	7
2. Total receipts (in millions of dollars)	21288.1	81.1	341.5	170.2	451.8	450.5	1297.3	957.4	1490.1	677.3	1742.0	2979.8	10649.2
Selected Operating Factors in Percent of Net Sales													
3. Cost of operations	53.1	52.1	32.1	25.1	48.7	59.5	55.9	53.4	56.6	52.6	51.5	53.6	53.4
4. Compensation of officers	1.9	3.8	10.6	12.7	12.2	7.6	6.9	3.6	2.0	1.9	1.3	1.1	0.3
5. Repairs	0.6	0.2	0.2	0.1	0.4	0.3	0.4	0.2	0.3	0.3	0.3	0.4	0.9
6. Bad debts	0.4	2.7	0.2	-	0.1	0.3	0.7	0.7	0.3	0.1	0.5	0.5	0.3
7. Rent on business property	1.7	1.5	5.2	2.4	3.7	2.4	2.1	0.8	0.6	2.0	1.2	1.2	1.7
8. Taxes (excl Federal tax)	2.4	3.8	3.2	4.3	2.9	3.8	2.4	2.8	2.2	2.0	2.8	2.1	2.2
9. Interest	2.4	1.4	0.3	1.2	0.9	1.2	1.7	2.9	1.7	2.5	1.2	2.6	2.9
10. Deprec/Deplet/Amortiz†	3.3	2.9	2.3	3.9	1.8	5.4	3.0	3.1	3.0	6.5	3.9	4.0	2.9
11. Advertising	5.0	0.4	2.6	1.5	0.3	0.5	1.9	1.3	2.8	1.6	1.0	1.7	8.3
12. Pensions & other benef plans	2.4	1.4	1.0	9.0	2.2	2.1	1.1	1.3	1.6	2.3	1.6	1.9	3.1
13. Other expenses	28.6	28.7	45.6	55.8	21.2	19.2	27.6	34.4	23.3	29.8	27.5	31.4	28.1
14. Net profit before tax	*	1.1	*	*	5.6	*	*	*	5.6	*	7.2	*	*
Selected Financial Ratios (number of times ratio is to one)													
15. Current ratio	1.3	-	-	2.5	2.0	1.5	2.1	2.1	2.1	2.6	3.0	2.2	1.0
16. Quick ratio	0.8	-	-	2.1	1.4	0.9	1.1	1.1	1.1	1.2	1.8	1.3	0.6
17. Net sls to net wkg capital	7.7	-	-	4.0	9.6	10.8	3.6	3.7	4.0	2.5	2.5	3.4	-
18. Coverage ratio	2.7	-	-	-	8.2	0.7	0.3	0.4	6.4	2.9	-	4.5	1.6
19. Asset turnover	1.0	-	-	2.0	-	2.4	1.3	1.2	1.3	0.8	1.0	0.8	0.8
20. Total liab to net worth	1.3	-	-	0.9	1.1	1.3	1.2	1.0	0.9	0.7	0.6	0.8	1.9
Selected Financial Factors in Percentages													
21. Debt ratio	56.8	-	-	47.2	53.0	55.7	54.2	50.1	46.3	39.4	37.1	43.3	65.0
22. Return on assets	6.1	-	-	-	22.5	1.9	0.6	1.4	14.3	5.9	12.8	9.7	3.8
23. Return on equity	3.4	-	-	31.0	34.3	-	-	-	9.8	-	9.5	7.7	1.2
24. Return on net worth	14.1	-	-	59.5	47.9	4.3	1.4	2.8	26.7	9.8	20.3	17.1	10.9

†Depreciation largest factor

3845 MANUFACTURING: INSTRUMENTS AND RELATED PRODUCTS:

Optical, medical, and ophthalmic goods

Item Description For Accounting Period 7/86 Through 6/87	A Total	B Zero Assets	C Under 100	D 100 to 250	E 251 to 500	F 501 to 1,000	G 1,001 to 5,000	H 5,001 to 10,000	I 10,001 to 25,000	J 25,001 to 50,000	K 50,001 to 100,000	L 100,001 to 250,000	M 250,001 and over
			SIZE OF ASSETS IN THOUSANDS OF DOLLARS (000 OMITTED)										
1. Number of Enterprises	2312	55	1005	305	321	155	297	67	45	-	21	15	-
2. Total receipts (in millions of dollars)	16358.4	81.1	189.8	124.1	405.2	295.8	1038.7	675.4	1085.0	-	1477.8	2427.7	-
Selected Operating Factors in Percent of Net Sales													
3. Cost of operations	49.1	52.1	22.7	28.8	49.1	55.2	54.8	54.6	52.3	-	49.0	51.5	-
4. Compensation of officers	1.9	3.8	18.4	11.9	13.4	9.4	5.7	2.8	1.9	-	1.2	1.0	-
5. Repairs	0.6	0.2	0.4	0.2	0.4	0.4	0.5	0.1	0.2	-	0.2	0.4	-
6. Bad debts	0.4	2.7	-	-	0.1	0.4	0.6	0.2	0.2	-	0.4	0.6	-
7. Rent on business property	1.6	1.5	7.2	3.4	3.8	2.0	1.5	0.2	0.4	-	1.1	1.1	-
8. Taxes (excl Federal tax)	2.5	3.8	3.6	1.8	2.6	3.2	2.4	2.6	2.1	-	2.8	2.1	-
9. Interest	1.7	1.4	0.3	1.6	1.0	0.7	1.7	2.3	1.4	-	1.1	2.1	-
10. Deprec/Deplet/Amortiz†	3.4	2.9	2.1	5.2	1.8	6.1	2.5	2.3	2.8	-	3.7	4.0	-
11. Advertising	5.9	0.4	1.7	0.4	0.4	0.6	1.5	1.3	3.0	-	0.8	1.7	-
12. Pensions & other benef plans	2.4	1.4	0.4	13.9	2.2	2.9	0.9	1.2	1.6	-	1.5	1.5	-
13. Other expenses	28.1	28.7	41.6	47.6	18.1	14.8	21.8	24.8	21.0	-	27.5	29.7	-
14. Net profit before tax	2.4	1.1	1.6	#	7.1	4.3	6.1	7.6	13.1	-	10.7	4.3	-
Selected Financial Ratios (number of times ratio is to one)													
15. Current ratio	1.4	-	3.0	1.7	1.8	2.0	1.7	2.5	2.2	-	3.0	2.2	-
16. Quick ratio	0.8	-	1.9	1.3	1.3	1.2	1.0	1.3	1.3	-	1.8	1.3	-
17. Net sls to net wkg capital	7.9	-	8.6	5.9	11.5	6.5	5.9	3.7	4.5	-	2.6	3.5	-
18. Coverage ratio	5.9	-	7.2	-	9.0	9.6	5.4	5.0	-	-	-	7.8	-
19. Asset turnover	1.0	-	-	1.9	-	2.4	1.7	1.4	1.4	-	0.9	0.9	-
20. Total liab to net worth	1.2	-	1.3	1.2	1.4	0.7	1.7	0.9	0.7	-	0.6	0.6	-
Selected Financial Factors in Percentages													
21. Debt ratio	53.6	-	57.0	53.5	57.6	41.4	62.4	48.3	39.4	-	35.9	37.2	-
22. Return on assets	10.0	-	9.8	-	27.8	16.1	16.1	16.6	24.4	-	15.8	14.9	-
23. Return on equity	10.9	-	18.0	-	48.5	15.8	23.3	16.5	20.5	-	12.8	13.8	-
24. Return on net worth	21.6	-	22.9	-	65.5	27.5	42.7	32.1	40.3	-	24.6	23.8	-

†Depreciation largest factor

3860 MANUFACTURING: INSTRUMENTS AND RELATED PRODUCTS:
Photographic equipment and supplies

Item Description For Accounting Period 7/86 Through 6/87	A Total	B Zero Assets	C Under 100	D 100 to 250	E 251 to 500	F 501 to 1,000	G 1,001 to 5,000	H 5,001 to 10,000	I 10,001 to 25,000	J 25,001 to 50,000	K 50,001 to 100,000	L 100,001 to 250,000	M 250,001 and over
						SIZE OF ASSETS IN THOUSANDS OF DOLLARS (000 OMITTED)							
1. Number of Enterprises	1120	-	407	573	-	35	74	-	14	5	7	-	4
2. Total receipts (in millions of dollars)	16423.1	-	77.9	103.6	-	72.3	543.2	-	219.2	206.8	623.4	-	14576.8
Selected Operating Factors in Percent of Net Sales													
3. Cost of operations	59.9	-	49.1	58.2	-	57.6	73.7	-	55.7	70.9	59.9	-	59.4
4. Compensation of officers	0.5	-	5.2	-	-	4.9	3.6	-	1.7	2.0	1.2	-	0.3
5. Repairs	4.0	-	1.2	1.9	-	0.5	0.2	-	0.2	0.4	0.3	-	4.5
6. Bad debts	0.2	-	-	-	-	0.3	0.1	-	1.1	0.9	1.1	-	0.1
7. Rent on business property	1.1	-	2.7	5.1	-	2.0	0.6	-	1.3	0.7	1.4	-	1.1
8. Taxes (excl Federal tax)	1.9	-	3.2	2.0	-	2.5	2.1	-	2.9	1.2	1.8	-	1.9
9. Interest	4.0	-	0.4	1.9	-	0.3	0.9	-	2.0	2.6	3.0	-	4.3
10. Deprec/Deplet/Amortiz†	9.7	-	2.2	5.2	-	1.7	1.7	-	2.7	3.0	3.4	-	10.6
11. Advertising	3.0	-	3.9	0.4	-	1.8	1.0	-	1.1	1.2	1.0	-	3.2
12. Pensions & other benef plans	2.9	-	0.5	-	-	1.8	1.0	-	0.4	0.4	1.6	-	3.1
13. Other expenses	18.6	-	19.4	26.8	-	19.6	14.3	-	23.1	19.7	23.1	-	18.4
14. Net profit before tax	*	-	12.2	*	-	7.0	0.8	-	7.8	*	2.2	-	*
Selected Financial Ratios (number of times ratio is to one)													
15. Current ratio	1.6	-	2.6	2.2	-	3.1	1.7	-	3.2	1.4	1.8	-	1.6
16. Quick ratio	0.9	-	1.8	1.5	-	1.3	0.9	-	2.4	0.6	1.0	-	0.9
17. Net sls to net wkg capital	5.6	-	6.9	4.0	-	4.9	8.0	-	2.5	7.1	3.7	-	5.8
18. Coverage ratio	1.0	-	-	0.9	-	-	2.7	-	6.2	1.5	2.8	-	0.8
19. Asset turnover	1.0	-	-	1.5	-	-	-	-	1.2	1.2	1.1	-	1.0
20. Total liab to net worth	0.8	-	0.5	-	-	0.5	1.5	-	0.5	1.5	1.9	-	0.8
Selected Financial Factors in Percentages													
21. Debt ratio	45.6	-	32.6	101.2	-	33.5	59.7	-	34.7	59.6	66.0	-	44.3
22. Return on assets	4.0	-	-	2.6	-	20.7	6.4	-	15.3	4.5	8.8	-	3.5
23. Return on equity	-	-	-	-	-	20.1	6.5	-	14.0	-	9.3	-	-
24. Return on net worth	7.3	-	69.2	-	-	31.1	15.8	-	23.4	11.2	25.9	-	6.3

†Depreciation largest factor

TABLE II: CORPORATIONS WITH NET INCOME, 1990 EDITION

3860 MANUFACTURING: INSTRUMENTS AND RELATED PRODUCTS:
Photographic equipment and supplies

Item Description For Accounting Period 7/86 Through 6/87	A Total	B Zero Assets	C Under 100	D 100 to 250	E 251 to 500	F 501 to 1,000	G 1,001 to 5,000	H 5,001 to 10,000	I 10,001 to 25,000	J 25,001 to 50,000	K 50,001 to 100,000	L 100,001 to 250,000	M 250,001 and over
					SIZE OF ASSETS IN THOUSANDS OF DOLLARS (000 OMITTED)								
1. Number of Enterprises	818	-	407	288	-	35	64	-	14	-	-	4	-
2. Total receipts (in millions of dollars)	3719.0	-	77.9	65.8	-	72.3	482.6	-	219.2	-	-	2404.7	-
Selected Operating Factors in Percent of Net Sales													
3. Cost of operations	60.1	-	49.1	70.9	-	57.6	74.5	-	55.7	-	-	57.6	-
4. Compensation of officers	1.4	-	5.2	-	-	4.9	3.6	-	1.7	-	-	0.7	-
5. Repairs	0.7	-	1.2	1.5	-	0.5	0.2	-	0.2	-	-	0.9	-
6. Bad debts	0.3	-	-	-	-	0.3	0.2	-	1.1	-	-	0.2	-
7. Rent on business property	1.7	-	2.7	2.6	-	2.0	0.5	-	1.3	-	-	2.0	-
8. Taxes (excl Federal tax)	2.5	-	3.2	1.5	-	2.5	2.0	-	2.9	-	-	2.8	-
9. Interest	1.6	-	0.4	2.7	-	0.3	0.6	-	2.0	-	-	1.8	-
10. Deprec/Deplet/Amortiz†	4.0	-	2.2	1.7	-	1.7	1.3	-	2.7	-	-	5.1	-
11. Advertising	2.3	-	3.9	-	-	1.8	1.0	-	1.1	-	-	3.0	-
12. Pensions & other benef plans	2.5	-	0.5	-	-	1.8	1.1	-	0.4	-	-	3.4	-
13. Other expenses	22.6	-	19.4	14.0	-	19.6	13.2	-	23.1	-	-	25.2	-
14. Net profit before tax	0.3	-	12.2	5.1	-	7.0	1.8	-	7.8	-	-	#	-
Selected Financial Ratios (number of times ratio is to one)													
15. Current ratio	2.0	-	2.6	1.4	-	3.1	1.8	-	3.2	-	-	1.9	-
16. Quick ratio	1.1	-	1.8	0.9	-	1.3	0.9	-	2.4	-	-	1.1	-
17. Net sls to net wkg capital	4.4	-	6.9	7.2	-	4.9	7.7	-	2.5	-	-	4.3	-
18. Coverage ratio	3.5	-	-	3.4	-	-	4.8	-	6.2	-	-	2.4	-
19. Asset turnover	1.3	-	-	2.1	-	-	-	-	1.2	-	-	1.1	-
20. Total liab to net worth	1.0	-	0.5	-	-	0.5	1.3	-	0.5	-	-	0.9	-
Selected Financial Factors in Percentages													
21. Debt ratio	49.1	-	32.6	126.2	-	33.5	57.2	-	34.7	-	-	47.6	-
22. Return on assets	7.3	-	-	19.0	-	20.7	8.7	-	15.3	-	-	4.6	-
23. Return on equity	7.0	-	-	-	-	20.1	12.1	-	14.0	-	-	3.3	-
24. Return on net worth	14.2	-	69.2	-	-	31.1	20.2	-	23.4	-	-	8.7	-

†Depreciation largest factor

TABLE I: CORPORATIONS WITH AND WITHOUT NET INCOME, 1990 EDITION

4000 TRANSPORTATION:
Railroad transportation

Item Description For Accounting Period 7/86 Through 6/87	A Total	B Zero Assets	C Under 100	D 100 to 250	E 251 to 500	F 501 to 1,000	G 1,001 to 5,000	H 5,001 to 10,000	I 10,001 to 25,000	J 25,001 to 50,000	K 50,001 to 100,000	L 100,001 to 250,000	M 250,001 and over
SIZE OF ASSETS IN THOUSANDS OF DOLLARS (000 OMITTED)													
1. Number of Enterprises	400	10	-	158	69	39	53	13	18	12	9	4	15
2. Total receipts (in millions of dollars)	48875.2	880.1	-	6.7	23.8	0.8	35.8	21.9	112.9	288.6	233.3	189.7	47081.6
Selected Operating Factors in Percent of Net Sales													
3. Cost of operations	51.7	-	-	-	-	-	15.5	-	37.0	73.4	47.4	61.6	52.5
4. Compensation of officers	0.4	-	-	-	-	-	-	-	2.4	1.7	0.6	1.8	0.3
5. Repairs	1.9	-	-	-	-	-	7.5	-	6.2	1.0	0.2	0.6	1.9
6. Bad debts	0.1	-	-	-	-	-	19.1	-	0.1	-	-	0.1	0.1
7. Rent on business property	6.3	-	-	-	-	-	0.3	-	8.1	1.4	5.2	4.6	6.4
8. Taxes (excl Federal tax)	6.0	-	-	-	-	-	10.8	-	12.7	2.9	4.5	4.8	6.1
9. Interest	5.7	-	-	-	-	-	6.9	-	5.3	4.0	12.0	11.6	5.7
10. Deprec/Deplet/Amortiz†	10.0	-	-	-	-	-	24.0	-	8.8	7.7	15.7	16.1	10.2
11. Advertising	0.4	-	-	-	-	-	-	-	0.1	0.1	-	0.1	0.4
12. Pensions & other benef plans	2.5	-	-	-	-	-	3.2	-	4.1	0.2	3.5	2.3	2.6
13. Other expenses	32.3	-	-	-	-	-	21.4	-	31.0	9.4	22.3	19.5	24.2
14. Net profit before tax	*	*	-	*	*	-	*	*	*	*	*	*	*
Selected Financial Ratios (number of times ratio is to one)													
15. Current ratio	0.9	-	-	9.4	1.6	-	0.7	2.2	1.7	1.2	1.6	1.1	0.9
16. Quick ratio	0.6	-	-	4.2	0.3	-	0.4	1.9	1.6	0.8	1.2	0.4	0.6
17. Net sls to net wkg capital	-	-	-	1.8	1.9	-	-	2.9	2.5	13.1	4.0	9.9	-
18. Coverage ratio	-	-	-	-	-	-	3.7	-	7.7	2.4	0.6	2.3	1.1
19. Asset turnover	0.5	-	-	0.3	0.4	-	0.2	0.2	0.3	0.6	0.4	0.2	0.5
20. Total liab to net worth	1.3	-	-	-	0.6	-	4.3	0.8	1.8	2.1	3.8	1.1	1.3
Selected Financial Factors in Percentages													
21. Debt ratio	55.8	-	-	102.4	35.6	-	81.1	43.8	64.9	67.3	79.2	52.8	55.6
22. Return on assets	-	-	-	-	26.5	-	4.9	-	10.1	5.7	2.8	4.7	2.9
23. Return on equity	-	-	-	-	30.7	-	4.7	-	17.9	6.3	-	2.4	-
24. Return on net worth	-	-	-	-	41.2	-	25.8	-	28.7	17.5	13.6	10.0	6.6

†Depreciation largest factor

Page 176

TABLE II: CORPORATIONS WITH NET INCOME, 1990 EDITION

4000 TRANSPORTATION:
Railroad transportation

Item Description For Accounting Period 7/86 Through 6/87	A Total	B Zero Assets	C Under 100	D 100 to 250	E 251 to 500	F 501 to 1,000	G 1,001 to 5,000	H 5,001 to 10,000	I 10,001 to 25,000	J 25,001 to 50,000	K 50,001 to 100,000	L 100,001 to 250,000	M 250,001 and over
SIZE OF ASSETS IN THOUSANDS OF DOLLARS (000 OMITTED)													
1. Number of Enterprises	186	-	-	-	69	39	36	-	18	9	6	-	9
2. Total receipts (in millions of dollars)	37068.3	-	-	-	23.8	0.8	33.3	-	112.9	265.1	234.9	-	36397.5
Selected Operating Factors in Percent of Net Sales													
3. Cost of operations	53.6	-	-	-	-	-	15.5	-	37.0	75.4	69.3	-	53.4
4. Compensation of officers	0.4	-	-	-	-	-	-	-	2.4	1.6	1.0	-	0.4
5. Repairs	1.9	-	-	-	-	-	7.4	-	6.2	0.9	-	-	1.9
6. Bad debts	0.1	-	-	-	-	-	-	-	0.1	-	-	-	0.1
7. Rent on business property	5.4	-	-	-	-	-	0.3	-	8.1	1.0	3.2	-	5.4
8. Taxes (excl Federal tax)	5.7	-	-	-	-	-	10.7	-	12.7	2.4	4.2	-	5.7
9. Interest	6.0	-	-	-	-	-	-	-	5.3	3.0	5.8	-	6.0
10. Deprec/Deplet/Amortiz†	9.4	-	-	-	-	-	20.7	-	8.8	5.1	9.1	-	9.4
11. Advertising	0.4	-	-	-	-	-	-	-	0.1	0.1	0.1	-	0.4
12. Pensions & other benef plans	2.5	-	-	-	-	-	3.2	-	4.1	0.2	0.2	-	2.5
13. Other expenses	21.7	-	-	-	-	-	20.0	-	31.0	7.9	7.1	-	21.9
14. Net profit before tax	#	-	-	-	#	-	22.2	-	#	2.4	#	-	#
Selected Financial Ratios (number of times ratio is to one)													
15. Current ratio	0.9	-	-	-	1.6	-	0.7	-	1.7	1.3	1.2	-	0.9
16. Quick ratio	0.6	-	-	-	0.3	-	0.4	-	1.6	0.8	0.5	-	0.6
17. Net sls to net wkg capital	-	-	-	-	1.9	-	-	-	2.5	11.0	5.4	-	-
18. Coverage ratio	1.7	-	-	-	-	-	-	-	7.7	3.6	5.4	-	1.7
19. Asset turnover	0.5	-	-	-	0.4	-	0.2	-	0.3	0.8	0.3	-	0.5
20. Total liab to net worth	1.1	-	-	-	0.6	-	2.4	-	1.8	1.7	0.8	-	1.1
Selected Financial Factors in Percentages													
21. Debt ratio	51.7	-	-	-	35.6	-	70.5	-	64.9	62.4	45.1	-	51.7
22. Return on assets	4.6	-	-	-	26.5	-	9.1	-	10.1	8.1	8.4	-	4.5
23. Return on equity	2.8	-	-	-	30.7	-	20.2	-	17.9	11.2	8.3	-	2.6
24. Return on net worth	9.6	-	-	-	41.2	-	30.8	-	28.7	21.5	15.3	-	9.4

†Depreciation largest factor

4100 TRANSPORTATION:

Local and interurban passenger transit

Item Description For Accounting Period 7/86 Through 6/87	A Total	B Zero Assets	C Under 100	D 100 to 250	E 251 to 500	F 501 to 1,000	G 1,001 to 5,000	H 5,001 to 10,000	I 10,001 to 25,000	J 25,001 to 50,000	K 50,001 to 100,000	L 100,001 to 250,000	M 250,001 and over
		SIZE OF ASSETS IN THOUSANDS OF DOLLARS (000 OMITTED)											
1. Number of Enterprises	8232	1052	3242	2306	770	288	479	54	31	8	-	-	3
2. Total receipts (in millions of dollars)	9860.7	83.6	575.4	381.3	971.1	537.1	1624.1	550.8	655.2	202.2	-	-	4279.9
Selected Operating Factors in Percent of Net Sales													
3. Cost of operations	42.2	43.3	67.2	22.9	35.4	27.3	31.9	57.1	68.4	39.4	-	-	41.8
4. Compensation of officers	2.3	7.1	1.1	5.7	4.7	4.7	2.8	1.9	1.5	2.0	-	-	1.0
5. Repairs	1.8	0.7	2.0	5.7	1.9	0.5	1.8	0.5	0.6	2.3	-	-	1.9
6. Bad debts	0.5	0.1	-	0.3	0.6	-	0.2	0.1	0.2	0.7	-	-	0.9
7. Rent on business property	3.8	4.8	2.5	1.4	2.6	2.0	1.9	1.5	1.1	3.6	-	-	6.8
8. Taxes (excl Federal tax)	4.4	4.8	1.2	7.5	4.5	5.3	4.4	4.1	5.6	4.0	-	-	4.4
9. Interest	7.1	3.2	1.0	6.9	1.8	1.3	2.2	2.5	4.3	5.1	-	-	14.6
10. Deprec/Deplet/Amortiz†	8.3	3.9	7.5	10.7	3.6	7.9	7.7	8.4	6.7	13.6	-	-	10.1
11. Advertising	2.3	0.8	0.2	0.8	0.7	0.6	0.7	0.4	0.1	0.4	-	-	5.1
12. Pensions & other benef plans	2.2	1.4	0.2	0.7	1.7	2.2	1.0	3.0	2.9	0.4	-	-	3.3
13. Other expenses	38.1	27.4	18.3	50.1	44.4	48.3	44.8	20.1	13.1	37.1	-	-	41.8
14. Net profit before tax	*	2.5	*	*	*	*	0.6	0.4	*	*	-	-	*
Selected Financial Ratios (number of times ratio is to one)													
15. Current ratio	1.6	-	2.1	0.8	1.2	2.0	1.6	1.1	0.6	0.8	-	-	1.8
16. Quick ratio	1.3	-	2.0	0.7	0.7	1.7	1.2	0.5	0.5	0.5	-	-	1.6
17. Net sls to net wkg capital	5.1	-	18.6	-	40.9	14.0	12.1	68.0	-	-	-	-	2.0
18. Coverage ratio	1.4	-	1.4	1.7	2.1	1.5	2.5	1.6	1.3	3.0	-	-	1.2
19. Asset turnover	0.9	-	-	0.9	-	-	1.8	1.5	1.3	0.4	-	-	0.5
20. Total liab to net worth	5.0	-	-	2.7	13.4	1.6	1.4	2.0	4.0	0.9	-	-	9.5
Selected Financial Factors in Percentages													
21. Debt ratio	83.4	-	99.5	72.7	93.1	62.0	58.0	66.9	80.1	47.7	-	-	90.5
22. Return on assets	8.6	-	5.8	10.6	12.8	5.3	9.5	6.2	7.3	6.9	-	-	8.5
23. Return on equity	8.3	-	-	11.7	-	-	7.1	3.9	1.1	6.0	-	-	9.3
24. Return on net worth	51.5	-	-	38.7	-	14.1	22.6	18.7	36.5	13.1	-	-	88.7

†Depreciation largest factor

4100 TRANSPORTATION:
Local and interurban passenger transit

Item Description For Accounting Period 7/86 Through 6/87	A Total	B Zero Assets	C Under 100	D 100 to 250	E 251 to 500	F 501 to 1,000	G 1,001 to 5,000	H 5,001 to 10,000	I 10,001 to 25,000	J 25,001 to 50,000	K 50,001 to 100,000	L 100,001 to 250,000	M 250,001 and over
SIZE OF ASSETS IN THOUSANDS OF DOLLARS (000 OMITTED)													
1. Number of Enterprises	4379	403	1447	1310	553	271	325	41	-	-	-	-	-
2. Total receipts (in millions of dollars)	7823.2	76.6	451.3	249.8	680.9	490.3	1004.9	437.8	-	-	-	-	-
Selected Operating Factors in Percent of Net Sales													
3. Cost of operations	44.3	46.1	83.2	27.2	28.4	28.8	33.7	62.1	-	-	-	-	-
4. Compensation of officers	2.5	6.5	0.9	5.2	5.7	5.1	3.7	1.8	-	-	-	-	-
5. Repairs	1.4	0.5	0.1	1.8	1.3	0.5	2.4	0.6	-	-	-	-	-
6. Bad debts	0.5	0.1	-	0.6	0.1	-	-	0.1	-	-	-	-	-
7. Rent on business property	4.1	2.8	0.7	1.2	2.6	2.1	2.0	1.1	-	-	-	-	-
8. Taxes (excl Federal tax)	4.2	5.0	0.8	6.4	3.5	5.3	5.0	4.0	-	-	-	-	-
9. Interest	7.8	3.5	0.1	4.7	2.1	0.8	2.0	1.8	-	-	-	-	-
10. Deprec/Deplet/Amortiz†	8.2	4.1	3.7	8.4	3.8	8.4	8.8	7.5	-	-	-	-	-
11. Advertising	2.7	0.2	-	1.0	0.4	0.3	0.7	0.4	-	-	-	-	-
12. Pensions & other benef plans	2.3	1.6	0.2	0.8	1.9	2.4	1.3	3.1	-	-	-	-	-
13. Other expenses	35.5	19.8	5.8	54.8	49.7	42.8	36.0	14.4	-	-	-	-	-
14. Net profit before tax	#	9.8	4.5	#	0.5	3.5	4.4	3.1	-	-	-	-	-
Selected Financial Ratios (number of times ratio is to one)													
15. Current ratio	1.8	-	1.9	1.1	1.8	1.8	1.9	1.5	-	-	-	-	-
16. Quick ratio	1.5	-	1.9	1.0	0.9	1.6	1.3	0.7	-	-	-	-	-
17. Net sls to net wkg capital	3.6	-	30.4	42.8	15.7	17.0	8.2	12.8	-	-	-	-	-
18. Coverage ratio	1.7	-	-	4.0	3.7	5.9	4.4	3.3	-	-	-	-	-
19. Asset turnover	0.8	-	-	1.0	-	-	1.6	1.6	-	-	-	-	-
20. Total liab to net worth	4.5	-	0.5	1.3	2.7	0.9	1.0	1.4	-	-	-	-	-
Selected Financial Factors in Percentages													
21. Debt ratio	81.8	-	32.2	56.9	73.2	46.8	49.1	57.5	-	-	-	-	-
22. Return on assets	10.7	-	-	18.6	24.3	13.8	14.0	9.5	-	-	-	-	-
23. Return on equity	17.5	-	43.5	26.9	-	16.9	13.8	11.9	-	-	-	-	-
24. Return on net worth	58.5	-	50.3	43.3	90.6	26.0	27.6	22.3	-	-	-	-	-

†Depreciation largest factor

TABLE I: CORPORATIONS WITH AND WITHOUT NET INCOME, 1990 EDITION

4200 TRANSPORTATION:
Trucking and warehousing

Item Description For Accounting Period 7/86 Through 6/87	A Total	B Zero Assets	SIZE OF ASSETS IN THOUSANDS OF DOLLARS (000 OMITTED)										
			C Under 100	D 100 to 250	E 251 to 500	F 501 to 1,000	G 1,001 to 5,000	H 5,001 to 10,000	I 10,001 to 25,000	J 25,001 to 50,000	K 50,001 to 100,000	L 100,001 to 250,000	M 250,001 and over
1. Number of Enterprises	51563	3542	22847	10603	6016	4436	3297	466	241	50	34	16	15
2. Total receipts (in millions of dollars)	90187.7	1707.8	3282.5	6797.8	7015.3	9399.8	16231.6	5495.3	7080.1	2897.5	3652.3	3826.0	22801.6

Selected Operating Factors in Percent of Net Sales

	A	B	C	D	E	F	G	H	I	J	K	L	M
3. Cost of operations	41.0	48.3	42.2	54.9	41.2	41.4	49.1	48.2	46.3	41.9	28.7	58.4	25.8
4. Compensation of officers	2.1	2.3	5.6	4.5	4.2	3.0	2.6	1.8	1.2	0.9	0.9	1.0	0.3
5. Repairs	2.0	2.1	3.9	3.4	2.8	2.0	2.0	1.2	1.3	1.8	2.0	0.8	1.7
6. Bad debts	0.3	0.6	-	0.1	0.2	0.3	0.3	0.3	0.4	0.4	0.3	0.4	0.3
7. Rent on business property	4.0	2.1	2.6	2.8	3.2	4.0	3.7	4.0	9.7	5.5	10.0	2.2	2.5
8. Taxes (excl Federal tax)	4.7	6.2	4.5	4.0	3.8	4.3	4.2	5.8	4.8	5.6	5.0	3.8	5.4
9. Interest	1.8	0.9	1.5	1.4	1.3	1.9	1.7	2.9	2.1	2.6	2.1	2.3	1.6
10. Deprec/Deplet/Amortiz†	5.8	4.0	5.3	4.9	4.9	5.7	5.3	7.0	4.8	7.1	7.7	4.1	6.8
11. Advertising	0.3	0.1	0.2	0.4	0.4	0.3	0.3	0.1	0.2	0.1	0.1	0.3	0.3
12. Pensions & other benef plans	2.6	1.0	0.5	0.5	1.3	1.2	1.4	1.9	2.1	2.6	3.0	2.8	5.9
13. Other expenses	36.0	30.9	35.4	23.3	36.6	36.6	29.6	29.7	29.7	38.3	41.0	28.1	47.9
14. Net profit before tax	*	1.5	*	*	0.1	*	*	*	*	*	*	*	1.5

Selected Financial Ratios (number of times ratio is to one)

	A	B	C	D	E	F	G	H	I	J	K	L	M
15. Current ratio	1.0	-	0.6	0.9	1.4	1.1	1.2	0.9	1.1	1.1	1.0	1.4	0.9
16. Quick ratio	0.8	-	0.5	0.7	1.2	1.0	0.9	0.8	0.9	0.8	0.7	0.9	0.6
17. Net sls to net wkg capital	-	-	-	-	27.9	73.8	36.6	-	41.9	42.0	-	16.9	-
18. Coverage ratio	2.4	-	1.0	1.9	2.7	1.7	2.3	1.6	1.4	2.1	2.6	1.8	3.7
19. Asset turnover	1.9	-	-	-	-	-	2.3	1.6	1.9	1.5	1.6	1.5	1.2
20. Total liab to net worth	1.7	-	-	3.2	1.6	2.5	1.8	2.5	2.2	2.0	1.8	1.9	1.1

Selected Financial Factors in Percentages

	A	B	C	D	E	F	G	H	I	J	K	L	M
21. Debt ratio	62.3	-	113.5	76.0	61.4	71.7	64.8	71.3	68.7	66.5	63.6	65.1	52.9
22. Return on assets	8.0	-	6.1	10.4	10.5	9.5	9.2	7.6	5.6	8.3	8.3	6.4	6.9
23. Return on equity	6.9	-	-	15.0	13.6	9.0	9.8	4.7	0.3	8.5	5.3	5.7	5.8
24. Return on net worth	21.3	-	-	43.4	27.3	33.7	26.1	26.4	17.8	24.8	22.9	18.3	14.7

†Depreciation largest factor

TABLE II: CORPORATIONS WITH NET INCOME, 1990 EDITION

4200 TRANSPORTATION:

Trucking and warehousing

Item Description For Accounting Period 7/86 Through 6/87	A Total	B Zero Assets	C Under 100	D 100 to 250	E 251 to 500	F 501 to 1,000	G 1,001 to 5,000	H 5,001 to 10,000	I 10,001 to 25,000	J 25,001 to 50,000	K 50,001 to 100,000	L 100,001 to 250,000	M 250,001 and over
SIZE OF ASSETS IN THOUSANDS OF DOLLARS (000 OMITTED)													
1. Number of Enterprises	28626	959	10840	6575	4149	3109	2432	312	160	-	24	-	11
2. Total receipts (in millions of dollars)	68526.7	927.8	1806.6	3905.0	4688.1	6954.6	12334.7	3743.1	4767.9	-	2941.3	-	20388.8
Selected Operating Factors in Percent of Net Sales													
3. Cost of operations	37.7	28.1	39.5	50.8	39.6	42.6	49.3	46.5	38.4	-	29.3	-	22.2
4. Compensation of officers	1.9	2.5	3.6	3.8	4.2	2.9	2.8	2.1	1.4	-	0.8	-	0.3
5. Repairs	1.9	3.0	2.4	3.6	3.1	1.8	1.8	1.2	1.2	-	2.2	-	1.8
6. Bad debts	0.3	0.4	-	0.3	0.2	0.2	0.4	0.3	0.4	-	0.2	-	0.2
7. Rent on business property	4.1	1.0	1.3	2.9	4.1	3.2	3.7	4.3	11.9	-	11.5	-	2.7
8. Taxes (excl Federal tax)	4.7	7.6	3.7	4.3	3.9	4.3	4.1	6.1	4.7	-	4.8	-	5.3
9. Interest	1.5	0.7	1.0	1.4	1.3	1.8	1.5	2.8	1.6	-	1.6	-	1.2
10. Deprec/Deplet/Amortiz†	5.5	4.1	3.4	4.8	4.9	5.2	5.2	6.7	4.5	-	6.8	-	6.3
11. Advertising	0.3	-	0.2	0.3	0.3	0.3	0.3	0.1	0.2	-	0.1	-	0.3
12. Pensions & other benef plans	2.9	1.5	0.4	0.4	1.0	0.9	1.4	2.1	2.4	-	3.3	-	5.7
13. Other expenses	37.8	40.6	38.2	25.5	35.4	35.3	28.2	28.5	33.1	-	36.1	-	51.4
14. Net profit before tax	1.4	10.5	6.3	1.9	2.0	1.5	1.3	#	0.2	-	3.3	-	2.6
Selected Financial Ratios (number of times ratio is to one)													
15. Current ratio	1.2	-	1.2	1.0	1.7	1.2	1.3	1.1	1.5	-	1.2	-	1.0
16. Quick ratio	0.9	-	1.1	0.8	1.5	1.1	1.1	0.9	1.2	-	0.9	-	0.7
17. Net sls to net wkg capital	38.0	-	58.8	-	16.4	41.8	25.0	100.0	14.9	-	40.7	-	-
18. Coverage ratio	4.1	-	8.3	4.0	4.5	2.7	3.8	2.9	3.3	-	5.3	-	5.3
19. Asset turnover	1.9	-	-	-	-	-	2.4	1.6	2.0	-	1.7	-	1.3
20. Total liab to net worth	1.2	-	1.6	2.4	1.2	1.8	1.3	1.7	1.4	-	1.1	-	1.0
Selected Financial Factors in Percentages													
21. Debt ratio	55.3	-	60.9	70.5	55.2	64.6	57.1	62.4	58.8	-	52.7	-	49.2
22. Return on assets	11.6	-	-	19.8	17.4	15.3	13.9	13.0	10.7	-	13.9	-	7.9
23. Return on equity	13.6	-	-	43.3	26.1	22.0	17.9	16.5	12.3	-	14.8	-	7.1
24. Return on net worth	26.0	-	-	67.0	38.9	43.2	32.3	34.5	26.0	-	29.4	-	15.5

†Depreciation largest factor

4400 TRANSPORTATION:

Water transportation

Item Description For Accounting Period 7/86 Through 6/87	A Total	B Zero Asse	C Under 100	D 100 to 250	E 251 to 500	F 501 to 1,000	G 1,001 to 5,000	H 5,001 to 10,000	I 10,001 to 25,000	J 25,001 to 50,000	K 50,001 to 100,000	L 100,001 to 250,000	M 250,001 and over
			SIZE OF ASSETS IN THOUSANDS OF DOLLARS (000 OMITTED)										
1. Number of Enterprises	7450	-	-	1067	1091	447	765	103	63	32	18	9	16
2. Total receipts (in millions of dollars)	18459.1	-	-	185.8	886.1	790.8	1982.8	955.2	716.0	1052.8	1509.1	968.8	8778.7
Selected Operating Factors in Percent of Net Sales													
3. Cost of operations	64.5	-	-	11.8	54.4	69.7	57.0	76.3	57.0	61.6	66.7	61.9	68.2
4. Compensation of officers	1.9	-	-	15.6	3.0	3.8	3.5	2.3	2.9	1.7	1.5	1.0	0.7
5. Repairs	1.6	-	-	6.4	3.2	0.9	2.5	1.1	2.4	1.5	2.0	1.2	0.9
6. Bad debts	0.6	-	-	0.1	0.8	1.2	0.4	0.6	0.7	0.3	0.8	0.5	0.5
7. Rent on business property	3.7	-	-	2.9	1.6	1.1	1.1	1.0	1.4	3.2	2.2	7.1	5.4
8. Taxes (excl Federal tax)	2.0	-	-	5.5	3.1	1.9	2.3	1.3	3.6	2.9	2.0	2.4	1.6
9. Interest	5.9	-	-	4.3	1.7	1.9	4.8	3.0	6.6	3.9	2.8	10.5	7.6
10. Deprec/Deplet/Amortiz†	8.3	-	-	10.4	6.4	3.2	8.4	5.9	13.4	7.1	4.9	12.7	8.9
11. Advertising	0.6	-	-	0.3	1.4	0.2	1.0	0.5	0.4	0.3	0.1	0.1	0.7
12. Pensions & other benef plans	1.9	-	-	3.9	1.0	0.5	1.7	1.2	1.1	1.3	2.0	1.5	2.3
13. Other expenses	24.3	-	-	41.9	29.7	56.3	26.0	14.2	20.3	21.2	19.7	16.4	22.9
14. Net profit before tax	*	-	-	*	*	*	*	*	*	*	*	*	*
Selected Financial Ratios (number of times ratio is to one)													
15. Current ratio	1.1	-	-	1.5	1.2	1.3	0.9	1.1	1.4	1.3	1.2	0.6	1.1
16. Quick ratio	0.7	-	-	1.4	0.8	1.1	0.6	0.6	1.2	1.1	0.9	0.5	0.7
17. Net sls to net wkg capital	60.7	-	-	7.8	30.2	11.5	-	33.5	6.7	8.8	18.8	-	45.9
18. Coverage ratio	0.3	-	-	2.5	-	2.1	0.3	0.8	0.7	1.9	0.7	0.7	0.1
19. Asset turnover	0.7	-	-	1.0	2.2	1.6	1.2	1.2	0.6	0.8	1.2	0.6	0.5
20. Total liab to net worth	2.0	-	-	-	21.6	3.1	103.7	3.9	2.4	3.1	17.6	6.1	1.3
Selected Financial Factors in Percentages													
21. Debt ratio	66.6	-	-	106.5	95.6	75.8	99.0	79.6	70.8	75.6	94.6	85.8	56.4
22. Return on assets	1.1	-	-	10.4	-	6.1	1.9	2.9	2.9	5.9	2.4	4.4	0.3
23. Return on equity	-	-	-	-	-	5.8	-	-	-	6.2	-	-	-
24. Return on net worth	3.3	-	-	-	-	25.4	-	14.0	9.7	24.3	45.4	31.1	0.8

†Depreciation largest factor

TABLE II: CORPORATIONS WITH NET INCOME, 1990 EDITION

4400 TRANSPORTATION:
Water transportation

Item Description For Accounting Period 7/86 Through 6/87	A Total	B Zero Assets	C Under 100	D 100 to 250	E 251 to 500	F 501 to 1,000	G 1,001 to 5,000	H 5,001 to 10,000	I 10,001 to 25,000	J 25,001 to 50,000	K 50,001 to 100,000	L 100,001 to 250,000	M 250,001 and over
							SIZE OF ASSETS IN THOUSANDS OF DOLLARS (000 OMITTED)						
1. Number of Enterprises	2394	61	1005	302	428	172	281	74	33	19	12	-	7
2. Total receipts (in millions of dollars)	9743.5	149.7	115.0	113.6	520.0	176.5	927.9	812.5	414.7	750.0	1040.8	-	4722.9
Selected Operating Factors in Percent of Net Sales													
3. Cost of operations	59.1	45.7	-	12.5	50.1	48.7	59.1	75.6	54.0	59.8	54.4	-	60.9
4. Compensation of officers	1.8	5.7	-	6.6	2.6	7.1	4.5	2.4	3.1	1.6	1.4	-	0.6
5. Repairs	1.6	3.2	-	8.6	2.4	1.8	2.2	1.0	2.3	1.3	1.8	-	1.1
6. Bad debts	0.4	-	-	0.1	1.3	0.1	0.2	0.6	0.7	0.3	0.2	-	0.3
7. Rent on business property	3.3	1.8	-	4.3	1.4	0.3	1.2	0.7	1.5	1.5	3.3	-	5.0
8. Taxes (excl Federal tax)	1.8	3.1	-	5.3	1.9	3.5	2.2	1.2	3.5	3.2	1.8	-	1.1
9. Interest	3.9	3.1	-	0.4	1.2	2.1	1.6	1.6	4.7	2.6	4.8	-	5.0
10. Deprec/Deplet/Amortiz†	5.2	3.1	-	5.3	2.3	6.3	5.0	3.6	9.1	6.4	8.3	-	4.4
11. Advertising	0.8	0.5	-	0.1	0.4	0.7	1.1	0.4	0.6	0.4	0.1	-	1.1
12. Pensions & other benef plans	1.7	2.9	-	3.9	1.1	1.0	1.4	1.3	1.5	1.1	2.2	-	1.9
13. Other expenses	24.3	51.2	-	48.6	36.3	23.8	20.9	14.2	18.8	20.4	21.4	-	25.3
14. Net profit before tax	#	#	#	4.3	#	4.6	0.6	#	0.2	1.4	0.3	-	#
Selected Financial Ratios (number of times ratio is to one)													
15. Current ratio	1.3	-	-	4.6	1.9	2.7	1.5	1.3	1.2	1.6	1.2	-	1.2
16. Quick ratio	0.8	-	-	4.1	1.3	2.4	1.3	0.8	1.0	1.2	0.8	-	0.6
17. Net sls to net wkg capital	14.0	-	-	5.5	9.3	4.7	7.4	14.9	11.5	5.9	22.8	-	24.2
18. Coverage ratio	2.6	-	-	-	5.7	9.4	5.4	4.0	3.1	3.6	2.2	-	1.9
19. Asset turnover	0.9	-	-	2.4	-	1.1	1.4	1.4	0.7	1.0	1.0	-	0.7
20. Total liab to net worth	1.7	-	-	0.7	2.7	0.6	2.0	2.1	5.8	1.5	9.7	-	1.2
Selected Financial Factors in Percentages													
21. Debt ratio	62.3	-	-	42.7	72.7	36.2	66.7	67.3	85.3	60.6	90.6	-	54.7
22. Return on assets	8.8	-	-	-	20.3	22.3	12.4	9.2	9.6	9.2	10.7	-	6.2
23. Return on equity	11.8	-	-	-	-	24.3	22.7	20.1	38.4	10.8	40.6	-	5.3
24. Return on net worth	23.4	-	-	90.2	74.2	35.0	37.1	28.2	65.2	23.2	-	-	13.6

†Depreciation largest factor

TABLE I: CORPORATIONS WITH AND WITHOUT NET INCOME, 1990 EDITION

4500 TRANSPORTATION:
Transportation by air

Item Description For Accounting Period 7/86 Through 6/87	A Total	B Zero Assets	C Under 100	D 100 to 250	E 251 to 500	F 501 to 1,000	G 1,001 to 5,000	H 5,001 to 10,000	I 10,001 to 25,000	J 25,001 to 50,000	K 50,001 to 100,000	L 100,001 to 250,000	M 250,001 and over
							SIZE OF ASSETS IN THOUSANDS OF DOLLARS (000 OMITTED)						
1. Number of Enterprises	9650	799	5250	1500	1087	308	511	62	65	19	12	16	20
2. Total receipts (in millions of dollars)	67198.8	804.1	196.1	453.3	591.4	181.8	1820.9	908.4	1418.9	616.9	857.7	2870.8	56478.5
						Selected Operating Factors in Percent of Net Sales							
3. Cost of operations	41.6	64.0	-	57.4	65.6	69.5	53.0	66.6	56.9	30.8	37.1	39.3	39.8
4. Compensation of officers	0.4	0.2	-	4.1	4.7	7.7	2.0	1.9	1.3	1.3	1.0	0.6	0.2
5. Repairs	3.3	0.6	-	1.6	1.5	6.9	4.1	0.8	1.8	9.1	8.5	5.3	3.1
6. Bad debts	0.6	0.1	-	0.1	0.1	0.7	1.3	0.6	0.5	0.2	0.3	0.6	0.6
7. Rent on business property	7.5	1.0	-	3.4	0.9	1.5	6.6	2.3	7.1	3.1	4.9	8.3	7.9
8. Taxes (excl Federal tax)	2.9	1.0	-	4.6	1.4	1.6	3.6	1.6	2.3	2.2	2.2	3.0	3.0
9. Interest	3.9	6.8	-	1.5	5.2	6.9	3.2	0.9	3.1	4.9	4.4	4.5	3.9
10. Deprec/Deplet/Amortiz†	8.8	6.3	-	7.5	11.8	24.2	5.4	1.9	7.3	10.7	11.1	8.9	8.9
11. Advertising	1.9	1.4	-	0.9	0.4	0.5	0.7	0.8	0.4	0.4	1.8	2.1	2.0
12. Pensions & other benef plans	3.1	0.2	-	0.2	0.1	3.1	1.2	0.6	0.8	0.9	1.6	1.8	3.5
13. Other expenses	36.4	49.8	-	29.9	14.5	20.8	30.6	26.4	30.0	42.9	42.3	36.9	36.7
14. Net profit before tax	*	*	*	*	*	*	*	*	*	*	*	*	*
						Selected Financial Ratios (number of times ratio is to one)							
15. Current ratio	0.9	-	-	-	0.7	1.4	1.1	1.0	0.8	1.0	1.0	1.1	0.9
16. Quick ratio	0.5	-	-	-	0.4	0.9	0.7	0.6	0.6	0.6	0.6	0.8	0.5
17. Net sls to net wkg capital	-	-	-	-	-	17.5	52.7	-	-	-	-	31.6	-
18. Coverage ratio	0.7	-	-	-	0.9	-	-	-	1.0	0.7	-	1.1	1.0
19. Asset turnover	0.8	-	-	-	1.3	0.7	1.6	2.0	1.2	0.8	0.9	1.0	0.8
20. Total liab to net worth	2.8	-	-	-	-	-	9.7	2.8	3.6	4.1	2.0	2.7	2.6
						Selected Financial Factors in Percentages							
21. Debt ratio	73.5	-	-	-	126.7	132.0	90.7	73.9	78.2	80.2	66.3	72.8	72.1
22. Return on assets	2.3	-	-	-	5.9	-	-	-	3.7	2.7	-	5.3	2.9
23. Return on equity	-	-	-	-	-	-	-	-	-	-	-	-	-
24. Return on net worth	8.6	-	-	-	-	-	-	-	17.2	13.7	-	19.5	10.3

†Depreciation largest factor

Page 184

4500 TRANSPORTATION:
Transportation by air

Item Description For Accounting Period 7/86 Through 6/87	A Total	B Zero Assets	C Under 100	D 100 to 250	E 251 to 500	F 501 to 1,000	G 1,001 to 5,000	H 5,001 to 10,000	I 10,001 to 25,000	J 25,001 to 50,000	K 50,001 to 100,000	L 100,001 to 250,000	M 250,001 and over
				SIZE OF ASSETS IN THOUSANDS OF DOLLARS (000 OMITTED)									
1. Number of Enterprises	1485	75	377	72	626	78	178	17	33	6	3	8	10
2. Total receipts (in millions of dollars)	35556.4	155.7	14.7	99.3	402.1	108.0	914.1	441.9	880.3	222.8	209.6	1172.1	30935.8
Selected Operating Factors in Percent of Net Sales													
3. Cost of operations	30.5	56.6	-	45.2	54.5	71.2	55.7	62.9	62.8	25.8	23.8	43.4	27.3
4. Compensation of officers	0.5	0.4	-	6.1	6.0	9.9	2.7	2.3	1.2	1.8	1.6	0.7	0.2
5. Repairs	3.9	2.8	-	0.2	0.8	0.3	3.6	0.1	1.4	14.3	14.1	3.8	3.9
6. Bad debts	0.7	-	-	0.1	-	-	2.1	0.9	0.2	0.3	0.5	0.3	0.7
7. Rent on business property	7.7	1.0	-	4.1	0.6	0.5	2.2	0.6	5.1	0.8	3.7	7.2	8.3
8. Taxes (excl Federal tax)	3.0	1.0	-	4.9	1.8	1.0	4.0	1.7	1.9	1.9	2.2	2.3	3.1
9. Interest	3.1	2.2	-	1.3	5.2	0.7	1.5	0.2	2.0	3.5	2.1	4.9	3.2
10. Deprec/Deplet/Amortiz†	8.3	3.1	-	2.4	10.9	2.2	3.4	1.5	5.8	3.6	11.1	9.6	8.7
11. Advertising	1.8	0.2	-	0.1	0.3	0.8	0.5	0.6	0.3	0.2	0.1	2.0	2.0
12. Pensions & other benef plans	2.9	0.6	-	-	0.1	3.5	1.3	0.6	0.7	0.9	2.5	1.3	3.1
13. Other expenses	43.1	25.7	-	32.6	15.9	8.5	22.9	27.6	29.4	46.2	42.3	33.8	45.2
14. Net profit before tax	#	6.4	-	3.0	3.9	1.4	0.1	1.0	#	0.7	#	#	#
Selected Financial Ratios (number of times ratio is to one)													
15. Current ratio	1.0	-	-	-	0.6	1.6	1.6	1.2	1.2	1.7	1.5	1.5	1.0
16. Quick ratio	0.5	-	-	-	0.4	1.2	1.1	0.6	1.0	1.0	1.2	1.2	0.5
17. Net sls to net wkg capital	-	-	-	-	-	13.2	12.0	28.6	20.2	6.9	9.5	8.8	-
18. Coverage ratio	2.3	-	-	-	3.2	5.8	4.9	-	3.6	4.2	7.0	3.0	2.1
19. Asset turnover	0.9	-	-	-	1.4	2.0	2.3	-	1.4	1.1	0.9	0.8	0.9
20. Total liab to net worth	2.6	-	-	-	-	2.5	3.1	3.3	1.8	2.6	0.6	2.0	2.6
Selected Financial Factors in Percentages													
21. Debt ratio	72.3	-	-	-	135.2	71.6	75.7	76.8	64.4	71.9	38.9	67.0	72.1
22. Return on assets	6.5	-	-	-	23.0	7.7	16.6	7.8	9.7	16.0	13.6	11.4	5.8
23. Return on equity	10.0	-	-	-	-	22.4	41.0	18.5	13.3	32.3	11.7	15.3	8.2
24. Return on net worth	23.6	-	-	-	-	27.1	68.3	33.8	27.3	57.1	22.3	34.7	20.9

†Depreciation largest factor

TABLE I: CORPORATIONS WITH AND WITHOUT NET INCOME, 1990 EDITION

4600 TRANSPORTATION:

Pipe lines, except natural gas

Item Description For Accounting Period 7/86 Through 6/87	A Total	B Zero Assets	C Under 100	D 100 to 250	E 251 to 500	F 501 to 1,000	G 1,001 to 5,000	H 5,001 to 10,000	I 10,001 to 25,000	J 25,001 to 50,000	K 50,001 to 100,000	L 100,001 to 250,000	M 250,001 and over
		SIZE OF ASSETS IN THOUSANDS OF DOLLARS (000 OMITTED)											
1. Number of Enterprises	126	-	-	-	16	-	30	5	13	9	4	4	3
2. Total receipts (in millions of dollars)	7265.2	-	-	-	20.1	-	80.6	76.4	196.4	375.3	803.2	291.7	5295.6
Selected Operating Factors in Percent of Net Sales													
3. Cost of operations	68.3	-	-	-	69.1	-	22.2	28.2	28.8	56.0	91.8	20.6	70.6
4. Compensation of officers	0.3	-	-	-	9.9	-	1.2	-	0.2	0.4	0.2	0.4	0.2
5. Repairs	1.1	-	-	-	1.0	-	8.6	3.5	6.4	2.1	0.2	2.9	0.7
6. Bad debts	0.1	-	-	-	1.1	-	0.5	-	-	-	0.1	-	0.1
7. Rent on business property	0.7	-	-	-	1.9	-	1.7	1.1	1.0	0.7	0.1	4.9	0.5
8. Taxes (excl Federal tax)	2.5	-	-	-	1.8	-	7.1	4.0	6.7	3.0	0.9	5.3	2.2
9. Interest	5.1	-	-	-	2.1	-	2.1	1.0	1.7	3.9	0.7	10.9	5.7
10. Deprec/Deplet/Amortiz†	5.1	-	-	-	1.9	-	7.4	2.8	7.4	5.4	2.3	9.5	5.2
11. Advertising	0.1	-	-	-	-	-	-	-	-	0.1	-	-	0.1
12. Pensions & other benef plans	0.4	-	-	-	2.7	-	3.4	0.1	0.9	0.5	0.2	1.0	0.3
13. Other expenses	12.4	-	-	-	21.5	-	17.6	7.0	7.0	14.1	6.9	6.4	13.4
14. Net profit before tax	3.9	-	-	-	*	-	28.2	52.3	39.9	13.8	*	38.1	1.0
Selected Financial Ratios (number of times ratio is to one)													
15. Current ratio	0.7	-	-	-	4.2	-	1.5	1.5	2.2	1.4	1.7	0.4	0.6
16. Quick ratio	0.5	-	-	-	3.4	-	0.7	1.0	1.0	1.1	1.5	0.3	0.4
17. Net sls to net wkg capital	-	-	-	-	8.7	-	14.7	17.1	7.6	15.6	13.6	-	-
18. Coverage ratio	2.5	-	-	-	0.8	-	-	-	-	5.0	7.2	5.1	1.7
19. Asset turnover	1.0	-	-	-	-	-	1.3	2.0	1.1	1.1	-	0.4	0.9
20. Total liab to net worth	2.5	-	-	-	0.2	-	1.0	0.7	0.7	3.3	0.8	2.6	2.9
Selected Financial Factors in Percentages													
21. Debt ratio	71.7	-	-	-	14.5	-	49.4	42.1	40.0	76.6	44.9	72.4	74.1
22. Return on assets	12.7	-	-	-	4.8	-	-	-	-	22.1	15.7	23.5	9.1
23. Return on equity	12.2	-	-	-	-	-	45.1	-	42.9	35.9	14.7	42.2	4.7
24. Return on net worth	44.9	-	-	-	5.6	-	80.8	-	77.5	94.6	28.6	85.3	35.0

†Depreciation largest factor

TABLE II: CORPORATIONS WITH NET INCOME, 1990 EDITION

4600 TRANSPORTATION:
Pipe lines, except natural gas

Item Description For Accounting Period 7/86 Through 6/87	A Total	B Zero Assets	C Under 100	D 100 to 250	E 251 to 500	F 501 to 1,000	G 1,001 to 5,000	H 5,001 to 10,000	I 10,001 to 25,000	J 25,001 to 50,000	K 50,001 to 100,000	L 100,001 to 250,000	M 250,001 and over
1. Number of Enterprises	64	-	-	-	-	-	30	5	-	6	-	-	-
2. Total receipts (in millions of dollars)	2310.3	-	-	-	-	-	80.6	76.4	-	150.6	-	-	-
Selected Operating Factors in Percent of Net Sales													
3. Cost of operations	47.1	-	-	-	-	-	22.2	28.2	-	22.4	-	-	-
4. Compensation of officers	0.2	-	-	-	-	-	1.2	-	-	-	-	-	-
5. Repairs	2.8	-	-	-	-	-	8.6	3.5	-	3.5	-	-	-
6. Bad debts	0.1	-	-	-	-	-	0.5	-	-	-	-	-	-
7. Rent on business property	0.9	-	-	-	-	-	1.7	1.1	-	0.4	-	-	-
8. Taxes (excl Federal tax)	4.3	-	-	-	-	-	7.1	4.0	-	5.5	-	-	-
9. Interest	4.8	-	-	-	-	-	2.1	1.0	-	4.5	-	-	-
10. Deprec/Deplet/Amortiz†	7.3	-	-	-	-	-	7.4	2.8	-	8.5	-	-	-
11. Advertising	-	-	-	-	-	-	-	-	-	-	-	-	-
12. Pensions & other benef plans	0.7	-	-	-	-	-	3.4	0.1	-	1.0	-	-	-
13. Other expenses	6.1	-	-	-	-	-	17.6	7.0	-	11.4	-	-	-
14. Net profit before tax	25.7	-	-	-	-	-	28.2	52.3	-	42.8	-	-	-
Selected Financial Ratios (number of times ratio is to one)													
15. Current ratio	0.9	-	-	-	-	-	1.5	1.5	-	1.3	-	-	-
16. Quick ratio	0.7	-	-	-	-	-	0.7	1.0	-	0.9	-	-	-
17. Net sls to net wkg capital	-	-	-	-	-	-	14.7	17.1	-	17.5	-	-	-
18. Coverage ratio	7.2	-	-	-	-	-	-	-	-	-	-	-	-
19. Asset turnover	0.8	-	-	-	-	-	1.3	2.0	-	0.7	-	-	-
20. Total liab to net worth	2.9	-	-	-	-	-	1.0	0.7	-	2.7	-	-	-
Selected Financial Factors in Percentages													
21. Debt ratio	74.0	-	-	-	-	-	49.4	42.1	-	72.8	-	-	-
22. Return on assets	29.4	-	-	-	-	-	-	-	-	-	-	-	-
23. Return on equity	-	-	-	-	-	-	45.1	-	-	-	-	-	-
24. Return on net worth	-	-	-	-	-	-	80.8	-	-	-	-	-	-

†Depreciation largest factor

Page 187

4700 TRANSPORTATION:

Transportation services, not elsewhere classified

Item Description For Accounting Period 7/86 Through 6/87	A Total	B Zero Assets	C Under 100	D 100 to 250	E 251 to 500	F 501 to 1,000	G 1,001 to 5,000	H 5,001 to 10,000	I 10,001 to 25,000	J 25,001 to 50,000	K 50,001 to 100,000	L 100,001 to 250,000	M 250,001 and over
					SIZE OF ASSETS IN THOUSANDS OF DOLLARS (000 OMITTED)								
1. Number of Enterprises	32418	759	21225	4451	3016	1341	1302	152	118	31	9	3	11
2. Total receipts (in millions of dollars)	38881.7	939.0	3924.0	3563.9	3604.5	2770.3	6951.2	2628.9	3660.0	1872.7	828.5	407.1	7731.7
					Selected Operating Factors in Percent of Net Sales								
3. Cost of operations	66.2	77.7	60.3	76.5	64.9	65.0	62.9	73.3	72.1	60.2	51.9	73.5	64.6
4. Compensation of officers	3.0	2.5	6.8	4.0	6.1	4.3	2.8	1.5	1.6	1.1	1.8	0.9	0.5
5. Repairs	1.3	0.7	0.5	0.4	1.0	0.7	0.5	0.7	0.4	0.5	1.0	1.1	4.1
6. Bad debts	0.4	0.9	0.2	0.2	0.3	0.2	0.4	0.4	0.3	1.1	0.4	1.3	0.8
7. Rent on business property	2.4	2.4	3.9	1.7	1.7	1.9	1.6	2.5	1.6	2.8	3.8	2.5	3.2
8. Taxes (excl Federal tax)	2.1	1.0	1.9	1.3	1.9	2.0	1.9	1.9	2.0	2.7	3.4	2.1	2.6
9. Interest	3.1	1.3	0.9	0.5	1.3	1.2	1.3	1.6	1.9	1.8	2.2	4.3	10.6
10. Deprec/Deplet/Amortiz†	4.0	0.6	3.5	2.2	4.2	3.2	3.3	2.8	3.7	4.6	5.1	4.6	6.4
11. Advertising	0.8	0.5	0.9	0.9	0.7	0.4	0.7	0.6	1.0	0.6	0.5	0.1	1.0
12. Pensions & other benef plans	1.0	0.4	0.3	0.6	0.8	1.0	0.8	0.5	0.8	1.2	2.3	2.1	1.8
13. Other expenses	22.3	17.5	24.9	15.8	21.1	22.3	25.4	18.3	31.7	27.5	28.3	17.6	17.5
14. Net profit before tax	*	*	*	*	*	*	*	*	*	*	*	*	*
					Selected Financial Ratios (number of times ratio is to one)								
15. Current ratio	1.1	-	-	1.2	1.2	1.1	0.9	1.0	1.1	0.9	1.2	1.2	1.2
16. Quick ratio	0.9	-	-	1.0	1.0	0.9	0.7	0.9	0.9	0.7	0.9	1.0	0.8
17. Net sls to net wkg capital	36.2	-	-	69.2	37.5	87.9	-	-	38.6	-	15.3	13.3	8.7
18. Coverage ratio	0.9	-	-	-	0.1	1.6	1.6	0.5	1.6	0.9	2.7	1.2	0.8
19. Asset turnover	1.5	-	-	-	-	-	-	2.5	1.7	1.7	1.3	0.8	0.5
20. Total liab to net worth	3.6	-	-	4.6	2.6	5.5	4.9	5.2	5.3	5.4	2.2	1.9	3.0
					Selected Financial Factors in Percentages								
21. Debt ratio	78.0	-	-	82.2	72.5	84.7	83.0	83.8	84.1	84.3	68.4	65.3	74.7
22. Return on assets	4.1	-	-	-	0.4	5.5	5.4	1.9	5.0	2.8	7.5	4.2	4.5
23. Return on equity	-	-	-	-	-	6.9	4.0	-	8.1	-	9.8	-	-
24. Return on net worth	18.8	-	-	-	1.3	35.9	31.5	11.7	31.7	18.1	23.8	12.1	17.6

†Depreciation largest factor

4700 TRANSPORTATION:

Transportation services, not elsewhere classified

Item Description For Accounting Period 7/86 Through 6/87	A Total	B Zero Assets	C Under 100	D 100 to 250	E 251 to 500	F 501 to 1,000	G 1,001 to 5,000	H 5,001 to 10,000	I 10,001 to 25,000	J 25,001 to 50,000	K 50,001 to 100,000	L 100,001 to 250,000	M 250,001 and over
			SIZE OF ASSETS IN THOUSANDS OF DOLLARS (000 OMITTED)										
1. Number of Enterprises	16035	467	9060	2523	1843	1084	892	89	48	-	-	-	4
2. Total receipts (in millions of dollars)	21203.8	825.7	1995.4	2119.9	2448.1	2166.1	5357.4	1809.3	1047.1	-	-	-	1496.5
Selected Operating Factors in Percent of Net Sales													
3. Cost of operations	61.5	78.3	51.8	74.6	66.3	63.1	63.3	76.6	49.7	-	-	-	27.1
4. Compensation of officers	3.5	2.7	7.4	3.8	6.4	5.1	2.5	1.1	3.3	-	-	-	0.7
5. Repairs	1.4	0.6	0.5	0.3	0.9	0.8	0.5	0.4	1.0	-	-	-	13.7
6. Bad debts	0.4	1.1	0.1	0.2	0.1	0.2	0.4	0.4	0.4	-	-	-	0.6
7. Rent on business property	2.2	1.5	3.1	1.5	1.2	2.0	1.4	1.8	2.9	-	-	-	7.0
8. Taxes (excl Federal tax)	2.1	0.9	2.1	1.1	1.8	2.1	1.9	1.8	4.6	-	-	-	3.4
9. Interest	2.0	1.2	0.6	0.6	0.8	1.1	1.0	1.2	2.5	-	-	-	15.9
10. Deprec/Deplet/Amortiz†	3.4	0.4	1.8	1.9	3.8	3.3	2.9	2.1	5.4	-	-	-	10.5
11. Advertising	0.8	0.4	1.0	1.1	0.8	0.4	0.7	0.4	0.6	-	-	-	1.1
12. Pensions & other benef plans	0.9	0.4	0.3	0.6	1.1	1.1	0.8	0.4	1.6	-	-	-	1.7
13. Other expenses	21.8	16.5	27.0	13.6	16.3	20.8	23.4	16.1	27.4	-	-	-	27.0
14. Net profit before tax	-	#	4.3	0.7	0.5	#	1.2	#	0.6	-	-	-	#
Selected Financial Ratios (number of times ratio is to one)													
15. Current ratio	1.1	-	2.7	1.3	1.5	1.2	1.1	1.1	1.2	-	-	-	1.0
16. Quick ratio	1.0	-	2.4	1.1	1.3	1.1	0.9	1.0	1.0	-	-	-	0.9
17. Net sls to net wkg capital	31.6	-	17.6	42.9	20.4	27.1	74.6	66.3	16.6	-	-	-	-
18. Coverage ratio	2.8	-	9.9	3.7	3.9	3.5	4.0	2.3	3.9	-	-	-	1.3
19. Asset turnover	2.0	-	-	-	-	-	-	-	1.3	-	-	-	0.3
20. Total liab to net worth	3.1	-	0.9	2.7	1.2	2.9	2.8	5.0	3.0	-	-	-	6.6
Selected Financial Factors in Percentages													
21. Debt ratio	75.5	-	46.1	73.3	55.1	74.6	73.8	83.4	75.3	-	-	-	86.8
22. Return on assets	11.0	-	-	12.3	11.5	11.3	11.4	8.3	12.3	-	-	-	7.2
23. Return on equity	22.4	-	-	30.1	15.6	27.3	25.8	20.5	31.7	-	-	-	8.3
24. Return on net worth	44.7	-	64.5	45.9	25.6	44.3	43.5	49.8	49.8	-	-	-	54.7

†Depreciation largest factor

4825 COMMUNICATION:

Telephone, telegraph, and other communication services

Item Description For Accounting Period 7/86 Through 6/87	A Total	B Zero Assets	C Under 100	D 100 to 250	E 251 to 500	F 501 to 1,000	G 1,001 to 5,000	H 5,001 to 10,000	I 10,001 to 25,000	J 25,001 to 50,000	K 50,001 to 100,000	L 100,001 to 250,000	M 250,001 and over
					SIZE OF ASSETS IN THOUSANDS OF DOLLARS (000 OMITTED)								
1. Number of Enterprises	9254	643	5484	537	435	646	941	293	130	62	23	20	39
2. Total receipts (in millions of dollars)	168418.2	1218.7	678.2	592.4	456.4	717.2	1696.6	1418.8	831.3	1083.7	946.0	2045.6	156733.4
Selected Operating Factors in Percent of Net Sales													
3. Cost of operations	33.3	32.4	32.3	24.1	41.2	43.4	40.5	38.1	35.0	25.1	45.8	43.5	33.0
4. Compensation of officers	0.3	1.2	9.4	9.7	9.1	6.9	3.0	2.5	3.0	1.5	1.7	1.1	0.1
5. Repairs	9.5	1.4	0.7	0.3	0.1	2.9	2.6	5.1	5.2	4.5	1.5	1.5	10.0
6. Bad debts	1.3	1.0	-	0.1	0.3	0.7	0.9	1.1	1.2	1.1	1.3	2.4	1.3
7. Rent on business property	3.9	3.0	3.0	2.4	1.8	2.7	2.2	1.6	2.2	5.0	2.9	3.1	4.0
8. Taxes (excl Federal tax)	5.8	4.0	2.2	2.9	5.0	3.5	4.3	3.7	4.9	4.0	3.8	3.2	5.9
9. Interest	5.6	6.8	1.1	0.6	0.9	2.8	4.4	5.8	8.1	8.6	7.0	7.9	5.6
10. Deprec/Deplet/Amortiz†	16.1	26.2	4.4	1.9	6.5	9.9	11.0	14.6	18.2	18.1	16.4	15.4	16.2
11. Advertising	1.0	0.8	1.0	0.4	0.6	0.8	0.8	0.9	1.3	1.1	1.0	0.8	1.0
12. Pensions & other benef plans	3.8	1.0	-	0.7	3.7	2.6	1.4	2.1	1.8	1.5	2.4	1.1	4.0
13. Other expenses	17.8	44.3	48.0	58.5	31.2	25.8	30.2	30.5	32.8	33.1	27.0	28.1	16.7
14. Net profit before tax	1.6	*	*	*	*	*	*	*	*	*	*	*	2.2
Selected Financial Ratios (number of times ratio is to one)													
15. Current ratio	1.0	-	1.4	-	1.1	1.3	1.3	1.6	2.0	0.9	0.9	1.6	1.0
16. Quick ratio	0.8	-	0.9	-	0.9	1.1	1.0	1.2	1.6	0.8	0.7	1.3	0.7
17. Net sls to net wkg capital	-	-	31.9	-	57.6	18.7	10.4	5.9	2.5	-	-	7.0	-
18. Coverage ratio	2.3	-	0.9	-	1.4	1.4	1.8	1.5	0.2	1.6	0.5	1.3	2.4
19. Asset turnover	0.4	-	-	-	-	1.5	0.8	0.6	0.4	0.5	0.5	0.6	0.4
20. Total liab to net worth	1.2	-	7.9	-	1.3	2.4	2.7	2.9	2.0	4.6	2.5	2.2	1.1
Selected Financial Factors in Percentages													
21. Debt ratio	53.8	-	88.7	-	57.1	71.0	73.0	74.3	66.1	82.2	71.4	69.0	53.1
22. Return on assets	5.7	-	3.7	-	3.6	5.6	6.5	5.5	0.6	6.4	1.6	6.3	5.7
23. Return on equity	3.4	-	-	-	0.6	-	0.4	0.1	-	2.9	-	-	3.5
24. Return on net worth	12.3	-	32.4	-	8.4	19.4	24.0	21.5	1.7	36.2	5.6	20.4	12.1

†Depreciation largest factor

TABLE II: CORPORATIONS WITH NET INCOME, 1990 EDITION

4825 COMMUNICATION:

Telephone, telegraph, and other communication services

Item Description For Accounting Period 7/86 Through 6/87	A Total	B Zero Assets	C Under 100	D 100 to 250	E 251 to 500	F 501 to 1,000	G 1,001 to 5,000	H 5,001 to 10,000	I 10,001 to 25,000	J 25,001 to 50,000	K 50,001 to 100,000	L 100,001 to 250,000	M 250,001 and over
						SIZE OF ASSETS IN THOUSANDS OF DOLLARS (000 OMITTED)							
1. Number of Enterprises	4432	503	1824	382	192	403	745	217	79	38	13	11	25
2. Total receipts (in millions of dollars)	152075.6	751.5	416.6	552.0	362.7	551.0	1520.3	1097.5	607.5	654.3	635.8	999.3	143927.1
					Selected Operating Factors in Percent of Net Sales								
3. Cost of operations	34.6	39.3	26.6	20.4	43.2	46.0	39.9	33.2	30.9	13.2	41.4	39.5	34.6
4. Compensation of officers	0.3	1.8	13.2	10.3	8.9	6.7	2.9	2.3	1.9	1.5	1.6	1.4	0.1
5. Repairs	10.1	0.9	-	0.3	0.1	3.1	2.7	5.6	5.4	6.6	1.9	2.8	10.5
6. Bad debts	1.1	0.7	-	-	0.2	0.3	1.0	0.3	0.5	0.7	0.7	1.1	1.1
7. Rent on business property	3.8	2.3	2.7	2.2	1.2	2.0	1.9	1.4	1.5	3.6	2.6	2.1	3.9
8. Taxes (excl Federal tax)	5.9	2.1	2.4	3.0	5.0	3.1	4.1	3.8	5.2	4.7	4.5	4.2	6.1
9. Interest	5.1	9.4	0.8	0.2	0.2	1.1	3.3	4.4	6.1	6.7	4.5	5.1	5.2
10. Deprec/Deplet/Amortiz†	15.7	14.7	2.6	1.5	2.5	4.8	9.9	12.1	16.1	17.6	14.2	15.3	15.9
11. Advertising	1.0	0.8	0.3	0.4	0.3	0.3	0.6	0.9	1.0	0.8	0.3	0.7	1.0
12. Pensions & other benef plans	4.0	1.0	-	0.8	3.6	2.9	1.3	2.3	1.6	2.2	3.1	1.6	4.1
13. Other expenses	14.6	31.7	44.5	59.7	31.4	22.8	24.8	29.7	18.8	32.1	19.8	28.7	13.7
14. Net profit before tax	3.8	#	6.9	1.2	3.4	6.9	7.6	4.0	11.0	10.3	5.4	#	3.8
					Selected Financial Ratios (number of times ratio is to one)								
15. Current ratio	1.0	-	1.4	1.1	2.2	2.1	2.1	2.2	2.2	1.5	1.3	1.7	1.0
16. Quick ratio	0.8	-	0.9	1.0	1.9	1.8	1.7	1.7	1.8	1.3	1.0	1.2	0.8
17. Net sls to net wkg capital	-	-	37.1	196.3	11.9	7.5	5.3	4.2	3.0	7.0	11.2	5.6	-
18. Coverage ratio	2.8	-	-	8.3	-	8.4	4.7	3.8	3.6	3.6	3.8	4.3	2.8
19. Asset turnover	0.5	-	-	-	-	1.9	0.9	0.7	0.5	0.5	0.6	0.5	0.4
20. Total liab to net worth	1.1	-	1.7	3.3	0.6	0.9	1.5	1.6	1.9	2.6	1.8	1.0	1.0
					Selected Financial Factors in Percentages								
21. Debt ratio	51.4	-	62.5	76.9	36.7	46.6	59.4	62.2	65.7	72.0	64.5	49.4	51.1
22. Return on assets	6.4	-	-	12.1	21.9	18.3	14.6	11.6	10.2	11.4	10.5	11.3	6.2
23. Return on equity	4.8	-	-	41.8	30.6	24.0	19.6	15.8	13.6	18.5	13.3	11.4	4.4
24. Return on net worth	13.2	-	-	52.2	34.6	34.3	35.9	30.5	29.7	40.6	29.5	22.4	12.7

†Depreciation largest factor

4830 COMMUNICATION:
Radio and television broadcasting

Item Description For Accounting Period 7/86 Through 6/87	A Total	B Zero Assets	SIZE OF ASSETS IN THOUSANDS OF DOLLARS (000 OMITTED)										
			C Under 100	D 100 to 250	E 251 to 500	F 501 to 1,000	G 1,001 to 5,000	H 5,001 to 10,000	I 10,001 to 25,000	J 25,001 to 50,000	K 50,001 to 100,000	L 100,001 to 250,000	M 250,001 and over
1. Number of Enterprises	6547	576	2384	743	676	893	841	214	94	41	35	30	21
2. Total receipts (in millions of dollars)	26513.9	1324.1	138.5	162.1	225.8	611.6	1291.9	1008.9	2043.9	1167.5	1250.0	2018.9	15270.6
Selected Operating Factors in Percent of Net Sales													
3. Cost of operations	42.8	17.6	24.3	15.1	13.9	20.4	17.5	21.6	28.9	48.1	22.5	32.7	53.6
4. Compensation of officers	2.0	2.9	5.4	7.1	4.1	7.8	4.4	3.8	6.9	2.2	3.1	1.7	0.8
5. Repairs	0.7	0.9	2.2	1.2	2.6	1.1	1.0	0.9	1.3	0.4	1.1	1.2	0.5
6. Bad debts	0.8	1.1	0.1	2.0	1.9	1.3	1.6	1.3	2.5	0.7	1.0	0.6	0.4
7. Rent on business property	1.8	1.7	3.1	3.1	2.2	3.2	2.8	2.5	6.4	1.3	1.5	1.7	1.2
8. Taxes (excl Federal tax)	3.0	4.8	5.1	5.6	5.4	5.0	4.7	4.6	4.8	2.6	4.6	3.1	2.3
9. Interest	12.5	27.9	9.2	11.1	8.8	4.7	9.1	8.5	20.1	7.5	13.8	14.7	11.9
10. Deprec/Deplet/Amortiz†	10.0	7.5	21.7	12.6	17.3	10.4	13.1	14.1	11.7	10.4	16.1	16.6	7.8
11. Advertising	3.7	2.6	0.1	5.8	2.6	3.3	4.6	3.2	3.8	1.6	3.3	3.3	4.1
12. Pensions & other benef plans	1.7	1.9	-	0.6	0.4	0.9	1.4	1.4	1.6	0.9	1.6	1.3	1.9
13. Other expenses	34.3	67.1	45.7	58.8	53.7	51.4	59.4	45.4	61.3	29.3	42.5	36.7	25.0
14. Net profit before tax	*	*	*	*	*	*	*	*	*	*	*	*	*
Selected Financial Ratios (number of times ratio is to one)													
15. Current ratio	1.2	-	0.4	2.1	1.1	-	1.1	1.3	1.0	0.9	1.2	1.3	1.3
16. Quick ratio	0.7	-	0.3	1.5	1.0	-	0.9	1.0	0.8	0.6	0.9	0.9	0.6
17. Net sls to net wkg capital	13.9	-	-	5.1	31.6	-	31.2	12.1	-	-	16.5	10.5	9.7
18. Coverage ratio	1.2	-	2.0	-	0.9	-	-	1.4	1.7	1.6	1.3	0.8	1.3
19. Asset turnover	0.6	-	1.3	1.1	0.8	-	0.7	0.6	0.9	0.7	0.4	0.4	0.5
20. Total liab to net worth	4.1	-	-	-	-	-	-	3.2	9.2	8.4	5.6	4.2	3.2
Selected Financial Factors in Percentages													
21. Debt ratio	80.6	-	127.6	155.9	130.6	-	105.7	76.0	90.2	89.3	84.8	80.6	76.2
22. Return on assets	8.6	-	23.6	6.6	-	-	-	7.4	29.3	8.6	7.7	4.8	7.6
23. Return on equity	1.5	-	-	-	-	-	-	-	-	15.4	-	-	1.8
24. Return on net worth	44.3	-	-	-	-	-	-	30.7	-	80.7	51.0	25.0	31.9

†Depreciation largest factor

4830 COMMUNICATION:
Radio and television broadcasting

Item Description For Accounting Period 7/86 Through 6/87	A Total	B Zero Assets	C Under 100	D 100 to 250	E 251 to 500	F 501 to 1,000	G 1,001 to 5,000	H 5,001 to 10,000	I 10,001 to 25,000	J 25,001 to 50,000	K 50,001 to 100,000	L 100,001 to 250,000	M 250,001 and over
					SIZE OF ASSETS IN THOUSANDS OF DOLLARS (000 OMITTED)								
1. Number of Enterprises	2488	487	706	68	374	304	346	113	31	18	15	14	11
2. Total receipts (in millions of dollars)	19589.0	1242.1	99.4	8.5	200.8	314.2	728.8	742.2	1644.5	581.3	807.4	1370.9	11848.9
Selected Operating Factors in Percent of Net Sales													
3. Cost of operations	47.4	17.6	32.7	-	12.7	14.6	18.8	22.4	-	25.3	24.8	39.9	59.1
4. Compensation of officers	2.0	3.1	0.6	5.8	4.6	11.1	5.6	4.5	-	3.7	3.2	1.5	0.7
5. Repairs	0.7	0.9	2.2	0.6	3.0	0.6	1.1	1.0	-	0.6	1.3	1.2	0.4
6. Bad debts	0.8	1.1	-	-	1.6	1.3	1.2	1.2	-	1.0	1.0	0.6	0.5
7. Rent on business property	1.7	1.5	2.0	-	1.9	2.0	1.8	1.6	-	2.1	1.5	1.4	1.1
8. Taxes (excl Federal tax)	3.0	4.8	5.1	3.0	5.1	4.9	4.5	4.9	-	4.5	4.4	3.1	2.3
9. Interest	8.4	26.6	3.2	8.9	5.7	2.8	3.6	5.1	-	6.6	7.8	10.9	6.5
10. Deprec/Deplet/Amortiz†	6.3	6.6	3.6	6.0	7.8	5.1	7.7	10.3	-	9.1	11.6	12.6	4.5
11. Advertising	3.8	2.4	0.2	0.7	2.0	4.6	2.8	2.9	-	1.8	2.6	2.1	4.4
12. Pensions & other benef plans	2.0	1.9	-	-	0.3	0.9	1.7	1.4	-	1.1	1.4	1.4	2.3
13. Other expenses	30.6	55.7	42.2	54.7	50.8	47.9	44.0	40.3	-	37.4	40.3	29.8	22.9
14. Net profit before tax	#	#	8.2	20.3	4.5	4.2	7.2	4.4	#	6.8	#	#	#
Selected Financial Ratios (number of times ratio is to one)													
15. Current ratio	1.2	-	1.1	0.1	2.1	0.9	1.6	1.7	1.2	1.4	1.5	1.6	1.1
16. Quick ratio	0.8	-	1.0	0.1	1.9	0.7	1.3	1.4	1.0	1.1	1.1	1.1	0.7
17. Net sls to net wkg capital	16.7	-	133.1	-	5.1	-	6.6	6.4	23.5	9.5	6.8	7.8	25.1
18. Coverage ratio	2.5	-	-	3.3	4.0	3.5	5.9	4.5	2.4	4.4	3.8	1.7	2.2
19. Asset turnover	0.8	-	-	0.7	1.3	1.4	0.9	0.9	1.8	0.8	0.6	0.5	0.7
20. Total liab to net worth	2.0	-	2.6	2.6	-	3.1	1.9	1.9	6.1	3.3	1.9	2.4	1.9
Selected Financial Factors in Percentages													
21. Debt ratio	67.1	-	72.5	72.0	106.4	75.9	66.0	65.0	85.8	76.7	64.9	70.5	65.3
22. Return on assets	16.7	-	-	19.5	29.9	13.5	19.7	19.8	-	22.8	17.1	9.2	10.8
23. Return on equity	22.3	-	-	47.6	-	37.4	39.0	29.9	-	-	23.2	8.6	11.2
24. Return on net worth	50.9	-	-	69.5	-	55.8	58.1	56.6	-	98.0	48.6	31.3	31.1

†Depreciation largest factor

Page 193

4910 ELECTRIC, GAS, AND SANITARY SERVICES:

Electric services

Item Description For Accounting Period 7/86 Through 6/87	A Total	B Zero Assets	C Under 100	D 100 to 250	E 251 to 500	F 501 to 1,000	G 1,001 to 5,000	H 5,001 to 10,000	I 10,001 to 25,000	J 25,001 to 50,000	K 50,001 to 100,000	L 100,001 to 250,000	M 250,001 and over
		SIZE OF ASSETS IN THOUSANDS OF DOLLARS (000 OMITTED)											
1. Number of Enterprises	518	-	-	-	-	35	42	14	28	11	9	9	84
2. Total receipts (in millions of dollars)	106959.4	-	-	-	-	-	17.4	20.2	80.8	322.7	471.4	917.3	105056.3
Selected Operating Factors in Percent of Net Sales													
3. Cost of operations	43.8	-	-	-	-	-	-	-	71.7	77.2	47.7	60.5	43.4
4. Compensation of officers	0.2	-	-	-	-	-	-	-	2.6	0.6	0.3	0.4	0.2
5. Repairs	5.7	-	-	-	-	-	-	-	0.8	4.7	0.9	1.3	5.7
6. Bad debts	0.3	-	-	-	-	-	-	-	-	0.1	0.1	0.2	0.4
7. Rent on business property	1.2	-	-	-	-	-	-	-	2.6	0.8	0.8	0.1	1.2
8. Taxes (excl Federal tax)	6.5	-	-	-	-	-	-	-	4.4	3.6	2.6	3.2	6.6
9. Interest	12.7	-	-	-	-	-	-	-	15.4	3.8	6.9	8.5	12.8
10. Deprec/Deplet/Amortiz†	15.4	-	-	-	-	-	-	-	5.9	4.2	8.1	7.1	15.5
11. Advertising	0.1	-	-	-	-	-	-	-	-	-	-	-	0.1
12. Pensions & other benef plans	1.4	-	-	-	-	-	-	-	2.2	1.0	1.2	1.2	1.4
13. Other expenses	10.6	-	-	-	-	-	-	-	14.6	2.6	33.5	16.0	10.5
14. Net profit before tax	2.1	-	-	-	-	-	*	*	*	1.4	*	1.5	2.2
Selected Financial Ratios (number of times ratio is to one)													
15. Current ratio	1.0	-	-	-	-	-	0.4	2.1	1.4	1.1	2.2	1.2	0.9
16. Quick ratio	0.5	-	-	-	-	-	0.3	1.9	1.3	0.6	1.3	0.7	0.5
17. Net sls to net wkg capital	-	-	-	-	-	-	-	0.4	4.0	27.2	5.2	17.8	-
18. Coverage ratio	1.5	-	-	-	-	-	0.6	-	0.3	1.6	1.1	1.4	1.5
19. Asset turnover	0.3	-	-	-	-	-	-	-	0.2	0.7	0.7	0.6	0.3
20. Total liab to net worth	1.7	-	-	-	-	-	4.7	0.7	4.9	3.2	3.0	3.2	1.7
Selected Financial Factors in Percentages													
21. Debt ratio	62.7	-	-	-	-	-	82.3	39.5	83.0	75.9	74.9	76.1	62.6
22. Return on assets	6.1	-	-	-	-	-	0.3	4.5	0.7	4.3	5.4	7.3	6.1
23. Return on equity	2.3	-	-	-	-	-	-	3.0	-	2.4	-	-	2.4
24. Return on net worth	16.4	-	-	-	-	-	1.7	7.5	4.1	17.7	21.6	30.4	16.4

†Depreciation largest factor

TABLE II: CORPORATIONS WITH NET INCOME, 1990 EDITION

4910 ELECTRIC, GAS, AND SANITARY SERVICES:
Electric services

Item Description For Accounting Period 7/86 Through 6/87	A Total	B Zero Assets	C Under 100	D 100 to 250	E 251 to 500	F 501 to 1,000	G 1,001 to 5,000	H 5,001 to 10,000	I 10,001 to 25,000	J 25,001 to 50,000	K 50,001 to 100,000	L 100,001 to 250,000	M 250,001 and over
							SIZE OF ASSETS IN THOUSANDS OF DOLLARS (000 OMITTED)						
1. Number of Enterprises	248	-	-	142	-	-	15	11	9	6	5	4	55
2. Total receipts (in millions of dollars)	86965.5	-	-	68.8	-	-	10.1	20.2	74.5	301.1	331.7	629.6	85529.4

Selected Operating Factors in Percent of Net Sales

Item	A	B	C	D	E	F	G	H	I	J	K	L	M
3. Cost of operations	42.4	-	-	75.1	-	-	-	-	69.9	78.4	44.1	68.1	42.0
4. Compensation of officers	0.2	-	-	-	-	-	-	27.1	1.9	0.6	0.5	0.2	0.2
5. Repairs	6.0	-	-	-	-	-	-	-	0.8	5.0	1.3	1.4	6.1
6. Bad debts	0.3	-	-	-	-	-	-	-	0.1	0.1	0.1	0.1	0.3
7. Rent on business property	0.8	-	-	1.0	-	-	-	5.7	2.6	0.1	1.0	0.1	0.8
8. Taxes (excl Federal tax)	6.9	-	-	2.0	-	-	-	14.1	4.4	3.4	3.5	3.4	7.0
9. Interest	11.1	-	-	9.3	-	-	-	5.2	3.6	3.4	6.2	4.2	11.2
10. Deprec/Deplet/Amortiz†	13.8	-	-	8.3	-	-	-	2.5	5.4	4.1	8.1	7.4	13.9
11. Advertising	0.1	-	-	-	-	-	-	-	-	-	-	-	0.1
12. Pensions & other benef plans	1.5	-	-	-	-	-	-	-	2.3	1.0	1.7	1.2	1.5
13. Other expenses	9.7	-	-	18.7	-	-	-	87.7	5.2	1.1	30.1	2.5	9.7
14. Net profit before tax	7.2	-	-	#	-	-	#	#	3.8	2.8	3.4	11.4	7.2

Selected Financial Ratios (number of times ratio is to one)

Item	A	B	C	D	E	F	G	H	I	J	K	L	M
15. Current ratio	0.9	-	-	20.5	-	-	-	3.3	1.4	0.9	2.0	1.1	0.9
16. Quick ratio	0.5	-	-	18.5	-	-	-	3.0	0.9	0.5	0.9	0.7	0.5
17. Net sls to net wkg capital	-	-	-	2.9	-	-	-	0.3	15.7	-	6.8	35.1	-
18. Coverage ratio	2.0	-	-	1.4	-	-	-	-	2.5	1.9	1.8	4.0	2.0
19. Asset turnover	0.4	-	-	1.6	-	-	-	-	0.5	1.1	0.8	0.9	0.3
20. Total liab to net worth	1.6	-	-	-	-	-	-	0.1	4.7	2.8	3.3	2.3	1.6

Selected Financial Factors in Percentages

Item	A	B	C	D	E	F	G	H	I	J	K	L	M
21. Debt ratio	61.2	-	-	117.3	-	-	-	12.5	82.5	73.3	76.5	69.4	61.1
22. Return on assets	7.7	-	-	21.1	-	-	-	10.9	4.4	7.3	9.2	15.0	7.6
23. Return on equity	5.8	-	-	-	-	-	-	8.4	8.6	6.9	9.5	20.2	5.7
24. Return on net worth	19.8	-	-	-	-	-	-	12.5	24.9	27.5	39.0	49.1	19.7

†Depreciation largest factor

TABLE I: CORPORATIONS WITH AND WITHOUT NET INCOME, 1990 EDITION

4920 ELECTRIC, GAS, AND SANITARY SERVICES:
Gas production and distribution

Item Description For Accounting Period 7/86 Through 6/87	A Total	B Zero Assets	C Under 100	D 100 to 250	E 251 to 500	F 501 to 1,000	G 1,001 to 5,000	H 5,001 to 10,000	I 10,001 to 25,000	J 25,001 to 50,000	K 50,001 to 100,000	L 100,001 to 250,000	M 250,001 and over
				SIZE OF ASSETS IN THOUSANDS OF DOLLARS (000 OMITTED)									
1. Number of Enterprises	1782	53	204	820	168	228	179	15	31	17	7	16	44
2. Total receipts (in millions of dollars)	95598.9	530.7	26.0	370.0	294.8	675.5	694.7	87.3	688.9	776.3	536.0	2577.6	88341.2
Selected Operating Factors in Percent of Net Sales													
3. Cost of operations	73.7	71.9	8.0	75.1	73.6	81.6	70.3	73.0	78.7	78.1	77.9	66.8	73.8
4. Compensation of officers	0.3	1.6	-	3.4	3.5	2.1	2.5	1.6	1.5	1.0	0.5	0.5	0.3
5. Repairs	1.1	0.7	0.4	0.5	1.1	0.6	0.9	1.9	1.3	0.8	0.3	1.6	1.1
6. Bad debts	0.4	0.2	-	0.2	-	0.2	0.6	0.2	0.3	0.4	0.1	0.7	0.4
7. Rent on business property	0.8	0.6	-	1.2	2.6	0.9	0.6	0.8	0.3	0.1	0.3	0.3	0.8
8. Taxes (excl Federal tax)	2.8	3.8	0.4	1.5	1.8	0.7	2.1	2.6	2.4	2.5	2.1	4.9	2.8
9. Interest	6.9	3.9	-	1.7	0.8	0.4	2.3	4.3	2.6	2.7	3.4	4.2	7.3
10. Deprec/Deplet/Amortiz†	5.8	8.7	50.7	5.0	2.8	1.7	4.6	9.7	4.1	4.4	6.9	5.9	5.9
11. Advertising	0.2	0.1	-	0.2	0.1	0.2	0.3	-	0.1	0.1	0.1	0.2	0.2
12. Pensions & other benef plans	1.0	0.7	-	0.6	0.6	0.9	1.4	1.3	0.8	0.9	0.7	1.4	1.0
13. Other expenses	14.6	29.9	5.2	9.7	12.1	10.7	13.0	7.6	7.4	6.4	6.7	10.5	14.9
14. Net profit before tax	*	*	35.3	0.9	1.0	*	1.4	*	0.5	2.6	1.0	3.0	*
Selected Financial Ratios (number of times ratio is to one)													
15. Current ratio	0.9	-	-	1.2	3.1	1.2	1.4	1.1	2.2	1.2	0.8	0.8	0.9
16. Quick ratio	0.6	-	-	1.0	2.5	1.0	0.9	0.9	1.1	0.8	0.5	0.5	0.6
17. Net sls to net wkg capital	-	-	-	62.4	8.8	48.4	17.4	52.1	6.2	20.4	-	-	-
18. Coverage ratio	0.8	-	-	2.4	8.3	2.3	3.4	1.5	2.4	3.1	1.8	2.1	0.8
19. Asset turnover	0.7	-	-	-	-	-	1.7	0.8	1.5	1.2	1.1	1.0	0.7
20. Total liab to net worth	2.4	-	-	6.4	0.6	1.4	1.1	3.1	1.6	1.6	2.1	2.2	2.4
Selected Financial Factors in Percentages													
21. Debt ratio	70.4	-	-	86.6	36.0	58.9	52.0	75.8	61.7	61.9	67.9	68.2	70.7
22. Return on assets	4.2	-	-	11.9	25.7	4.2	12.7	5.4	9.6	9.6	6.8	8.5	4.0
23. Return on equity	-	-	-	39.0	24.9	2.1	15.1	2.5	5.6	8.9	4.2	7.3	-
24. Return on net worth	14.2	-	-	88.5	40.2	10.2	26.6	22.4	25.1	25.2	21.1	26.7	13.5

†Depreciation largest factor

4920 ELECTRIC, GAS, AND SANITARY SERVICES:

Gas production and distribution

Item Description For Accounting Period 7/86 Through 6/87	A Total	B Zero Assets	C Under 100	D 100 to 250	E 251 to 500	F 501 to 1,000	G 1,001 to 5,000	H 5,001 to 10,000	I 10,001 to 25,000	J 25,001 to 50,000	K 50,001 to 100,000	L 100,001 to 250,000	M 250,001 and over
			SIZE OF ASSETS IN THOUSANDS OF DOLLARS (000 OMITTED)										
1. Number of Enterprises	1271	37	204	489	104	193	142	12	25	-	-	13	31
2. Total receipts (in millions of dollars)	35653.3	218.7	26.0	355.0	50.6	278.0	652.8	71.0	550.2	-	-	2108.8	30216.8
Selected Operating Factors in Percent of Net Sales													
3. Cost of operations	71.8	85.4	8.0	74.6	9.0	63.2	70.3	67.1	75.2	-	-	65.9	72.0
4. Compensation of officers	0.5	0.2	-	3.5	18.1	3.4	2.3	1.5	1.5	-	-	0.5	0.3
5. Repairs	1.5	0.3	0.4	0.5	5.8	1.4	0.8	2.2	1.6	-	-	1.6	1.6
6. Bad debts	0.6	-	-	0.2	-	0.5	0.6	0.2	0.3	-	-	0.6	0.6
7. Rent on business property	0.4	-	-	1.3	-	1.4	0.6	0.3	0.2	-	-	0.4	0.4
8. Taxes (excl Federal tax)	4.4	2.3	0.4	1.5	5.1	1.5	2.1	3.1	2.5	-	-	5.1	4.6
9. Interest	5.2	1.7	-	0.9	6.1	0.3	1.1	5.0	2.3	-	-	3.7	5.7
10. Deprec/Deplet/Amortiz†	5.7	3.1	50.7	3.4	14.1	3.3	4.6	8.4	4.2	-	-	6.0	5.7
11. Advertising	0.1	0.1	-	0.2	-	0.5	0.3	-	0.1	-	-	0.2	0.1
12. Pensions & other benef plans	1.3	0.3	-	0.6	4.5	2.1	1.4	1.4	1.0	-	-	1.5	1.3
13. Other expenses	9.1	4.5	5.2	9.6	24.0	20.1	12.8	7.9	6.7	-	-	10.3	9.1
14. Net profit before tax	#	2.1	35.3	3.7	13.3	2.3	3.1	2.9	4.4	-	-	4.2	#
Selected Financial Ratios (number of times ratio is to one)													
15. Current ratio	0.8	-	-	1.8	4.2	1.7	1.6	0.9	2.6	-	-	0.9	0.8
16. Quick ratio	0.5	-	-	1.4	3.9	1.5	1.1	0.7	1.3	-	-	0.5	0.5
17. Net sls to net wkg capital	-	-	-	29.0	1.8	8.2	12.5	-	4.9	-	-	-	-
18. Coverage ratio	1.7	-	-	6.8	8.7	-	7.7	2.0	4.2	-	-	2.5	1.6
19. Asset turnover	0.8	-	-	-	0.8	2.2	1.9	0.9	1.4	-	-	1.0	0.8
20. Total liab to net worth	1.9	-	-	1.5	0.6	0.7	0.7	2.8	1.2	-	-	1.9	1.9
Selected Financial Factors in Percentages													
21. Debt ratio	65.1	-	-	59.9	36.3	42.0	42.6	73.9	53.4	-	-	65.7	65.5
22. Return on assets	7.4	-	-	27.0	-	9.3	16.0	9.3	14.1	-	-	8.9	6.9
23. Return on equity	5.4	-	-	-	40.4	11.5	20.6	10.7	14.1	-	-	8.6	4.3
24. Return on net worth	21.3	-	-	67.2	63.3	16.0	27.8	35.5	30.4	-	-	26.0	20.1

†Depreciation largest factor

TABLE I: CORPORATIONS WITH AND WITHOUT NET INCOME, 1990 EDITION

4930 ELECTRIC, GAS, AND SANITARY SERVICES:

Combination utility services

Item Description For Accounting Period 7/86 Through 6/87	A Total	B Zero Assets	C Under 100	D 100 to 250	E 251 to 500	F 501 to 1,000	G 1,001 to 5,000	H 5,001 to 10,000	I 10,001 to 25,000	J 25,001 to 50,000	K 50,001 to 100,000	L 100,001 to 250,000	M 250,001 and over
1. Number of Enterprises	322	-	62	-	124	-	69	5	3	3	5	3	47
2. Total receipts (in millions of dollars)	70897.6	-	11.3	-	125.8	-	218.7	69.6	7.4	81.9	198.2	133.2	70051.6

Selected Operating Factors in Percent of Net Sales

3. Cost of operations	46.6	-	-	-	62.8	-	68.0	66.3	27.5	74.0	69.5	42.0	46.4
4. Compensation of officers	0.2	-	-	-	6.8	-	4.6	1.6	12.8	1.5	0.8	1.2	0.2
5. Repairs	4.5	-	-	-	-	-	0.1	6.3	-	0.7	2.4	5.9	4.5
6. Bad debts	0.3	-	-	-	-	-	0.1	0.2	-	0.3	0.9	0.2	0.3
7. Rent on business property	0.7	-	-	-	2.9	-	2.0	-	-	0.1	1.0	13.1	0.7
8. Taxes (excl Federal tax)	9.0	-	-	-	3.3	-	3.9	6.5	11.3	3.6	4.6	5.2	9.1
9. Interest	8.9	-	-	-	0.5	-	1.7	-	4.8	3.6	9.4	4.4	8.9
10. Deprec/Deplet/Amortiz†	10.9	-	-	-	4.7	-	4.0	3.6	16.6	6.5	5.7	7.3	10.9
11. Advertising	0.1	-	-	-	0.1	-	0.2	-	-	-	-	0.1	0.1
12. Pensions & other benef plans	1.8	-	-	-	1.6	-	0.2	1.2	-	1.0	2.3	1.2	1.8
13. Other expenses	14.1	-	-	-	17.1	-	12.4	3.8	12.2	6.9	6.7	6.4	14.2
14. Net profit before tax	2.9	-	-	-	0.2	-	2.8	10.5	14.8	1.8	*	13.0	2.9

Selected Financial Ratios (number of times ratio is to one)

15. Current ratio	0.9	-	-	-	1.9	-	1.7	1.6	0.1	0.4	5.3	1.5	0.9
16. Quick ratio	0.5	-	-	-	1.9	-	1.4	1.5	0.1	0.3	2.6	1.0	0.5
17. Net sls to net wkg capital	-	-	-	-	10.1	-	7.0	12.3	-	-	1.2	4.6	-
18. Coverage ratio	1.7	-	-	-	7.8	-	3.3	-	4.2	1.9	1.1	4.2	1.7
19. Asset turnover	0.4	-	-	-	-	-	1.5	1.6	0.1	0.8	0.5	0.2	0.4
20. Total liab to net worth	1.4	-	-	-	0.9	-	0.8	0.4	2.6	2.1	3.5	5.5	1.4

Selected Financial Factors in Percentages

21. Debt ratio	58.5	-	-	-	48.4	-	45.0	27.0	72.2	68.1	77.9	84.6	58.4
22. Return on assets	6.2	-	-	-	10.7	-	8.4	17.5	2.8	5.1	4.8	4.4	6.2
23. Return on equity	2.7	-	-	-	15.1	-	6.6	12.9	4.5	3.1	0.9	12.6	2.6
24. Return on net worth	15.0	-	-	-	20.7	-	15.2	23.9	9.9	16.1	21.8	28.7	14.9

†Depreciation largest factor

Page 198

TABLE II: CORPORATIONS WITH NET INCOME, 1990 EDITION

4930 ELECTRIC, GAS, AND SANITARY SERVICES:
Combination utility services

Item Description For Accounting Period 7/86 Through 6/87	A Total	B Zero Assets	C Under 100	D 100 to 250	E 251 to 500	F 501 to 1,000	G 1,001 to 5,000	H 5,001 to 10,000	I 10,001 to 25,000	J 25,001 to 50,000	K 50,001 to 100,000	L 100,001 to 250,000	M 250,001 and over
							SIZE OF ASSETS IN THOUSANDS OF DOLLARS (000 OMITTED)						
1. Number of Enterprises	304	-	62	-	124	-	58	5	3	-	-	3	-
2. Total receipts (in millions of dollars)	63692.7	-	11.3	-	125.8	-	218.7	69.6	7.4	-	-	133.2	-
Selected Operating Factors in Percent of Net Sales													
3. Cost of operations	45.9	-	-	-	62.8	-	68.0	66.3	27.5	-	-	42.0	-
4. Compensation of officers	0.2	-	-	-	6.8	-	4.6	1.6	12.8	-	-	1.2	-
5. Repairs	4.6	-	-	-	-	-	0.1	6.3	-	-	-	5.9	-
6. Bad debts	0.3	-	-	-	-	-	0.2	0.2	-	-	-	0.2	-
7. Rent on business property	0.8	-	-	-	2.9	-	2.0	-	-	-	-	13.1	-
8. Taxes (excl Federal tax)	9.1	-	-	-	3.3	-	3.8	6.5	11.3	-	-	5.2	-
9. Interest	8.3	-	-	-	0.5	-	0.8	-	4.8	-	-	4.4	-
10. Deprec/Deplet/Amortiz†	10.9	-	-	-	4.7	-	4.0	3.6	16.6	-	-	7.3	-
11. Advertising	0.1	-	-	-	0.1	-	0.2	-	-	-	-	0.1	-
12. Pensions & other benef plans	1.9	-	-	-	1.6	-	0.2	1.2	-	-	-	1.2	-
13. Other expenses	12.4	-	-	-	17.1	-	12.4	3.8	12.2	-	-	6.4	-
14. Net profit before tax	5.5	-	-	-	0.2	-	3.7	10.5	14.8	-	-	13.0	-
Selected Financial Ratios (number of times ratio is to one)													
15. Current ratio	0.9	-	-	-	1.9	-	3.9	1.6	0.1	-	-	1.5	-
16. Quick ratio	0.5	-	-	-	1.9	-	3.3	1.5	0.1	-	-	1.0	-
17. Net sls to net wkg capital	-	-	-	-	10.1	-	3.8	12.3	-	-	-	4.6	-
18. Coverage ratio	2.1	-	-	-	7.8	-	6.6	-	4.2	-	-	4.2	-
19. Asset turnover	0.4	-	-	-	-	-	1.9	1.6	0.1	-	-	0.2	-
20. Total liab to net worth	1.4	-	-	-	0.9	-	0.5	0.4	2.6	-	-	5.5	-
Selected Financial Factors in Percentages													
21. Debt ratio	58.0	-	-	-	48.4	-	32.9	27.0	72.2	-	-	84.6	-
22. Return on assets	7.4	-	-	-	10.7	-	10.5	17.5	2.8	-	-	4.4	-
23. Return on equity	5.2	-	-	-	15.1	-	9.3	12.9	4.5	-	-	12.6	-
24. Return on net worth	17.5	-	-	-	20.7	-	15.7	23.9	9.9	-	-	28.7	-

†Depreciation largest factor

4990 ELECTRIC, GAS, AND SANITARY SERVICES:
Water supply and other sanitary services

Item Description For Accounting Period 7/86 Through 6/87	A Total	B Zero Assets	C Under 100	D 100 to 250	E 251 to 500	F 501 to 1,000	G 1,001 to 5,000	H 5,001 to 10,000	I 10,001 to 25,000	J 25,001 to 50,000	K 50,001 to 100,000	L 100,001 to 250,000	M 250,001 and over
			SIZE OF ASSETS IN THOUSANDS OF DOLLARS (000 OMITTED)										
1. Number of Enterprises	10168	-	5627	-	1160	585	754	82	44	16	10	12	10
2. Total receipts (in millions of dollars)	13114.8	-	1202.0	-	591.0	614.7	2094.5	597.0	693.8	443.8	490.1	819.0	5244.0
Selected Operating Factors in Percent of Net Sales													
3. Cost of operations	40.7	-	12.1	-	41.5	62.1	46.0	55.5	44.9	45.4	40.5	39.8	41.3
4. Compensation of officers	2.9	-	2.9	-	7.6	2.7	6.9	2.5	2.9	1.8	1.1	1.6	0.8
5. Repairs	2.2	-	1.3	-	5.0	0.9	2.8	1.4	6.4	1.2	1.0	2.3	1.5
6. Bad debts	0.4	-	0.1	-	0.1	0.1	0.4	0.4	0.1	0.4	0.2	0.5	0.5
7. Rent on business property	1.3	-	0.2	-	1.9	1.7	1.2	2.9	0.6	2.0	0.3	0.7	1.4
8. Taxes (excl Federal tax)	4.6	-	1.4	-	5.1	3.1	3.2	4.5	3.7	4.7	4.3	9.2	5.4
9. Interest	4.1	-	0.4	-	3.2	2.7	3.0	2.7	2.7	4.3	4.5	7.2	5.7
10. Deprec/Deplet/Amortiz†	8.9	-	2.0	-	8.1	6.9	7.9	6.1	8.8	7.5	10.4	11.7	11.0
11. Advertising	0.2	-	0.1	-	0.3	0.4	0.2	0.1	0.2	0.5	0.1	0.2	0.2
12. Pensions & other benef plans	1.8	-	0.4	-	1.3	1.4	1.7	1.9	1.3	3.1	3.2	2.2	2.1
13. Other expenses	28.2	-	78.4	-	22.9	15.7	24.3	20.8	25.9	25.9	28.5	17.9	22.3
14. Net profit before tax	4.7	-	0.7	-	3.0	2.3	2.4	1.2	2.5	3.2	5.9	6.7	7.8
Selected Financial Ratios (number of times ratio is to one)													
15. Current ratio	1.1	-	1.2	-	1.4	1.1	1.0	1.7	1.0	0.9	1.8	1.5	1.0
16. Quick ratio	0.8	-	0.5	-	1.3	0.9	0.8	1.3	0.7	0.7	1.0	1.2	0.7
17. Net sls to net wkg capital	43.8	-	126.9	-	24.0	97.8	-	7.1	125.4	-	6.4	7.5	-
18. Coverage ratio	2.9	-	4.6	-	2.3	2.0	2.6	3.1	2.8	2.9	3.0	2.7	3.1
19. Asset turnover	0.8	-	-	-	1.5	1.6	1.3	1.1	0.9	0.7	0.7	0.4	0.6
20. Total liab to net worth	1.5	-	3.9	-	2.2	2.7	2.3	2.2	1.5	2.5	1.5	2.2	1.1
Selected Financial Factors in Percentages													
21. Debt ratio	60.2	-	79.4	-	68.8	72.7	69.3	68.8	60.3	71.7	60.6	68.6	53.4
22. Return on assets	10.0	-	16.0	-	10.6	8.2	10.3	9.3	7.2	9.1	8.8	7.4	11.2
23. Return on equity	9.6	-	-	-	15.7	9.4	15.3	12.0	5.6	7.9	8.4	8.8	9.0
24. Return on net worth	25.2	-	77.8	-	33.8	30.0	33.7	29.7	18.2	32.3	22.2	23.5	23.9

†Depreciation largest factor

TABLE II: CORPORATIONS WITH NET INCOME, 1990 EDITION

4990 ELECTRIC, GAS, AND SANITARY SERVICES:
Water supply and other sanitary services

SIZE OF ASSETS IN THOUSANDS OF DOLLARS (000 OMITTED)

Item Description For Accounting Period 7/86 Through 6/87	A Total	B Zero Assets	C Under 100	D 100 to 250	E 251 to 500	F 501 to 1,000	G 1,001 to 5,000	H 5,001 to 10,000	I 10,001 to 25,000	J 25,001 to 50,000	K 50,001 to 100,000	L 100,001 to 250,000	M 250,001 and over
1. Number of Enterprises	6606	36	3499	1127	842	372	594	64	29	-	-	12	-
2. Total receipts (in millions of dollars)	11770.0	39.4	1146.4	216.0	480.2	364.8	1851.8	546.3	533.7	-	-	819.0	-

Selected Operating Factors in Percent of Net Sales

3. Cost of operations	38.7	49.4	10.4	14.6	37.4	54.4	45.7	53.2	43.7	-	-	39.8	-
4. Compensation of officers	2.8	0.5	3.1	9.7	8.4	3.7	6.8	2.3	2.6	-	-	1.6	-
5. Repairs	2.3	0.8	1.1	5.9	5.3	0.6	2.9	1.5	8.0	-	-	2.3	-
6. Bad debts	0.4	-	0.1	0.2	-	0.2	0.2	0.4	-	-	-	0.5	-
7. Rent on business property	1.3	0.1	0.1	5.0	1.6	2.0	1.3	3.0	0.8	-	-	0.7	-
8. Taxes (excl Federal tax)	4.7	2.4	1.3	6.6	5.8	2.6	3.1	4.5	4.3	-	-	9.2	-
9. Interest	4.0	1.5	0.2	3.7	2.4	3.0	2.3	2.4	1.7	-	-	7.2	-
10. Deprec/Deplet/Amortiz†	8.7	0.4	1.0	7.4	8.1	8.2	7.5	5.6	9.2	-	-	11.7	-
11. Advertising	0.2	-	-	0.2	0.4	0.5	0.2	-	0.2	-	-	0.2	-
12. Pensions & other benef plans	1.8	0.5	0.4	1.6	1.6	0.7	1.8	2.0	1.3	-	-	2.2	-
13. Other expenses	28.5	21.2	80.3	38.3	22.5	18.4	23.8	19.6	23.2	-	-	17.9	-
14. Net profit before tax	6.6	23.2	2.0	6.8	6.5	5.7	4.4	5.5	5.0	-	-	6.7	-

Selected Financial Ratios (number of times ratio is to one)

15. Current ratio	1.1	-	1.5	3.9	1.5	1.1	1.0	1.6	1.6	-	-	1.5	-
16. Quick ratio	0.9	-	0.9	3.1	1.4	0.8	0.8	1.3	1.3	-	-	1.2	-
17. Net sls to net wkg capital	41.6	-	94.9	4.5	20.0	71.1	-	9.0	8.3	-	-	7.5	-
18. Coverage ratio	3.5	-	-	4.1	4.2	3.1	3.8	5.3	5.5	-	-	2.7	-
19. Asset turnover	0.8	-	-	1.1	1.7	1.5	1.5	1.2	1.0	-	-	0.4	-
20. Total liab to net worth	1.4	-	1.7	0.7	1.0	1.9	1.8	1.6	1.0	-	-	2.2	-

Selected Financial Factors in Percentages

21. Debt ratio	57.5	-	62.3	41.9	48.7	65.7	64.4	61.5	48.9	-	-	68.6	-
22. Return on assets	11.6	-	-	15.7	17.4	13.4	13.5	15.6	9.8	-	-	7.4	-
23. Return on equity	12.3	-	-	17.7	23.0	19.6	22.0	24.7	8.6	-	-	8.8	-
24. Return on net worth	27.4	-	-	27.0	33.8	39.1	37.9	40.5	19.1	-	-	23.5	-

†Depreciation largest factor

5004 WHOLESALE TRADE:
Groceries and related products

Item Description For Accounting Period 7/86 Through 6/87	A Total	B Zero Assets	SIZE OF ASSETS IN THOUSANDS OF DOLLARS (000 OMITTED)										
			C Under 100	D 100 to 250	E 251 to 500	F 501 to 1,000	G 1,001 to 5,000	H 5,001 to 10,000	I 10,001 to 25,000	J 25,001 to 50,000	K 50,001 to 100,000	L 100,001 to 250,000	M 250,001 and over
1. Number of Enterprises	25483	770	9728	5462	3097	2569	3081	393	225	85	28	28	18
2. Total receipts (in millions of dollars)	178161.1	5148.5	4978.4	6108.5	7062.1	10179.9	34685.4	13834.2	15021.3	13709.8	9338.5	18765.5	39329.0
Selected Operating Factors in Percent of Net Sales													
3. Cost of operations	86.2	90.2	60.4	82.6	80.6	85.3	86.1	86.2	84.7	87.6	88.3	91.0	88.2
4. Compensation of officers	1.0	0.3	2.8	4.1	2.9	1.8	1.5	1.1	0.9	0.3	0.2	0.2	0.1
5. Repairs	0.3	0.3	0.4	0.3	0.3	0.3	0.3	0.3	0.3	0.3	0.3	0.3	0.3
6. Bad debts	0.2	0.1	0.3	-	0.2	0.2	0.2	0.4	0.2	0.1	0.2	0.1	0.1
7. Rent on business property	0.7	0.6	1.1	0.9	1.3	1.0	0.6	0.5	0.5	0.7	0.7	0.6	0.9
8. Taxes (excl Federal tax)	0.8	0.6	0.9	1.2	1.1	0.8	0.8	0.8	1.2	0.6	0.6	0.6	0.7
9. Interest	0.6	0.4	0.4	0.4	0.5	0.5	0.5	0.5	0.6	0.6	0.6	0.9	0.8
10. Deprec/Deplet/Amortiz†	0.9	0.8	1.0	1.0	1.1	0.8	0.8	0.8	0.9	0.8	0.8	1.0	0.9
11. Advertising	0.4	0.3	0.3	0.1	0.2	0.1	0.2	0.2	0.8	0.5	0.6	0.3	0.5
12. Pensions & other benef plans	0.5	0.3	0.3	0.4	0.7	0.4	0.6	0.5	0.5	0.4	0.5	0.5	0.6
13. Other expenses	9.5	6.7	33.6	8.7	11.8	9.1	8.3	8.4	9.6	8.9	7.7	6.2	10.4
14. Net profit before tax	*	*	*	0.3	*	*	0.1	0.3	*	*	*	*	*
Selected Financial Ratios (number of times ratio is to one)													
15. Current ratio	1.4	-	-	1.4	1.6	1.7	1.5	1.4	1.4	1.3	1.4	1.5	1.5
16. Quick ratio	0.8	-	-	1.0	1.0	1.0	0.9	0.9	0.8	0.7	0.7	0.6	0.6
17. Net sls to net wkg capital	24.2	-	-	43.3	23.9	17.9	23.2	22.2	24.3	29.9	23.0	25.5	18.7
18. Coverage ratio	2.4	-	-	2.7	2.0	1.7	2.9	2.9	3.0	2.0	2.7	1.5	2.8
19. Asset turnover	-	-	-	-	-	-	-	-	-	-	-	-	-
20. Total liab to net worth	2.4	-	-	2.5	2.3	2.1	1.9	2.2	2.4	3.2	2.3	2.6	2.2
Selected Financial Factors in Percentages													
21. Debt ratio	70.7	-	-	71.7	69.9	67.5	65.8	68.8	70.4	76.1	69.4	72.5	68.8
22. Return on assets	7.1	-	-	7.3	5.7	4.8	7.5	7.9	7.9	5.4	7.0	6.2	7.6
23. Return on equity	8.1	-	-	13.6	5.2	2.4	10.1	9.9	9.9	6.5	8.0	3.3	9.0
24. Return on net worth	24.1	-	-	25.8	19.0	14.8	21.9	25.4	26.6	22.7	23.0	22.7	24.4

†Depreciation largest factor

TABLE II: CORPORATIONS WITH NET INCOME, 1990 EDITION

5004 WHOLESALE TRADE:
Groceries and related products

Item Description For Accounting Period 7/86 Through 6/87	A Total	B Zero Assets	C Under 100	D 100 to 250	E 251 to 500	F 501 to 1,000	G 1,001 to 5,000	H 5,001 to 10,000	I 10,001 to 25,000	J 25,001 to 50,000	K 50,001 to 100,000	L 100,001 to 250,000	M 250,001 and over
							SIZE OF ASSETS IN THOUSANDS OF DOLLARS (000 OMITTED)						
1. Number of Enterprises	14852	79	4251	3403	2115	1847	2526	327	176	68	-	22	-
2. Total receipts (in millions of dollars)	149889.4	3519.6	3316.0	3603.4	4979.5	7656.6	29527.7	11698.0	11955.6	11833.3	-	16496.9	-
Selected Operating Factors in Percent of Net Sales													
3. Cost of operations	86.3	90.4	51.7	80.2	78.7	84.7	86.3	86.6	84.4	88.3	-	90.8	-
4. Compensation of officers	0.9	0.3	1.7	4.8	3.0	1.8	1.5	1.2	1.0	0.3	-	0.2	-
5. Repairs	0.3	0.3	0.2	0.4	0.3	0.2	0.3	0.3	0.3	0.3	-	0.3	-
6. Bad debts	0.1	0.1	0.2	-	0.1	0.1	0.1	0.1	0.1	0.1	-	0.1	-
7. Rent on business property	0.7	0.5	0.7	1.1	1.4	0.8	0.6	0.5	0.5	0.7	-	0.5	-
8. Taxes (excl Federal tax)	0.8	0.6	0.6	1.4	1.1	0.8	0.8	0.8	1.3	0.6	-	0.7	-
9. Interest	0.6	0.3	0.2	0.3	0.5	0.5	0.4	0.5	0.5	0.5	-	0.7	-
10. Deprec/Deplet/Amortiz†	0.9	0.6	0.6	1.0	1.3	0.7	0.8	0.8	0.9	0.8	-	1.0	-
11. Advertising	0.3	0.3	0.3	0.1	0.1	0.2	0.2	0.1	0.4	0.3	-	0.3	-
12. Pensions & other benef plans	0.5	0.3	0.1	0.5	0.8	0.4	0.6	0.5	0.5	0.4	-	0.5	-
13. Other expenses	9.4	5.9	41.8	8.2	12.4	8.9	7.9	7.8	9.7	7.8	-	6.5	-
14. Net profit before tax	#	0.4	1.9	2.0	0.3	0.9	0.5	0.8	0.4	#	-	#	-
Selected Financial Ratios (number of times ratio is to one)													
15. Current ratio	1.5	-	1.2	1.9	1.9	2.0	1.6	1.5	1.4	1.3	-	1.6	-
16. Quick ratio	0.8	-	0.9	1.4	1.3	1.2	1.0	0.9	0.8	0.6	-	0.7	-
17. Net sls to net wkg capital	21.5	-	198.4	23.0	19.0	15.0	21.9	19.8	20.9	33.7	-	21.8	-
18. Coverage ratio	3.5	-	9.6	8.5	4.6	4.0	4.2	3.9	4.5	3.0	-	1.9	-
19. Asset turnover	-	-	-	-	-	-	-	-	-	-	-	-	-
20. Total liab to net worth	2.0	-	-	1.3	1.5	1.4	1.5	1.9	1.9	3.4	-	2.6	-
Selected Financial Factors in Percentages													
21. Debt ratio	66.9	-	131.4	56.4	59.5	58.1	60.7	65.6	65.7	77.5	-	71.9	-
22. Return on assets	9.5	-	-	17.1	13.6	11.2	9.6	10.2	10.5	8.0	-	7.0	-
23. Return on equity	14.0	-	-	31.9	21.8	16.4	14.1	14.7	15.1	16.9	-	6.4	-
24. Return on net worth	28.6	-	-	39.3	33.6	26.8	24.5	29.6	30.5	35.4	-	25.1	-

†Depreciation largest factor

TABLE I: CORPORATIONS WITH AND WITHOUT NET INCOME, 1990 EDITION

5008 WHOLESALE TRADE:

Machinery, equipment, and supplies

Item Description / For Accounting Period / 7/86 Through 6/87	A Total	B Zero Assets	SIZE OF ASSETS IN THOUSANDS OF DOLLARS (000 OMITTED)										
			C Under 100	D 100 to 250	E 251 to 500	F 501 to 1,000	G 1,001 to 5,000	H 5,001 to 10,000	I 10,001 to 25,000	J 25,001 to 50,000	K 50,001 to 100,000	L 100,001 to 250,000	M 250,001 and over
1. Number of Enterprises	51275	2178	17634	8782	7121	6299	7691	862	432	138	75	37	26
2. Total receipts (in millions of dollars)	129402.2	1567.1	3474.2	4649.2	6974.8	11472.8	33974.0	11521.7	9679.0	6777.0	13582.6	8698.3	17031.5
Selected Operating Factors in Percent of Net Sales													
3. Cost of operations	74.9	71.1	62.7	68.5	68.4	72.1	75.0	70.8	74.8	71.8	85.3	74.9	79.6
4. Compensation of officers	2.6	4.3	5.3	7.1	6.2	4.7	3.3	2.1	1.6	1.2	0.5	0.6	0.5
5. Repairs	0.3	0.3	0.4	0.4	0.3	0.3	0.3	0.3	0.3	0.4	0.3	0.3	0.3
6. Bad debts	0.4	0.6	0.6	0.3	0.4	0.4	0.5	0.4	0.6	0.4	0.3	0.5	0.5
7. Rent on business property	1.1	1.9	2.0	2.1	1.6	1.3	1.1	1.3	1.0	1.0	0.6	0.9	0.8
8. Taxes (excl Federal tax)	1.4	1.7	2.3	2.0	1.7	1.6	1.4	1.4	1.3	1.3	0.7	1.0	1.3
9. Interest	1.8	1.1	0.8	1.2	1.2	1.1	1.4	1.5	2.4	2.2	1.1	2.7	3.4
10. Deprec/Deplet/Amortiz†	2.2	1.8	1.2	1.7	1.5	1.5	1.6	2.2	2.4	2.7	1.8	2.8	4.6
11. Advertising	0.7	0.8	0.5	0.7	0.7	0.6	0.6	0.8	1.0	0.7	0.5	1.1	0.8
12. Pensions & other benef plans	0.8	1.3	0.3	0.8	0.8	1.1	0.9	1.1	0.8	1.0	0.5	0.8	0.8
13. Other expenses	16.1	16.1	25.7	17.6	17.9	16.8	15.8	19.3	18.5	18.2	10.1	16.4	13.2
14. Net profit before tax	*	*	*	*	*	*	*	*	*	*	*	*	*
Selected Financial Ratios (number of times ratio is to one)													
15. Current ratio	1.5	-	1.6	1.7	1.8	1.8	1.5	1.6	1.4	1.4	1.4	1.4	1.4
16. Quick ratio	0.8	-	1.1	1.0	1.1	0.9	0.7	0.8	0.7	0.7	0.7	0.8	0.8
17. Net sls to net wkg capital	8.0	-	21.5	10.3	7.7	7.4	8.3	7.0	7.4	6.4	13.1	8.3	5.9
18. Coverage ratio	1.8	-	2.4	1.0	2.2	1.4	1.7	1.9	1.3	2.7	2.1	1.6	1.7
19. Asset turnover	1.8	-	-	-	-	-	2.2	1.9	1.4	1.4	-	1.5	1.0
20. Total liab to net worth	2.5	-	-	2.8	1.8	1.9	2.3	2.2	3.0	2.4	2.6	2.2	2.9
Selected Financial Factors in Percentages													
21. Debt ratio	71.4	-	117.5	73.4	63.9	65.0	69.8	68.7	75.2	70.2	72.3	69.1	74.6
22. Return on assets	5.9	-	11.7	3.8	6.7	4.0	5.3	5.5	4.6	7.9	6.1	6.6	5.8
23. Return on equity	3.7	-	-	-	6.7	0.1	3.1	3.2	-	8.4	1.2	2.5	5.6
24. Return on net worth	20.5	-	-	14.2	18.7	11.3	17.5	17.7	18.5	26.5	22.0	21.3	22.9

†Depreciation largest factor

5008 WHOLESALE TRADE:
Machinery, equipment, and supplies

Item Description For Accounting Period 7/86 Through 6/87	A Total	B Zero Assets	C Under 100	D 100 to 250	E 251 to 500	F 501 to 1,000	G 1,001 to 5,000	H 5,001 to 10,000	I 10,001 to 25,000	J 25,001 to 50,000	K 50,001 to 100,000	L 100,001 to 250,000	M 250,001 and over
					SIZE OF ASSETS IN THOUSANDS OF DOLLARS (000 OMITTED)								
1. Number of Enterprises	31425	1665	8954	4776	5111	4299	5531	623	274	104	47	26	15
2. Total receipts (in millions of dollars)	99575.3	1370.6	2437.5	2759.5	4922.1	8307.5	26991.8	9011.5	6585.5	5522.8	11842.4	7361.6	12462.5
					Selected Operating Factors in Percent of Net Sales								
3. Cost of operations	74.8	70.1	59.7	66.9	66.7	71.8	74.4	70.1	72.9	70.2	86.3	75.0	82.1
4. Compensation of officers	2.5	4.3	5.2	6.1	5.8	4.8	3.4	2.1	1.7	1.1	0.4	0.6	0.5
5. Repairs	0.3	0.3	0.4	0.4	0.3	0.2	0.3	0.3	0.3	0.4	0.2	0.3	0.1
6. Bad debts	0.3	0.5	0.3	0.1	0.3	0.3	0.4	0.4	0.5	0.3	0.2	0.4	0.3
7. Rent on business property	0.9	1.7	1.5	1.5	1.6	1.1	1.0	1.0	0.8	0.9	0.5	0.8	0.6
8. Taxes (excl Federal tax)	1.3	1.6	2.2	1.6	1.7	1.6	1.3	1.5	1.2	1.2	0.6	0.9	1.0
9. Interest	1.4	0.7	0.8	0.9	1.0	0.8	1.1	1.3	1.9	1.7	0.8	1.6	3.3
10. Deprec/Deplet/Amortiz†	2.0	1.9	1.0	1.6	1.4	1.3	1.3	2.1	2.1	2.3	1.3	2.7	4.3
11. Advertising	0.6	0.6	0.5	0.6	0.7	0.5	0.5	0.6	1.0	0.6	0.4	1.1	0.6
12. Pensions & other benef plans	0.8	1.4	0.3	0.6	0.9	1.0	1.0	1.1	0.8	1.0	0.4	0.9	0.6
13. Other expenses	14.7	15.2	25.0	16.5	17.6	15.2	14.9	18.3	18.3	18.2	8.6	15.2	9.6
14. Net profit before tax	0.4	1.7	3.1	3.2	2.0	1.4	0.4	1.2	#	2.1	0.3	0.5	#
					Selected Financial Ratios (number of times ratio is to one)								
15. Current ratio	1.6	-	2.1	2.0	2.0	2.1	1.6	1.7	1.4	1.5	1.4	1.5	1.4
16. Quick ratio	0.8	-	1.5	1.4	1.2	1.1	0.8	0.9	0.8	0.7	0.7	0.8	0.9
17. Net sls to net wkg capital	8.1	-	22.6	9.3	7.1	6.4	7.6	6.8	6.6	5.8	17.0	7.6	8.4
18. Coverage ratio	3.6	-	9.9	6.5	5.2	4.5	3.5	3.8	3.4	4.4	4.8	3.1	2.3
19. Asset turnover	2.1	-	-	-	-	-	2.4	2.1	1.5	1.5	-	1.8	1.2
20. Total liab to net worth	1.9	-	4.1	1.5	1.4	1.2	1.7	1.7	2.3	1.9	2.2	1.7	2.7
					Selected Financial Factors in Percentages								
21. Debt ratio	65.6	-	80.4	59.9	59.1	53.5	62.7	63.0	69.9	65.7	68.9	63.4	73.2
22. Return on assets	10.8	-	-	20.4	13.8	10.3	9.4	9.9	9.8	10.9	13.1	8.8	9.2
23. Return on equity	16.0	-	-	39.3	22.9	13.7	13.3	13.4	15.3	14.9	19.2	9.3	13.0
24. Return on net worth	31.5	-	-	50.9	33.7	22.1	25.2	26.7	32.5	31.8	42.1	24.1	34.5

†Depreciation largest factor

5010 WHOLESALE TRADE: MISCELLANEOUS WHOLESALE TRADE:

Motor vehicles and automotive equipment

Item Description For Accounting Period 7/86 Through 6/87	A Total	B Zero Assets	C Under 100	D 100 to 250	E 251 to 500	F 501 to 1,000	G 1,001 to 5,000	H 5,001 to 10,000	I 10,001 to 25,000	J 25,001 to 50,000	K 50,001 to 100,000	L 100,001 to 250,000	M 250,001 and over
			SIZE OF ASSETS IN THOUSANDS OF DOLLARS (000 OMITTED)										
1. Number of Enterprises	19753	410	6881	3916	3494	2388	2184	237	144	41	21	20	16
2. Total receipts (in millions of dollars)	104620.5	333.3	1051.0	1899.2	3371.5	4532.0	11765.4	3381.8	4701.5	3312.0	2609.3	12721.5	54942.2
			Selected Operating Factors in Percent of Net Sales										
3. Cost of operations	82.9	79.0	74.4	73.5	71.5	74.6	77.1	77.7	75.8	74.2	76.6	87.7	86.7
4. Compensation of officers	0.9	1.8	3.3	4.0	4.4	3.1	2.4	1.5	1.3	0.8	0.7	0.2	0.1
5. Repairs	0.2	0.1	0.2	0.4	0.3	0.4	0.3	0.3	0.5	0.3	0.2	0.1	0.1
6. Bad debts	0.2	3.0	0.2	0.1	0.2	0.2	0.4	0.5	0.5	0.2	0.4	0.1	0.1
7. Rent on business property	0.7	1.1	2.5	1.8	2.1	1.2	1.2	1.1	1.4	1.0	1.0	0.4	0.4
8. Taxes (excl Federal tax)	1.0	1.1	1.2	1.8	1.6	1.6	1.4	1.3	1.3	1.2	1.2	0.4	0.8
9. Interest	1.1	0.4	0.3	1.2	1.3	0.9	0.9	1.4	1.3	1.3	1.9	0.8	1.2
10. Deprec/Deplet/Amortiz†	1.7	0.3	0.9	1.4	1.2	1.2	1.1	1.3	1.6	1.6	1.8	0.6	2.2
11. Advertising	1.7	2.1	0.4	0.7	0.8	0.6	0.6	0.4	0.6	1.4	1.9	1.8	2.3
12. Pensions & other benef plans	0.4	0.3	0.3	0.2	0.3	0.6	0.7	0.7	0.9	0.7	0.5	0.3	0.3
13. Other expenses	8.5	13.2	15.8	15.1	17.7	14.9	14.0	14.5	14.6	15.0	13.9	6.9	4.6
14. Net profit before tax	0.7	*	0.5	*	*	0.7	*	*	0.2	2.3	*	0.7	1.2
			Selected Financial Ratios (number of times ratio is to one)										
15. Current ratio	1.8	-	1.4	2.0	2.0	2.3	1.7	1.4	1.4	1.4	1.5	1.6	1.9
16. Quick ratio	0.8	-	0.7	0.5	0.8	0.9	0.8	0.7	0.6	0.7	0.6	0.6	0.9
17. Net sls to net wkg capital	8.0	-	17.1	6.8	7.3	6.0	7.9	9.0	10.0	10.4	7.9	16.0	7.2
18. Coverage ratio	3.6	-	5.0	1.1	0.5	2.9	2.4	1.5	2.3	4.0	2.2	4.0	4.4
19. Asset turnover	-	-	-	-	-	-	-	2.2	2.3	2.2	1.8	-	2.4
20. Total liab to net worth	1.4	-	13.2	2.8	2.3	1.2	1.7	2.4	2.6	2.2	2.5	1.4	1.1
			Selected Financial Factors in Percentages										
21. Debt ratio	58.3	-	93.0	73.4	69.8	54.8	62.4	70.7	72.3	68.4	71.0	59.1	52.6
22. Return on assets	10.3	-	7.1	3.7	1.7	7.2	6.2	4.5	6.7	11.7	7.5	11.8	12.4
23. Return on equity	9.9	-	-	-	-	8.0	5.5	2.1	7.9	16.1	5.7	11.5	11.5
24. Return on net worth	24.6	-	-	13.8	5.6	16.0	16.3	15.5	24.1	37.2	25.8	28.8	26.3

†Depreciation largest factor

TABLE II: CORPORATIONS WITH NET INCOME, 1990 EDITION

5010 WHOLESALE TRADE: MISCELLANEOUS WHOLESALE TRADE:
Motor vehicles and automotive equipment

Item Description For Accounting Period 7/86 Through 6/87	A Total	B Zero Assets	C Under 100	D 100 to 250	E 251 to 500	F 501 to 1,000	G 1,001 to 5,000	H 5,001 to 10,000	I 10,001 to 25,000	J 25,001 to 50,000	K 50,001 to 100,000	L 100,001 to 250,000	M 250,001 and over
					SIZE OF ASSETS IN THOUSANDS OF DOLLARS (000 OMITTED)								
1. Number of Enterprises	13779	385	4092	3168	2043	1968	1783	168	-	32	15	16	-
2. Total receipts (in millions of dollars)	92202.4	264.1	848.0	1572.3	1847.9	3935.9	9951.8	2285.5	-	2725.8	1823.0	9777.4	-
Selected Operating Factors in Percent of Net Sales													
3. Cost of operations	83.3	78.6	73.9	72.3	71.9	75.7	76.9	75.4	-	73.7	76.9	87.0	-
4. Compensation of officers	0.8	2.2	2.3	3.8	4.6	3.0	2.6	1.8	-	0.9	0.8	0.2	-
5. Repairs	0.2	-	0.1	0.4	0.3	0.3	0.3	0.3	-	0.3	0.2	0.1	-
6. Bad debts	0.2	-	0.3	0.1	0.2	0.2	0.3	0.4	-	0.2	0.4	-	-
7. Rent on business property	0.6	1.1	2.2	1.8	1.8	1.1	1.2	1.0	-	0.9	0.8	0.3	-
8. Taxes (excl Federal tax)	0.8	1.3	1.0	1.6	1.7	1.5	1.4	1.5	-	1.1	1.0	0.4	-
9. Interest	1.1	0.5	0.2	1.0	0.9	0.7	0.8	1.2	-	1.1	1.5	0.7	-
10. Deprec/Deplet/Amortiz†	1.7	0.1	0.7	1.4	1.2	1.0	1.1	1.3	-	1.8	1.0	0.7	-
11. Advertising	1.7	2.1	0.4	0.8	0.7	0.5	0.5	0.4	-	1.4	1.0	1.6	-
12. Pensions & other benef plans	0.4	0.1	0.2	0.1	0.3	0.6	0.8	0.7	-	0.6	0.4	0.4	-
13. Other expenses	7.7	12.9	15.3	15.1	14.8	13.6	13.2	15.0	-	14.7	12.5	6.7	-
14. Net profit before tax	1.5	1.1	3.4	1.6	1.6	1.8	0.9	1.0	-	3.3	3.5	1.9	-
Selected Financial Ratios (number of times ratio is to one)													
15. Current ratio	1.9	-	2.2	2.1	2.5	2.3	1.8	1.7	-	1.5	1.6	1.6	-
16. Quick ratio	0.9	-	1.1	0.5	1.1	0.9	0.8	0.8	-	0.9	0.8	0.7	-
17. Net sls to net wkg capital	7.7	-	10.0	6.5	6.2	6.2	8.0	6.1	-	10.2	6.7	15.1	-
18. Coverage ratio	4.6	-	-	2.9	3.9	4.5	4.0	3.0	-	5.7	4.8	6.2	-
19. Asset turnover	-	-	-	-	-	-	-	2.1	-	2.3	1.7	-	-
20. Total liab to net worth	1.2	-	2.6	1.9	1.1	1.0	1.4	1.7	-	1.6	2.1	1.2	-
Selected Financial Factors in Percentages													
21. Debt ratio	54.7	-	71.8	65.9	51.3	50.4	57.7	63.1	-	62.0	68.0	53.4	-
22. Return on assets	12.4	-	20.0	7.6	9.1	9.3	9.1	7.5	-	14.9	12.6	16.4	-
23. Return on equity	13.1	-	-	13.0	11.7	11.8	11.6	10.6	-	19.4	20.3	17.9	-
24. Return on net worth	27.2	-	70.9	22.3	18.6	18.7	21.6	20.3	-	39.2	39.3	35.1	-

†Depreciation largest factor

TABLE I: CORPORATIONS WITH AND WITHOUT NET INCOME, 1990 EDITION

5020 WHOLESALE TRADE: MISCELLANEOUS WHOLESALE TRADE:
Furniture and home furnishings

Item Description For Accounting Period 7/86 Through 6/87	A Total	B Zero Assets	C Under 100	D 100 to 250	E 251 to 500	F 501 to 1,000	G 1,001 to 5,000	H 5,001 to 10,000	I 10,001 to 25,000	J 25,001 to 50,000	K 50,001 to 100,000	L 100,001 to 250,000	M 250,001 and over
1. Number of Enterprises	10039	591	5575	1341	709	933	717	115	47	9	-	3	-
2. Total receipts (in millions of dollars)	13516.9	212.9	1380.4	594.6	799.7	1903.8	3781.1	2026.2	1325.6	560.2	-	932.5	-
Selected Operating Factors in Percent of Net Sales													
3. Cost of operations	70.4	47.7	58.2	54.3	68.4	73.3	72.3	78.3	75.3	69.0	-	68.9	-
4. Compensation of officers	3.6	6.8	6.9	13.8	5.0	4.0	2.8	2.1	1.4	1.6	-	0.5	-
5. Repairs	0.3	0.3	0.1	0.7	0.6	0.3	0.2	0.2	0.2	0.2	-	0.6	-
6. Bad debts	0.4	1.4	-	-	-	0.3	0.8	0.5	0.3	0.7	-	0.3	-
7. Rent on business property	2.3	7.3	4.3	3.2	6.2	1.7	1.8	1.3	1.1	1.4	-	2.5	-
8. Taxes (excl Federal tax)	1.4	2.2	1.7	1.5	1.7	1.2	1.4	1.2	1.3	1.4	-	1.9	-
9. Interest	1.2	1.9	2.9	0.3	1.0	0.8	0.9	0.8	1.6	2.6	-	1.0	-
10. Deprec/Deplet/Amortiz†	1.1	1.3	1.1	1.6	0.8	1.3	0.9	0.9	1.1	1.0	-	2.2	-
11. Advertising	1.3	5.4	1.7	0.7	2.7	0.4	1.2	0.8	1.3	5.0	-	0.3	-
12. Pensions & other benef plans	0.9	0.6	0.9	2.9	0.6	1.2	0.8	0.8	0.6	0.6	-	0.4	-
13. Other expenses	17.9	43.8	22.6	28.1	15.5	17.1	16.7	12.6	15.6	17.5	-	22.3	-
14. Net profit before tax	*	*	*	*	*	*	0.2	0.5	0.2	*	-	*	-
Selected Financial Ratios (number of times ratio is to one)													
15. Current ratio	1.6	-	-	2.6	1.6	1.8	1.8	1.5	1.8	1.6	-	1.2	-
16. Quick ratio	0.7	-	-	1.8	0.4	0.9	0.8	0.7	0.7	0.6	-	0.6	-
17. Net sls to net wkg capital	8.7	-	-	5.9	10.3	7.3	6.5	8.8	5.7	6.1	-	18.7	-
18. Coverage ratio	2.0	-	-	-	0.8	2.5	3.8	3.0	2.3	2.5	-	1.9	-
19. Asset turnover	-	-	-	-	-	-	2.4	-	1.9	1.5	-	1.5	-
20. Total liab to net worth	2.6	-	-	0.9	3.0	1.8	2.1	2.3	2.5	4.0	-	1.5	-
Selected Financial Factors in Percentages													
21. Debt ratio	72.2	-	-	47.3	75.1	64.5	68.2	69.5	71.3	79.9	-	60.4	-
22. Return on assets	6.1	-	-	-	2.7	5.8	8.3	6.6	6.7	9.7	-	2.9	-
23. Return on equity	5.2	-	-	-	-	5.6	13.6	6.6	9.0	21.4	-	0.3	-
24. Return on net worth	21.9	-	-	-	10.8	16.3	26.0	21.6	23.3	48.3	-	7.3	-

†Depreciation largest factor

SIZE OF ASSETS IN THOUSANDS OF DOLLARS (000 OMITTED)

TABLE II: CORPORATIONS WITH NET INCOME, 1990 EDITION

5020 WHOLESALE TRADE: MISCELLANEOUS WHOLESALE TRADE:
Furniture and home furnishings

Item Description For Accounting Period 7/86 Through 6/87	A Total	B Zero Assets	C Under 100	D 100 to 250	E 251 to 500	F 501 to 1,000	G 1,001 to 5,000	H 5,001 to 10,000	I 10,001 to 25,000	J 25,001 to 50,000	K 50,001 to 100,000	L 100,001 to 250,000	M 250,001 and over
							SIZE OF ASSETS IN THOUSANDS OF DOLLARS (000 OMITTED)						
1. Number of Enterprises	5402	64	2843	601	442	703	604	94	-	-	-	-	-
2. Total receipts (in millions of dollars)	10210.7	20.3	682.7	260.4	506.0	1688.9	3173.5	1745.7	-	-	-	-	-
Selected Operating Factors in Percent of Net Sales													
3. Cost of operations	72.0	44.4	56.5	77.1	67.6	73.2	72.2	78.3	-	-	-	-	-
4. Compensation of officers	3.5	6.3	12.1	2.9	6.0	4.4	3.1	2.1	-	-	-	-	-
5. Repairs	0.3	-	0.2	1.4	0.4	0.2	0.2	0.2	-	-	-	-	-
6. Bad debts	0.4	-	0.1	-	-	0.4	0.8	0.2	-	-	-	-	-
7. Rent on business property	2.0	2.7	5.2	0.7	6.0	1.5	1.7	1.4	-	-	-	-	-
8. Taxes (excl Federal tax)	1.4	1.2	2.2	0.9	1.7	1.3	1.5	1.1	-	-	-	-	-
9. Interest	0.8	0.1	0.2	0.4	0.6	0.6	0.8	0.8	-	-	-	-	-
10. Deprec/Deplet/Amortiz†	1.0	0.1	1.0	1.5	1.0	1.0	0.8	0.8	-	-	-	-	-
11. Advertising	1.0	-	1.4	0.2	2.4	0.4	0.8	0.9	-	-	-	-	-
12. Pensions & other benef plans	0.9	-	1.1	0.5	0.8	1.3	0.9	0.8	-	-	-	-	-
13. Other expenses	16.0	16.2	16.1	17.1	13.3	16.6	16.6	11.9	-	-	-	-	-
14. Net profit before tax	0.7	29.0	3.9	#	0.2	#	0.6	1.5	-	-	-	-	-
Selected Financial Ratios (number of times ratio is to one)													
15. Current ratio	1.8	-	1.6	2.8	2.0	2.0	1.9	1.4	-	-	-	-	-
16. Quick ratio	0.8	-	1.1	2.7	0.5	0.9	0.9	0.7	-	-	-	-	-
17. Net sls to net wkg capital	7.4	-	35.8	4.3	8.2	7.5	5.8	10.3	-	-	-	-	-
18. Coverage ratio	4.6	-	-	5.7	3.7	5.1	5.0	4.3	-	-	-	-	-
19. Asset turnover	-	-	-	2.4	-	2.5	2.5	-	-	-	-	-	-
20. Total liab to net worth	2.1	-	12.6	0.7	1.9	1.3	2.0	2.4	-	-	-	-	-
Selected Financial Factors in Percentages													
21. Debt ratio	67.5	-	92.6	42.0	65.3	56.4	66.9	70.6	-	-	-	-	-
22. Return on assets	10.0	-	-	6.2	8.2	9.1	10.1	8.8	-	-	-	-	-
23. Return on equity	18.0	-	-	6.6	14.6	12.5	18.2	13.4	-	-	-	-	-
24. Return on net worth	30.8	-	-	10.6	23.6	20.9	30.6	30.1	-	-	-	-	-

†Depreciation largest factor

5030 WHOLESALE TRADE: MISCELLANEOUS WHOLESALE TRADE:

Lumber and construction materials

Item Description For Accounting Period 7/86 Through 6/87	A Total	B Zero Assets	C Under 100	D 100 to 250	E 251 to 500	F 501 to 1,000	G 1,001 to 5,000	H 5,001 to 10,000	I 10,001 to 25,000	J 25,001 to 50,000	K 50,001 to 100,000	L 100,001 to 250,000	M 250,001 and over
							SIZE OF ASSETS IN THOUSANDS OF DOLLARS (000 OMITTED)						
1. Number of Enterprises	11456	339	3238	1782	1869	1457	2334	281	112	26	18	-	-
2. Total receipts (in millions of dollars)	45644.6	490.9	899.3	1501.4	2502.5	4708.1	18299.5	5376.0	5107.1	2276.0	4483.9	-	-
Selected Operating Factors in Percent of Net Sales													
3. Cost of operations	82.4	80.0	83.5	83.7	80.3	84.9	81.4	80.4	83.0	82.0	86.2	-	-
4. Compensation of officers	2.0	2.8	5.7	3.2	3.9	2.0	2.1	2.1	1.1	0.9	0.5	-	-
5. Repairs	0.3	0.9	0.2	0.2	0.6	0.2	0.3	0.4	0.4	0.4	0.2	-	-
6. Bad debts	0.4	0.2	-	0.3	0.4	0.4	0.5	0.5	0.4	0.5	0.2	-	-
7. Rent on business property	0.8	0.4	0.5	1.1	1.1	0.8	0.7	0.8	0.6	0.9	0.6	-	-
8. Taxes (excl Federal tax)	1.1	1.2	0.5	1.4	1.2	1.1	1.0	1.2	1.0	1.2	1.0	-	-
9. Interest	1.0	1.3	0.3	0.5	0.7	0.5	0.9	1.0	1.3	1.4	1.5	-	-
10. Deprec/Deplet/Amortiz†	1.0	1.4	0.8	0.8	1.0	0.8	1.0	1.1	1.1	1.1	1.4	-	-
11. Advertising	0.3	0.2	0.1	0.2	0.4	0.2	0.3	0.3	0.2	0.3	0.4	-	-
12. Pensions & other benef plans	0.6	1.2	1.5	0.3	0.5	0.5	0.7	0.8	0.6	0.5	0.7	-	-
13. Other expenses	9.7	9.9	6.1	10.2	10.9	8.4	10.0	10.6	9.9	9.7	8.7	-	-
14. Net profit before tax	0.4	0.5	0.8	*	*	0.2	1.1	0.8	0.4	1.1	*	-	-
Selected Financial Ratios (number of times ratio is to one)													
15. Current ratio	1.6	-	2.5	1.7	2.0	1.7	1.6	1.6	1.6	1.6	1.6	-	-
16. Quick ratio	1.0	-	1.6	0.9	1.2	1.1	0.9	0.9	0.9	0.9	1.0	-	-
17. Net sls to net wkg capital	11.4	-	20.7	16.2	9.4	13.3	11.5	9.8	11.1	10.1	10.4	-	-
18. Coverage ratio	3.0	-	5.0	-	2.1	4.2	3.6	2.8	3.0	2.9	2.1	-	-
19. Asset turnover	-	-	-	-	-	-	-	-	-	-	2.0	-	-
20. Total liab to net worth	2.0	-	1.5	3.4	2.0	1.6	1.7	1.8	1.8	1.7	4.1	-	-
Selected Financial Factors in Percentages													
21. Debt ratio	66.7	-	60.2	77.5	66.6	62.1	63.4	64.8	64.6	63.0	80.4	-	-
22. Return on assets	9.2	-	11.6	-	5.3	9.8	11.0	7.9	11.1	10.2	6.2	-	-
23. Return on equity	12.1	-	19.6	-	6.3	14.9	15.2	9.3	12.4	10.6	8.7	-	-
24. Return on net worth	27.7	-	29.1	-	16.0	25.8	30.0	22.5	31.2	27.6	31.6	-	-

†Depreciation largest factor

5030 WHOLESALE TRADE: MISCELLANEOUS WHOLESALE TRADE:

Lumber and construction materials

Item Description For Accounting Period 7/86 Through 6/87	A Total	B Zero Assets	C Under 100	D 100 to 250	E 251 to 500	F 501 to 1,000	G 1,001 to 5,000	H 5,001 to 10,000	I 10,001 to 25,000	J 25,001 to 50,000	K 50,001 to 100,000	L 100,001 to 250,000	M 250,001 and over
	SIZE OF ASSETS IN THOUSANDS OF DOLLARS (000 OMITTED)												
1. Number of Enterprises	7938	80	1897	1200	1130	1235	2057	224	82	19	13	-	-
2. Total receipts (in millions of dollars)	37994.1	463.8	773.5	618.5	1539.0	4324.6	16512.9	4251.7	3607.0	1812.4	4090.5	-	-
Selected Operating Factors in Percent of Net Sales													
3. Cost of operations	82.1	80.3	83.0	76.8	78.9	85.9	81.5	80.2	79.8	81.6	87.4	-	-
4. Compensation of officers	2.0	2.9	6.7	4.8	3.6	1.8	2.2	2.0	1.3	0.9	0.5	-	-
5. Repairs	0.3	0.9	-	0.2	0.4	0.2	0.2	0.4	0.4	0.3	0.2	-	-
6. Bad debts	0.4	0.1	-	0.5	0.3	0.4	0.4	0.5	0.4	0.4	0.2	-	-
7. Rent on business property	0.7	0.4	0.5	1.6	0.9	0.7	0.7	0.8	0.7	0.6	0.5	-	-
8. Taxes (excl Federal tax)	1.1	1.2	0.6	1.8	1.2	0.9	1.1	1.3	1.2	1.2	1.0	-	-
9. Interest	0.9	1.3	0.1	0.3	0.7	0.5	0.8	0.9	1.1	1.4	1.5	-	-
10. Deprec/Deplet/Amortiz†	1.0	1.4	0.5	1.1	1.1	0.7	0.9	1.0	1.2	1.2	1.4	-	-
11. Advertising	0.2	0.2	0.1	0.4	0.2	0.2	0.3	0.3	0.3	0.3	0.4	-	-
12. Pensions & other benef plans	0.7	1.2	1.7	0.2	0.6	0.4	0.7	0.9	0.6	0.6	0.7	-	-
13. Other expenses	9.3	7.9	5.1	10.4	11.1	7.8	9.6	10.0	10.5	9.3	7.8	-	-
14. Net profit before tax	1.3	2.2	1.7	1.9	1.0	0.5	1.6	1.7	2.5	2.2	#	-	-
Selected Financial Ratios (number of times ratio is to one)													
15. Current ratio	1.7	-	7.5	2.6	2.2	1.7	1.7	1.6	1.6	1.6	1.6	-	-
16. Quick ratio	1.0	-	4.9	1.5	1.3	1.1	1.0	1.0	0.9	0.8	1.0	-	-
17. Net sls to net wkg capital	10.8	-	17.0	6.3	8.5	12.8	10.9	9.2	10.5	10.7	11.3	-	-
18. Coverage ratio	4.1	-	-	9.1	5.3	5.2	4.3	4.1	4.9	3.6	2.3	-	-
19. Asset turnover	-	-	-	-	-	-	-	-	-	-	2.1	-	-
20. Total liab to net worth	1.8	-	0.4	1.4	1.2	1.5	1.6	1.7	1.5	1.6	4.7	-	-
Selected Financial Factors in Percentages													
21. Debt ratio	64.3	-	26.2	58.0	54.9	60.5	61.6	62.3	59.8	61.5	82.4	-	-
22. Return on assets	11.9	-	23.2	9.6	13.1	11.9	12.5	10.7	14.9	13.3	7.1	-	-
23. Return on equity	17.9	-	27.3	19.0	21.1	19.0	18.1	15.5	19.7	15.6	12.9	-	-
24. Return on net worth	33.2	-	31.4	22.9	29.1	30.1	32.6	28.3	37.2	34.7	40.0	-	-

†Depreciation largest factor

5040 WHOLESALE TRADE: MISCELLANEOUS WHOLESALE TRADE:

Sporting, recreational, photographic, and hobby goods, toys and supplies

					SIZE OF ASSETS IN THOUSANDS OF DOLLARS (000 OMITTED)								
Item Description For Accounting Period 7/86 Through 6/87	A Total	B Zero Assets	C Under 100	D 100 to 250	E 251 to 500	F 501 to 1,000	G 1,001 to 5,000	H 5,001 to 10,000	I 10,001 to 25,000	J 25,001 to 50,000	K 50,001 to 100,000	L 100,001 to 250,000	M 250,001 and over
1. Number of Enterprises	8144	321	4499	787	738	889	676	134	60	21	14	3	3
2. Total receipts (in millions of dollars)	16525.3	20.6	399.5	292.4	659.7	1685.6	3006.0	2075.2	1717.4	1296.7	1583.6	1069.0	2719.5
Selected Operating Factors in Percent of Net Sales													
3. Cost of operations	73.1	59.8	63.0	74.1	66.8	72.5	71.9	76.0	73.0	79.8	74.8	72.3	71.7
4. Compensation of officers	1.8	1.5	1.0	2.9	5.6	2.5	3.2	1.9	1.4	1.1	0.9	0.3	0.2
5. Repairs	0.2	0.3	0.8	0.3	0.1	0.2	0.2	0.2	0.2	0.1	0.2	0.1	0.1
6. Bad debts	0.4	-	2.1	0.4	0.3	0.5	0.4	0.5	0.5	0.4	0.3	0.2	0.3
7. Rent on business property	1.2	2.6	3.7	2.0	2.1	1.8	1.1	0.8	1.2	0.8	0.5	2.4	0.9
8. Taxes (excl Federal tax)	1.2	1.0	0.9	1.4	1.8	2.0	1.3	1.2	1.2	0.8	1.0	0.9	0.8
9. Interest	1.6	8.9	2.0	1.2	1.5	1.5	1.6	1.7	2.0	1.5	2.7	1.1	0.9
10. Deprec/Deplet/Amortiz†	1.1	3.3	2.6	2.0	2.2	1.3	1.1	0.7	1.5	0.6	1.3	0.9	0.7
11. Advertising	3.3	16.0	2.4	3.1	1.1	2.1	1.4	1.5	1.8	2.2	4.9	8.9	6.6
12. Pensions & other benef plans	0.5	0.1	0.1	0.1	0.4	0.4	0.6	0.9	0.6	0.4	0.5	0.4	0.5
13. Other expenses	15.7	28.8	25.3	15.0	14.0	20.0	16.3	13.8	16.1	11.7	14.6	14.4	15.4
14. Net profit before tax	*	*	*	*	4.1	*	0.9	0.8	0.5	0.6	*	*	1.9
Selected Financial Ratios (number of times ratio is to one)													
15. Current ratio	1.3	-	-	1.8	2.7	1.2	1.4	1.3	1.4	1.2	1.4	1.1	1.2
16. Quick ratio	0.7	-	-	0.7	1.4	0.5	0.7	0.6	0.7	0.6	0.7	0.6	0.6
17. Net sls to net wkg capital	11.1	-	-	9.1	4.5	21.4	9.6	11.2	9.3	14.1	7.3	21.6	18.9
18. Coverage ratio	2.1	-	-	-	5.4	-	2.9	1.9	2.9	2.5	1.2	0.4	4.1
19. Asset turnover	2.1	-	-	2.5	2.3	-	2.4	2.3	2.1	1.8	1.6	2.1	2.1
20. Total liab to net worth	3.7	-	-	4.5	1.0	6.0	2.9	3.2	2.2	4.6	3.9	6.4	2.9
Selected Financial Factors in Percentages													
21. Debt ratio	78.7	-	-	81.8	51.0	85.7	74.2	76.1	68.7	82.3	79.6	86.5	74.6
22. Return on assets	7.1	-	-	-	18.2	-	10.7	7.2	11.6	7.0	5.5	0.8	7.4
23. Return on equity	9.0	-	-	-	24.7	-	16.9	7.6	16.8	14.6	2.6	-	12.0
24. Return on net worth	33.3	-	-	-	37.2	-	41.6	29.9	37.0	39.7	27.0	6.0	29.2

†Depreciation largest factor

5040 WHOLESALE TRADE: MISCELLANEOUS WHOLESALE TRADE:

Sporting, recreational, photographic, and hobby goods, toys and supplies

Item Description For Accounting Period 7/86 Through 6/87	A Total	B Zero Assets	C Under 100	D 100 to 250	E 251 to 500	F 501 to 1,000	G 1,001 to 5,000	H 5,001 to 10,000	I 10,001 to 25,000	J 25,001 to 50,000	K 50,001 to 100,000	L 100,001 to 250,000	M 250,001 and over
			SIZE OF ASSETS IN THOUSANDS OF DOLLARS (000 OMITTED)										
1. Number of Enterprises	5269	-	2646	566	738	594	551	99	50	15	7	-	3
2. Total receipts (in millions of dollars)	13003.0	-	289.4	186.5	659.7	1266.5	2521.7	1808.4	1524.2	783.3	1243.9	-	2719.5
Selected Operating Factors in Percent of Net Sales													
3. Cost of operations	71.6	-	51.6	67.0	66.8	71.9	71.2	76.1	72.4	76.1	69.2	-	71.7
4. Compensation of officers	1.9	-	0.9	4.0	5.6	2.2	3.5	2.0	1.5	1.6	0.9	-	0.2
5. Repairs	0.2	-	0.9	0.2	0.1	0.2	0.2	0.2	0.2	0.2	0.2	-	0.1
6. Bad debts	0.4	-	2.6	0.1	0.3	0.3	0.3	0.5	0.4	0.3	0.2	-	0.3
7. Rent on business property	1.1	-	2.7	1.9	2.1	1.7	1.0	0.8	1.2	0.7	0.6	-	0.9
8. Taxes (excl Federal tax)	1.1	-	0.9	1.2	1.8	2.1	1.1	1.1	1.1	1.0	0.7	-	0.8
9. Interest	1.3	-	2.0	1.0	1.5	1.3	1.4	1.2	1.9	1.7	1.4	-	0.9
10. Deprec/Deplet/Amortiz†	1.0	-	2.1	1.9	2.2	1.0	0.8	0.5	1.4	0.8	1.0	-	0.7
11. Advertising	3.4	-	3.2	4.6	1.1	1.5	1.5	1.2	1.7	2.6	9.3	-	6.6
12. Pensions & other benef plans	0.6	-	0.1	-	0.4	0.3	0.7	0.9	0.6	0.6	0.6	-	0.5
13. Other expenses	15.4	-	28.2	12.4	14.0	18.8	16.0	13.1	15.7	11.2	14.4	-	15.4
14. Net profit before tax	2.0	-	4.8	5.7	4.1	#	2.3	2.4	1.9	3.2	1.5	-	1.9
Selected Financial Ratios (number of times ratio is to one)													
15. Current ratio	1.4	-	2.7	3.1	2.7	1.5	1.5	1.4	1.5	1.2	1.3	-	1.2
16. Quick ratio	0.7	-	1.5	1.2	1.4	0.6	0.7	0.7	0.8	0.6	0.7	-	0.6
17. Net sls to net wkg capital	10.1	-	5.3	4.9	4.5	13.1	9.2	10.6	8.4	10.8	11.2	-	18.9
18. Coverage ratio	3.9	-	4.4	6.7	5.4	3.2	4.4	3.4	3.5	3.6	3.2	-	4.1
19. Asset turnover	2.3	-	-	2.2	2.3	-	2.5	-	2.1	1.6	2.0	-	2.1
20. Total liab to net worth	2.6	-	5.6	1.5	1.0	3.1	2.4	3.2	2.0	3.8	2.7	-	2.9
Selected Financial Factors in Percentages													
21. Debt ratio	72.2	-	84.8	60.3	51.0	75.7	71.0	76.0	66.6	79.3	72.7	-	74.6
22. Return on assets	11.7	-	24.4	15.2	18.2	12.2	14.8	10.8	14.4	9.7	9.2	-	7.4
23. Return on equity	22.7	-	-	27.8	24.7	27.6	27.9	23.9	23.0	22.5	19.4	-	12.0
24. Return on net worth	42.0	-	-	38.3	37.2	50.0	51.0	44.8	43.1	47.0	33.8	-	29.2

†Depreciation largest factor

TABLE I: CORPORATIONS WITH AND WITHOUT NET INCOME, 1990 EDITION

5050 WHOLESALE TRADE: MISCELLANEOUS WHOLESALE TRADE:
Metals and minerals, except petroleum and scrap

Item Description For Accounting Period 7/86 Through 6/87	A Total	B Zero Assets	C Under 100	D 100 to 250	E 251 to 500	F 501 to 1,000	G 1,001 to 5,000	H 5,001 to 10,000	I 10,001 to 25,000	J 25,001 to 50,000	K 50,001 to 100,000	L 100,001 to 250,000	M 250,001 and over
1. Number of Enterprises	7579	584	2715	734	824	1058	1239	203	119	51	27	16	10
2. Total receipts (in millions of dollars)	91852.2	1122.0	417.9	200.4	1002.3	2933.4	7060.9	3695.7	3853.2	3826.4	3561.5	5860.3	58318.2
Selected Operating Factors in Percent of Net Sales													
3. Cost of operations	92.1	88.8	60.4	72.2	75.2	87.1	80.5	85.4	83.6	88.1	90.2	91.6	96.4
4. Compensation of officers	0.7	2.2	7.7	6.0	5.4	2.7	2.6	1.8	1.2	0.9	0.5	0.4	0.1
5. Repairs	0.1	0.3	0.8	0.1	0.4	0.1	0.4	0.4	0.3	0.2	0.1	0.2	0.1
6. Bad debts	0.2	0.2	-	0.3	0.4	0.1	0.6	0.5	0.4	0.3	0.2	0.3	0.1
7. Rent on business property	0.4	0.6	3.6	2.2	0.9	0.8	1.0	0.5	0.7	0.7	0.5	0.3	0.2
8. Taxes (excl Federal tax)	0.6	0.7	1.4	1.4	1.4	0.7	1.1	0.9	1.1	1.0	1.0	0.7	0.3
9. Interest	8.6	1.0	1.2	0.8	1.5	0.6	1.5	1.0	1.6	1.4	1.6	1.3	13.3
10. Deprec/Deplet/Amortiz†	0.7	0.7	2.7	1.9	1.9	0.5	1.2	0.9	1.4	1.4	1.3	1.0	0.4
11. Advertising	0.1	-	0.2	-	0.1	0.2	0.2	0.1	0.2	0.1	0.1	0.2	-
12. Pensions & other benef plans	0.4	0.6	0.8	4.1	1.0	0.4	0.6	0.6	0.7	0.6	0.5	0.6	0.2
13. Other expenses	5.7	6.9	21.6	10.6	19.3	6.4	10.7	8.2	10.7	6.2	5.8	6.4	3.8
14. Net profit before tax	*	*	*	0.4	*	0.4	*	*	*	*	*	*	*
Selected Financial Ratios (number of times ratio is to one)													
15. Current ratio	1.0	-	0.9	1.9	1.4	1.5	1.7	1.5	1.4	1.4	1.4	1.3	1.0
16. Quick ratio	0.5	-	0.8	0.9	1.1	0.9	0.9	0.8	0.7	0.8	0.7	0.6	0.5
17. Net sls to net wkg capital	-	-	-	5.7	16.3	16.5	7.8	9.4	10.2	10.9	9.5	17.4	-
18. Coverage ratio	1.1	-	1.0	6.7	0.3	2.9	1.9	2.5	0.9	1.9	1.1	0.7	1.1
19. Asset turnover	0.8	-	-	1.7	-	-	-	2.4	2.1	2.2	1.8	2.2	0.5
20. Total liab to net worth	14.4	-	-	0.6	2.0	2.4	1.8	1.8	2.2	2.3	2.9	2.2	33.1
Selected Financial Factors in Percentages													
21. Debt ratio	93.5	-	123.2	37.3	66.6	71.0	63.7	64.3	68.8	70.0	74.6	68.7	97.1
22. Return on assets	7.1	-	6.2	8.9	1.5	6.3	7.6	6.1	2.9	6.0	3.0	1.9	7.4
23. Return on equity	3.1	-	-	8.7	-	10.7	5.7	5.1	-	5.7	-	-	5.7
24. Return on net worth	-	-	-	14.3	4.4	21.6	20.8	17.0	9.4	20.0	11.9	6.0	-

†Depreciation largest factor

TABLE II: CORPORATIONS WITH NET INCOME, 1990 EDITION

5050 WHOLESALE TRADE: MISCELLANEOUS WHOLESALE TRADE:

Metals and minerals, except petroleum and scrap

Item Description For Accounting Period 7/86 Through 6/87	A Total	B Zero Assets	C Under 100	D 100 to 250	E 251 to 500	F 501 to 1,000	G 1,001 to 5,000	H 5,001 to 10,000	I 10,001 to 25,000	J 25,001 to 50,000	K 50,001 to 100,000	L 100,001 to 250,000	M 250,001 and over
						SIZE OF ASSETS IN THOUSANDS OF DOLLARS (000 OMITTED)							
1. Number of Enterprises	4913	568	1370	573	476	865	781	146	72	36	12	9	5
2. Total receipts (in millions of dollars)	75872.5	740.9	216.1	189.9	666.9	1670.5	5234.3	2786.8	2172.1	3028.0	1896.7	1600.5	55669.8
Selected Operating Factors in Percent of Net Sales													
3. Cost of operations	92.9	84.5	48.5	72.0	83.2	80.3	81.5	83.6	82.6	88.5	88.8	81.3	96.9
4. Compensation of officers	0.6	3.0	8.7	6.3	4.3	4.2	2.3	1.9	1.1	0.9	0.5	0.8	0.1
5. Repairs	0.1	0.5	0.8	-	0.6	0.2	0.3	0.5	0.3	0.2	0.1	0.3	-
6. Bad debts	0.1	0.4	-	0.2	0.4	0.2	0.2	0.4	0.3	0.2	0.2	0.7	-
7. Rent on business property	0.3	0.9	1.3	2.1	0.3	0.8	0.8	0.4	0.7	0.4	0.4	0.6	0.2
8. Taxes (excl Federal tax)	0.5	1.0	0.8	1.1	1.1	1.0	1.0	0.9	0.8	0.7	1.4	1.5	0.3
9. Interest	10.0	1.0	0.2	0.8	1.1	0.9	1.1	0.9	1.0	1.1	1.2	2.8	13.7
10. Deprec/Deplet/Amortiz†	0.5	1.0	1.2	1.8	1.3	0.9	1.1	0.8	0.8	1.0	1.4	2.3	0.3
11. Advertising	0.1	0.1	0.4	-	0.2	0.3	0.2	0.1	0.2	0.1	0.1	0.6	-
12. Pensions & other benef plans	0.3	0.8	0.9	4.4	0.6	0.6	0.6	0.6	0.6	0.5	0.6	0.8	0.2
13. Other expenses	5.1	8.8	31.7	10.0	13.5	9.3	9.7	8.8	10.5	6.1	4.9	11.9	3.4
14. Net profit before tax	#	#	5.5	1.3	#	1.3	1.2	1.1	1.1	0.3	0.4	#	#
Selected Financial Ratios (number of times ratio is to one)													
15. Current ratio	1.0	-	2.2	1.7	1.4	1.5	1.6	1.6	1.6	1.6	1.7	1.3	1.0
16. Quick ratio	0.5	-	2.1	0.8	1.2	0.9	0.9	0.9	0.9	0.9	0.9	0.8	0.5
17. Net sls to net wkg capital	-	-	15.5	7.3	20.3	10.6	9.4	8.5	8.3	9.1	7.5	7.4	-
18. Coverage ratio	1.2	-	-	7.8	3.9	3.8	3.6	4.4	3.8	2.8	2.7	2.6	1.1
19. Asset turnover	0.7	-	-	1.9	-	-	-	-	2.2	-	2.2	1.1	0.5
20. Total liab to net worth	18.4	-	0.8	0.6	1.7	1.8	1.5	1.4	1.4	2.0	2.0	1.7	44.6
Selected Financial Factors in Percentages													
21. Debt ratio	94.9	-	45.5	38.5	63.2	64.6	60.7	58.1	57.6	66.9	66.3	62.4	97.8
22. Return on assets	7.8	-	-	12.1	14.0	9.0	10.9	10.2	7.8	7.8	7.3	7.8	7.7
23. Return on equity	14.4	-	-	13.1	22.8	15.2	14.4	12.6	9.5	10.1	7.7	10.6	16.8
24. Return on net worth	-	-	73.5	19.7	38.0	25.3	27.6	24.3	18.4	23.4	21.8	20.6	-

†Depreciation largest factor

Page 215

5060 WHOLESALE TRADE: MISCELLANEOUS WHOLESALE TRADE:
Electrical goods

Item Description For Accounting Period 7/86 Through 6/87	A Total	B Zero Assets	C Under 100	D 100 to 250	E 251 to 500	F 501 to 1,000	G 1,001 to 5,000	H 5,001 to 10,000	I 10,001 to 25,000	J 25,001 to 50,000	K 50,001 to 100,000	L 100,001 to 250,000	M 250,001 and over
1. Number of Enterprises	18805	915	6178	4183	2285	1927	2572	395	227	63	22	19	17
2. Total receipts (in millions of dollars)	71985.8	868.2	1729.0	2398.0	2476.9	4283.6	14277.5	6946.7	8498.3	4204.5	3028.0	5975.1	17299.9
Selected Operating Factors in Percent of Net Sales													
3. Cost of operations	75.5	73.1	58.2	60.1	67.0	73.1	73.3	76.9	79.1	75.5	79.3	76.6	79.9
4. Compensation of officers	2.0	1.9	8.3	8.7	5.8	4.4	3.3	1.7	1.1	0.9	0.5	0.2	0.2
5. Repairs	0.2	0.7	0.1	0.3	0.2	0.2	0.2	0.1	0.2	0.1	0.2	0.4	0.4
6. Bad debts	0.5	3.5	0.2	0.2	0.4	0.6	0.5	0.5	0.4	0.4	0.7	0.5	0.4
7. Rent on business property	1.1	1.6	3.4	2.3	2.4	1.4	1.2	0.9	0.8	0.8	0.7	0.7	0.7
8. Taxes (excl Federal tax)	1.1	1.4	1.5	1.8	2.8	1.6	1.3	1.0	0.9	1.0	0.9	0.7	0.9
9. Interest	1.2	2.5	1.0	1.0	0.7	0.8	1.0	1.1	1.2	1.5	1.5	1.4	1.5
10. Deprec/Deplet/Amortiz†	1.0	1.1	1.6	1.1	1.1	1.0	0.9	0.8	0.8	1.2	1.0	1.2	1.2
11. Advertising	1.4	0.9	0.6	0.6	1.2	1.0	0.8	1.1	1.1	1.9	1.1	2.2	2.1
12. Pensions & other benef plans	0.7	1.6	1.2	1.0	0.9	0.7	0.9	0.7	0.5	0.8	0.4	0.5	0.6
13. Other expenses	15.7	22.5	25.1	22.2	21.5	16.3	16.5	15.1	14.0	17.7	13.9	16.0	12.5
14. Net profit before tax	*	*	*	0.7	*	*	0.1	0.1	*	*	*	*	*
Selected Financial Ratios (number of times ratio is to one)													
15. Current ratio	1.4	-	1.0	1.7	2.0	1.8	1.6	1.5	1.4	1.6	1.5	1.2	1.3
16. Quick ratio	0.8	-	0.7	1.1	1.2	1.0	0.9	0.8	0.7	0.9	0.8	0.6	0.6
17. Net sls to net wkg capital	9.8	-	-	10.8	7.0	8.9	8.5	9.3	9.8	6.4	7.4	13.4	11.3
18. Coverage ratio	2.0	-	0.3	3.0	2.5	2.0	2.6	2.4	2.2	1.3	2.0	1.6	2.0
19. Asset turnover	2.3	-	-	-	-	-	-	2.5	2.5	1.9	1.9	2.0	1.7
20. Total liab to net worth	2.4	-	-	2.8	1.3	1.7	1.8	2.4	2.8	2.3	2.8	3.8	2.5
Selected Financial Factors in Percentages													
21. Debt ratio	71.0	-	111.2	73.9	56.5	63.1	64.7	70.9	73.5	70.0	73.7	79.2	71.7
22. Return on assets	5.6	-	2.1	10.9	4.7	5.3	6.9	6.6	6.2	3.8	5.4	4.2	5.1
23. Return on equity	2.9	-	-	20.7	3.1	4.0	5.8	6.2	4.1	-	5.4	-	2.3
24. Return on net worth	19.2	-	-	41.5	10.9	14.5	19.5	22.6	23.4	12.8	20.7	20.2	17.8

†Depreciation largest factor

TABLE II: CORPORATIONS WITH NET INCOME, 1990 EDITION

5060 WHOLESALE TRADE: MISCELLANEOUS WHOLESALE TRADE:
Electrical goods

Item Description For Accounting Period 7/86 Through 6/87	A Total	B Zero Assets	C Under 100	D 100 to 250	E 251 to 500	F 501 to 1,000	G 1,001 to 5,000	H 5,001 to 10,000	I 10,001 to 25,000	J 25,001 to 50,000	K 50,001 to 100,000	L 100,001 to 250,000	M 250,001 and over
1. Number of Enterprises	12299	88	4002	2674	1489	1385	2113	312	159	38	17	13	10
2. Total receipts (in millions of dollars)	52804.0	430.6	817.3	1611.7	1833.6	3333.0	11788.1	5625.4	6678.9	2786.7	2491.7	4217.4	11189.7

Selected Operating Factors in Percent of Net Sales

3. Cost of operations	74.4	72.8	44.7	54.1	64.9	75.1	72.0	76.0	78.9	73.5	79.8	76.6	78.3
4. Compensation of officers	2.2	1.3	13.6	9.0	5.8	4.3	3.4	1.8	1.0	0.8	0.5	0.2	0.1
5. Repairs	0.2	0.4	0.1	0.2	0.2	0.1	0.2	0.1	0.2	0.1	0.2	0.3	0.3
6. Bad debts	0.4	0.2	0.1	0.2	0.3	0.3	0.4	0.5	0.3	0.4	0.5	0.6	0.4
7. Rent on business property	0.9	1.2	2.4	2.5	2.0	1.2	1.2	0.9	0.6	0.5	0.6	0.4	0.6
8. Taxes (excl Federal tax)	1.1	1.3	1.4	1.8	3.0	1.2	1.3	1.0	0.8	0.8	0.9	0.5	1.0
9. Interest	1.0	1.7	1.4	1.1	0.6	0.6	0.8	1.0	0.9	1.0	1.4	1.0	1.2
10. Deprec/Deplet/Amortiz†	0.9	0.9	1.9	0.7	1.1	0.8	0.8	0.7	0.7	1.0	0.7	0.7	1.2
11. Advertising	1.2	1.4	0.6	0.8	1.4	0.7	0.8	1.0	1.0	1.3	1.2	2.3	1.9
12. Pensions & other benef plans	0.7	0.6	1.6	0.5	1.0	0.7	1.0	0.7	0.5	0.6	0.4	0.4	0.6
13. Other expenses	15.1	16.9	27.3	24.6	20.4	13.4	16.1	14.7	13.3	17.2	12.9	15.0	12.4
14. Net profit before tax	1.9	1.3	4.9	4.5	#	1.6	2.0	1.6	1.8	2.8	0.9	2.0	2.0

Selected Financial Ratios (number of times ratio is to one)

15. Current ratio	1.6	-	1.5	2.0	2.1	2.0	1.9	1.5	1.6	1.9	1.5	1.3	1.5
16. Quick ratio	0.9	-	1.0	1.2	1.3	1.1	1.1	0.9	0.9	1.2	0.8	0.7	0.7
17. Net sls to net wkg capital	8.1	-	17.3	10.2	7.9	8.5	7.1	8.9	9.1	5.2	6.9	13.7	7.5
18. Coverage ratio	4.6	-	5.2	6.0	7.1	6.0	5.2	4.1	4.6	5.3	2.7	3.8	4.6
19. Asset turnover	2.4	-	-	-	-	-	-	-	-	2.2	2.0	2.2	1.8
20. Total liab to net worth	1.6	-	2.9	2.6	1.2	1.2	1.2	1.9	1.9	1.2	3.2	2.4	1.5

Selected Financial Factors in Percentages

21. Debt ratio	61.6	-	74.2	72.3	54.2	54.4	54.7	65.0	65.7	54.3	76.3	70.5	59.9
22. Return on assets	10.9	-	29.6	24.7	12.1	12.1	11.2	10.2	11.1	12.0	7.8	8.5	9.5
23. Return on equity	14.6	-	-	-	17.7	18.5	14.2	14.7	15.8	12.2	13.7	12.1	10.6
24. Return on net worth	28.2	-	-	89.2	26.4	26.5	24.8	29.2	32.4	26.2	32.7	28.6	23.7

†Depreciation largest factor

Page 217

5070 WHOLESALE TRADE: MISCELLANEOUS WHOLESALE TRADE:
Hardware, plumbing, and heating equipment

Item Description For Accounting Period 7/86 Through 6/87	A Total	B Zero Assets	C Under 100	D 100 to 250	E 251 to 500	F 501 to 1,000	G 1,001 to 5,000	H 5,001 to 10,000	I 10,001 to 25,000	J 25,001 to 50,000	K 50,001 to 100,000	L 100,001 to 250,000	M 250,001 and over
						SIZE OF ASSETS IN THOUSANDS OF DOLLARS (000 OMITTED)							
1. Number of Enterprises	12136	673	2593	2130	1932	2032	2306	298	133	23	9	5	3
2. Total receipts (in millions of dollars)	39620.3	976.6	492.4	1176.4	1909.6	3891.8	12475.5	5214.5	4442.4	1602.9	1426.7	2755.6	3255.9
Selected Operating Factors in Percent of Net Sales													
3. Cost of operations	75.2	68.9	56.4	53.3	71.0	72.8	72.5	76.2	77.2	78.0	79.1	87.8	85.6
4. Compensation of officers	3.1	7.8	14.1	12.6	4.1	4.8	3.8	1.8	1.4	0.8	0.8	0.3	0.2
5. Repairs	0.3	0.2	0.6	0.2	0.2	0.4	0.3	0.3	0.3	0.3	0.2	0.1	0.3
6. Bad debts	0.4	0.2	1.2	0.1	0.3	1.0	0.5	0.4	0.6	0.3	0.5	0.2	0.1
7. Rent on business property	1.1	1.6	3.2	1.7	1.6	1.5	1.1	0.8	1.0	1.1	1.0	0.7	0.7
8. Taxes (excl Federal tax)	1.4	1.7	2.4	2.4	1.6	1.6	1.5	1.2	1.3	1.4	1.2	0.5	0.8
9. Interest	1.1	1.8	1.0	0.9	1.0	0.9	1.2	1.0	1.4	1.2	1.6	0.6	1.4
10. Deprec/Deplet/Amortiz†	1.0	0.4	1.3	1.4	1.1	1.0	1.1	0.8	1.0	0.9	1.0	0.6	0.9
11. Advertising	0.4	0.4	0.8	0.2	0.3	0.5	0.4	0.6	0.4	0.3	0.1	0.1	0.4
12. Pensions & other benef plans	1.0	0.8	4.0	2.0	0.9	0.8	1.1	0.9	0.8	0.8	0.9	0.8	0.6
13. Other expenses	15.0	15.8	30.6	23.6	17.8	14.9	16.1	14.4	14.0	14.9	13.2	8.8	11.7
14. Net profit before tax	-	0.4	*	1.6	0.1	*	0.4	1.6	0.6	*	0.4	*	*
Selected Financial Ratios (number of times ratio is to one)													
15. Current ratio	1.7		1.2	2.9	2.2	1.8	1.8	1.8	1.5	1.8	1.9	1.4	1.2
16. Quick ratio	0.8		0.9	1.9	1.1	0.9	0.9	1.0	0.7	0.9	0.7	0.8	0.6
17. Net sls to net wkg capital	7.8		52.3	7.2	5.9	7.0	6.9	6.3	8.5	6.6	6.8	12.7	18.6
18. Coverage ratio	2.7		-	5.2	3.3	2.0	2.7	4.3	2.4	4.0	2.6	2.4	1.4
19. Asset turnover	-		-	-	-	-	-	2.5	2.1	2.0	2.4	-	-
20. Total liab to net worth	1.7		1.7	0.7	1.6	1.4	1.4	1.5	2.5	1.6	2.7	2.4	3.6
Selected Financial Factors in Percentages													
21. Debt ratio	63.1	-	62.4	40.5	61.3	58.2	58.1	59.9	71.8	61.2	72.7	70.2	78.1
22. Return on assets	8.0	-	-	16.0	8.7	4.9	8.2	11.0	6.8	9.4	9.8	4.3	5.1
23. Return on equity	8.5	-	-	18.7	11.7	3.3	8.1	12.9	6.4	11.4	14.8	4.6	3.7
24. Return on net worth	21.7	-	-	26.9	22.5	11.6	19.5	27.4	24.1	24.2	36.1	14.4	23.1

†Depreciation largest factor

TABLE II: CORPORATIONS WITH NET INCOME, 1990 EDITION

5070 WHOLESALE TRADE; MISCELLANEOUS WHOLESALE TRADE:
Hardware, plumbing, and heating equipment

Item Description For Accounting Period 7/86 Through 6/87	A Total	B Zero Assets	SIZE OF ASSETS IN THOUSANDS OF DOLLARS (000 OMITTED)										
			C Under 100	D 100 to 250	E 251 to 500	F 501 to 1,000	G 1,001 to 5,000	H 5,001 to 10,000	I 10,001 to 25,000	J 25,001 to 50,000	K 50,001 to 100,000	L 100,001 to 250,000	M 250,001 and over
1. Number of Enterprises	7450	178	730	1551	1369	1378	1846	260	104	-	-	-	-
2. Total receipts (in millions of dollars)	31247.3	885.4	336.8	1085.5	1506.1	2977.7	10382.6	4626.0	3572.9	-	-	-	-
Selected Operating Factors in Percent of Net Sales													
3. Cost of operations	74.2	70.6	48.9	51.3	70.6	71.8	72.2	75.9	77.4	-	-	-	-
4. Compensation of officers	3.3	5.6	14.9	12.7	3.8	5.4	3.9	1.8	1.3	-	-	-	-
5. Repairs	0.2	0.3	0.4	0.2	0.2	0.4	0.2	0.3	0.3	-	-	-	-
6. Bad debts	0.4	0.1	0.4	0.1	0.2	0.5	0.4	0.4	0.5	-	-	-	-
7. Rent on business property	1.1	1.4	2.4	1.7	1.5	1.4	1.1	0.8	1.0	-	-	-	-
8. Taxes (excl Federal tax)	1.4	1.7	2.2	2.5	1.5	1.6	1.5	1.3	1.2	-	-	-	-
9. Interest	1.0	1.8	0.6	0.9	0.7	0.7	1.1	0.9	1.3	-	-	-	-
10. Deprec/Deplet/Amortiz†	0.9	0.2	1.2	1.4	1.1	1.0	1.0	0.8	0.9	-	-	-	-
11. Advertising	0.4	0.4	1.0	0.1	0.2	0.5	0.4	0.6	0.4	-	-	-	-
12. Pensions & other benef plans	1.0	0.8	0.3	2.2	0.9	0.9	1.2	0.9	0.7	-	-	-	-
13. Other expenses	14.7	14.2	33.3	24.4	17.5	14.2	15.5	14.2	12.7	-	-	-	-
14. Net profit before tax	1.4	2.9	#	2.5	1.8	1.6	1.5	2.1	2.3	-	-	-	-
Selected Financial Ratios (number of times ratio is to one)													
15. Current ratio	1.8	-	0.7	2.5	2.3	1.9	2.0	1.9	1.7	-	-	-	-
16. Quick ratio	0.9	-	0.5	1.8	1.1	0.9	1.0	1.0	0.8	-	-	-	-
17. Net sls to net wkg capital	7.3	-	-	10.2	6.1	6.9	6.5	5.9	7.1	-	-	-	-
18. Coverage ratio	4.2	-	5.6	5.9	6.9	5.2	3.9	5.5	3.6	-	-	-	-
19. Asset turnover	-	-	-	-	-	-	-	-	2.3	-	-	-	-
20. Total liab to net worth	1.4	-	4.2	0.7	1.0	1.2	1.1	1.3	1.7	-	-	-	-
Selected Financial Factors in Percentages													
21. Debt ratio	57.7	-	80.9	41.6	50.3	53.6	53.2	56.2	62.4	-	-	-	-
22. Return on assets	11.4	-	24.7	22.3	14.7	9.7	10.8	12.6	10.9	-	-	-	-
23. Return on equity	14.6	-	-	27.7	21.2	13.7	12.6	15.0	13.6	-	-	-	-
24. Return on net worth	27.0	-	-	38.2	29.6	20.9	23.1	28.7	29.0	-	-	-	-

†Depreciation largest factor

5098 WHOLESALE TRADE: MISCELLANEOUS WHOLESALE TRADE:

Other durable goods

Item Description For Accounting Period 7/86 Through 6/87	A Total	B Zero Assets	C Under 100	D 100 to 250	E 251 to 500	F 501 to 1,000	G 1,001 to 5,000	H 5,001 to 10,000	I 10,001 to 25,000	J 25,001 to 50,000	K 50,001 to 100,000	L 100,001 to 250,000	M 250,001 and over
							SIZE OF ASSETS IN THOUSANDS OF DOLLARS (000 OMITTED)						
1. Number of Enterprises	53310	2015	23216	11329	7103	4244	4402	568	285	91	28	20	9
2. Total receipts (in millions of dollars)	91403.7	689.2	2992.8	6085.4	7307.2	8078.0	22410.7	8660.6	7919.6	6551.9	4314.4	6444.8	9949.1
Selected Operating Factors in Percent of Net Sales													
3. Cost of operations	78.0	77.4	58.0	62.1	71.8	74.5	78.6	78.2	78.7	79.2	88.2	83.4	90.4
4. Compensation of officers	3.0	2.1	8.3	10.6	5.3	4.6	2.8	1.9	1.4	0.9	0.5	0.4	0.2
5. Repairs	0.3	0.3	0.5	0.3	0.5	0.2	0.2	0.2	0.2	0.4	0.2	0.1	0.1
6. Bad debts	0.4	1.9	0.7	0.3	0.3	0.3	0.4	0.5	0.5	1.0	0.5	0.3	0.2
7. Rent on business property	1.2	2.1	3.9	2.2	1.7	1.4	1.1	1.1	0.8	1.1	0.7	0.7	0.5
8. Taxes (excl Federal tax)	1.2	1.6	2.5	2.1	1.5	1.3	1.1	1.1	1.1	1.2	0.6	0.8	0.4
9. Interest	1.4	1.2	0.8	0.9	0.9	0.7	1.1	1.3	1.8	1.6	2.0	1.6	2.9
10. Deprec/Deplet/Amortiz†	1.2	1.2	1.4	1.8	1.3	1.1	1.2	1.3	1.3	1.5	0.8	1.0	1.0
11. Advertising	0.8	1.3	1.8	0.5	0.7	0.7	0.6	0.8	0.7	1.1	0.7	1.8	0.9
12. Pensions & other benef plans	0.7	0.6	1.1	1.4	0.6	0.8	0.7	0.6	0.6	0.5	0.4	0.5	0.6
13. Other expenses	12.9	17.3	25.5	19.3	15.3	14.1	12.9	13.0	12.7	12.6	8.1	9.6	6.4
14. Net profit before tax	*	*	*	*	0.1	0.3	*	*	0.2	*	*	*	*
Selected Financial Ratios (number of times ratio is to one)													
15. Current ratio	1.4	-	-	2.0	1.8	1.9	1.5	1.5	1.5	1.5	1.2	1.3	1.2
16. Quick ratio	0.8	-	-	1.2	1.0	1.0	0.8	0.8	0.7	0.8	0.6	0.7	0.8
17. Net sls to net wkg capital	9.7	-	-	8.1	8.8	7.0	9.1	7.9	7.2	8.3	21.7	10.6	14.6
18. Coverage ratio	1.8	-	-	1.4	2.6	3.9	1.8	2.5	2.4	1.8	1.3	2.1	1.0
19. Asset turnover	2.3	-	-	-	-	-	2.5	2.2	1.8	2.0	2.1	1.8	1.7
20. Total liab to net worth	3.3	-	-	2.3	2.2	1.5	2.2	2.2	2.4	2.7	4.7	3.1	4.9
Selected Financial Factors in Percentages													
21. Debt ratio	76.9	-	-	69.9	68.6	59.2	68.4	68.3	70.9	73.2	82.5	75.5	82.9
22. Return on assets	5.8	-	-	4.0	6.8	6.9	5.1	7.2	7.7	5.8	5.4	6.0	5.0
23. Return on equity	5.6	-	-	-	8.5	9.8	3.1	8.2	10.2	2.0	-	6.6	-
24. Return on net worth	25.3	-	-	13.2	21.8	17.0	16.2	22.8	26.3	21.4	30.8	24.3	29.0

†Depreciation largest factor

TABLE II: CORPORATIONS WITH NET INCOME, 1990 EDITION

5098 WHOLESALE TRADE: MISCELLANEOUS WHOLESALE TRADE:
Other durable goods

Item Description For Accounting Period 7/86 Through 6/87	A Total	B Zero Assets	C Under 100	D 100 to 250	E 251 to 500	F 501 to 1,000	G 1,001 to 5,000	H 5,001 to 10,000	I 10,001 to 25,000	J 25,001 to 50,000	K 50,001 to 100,000	L 100,001 to 250,000	M 250,001 and over
							SIZE OF ASSETS IN THOUSANDS OF DOLLARS (000 OMITTED)						
1. Number of Enterprises	30652	355	11127	6658	4889	3462	3391	453	209	69	17	15	6
2. Total receipts (in millions of dollars)	71396.7	402.4	1542.6	4028.1	5508.2	6804.5	18354.2	7117.0	6088.4	5148.3	2963.0	5626.7	7813.1
Selected Operating Factors in Percent of Net Sales													
3. Cost of operations	78.8	78.7	56.6	62.0	72.7	75.1	78.6	77.9	78.4	77.9	89.5	83.7	94.3
4. Compensation of officers	2.7	0.8	5.2	10.4	5.2	4.5	2.9	1.9	1.4	1.0	0.5	0.4	0.1
5. Repairs	0.2	0.1	0.4	0.2	0.2	0.2	0.2	0.2	0.2	0.4	0.2	0.1	0.1
6. Bad debts	0.3	0.2	0.1	0.2	0.2	0.2	0.3	0.3	0.4	0.7	0.5	0.3	0.2
7. Rent on business property	1.0	0.9	4.3	2.1	1.4	1.2	0.9	0.9	0.8	1.0	0.3	0.6	0.3
8. Taxes (excl Federal tax)	1.1	1.3	1.9	1.9	1.4	1.3	1.1	1.1	1.0	1.2	0.5	0.7	0.4
9. Interest	1.2	0.7	0.6	0.6	0.6	0.5	1.0	1.1	1.5	1.4	1.6	1.5	2.6
10. Deprec/Deplet/Amortiz†	1.1	0.9	1.1	1.8	1.1	0.9	1.1	1.2	1.2	1.6	0.7	1.0	0.6
11. Advertising	0.6	0.4	0.8	0.4	0.6	0.7	0.4	0.8	0.5	0.9	0.3	1.6	0.1
12. Pensions & other benef plans	0.7	0.6	1.1	1.6	0.7	0.9	0.8	0.7	0.6	0.5	0.4	0.5	0.2
13. Other expenses	11.4	13.7	22.8	17.3	13.4	13.0	11.5	12.3	11.8	12.4	6.6	9.2	4.0
14. Net profit before tax	0.9	1.7	5.1	1.5	2.5	1.5	1.2	1.6	2.2	1.0	#	0.4	#
Selected Financial Ratios (number of times ratio is to one)													
15. Current ratio	1.5	-	3.0	2.2	2.1	2.0	1.7	1.7	1.6	1.6	1.2	1.3	1.1
16. Quick ratio	0.9	-	1.7	1.4	1.3	1.1	0.9	0.8	0.8	0.9	0.8	0.7	0.8
17. Net sls to net wkg capital	8.5	-	8.6	8.0	7.8	6.5	8.2	6.9	6.7	7.0	20.9	11.9	18.5
18. Coverage ratio	3.6	-	-	7.4	6.9	7.5	3.8	4.5	3.9	3.5	2.9	2.5	1.2
19. Asset turnover	2.4	-	-	-	-	-	-	2.2	1.9	2.0	2.3	2.1	1.7
20. Total liab to net worth	2.0	-	1.3	1.4	1.1	1.2	1.6	1.7	2.0	2.0	3.7	2.7	5.6
Selected Financial Factors in Percentages													
21. Debt ratio	66.7	-	56.4	57.7	53.1	54.3	61.8	62.6	66.4	66.9	78.6	72.6	84.9
22. Return on assets	10.1	-	-	15.2	14.2	10.1	9.9	10.6	11.2	9.8	10.5	7.7	5.5
23. Return on equity	16.5	-	-	26.4	21.2	16.1	14.5	16.0	18.4	13.2	23.0	10.1	4.5
24. Return on net worth	30.4	-	73.7	35.9	30.4	22.0	25.9	28.2	33.4	29.7	48.8	28.2	36.2

†Depreciation largest factor

5110 WHOLESALE TRADE: MISCELLANEOUS WHOLESALE TRADE:
Paper and paper products

Item Description For Accounting Period 7/86 Through 6/87	A Total	B Zero Assets	C Under 100	D 100 to 250	E 251 to 500	F 501 to 1,000	G 1,001 to 5,000	H 5,001 to 10,000	I 10,001 to 25,000	J 25,001 to 50,000	K 50,001 to 100,000	L 100,001 to 250,000	M 250,001 and over
		SIZE OF ASSETS IN THOUSANDS OF DOLLARS (000 OMITTED)											
1. Number of Enterprises	8670	535	3914	1457	1132	711	741	77	72	15	12	-	4
2. Total receipts (in millions of dollars)	23216.1	121.5	1070.6	807.6	1730.0	1673.6	5401.7	1987.1	3778.1	1622.2	3014.2	-	2009.5
Selected Operating Factors in Percent of Net Sales													
3. Cost of operations	77.3	84.6	56.9	68.5	75.1	68.0	73.8	78.8	83.1	80.1	86.6	-	82.4
4. Compensation of officers	2.8	2.7	14.7	6.3	5.8	4.6	2.9	1.3	1.1	1.1	0.6	-	0.5
5. Repairs	0.3	0.5	0.2	0.3	0.4	0.5	0.3	0.1	0.2	0.2	0.2	-	0.7
6. Bad debts	0.3	0.1	-	0.3	0.2	0.3	0.3	0.2	0.3	0.3	0.3	-	0.2
7. Rent on business property	1.1	3.4	2.3	2.4	1.0	2.0	1.2	0.8	0.8	0.8	0.7	-	0.5
8. Taxes (excl Federal tax)	1.1	1.1	1.9	2.2	1.2	1.7	1.4	0.7	0.8	0.9	0.7	-	1.2
9. Interest	1.0	1.4	0.2	0.6	0.6	0.8	0.8	0.7	1.1	1.1	1.0	-	2.9
10. Deprec/Deplet/Amortiz†	1.0	2.6	0.6	1.0	1.3	1.6	0.9	0.6	1.1	0.7	0.6	-	1.7
11. Advertising	0.3	0.7	0.4	0.4	0.4	0.3	0.3	0.2	0.1	0.5	0.1	-	0.3
12. Pensions & other benef plans	0.8	0.8	1.9	0.4	0.7	0.9	0.8	0.4	0.5	0.7	0.6	-	1.5
13. Other expenses	14.0	17.2	20.4	18.3	12.9	18.8	17.0	16.8	11.3	12.2	9.0	-	8.5
14. Net profit before tax	*	*	0.5	*	0.4	0.5	0.3	*	*	1.4	*	-	*
Selected Financial Ratios (number of times ratio is to one)													
15. Current ratio	1.5	-	1.4	1.9	1.9	1.5	1.7	1.2	1.3	1.9	1.5	-	1.1
16. Quick ratio	1.0	-	1.4	1.2	1.4	1.0	1.0	0.8	0.9	1.3	1.0	-	0.7
17. Net sls to net wkg capital	13.7	-	32.9	9.8	10.9	12.0	10.5	30.8	18.7	8.2	12.7	-	36.9
18. Coverage ratio	2.5	-	5.5	0.6	2.7	3.4	2.7	3.7	1.6	4.2	1.6	-	2.7
19. Asset turnover	-	-	-	-	-	-	-	-	-	-	-	-	1.1
20. Total liab to net worth	2.0	-	2.7	2.6	1.7	1.8	2.2	3.4	3.6	2.0	4.4	-	0.9
Selected Financial Factors in Percentages													
21. Debt ratio	66.7	-	73.1	72.5	62.9	63.8	69.1	77.4	78.3	66.7	81.6	-	47.2
22. Return on assets	7.4	-	8.8	1.3	6.0	9.0	6.9	8.7	5.9	14.5	5.5	-	8.3
23. Return on equity	8.2	-	18.8	-	7.0	15.7	7.3	16.8	4.4	21.6	6.4	-	6.9
24. Return on net worth	22.2	-	32.5	4.6	16.1	24.9	22.4	38.6	27.2	43.4	30.0	-	15.8

†Depreciation largest factor

5110 WHOLESALE TRADE: MISCELLANEOUS WHOLESALE TRADE:

Paper and paper products

Item Description For Accounting Period 7/86 Through 6/87	A Total	B Zero Assets	C Under 100	D 100 to 250	E 251 to 500	F 501 to 1,000	G 1,001 to 5,000	H 5,001 to 10,000	I 10,001 to 25,000	J 25,001 to 50,000	K 50,001 to 100,000	L 100,001 to 250,000	M 250,001 and over
		SIZE OF ASSETS IN THOUSANDS OF DOLLARS (000 OMITTED)											
1. Number of Enterprises	5396	185	2362	741	903	466	586	71	-	15	8	-	-
2. Total receipts (in millions of dollars)	18354.5	74.6	804.2	426.4	1303.3	1105.3	4328.1	1858.8	-	1622.2	2002.0	-	-
Selected Operating Factors in Percent of Net Sales													
3. Cost of operations	78.2	86.2	53.4	67.9	74.5	69.5	73.6	79.9	-	80.1	87.7	-	-
4. Compensation of officers	2.8	0.3	16.9	8.0	6.1	3.4	3.0	1.2	-	1.1	0.7	-	-
5. Repairs	0.3	-	0.2	-	0.5	0.5	0.4	0.1	-	0.2	0.2	-	-
6. Bad debts	0.2	0.1	-	0.5	0.2	0.2	0.3	0.1	-	0.3	0.3	-	-
7. Rent on business property	0.9	0.3	1.5	2.2	0.9	1.9	1.1	0.6	-	0.8	0.5	-	-
8. Taxes (excl Federal tax)	1.1	0.9	2.2	2.1	1.3	1.6	1.5	0.5	-	0.9	0.6	-	-
9. Interest	0.8	0.5	0.1	0.3	0.6	0.5	0.6	0.6	-	1.1	0.6	-	-
10. Deprec/Deplet/Amortiz†	0.8	0.3	0.5	0.8	1.4	1.5	0.7	0.5	-	0.7	0.6	-	-
11. Advertising	0.3	0.1	0.3	0.6	0.3	0.3	0.3	0.2	-	0.5	0.1	-	-
12. Pensions & other benef plans	0.8	0.6	2.5	0.8	0.8	1.2	0.8	0.4	-	0.7	0.6	-	-
13. Other expenses	12.9	10.6	19.9	14.7	11.4	16.9	16.4	16.3	-	12.2	8.1	-	-
14. Net profit before tax	0.9	#	2.5	2.1	2.0	2.5	1.3	#	-	1.4	-	-	-
Selected Financial Ratios (number of times ratio is to one)													
15. Current ratio	1.5	-	1.7	1.8	2.0	1.6	1.9	1.3	-	1.9	1.4	-	-
16. Quick ratio	1.1	-	1.6	1.6	1.4	1.1	1.1	0.9	-	1.3	1.0	-	-
17. Net sls to net wkg capital	12.7	-	24.2	8.9	9.9	10.9	9.3	21.5	-	8.2	16.1	-	-
18. Coverage ratio	4.2	-	-	9.2	5.3	8.0	5.0	4.7	-	4.2	2.8	-	-
19. Asset turnover	-	-	-	-	-	-	-	-	-	-	-	-	-
20. Total liab to net worth	1.5	-	1.1	1.4	1.3	1.5	1.5	2.9	-	2.0	2.8	-	-
Selected Financial Factors in Percentages													
21. Debt ratio	59.4	-	52.9	57.6	56.7	60.0	59.5	74.5	-	66.7	73.8	-	-
22. Return on assets	10.3	-	23.7	9.8	11.4	14.0	10.5	9.5	-	14.5	6.9	-	-
23. Return on equity	14.0	-	43.4	17.6	18.1	28.1	13.9	18.3	-	21.6	12.0	-	-
24. Return on net worth	25.3	-	50.4	23.1	26.3	35.1	25.9	37.3	-	43.4	26.4	-	-

†Depreciation largest factor

5129 WHOLESALE TRADE: MISCELLANEOUS WHOLESALE TRADE:

Drugs, chemicals, and allied products

	SIZE OF ASSETS IN THOUSANDS OF DOLLARS (000 OMITTED)												
Item Description For Accounting Period 7/86 Through 6/87	A Total	B Zero Assets	C Under 100	D 100 to 250	E 251 to 500	F 501 to 1,000	G 1,001 to 5,000	H 5,001 to 10,000	I 10,001 to 25,000	J 25,001 to 50,000	K 50,001 to 100,000	L 100,001 to 250,000	M 250,001 and over
1. Number of Enterprises	3342	55	859	1034	445	399	391	58	53	28	10	7	4
2. Total receipts (in millions of dollars)	28201.6	835.7	196.0	430.5	267.8	844.1	2921.2	1346.1	2407.8	2764.0	1142.2	3122.2	11924.1
Selected Operating Factors in Percent of Net Sales													
3. Cost of operations	82.8	78.9	61.2	52.1	68.8	72.9	76.2	81.4	79.4	84.0	81.8	84.4	87.6
4. Compensation of officers	1.0	1.3	3.4	9.2	7.3	2.7	2.6	1.0	1.3	0.7	0.6	0.4	0.1
5. Repairs	0.2	0.5	1.8	0.2	0.3	0.3	0.2	0.1	0.1	0.2	0.1	0.2	0.2
6. Bad debts	0.2	0.1	-	0.3	0.1	-	0.4	0.3	0.7	0.2	0.1	0.1	0.1
7. Rent on business property	0.8	0.5	2.2	2.7	1.2	2.1	1.1	1.2	0.5	0.5	0.5	0.8	0.6
8. Taxes (excl Federal tax)	0.9	0.5	1.9	1.3	1.6	1.6	1.1	0.9	1.5	0.6	1.6	0.8	0.7
9. Interest	0.8	0.8	0.3	0.6	2.0	1.2	1.0	1.2	0.9	0.5	0.7	0.8	0.7
10. Deprec/Deplet/Amortiz†	0.8	0.6	1.6	1.0	0.8	1.1	0.8	0.8	0.8	0.5	0.9	0.8	0.9
11. Advertising	0.9	0.9	0.2	1.6	0.3	1.4	1.0	0.7	3.2	1.0	0.3	0.8	0.5
12. Pensions & other benef plans	0.6	0.4	0.3	2.0	1.2	0.6	0.6	0.3	0.3	0.3	0.3	0.6	0.7
13. Other expenses	10.5	13.4	25.7	26.9	18.0	16.6	15.7	11.6	10.3	10.0	10.5	9.3	7.8
14. Net profit before tax	0.5	2.1	1.4	2.1	*	*	*	0.5	1.0	1.5	2.6	1.0	0.1
Selected Financial Ratios (number of times ratio is to one)													
15. Current ratio	1.6	-	0.9	2.9	1.9	2.2	1.4	1.5	1.8	1.6	1.2	1.8	1.5
16. Quick ratio	0.8	-	0.1	1.6	0.6	1.2	0.7	0.8	1.1	0.9	0.5	1.0	0.7
17. Net sls to net wkg capital	10.9	-	-	6.0	4.7	6.4	12.9	11.1	7.7	10.3	14.1	8.7	12.3
18. Coverage ratio	3.5	-	5.4	5.7	1.0	1.0	2.8	1.8	3.0	6.3	6.2	3.5	3.9
19. Asset turnover	-	-	-	-	1.5	-	-	-	-	-	1.6	-	-
20. Total liab to net worth	1.8	-	-	1.3	3.6	1.4	2.6	2.6	2.1	1.6	1.9	2.0	1.5
Selected Financial Factors in Percentages													
21. Debt ratio	63.9	-	128.4	57.2	78.2	57.7	72.5	72.4	67.4	60.8	66.0	67.0	59.9
22. Return on assets	7.8	-	13.9	10.2	2.9	3.4	8.8	6.2	8.2	8.8	7.1	8.4	7.3
23. Return on equity	8.7	-	-	17.1	-	-	12.8	-	12.6	9.7	8.8	10.2	7.6
24. Return on net worth	21.7	-	-	23.9	13.4	8.0	31.9	22.4	25.2	22.6	20.8	25.3	18.1

†Depreciation largest factor

Page 224

5129 WHOLESALE TRADE: MISCELLANEOUS WHOLESALE TRADE:

Drugs, chemicals, and allied products

Item Description For Accounting Period 7/86 Through 6/87	A Total	B Zero Assets	C Under 100	D 100 to 250	E 251 to 500	F 501 to 1,000	G 1,001 to 5,000	H 5,001 to 10,000	I 10,001 to 25,000	J 25,001 to 50,000	K 50,001 to 100,000	L 100,001 to 250,000	M 250,001 and over
	SIZE OF ASSETS IN THOUSANDS OF DOLLARS (000 OMITTED)												
1. Number of Enterprises	2126	28	255	897	255	277	300	33	40	24	5	7	4
2. Total receipts (in millions of dollars)	25517.5	777.7	128.4	429.0	253.0	704.1	2399.1	864.7	2120.9	2186.0	608.5	3122.2	11924.1
Selected Operating Factors in Percent of Net Sales													
3. Cost of operations	82.9	78.7	59.1	52.0	69.5	73.2	74.9	82.9	80.3	82.6	75.5	84.4	87.6
4. Compensation of officers	1.0	1.4	5.2	9.3	7.7	2.5	2.5	1.1	1.4	0.7	0.7	0.4	0.1
5. Repairs	0.2	0.4	1.6	0.2	0.2	0.3	0.2	0.1	0.1	0.2	0.2	0.2	0.2
6. Bad debts	0.2	0.1	-	0.3	0.1	-	0.5	0.2	0.6	0.2	0.2	0.1	0.1
7. Rent on business property	0.7	0.3	2.0	2.7	1.2	2.1	1.1	0.7	0.4	0.5	0.6	0.8	0.6
8. Taxes (excl Federal tax)	0.9	0.5	1.6	1.3	1.6	1.7	1.2	0.8	1.5	0.7	2.5	0.8	0.7
9. Interest	0.7	0.7	0.1	0.6	1.0	0.7	1.0	0.5	0.7	0.5	0.6	0.8	0.7
10. Deprec/Deplet/Amortiz†	0.8	0.5	1.1	0.7	0.7	1.0	0.8	0.5	0.9	0.6	0.8	0.8	0.9
11. Advertising	0.9	1.0	0.3	1.6	0.3	1.0	0.6	0.7	3.0	1.1	0.1	0.8	0.5
12. Pensions & other benef plans	0.6	0.4	-	2.0	1.2	0.6	0.5	0.4	0.3	0.3	0.4	0.6	0.7
13. Other expenses	10.0	13.2	24.5	26.8	16.8	14.6	16.1	7.6	9.2	10.2	11.4	9.3	7.8
14. Net profit before tax	1.1	2.8	4.5	2.5	#	2.3	0.6	4.5	1.6	2.4	7.0	1.0	0.1
Selected Financial Ratios (number of times ratio is to one)													
15. Current ratio	1.7	-	-	2.7	2.6	2.1	1.6	1.5	2.0	1.6	2.0	1.8	1.5
16. Quick ratio	0.9	-	-	1.5	1.2	1.0	0.9	1.0	1.3	0.9	1.0	1.0	0.7
17. Net sls to net wkg capital	10.2	-	-	7.1	4.7	8.4	11.4	10.9	7.3	9.1	4.1	8.7	12.3
18. Coverage ratio	4.6	-	-	6.4	2.2	4.6	4.1	9.6	4.5	7.7	-	3.5	3.9
19. Asset turnover	-	-	-	-	2.3	-	-	-	-	-	1.7	-	-
20. Total liab to net worth	1.6	-	-	1.6	1.3	1.6	2.3	2.6	1.8	1.4	1.1	2.0	1.5
Selected Financial Factors in Percentages													
21. Debt ratio	61.9	-	-	61.0	56.1	61.5	69.7	72.2	64.4	58.8	51.2	67.0	59.9
22. Return on assets	9.7	-	-	13.4	5.0	11.3	14.7	18.0	10.1	11.1	15.1	8.4	7.3
23. Return on equity	12.6	-	-	25.6	5.8	17.4	27.6	37.4	17.3	12.9	16.5	10.2	7.6
24. Return on net worth	25.5	-	-	34.3	11.5	29.3	48.4	64.7	28.5	27.0	30.9	25.3	18.1

†Depreciation largest factor

5130 WHOLESALE TRADE: MISCELLANEOUS WHOLESALE TRADE:

Apparel, piece goods, and notions

	SIZE OF ASSETS IN THOUSANDS OF DOLLARS (000 OMITTED)												
Item Description For Accounting Period 7/86 Through 6/87	A Total	B Zero Assets	C Under 100	D 100 to 250	E 251 to 500	F 501 to 1,000	G 1,001 to 5,000	H 5,001 to 10,000	I 10,001 to 25,000	J 25,001 to 50,000	K 50,001 to 100,000	L 100,001 to 250,000	M 250,001 and over
1. Number of Enterprises	14818	261	7641	1673	1581	1634	1576	265	129	36	14	5	3
2. Total receipts (in millions of dollars)	45444.9	494.0	1423.8	764.5	1581.3	3180.9	9491.6	5163.2	3982.0	2237.4	1615.9	1609.4	13900.9
Selected Operating Factors in Percent of Net Sales													
3. Cost of operations	80.3	81.2	66.3	59.7	66.7	72.5	75.6	77.9	76.0	72.0	75.4	70.1	94.5
4. Compensation of officers	2.0	0.7	8.8	5.4	4.6	4.3	2.8	2.1	2.2	1.6	0.8	0.5	0.2
5. Repairs	0.1	0.1	0.2	0.2	0.2	0.2	0.1	0.1	0.1	0.1	0.2	0.4	-
6. Bad debts	0.3	0.2	0.8	0.6	1.3	0.2	0.3	0.2	0.6	0.5	0.5	0.2	0.1
7. Rent on business property	1.1	1.1	3.1	3.3	2.8	2.1	1.3	1.0	1.0	1.0	1.2	1.5	0.2
8. Taxes (excl Federal tax)	1.3	0.5	2.8	1.8	1.4	1.4	1.5	1.7	1.7	1.4	2.0	4.0	0.5
9. Interest	1.4	0.8	0.1	0.5	1.4	1.2	1.3	1.6	1.8	2.7	2.4	2.6	1.0
10. Deprec/Deplet/Amortiz†	0.6	0.2	0.7	1.2	1.0	0.7	0.7	0.6	0.6	1.5	0.9	1.8	0.2
11. Advertising	0.8	0.4	0.2	1.3	1.1	0.4	0.6	1.0	0.7	1.7	1.7	2.5	0.4
12. Pensions & other benef plans	0.5	0.1	0.2	4.8	1.0	0.9	0.6	0.6	0.6	0.5	0.4	0.2	-
13. Other expenses	11.3	14.8	19.1	23.7	22.5	15.6	14.5	11.7	12.6	17.8	13.4	19.7	2.5
14. Net profit before tax	0.3	*	*	*	*	0.5	0.7	1.5	2.1	*	1.1	*	0.4
Selected Financial Ratios (number of times ratio is to one)													
15. Current ratio	1.5	-	1.9	2.4	1.9	1.6	1.6	1.4	1.4	1.3	1.3	1.5	1.3
16. Quick ratio	0.7	-	1.0	1.6	0.9	0.8	0.8	0.6	0.6	0.6	0.6	0.7	0.7
17. Net sls to net wkg capital	11.3	-	17.8	6.3	6.5	7.9	8.4	12.9	8.5	9.5	8.8	7.5	25.1
18. Coverage ratio	2.4	-	8.9	5.3	1.8	2.0	2.5	2.8	2.6	1.7	2.4	0.8	2.7
19. Asset turnover	-	-	-	-	-	-	-	-	2.1	1.8	1.7	2.0	-
20. Total liab to net worth	2.3	-	4.0	1.2	1.5	2.5	2.1	2.4	2.5	4.7	2.3	1.7	2.3
Selected Financial Factors in Percentages													
21. Debt ratio	69.8	-	80.1	53.8	60.1	71.4	67.4	70.5	71.1	82.4	70.1	63.2	69.4
22. Return on assets	9.9	-	6.4	8.1	6.4	6.7	9.0	12.3	10.2	8.5	9.6	4.1	14.0
23. Return on equity	11.7	-	23.1	7.3	4.8	9.1	11.2	19.0	16.8	6.1	11.5	-	15.4
24. Return on net worth	32.7	-	32.2	17.5	16.0	23.5	27.4	41.7	35.2	48.6	32.1	11.0	45.9

†Depreciation largest factor

5130 WHOLESALE TRADE: MISCELLANEOUS WHOLESALE TRADE:

Apparel, piece goods, and notions

Item Description For Accounting Period 7/86 Through 6/87	A Total	B Zero Assets	C Under 100	D 100 to 250	E 251 to 500	F 501 to 1,000	G 1,001 to 5,000	H 5,001 to 10,000	I 10,001 to 25,000	J 25,001 to 50,000	K 50,001 to 100,000	L 100,001 to 250,000	M 250,001 and over
	SIZE OF ASSETS IN THOUSANDS OF DOLLARS (000 OMITTED)												
1. Number of Enterprises	9131	165	3482	1498	1119	1233	1263	230	99	27	11	5	-
2. Total receipts (in millions of dollars)	27312.3	427.6	1013.8	637.9	1057.7	2535.7	8016.0	4798.1	3338.4	1589.4	1256.0	2641.8	-
	Selected Operating Factors in Percent of Net Sales												
3. Cost of operations	73.1	84.2	63.4	55.8	65.3	71.4	75.7	78.8	77.3	69.2	72.3	63.3	-
4. Compensation of officers	2.9	0.7	11.2	5.6	5.4	4.3	3.0	2.1	2.1	1.8	0.8	0.9	-
5. Repairs	0.2	-	0.2	0.2	0.2	0.1	0.2	0.1	0.1	0.1	0.2	0.3	-
6. Bad debts	0.3	0.1	0.1	0.1	0.6	0.2	0.3	0.2	0.5	0.3	0.4	0.4	-
7. Rent on business property	1.3	0.7	2.6	3.4	3.2	2.0	1.2	0.8	1.0	1.0	1.2	1.1	-
8. Taxes (excl Federal tax)	1.6	0.4	1.8	1.7	1.6	1.5	1.1	1.7	1.5	1.1	2.5	3.4	-
9. Interest	1.3	0.7	-	0.5	1.1	1.2	1.1	1.4	1.7	2.1	1.9	1.5	-
10. Deprec/Deplet/Amortiz†	0.8	0.1	0.6	1.2	1.3	0.7	0.7	0.5	0.5	1.1	1.0	1.5	-
11. Advertising	0.9	0.2	0.3	0.3	0.9	0.4	0.5	0.8	0.4	1.6	1.4	2.8	-
12. Pensions & other benef plans	0.7	0.1	0.3	5.7	1.3	0.9	0.6	0.6	0.6	0.4	0.5	0.2	-
13. Other expenses	14.2	12.0	21.5	22.1	22.9	14.4	13.8	10.7	11.1	18.0	13.8	16.3	-
14. Net profit before tax	2.7	0.8	#	3.4	#	2.9	1.8	2.3	3.2	3.3	4.0	8.3	-
	Selected Financial Ratios (number of times ratio is to one)												
15. Current ratio	1.7	-	2.0	2.8	1.7	1.8	1.8	1.4	1.5	1.6	1.4	2.2	-
16. Quick ratio	0.8	-	1.2	1.8	1.0	0.9	0.9	0.7	0.7	0.7	0.5	1.2	-
17. Net sls to net wkg capital	7.9	-	18.0	5.5	6.5	7.4	7.6	12.0	7.9	6.0	8.0	5.4	-
18. Coverage ratio	4.4	-	-	-	4.6	4.1	3.9	3.7	3.5	3.9	4.2	7.6	-
19. Asset turnover	-	-	-	-	2.3	-	-	-	2.3	1.8	1.8	1.9	-
20. Total liab to net worth	1.5	-	1.9	0.9	1.4	1.7	1.5	1.9	2.1	2.4	1.9	0.7	-
	Selected Financial Factors in Percentages												
21. Debt ratio	60.4	-	65.6	46.6	58.4	63.3	59.3	65.4	67.8	70.5	65.6	39.5	-
22. Return on assets	14.9	-	20.5	24.5	11.7	13.9	12.0	14.9	13.4	13.9	14.1	22.6	-
23. Return on equity	21.2	-	-	36.3	18.8	25.9	16.7	23.6	23.9	23.1	22.9	17.7	-
24. Return on net worth	37.6	-	59.7	46.0	28.1	37.8	29.6	43.1	41.5	47.1	41.0	37.4	-

†Depreciation largest factor

5150 WHOLESALE TRADE: MISCELLANEOUS WHOLESALE TRADE:

Farm-product raw materials

	SIZE OF ASSETS IN THOUSANDS OF DOLLARS (000 OMITTED)												
Item Description For Accounting Period 7/86 Through 6/87	A Total	B Zero Assets	C Under 100	D 100 to 250	E 251 to 500	F 501 to 1,000	G 1,001 to 5,000	H 5,001 to 10,000	I 10,001 to 25,000	J 25,001 to 50,000	K 50,001 to 100,000	L 100,001 to 250,000	M 250,001 and over
1. Number of Enterprises	8528	108	2620	1449	1488	1299	1312	99	98	29	13	5	7
2. Total receipts (in millions of dollars)	67759.7	125.7	1507.5	539.4	3410.6	4465.4	12071.9	2240.1	5736.0	2547.7	2177.6	1611.3	31326.6
Selected Operating Factors in Percent of Net Sales													
3. Cost of operations	89.4	99.7	66.3	74.3	89.1	87.1	88.9	90.0	91.8	87.8	93.5	96.5	90.3
4. Compensation of officers	0.8	0.4	9.1	2.9	2.6	1.3	1.0	1.0	0.6	0.3	0.4	0.5	0.2
5. Repairs	0.5	0.3	0.2	1.4	0.3	0.6	0.4	0.4	0.2	0.3	0.3	0.2	0.5
6. Bad debts	0.2	0.4	0.8	1.8	0.1	0.5	0.2	0.1	0.1	0.2	0.1	-	0.1
7. Rent on business property	0.5	0.2	0.4	0.8	0.4	0.4	0.4	0.4	0.3	0.5	0.8	0.3	0.6
8. Taxes (excl Federal tax)	0.5	0.7	0.4	1.8	0.6	0.7	0.6	0.6	0.4	0.6	0.5	0.4	0.5
9. Interest	1.1	0.6	0.7	2.6	0.5	0.7	0.8	1.1	0.8	1.2	1.1	1.5	1.3
10. Deprec/Deplet/Amortiz†	1.3	0.5	0.7	2.4	1.2	1.7	1.2	1.1	1.0	1.2	1.1	1.1	1.4
11. Advertising	0.1	-	-	0.4	0.3	0.1	0.1	0.1	0.1	0.1	0.1	0.1	0.1
12. Pensions & other benef plans	0.2	0.3	0.1	1.0	0.3	0.3	0.3	0.3	0.2	0.3	0.2	0.2	0.2
13. Other expenses	7.2	8.9	22.2	16.7	7.1	7.7	7.3	7.0	5.6	8.4	4.7	2.8	6.8
14. Net profit before tax	*	*	*	*	*	*	*	*	*	*	*	*	*
Selected Financial Ratios (number of times ratio is to one)													
15. Current ratio	1.3	-	0.6	1.3	1.5	1.6	1.3	1.2	1.1	1.4	1.1	1.2	1.2
16. Quick ratio	0.8	-	0.5	0.9	1.3	1.0	0.8	0.6	0.7	0.9	0.5	0.3	0.8
17. Net sls to net wkg capital	23.9	-	-	22.1	31.4	21.3	27.3	32.0	66.3	11.1	27.1	23.1	20.5
18. Coverage ratio	1.8	-	1.9	-	1.1	1.9	2.3	2.5	2.1	1.7	2.2	1.5	1.6
19. Asset turnover	-	-	-	2.3	-	-	-	-	-	2.5	2.4	2.2	2.2
20. Total liab to net worth	1.8	-	3.6	-	2.3	1.3	2.4	3.5	2.4	2.8	2.4	1.6	1.6
Selected Financial Factors in Percentages													
21. Debt ratio	64.7	-	78.3	110.3	69.9	57.2	70.6	77.7	70.2	73.5	70.7	60.7	60.9
22. Return on assets	5.4	-	28.2	-	3.4	6.4	7.6	8.2	5.8	5.3	5.9	4.8	4.8
23. Return on equity	4.4	-	36.5	-	-	3.9	9.7	16.8	6.9	1.8	7.1	2.2	3.9
24. Return on net worth	15.1	-	-	-	11.3	14.9	25.8	36.7	19.5	19.9	20.1	12.1	12.1

†Depreciation largest factor

5150 WHOLESALE TRADE: MISCELLANEOUS WHOLESALE TRADE:
Farm-product raw materials

Item Description For Accounting Period 7/86 Through 6/87	A Total	B Zero Assets	C Under 100	D 100 to 250	E 251 to 500	F 501 to 1,000	G 1,001 to 5,000	H 5,001 to 10,000	I 10,001 to 25,000	J 25,001 to 50,000	K 50,001 to 100,000	L 100,001 to 250,000	M 250,001 and over
	SIZE OF ASSETS IN THOUSANDS OF DOLLARS (000 OMITTED)												
1. Number of Enterprises	6047	33	2375	458	935	969	1084	76	-	16	-	5	7
2. Total receipts (in millions of dollars)	61268.7	65.0	1452.3	241.0	2980.3	3622.3	11164.1	1793.9	-	930.1	-	1611.3	31326.6
Selected Operating Factors in Percent of Net Sales													
3. Cost of operations	89.5	92.0	65.6	70.7	93.6	86.7	89.4	90.1	-	77.8	-	96.5	90.3
4. Compensation of officers	0.8	0.8	9.4	1.9	2.2	1.3	1.0	1.1	-	0.5	-	0.5	0.2
5. Repairs	0.4	-	0.2	1.6	0.1	0.6	0.3	0.3	-	0.4	-	0.2	0.5
6. Bad debts	0.1	-	-	0.2	0.1	0.1	0.2	0.1	-	0.4	-	-	0.1
7. Rent on business property	0.5	0.2	0.3	1.2	0.1	0.2	0.3	0.4	-	0.2	-	0.3	0.6
8. Taxes (excl Federal tax)	0.5	0.9	0.4	1.7	0.4	0.7	0.5	0.5	-	0.7	-	0.4	0.5
9. Interest	1.0	-	0.6	0.1	0.3	0.5	0.6	0.8	-	1.7	-	1.5	1.3
10. Deprec/Deplet/Amortiz†	1.2	0.1	0.6	0.8	0.5	1.8	1.0	0.9	-	1.4	-	1.1	1.4
11. Advertising	0.1	-	-	0.1	0.3	0.1	0.1	0.1	-	0.1	-	0.1	0.1
12. Pensions & other benef plans	0.2	0.3	0.1	0.5	0.2	0.3	0.3	0.3	-	0.4	-	0.2	0.2
13. Other expenses	6.9	5.2	22.7	14.0	3.7	7.3	6.6	6.8	-	13.9	-	2.8	6.8
14. Net profit before tax	#	0.5	0.1	7.2	#	0.4	#	#	-	2.5	-	#	#
Selected Financial Ratios (number of times ratio is to one)													
15. Current ratio	1.3	-	1.1	5.3	2.3	1.7	1.5	1.4	-	1.7	-	1.2	1.2
16. Quick ratio	0.8	-	0.9	3.7	2.0	1.0	0.9	0.7	-	1.0	-	0.3	0.8
17. Net sls to net wkg capital	20.7	-	-	7.1	22.8	19.9	20.9	15.3	-	5.1	-	23.1	20.5
18. Coverage ratio	2.3	-	3.6	-	5.8	5.1	3.6	3.9	-	4.0	-	1.5	1.6
19. Asset turnover	-	-	-	-	-	-	-	-	-	1.7	-	2.2	2.2
20. Total liab to net worth	1.6	-	1.0	0.3	1.3	1.0	1.9	2.2	-	2.1	-	1.6	1.6
Selected Financial Factors in Percentages													
21. Debt ratio	62.0	-	50.1	20.1	56.7	49.8	65.2	68.3	-	67.6	-	60.7	60.9
22. Return on assets	6.5	-	-	26.9	13.0	12.8	9.9	10.0	-	11.7	-	4.8	4.8
23. Return on equity	7.5	-	-	25.4	21.9	16.9	15.6	19.0	-	17.0	-	2.2	3.9
24. Return on net worth	17.1	-	-	33.6	30.0	25.6	28.3	31.7	-	36.2	-	12.1	12.1

†Depreciation largest factor

5160 WHOLESALE TRADE: MISCELLANEOUS WHOLESALE TRADE:

Chemicals and allied products

Item Description For Accounting Period 7/86 Through 6/87	A Total	B Zero Assets	C Under 100	D 100 to 250	E 251 to 500	F 501 to 1,000	G 1,001 to 5,000	H 5,001 to 10,000	I 10,001 to 25,000	J 25,001 to 50,000	K 50,001 to 100,000	L 100,001 to 250,000	M 250,001 and over
					SIZE OF ASSETS IN THOUSANDS OF DOLLARS (000 OMITTED)								
1. Number of Enterprises	7229	325	3374	1012	780	657	834	137	73	19	11	3	4
2. Total receipts (in millions of dollars)	23359.7	295.1	456.0	449.7	1089.9	1409.7	4795.9	3119.2	3653.9	2202.5	1377.2	789.3	3721.4
					Selected Operating Factors in Percent of Net Sales								
3. Cost of operations	78.2	79.8	58.3	67.1	81.3	74.4	75.6	80.9	74.8	79.6	70.1	86.6	87.5
4. Compensation of officers	1.7	-	4.2	7.6	3.4	4.1	2.6	1.2	0.9	0.8	0.8	1.1	0.2
5. Repairs	0.2	0.1	0.5	0.1	0.4	0.2	0.1	0.3	0.2	0.2	0.2	0.3	0.2
6. Bad debts	0.2	0.4	0.2	1.1	0.1	0.3	0.4	0.2	0.2	0.1	0.2	0.1	0.1
7. Rent on business property	0.7	0.6	3.6	3.6	0.8	2.0	0.8	0.4	0.4	0.2	0.4	0.3	0.2
8. Taxes (excl Federal tax)	0.9	0.8	1.3	1.4	0.9	1.4	0.9	1.0	0.6	1.9	0.8	1.1	0.4
9. Interest	0.9	0.2	1.0	1.0	0.3	1.1	0.7	0.6	0.3	0.6	1.9	1.6	1.8
10. Deprec/Deplet/Amortiz†	1.2	0.2	1.2	2.1	1.5	1.3	1.6	0.9	0.7	0.9	3.3	3.6	0.4
11. Advertising	0.6	0.3	0.5	0.3	0.3	0.5	0.6	0.2	1.9	0.3	0.8	0.2	0.1
12. Pensions & other benef plans	0.6	0.1	0.2	2.6	0.8	0.3	0.7	0.6	0.4	0.3	0.8	1.0	0.2
13. Other expenses	14.5	14.6	29.0	22.7	9.7	15.8	15.0	12.9	18.4	13.1	20.7	5.0	9.7
14. Net profit before tax	0.3	2.9	*	*	0.5	*	1.0	0.8	1.2	2.0	*	*	*
					Selected Financial Ratios (number of times ratio is to one)								
15. Current ratio	1.4	-	1.7	-	1.5	1.3	1.5	1.7	1.7	1.1	1.3	1.3	1.2
16. Quick ratio	0.9	-	1.4	-	1.2	0.7	1.0	1.2	1.2	0.6	0.8	0.6	1.0
17. Net sls to net wkg capital	14.4	-	12.6	-	18.3	15.4	12.0	9.3	10.8	51.8	13.6	14.7	25.0
18. Coverage ratio	3.5	-	1.7	-	6.7	1.4	3.7	5.8	-	6.2	2.6	1.4	2.6
19. Asset turnover	-	-	-	-	-	-	-	-	-	-	1.7	1.5	-
20. Total liab to net worth	2.1	-	8.1	-	1.6	3.2	1.8	1.4	1.3	2.2	3.7	1.7	3.5
					Selected Financial Factors in Percentages								
21. Debt ratio	68.1	-	89.1	-	61.2	76.1	63.7	58.5	55.9	68.4	78.5	63.6	77.5
22. Return on assets	9.1	-	6.8	-	8.6	4.4	7.7	11.0	9.8	11.3	8.5	3.4	13.1
23. Return on equity	10.9	-	-	-	13.6	-	9.2	13.4	11.7	16.6	11.7	2.6	19.8
24. Return on net worth	28.4	-	62.2	-	22.1	18.4	21.3	26.5	22.3	35.7	39.7	9.3	58.1

†Depreciation largest factor

TABLE II: CORPORATIONS WITH NET INCOME, 1990 EDITION

5160 WHOLESALE TRADE: MISCELLANEOUS WHOLESALE TRADE:
Chemicals and allied products

Item Description For Accounting Period 7/86 Through 6/87	A Total	B Zero Assets	C Under 100	D 100 to 250	E 251 to 500	F 501 to 1,000	G 1,001 to 5,000	H 5,001 to 10,000	I 10,001 to 25,000	J 25,001 to 50,000	K 50,001 to 100,000	L 100,001 to 250,000	M 250,001 and over
SIZE OF ASSETS IN THOUSANDS OF DOLLARS (000 OMITTED)													
1. Number of Enterprises	4263	16	1833	453	651	429	683	114	58	16	6	-	4
2. Total receipts (in millions of dollars)	19700.9	156.3	372.8	227.6	1005.8	913.6	4112.1	2818.7	3252.5	2115.1	1005.1	-	3721.4
Selected Operating Factors in Percent of Net Sales													
3. Cost of operations	77.0	68.1	55.4	54.9	81.6	68.8	74.3	80.0	73.7	79.4	63.7	-	87.5
4. Compensation of officers	1.6	-	2.2	11.1	3.4	4.3	2.8	1.2	0.8	0.8	1.1	-	0.2
5. Repairs	0.2	0.2	0.5	0.1	0.4	0.2	0.1	0.2	0.2	0.3	0.2	-	0.2
6. Bad debts	0.2	0.7	0.3	1.0	0.1	0.3	0.4	0.2	0.2	0.1	0.1	-	0.1
7. Rent on business property	0.6	0.4	3.2	3.0	0.7	2.3	0.7	0.4	0.3	0.2	0.4	-	0.2
8. Taxes (excl Federal tax)	0.9	1.5	1.2	1.7	0.8	1.6	1.0	1.0	0.5	2.0	0.8	-	0.4
9. Interest	0.7	-	0.9	0.5	0.3	1.0	0.6	0.4	0.2	0.5	1.2	-	1.8
10. Deprec/Deplet/Amortiz†	0.9	0.3	1.0	2.8	1.4	1.2	1.4	0.8	0.5	0.8	2.0	-	0.4
11. Advertising	0.7	0.4	0.6	0.1	0.3	0.7	0.6	0.2	2.1	0.3	1.0	-	0.1
12. Pensions & other benef plans	0.5	0.3	0.2	2.5	0.7	0.2	0.7	0.7	0.4	0.3	0.8	-	0.2
13. Other expenses	15.1	21.2	26.2	28.8	8.6	16.9	15.2	13.8	19.2	13.2	25.1	-	9.7
14. Net profit before tax	1.6	6.9	8.3	#	1.7	2.5	2.2	1.1	1.9	2.1	3.6	-	#
Selected Financial Ratios (number of times ratio is to one)													
15. Current ratio	1.5	-	2.1	1.8	1.6	1.7	1.6	1.8	1.8	1.1	1.2	-	1.2
16. Quick ratio	1.0	-	1.8	1.0	1.3	1.0	1.1	1.3	1.3	0.7	0.8	-	1.0
17. Net sls to net wkg capital	13.4	-	10.2	9.5	18.3	9.0	10.3	9.4	10.4	53.5	21.2	-	25.0
18. Coverage ratio	5.7	-	-	5.2	9.6	5.0	6.1	9.7	-	7.2	7.2	-	2.6
19. Asset turnover	-	-	-	-	-	-	-	-	-	-	2.0	-	-
20. Total liab to net worth	1.8	-	2.4	5.0	1.5	2.0	1.6	1.1	1.0	2.5	2.0	-	3.5
Selected Financial Factors in Percentages													
21. Debt ratio	63.9	-	70.7	83.3	59.3	66.8	60.9	53.0	49.1	71.5	67.0	-	77.5
22. Return on assets	13.8	-	-	8.7	13.6	14.7	11.6	12.8	13.1	13.3	17.7	-	13.1
23. Return on equity	20.6	-	-	38.7	24.1	23.5	17.4	15.3	15.3	22.3	32.6	-	19.8
24. Return on net worth	38.4	-	-	52.5	33.5	44.3	29.6	27.2	25.7	46.7	53.8	-	58.1

†Depreciation largest factor

5170 WHOLESALE TRADE: MISCELLANEOUS WHOLESALE TRADE:

Petroleum and petroleum products

Item Description For Accounting Period 7/86 Through 6/87	A Total	B Zero Assets	C Under 100	D 100 to 250	E 251 to 500	F 501 to 1,000	G 1,001 to 5,000	H 5,001 to 10,000	I 10,001 to 25,000	J 25,001 to 50,000	K 50,001 to 100,000	L 100,001 to 250,000	M 250,001 and over
			SIZE OF ASSETS IN THOUSANDS OF DOLLARS (000 OMITTED)										
1. Number of Enterprises	13787	798	3049	1898	2396	2572	2536	299	160	25	25	14	16
2. Total receipts (in millions of dollars)	120191.6	5823.2	787.2	1585.4	4291.0	7924.4	26772.3	9863.8	11641.0	6206.7	9457.3	7623.1	28216.2
Selected Operating Factors in Percent of Net Sales													
3. Cost of operations	89.8	97.4	75.6	74.1	81.9	82.5	86.3	90.4	92.1	94.5	95.3	94.7	90.6
4. Compensation of officers	0.8	0.2	3.3	5.0	1.8	1.8	1.3	0.7	0.4	0.3	0.3	0.3	0.1
5. Repairs	0.4	0.1	0.2	0.6	0.5	0.6	0.5	0.4	0.3	0.1	0.2	0.1	0.5
6. Bad debts	0.2	0.2	0.2	0.4	0.3	0.4	0.2	0.2	0.1	0.1	0.1	-	0.1
7. Rent on business property	0.4	0.1	1.3	1.1	0.6	0.7	0.6	0.4	0.4	0.3	0.2	0.2	0.4
8. Taxes (excl Federal tax)	1.4	0.1	3.2	6.2	3.7	3.5	2.6	0.8	0.7	0.3	0.3	0.3	0.7
9. Interest	1.0	0.4	0.9	0.5	0.8	0.5	0.6	0.6	0.7	0.6	0.7	0.6	2.2
10. Deprec/Deplet/Amortiz†	1.4	0.2	1.2	1.5	1.6	1.6	1.4	1.2	1.0	0.5	0.7	1.1	2.3
11. Advertising	0.1	-	0.7	0.3	0.2	0.2	0.1	0.1	0.1	-	-	0.1	0.2
12. Pensions & other benef plans	0.3	-	0.3	0.3	0.3	0.3	0.3	0.2	0.2	0.1	0.1	0.2	0.4
13. Other expenses	5.3	1.3	13.8	8.9	8.6	7.8	6.5	5.8	4.9	3.8	2.8	3.3	5.0
14. Net profit before tax	*	-	*	1.1	*	0.1	*	*	*	*	*	*	*
Selected Financial Ratios (number of times ratio is to one)													
15. Current ratio	1.2	-	1.6	1.8	2.0	1.9	1.4	1.2	1.3	1.4	1.1	1.1	1.1
16. Quick ratio	0.9	-	1.1	1.4	1.4	1.4	1.0	0.8	0.9	0.9	0.7	0.8	0.8
17. Net sls to net wkg capital	39.3	-	19.5	18.6	15.3	15.1	27.7	68.6	40.5	48.5	81.6	68.1	78.5
18. Coverage ratio	2.3	-	5.2	4.9	2.4	4.3	2.6	1.9	2.0	2.2	1.5	2.0	2.2
19. Asset turnover	-	-	-	-	-	-	-	-	-	-	-	-	1.5
20. Total liab to net worth	2.2	-	3.1	1.2	1.3	1.0	1.5	2.4	4.0	1.9	4.0	3.4	2.4
Selected Financial Factors in Percentages													
21. Debt ratio	68.6	-	75.5	54.1	55.6	50.5	59.5	70.1	80.0	65.6	79.9	77.1	70.2
22. Return on assets	7.4	-	22.2	12.1	9.4	9.5	7.1	5.5	6.5	10.1	5.3	4.6	7.3
23. Return on equity	6.8	-	-	18.3	9.4	11.4	6.8	0.2	4.5	7.7	2.0	7.3	5.6
24. Return on net worth	23.4	-	90.6	26.4	21.2	19.2	17.5	18.5	32.5	29.3	26.3	20.0	24.4

†Depreciation largest factor

TABLE II: CORPORATIONS WITH NET INCOME, 1990 EDITION

5170 WHOLESALE TRADE: MISCELLANEOUS WHOLESALE TRADE:

Petroleum and petroleum products

Item Description For Accounting Period 7/86 Through 6/87	A Total	B Zero Assets	C Under 100	D 100 to 250	E 251 to 500	F 501 to 1,000	G 1,001 to 5,000	H 5,001 to 10,000	I 10,001 to 25,000	J 25,001 to 50,000	K 50,001 to 100,000	L 100,001 to 250,000	M 250,001 and over
	SIZE OF ASSETS IN THOUSANDS OF DOLLARS (000 OMITTED)												
1. Number of Enterprises	9955	512	1682	1518	1585	2113	2182	203	111	18	11	8	12
2. Total receipts (in millions of dollars)	94062.7	5372.4	625.5	1231.4	2768.1	6602.1	22647.8	8199.7	8627.5	3127.0	5637.0	5648.1	23576.1
Selected Operating Factors in Percent of Net Sales													
3. Cost of operations	89.2	97.5	77.8	68.6	81.7	81.6	85.2	90.2	90.7	90.2	94.3	96.1	91.5
4. Compensation of officers	0.8	0.2	3.8	5.9	1.9	2.0	1.4	0.7	0.4	0.5	0.4	0.2	0.1
5. Repairs	0.4	-	0.2	0.7	0.6	0.6	0.5	0.4	0.4	0.2	0.3	0.1	0.2
6. Bad debts	0.2	0.2	-	-	0.3	0.4	0.3	0.1	0.1	0.1	0.2	-	0.1
7. Rent on business property	0.4	0.1	0.9	1.4	0.6	0.7	0.6	0.4	0.4	0.4	0.3	0.1	0.2
8. Taxes (excl Federal tax)	1.4	0.1	1.9	7.5	3.2	3.2	2.7	0.8	0.9	0.5	0.3	0.2	0.6
9. Interest	0.8	0.3	0.7	0.6	0.7	0.4	0.5	0.5	0.5	0.6	0.6	0.5	1.9
10. Deprec/Deplet/Amortiz†	1.3	0.1	0.9	1.8	1.6	1.7	1.4	1.0	1.0	0.8	0.7	0.8	1.8
11. Advertising	0.1	-	0.7	0.3	0.2	0.2	0.2	0.1	0.2	0.1	-	-	0.2
12. Pensions & other benef plans	0.3	-	0.3	0.4	0.3	0.3	0.3	0.2	0.2	0.2	0.1	0.1	0.4
13. Other expenses	4.9	1.0	10.8	9.8	7.5	8.3	6.6	5.2	4.7	5.3	2.8	2.0	3.7
14. Net profit before tax	0.2	0.5	2.0	3.0	1.4	0.6	0.3	0.4	0.5	1.1	#	#	#
Selected Financial Ratios (number of times ratio is to one)													
15. Current ratio	1.3	-	2.2	1.7	2.5	2.3	1.6	1.3	1.4	1.5	1.3	1.1	1.1
16. Quick ratio	1.0	-	1.8	1.4	1.7	1.6	1.1	0.9	1.1	0.9	0.7	0.8	0.9
17. Net sls to net wkg capital	28.4	-	14.6	20.0	11.9	12.6	23.3	41.8	29.4	26.9	49.7	129.4	32.9
18. Coverage ratio	3.9	-	-	7.6	5.3	6.0	4.2	4.9	4.6	5.7	3.7	3.9	3.2
19. Asset turnover	-	-	-	-	-	-	-	-	-	-	-	-	1.6
20. Total liab to net worth	1.7	-	1.3	1.2	1.0	0.8	1.2	1.3	1.9	1.6	2.3	5.2	2.1
Selected Financial Factors in Percentages													
21. Debt ratio	63.6	-	56.3	53.4	49.2	43.3	55.0	57.0	65.2	61.0	69.5	84.0	67.8
22. Return on assets	11.1	-	-	20.5	17.0	11.5	10.2	12.7	12.1	19.5	13.6	9.3	9.5
23. Return on equity	15.2	-	-	34.9	23.7	13.5	13.1	14.7	17.3	31.1	23.5	36.7	11.1
24. Return on net worth	30.4	-	-	43.9	33.5	20.3	22.7	29.5	34.6	50.1	44.4	58.2	29.5

†Depreciation largest factor

TABLE I: CORPORATIONS WITH AND WITHOUT NET INCOME, 1990 EDITION

5180 WHOLESALE TRADE: MISCELLANEOUS WHOLESALE TRADE:

Alcoholic beverages

Item Description For Accounting Period 7/86 Through 6/87	A Total	B Zero Assets	SIZE OF ASSETS IN THOUSANDS OF DOLLARS (000 OMITTED)										
			C Under 100	D 100 to 250	E 251 to 500	F 501 to 1,000	G 1,001 to 5,000	H 5,001 to 10,000	I 10,001 to 25,000	J 25,001 to 50,000	K 50,001 to 100,000	L 100,001 to 250,000	M 250,001 and over
1. Number of Enterprises	4852	86	918	1051	444	634	1316	210	142	26	12	10	3
2. Total receipts (in millions of dollars)	38538.6	1358.4	265.9	851.3	607.5	1567.7	12959.3	4950.7	7025.6	2403.0	1864.0	3335.9	1349.3

Selected Operating Factors in Percent of Net Sales

	A	B	C	D	E	F	G	H	I	J	K	L	M
3. Cost of operations	75.4	76.8	84.0	65.8	75.4	77.7	76.7	77.0	76.5	75.6	68.7	72.0	67.1
4. Compensation of officers	1.5	0.3	-	5.3	3.5	2.4	2.0	1.7	1.2	0.7	0.5	0.5	0.9
5. Repairs	0.4	0.1	0.6	0.3	0.4	0.4	0.4	0.4	0.4	0.2	0.3	0.2	0.2
6. Bad debts	0.1	0.1	0.1	0.1	-	-	0.1	0.1	0.1	0.2	0.2	0.1	0.4
7. Rent on business property	0.8	0.3	4.0	2.0	2.2	1.0	0.9	0.8	0.7	0.4	0.4	0.5	1.3
8. Taxes (excl Federal tax)	4.4	10.1	1.2	2.2	2.5	2.0	2.1	2.2	4.6	5.4	13.5	10.8	2.5
9. Interest	1.1	1.0	0.7	0.4	1.3	1.0	0.6	0.9	0.7	0.9	1.0	0.7	12.7
10. Deprec/Deplet/Amortiz†	1.3	0.9	0.7	1.1	1.7	1.5	1.3	1.4	1.0	1.0	1.0	0.5	5.1
11. Advertising	1.1	1.9	0.3	0.4	0.9	0.5	0.7	0.4	0.7	1.5	1.4	3.1	5.6
12. Pensions & other benef plans	0.8	0.3	-	-	0.6	0.7	0.9	0.8	0.8	0.7	0.8	0.8	0.7
13. Other expenses	12.5	9.3	11.6	26.2	11.3	12.4	13.2	12.1	12.1	11.6	12.6	9.2	16.0
14. Net profit before tax	0.6	*	*	*	0.2	0.4	1.1	2.2	1.2	1.8	*	1.6	*

Selected Financial Ratios (number of times ratio is to one)

	A	B	C	D	E	F	G	H	I	J	K	L	M
15. Current ratio	1.5			3.1	2.1	1.9	1.9	1.6	1.4	1.5	1.6	1.6	0.7
16. Quick ratio	0.7			1.3	0.9	0.8	0.9	0.8	0.7	0.8	0.7	0.7	0.5
17. Net sls to net wkg capital	15.6			11.6	16.4	13.0	13.5	16.0	16.8	12.2	7.5	9.9	-
18. Coverage ratio	3.0			-	2.5	2.0	4.9	4.6	4.6	4.3	2.2	5.3	0.8
19. Asset turnover	-			-	-	-	-	-	-	-	2.2	2.4	1.1
20. Total liab to net worth	1.8			0.8	1.7	1.4	1.1	1.4	1.8	1.7	1.5	1.1	-

Selected Financial Factors in Percentages

	A	B	C	D	E	F	G	H	I	J	K	L	M
21. Debt ratio	63.7			44.3	62.6	57.7	52.7	58.3	64.0	63.5	60.1	53.2	116.5
22. Return on assets	11.0			-	13.3	7.5	12.8	14.2	10.1	10.7	4.7	8.4	10.4
23. Return on equity	14.7			-	18.9	6.3	17.5	20.1	14.9	15.3	4.4	11.9	-
24. Return on net worth	30.2			-	35.5	17.6	27.1	34.1	27.9	29.3	11.7	17.9	-

†Depreciation largest factor

TABLE II: CORPORATIONS WITH NET INCOME, 1990 EDITION

5180 WHOLESALE TRADE; MISCELLANEOUS WHOLESALE TRADE:
Alcoholic beverages

Item Description For Accounting Period 7/86 Through 6/87	A Total	B Zero Assets	C Under 100	D 100 to 250	E 251 to 500	F 501 to 1,000	G 1,001 to 5,000	H 5,001 to 10,000	I 10,001 to 25,000	J 25,001 to 50,000	K 50,001 to 100,000	L 100,001 to 250,000	M 250,001 and over
						SIZE OF ASSETS IN THOUSANDS OF DOLLARS (000 OMITTED)							
1. Number of Enterprises	3082	78	307	322	381	517	1155	164	116	-	8	-	-
2. Total receipts (in millions of dollars)	32477.8	994.4	17.3	439.1	514.7	1318.5	11681.1	4210.3	6132.0	-	1294.4	-	-
Selected Operating Factors in Percent of Net Sales													
3. Cost of operations	75.6	72.0	27.4	62.1	75.8	78.0	76.7	76.7	76.8	-	72.7	-	-
4. Compensation of officers	1.5	0.4	-	5.3	3.3	2.2	2.0	1.7	1.1	-	0.5	-	-
5. Repairs	0.4	0.1	0.1	-	0.4	0.4	0.4	0.4	0.4	-	0.3	-	-
6. Bad debts	0.1	-	-	-	0.1	-	0.1	0.1	0.1	-	0.3	-	-
7. Rent on business property	0.7	0.4	1.1	1.2	1.7	0.9	0.8	0.9	0.7	-	0.4	-	-
8. Taxes (excl Federal tax)	4.2	13.5	6.2	2.4	2.7	2.0	2.1	2.4	4.5	-	6.5	-	-
9. Interest	0.7	0.9	-	0.1	1.4	1.1	0.5	0.6	0.6	-	0.5	-	-
10. Deprec/Deplet/Amortiz†	1.1	1.1	-	0.7	1.7	1.4	1.2	1.1	0.8	-	0.9	-	-
11. Advertising	1.0	1.3	-	0.1	0.9	0.4	0.6	0.4	0.7	-	1.9	-	-
12. Pensions & other benef plans	0.8	0.3	-	-	0.7	0.7	1.0	0.8	0.8	-	1.0	-	-
13. Other expenses	12.3	10.7	58.8	27.8	11.0	11.8	13.0	11.5	11.9	-	13.4	-	-
14. Net profit before tax	1.6	#	6.4	0.3	0.3	1.1	1.6	3.4	1.6	-	1.6	-	-
Selected Financial Ratios (number of times ratio is to one)													
15. Current ratio	1.7	-	1.8	3.5	1.8	1.8	2.0	1.8	1.4	-	1.9	-	-
16. Quick ratio	0.8	-	1.8	0.9	0.7	0.8	1.0	0.9	0.7	-	0.9	-	-
17. Net sls to net wkg capital	13.0	-	12.5	23.3	20.6	13.2	12.6	14.3	15.8	-	5.8	-	-
18. Coverage ratio	5.7	-	-	-	2.7	2.6	7.0	8.0	5.9	-	7.1	-	-
19. Asset turnover	-	-	-	-	-	-	-	-	-	-	2.4	-	-
20. Total liab to net worth	1.3	-	23.5	0.4	1.6	1.4	0.9	1.1	1.6	-	1.1	-	-
Selected Financial Factors in Percentages													
21. Debt ratio	55.7	-	96.0	29.5	61.6	59.1	48.0	52.1	61.5	-	51.7	-	-
22. Return on assets	13.2	-	-	8.7	15.3	10.2	14.7	18.2	11.7	-	8.2	-	-
23. Return on equity	19.1	-	-	9.9	22.1	12.3	20.0	26.4	17.6	-	12.1	-	-
24. Return on net worth	29.9	-	-	12.4	39.8	24.9	28.3	38.1	30.4	-	17.0	-	-

†Depreciation largest factor

TABLE I: CORPORATIONS WITH AND WITHOUT NET INCOME, 1990 EDITION

5190 WHOLESALE TRADE: MISCELLANEOUS WHOLESALE TRADE:
Miscellaneous nondurable goods

Item Description For Accounting Period 7/86 Through 6/87	A Total	B Zero Assets	C Under 100	D 100 to 250	E 251 to 500	F 501 to 1,000	G 1,001 to 5,000	H 5,001 to 10,000	I 10,001 to 25,000	J 25,001 to 50,000	K 50,001 to 100,000	L 100,001 to 250,000	M 250,001 and over
						SIZE OF ASSETS IN THOUSANDS OF DOLLARS (000 OMITTED)							
1. Number of Enterprises	34909	3000	15776	5484	4011	2955	2994	403	189	53	23	10	10
2. Total receipts (in millions of dollars)	72923.1	917.5	1646.7	2929.3	4187.2	7022.5	17163.5	8422.7	7776.6	4747.7	2919.4	2433.5	12756.6
Selected Operating Factors in Percent of Net Sales													
3. Cost of operations	78.8	85.3	57.1	77.7	76.0	76.1	78.0	80.1	80.4	71.9	79.3	71.7	86.6
4. Compensation of officers	2.0	2.4	7.5	5.3	4.0	3.1	2.4	1.5	0.8	1.1	1.2	0.9	0.2
5. Repairs	0.3	0.1	0.2	0.4	0.4	0.3	0.3	0.2	0.2	0.3	0.4	0.2	0.2
6. Bad debts	0.3	0.2	1.1	0.3	0.3	0.4	0.3	0.4	0.3	0.3	0.4	0.3	0.2
7. Rent on business property	1.1	0.6	2.9	1.6	1.8	1.5	1.0	0.8	0.7	1.1	1.0	0.8	1.0
8. Taxes (excl Federal tax)	1.4	1.1	3.7	1.6	1.5	1.3	1.5	1.4	1.5	2.1	1.1	1.2	0.9
9. Interest	1.3	1.1	1.3	0.8	1.1	0.8	1.2	1.0	2.0	1.0	2.2	1.2	1.5
10. Deprec/Deplet/Amortiz†	1.3	0.7	2.0	1.2	1.2	1.4	1.2	0.9	1.1	1.7	1.9	2.5	1.2
11. Advertising	0.7	2.2	1.4	0.4	0.4	0.5	0.8	0.9	0.4	2.6	0.9	0.7	0.2
12. Pensions & other benef plans	0.7	0.6	1.4	0.7	0.9	0.7	0.7	0.6	0.6	0.6	0.3	0.6	0.9
13. Other expenses	13.2	12.2	22.9	12.8	16.1	14.0	13.2	13.1	13.0	18.2	12.7	16.2	8.7
14. Net profit before tax	*	*	*	*	*	*	*	*	*	*	*	3.7	*
Selected Financial Ratios (number of times ratio is to one)													
15. Current ratio	1.4	-	2.0	1.9	1.7	1.6	1.5	1.4	1.0	1.6	1.4	1.9	1.1
16. Quick ratio	0.8	-	1.3	1.1	0.9	0.9	0.8	0.8	0.5	0.9	0.7	1.1	0.6
17. Net sls to net wkg capital	14.1	-	9.1	9.3	8.7	12.0	11.5	13.7	-	10.5	9.9	4.7	62.9
18. Coverage ratio	2.0	-	0.9	1.3	1.5	2.5	2.2	1.9	1.4	3.5	1.5	6.4	1.7
19. Asset turnover	-	-	-	-	-	-	-	-	-	2.4	1.8	1.4	2.4
20. Total liab to net worth	2.5	-	8.9	4.0	3.3	1.9	2.3	2.3	6.4	1.5	3.0	1.4	2.6
Selected Financial Factors in Percentages													
21. Debt ratio	71.5	-	89.9	80.0	76.6	65.9	69.4	70.1	86.4	59.3	75.2	57.8	72.3
22. Return on assets	6.7	-	3.8	3.4	4.8	6.6	7.4	5.5	7.5	8.3	5.7	10.5	5.9
23. Return on equity	5.9	-	-	0.2	1.0	7.7	8.4	3.1	-	7.0	4.2	15.1	3.3
24. Return on net worth	23.6	-	38.0	17.2	20.3	19.4	24.1	18.2	55.2	20.3	22.9	24.9	21.4

†Depreciation largest factor

TABLE II: CORPORATIONS WITH NET INCOME, 1990 EDITION

5190 WHOLESALE TRADE: MISCELLANEOUS WHOLESALE TRADE:
Miscellaneous nondurable goods

Item Description For Accounting Period 7/86 Through 6/87	A Total	B Zero Assets	C Under 100	D 100 to 250	E 251 to 500	F 501 to 1,000	G 1,001 to 5,000	H 5,001 to 10,000	I 10,001 to 25,000	J 25,001 to 50,000	K 50,001 to 100,000	L 100,001 to 250,000	M 250,001 and over
1. Number of Enterprises	19047	1051	6977	3392	2589	2186	2317	305	-	40	12	-	6
2. Total receipts (in millions of dollars)	51864.9	380.6	1222.4	1928.6	2982.1	5790.8	14160.9	6189.7	-	3345.7	1916.0	-	4639.7

Selected Operating Factors in Percent of Net Sales

	A	B	C	D	E	F	G	H	I	J	K	L	M
3. Cost of operations	77.5	83.3	58.1	78.0	75.1	76.4	78.6	79.4	-	65.2	81.9	-	85.3
4. Compensation of officers	2.1	2.2	6.2	5.2	4.2	3.3	2.4	1.4	-	1.1	1.0	-	0.2
5. Repairs	0.3	0.2	0.2	0.5	0.4	0.2	0.3	0.2	-	0.3	0.2	-	0.1
6. Bad debts	0.3	0.3	0.4	0.1	0.1	0.4	0.3	0.3	-	0.4	0.4	-	0.2
7. Rent on business property	0.9	0.4	1.6	0.7	1.7	1.5	0.9	0.7	-	1.3	0.6	-	0.5
8. Taxes (excl Federal tax)	1.5	1.7	4.1	1.5	1.5	1.3	1.4	1.6	-	2.7	0.7	-	0.9
9. Interest	0.9	0.6	1.2	0.8	0.7	0.6	0.9	0.9	-	1.0	1.6	-	1.3
10. Deprec/Deplet/Amortiz†	1.2	0.8	1.5	1.0	1.1	1.2	1.1	0.8	-	1.8	1.9	-	0.9
11. Advertising	0.7	0.2	1.2	0.4	0.2	0.5	0.7	0.7	-	3.2	0.3	-	0.3
12. Pensions & other benef plans	0.7	1.2	0.7	0.9	0.8	0.7	0.8	0.6	-	0.9	0.3	-	1.0
13. Other expenses	13.1	10.1	19.5	9.7	15.6	12.6	12.0	13.1	-	21.8	10.2	-	9.1
14. Net profit before tax	0.8	#	5.3	1.2	#	1.3	0.6	0.3	-	0.3	0.9	-	0.2

Selected Financial Ratios (number of times ratio is to one)

	A	B	C	D	E	F	G	H	I	J	K	L	M
15. Current ratio	1.7	-	2.1	1.9	2.4	1.9	1.6	1.5	-	1.6	1.6	-	1.6
16. Quick ratio	1.0	-	1.5	1.1	1.4	1.1	1.0	0.9	-	0.9	0.8	-	1.1
17. Net sls to net wkg capital	9.6	-	10.5	10.0	6.7	10.5	10.9	10.9	-	9.1	9.1	-	10.3
18. Coverage ratio	4.6	-	7.1	5.7	5.8	5.3	4.1	3.3	-	5.3	3.0	-	4.1
19. Asset turnover	-	-	-	-	-	-	-	-	-	2.2	2.2	-	2.3
20. Total liab to net worth	1.5	-	3.0	1.8	1.0	1.3	1.7	1.9	-	1.2	2.1	-	1.6

Selected Financial Factors in Percentages

	A	B	C	D	E	F	G	H	I	J	K	L	M
21. Debt ratio	60.3	-	74.7	63.6	48.8	56.6	62.4	65.9	-	53.9	67.8	-	61.1
22. Return on assets	11.8	-	-	15.9	12.4	12.4	11.1	8.7	-	12.0	10.3	-	11.9
23. Return on equity	17.1	-	-	32.2	16.2	19.1	17.2	11.3	-	12.3	17.1	-	13.2
24. Return on net worth	29.7	-	-	43.5	24.2	28.6	29.6	25.3	-	26.0	32.1	-	30.5

†Depreciation largest factor

SIZE OF ASSETS IN THOUSANDS OF DOLLARS (000 OMITTED)

5220 RETAIL TRADE: BUILDING MATERIALS, GARDEN SUPPLIES, AND MOBILE HOME DEALERS:
Building materials dealers

Item Description For Accounting Period 7/86 Through 6/87	A Total	B Zero Assets	C Under 100	D 100 to 250	E 251 to 500	F 501 to 1,000	G 1,001 to 5,000	H 5,001 to 10,000	I 10,001 to 25,000	J 25,001 to 50,000	K 50,001 to 100,000	L 100,001 to 250,000	M 250,001 and over
						SIZE OF ASSETS IN THOUSANDS OF DOLLARS (000 OMITTED)							
1. Number of Enterprises	20303	611	6540	2802	3938	2949	3085	231	97	27	9	6	10
2. Total receipts (in millions of dollars)	52722.7	1149.6	1319.7	1381.5	4050.2	5683.8	14236.3	3723.4	2866.6	1774.3	1321.2	2103.5	13112.4
Selected Operating Factors in Percent of Net Sales													
3. Cost of operations	73.2	76.8	66.4	66.3	70.5	74.3	75.0	74.5	75.9	74.4	69.9	72.5	71.9
4. Compensation of officers	2.1	1.2	5.4	4.6	3.8	3.6	3.0	1.9	1.3	0.8	0.7	0.5	0.2
5. Repairs	0.5	0.3	0.3	0.4	0.5	0.5	0.5	0.6	0.4	0.6	0.7	0.5	0.5
6. Bad debts	0.6	1.8	0.2	0.2	0.6	0.7	0.7	0.5	1.4	0.5	0.4	0.3	0.3
7. Rent on business property	1.3	1.3	2.6	2.6	1.7	1.3	1.1	0.7	0.8	0.7	1.9	1.7	1.4
8. Taxes (excl Federal tax)	1.8	1.4	2.0	2.0	2.5	2.0	1.7	1.7	1.6	1.6	1.7	2.0	1.8
9. Interest	1.7	0.8	1.0	1.1	1.4	1.0	1.1	1.2	1.6	1.9	1.3	1.6	3.0
10. Deprec/Deplet/Amortiz†	1.6	0.9	1.5	1.2	1.5	1.3	1.4	1.6	1.5	1.9	1.6	2.4	2.0
11. Advertising	1.5	1.6	2.2	1.6	1.1	0.7	0.7	1.0	0.9	1.0	2.1	2.2	2.8
12. Pensions & other benef plans	0.8	0.5	0.3	0.8	0.5	0.7	0.8	1.2	0.8	1.0	0.7	0.8	1.0
13. Other expenses	15.2	12.4	22.0	19.9	16.6	13.6	13.6	13.7	13.2	17.1	18.4	13.9	16.8
14. Net profit before tax	*	1.0	*	*	*	0.3	0.4	1.4	0.6	*	0.6	1.6	*
Selected Financial Ratios (number of times ratio is to one)													
15. Current ratio	2.0	-	-	1.6	2.1	2.3	2.0	1.8	2.1	1.7	1.7	1.8	2.2
16. Quick ratio	0.9	-	-	0.8	1.0	1.1	1.0	0.9	1.0	0.9	0.7	0.4	0.9
17. Net sls to net wkg capital	6.9	-	-	13.2	6.9	6.1	7.0	8.0	6.5	7.1	7.8	7.9	5.6
18. Coverage ratio	2.2	-	-	1.5	1.2	2.6	2.8	4.0	3.0	2.2	3.2	2.9	1.5
19. Asset turnover	2.1	-	-	-	-	-	2.5	2.4	2.0	1.8	2.0	2.1	1.3
20. Total liab to net worth	1.6	-	-	4.3	1.7	1.2	1.2	1.3	1.2	1.8	1.2	1.4	2.0
Selected Financial Factors in Percentages													
21. Debt ratio	61.3	-	-	81.0	63.2	54.8	54.6	56.3	53.4	64.0	54.7	58.7	66.6
22. Return on assets	7.3	-	-	5.6	4.5	7.4	7.8	11.1	9.3	7.4	8.6	9.9	5.7
23. Return on equity	5.4	-	-	5.9	-	8.1	6.0	12.3	8.9	5.0	6.7	8.5	1.8
24. Return on net worth	18.9	-	-	29.4	12.2	16.4	17.1	25.3	20.0	20.6	18.9	23.9	17.2

†Depreciation largest factor

TABLE II: CORPORATIONS WITH NET INCOME, 1990 EDITION

5220 RETAIL TRADE: BUILDING MATERIALS, GARDEN SUPPLIES, AND MOBILE HOME DEALERS:

Building materials dealers

Item Description For Accounting Period 7/86 Through 6/87	A Total	B Zero Assets	C Under 100	D 100 to 250	E 251 to 500	F 501 to 1,000	G 1,001 to 5,000	H 5,001 to 10,000	I 10,001 to 25,000	J 25,001 to 50,000	K 50,001 to 100,000	L 100,001 to 250,000	M 250,001 and over
1. Number of Enterprises	11884	533	2090	1534	2540	2428	2443	193	88	17	-	-	7
2. Total receipts (in millions of dollars)	39227.7	1104.6	655.2	638.1	2901.3	5137.1	11699.0	3184.0	2784.2	1204.1	-	-	7060.8
Selected Operating Factors in Percent of Net Sales													
3. Cost of operations	73.1	76.7	74.0	65.2	69.2	73.9	74.9	74.0	76.1	75.0	-	-	70.5
4. Compensation of officers	2.2	1.1	4.0	3.7	3.6	3.6	3.3	1.8	1.3	0.9	-	-	0.2
5. Repairs	0.4	0.3	0.4	0.4	0.4	0.5	0.4	0.6	0.4	0.7	-	-	0.4
6. Bad debts	0.5	1.7	-	0.1	0.6	0.5	0.6	0.5	1.4	0.5	-	-	0.2
7. Rent on business property	1.1	1.4	1.6	1.9	1.7	1.3	0.9	0.7	0.7	0.3	-	-	0.9
8. Taxes (excl Federal tax)	1.8	1.3	1.4	1.8	2.7	1.9	1.7	1.8	1.5	1.9	-	-	1.6
9. Interest	1.1	0.8	0.5	0.6	1.1	0.9	0.9	1.0	1.2	1.6	-	-	1.3
10. Deprec/Deplet/Amortiz†	1.5	0.8	1.8	0.7	1.4	1.2	1.3	1.6	1.3	1.6	-	-	2.1
11. Advertising	1.2	1.6	1.1	1.1	1.2	0.7	0.5	1.0	0.9	0.9	-	-	2.1
12. Pensions & other benef plans	0.8	0.5	-	1.3	0.5	0.7	0.8	1.3	0.9	1.1	-	-	0.7
13. Other expenses	14.1	12.5	12.3	16.7	15.8	13.3	12.6	13.4	12.9	14.9	-	-	16.8
14. Net profit before tax	2.2	1.3	2.9	6.5	1.8	1.5	2.1	2.3	1.4	0.6	-	-	3.2
Selected Financial Ratios (number of times ratio is to one)													
15. Current ratio	2.1	-	1.3	2.8	2.5	2.4	2.2	1.9	2.1	1.8	-	-	2.2
16. Quick ratio	1.0	-	0.6	1.5	1.3	1.2	1.2	0.9	1.0	1.0	-	-	0.6
17. Net sls to net wkg capital	7.1	-	45.0	6.4	6.5	6.3	6.5	7.6	6.6	6.1	-	-	7.5
18. Coverage ratio	4.7	-	6.6	-	3.3	4.1	5.2	5.4	3.9	4.0	-	-	4.3
19. Asset turnover	-	-	-	-	-	-	-	2.5	2.2	1.9	-	-	2.1
20. Total liab to net worth	1.0	-	6.8	1.1	1.3	1.1	1.0	1.3	1.0	1.2	-	-	0.9
Selected Financial Factors in Percentages													
21. Debt ratio	51.1	-	87.3	52.0	55.5	53.1	49.2	55.5	50.2	53.5	-	-	46.1
22. Return on assets	12.5	-	23.9	24.2	10.7	10.6	11.7	13.5	10.0	11.8	-	-	12.2
23. Return on equity	13.9	-	-	43.4	14.1	14.8	13.0	16.7	10.2	11.7	-	-	10.5
24. Return on net worth	25.5	-	-	50.5	24.1	22.7	23.1	30.2	20.1	25.4	-	-	22.6

†Depreciation largest factor

Page 239

5251 RETAIL TRADE: BUILDING MATERIALS, GARDEN SUPPLIES, AND MOBILE HOME DEALERS:
Hardware stores

Item Description For Accounting Period 7/86 Through 6/87	A Total	B Zero Assets	C Under 100	D 100 to 250	E 251 to 500	F 501 to 1,000	G 1,001 to 5,000	H 5,001 to 10,000	I 10,001 to 25,000	J 25,001 to 50,000	K 50,001 to 100,000	L 100,001 to 250,000	M 250,001 and over
							SIZE OF ASSETS IN THOUSANDS OF DOLLARS (000 OMITTED)						
1. Number of Enterprises	12213	497	3341	3744	2561	1361	654	27	16	6	4	-	-
2. Total receipts (in millions of dollars)	11118.9	24.3	528.2	1658.9	1916.7	1983.3	2876.0	404.4	489.3	432.5	805.1	-	-
Selected Operating Factors in Percent of Net Sales													
3. Cost of operations	67.2	83.7	62.2	68.1	65.8	67.7	67.9	61.9	68.5	66.1	70.4	-	-
4. Compensation of officers	4.1	2.3	7.3	7.1	5.6	4.1	3.1	1.9	1.0	0.8	0.3	-	-
5. Repairs	0.4	-	0.5	0.3	0.4	0.4	0.4	0.4	0.5	0.3	0.6	-	-
6. Bad debts	0.2	-	0.4	0.3	0.1	0.3	0.3	0.1	0.2	0.1	0.3	-	-
7. Rent on business property	2.6	0.9	3.4	2.9	3.0	2.6	2.4	3.9	0.9	3.2	1.3	-	-
8. Taxes (excl Federal tax)	2.3	3.8	5.1	2.1	2.5	2.7	1.9	2.1	1.6	2.1	1.7	-	-
9. Interest	1.2	-	0.9	1.4	1.4	1.0	1.2	1.3	1.4	0.8	0.9	-	-
10. Deprec/Deplet/Amortiz†	1.3	-	1.7	1.2	1.6	1.0	1.2	1.5	2.0	1.9	1.3	-	-
11. Advertising	1.9	0.1	0.6	1.1	1.7	2.0	2.0	2.5	1.8	3.4	2.8	-	-
12. Pensions & other benef plans	0.8	-	0.7	0.7	0.8	0.7	0.8	0.5	0.6	1.3	1.3	-	-
13. Other expenses	18.3	20.0	22.6	16.8	17.0	17.8	18.7	20.9	19.4	19.8	19.4	-	-
14. Net profit before tax	*	*	*	*	0.1	*	0.1	3.0	2.1	0.2	*	-	-
Selected Financial Ratios (number of times ratio is to one)													
15. Current ratio	2.5	-	2.7	3.0	3.2	3.0	2.2	1.9	1.8	1.7	2.2	-	-
16. Quick ratio	0.7	-	0.9	0.7	0.9	1.1	0.7	0.5	0.6	0.2	0.7	-	-
17. Net sls to net wkg capital	5.2	-	6.7	5.3	4.1	4.3	6.1	6.7	7.4	7.5	5.5	-	-
18. Coverage ratio	2.6	-	1.1	0.9	2.2	3.0	3.1	4.2	3.3	2.9	3.2	-	-
19. Asset turnover	2.3	-	-	-	2.2	2.1	2.4	2.1	2.0	2.0	2.1	-	-
20. Total liab to net worth	1.3	-	2.5	1.7	1.3	0.7	1.4	1.7	1.3	1.3	1.2	-	-
Selected Financial Factors in Percentages													
21. Debt ratio	55.6	-	71.0	63.3	57.2	41.8	57.6	62.8	57.1	56.2	55.4	-	-
22. Return on assets	7.0	-	2.8	3.5	6.9	6.5	8.7	11.1	9.2	4.8	6.2	-	-
23. Return on equity	6.1	-	0.3	-	6.9	5.3	8.4	13.3	14.4	1.6	3.1	-	-
24. Return on net worth	15.7	-	9.8	9.4	16.2	11.1	20.5	29.8	21.4	10.9	13.8	-	-

†Depreciation largest factor

TABLE II: CORPORATIONS WITH NET INCOME, 1990 EDITION

5251 RETAIL TRADE: BUILDING MATERIALS, GARDEN SUPPLIES, AND MOBILE HOME DEALERS:

Hardware stores

Item Description For Accounting Period 7/86 Through 6/87	A Total	B Zero Assets	C Under 100	D 100 to 250	E 251 to 500	F 501 to 1,000	G 1,001 to 5,000	H 5,001 to 10,000	I 10,001 to 25,000	J 25,001 to 50,000	K 50,001 to 100,000	L 100,001 to 250,000	M 250,001 and over
						SIZE OF ASSETS IN THOUSANDS OF DOLLARS (000 OMITTED)							
1. Number of Enterprises	7855	497	1672	2227	1833	1054	532	22	-	-	-	-	-
2. Total receipts (in millions of dollars)	8328.6	24.3	369.8	1044.3	1454.0	1556.3	2459.7	350.0	-	-	-	-	-
Selected Operating Factors in Percent of Net Sales													
3. Cost of operations	66.2	83.7	57.4	65.7	65.1	67.3	67.1	66.3	-	-	-	-	-
4. Compensation of officers	4.2	2.3	5.6	9.1	5.5	4.6	2.8	1.2	-	-	-	-	-
5. Repairs	0.4	-	0.6	0.2	0.5	0.3	0.4	0.4	-	-	-	-	-
6. Bad debts	0.2	-	0.4	0.1	0.2	0.3	0.3	-	-	-	-	-	-
7. Rent on business property	2.6	0.9	2.7	3.2	2.7	2.6	2.6	3.2	-	-	-	-	-
8. Taxes (excl Federal tax)	2.3	3.8	5.3	2.1	2.4	2.5	1.9	2.0	-	-	-	-	-
9. Interest	1.0	-	0.9	0.7	1.1	0.8	1.1	1.3	-	-	-	-	-
10. Deprec/Deplet/Amortiz†	1.2	-	1.5	1.1	1.4	0.9	1.1	1.3	-	-	-	-	-
11. Advertising	1.8	0.1	0.5	0.9	1.7	1.7	2.2	2.5	-	-	-	-	-
12. Pensions & other benef plans	0.8	-	1.0	0.9	0.6	0.7	0.8	0.5	-	-	-	-	-
13. Other expenses	17.7	20.0	23.3	15.7	16.1	17.2	19.0	17.8	-	-	-	-	-
14. Net profit before tax	1.6	#	0.8	0.3	2.7	1.1	0.7	3.5	-	-	-	-	-
Selected Financial Ratios (number of times ratio is to one)													
15. Current ratio	2.7	-	3.1	3.9	3.4	3.7	2.1	2.1	-	-	-	-	-
16. Quick ratio	0.8	-	0.8	0.9	1.1	1.4	0.7	0.4	-	-	-	-	-
17. Net sls to net wkg capital	5.1	-	7.8	4.7	4.1	4.1	6.2	6.2	-	-	-	-	-
18. Coverage ratio	5.0	-	6.6	5.0	4.4	5.6	3.9	4.7	-	-	-	-	-
19. Asset turnover	2.3	-	-	-	2.3	2.2	2.3	2.2	-	-	-	-	-
20. Total liab to net worth	0.9	-	1.2	0.6	0.9	0.5	1.3	1.5	-	-	-	-	-
Selected Financial Factors in Percentages													
21. Debt ratio	48.2	-	53.7	38.0	46.0	34.7	56.8	59.9	-	-	-	-	-
22. Return on assets	11.2	-	22.8	9.5	11.3	9.4	10.2	13.0	-	-	-	-	-
23. Return on equity	13.2	-	41.2	11.0	13.8	9.3	11.4	15.2	-	-	-	-	-
24. Return on net worth	21.6	-	49.2	15.4	20.8	14.3	23.5	32.5	-	-	-	-	-

†Depreciation largest factor

TABLE I: CORPORATIONS WITH AND WITHOUT NET INCOME, 1990 EDITION

5265 RETAIL TRADE: BUILDING MATERIALS, GARDEN SUPPLIES, AND MOBILE HOME DEALERS:
Garden supplies and mobile home dealers

Item Description For Accounting Period 7/86 Through 6/87	A Total	B Zero Assets	C Under 100	D 100 to 250	E 251 to 500	F 501 to 1,000	G 1,001 to 5,000	H 5,001 to 10,000	I 10,001 to 25,000	J 25,001 to 50,000	K 50,001 to 100,000	L 100,001 to 250,000	M 250,001 and over
						SIZE OF ASSETS IN THOUSANDS OF DOLLARS (000 OMITTED)							
1. Number of Enterprises	9633	616	3228	1850	1702	1293	896	31	13	-	4	-	-
2. Total receipts (in millions of dollars)	9542.8	88.3	542.8	880.0	1951.6	1897.0	3077.5	387.9	260.9	-	456.8	-	-
Selected Operating Factors in Percent of Net Sales													
3. Cost of operations	74.8	65.2	65.0	68.6	71.7	82.2	77.6	71.7	56.3	-	76.6	-	-
4. Compensation of officers	2.7	6.0	3.9	5.7	3.1	1.9	2.3	1.3	1.8	-	1.0	-	-
5. Repairs	0.7	2.8	0.8	0.8	0.6	0.7	0.6	0.9	0.6	-	0.4	-	-
6. Bad debts	0.4	0.2	0.3	0.2	0.4	0.3	0.3	0.1	0.6	-	1.5	-	-
7. Rent on business property	1.6	1.0	4.7	1.8	2.0	1.2	1.2	0.7	1.5	-	1.0	-	-
8. Taxes (excl Federal tax)	2.1	14.5	2.7	2.4	2.6	1.5	1.7	1.6	2.8	-	2.1	-	-
9. Interest	2.6	7.8	1.4	1.9	2.1	2.7	2.7	3.4	1.2	-	6.8	-	-
10. Deprec/Deplet/Amortiz†	1.8	3.0	2.1	1.9	1.5	1.5	1.5	4.0	3.9	-	2.1	-	-
11. Advertising	1.5	1.3	2.4	1.7	1.1	0.8	1.1	1.8	10.0	-	1.6	-	-
12. Pensions & other benef plans	0.5	0.3	0.2	0.4	0.3	0.4	0.5	0.2	2.1	-	0.5	-	-
13. Other expenses	15.3	22.1	20.3	16.9	14.7	10.7	14.8	19.8	25.1	-	22.9	-	-
14. Net profit before tax	*	*	*	*	*	*	*	*	*	-	*	-	-
Selected Financial Ratios (number of times ratio is to one)													
15. Current ratio	1.5	-	2.0	1.4	1.5	1.7	1.4	1.4	1.5	-	1.6	-	-
16. Quick ratio	0.5	-	1.3	0.5	0.5	0.5	0.5	0.5	0.7	-	0.1	-	-
17. Net sls to net wkg capital	8.9	-	10.8	13.6	11.6	6.3	12.1	9.4	5.7	-	2.8	-	-
18. Coverage ratio	1.6	-	1.4	0.5	1.7	1.4	1.3	3.5	5.7	-	1.4	-	-
19. Asset turnover	2.0	-	-	-	-	1.9	2.0	1.5	1.1	-	0.7	-	-
20. Total liab to net worth	3.2	-	-	3.9	3.2	2.9	3.5	3.0	1.8	-	2.8	-	-
Selected Financial Factors in Percentages													
21. Debt ratio	76.4	-	103.2	79.5	76.4	74.1	77.9	74.9	64.6	-	73.4	-	-
22. Return on assets	8.1	-	7.2	2.7	10.6	7.2	7.0	17.7	7.3	-	6.4	-	-
23. Return on equity	7.3	-	-	-	14.7	5.8	1.5	43.4	9.5	-	2.5	-	-
24. Return on net worth	34.4	-	-	13.4	44.7	27.6	31.6	70.3	20.6	-	24.0	-	-

†Depreciation largest factor

5265 RETAIL TRADE: BUILDING MATERIALS, GARDEN SUPPLIES, AND MOBILE HOME DEALERS:

Garden supplies and mobile home dealers

Item Description For Accounting Period 7/86 Through 6/87	A Total	B Zero Assets	C Under 100	D 100 to 250	E 251 to 500	F 501 to 1,000	G 1,001 to 5,000	H 5,001 to 10,000	I 10,001 to 25,000	J 25,001 to 50,000	K 50,001 to 100,000	L 100,001 to 250,000	M 250,001 and over
						SIZE OF ASSETS IN THOUSANDS OF DOLLARS (000 OMITTED)							
1. Number of Enterprises	6161	582	1779	908	1239	992	619	26	-	-	-	-	-
2. Total receipts (in millions of dollars)	7236.3	78.0	258.4	422.1	1551.6	1592.6	2364.8	374.6	-	-	-	-	-
Selected Operating Factors in Percent of Net Sales													
3. Cost of operations	74.4	68.5	59.9	63.5	72.0	82.1	76.4	72.1	-	-	-	-	-
4. Compensation of officers	2.5	3.7	2.0	6.5	2.8	1.8	2.7	1.3	-	-	-	-	-
5. Repairs	0.6	2.7	0.7	0.7	0.6	0.6	0.6	0.9	-	-	-	-	-
6. Bad debts	0.2	0.2	0.4	0.1	0.4	0.1	0.2	0.1	-	-	-	-	-
7. Rent on business property	1.4	1.0	4.3	1.5	1.7	1.2	1.2	0.4	-	-	-	-	-
8. Taxes (excl Federal tax)	2.0	15.6	1.5	2.2	2.6	1.4	1.8	1.3	-	-	-	-	-
9. Interest	2.4	7.8	1.1	1.3	2.1	2.4	2.3	3.2	-	-	-	-	-
10. Deprec/Deplet/Amortiz†	1.7	3.0	1.9	2.2	1.4	1.3	1.4	4.1	-	-	-	-	-
11. Advertising	1.5	0.9	2.0	1.9	0.8	0.8	1.3	1.8	-	-	-	-	-
12. Pensions & other benef plans	0.5	-	-	0.3	0.3	0.4	0.6	0.2	-	-	-	-	-
13. Other expenses	14.8	19.4	25.7	18.1	13.6	10.2	14.3	19.5	-	-	-	-	-
14. Net profit before tax	#	#	0.5	1.7	1.7	#	#	#	-	-	-	-	-
Selected Financial Ratios (number of times ratio is to one)													
15. Current ratio	1.6	-	2.8	1.7	1.7	1.7	1.4	1.2	-	-	-	-	-
16. Quick ratio	0.5	-	2.4	0.6	0.6	0.4	0.6	0.6	-	-	-	-	-
17. Net sls to net wkg capital	8.2	-	7.2	9.7	10.3	6.4	12.5	15.2	-	-	-	-	-
18. Coverage ratio	2.6	-	7.6	2.6	2.7	2.1	2.3	4.0	-	-	-	-	-
19. Asset turnover	2.1	-	-	-	-	2.1	2.2	1.7	-	-	-	-	-
20. Total liab to net worth	2.6	-	6.6	2.6	2.4	2.6	2.5	2.2	-	-	-	-	-
Selected Financial Factors in Percentages													
21. Debt ratio	71.8	-	86.9	72.0	70.5	71.9	71.5	68.9	-	-	-	-	-
22. Return on assets	13.2	-	-	9.2	18.0	10.6	11.5	21.9	-	-	-	-	-
23. Return on equity	22.9	-	-	18.0	33.5	17.4	15.8	45.8	-	-	-	-	-
24. Return on net worth	46.9	-	-	33.0	60.9	37.7	40.3	70.3	-	-	-	-	-

†Depreciation largest factor

TABLE I: CORPORATIONS WITH AND WITHOUT NET INCOME, 1990 EDITION

5300 RETAIL TRADE:
General merchandise stores

Item Description For Accounting Period 7/86 Through 6/87	A Total	B Zero Assets	SIZE OF ASSETS IN THOUSANDS OF DOLLARS (000 OMITTED)										
			C Under 100	D 100 to 250	E 251 to 500	F 501 to 1,000	G 1,001 to 5,000	H 5,001 to 10,000	I 10,001 to 25,000	J 25,001 to 50,000	K 50,001 to 100,000	L 100,001 to 250,000	M 250,001 and over
1. Number of Enterprises	11107	306	4949	2375	1666	814	725	75	71	39	28	26	33
2. Total receipts (in millions of dollars)	205565.0	700.0	815.1	1384.7	1773.4	1261.2	3576.5	1283.5	2344.2	3196.2	3971.9	7024.7	178233.7
Selected Operating Factors in Percent of Net Sales													
3. Cost of operations	63.9	73.5	66.1	73.4	65.1	68.9	67.1	63.2	66.4	65.7	67.1	65.5	63.4
4. Compensation of officers	0.4	1.1	6.6	3.7	4.7	4.4	2.4	1.3	0.8	0.8	0.5	0.5	0.2
5. Repairs	0.6	0.7	0.6	0.6	0.5	0.7	0.6	0.4	0.5	0.5	0.6	0.6	0.6
6. Bad debts	0.6	0.3	0.2	-	0.1	0.4	0.2	0.2	0.4	0.2	0.1	0.5	0.7
7. Rent on business property	3.1	3.5	6.7	4.2	4.0	3.2	3.1	4.2	2.2	3.0	3.3	3.0	3.1
8. Taxes (excl Federal tax)	2.5	1.7	2.9	1.7	2.1	2.2	2.1	2.0	2.0	2.3	2.3	2.3	2.5
9. Interest	3.8	1.5	1.1	1.0	0.8	1.8	1.0	1.2	1.3	1.1	1.4	2.4	4.2
10. Deprec/Deplet/Amortiz†	2.5	1.5	1.8	1.2	1.0	1.6	1.3	2.0	1.8	1.6	1.9	2.1	2.7
11. Advertising	2.8	1.7	1.0	1.2	1.9	2.4	2.1	4.1	2.6	3.0	2.7	3.4	2.8
12. Pensions & other benef plans	1.1	1.2	0.1	-	1.3	0.6	1.0	0.4	0.8	0.6	0.6	0.9	1.2
13. Other expenses	22.3	19.8	18.4	13.8	17.1	17.3	18.8	22.4	22.7	21.3	21.5	20.8	22.7
14. Net profit before tax	*	*	*	*	1.4	*	0.3	*	*	*	*	*	*
Selected Financial Ratios (number of times ratio is to one)													
15. Current ratio	1.5	-	3.2	2.1	2.4	2.1	2.3	3.0	2.0	2.0	1.9	1.8	1.4
16. Quick ratio	0.8	-	0.7	0.2	0.7	0.8	0.8	1.3	1.1	0.7	0.8	0.6	0.8
17. Net sls to net wkg capital	5.5	-	7.0	9.0	6.4	6.7	5.9	5.3	6.5	7.1	6.4	5.8	5.4
18. Coverage ratio	1.8	-	-	0.9	4.4	1.8	3.6	1.7	2.4	3.2	1.9	1.9	1.8
19. Asset turnover	1.1	-	-	-	-	2.2	2.4	2.4	2.1	2.2	2.0	1.5	1.0
20. Total liab to net worth	2.5	-	2.4	3.8	0.8	1.5	1.0	1.1	1.3	1.5	1.6	1.8	2.6
Selected Financial Factors in Percentages													
21. Debt ratio	71.3	-	70.2	79.0	45.2	60.7	50.9	53.1	56.3	59.9	61.4	64.5	72.1
22. Return on assets	7.2	-	-	3.0	9.6	7.2	8.5	4.7	6.3	7.7	5.3	6.9	7.3
23. Return on equity	5.8	-	-	-	11.2	5.8	8.8	0.5	2.6	6.8	1.5	3.8	6.1
24. Return on net worth	25.0	-	-	14.1	17.6	18.2	17.4	10.0	14.4	19.1	13.7	19.5	26.0

†Depreciation largest factor

TABLE II: CORPORATIONS WITH NET INCOME, 1990 EDITION

5300 RETAIL TRADE:
General merchandise stores

Item Description For Accounting Period 7/86 Through 6/87	A Total	B Zero Assets	C Under 100	D 100 to 250	E 251 to 500	F 501 to 1,000	G 1,001 to 5,000	H 5,001 to 10,000	I 10,001 to 25,000	J 25,001 to 50,000	K 50,001 to 100,000	L 100,001 to 250,000	M 250,001 and over
						SIZE OF ASSETS IN THOUSANDS OF DOLLARS (000 OMITTED)							
1. Number of Enterprises	5863	3	1811	1389	1325	568	577	44	48	32	23	17	26
2. Total receipts (in millions of dollars)	184670.2	140.4	326.1	442.6	1574.9	1036.3	2924.1	782.3	1789.6	2576.2	3440.6	5303.7	164333.6
Selected Operating Factors in Percent of Net Sales													
3. Cost of operations	63.5	55.0	69.4	60.5	63.9	69.4	67.7	63.6	66.3	64.7	65.9	65.5	63.2
4. Compensation of officers	0.4	0.4	5.8	7.4	4.9	4.1	2.4	1.4	0.7	0.9	0.5	0.4	0.2
5. Repairs	0.6	0.5	0.2	0.3	0.5	0.6	0.6	0.2	0.4	0.5	0.6	0.6	0.6
6. Bad debts	0.6	1.1	-	-	-	0.4	0.1	0.1	0.3	0.2	0.1	0.5	0.6
7. Rent on business property	3.1	5.3	4.0	6.0	4.2	3.2	3.0	3.6	2.0	3.0	3.3	3.1	3.1
8. Taxes (excl Federal tax)	2.5	2.5	2.0	2.5	2.2	2.1	2.1	2.0	2.0	2.3	2.1	2.2	2.6
9. Interest	3.2	1.5	0.8	1.3	0.7	1.4	0.9	1.2	1.0	1.0	1.4	2.0	3.5
10. Deprec/Deplet/Amortiz†	2.2	1.3	1.8	1.7	0.9	1.3	1.3	2.0	1.6	1.6	2.0	1.9	2.3
11. Advertising	2.8	3.5	1.0	1.2	1.9	1.9	2.1	5.3	2.1	2.9	2.5	3.4	2.8
12. Pensions & other benef plans	1.1	0.7	0.1	0.1	1.3	0.4	1.1	0.3	0.9	0.7	0.6	0.9	1.2
13. Other expenses	22.3	29.9	12.1	16.1	17.2	15.9	17.2	19.4	21.9	21.2	20.6	19.8	22.7
14. Net profit before tax	#	#	2.8	2.9	2.3	#	1.5	0.9	0.8	1.0	0.4	#	#
Selected Financial Ratios (number of times ratio is to one)													
15. Current ratio	1.4	-	5.4	3.2	2.6	2.2	2.5	3.7	1.9	2.1	2.4	2.1	1.4
16. Quick ratio	0.8	-	1.0	0.2	0.7	1.0	0.9	1.8	1.0	0.8	1.0	0.7	0.8
17. Net sls to net wkg capital	6.0	-	4.9	4.4	6.3	7.0	5.4	5.0	7.6	6.6	5.4	5.3	6.0
18. Coverage ratio	2.2	-	7.3	3.4	5.9	4.4	5.3	4.2	4.6	4.7	3.5	3.0	2.1
19. Asset turnover	1.1	-	-	2.1	-	-	2.4	2.4	2.4	2.1	2.0	1.8	1.1
20. Total liab to net worth	2.2	-	1.2	2.5	0.7	1.1	0.8	0.7	1.4	1.4	1.2	1.5	2.3
Selected Financial Factors in Percentages													
21. Debt ratio	68.4	-	53.7	71.4	41.8	51.3	45.1	42.5	57.5	58.1	53.8	59.9	69.3
22. Return on assets	7.8	-	18.8	9.1	12.5	15.5	11.5	11.9	11.5	9.7	9.2	10.3	7.6
23. Return on equity	7.9	-	31.7	21.0	14.9	21.9	12.9	11.1	12.1	11.0	9.4	10.1	7.5
24. Return on net worth	24.6	-	40.5	31.8	21.4	31.9	20.9	20.8	27.1	23.1	20.0	25.6	24.7

†Depreciation largest factor

TABLE I: CORPORATIONS WITH AND WITHOUT NET INCOME, 1990 EDITION

5410 RETAIL TRADE:
Grocery stores

Item Description For Accounting Period 7/86 Through 6/87	A Total	B Zero Assets	SIZE OF ASSETS IN THOUSANDS OF DOLLARS (000 OMITTED)										
			C Under 100	D 100 to 250	E 251 to 500	F 501 to 1,000	G 1,001 to 5,000	H 5,001 to 10,000	I 10,001 to 25,000	J 25,001 to 50,000	K 50,001 to 100,000	L 100,001 to 250,000	M 250,001 and over
1. Number of Enterprises	30594	2414	10279	8723	4172	2345	2143	221	148	55	33	29	34
2. Total receipts (in millions of dollars)	242395.4	16897.4	4634.7	8992.0	8098.5	9607.4	24065.8	8707.4	12134.3	9461.4	9859.6	20029.7	109907.4
Selected Operating Factors in Percent of Net Sales													
3. Cost of operations	77.4	74.1	75.0	79.0	79.7	79.4	79.5	79.1	79.7	78.9	78.8	78.6	76.2
4. Compensation of officers	0.5	0.2	2.6	2.4	1.6	1.4	1.1	0.8	0.4	0.3	0.2	0.2	0.1
5. Repairs	0.5	0.6	0.6	0.5	0.6	0.5	0.6	0.6	0.5	0.5	0.6	0.6	0.5
6. Bad debts	0.1	0.2	0.1	0.1	-	0.1	0.1	0.1	-	-	-	0.1	0.1
7. Rent on business property	1.6	1.6	3.3	1.6	1.7	1.3	1.3	1.4	1.4	1.3	1.5	1.5	1.6
8. Taxes (excl Federal tax)	1.3	0.8	1.8	1.5	1.5	1.3	1.3	1.3	1.1	1.4	1.1	1.4	1.4
9. Interest	0.6	0.7	0.6	0.8	0.7	0.5	0.6	0.6	0.5	0.5	0.6	0.7	0.6
10. Deprec/Deplet/Amortiz†	1.6	1.8	1.0	1.2	1.1	1.2	1.3	1.4	1.4	1.4	1.4	1.5	1.9
11. Advertising	1.1	0.9	0.3	1.0	1.1	1.3	1.1	0.9	1.0	1.1	0.9	1.0	1.1
12. Pensions & other benef plans	1.1	5.2	0.1	0.2	0.2	0.4	0.7	0.8	0.8	0.9	1.0	1.2	0.9
13. Other expenses	14.9	15.3	15.7	12.7	12.5	13.2	13.4	13.8	13.5	14.1	14.2	13.4	16.2
14. Net profit before tax	*	*	*	*	*	*	*	*	*	*	*	*	*
Selected Financial Ratios (number of times ratio is to one)													
15. Current ratio	1.3	-	2.4	1.5	1.9	1.7	1.5	1.1	1.3	1.2	1.3	1.5	1.2
16. Quick ratio	0.4	-	0.6	0.5	0.6	0.6	0.5	0.4	0.5	0.4	0.5	0.5	0.4
17. Net sls to net wkg capital	43.0	-	19.9	30.0	20.2	27.0	37.5	138.8	48.9	64.5	42.9	27.3	48.2
18. Coverage ratio	3.1	-	1.1	0.8	1.7	2.1	2.0	2.3	3.1	2.9	3.3	2.9	4.0
19. Asset turnover	-	-	-	-	-	-	-	-	-	-	-	-	-
20. Total liab to net worth	1.9	-	2.6	6.6	2.8	2.1	2.0	2.1	1.7	1.8	2.1	2.0	1.8
Selected Financial Factors in Percentages													
21. Debt ratio	66.0	-	72.5	86.9	73.5	67.4	66.2	67.5	63.4	63.9	67.6	66.6	64.5
22. Return on assets	8.2	-	5.4	3.6	6.6	6.6	6.6	7.3	7.4	7.5	7.6	8.3	8.3
23. Return on equity	9.2	-	-	-	7.5	6.1	5.5	7.2	7.1	6.9	9.5	8.6	10.4
24. Return on net worth	24.2	-	19.5	27.5	25.0	20.1	19.5	22.5	20.2	20.8	23.6	24.9	23.4

†Depreciation largest factor

5410 RETAIL TRADE:

Grocery stores

						SIZE OF ASSETS IN THOUSANDS OF DOLLARS (000 OMITTED)							
Item Description For Accounting Period 7/86 Through 6/87	A Total	B Zero Assets	C Under 100	D 100 to 250	E 251 to 500	F 501 to 1,000	G 1,001 to 5,000	H 5,001 to 10,000	I 10,001 to 25,000	J 25,001 to 50,000	K 50,001 to 100,000	L 100,001 to 250,000	M 250,001 and over
1. Number of Enterprises	16871	1272	4284	4814	2961	1578	1544	180	112	-	28	-	28
2. Total receipts (in millions of dollars)	195690.8	15609.2	2031.8	4955.3	5856.5	6806.8	17552.8	6972.0	9090.4	-	9054.0	-	92211.9
Selected Operating Factors in Percent of Net Sales													
3. Cost of operations	77.1	73.8	75.9	79.0	79.9	78.8	80.1	78.5	80.1	-	79.1	-	75.7
4. Compensation of officers	0.4	0.1	2.3	2.3	1.8	1.4	1.1	0.9	0.4	-	0.2	-	0.1
5. Repairs	0.5	0.6	0.6	0.5	0.5	0.6	0.5	0.6	0.5	-	0.6	-	0.4
6. Bad debts	0.1	0.2	-	0.1	-	-	0.1	0.1	-	-	-	-	0.1
7. Rent on business property	1.5	1.6	3.9	1.6	1.7	1.3	1.2	1.2	1.3	-	1.4	-	1.5
8. Taxes (excl Federal tax)	1.3	0.7	1.3	1.5	1.4	1.3	1.3	1.3	1.1	-	1.1	-	1.4
9. Interest	0.6	0.7	0.5	0.7	0.6	0.4	0.5	0.6	0.4	-	0.5	-	0.6
10. Deprec/Deplet/Amortiz†	1.6	1.8	0.8	1.0	1.0	1.2	1.2	1.3	1.4	-	1.3	-	1.9
11. Advertising	1.0	0.8	0.4	0.8	0.9	1.3	1.0	0.9	0.9	-	0.9	-	1.1
12. Pensions & other benef plans	1.2	5.5	-	0.1	0.1	0.4	0.7	0.9	0.9	-	0.9	-	0.9
13. Other expenses	14.8	15.2	12.6	11.3	11.6	12.8	12.2	13.8	13.1	-	14.1	-	16.4
14. Net profit before tax	#	#	1.7	1.1	0.5	0.5	0.1	#	#	-	#	-	#
Selected Financial Ratios (number of times ratio is to one)													
15. Current ratio	1.3	-	3.2	2.3	2.3	1.9	1.6	1.2	1.5	-	1.2	-	1.2
16. Quick ratio	0.5	-	1.0	0.9	0.8	0.7	0.6	0.5	0.6	-	0.4	-	0.4
17. Net sls to net wkg capital	39.4	-	16.0	16.5	16.6	22.3	31.6	65.0	35.6	-	67.4	-	46.5
18. Coverage ratio	4.3	-	6.5	4.1	3.8	5.0	3.7	3.1	5.0	-	4.4	-	4.9
19. Asset turnover	-	-	-	-	-	-	-	-	-	-	-	-	-
20. Total liab to net worth	1.7	-	1.5	1.5	1.9	1.3	1.4	1.8	1.3	-	1.9	-	1.7
Selected Financial Factors in Percentages													
21. Debt ratio	62.7	-	60.0	60.3	65.1	56.8	58.5	63.9	57.1	-	65.0	-	63.4
22. Return on assets	10.4	-	23.5	16.4	12.6	13.5	11.0	9.4	10.5	-	9.1	-	9.2
23. Return on equity	13.6	-	45.2	26.3	23.4	20.5	14.9	12.1	12.1	-	12.3	-	12.1
24. Return on net worth	27.9	-	58.7	41.2	36.2	31.3	26.5	26.1	24.5	-	25.9	-	25.1

†Depreciation largest factor

TABLE I: CORPORATIONS WITH AND WITHOUT NET INCOME, 1990 EDITION

5490 RETAIL TRADE:

Other food stores

Item Description For Accounting Period 7/86 Through 6/87	A Total	B Zero Assets	C Under 100	D 100 to 250	E 251 to 500	F 501 to 1,000	G 1,001 to 5,000	H 5,001 to 10,000	I 10,001 to 25,000	J 25,001 to 50,000	K 50,001 to 100,000	L 100,001 to 250,000	M 250,001 and over
1. Number of Enterprises	21059	1218	12781	4258	1732	461	524	43	29	5	4	5	-
2. Total receipts (in millions of dollars)	16974.8	228.6	2848.7	2257.1	2534.0	943.8	3432.7	1612.2	928.0	504.0	630.6	1055.0	-
Selected Operating Factors in Percent of Net Sales													
3. Cost of operations	67.5	57.6	62.9	60.8	71.8	65.1	72.4	88.4	63.3	71.7	66.5	40.7	-
4. Compensation of officers	2.6	2.8	5.0	4.3	2.7	2.8	1.8	0.9	1.3	0.4	0.4	0.6	-
5. Repairs	0.8	1.6	0.6	1.0	1.0	0.6	0.7	0.4	0.7	0.5	1.3	1.5	-
6. Bad debts	0.1	-	-	-	0.3	0.1	0.2	0.2	0.1	-	-	0.1	-
7. Rent on business property	3.5	7.8	4.8	4.7	2.3	3.8	2.6	0.4	3.8	2.0	3.3	8.2	-
8. Taxes (excl Federal tax)	2.0	3.0	2.6	2.7	1.8	2.0	1.6	0.7	2.2	1.5	2.1	2.8	-
9. Interest	1.1	1.2	0.9	1.1	1.0	1.0	1.1	0.6	2.1	1.0	1.0	1.3	-
10. Deprec/Deplet/Amortiz†	2.7	3.8	2.6	3.5	2.1	3.3	2.0	0.8	3.0	2.1	3.3	6.1	-
11. Advertising	1.3	2.4	1.9	0.9	1.2	1.9	1.1	0.2	0.7	0.3	1.1	2.9	-
12. Pensions & other benef plans	0.6	0.2	0.2	0.4	0.4	0.7	0.5	0.4	1.1	0.7	0.3	2.3	-
13. Other expenses	19.4	31.6	20.7	22.7	16.8	16.9	17.8	7.4	23.4	17.7	20.3	36.5	-
14. Net profit before tax	*	*	*	*	*	*	*	*	*	2.1	0.4	*	-
Selected Financial Ratios (number of times ratio is to one)													
15. Current ratio	1.3	-	-	1.2	1.5	2.0	1.2	1.5	1.2	1.3	0.8	1.5	-
16. Quick ratio	0.6	-	-	0.6	0.7	1.1	0.7	0.8	0.6	0.5	0.2	0.4	-
17. Net sls to net wkg capital	35.7	-	-	72.2	29.3	18.7	52.6	27.2	25.5	30.3	-	13.0	-
18. Coverage ratio	1.0	-	-	-	0.5	4.0	0.8	1.2	1.9	4.6	3.5	3.7	-
19. Asset turnover	-	-	-	-	-	-	-	-	1.9	-	1.9	1.5	-
20. Total liab to net worth	2.9	-	-	4.8	2.3	1.3	4.3	2.8	2.6	2.2	1.2	1.1	-
Selected Financial Factors in Percentages													
21. Debt ratio	74.4	-	-	82.7	69.3	55.7	81.2	73.5	72.3	69.0	54.4	53.2	-
22. Return on assets	3.7	-	-	0.1	2.1	12.9	3.5	4.0	7.2	13.7	6.4	7.2	-
23. Return on equity	-	-	-	-	-	19.5	-	-	4.9	31.9	4.8	5.5	-
24. Return on net worth	14.5	-	-	0.5	6.9	29.2	18.8	15.1	26.1	44.3	14.1	15.4	-

†Depreciation largest factor

TABLE II: CORPORATIONS WITH NET INCOME, 1990 EDITION

5490 RETAIL TRADE:

Other food stores

Item Description For Accounting Period 7/86 Through 6/87	A Total	B Zero Assets	SIZE OF ASSETS IN THOUSANDS OF DOLLARS (000 OMITTED)										
			C Under 100	D 100 to 250	E 251 to 500	F 501 to 1,000	G 1,001 to 5,000	H 5,001 to 10,000	I 10,001 to 25,000	J 25,001 to 50,000	K 50,001 to 100,000	L 100,001 to 250,000	M 250,001 and over
1. Number of Enterprises	8616	11	5026	1894	927	342	350	36	20	-	-	-	-
2. Total receipts (in millions of dollars)	11063.5	20.5	1227.1	1265.6	1615.3	694.5	2157.2	1509.3	757.8	-	-	-	-

Selected Operating Factors in Percent of Net Sales

Item Description	A	B	C	D	E	F	G	H	I	J	K	L	M
3. Cost of operations	68.2	30.6	57.0	58.8	73.4	67.2	70.9	90.8	66.6	-	-	-	-
4. Compensation of officers	2.4	-	5.1	4.7	2.9	2.3	2.4	0.8	1.2	-	-	-	-
5. Repairs	0.8	3.3	0.7	0.8	1.0	0.6	0.7	0.4	0.5	-	-	-	-
6. Bad debts	0.1	-	-	-	0.1	-	0.2	0.2	-	-	-	-	-
7. Rent on business property	2.9	0.5	3.9	3.2	2.0	3.7	2.2	0.4	4.5	-	-	-	-
8. Taxes (excl Federal tax)	1.8	7.9	2.8	2.4	1.4	2.0	1.6	0.6	1.9	-	-	-	-
9. Interest	0.9	2.5	0.4	1.1	0.7	1.0	1.0	0.3	1.6	-	-	-	-
10. Deprec/Deplet/Amortiz†	2.3	3.6	2.2	3.3	2.0	3.3	1.9	0.3	2.7	-	-	-	-
11. Advertising	1.1	4.8	2.1	0.9	0.8	1.2	1.1	0.1	0.7	-	-	-	-
12. Pensions & other benef plans	0.7	0.2	0.1	0.5	0.4	0.5	0.6	0.4	1.3	-	-	-	-
13. Other expenses	17.8	38.8	23.3	21.8	14.4	15.2	17.2	5.4	18.5	-	-	-	-
14. Net profit before tax	1.0	7.8	2.4	2.5	0.9	3.0	0.2	0.3	0.5	-	-	-	-

Selected Financial Ratios (number of times ratio is to one)

Item Description	A	B	C	D	E	F	G	H	I	J	K	L	M
15. Current ratio	1.5	-	2.7	1.7	1.9	2.0	1.3	1.7	1.2	-	-	-	-
16. Quick ratio	0.8	-	1.5	0.8	1.1	1.2	0.8	0.9	0.7	-	-	-	-
17. Net sls to net wkg capital	24.4	-	13.7	24.9	18.7	19.6	35.7	21.4	22.8	-	-	-	-
18. Coverage ratio	4.3	-	9.7	3.8	4.0	5.8	2.9	3.5	3.5	-	-	-	-
19. Asset turnover	-	-	-	-	-	-	-	-	2.1	-	-	-	-
20. Total liab to net worth	1.7	-	3.4	1.4	1.1	0.9	3.2	2.0	1.7	-	-	-	-

Selected Financial Factors in Percentages

Item Description	A	B	C	D	E	F	G	H	I	J	K	L	M
21. Debt ratio	62.8	-	77.0	58.3	52.8	47.5	76.3	66.8	62.6	-	-	-	-
22. Return on assets	12.9	-	22.3	17.0	12.7	18.1	11.1	7.3	11.8	-	-	-	-
23. Return on equity	20.7	-	-	25.5	17.7	25.8	22.7	9.4	15.2	-	-	-	-
24. Return on net worth	34.6	-	96.9	40.8	26.9	34.6	46.9	21.9	31.5	-	-	-	-

†Depreciation largest factor

5515 RETAIL TRADE: AUTOMOTIVE DEALERS AND SERVICE STATIONS:

Motor vehicle dealers

Item Description For Accounting Period 7/86 Through 6/87	A Total	B Zero Assets	C Under 100	D 100 to 250	E 251 to 500	F 501 to 1,000	G 1,001 to 5,000	H 5,001 to 10,000	I 10,001 to 25,000	J 25,001 to 50,000	K 50,001 to 100,000	L 100,001 to 250,000	M 250,001 and over
				SIZE OF ASSETS IN THOUSANDS OF DOLLARS (000 OMITTED)									
1. Number of Enterprises	40898	2029	7679	5171	4290	5426	13279	2206	683	108	19	9	-
2. Total receipts (in millions of dollars)	302194.2	4472.2	2508.1	3185.7	7527.8	17652.3	144231.8	66927.8	37225.9	10576.3	3705.7	4180.5	-
Selected Operating Factors in Percent of Net Sales													
3. Cost of operations	87.5	86.7	84.1	85.8	87.8	87.4	87.9	87.6	87.5	86.7	86.5	79.1	-
4. Compensation of officers	1.1	1.4	1.6	2.7	1.3	1.5	1.1	1.0	0.9	0.7	0.6	0.6	-
5. Repairs	0.2	0.2	0.7	0.5	0.3	0.2	0.2	0.2	0.2	0.2	0.2	0.2	-
6. Bad debts	0.1	0.2	0.2	0.4	0.1	0.1	0.1	0.1	0.1	0.3	0.1	0.1	-
7. Rent on business property	0.7	1.0	2.0	1.8	0.9	0.8	0.7	0.7	0.6	0.8	0.9	0.6	-
8. Taxes (excl Federal tax)	0.8	1.1	1.0	1.1	1.0	0.8	0.8	0.8	0.8	0.8	0.9	0.6	-
9. Interest	1.0	1.3	1.4	1.2	0.9	1.1	0.9	0.9	1.0	1.6	1.6	2.5	-
10. Deprec/Deplet/Amortiz†	1.1	0.9	0.5	0.8	0.7	0.5	0.6	1.0	1.6	2.4	1.9	12.8	-
11. Advertising	1.1	1.0	0.8	0.6	0.9	0.8	1.1	1.3	1.2	1.4	1.4	1.1	-
12. Pensions & other benef plans	0.4	0.6	0.3	0.4	0.3	0.4	0.5	0.4	0.4	0.4	0.4	0.3	-
13. Other expenses	7.5	9.3	11.1	8.1	6.3	7.0	7.2	7.7	7.9	8.6	8.9	6.9	-
14. Net profit before tax	*	*	*	*	*	*	*	*	*	*	*	*	-
Selected Financial Ratios (number of times ratio is to one)													
15. Current ratio	1.2	-	-	2.4	1.8	1.5	1.2	1.1	1.1	1.0	1.0	0.5	-
16. Quick ratio	0.3	-	-	1.0	0.6	0.3	0.3	0.3	0.4	0.4	0.4	0.2	-
17. Net sls to net wkg capital	35.4	-	-	7.9	13.6	16.1	28.8	47.9	59.9	-	142.4	-	-
18. Coverage ratio	1.6	-	-	0.2	1.9	1.4	1.6	1.7	1.8	1.5	1.4	1.4	-
19. Asset turnover	-	-	-	-	-	-	-	-	-	-	-	1.9	-
20. Total liab to net worth	4.4	-	-	3.6	2.0	3.2	4.3	4.7	4.1	6.3	6.6	6.5	-
Selected Financial Factors in Percentages													
21. Debt ratio	81.4	-	-	78.1	67.0	75.9	81.0	82.3	80.5	86.2	86.8	86.7	-
22. Return on assets	6.7	-	-	0.7	8.1	6.8	6.4	6.8	6.8	6.6	6.6	6.7	-
23. Return on equity	7.8	-	-	-	9.1	5.4	7.6	10.4	9.2	8.2	4.0	8.5	-
24. Return on net worth	35.7	-	-	3.1	24.6	28.3	33.5	38.8	34.8	47.9	49.5	50.6	-

†Depreciation largest factor

TABLE II: CORPORATIONS WITH NET INCOME, 1990 EDITION

5515 RETAIL TRADE: AUTOMOTIVE DEALERS AND SERVICE STATIONS:
Motor vehicle dealers

Item Description For Accounting Period 7/86 Through 6/87	A Total	B Zero Assets	SIZE OF ASSETS IN THOUSANDS OF DOLLARS (000 OMITTED)										
			C Under 100	D 100 to 250	E 251 to 500	F 501 to 1,000	G 1,001 to 5,000	H 5,001 to 10,000	I 10,001 to 25,000	J 25,001 to 50,000	K 50,001 to 100,000	L 100,001 to 250,000	M 250,001 and over
1. Number of Enterprises	25296	873	3905	2740	2745	3777	9087	1584	491	74	12	6	-
2. Total receipts (in millions of dollars)	218181.7	3062.1	1608.8	1722.7	4477.9	12985.9	104306.4	49769.0	27356.8	8024.5	2172.6	2695.1	-
Selected Operating Factors in Percent of Net Sales													
3. Cost of operations	87.3	85.9	82.5	82.3	84.8	87.1	87.8	87.4	87.2	86.3	86.8	82.1	-
4. Compensation of officers	1.2	1.4	2.2	3.8	1.6	1.6	1.2	1.1	1.0	0.8	0.5	0.8	-
5. Repairs	0.2	0.3	0.3	0.5	0.4	0.2	0.2	0.2	0.2	0.2	0.2	0.2	-
6. Bad debts	0.1	0.1	0.1	0.5	-	0.1	0.1	0.1	0.1	0.2	0.1	0.1	-
7. Rent on business property	0.7	1.1	1.6	2.4	1.0	0.7	0.7	0.6	0.5	0.8	0.7	0.7	-
8. Taxes (excl Federal tax)	0.8	1.2	1.0	1.1	1.1	0.8	0.8	0.8	0.8	0.8	0.9	0.7	-
9. Interest	0.8	1.3	0.8	0.8	1.0	0.9	0.7	0.8	0.9	1.3	1.3	1.6	-
10. Deprec/Deplet/Amortiz†	0.9	1.3	0.4	0.6	1.0	0.5	0.6	1.0	1.5	2.0	1.6	8.1	-
11. Advertising	1.1	1.2	0.7	0.6	1.0	0.8	1.0	1.2	1.2	1.5	1.3	1.4	-
12. Pensions & other benef plans	0.5	0.4	0.3	0.4	0.3	0.4	0.5	0.5	0.4	0.4	0.4	0.4	-
13. Other expenses	7.3	8.9	9.4	7.8	7.0	6.7	6.9	7.5	7.7	8.5	8.4	7.3	-
14. Net profit before tax	#	#	0.7	#	0.8	0.2	#	#	#	#	#	#	-
Selected Financial Ratios (number of times ratio is to one)													
15. Current ratio	1.3	-	2.8	3.5	2.0	1.6	1.3	1.2	1.2	1.1	1.1	0.8	-
16. Quick ratio	0.3	-	0.7	1.7	0.6	0.4	0.3	0.3	0.4	0.4	0.4	0.3	-
17. Net sls to net wkg capital	28.3	-	18.3	6.1	12.0	14.2	25.3	37.5	41.3	116.1	64.8	-	-
18. Coverage ratio	2.6	-	4.6	3.9	3.2	2.5	2.5	2.6	2.6	2.3	2.3	2.3	-
19. Asset turnover	-	-	-	-	-	-	-	-	-	-	-	2.1	-
20. Total liab to net worth	3.3	-	-	1.5	1.4	2.3	3.3	3.8	3.1	4.7	4.3	3.6	-
Selected Financial Factors in Percentages													
21. Debt ratio	76.8	-	146.2	59.4	57.9	70.0	76.6	79.2	75.8	82.5	81.0	78.4	-
22. Return on assets	9.6	-	-	11.0	14.0	10.1	9.1	9.4	9.1	9.6	8.5	7.9	-
23. Return on equity	19.1	-	-	18.1	19.7	16.6	17.7	20.5	16.4	23.1	13.9	13.2	-
24. Return on net worth	41.4	-	-	26.9	33.1	33.7	38.7	44.9	37.6	54.8	44.7	36.4	-

†Depreciation largest factor

TABLE I: CORPORATIONS WITH AND WITHOUT NET INCOME, 1990 EDITION

5541 RETAIL TRADE: AUTOMOTIVE DEALERS AND SERVICE STATIONS:
Gasoline service stations

Item Description / For Accounting Period / 7/86 Through 6/87	A Total	B Zero Assets	C Under 100	D 100 to 250	E 251 to 500	F 501 to 1,000	G 1,001 to 5,000	H 5,001 to 10,000	I 10,001 to 25,000	J 25,001 to 50,000	K 50,001 to 100,000	L 100,001 to 250,000	M 250,001 and over
						SIZE OF ASSETS IN THOUSANDS OF DOLLARS (000 OMITTED)							
1. Number of Enterprises	18577	722	6681	6790	2551	867	826	73	46	11	5	5	-
2. Total receipts (in millions of dollars)	41374.0	292.2	3647.1	7825.1	5572.5	3091.9	9478.0	3144.2	2664.6	1472.3	1076.7	3109.5	-
Selected Operating Factors in Percent of Net Sales													
3. Cost of operations	82.7	90.4	77.3	80.6	80.3	82.3	83.5	86.8	85.1	78.8	82.1	91.9	-
4. Compensation of officers	1.6	1.1	3.7	2.6	2.4	1.9	1.0	0.6	0.6	0.3	0.3	0.2	-
5. Repairs	0.5	0.7	0.4	0.3	0.3	0.6	0.6	0.5	0.4	0.4	0.6	0.5	-
6. Bad debts	0.1	0.2	-	0.1	0.1	0.2	0.2	0.1	0.4	0.1	-	-	-
7. Rent on business property	1.5	0.8	2.8	1.8	1.8	1.6	1.3	0.9	0.8	0.5	0.7	0.3	-
8. Taxes (excl Federal tax)	2.2	1.3	3.0	1.7	1.8	2.1	2.6	2.1	1.1	7.0	1.5	0.7	-
9. Interest	0.6	1.6	0.2	0.6	0.6	0.5	0.6	0.4	0.8	0.6	0.7	1.0	-
10. Deprec/Deplet/Amortiz†	1.3	1.8	1.0	1.2	1.3	1.0	1.2	1.4	1.6	1.7	2.0	1.7	-
11. Advertising	0.3	0.2	0.3	0.3	0.3	0.2	0.2	0.3	0.2	0.2	0.1	0.3	-
12. Pensions & other benef plans	0.2	-	0.1	0.1	0.2	0.3	0.4	0.1	0.3	0.2	0.3	0.3	-
13. Other expenses	9.4	7.9	11.4	10.2	11.1	9.5	9.3	7.1	9.2	8.6	8.6	5.3	-
14. Net profit before tax	*	*	*	0.5	*	*	*	*	*	1.6	3.1	*	-
Selected Financial Ratios (number of times ratio is to one)													
15. Current ratio	1.5	-	2.4	2.6	1.8	1.9	1.4	1.0	1.0	1.0	1.2	1.2	-
16. Quick ratio	0.8	-	1.6	1.5	1.1	1.3	0.8	0.5	0.5	0.5	1.0	0.4	-
17. Net sls to net wkg capital	38.1	-	31.6	23.1	28.1	21.9	45.2	-	-	-	50.6	63.6	-
18. Coverage ratio	2.9	-	4.4	2.4	2.3	2.8	2.7	3.2	3.3	5.4	9.7	0.9	-
19. Asset turnover	-	-	-	-	-	-	-	-	-	-	-	-	-
20. Total liab to net worth	1.7	-	2.4	1.4	1.8	1.1	2.0	1.7	1.5	1.9	1.0	2.1	-
Selected Financial Factors in Percentages													
21. Debt ratio	62.4	-	70.2	57.4	64.1	52.3	66.7	63.3	59.4	65.0	50.8	68.0	-
22. Return on assets	9.3	-	8.8	10.1	7.6	7.6	8.9	8.9	9.3	12.1	19.0	3.4	-
23. Return on equity	10.4	-	16.0	10.8	8.5	7.1	10.2	12.0	8.4	19.9	21.3	-	-
24. Return on net worth	24.7	-	29.5	23.8	21.3	15.9	26.8	24.2	22.9	34.5	38.5	10.6	-

†Depreciation largest factor

TABLE II: CORPORATIONS WITH NET INCOME, 1990 EDITION

5541 RETAIL TRADE: AUTOMOTIVE DEALERS AND SERVICE STATIONS:
Gasoline service stations

Item Description For Accounting Period 7/86 Through 6/87	A Total	B Zero Assets	C Under 100	D 100 to 250	E 251 to 500	F 501 to 1,000	G 1,001 to 5,000	H 5,001 to 10,000	I 10,001 to 25,000	J 25,001 to 50,000	K 50,001 to 100,000	L 100,001 to 250,000	M 250,001 and over
						SIZE OF ASSETS IN THOUSANDS OF DOLLARS (000 OMITTED)							
1. Number of Enterprises	11565	391	3602	4349	1772	686	645	62	40	-	-	-	-
2. Total receipts (in millions of dollars)	31258.2	176.4	2489.8	5186.5	4072.9	2366.2	7933.4	2807.1	2337.8	-	-	-	-
Selected Operating Factors in Percent of Net Sales													
3. Cost of operations	82.2	87.8	78.0	80.1	78.6	81.4	83.6	86.9	85.1	-	-	-	-
4. Compensation of officers	1.7	1.4	4.3	2.5	2.7	1.8	1.1	0.5	0.6	-	-	-	-
5. Repairs	0.5	1.1	0.2	0.4	0.3	0.7	0.6	0.5	0.5	-	-	-	-
6. Bad debts	0.1	0.3	0.1	0.1	0.1	0.2	0.2	0.1	-	-	-	-	-
7. Rent on business property	1.4	0.9	2.7	1.8	2.1	1.7	1.1	0.9	0.9	-	-	-	-
8. Taxes (excl Federal tax)	2.1	1.5	1.2	1.8	1.9	1.6	2.7	2.2	1.1	-	-	-	-
9. Interest	0.5	0.7	0.1	0.4	0.4	0.4	0.5	0.4	0.8	-	-	-	-
10. Deprec/Deplet/Amortiz†	1.2	2.2	0.8	1.2	1.2	1.1	1.1	1.3	1.6	-	-	-	-
11. Advertising	0.2	0.1	0.2	0.2	0.3	0.3	0.2	0.2	0.2	-	-	-	-
12. Pensions & other benef plans	0.3	-	0.1	0.2	0.2	0.4	0.5	0.1	0.3	-	-	-	-
13. Other expenses	9.3	9.8	11.3	9.8	11.5	10.1	8.9	6.6	8.7	-	-	-	-
14. Net profit before tax	0.5	#	1.0	1.5	0.7	0.3	#	#	0.2	-	-	-	-
Selected Financial Ratios (number of times ratio is to one)													
15. Current ratio	1.6	-	2.6	3.0	2.8	2.3	1.4	1.0	1.1	-	-	-	-
16. Quick ratio	0.9	-	1.8	1.9	1.8	1.5	0.8	0.5	0.5	-	-	-	-
17. Net sls to net wkg capital	33.5	-	26.7	19.3	18.3	17.9	43.9	-	117.3	-	-	-	-
18. Coverage ratio	5.3	-	-	5.1	5.6	4.6	4.4	3.8	4.4	-	-	-	-
19. Asset turnover	-	-	-	-	-	-	-	-	-	-	-	-	-
20. Total liab to net worth	1.3	-	1.8	0.9	1.0	0.8	1.5	1.9	1.3	-	-	-	-
Selected Financial Factors in Percentages													
21. Debt ratio	55.7	-	63.6	48.0	49.3	43.3	60.4	65.2	57.3	-	-	-	-
22. Return on assets	14.1	-	26.5	17.8	12.2	10.2	12.4	10.5	12.9	-	-	-	-
23. Return on equity	19.3	-	-	23.6	16.3	10.9	17.0	16.5	15.4	-	-	-	-
24. Return on net worth	31.9	-	73.0	34.2	24.1	18.1	31.3	30.3	30.2	-	-	-	-

†Depreciation largest factor

TABLE I: CORPORATIONS WITH AND WITHOUT NET INCOME, 1990 EDITION

5598 RETAIL TRADE: AUTOMOTIVE DEALERS AND SERVICE STATIONS:
Other automotive dealers

Item Description For Accounting Period 7/86 Through 6/87	A Total	B Zero Assets	SIZE OF ASSETS IN THOUSANDS OF DOLLARS (000 OMITTED)										
			C Under 100	D 100 to 250	E 251 to 500	F 501 to 1,000	G 1,001 to 5,000	H 5,001 to 10,000	I 10,001 to 25,000	J 25,001 to 50,000	K 50,001 to 100,000	L 100,001 to 250,000	M 250,001 and over
1. Number of Enterprises	30402	926	10092	9009	5735	2633	1799	108	64	18	10	7	-
2. Total receipts (in millions of dollars)	33050.1	126.9	2051.4	4178.6	5398.3	4647.7	7840.1	1946.4	2083.7	1194.8	1445.0	2137.4	-
Selected Operating Factors in Percent of Net Sales													
3. Cost of operations	70.9	76.9	63.3	64.7	67.5	72.1	76.4	71.1	75.1	70.2	69.7	72.6	-
4. Compensation of officers	3.0	5.6	5.7	5.6	4.1	3.6	2.0	1.4	1.0	1.0	0.5	0.4	-
5. Repairs	0.4	0.7	0.3	0.3	0.5	0.4	0.4	0.4	0.4	0.6	0.5	0.9	-
6. Bad debts	0.4	0.1	0.1	0.4	0.5	0.3	0.3	0.5	0.4	0.3	0.6	0.9	-
7. Rent on business property	2.4	3.5	3.2	3.3	2.8	2.1	1.7	2.4	2.0	2.4	2.1	1.9	-
8. Taxes (excl Federal tax)	1.8	1.9	2.2	2.4	1.9	1.7	1.7	1.6	1.3	1.7	1.5	1.8	-
9. Interest	1.7	3.7	1.0	1.3	1.2	1.6	1.9	1.5	1.6	2.2	1.9	3.0	-
10. Deprec/Deplet/Amortiz†	2.2	2.7	1.6	2.4	1.6	1.4	2.0	3.6	1.7	3.0	3.9	3.6	-
11. Advertising	1.4	1.6	1.5	1.6	1.3	1.4	1.2	1.2	1.6	2.9	1.6	1.0	-
12. Pensions & other benef plans	0.7	0.3	0.3	0.5	0.5	0.7	0.6	0.8	0.5	0.8	2.0	0.9	-
13. Other expenses	16.9	26.7	20.3	18.1	18.2	15.5	14.1	18.0	17.0	18.2	20.1	17.1	-
14. Net profit before tax	*	*	0.5	*	*	*	*	*	*	*	*	*	-
Selected Financial Ratios (number of times ratio is to one)													
15. Current ratio	1.6	-	1.9	2.5	2.1	1.7	1.4	1.3	1.2	1.1	1.2	1.7	-
16. Quick ratio	0.5	-	0.7	0.9	0.7	0.5	0.4	0.5	0.4	0.3	0.5	0.4	-
17. Net sls to net wkg capital	8.9	-	12.2	5.7	7.0	7.7	10.0	18.7	25.7	28.2	14.6	6.6	-
18. Coverage ratio	1.5	-	2.9	1.1	1.9	1.5	1.4	1.7	1.1	1.1	1.6	1.7	-
19. Asset turnover	2.3	-	-	-	-	-	2.2	2.5	2.2	1.9	1.7	1.4	-
20. Total liab to net worth	2.7	-	3.9	2.3	2.1	2.1	2.6	3.4	4.7	5.1	2.8	3.7	-
Selected Financial Factors in Percentages													
21. Debt ratio	73.2	-	79.8	70.1	67.6	68.2	71.9	77.3	82.4	83.5	73.5	78.8	-
22. Return on assets	5.7	-	11.9	4.0	6.0	6.2	5.9	6.3	3.9	4.6	5.4	6.8	-
23. Return on equity	2.8	-	34.4	-	6.8	3.2	2.7	3.1	-	-	2.9	3.3	-
24. Return on net worth	21.3	-	58.7	13.3	18.4	19.5	21.1	27.7	22.3	28.1	20.3	31.9	-

†Depreciation largest factor

TABLE II: CORPORATIONS WITH NET INCOME, 1990 EDITION

5598 RETAIL TRADE: AUTOMOTIVE DEALERS AND SERVICE STATIONS:
Other automotive dealers

Item Description For Accounting Period 7/86 Through 6/87	A Total	B Zero Assets	SIZE OF ASSETS IN THOUSANDS OF DOLLARS (000 OMITTED)										
			C Under 100	D 100 to 250	E 251 to 500	F 501 to 1,000	G 1,001 to 5,000	H 5,001 to 10,000	I 10,001 to 25,000	J 25,001 to 50,000	K 50,001 to 100,000	L 100,001 to 250,000	M 250,001 and over
1. Number of Enterprises	19084	80	6082	5461	4321	1700	1307	70	39	10	-	-	-
2. Total receipts (in millions of dollars)	24086.9	39.0	1514.0	2549.1	4275.4	3192.9	5868.6	1274.1	1309.2	800.9	-	-	-
Selected Operating Factors in Percent of Net Sales													
3. Cost of operations	69.4	65.5	62.3	62.1	66.1	70.1	75.6	67.0	73.0	68.0	-	-	-
4. Compensation of officers	3.1	4.0	6.2	5.5	4.2	3.9	2.3	1.7	1.3	1.2	-	-	-
5. Repairs	0.5	0.2	0.2	0.3	0.4	0.4	0.5	0.4	0.4	0.7	-	-	-
6. Bad debts	0.3	-	-	0.2	0.4	0.2	0.3	0.2	0.4	0.2	-	-	-
7. Rent on business property	2.3	2.5	2.8	3.2	2.9	2.1	1.7	2.9	1.7	2.5	-	-	-
8. Taxes (excl Federal tax)	1.8	1.7	2.1	2.5	1.9	1.8	1.6	1.8	1.4	1.9	-	-	-
9. Interest	1.4	4.4	0.9	1.2	1.1	1.3	1.7	1.2	1.0	1.2	-	-	-
10. Deprec/Deplet/Amortiz†	1.9	1.6	1.4	2.0	1.6	1.4	1.8	3.7	1.7	2.0	-	-	-
11. Advertising	1.4	2.1	1.6	2.0	1.3	1.4	1.0	1.3	1.1	3.0	-	-	-
12. Pensions & other benef plans	0.7	0.3	0.4	0.6	0.6	0.9	0.7	1.0	0.5	1.1	-	-	-
13. Other expenses	16.7	15.4	19.8	17.3	18.4	15.6	13.8	19.7	16.9	17.9	-	-	-
14. Net profit before tax	0.5	2.3	2.3	3.1	1.1	0.9	#	#	0.6	0.3	-	-	-
Selected Financial Ratios (number of times ratio is to one)													
15. Current ratio	1.7	-	1.7	2.6	2.2	1.8	1.5	1.3	1.1	1.1	-	-	-
16. Quick ratio	0.5	-	0.6	0.9	0.9	0.6	0.4	0.5	0.5	0.3	-	-	-
17. Net sls to net wkg capital	8.5	-	15.0	5.4	6.9	7.3	9.0	16.5	30.3	36.9	-	-	-
18. Coverage ratio	3.0	-	5.6	4.5	3.1	3.1	2.4	3.5	2.8	3.0	-	-	-
19. Asset turnover	2.4	-	-	-	-	-	2.2	-	2.3	2.5	-	-	-
20. Total liab to net worth	2.0	-	3.0	1.6	1.8	1.4	2.1	2.0	3.3	2.6	-	-	-
Selected Financial Factors in Percentages													
21. Debt ratio	66.4	-	74.7	61.3	63.7	58.7	67.8	66.4	77.0	71.8	-	-	-
22. Return on assets	10.0	-	23.4	14.0	9.2	10.6	9.0	10.8	6.7	8.4	-	-	-
23. Return on equity	15.4	-	-	24.4	15.0	13.5	12.1	14.4	11.3	12.0	-	-	-
24. Return on net worth	29.8	-	92.3	36.0	25.5	25.6	27.9	32.0	29.0	30.0	-	-	-

†Depreciation largest factor

Page 255

TABLE I: CORPORATIONS WITH AND WITHOUT NET INCOME, 1990 EDITION

5600 RETAIL TRADE:

Apparel and accessory stores

Item Description For Accounting Period 7/86 Through 6/87	A Total	SIZE OF ASSETS IN THOUSANDS OF DOLLARS (000 OMITTED)											
		B Zero Assets	C Under 100	D 100 to 250	E 251 to 500	F 501 to 1,000	G 1,001 to 5,000	H 5,001 to 10,000	I 10,001 to 25,000	J 25,001 to 50,000	K 50,001 to 100,000	L 100,001 to 250,000	M 250,001 and over
1. Number of Enterprises	46593	2018	21980	12607	4901	2871	1802	203	119	42	24	14	11
2. Total receipts (in millions of dollars)	62102.8	827.8	2705.0	5392.1	3572.4	4611.1	8127.3	3044.0	3539.9	2954.0	3459.7	4011.6	19857.9
Selected Operating Factors in Percent of Net Sales													
3. Cost of operations	59.3	61.9	59.9	60.8	61.3	60.7	58.9	57.4	57.0	57.4	54.7	57.8	60.2
4. Compensation of officers	2.3	3.6	6.5	4.8	4.8	4.5	3.6	1.7	1.9	1.0	1.4	0.6	0.4
5. Repairs	0.4	0.4	0.4	0.3	0.4	0.3	0.4	0.4	0.4	0.5	0.6	0.4	0.3
6. Bad debts	0.4	0.9	0.2	0.2	0.3	0.3	0.3	0.7	0.3	0.3	0.5	0.9	0.6
7. Rent on business property	6.1	5.5	9.1	7.1	5.2	6.2	6.0	6.1	5.4	5.8	7.1	4.1	6.0
8. Taxes (excl Federal tax)	2.3	3.0	2.4	2.3	2.4	2.3	2.5	2.1	2.3	2.3	2.4	2.8	2.1
9. Interest	1.2	2.3	0.9	0.8	1.1	1.0	0.9	1.1	1.0	1.4	1.1	1.6	1.5
10. Deprec/Deplet/Amortiz†	2.1	2.0	1.6	1.1	1.9	1.2	1.4	1.6	1.6	2.2	2.4	2.1	3.1
11. Advertising	2.7	4.4	2.0	2.4	2.1	2.7	2.7	4.6	3.8	4.3	2.4	2.7	2.1
12. Pensions & other benef plans	0.8	0.6	0.1	0.3	0.5	0.7	0.7	1.0	0.7	0.4	0.9	0.9	1.1
13. Other expenses	22.7	29.4	21.2	19.4	21.8	21.3	23.1	26.2	25.6	24.7	24.7	24.1	21.8
14. Net profit before tax	*	*	*	0.5	*	*	*	*	*	*	1.8	2.0	0.8
Selected Financial Ratios (number of times ratio is to one)													
15. Current ratio	2.1	-	-	2.2	2.3	2.1	1.7	1.8	1.9	2.0	2.2	2.4	2.2
16. Quick ratio	0.7	-	-	0.6	0.8	0.7	0.6	0.7	0.7	0.7	0.8	0.9	0.9
17. Net sls to net wkg capital	6.1	-	-	6.0	4.7	5.5	7.0	6.4	6.0	6.1	5.7	4.7	6.4
18. Coverage ratio	3.0	-	-	2.9	0.8	1.6	2.3	1.5	3.2	3.1	6.0	4.3	3.9
19. Asset turnover	2.0	-	-	-	2.1	2.3	2.3	2.2	2.0	2.0	1.9	1.7	1.7
20. Total liab to net worth	1.2	-	-	1.5	1.5	1.3	1.4	1.5	1.8	1.7	1.1	1.2	0.8
Selected Financial Factors in Percentages													
21. Debt ratio	54.7	-	-	60.0	60.6	56.9	58.8	60.4	63.8	62.4	51.2	54.0	45.0
22. Return on assets	7.4	-	-	5.9	1.7	3.5	5.0	3.5	6.5	8.7	12.6	11.3	10.3
23. Return on equity	4.8	-	-	4.4	-	1.6	3.0	-	3.4	7.8	13.8	10.3	7.5
24. Return on net worth	16.3	-	-	14.9	4.4	8.2	12.1	8.9	18.0	23.0	25.8	24.6	18.7

†Depreciation largest factor

TABLE II: CORPORATIONS WITH NET INCOME, 1990 EDITION

5600 RETAIL TRADE:
Apparel and accessory stores

Item Description For Accounting Period 7/86 Through 6/87	A Total	B Zero Assets	SIZE OF ASSETS IN THOUSANDS OF DOLLARS (000 OMITTED)										
			C Under 100	D 100 to 250	E 251 to 500	F 501 to 1,000	G 1,001 to 5,000	H 5,001 to 10,000	I 10,001 to 25,000	J 25,001 to 50,000	K 50,001 to 100,000	L 100,001 to 250,000	M 250,001 and over
1. Number of Enterprises	24792	547	9064	7926	3330	2246	1372	146	85	31	-	-	-
2. Total receipts (in millions of dollars)	49881.8	338.2	1460.0	3688.0	2466.2	3684.7	6269.4	2260.0	2675.1	2444.3	-	-	-
Selected Operating Factors in Percent of Net Sales													
3. Cost of operations	58.9	46.8	55.8	59.1	60.9	61.1	58.6	57.3	57.0	57.0	-	-	-
4. Compensation of officers	2.0	6.7	5.5	3.8	4.6	4.0	4.0	1.6	2.1	1.0	-	-	-
5. Repairs	0.4	0.5	0.3	0.2	0.4	0.3	0.3	0.4	0.4	0.4	-	-	-
6. Bad debts	0.5	0.3	0.3	0.1	0.2	0.3	0.3	0.4	0.2	0.2	-	-	-
7. Rent on business property	5.7	5.1	7.7	7.4	4.6	5.3	5.3	5.7	5.0	5.1	-	-	-
8. Taxes (excl Federal tax)	2.3	3.8	2.2	2.2	2.5	2.2	2.5	1.9	2.3	2.3	-	-	-
9. Interest	1.0	1.0	0.7	0.4	0.9	0.8	0.9	0.8	0.8	1.1	-	-	-
10. Deprec/Deplet/Amortiz†	2.0	2.5	1.3	0.9	1.9	1.1	1.2	1.6	1.6	2.0	-	-	-
11. Advertising	2.5	3.3	2.4	1.9	1.7	2.8	2.6	4.5	3.5	4.7	-	-	-
12. Pensions & other benef plans	0.8	0.6	0.1	0.3	0.3	0.7	0.7	0.9	0.7	0.4	-	-	-
13. Other expenses	21.8	28.0	17.8	18.0	19.9	20.4	21.7	25.1	23.1	24.2	-	-	-
14. Net profit before tax	2.1	1.4	5.9	5.7	2.1	1.0	1.9	#	3.3	1.6	-	-	-
Selected Financial Ratios (number of times ratio is to one)													
15. Current ratio	2.2	-	3.6	2.9	2.9	2.4	1.9	2.0	1.9	2.0	-	-	-
16. Quick ratio	0.8	-	0.8	0.8	1.0	0.8	0.7	0.7	0.7	0.7	-	-	-
17. Net sls to net wkg capital	5.7	-	5.6	5.3	4.2	4.8	6.4	5.7	6.3	6.4	-	-	-
18. Coverage ratio	5.8	-	-	-	4.8	4.2	5.0	4.4	7.1	5.2	-	-	-
19. Asset turnover	2.0	-	-	-	2.1	2.3	2.4	2.3	2.1	2.1	-	-	-
20. Total liab to net worth	0.9	-	3.2	0.7	0.8	1.0	1.2	1.2	1.4	1.5	-	-	-
Selected Financial Factors in Percentages													
21. Debt ratio	48.2	-	76.1	40.7	45.3	49.1	54.6	54.5	58.0	60.3	-	-	-
22. Return on assets	12.0	-	22.4	20.0	9.6	7.9	10.3	8.5	12.4	12.1	-	-	-
23. Return on equity	12.5	-	-	26.0	12.1	10.2	13.4	8.5	14.6	15.2	-	-	-
24. Return on net worth	23.1	-	93.6	33.6	17.6	15.5	22.6	18.6	29.4	30.6	-	-	-

†Depreciation largest factor

TABLE I: CORPORATIONS WITH AND WITHOUT NET INCOME, 1990 EDITION

5700 RETAIL TRADE:

Furniture and home furnishings stores

Item Description For Accounting Period 7/86 Through 6/87	A Total	B Zero Assets	C Under 100	D 100 to 250	E 251 to 500	F 501 to 1,000	G 1,001 to 5,000	H 5,001 to 10,000	I 10,001 to 25,000	J 25,001 to 50,000	K 50,001 to 100,000	L 100,001 to 250,000	M 250,001 and over
					SIZE OF ASSETS IN THOUSANDS OF DOLLARS (000 OMITTED)								
1. Number of Enterprises	36218	2670	12995	8291	5910	3537	2487	156	115	26	13	10	7
2. Total receipts (in millions of dollars)	46605.7	280.2	2473.6	4150.1	6478.8	5867.2	9963.3	2067.6	2966.5	1467.2	1861.4	2516.8	6512.9
				Selected Operating Factors in Percent of Net Sales									
3. Cost of operations	63.6	68.9	63.4	67.4	65.2	63.7	65.7	55.9	63.0	64.2	66.0	64.3	57.3
4. Compensation of officers	3.1	3.9	7.2	5.0	4.7	4.6	3.1	2.1	1.8	1.0	1.0	0.6	0.2
5. Repairs	0.5	0.5	0.4	0.4	0.4	0.4	0.4	0.7	0.7	0.6	0.4	0.3	0.8
6. Bad debts	0.6	1.0	0.2	0.3	0.4	0.5	0.3	0.5	1.5	1.6	0.4	1.6	0.4
7. Rent on business property	3.6	4.1	5.1	5.1	3.4	3.4	3.3	4.3	3.3	3.3	2.9	2.3	3.3
8. Taxes (excl Federal tax)	2.1	1.8	2.5	1.7	2.1	2.2	1.9	2.4	2.2	2.2	1.7	1.7	2.3
9. Interest	1.3	1.1	0.7	0.9	1.0	1.0	1.2	1.7	2.7	1.7	0.8	2.1	2.0
10. Deprec/Deplet/Amortiz†	1.4	0.7	1.2	1.1	1.0	1.3	1.1	3.3	2.0	1.7	1.3	1.4	2.0
11. Advertising	4.4	2.0	2.6	2.4	3.4	4.0	3.7	6.5	5.8	5.7	3.7	6.1	6.7
12. Pensions & other benef plans	0.8	1.3	0.7	0.3	0.8	0.8	0.8	0.6	0.5	0.9	0.6	0.8	1.1
13. Other expenses	19.7	18.6	18.8	15.9	17.3	19.0	18.7	24.9	25.5	21.0	18.3	19.5	23.1
14. Net profit before tax	*	*	*	*	0.3	*	*	*	*	*	2.9	*	0.8
				Selected Financial Ratios (number of times ratio is to one)									
15. Current ratio	1.9	-	-	1.9	2.2	2.4	2.0	1.4	1.4	1.5	1.6	2.0	1.9
16. Quick ratio	0.8	-	-	0.8	1.0	1.1	0.9	0.7	0.8	0.7	0.6	1.0	0.7
17. Net sls to net wkg capital	5.9	-	-	7.9	6.4	4.6	5.4	9.4	7.3	6.3	8.0	4.7	4.3
18. Coverage ratio	2.8	-	-	1.8	2.6	3.5	3.1	2.1	1.4	1.3	8.1	2.6	3.9
19. Asset turnover	2.0	-	-	-	-	2.3	2.2	1.9	1.5	1.5	2.2	1.6	1.1
20. Total liab to net worth	1.7	-	-	1.8	1.2	1.2	1.7	2.8	4.1	2.4	2.2	1.5	1.4
				Selected Financial Factors in Percentages									
21. Debt ratio	63.2	-	-	64.2	55.3	54.9	62.5	73.6	80.3	70.2	68.3	60.0	58.3
22. Return on assets	7.4	-	-	4.7	7.3	7.6	7.8	6.5	5.6	3.4	13.1	8.6	8.5
23. Return on equity	7.4	-	-	3.7	7.9	9.1	9.3	8.1	-	-	23.7	6.5	7.2
24. Return on net worth	20.1	-	-	13.2	16.4	16.8	20.9	24.7	28.4	11.6	41.4	21.4	20.3

†Depreciation largest factor

TABLE II: CORPORATIONS WITH NET INCOME, 1990 EDITION

5700 RETAIL TRADE:

Furniture and home furnishings stores

Item Description For Accounting Period 7/86 Through 6/87	A Total	B Zero Assets	SIZE OF ASSETS IN THOUSANDS OF DOLLARS (000 OMITTED)										
			C Under 100	D 100 to 250	E 251 to 500	F 501 to 1,000	G 1,001 to 5,000	H 5,001 to 10,000	I 10,001 to 25,000	J 25,001 to 50,000	K 50,001 to 100,000	L 100,001 to 250,000	M 250,001 and over
1. Number of Enterprises	22069	1129	6455	5043	4302	2822	2087	118	68	-	13	7	-
2. Total receipts (in millions of dollars)	36679.4	254.8	1809.8	2845.8	4874.6	4835.2	8421.5	1642.5	1727.1	-	1861.4	1988.5	-
Selected Operating Factors in Percent of Net Sales													
3. Cost of operations	63.7	65.0	64.0	67.1	65.6	63.9	65.4	58.6	63.9	-	66.0	66.0	-
4. Compensation of officers	3.2	4.3	6.8	5.3	4.9	4.8	3.3	2.0	1.9	-	1.0	0.5	-
5. Repairs	0.4	0.5	0.4	0.4	0.3	0.3	0.4	0.6	0.7	-	0.4	0.3	-
6. Bad debts	0.4	0.6	-	0.2	0.4	0.5	0.3	0.5	1.1	-	0.4	1.0	-
7. Rent on business property	3.2	4.2	4.7	4.3	3.2	3.2	2.9	3.9	3.2	-	2.9	1.2	-
8. Taxes (excl Federal tax)	2.1	1.8	2.5	1.7	2.1	2.2	1.9	2.2	2.3	-	1.7	1.9	-
9. Interest	1.0	1.2	0.6	0.6	0.7	0.9	1.1	1.3	2.6	-	0.8	1.2	-
10. Deprec/Deplet/Amortiz†	1.3	0.6	1.0	0.9	0.9	1.2	1.1	1.4	1.4	-	1.3	1.3	-
11. Advertising	4.2	1.8	1.9	1.9	3.3	3.9	3.5	6.4	6.3	-	3.7	6.6	-
12. Pensions & other benef plans	0.8	1.4	0.6	0.4	0.8	0.9	0.8	0.6	0.6	-	0.6	0.8	-
13. Other expenses	18.5	19.0	16.6	14.5	15.7	17.7	18.3	22.4	25.1	-	18.3	18.5	-
14. Net profit before tax	1.2	#	0.9	2.7	2.1	0.5	1.0	0.1	#	-	2.9	0.7	-
Selected Financial Ratios (number of times ratio is to one)													
15. Current ratio	2.2	-	2.1	2.3	2.5	2.4	2.1	1.4	1.7	-	1.6	2.4	-
16. Quick ratio	0.9	-	0.8	1.1	1.2	1.1	1.0	0.7	1.0	-	0.6	1.1	-
17. Net sls to net wkg capital	5.3	-	15.7	7.2	6.0	4.7	5.3	9.6	4.3	-	8.0	4.4	-
18. Coverage ratio	5.4	-	5.3	7.6	5.4	5.2	4.4	3.6	3.0	-	8.1	5.1	-
19. Asset turnover	2.2	-	-	-	-	2.3	2.2	2.1	1.4	-	2.2	1.7	-
20. Total liab to net worth	1.3	-	2.0	1.1	0.9	1.1	1.4	2.6	2.8	-	2.2	1.1	-
Selected Financial Factors in Percentages													
21. Debt ratio	55.7	-	66.8	52.5	47.7	51.9	58.5	71.8	73.4	-	68.3	52.9	-
22. Return on assets	12.1	-	17.9	14.1	12.0	10.6	10.1	9.3	10.8	-	13.1	10.1	-
23. Return on equity	16.0	-	41.0	23.2	15.9	14.5	13.7	18.1	17.2	-	23.7	9.8	-
24. Return on net worth	27.4	-	53.8	29.7	22.8	22.1	24.4	33.0	40.3	-	41.4	21.5	-

†Depreciation largest factor

TABLE I: CORPORATIONS WITH AND WITHOUT NET INCOME, 1990 EDITION

5800 RETAIL TRADE:

Eating and drinking places

Item Description / For Accounting Period 7/86 Through 6/87	A Total	B Zero Assets	C Under 100	D 100 to 250	E 251 to 500	F 501 to 1,000	G 1,001 to 5,000	H 5,001 to 10,000	I 10,001 to 25,000	J 25,001 to 50,000	K 50,001 to 100,000	L 100,001 to 250,000	M 250,001 and over
				SIZE OF ASSETS IN THOUSANDS OF DOLLARS (000 OMITTED)									
1. Number of Enterprises	136344	8912	76995	26901	12205	7622	3211	235	137	52	33	21	20
2. Total receipts (in millions of dollars)	113500.0	2145.6	15591.5	13119.0	12350.3	11581.9	11613.0	2528.1	3495.1	2824.3	3218.7	4760.3	30272.2
Selected Operating Factors in Percent of Net Sales													
3. Cost of operations	44.1	49.5	45.3	42.5	43.0	42.7	42.1	41.9	49.0	42.0	44.2	45.8	45.3
4. Compensation of officers	2.8	3.0	5.5	4.0	4.3	3.4	3.0	2.2	1.6	1.2	1.2	0.7	0.6
5. Repairs	1.4	1.5	1.5	1.4	1.6	1.6	1.5	1.6	1.5	1.7	1.4	1.4	1.0
6. Bad debts	0.2	0.7	0.2	0.1	0.4	0.1	0.1	0.1	0.1	0.1	0.1	0.2	0.2
7. Rent on business property	5.8	7.3	7.4	6.5	5.3	5.6	6.4	5.9	4.7	4.9	4.3	4.6	5.1
8. Taxes (excl Federal tax)	4.1	4.7	4.8	4.4	3.9	4.0	3.8	3.9	3.6	4.0	3.2	3.4	4.3
9. Interest	2.5	2.2	1.0	1.4	1.5	2.3	2.4	2.9	2.7	2.6	2.4	2.3	4.3
10. Deprec/Deplet/Amortiz†	4.6	3.4	3.2	3.6	3.7	4.5	4.8	5.2	4.8	5.0	5.8	5.9	6.0
11. Advertising	2.7	3.2	1.6	1.9	2.6	3.1	3.2	3.5	2.8	3.3	3.2	3.0	3.0
12. Pensions & other benef plans	0.9	0.6	0.3	0.8	0.7	0.5	0.9	1.1	0.6	1.1	1.0	1.9	1.5
13. Other expenses	36.7	37.8	34.0	35.4	35.6	34.6	34.4	35.8	31.3	39.8	36.6	35.6	41.8
14. Net profit before tax	*	*	*	*	*	*	*	*	*	*	*	*	*
Selected Financial Ratios (number of times ratio is to one)													
15. Current ratio	0.9	-	-	1.1	0.9	1.0	0.8	0.9	0.6	0.6	1.0	1.2	1.0
16. Quick ratio	0.6	-	-	0.7	0.6	0.7	0.5	0.6	0.3	0.4	0.6	0.7	0.6
17. Net sls to net wkg capital	-	-	-	166.4	-	-	-	-	-	-	-	50.6	-
18. Coverage ratio	1.3	-	-	0.5	0.3	1.0	1.2	1.2	1.4	0.7	2.3	1.7	2.2
19. Asset turnover	1.7	-	-	-	-	2.2	1.9	1.5	1.8	1.5	1.3	1.5	0.8
20. Total liab to net worth	3.1	-	-	5.5	5.1	4.6	3.4	2.4	3.9	3.9	1.4	1.7	2.4
Selected Financial Factors in Percentages													
21. Debt ratio	75.8	-	-	84.7	83.6	82.3	77.1	70.7	79.5	79.8	58.3	63.1	70.3
22. Return on assets	5.5	-	-	2.4	1.5	4.8	5.3	5.3	6.8	2.5	7.4	5.7	7.9
23. Return on equity	-	-	-	-	-	-	-	-	0.6	-	3.6	1.9	8.1
24. Return on net worth	22.6	-	-	15.4	9.3	27.2	23.2	18.1	33.2	12.2	17.8	15.3	26.7

†Depreciation largest factor

5800 RETAIL TRADE:

Eating and drinking places

Item Description For Accounting Period 7/86 Through 6/87	A Total	B Zero Assets	C Under 100	D 100 to 250	E 251 to 500	F 501 to 1,000	G 1,001 to 5,000	H 5,001 to 10,000	I 10,001 to 25,000	J 25,001 to 50,000	K 50,001 to 100,000	L 100,001 to 250,000	M 250,001 and over
					SIZE OF ASSETS IN THOUSANDS OF DOLLARS (000 OMITTED)								
1. Number of Enterprises	58579	2512	29375	13822	6480	4240	1870	122	84	20	23	14	15
2. Total receipts (in millions of dollars)	75663.6	1005.6	7110.3	8168.8	7560.9	7787.2	7897.7	1554.2	2326.2	1174.4	2382.9	3638.1	25057.0
Selected Operating Factors in Percent of Net Sales													
3. Cost of operations	42.6	42.7	43.9	38.8	45.5	43.5	40.7	41.3	52.1	48.4	42.0	45.6	41.2
4. Compensation of officers	2.7	3.1	5.6	4.1	4.4	4.1	3.3	2.9	1.9	1.2	1.2	0.5	0.5
5. Repairs	1.3	1.3	1.4	1.4	1.6	1.5	1.5	1.5	1.4	0.9	1.3	1.4	1.0
6. Bad debts	0.1	0.2	-	0.1	-	0.1	0.1	0.1	0.1	0.1	0.1	0.2	0.2
7. Rent on business property	5.4	7.6	6.9	6.1	4.9	5.1	5.6	5.7	4.3	2.6	3.9	3.6	5.3
8. Taxes (excl Federal tax)	4.2	5.1	4.8	4.3	3.5	3.6	3.8	3.9	3.5	4.7	3.4	3.2	4.7
9. Interest	2.2	1.5	0.8	1.0	1.0	1.6	1.8	1.7	1.9	1.9	1.9	1.9	4.2
10. Deprec/Deplet/Amortiz†	4.4	3.7	2.5	2.7	2.9	3.5	4.1	4.7	4.3	3.7	5.6	5.3	6.5
11. Advertising	2.6	2.9	1.3	2.0	2.2	2.9	3.2	2.9	2.5	1.9	3.0	2.9	3.1
12. Pensions & other benef plans	1.1	0.7	0.3	1.0	0.7	0.6	0.9	0.9	0.5	1.1	0.9	2.1	1.6
13. Other expenses	36.7	35.1	31.3	36.0	31.3	31.7	34.0	33.1	27.9	32.5	37.3	35.6	45.2
14. Net profit before tax	#	#	1.2	2.5	2.0	1.8	1.0	1.3	#	1.0	#	#	#
Selected Financial Ratios (number of times ratio is to one)													
15. Current ratio	1.0	-	1.5	1.5	1.2	1.2	1.1	1.1	0.8	0.8	1.1	1.1	0.9
16. Quick ratio	0.7	-	1.0	1.1	0.9	0.9	0.8	0.8	0.5	0.5	0.7	0.6	0.6
17. Net sls to net wkg capital	-	-	38.8	29.3	52.1	58.9	73.2	70.6	-	-	51.1	191.6	-
18. Coverage ratio	3.4	-	6.7	5.4	4.6	3.8	3.5	4.8	3.3	4.2	4.3	2.8	2.7
19. Asset turnover	1.5	-	-	-	-	-	2.2	1.8	1.9	1.5	1.4	1.7	0.8
20. Total liab to net worth	2.0	-	2.9	1.7	1.4	1.9	1.8	1.4	1.5	1.7	1.2	1.4	2.3
Selected Financial Factors in Percentages													
21. Debt ratio	66.5	-	74.6	62.5	57.6	65.3	64.2	57.5	60.6	63.3	55.1	57.7	69.5
22. Return on assets	11.4	-	27.7	19.2	15.2	15.9	13.5	15.0	11.6	11.9	11.1	8.7	8.6
23. Return on equity	17.4	-	-	38.7	24.2	29.2	21.6	21.3	13.0	17.7	10.7	7.5	10.5
24. Return on net worth	34.1	-	-	51.1	35.7	45.7	37.8	35.3	29.5	32.5	24.7	20.6	28.2

†Depreciation largest factor

5912 RETAIL TRADE: MISCELLANEOUS RETAIL STORES:
Drug stores and proprietary stores

Item Description For Accounting Period 7/86 Through 6/87	A Total	B Zero Assets	C Under 100	D 100 to 250	E 251 to 500	F 501 to 1,000	G 1,001 to 5,000	H 5,001 to 10,000	I 10,001 to 25,000	J 25,001 to 50,000	K 50,001 to 100,000	L 100,001 to 250,000	M 250,001 and over
					SIZE OF ASSETS IN THOUSANDS OF DOLLARS (000 OMITTED)								
1. Number of Enterprises	26393	1612	7912	11580	3638	1150	417	29	16	13	6	6	13
2. Total receipts (in millions of dollars)	58468.9	299.4	2347.1	6860.5	4182.3	2062.9	2028.1	840.3	689.6	1224.3	941.2	1741.9	35251.3
Selected Operating Factors in Percent of Total Receipts													
3. Cost of operations	72.8	63.8	69.8	68.5	69.4	66.7	68.6	75.4	73.5	68.2	73.1	74.9	74.9
4. Compensation of officers	1.8	1.9	7.7	5.7	5.4	5.0	3.1	0.7	0.3	0.6	0.5	0.3	0.1
5. Repairs	0.4	0.6	0.3	0.3	0.4	0.4	0.5	0.5	0.5	0.4	0.3	0.5	0.4
6. Bad debts	0.1	1.1	0.1	0.2	0.1	0.1	0.2	-	0.1	0.2	0.2	0.1	0.1
7. Rent on business property	2.4	2.0	3.2	2.5	3.0	2.1	2.7	2.5	3.7	3.4	3.0	2.5	2.2
8. Taxes (excl Federal tax)	1.5	1.6	1.7	2.0	1.8	2.2	1.7	1.3	1.2	1.8	1.1	1.4	1.3
9. Interest	1.3	0.1	0.5	0.8	0.8	0.9	0.8	0.2	0.2	0.8	0.7	2.2	1.5
10. Deprec/Deplet/Amortiz†	1.6	1.2	1.4	1.2	1.3	1.5	1.8	0.8	1.0	1.5	1.4	1.7	1.8
11. Advertising	1.1	0.2	0.7	0.8	0.8	0.9	1.0	1.1	1.4	1.1	1.6	1.2	1.3
12. Pensions & other benef plans	1.1	0.2	0.6	0.7	0.5	1.1	0.6	0.4	1.2	0.9	0.5	0.3	1.5
13. Other expenses	16.3	21.9	13.5	16.7	15.8	19.0	19.0	16.6	15.7	20.5	16.1	14.4	16.1
14. Net profit before tax	*	5.4	0.5	0.6	0.7	0.1	-	0.5	1.2	0.6	1.5	0.5	*
Selected Financial Ratios (number of times ratio is to one)													
15. Current ratio	1.8	-	2.6	2.6	2.5	2.4	1.9	1.4	1.3	1.8	2.7	3.5	1.5
16. Quick ratio	0.5	-	0.7	0.9	0.9	0.9	0.5	0.1	0.4	0.6	0.8	1.8	0.3
17. Net sls to net wkg capital	10.4	-	10.5	7.4	7.5	7.0	9.1	17.0	20.3	9.7	4.6	3.2	14.4
18. Coverage ratio	2.1	-	3.3	2.7	3.4	3.2	3.3	6.2	-	4.6	6.3	4.2	1.6
19. Asset turnover	2.2	-	-	-	-	-	-	-	-	-	2.2	1.5	1.9
20. Total liab to net worth	1.6	-	1.7	1.3	1.2	1.3	1.3	1.7	2.1	1.2	1.0	1.1	1.7
Selected Financial Factors in Percentages													
21. Debt ratio	61.3	-	63.4	57.1	54.7	56.5	57.1	63.4	67.7	55.4	50.3	52.8	63.3
22. Return on assets	6.0	-	9.0	7.3	8.5	7.9	8.1	6.2	12.1	9.0	10.1	14.4	4.6
23. Return on equity	3.6	-	13.3	8.5	10.2	9.5	7.8	5.5	27.6	6.4	9.6	10.8	0.4
24. Return on net worth	15.5	-	24.5	17.0	18.8	18.2	18.8	16.9	37.5	20.2	20.3	30.4	12.6

†Depreciation largest factor

TABLE II: CORPORATIONS WITH NET INCOME, 1990 EDITION

5912 RETAIL TRADE: MISCELLANEOUS RETAIL STORES:
Drug stores and proprietary stores

Item Description For Accounting Period 7/86 Through 6/87	A Total	B Zero Assets	SIZE OF ASSETS IN THOUSANDS OF DOLLARS (000 OMITTED)										M 250,001 and over
			C Under 100	D 100 to 250	E 251 to 500	F 501 to 1,000	G 1,001 to 5,000	H 5,001 to 10,000	I 10,001 to 25,000	J 25,001 to 50,000	K 50,001 to 100,000	L 100,001 to 250,000	
1. Number of Enterprises	18935	1287	5370	7905	3134	882	298	17	-	-	-	-	7
2. Total receipts (in millions of dollars)	44842.1	260.3	1963.1	4967.5	3645.2	1617.3	1426.5	531.3	-	-	-	-	27051.5
Selected Operating Factors in Percent of Total Receipts													
3. Cost of operations	71.6	64.1	70.0	68.0	68.9	64.5	66.6	75.3	-	-	-	-	73.4
4. Compensation of officers	1.8	0.8	8.0	5.5	5.6	5.9	3.3	0.6	-	-	-	-	0.1
5. Repairs	0.4	0.4	0.3	0.4	0.4	0.4	0.5	0.4	-	-	-	-	0.5
6. Bad debts	0.1	0.6	0.1	0.1	0.1	0.1	0.1	-	-	-	-	-	-
7. Rent on business property	2.4	1.8	2.9	2.5	3.0	2.1	2.4	2.7	-	-	-	-	2.2
8. Taxes (excl Federal tax)	1.5	1.5	1.7	1.9	1.8	2.2	1.9	1.1	-	-	-	-	1.3
9. Interest	0.8	0.1	0.6	0.7	0.7	0.6	0.7	0.2	-	-	-	-	0.9
10. Deprec/Deplet/Amortiz†	1.5	0.5	1.2	1.2	1.2	1.2	1.7	0.8	-	-	-	-	1.6
11. Advertising	1.1	0.1	0.8	0.7	0.8	0.9	1.0	1.2	-	-	-	-	1.3
12. Pensions & other benef plans	1.3	0.2	0.5	0.6	0.5	1.4	0.6	0.4	-	-	-	-	1.7
13. Other expenses	16.5	20.1	11.5	16.3	15.2	19.3	19.3	15.4	-	-	-	-	16.8
14. Net profit before tax	1.0	9.8	2.4	2.1	1.8	1.4	1.9	1.9	-	-	-	-	0.2
Selected Financial Ratios (number of times ratio is to one)													
15. Current ratio	1.8	-	2.9	2.7	2.7	2.5	2.3	1.4	-	-	-	-	1.4
16. Quick ratio	0.5	-	0.8	0.9	1.1	1.2	0.7	0.2	-	-	-	-	0.3
17. Net sls to net wkg capital	11.4	-	11.3	7.7	7.1	6.7	8.0	16.0	-	-	-	-	20.4
18. Coverage ratio	4.8	-	6.3	5.0	5.0	6.2	6.9	-	-	-	-	-	3.7
19. Asset turnover	-	-	-	-	-	-	-	-	-	-	-	-	2.2
20. Total liab to net worth	1.1	-	1.9	1.1	1.0	0.9	0.9	1.6	-	-	-	-	1.1
Selected Financial Factors in Percentages													
21. Debt ratio	51.4	-	64.9	51.8	50.4	47.5	46.0	60.9	-	-	-	-	52.2
22. Return on assets	9.8	-	21.7	13.7	12.5	10.8	14.0	11.6	-	-	-	-	7.5
23. Return on equity	10.4	-	46.2	19.9	16.9	14.1	15.9	15.7	-	-	-	-	6.3
24. Return on net worth	20.1	-	61.7	28.5	25.2	20.5	25.9	29.6	-	-	-	-	15.6

†Depreciation largest factor

5921 RETAIL TRADE: MISCELLANEOUS RETAIL STORES:

Liquor stores

Item Description For Accounting Period 7/86 Through 6/87	A Total	B Zero Assets	C Under 100	D 100 to 250	E 251 to 500	F 501 to 1,000	G 1,001 to 5,000	H 5,001 to 10,000	I 10,001 to 25,000	J 25,001 to 50,000	K 50,001 to 100,000	L 100,001 to 250,000	M 250,001 and over
					SIZE OF ASSETS IN THOUSANDS OF DOLLARS (000 OMITTED)								
1. Number of Enterprises	14499	738	5020	5258	2617	663	178	17	4	3	-	-	-
2. Total receipts (in millions of dollars)	11755.1	157.7	1068.1	4487.0	2530.4	1499.3	1243.9	363.1	93.4	312.3	-	-	-
Selected Operating Factors in Percent of Total Receipts													
3. Cost of operations	80.9	80.3	78.5	84.6	78.0	79.9	81.9	75.6	60.6	73.0	-	-	-
4. Compensation of officers	2.5	1.4	3.6	2.5	3.1	2.9	0.9	1.7	1.4	0.7	-	-	-
5. Repairs	0.4	0.9	0.5	0.3	0.5	0.4	0.3	0.9	0.9	0.9	-	-	-
6. Bad debts	-	-	-	-	-	-	-	-	0.3	-	-	-	-
7. Rent on business property	2.3	2.7	3.7	1.7	2.8	2.0	2.0	2.8	9.8	2.0	-	-	-
8. Taxes (excl Federal tax)	1.5	1.6	2.2	1.4	1.6	1.6	0.7	1.6	2.5	1.8	-	-	-
9. Interest	0.9	1.5	0.5	0.9	1.2	1.1	0.7	0.8	4.8	0.6	-	-	-
10. Deprec/Deplet/Amortiz†	1.7	1.7	1.8	2.1	1.5	1.3	0.7	1.5	4.2	2.1	-	-	-
11. Advertising	0.6	0.1	0.6	0.3	0.5	0.9	1.0	0.7	1.4	1.3	-	-	-
12. Pensions & other benef plans	0.2	0.4	0.1	0.1	0.3	0.4	0.4	0.3	0.4	0.7	-	-	-
13. Other expenses	9.9	25.1	11.1	7.3	11.1	10.4	10.6	12.7	25.1	14.6	-	-	-
14. Net profit before tax	*	*	*	*	*	*	0.8	1.4	*	2.3	-	-	-
Selected Financial Ratios (number of times ratio is to one)													
15. Current ratio	1.8	-	2.6	1.7	2.1	1.6	1.7	1.1	1.1	4.5	-	-	-
16. Quick ratio	0.5	-	0.6	0.4	0.7	0.4	0.3	0.1	0.7	2.0	-	-	-
17. Net sls to net wkg capital	14.8	-	10.2	23.5	9.8	15.4	16.0	126.6	31.5	5.2	-	-	-
18. Coverage ratio	1.6	-	-	1.3	2.0	2.0	3.5	4.9	0.1	7.6	-	-	-
19. Asset turnover	-	-	-	-	-	-	-	-	1.0	2.0	-	-	-
20. Total liab to net worth	2.2	-	3.0	3.1	2.0	3.0	2.5	0.8	3.6	0.3	-	-	-
Selected Financial Factors in Percentages													
21. Debt ratio	68.5	-	74.7	75.3	66.2	74.9	71.1	43.5	78.3	24.4	-	-	-
22. Return on assets	5.7	-	-	6.1	6.8	6.9	8.4	12.3	0.4	9.0	-	-	-
23. Return on equity	4.1	-	-	4.7	8.3	9.8	14.2	15.0	-	6.0	-	-	-
24. Return on net worth	18.0	-	-	24.7	20.1	27.7	29.1	21.7	1.8	11.9	-	-	-

†Depreciation largest factor

5921 RETAIL TRADE: MISCELLANEOUS RETAIL STORES:

Liquor stores

Item Description / For Accounting Period 7/86 Through 6/87	A Total	B Zero Assets	C Under 100	D 100 to 250	E 251 to 500	F 501 to 1,000	G 1,001 to 5,000	H 5,001 to 10,000	I 10,001 to 25,000	J 25,001 to 50,000	K 50,001 to 100,000	L 100,001 to 250,000	M 250,001 and over
1. Number of Enterprises	8492	319	2422	3121	1948	523	141	12	-	-	-	-	-
2. Total receipts (in millions of dollars)	8205.4	26.2	571.0	3114.5	1798.8	1337.5	837.3	154.0	-	-	-	-	-
Selected Operating Factors in Percent of Total Receipts													
3. Cost of operations	81.7	78.4	76.5	87.5	77.7	80.9	78.7	75.6	-	-	-	-	-
4. Compensation of officers	2.6	2.5	4.6	2.2	3.4	3.1	1.3	1.0	-	-	-	-	-
5. Repairs	0.5	0.9	0.6	0.3	0.6	0.4	0.5	0.9	-	-	-	-	-
6. Bad debts	-	-	0.1	-	-	-	-	0.1	-	-	-	-	-
7. Rent on business property	1.9	2.1	3.5	1.2	2.5	1.8	2.4	2.3	-	-	-	-	-
8. Taxes (excl Federal tax)	1.4	2.7	1.8	1.2	1.6	1.5	1.1	2.1	-	-	-	-	-
9. Interest	0.9	-	0.4	0.7	1.2	0.7	0.9	1.0	-	-	-	-	-
10. Deprec/Deplet/Amortiz†	1.1	8.8	1.3	0.8	1.4	0.9	0.9	1.1	-	-	-	-	-
11. Advertising	0.5	0.4	0.1	0.2	0.3	0.8	1.3	-	-	-	-	-	-
12. Pensions & other benef plans	0.3	-	0.2	0.1	0.3	0.4	0.6	0.1	-	-	-	-	-
13. Other expenses	9.0	9.3	11.0	6.1	11.1	9.3	10.6	10.7	-	-	-	-	-
14. Net profit before tax	0.1	#	#	#	#	#	1.7	5.1	-	-	-	-	-
Selected Financial Ratios (number of times ratio is to one)													
15. Current ratio	2.1	-	5.6	2.0	2.4	1.6	1.5	1.1	-	-	-	-	-
16. Quick ratio	0.6	-	1.6	0.5	0.9	0.4	0.4	0.2	-	-	-	-	-
17. Net sls to net wkg capital	12.8	-	7.9	20.8	7.8	14.9	22.4	92.7	-	-	-	-	-
18. Coverage ratio	3.6	-	6.9	2.9	3.0	3.9	4.4	8.1	-	-	-	-	-
19. Asset turnover	-	-	-	-	-	-	-	2.0	-	-	-	-	-
20. Total liab to net worth	1.3	-	0.8	2.0	1.4	1.7	1.2	0.5	-	-	-	-	-
Selected Financial Factors in Percentages													
21. Debt ratio	56.9	-	44.1	66.4	58.1	63.0	54.3	34.5	-	-	-	-	-
22. Return on assets	11.1	-	13.0	12.1	9.8	9.9	12.8	17.1	-	-	-	-	-
23. Return on equity	15.8	-	18.9	22.4	13.8	16.3	16.0	19.9	-	-	-	-	-
24. Return on net worth	25.8	-	23.3	36.1	23.3	26.8	27.9	26.2	-	-	-	-	-

†Depreciation largest factor

TABLE I: CORPORATIONS WITH AND WITHOUT NET INCOME, 1990 EDITION

5995 RETAIL TRADE: MISCELLANEOUS RETAIL STORES:
Other retail stores

Item Description For Accounting Period 7/86 Through 6/87	A Total	B Zero Assets	SIZE OF ASSETS IN THOUSANDS OF DOLLARS (000 OMITTED)										
			C Under 100	D 100 to 250	E 251 to 500	F 501 to 1,000	G 1,001 to 5,000	H 5,001 to 10,000	I 10,001 to 25,000	J 25,001 to 50,000	K 50,001 to 100,000	L 100,001 to 250,000	M 250,001 and over
1. Number of Enterprises	166124	8578	88661	34677	17599	9523	6206	467	259	70	48	22	14
2. Total receipts (in millions of dollars)	133526.0	2547.4	12991.5	15715.7	16317.5	16355.4	27206.2	7821.9	7715.1	4973.5	5775.7	5635.8	10471.0
Selected Operating Factors in Percent of Total Receipts													
3. Cost of operations	64.5	62.6	57.3	62.6	65.6	65.5	67.8	73.0	64.5	63.7	59.6	65.4	60.7
4. Compensation of officers	3.5	5.6	6.1	5.9	4.5	4.1	3.2	1.7	2.1	1.3	1.0	0.6	0.9
5. Repairs	0.4	0.4	0.5	0.5	0.4	0.4	0.4	0.2	0.4	0.5	0.4	0.3	0.4
6. Bad debts	0.4	1.2	0.2	0.3	0.3	0.3	0.4	0.4	0.4	0.6	0.6	0.3	1.2
7. Rent on business property	3.4	4.5	5.6	4.5	3.0	3.1	2.7	2.8	2.8	2.2	3.7	3.4	3.5
8. Taxes (excl Federal tax)	2.1	2.7	2.8	2.3	2.2	2.3	1.8	1.4	1.7	1.7	1.9	1.9	2.6
9. Interest	1.4	2.2	1.2	1.3	1.4	1.1	1.3	1.3	1.3	1.3	1.6	1.9	2.7
10. Deprec/Deplet/Amortiz†	2.1	1.6	2.4	2.4	1.9	2.0	1.8	1.5	2.1	1.8	2.6	2.8	2.6
11. Advertising	2.2	2.1	1.7	1.8	1.8	1.5	1.5	2.7	3.6	4.6	4.1	2.9	3.6
12. Pensions & other benef plans	0.7	1.3	0.4	0.5	0.7	0.9	0.9	0.5	0.7	0.8	0.8	0.7	0.8
13. Other expenses	20.6	21.7	24.6	19.2	20.0	19.9	18.9	15.9	20.5	20.7	24.1	20.6	25.8
14. Net profit before tax	*	*	*	*	*	*	*	*	*	0.8	*	*	*
Selected Financial Ratios (number of times ratio is to one)													
15. Current ratio	1.7	-	-	2.2	1.9	2.0	1.6	1.3	1.6	1.9	1.7	2.1	1.4
16. Quick ratio	0.7	-	-	0.8	0.7	0.8	0.6	0.5	0.6	0.8	0.7	0.7	0.6
17. Net sls to net wkg capital	7.9	-	-	7.0	7.5	6.8	8.6	12.6	7.8	6.1	6.6	4.6	8.5
18. Coverage ratio	1.8	-	-	0.9	1.7	2.0	2.0	1.3	3.4	3.8	3.3	2.7	1.6
19. Asset turnover	2.2	-	-	-	-	2.4	2.3	2.4	2.0	2.0	1.7	1.5	1.1
20. Total liab to net worth	2.3	-	-	3.0	2.3	1.7	2.2	3.1	2.0	1.5	1.7	1.6	2.2
Selected Financial Factors in Percentages													
21. Debt ratio	69.8	-	-	74.8	69.9	63.5	68.3	75.4	66.7	59.8	63.1	60.9	68.5
22. Return on assets	5.6	-	-	3.3	5.9	5.3	5.8	4.2	8.8	9.4	9.1	7.5	4.6
23. Return on equity	3.1	-	-	-	4.4	3.8	4.8	-	10.4	10.8	10.3	6.9	1.6
24. Return on net worth	18.6	-	-	13.1	19.7	14.6	18.2	17.0	26.4	23.3	24.6	19.2	14.5

†Depreciation largest factor

TABLE II: CORPORATIONS WITH NET INCOME, 1990 EDITION

5995 RETAIL TRADE: MISCELLANEOUS RETAIL STORES:

Other retail stores

		SIZE OF ASSETS IN THOUSANDS OF DOLLARS (000 OMITTED)											
Item Description	A	B	C	D	E	F	G	H	I	J	K	L	M
For Accounting Period 7/86 Through 6/87	Total	Zero Assets	Under 100	100 to 250	251 to 500	501 to 1,000	1,001 to 5,000	5,001 to 10,000	10,001 to 25,000	25,001 to 50,000	50,001 to 100,000	100,001 to 250,000	250,001 and over
1. Number of Enterprises	86925	4028	38261	21680	10820	6911	4603	320	189	56	34	14	8
2. Total receipts (in millions of dollars)	97341.0	1935.8	7150.8	10669.8	11739.2	12572.0	21796.2	6066.4	6294.8	4156.4	4561.2	3597.2	6801.3
Selected Operating Factors in Percent of Total Receipts													
3. Cost of operations	64.9	62.7	52.6	62.3	67.0	65.4	67.8	75.1	64.7	63.2	59.0	60.0	66.5
4. Compensation of officers	3.5	3.8	7.0	6.0	4.4	4.2	3.4	1.6	2.1	1.2	0.9	0.7	1.0
5. Repairs	0.4	0.4	0.6	0.4	0.4	0.4	0.4	0.2	0.3	0.5	0.4	0.3	0.2
6. Bad debts	0.3	0.9	0.2	0.3	0.2	0.2	0.4	0.4	0.2	0.5	0.6	0.3	0.7
7. Rent on business property	2.9	3.9	4.7	3.6	2.6	2.8	2.4	2.7	2.3	2.1	2.5	3.6	2.8
8. Taxes (excl Federal tax)	2.0	2.8	3.0	2.2	2.0	2.2	1.8	1.3	1.7	1.7	2.0	2.3	1.8
9. Interest	1.1	1.8	0.8	1.0	1.0	0.9	1.0	1.0	1.0	1.1	1.2	1.7	2.4
10. Deprec/Deplet/Amortiz†	1.8	1.8	1.9	2.0	1.6	1.9	1.7	1.2	1.8	1.7	2.1	3.3	1.9
11. Advertising	2.1	1.3	1.6	1.6	1.5	1.3	1.4	1.9	3.7	4.3	4.4	3.2	3.3
12. Pensions & other benef plans	0.8	1.0	0.5	0.6	0.7	0.9	0.9	0.5	0.8	0.8	0.8	0.9	0.5
13. Other expenses	18.7	19.3	23.9	17.1	17.2	18.4	17.9	13.3	19.0	20.6	23.7	22.4	19.3
14. Net profit before tax	1.5	0.3	3.2	2.9	1.4	1.4	0.9	0.8	2.4	2.3	2.4	1.3	#
Selected Financial Ratios (number of times ratio is to one)													
15. Current ratio	1.8	-	2.7	2.5	2.2	2.2	1.7	1.4	1.6	2.1	1.7	1.8	1.4
16. Quick ratio	0.8	-	1.0	1.0	1.0	1.0	0.7	0.6	0.6	0.9	0.6	0.5	0.7
17. Net sls to net wkg capital	7.6	-	8.8	6.8	7.1	6.4	8.1	12.0	8.2	5.3	7.5	5.9	8.3
18. Coverage ratio	4.6	-	6.9	5.0	4.8	4.7	3.7	3.4	6.3	5.5	6.1	4.6	3.2
19. Asset turnover	2.4	-	-	-	-	-	2.5	-	2.3	2.1	1.9	1.6	1.1
20. Total liab to net worth	1.5	2.3	2.3	1.3	1.3	1.3	1.6	2.6	1.7	1.3	1.4	1.4	1.8
Selected Financial Factors in Percentages													
21. Debt ratio	60.6	-	69.5	56.1	56.6	55.8	61.5	72.3	63.2	55.7	58.0	58.3	63.7
22. Return on assets	12.4	-	21.0	15.2	14.2	10.6	9.4	9.1	14.0	12.4	14.3	12.4	8.4
23. Return on equity	19.0	-	-	24.7	22.1	15.1	13.2	16.7	21.7	15.8	19.8	15.3	10.4
24. Return on net worth	31.5	-	68.9	34.7	32.7	24.1	24.4	32.9	38.1	28.0	34.1	29.7	23.0

†Depreciation largest factor

TABLE I: CORPORATIONS WITH AND WITHOUT NET INCOME, 1990 EDITION

6030 BANKING:
Mutual savings banks

						SIZE OF ASSETS IN THOUSANDS OF DOLLARS (000 OMITTED)							
Item Description For Accounting Period 7/86 Through 6/87	A Total	B Zero Assets	C Under 100	D 100 to 250	E 251 to 500	F 501 to 1,000	G 1,001 to 5,000	H 5,001 to 10,000	I 10,001 to 25,000	J 25,001 to 50,000	K 50,001 to 100,000	L 100,001 to 250,000	M 250,001 and over
1. Number of Enterprises	375	3	-	-	-	-	-	-	3	15	71	127	155
2. Total receipts (in millions of dollars)	24871.5	60.6	-	-	-	-	-	-	6.6	65.9	563.8	2110.9	22063.8

Selected Operating Factors in Percent of Total Receipts

Item	A	B	C	D	E	F	G	H	I	J	K	L	M
3. Cost of operations	0.9	0.7	-	-	-	-	-	-	-	-	0.4	0.3	1.0
4. Compensation of officers	1.4	1.8	-	-	-	-	-	-	-	2.4	2.9	2.3	1.2
5. Repairs	0.3	0.4	-	-	-	-	-	-	-	0.4	0.3	0.4	0.3
6. Bad debts	2.7	41.5	-	-	-	-	-	-	4.8	4.3	3.9	4.1	2.4
7. Rent on business property	1.1	1.1	-	-	-	-	-	-	-	0.2	0.4	0.4	1.2
8. Taxes (excl Federal tax)	1.8	1.0	-	-	-	-	-	-	3.0	3.1	2.1	2.1	1.8
9. Interest	61.6	68.2	-	-	-	-	-	-	58.1	55.7	58.9	59.4	61.9
10. Deprec/Deplet/Amortiz†	1.1	1.1	-	-	-	-	-	-	1.3	2.1	1.8	1.4	1.1
11. Advertising	0.8	0.4	-	-	-	-	-	-	0.5	0.5	0.6	0.7	0.9
12. Pensions & other benef plans	1.0	1.6	-	-	-	-	-	-	2.6	1.3	1.1	1.2	0.9
13. Other expenses	16.8	20.3	-	-	-	-	-	-	16.3	14.8	14.4	12.8	17.2
14. Net profit before tax	10.5	*	-	-	-	-	-	-	13.4	15.2	13.2	14.9	10.1

Selected Financial Ratios (number of times ratio is to one)

Item	A	B	C	D	E	F	G	H	I	J	K	L	M
15. Current ratio	-	-	-	-	-	-	-	-	-	-	-	-	-
16. Quick ratio	-	-	-	-	-	-	-	-	-	-	-	-	-
17. Net sls to net wkg capital	-	-	-	-	-	-	-	-	-	-	-	-	-
18. Coverage ratio	1.2	-	-	-	-	-	-	-	1.2	1.3	1.2	1.2	1.2
19. Asset turnover	-	-	-	-	-	-	-	-	-	-	-	-	-
20. Total liab to net worth	11.9	-	-	-	-	-	-	-	11.5	16.9	13.1	10.7	12.0

Selected Financial Factors in Percentages

Item	A	B	C	D	E	F	G	H	I	J	K	L	M
21. Debt ratio	92.3	-	-	-	-	-	-	-	92.0	94.4	92.9	91.5	92.3
22. Return on assets	7.1	-	-	-	-	-	-	-	7.8	7.6	7.3	7.5	7.1
23. Return on equity	10.1	-	-	-	-	-	-	-	13.0	17.8	11.2	11.0	10.1
24. Return on net worth	91.9	-	-	-	-	-	-	-	97.7	-	-	87.9	91.9

†Depreciation largest factor

TABLE II: CORPORATIONS WITH NET INCOME, 1990 EDITION

6030 BANKING:
Mutual savings banks

Item Description For Accounting Period 7/86 Through 6/87	A Total	B Zero Assets	C Under 100	D 100 to 250	E 251 to 500	F 501 to 1,000	G 1,001 to 5,000	H 5,001 to 10,000	I 10,001 to 25,000	J 25,001 to 50,000	K 50,001 to 100,000	L 100,001 to 250,000	M 250,001 and over
						SIZE OF ASSETS IN THOUSANDS OF DOLLARS (000 OMITTED)							
1. Number of Enterprises	357	-	-	-	-	-	-	-	-	15	66	123	148
2. Total receipts (in millions of dollars)	23477.3	-	-	-	-	-	-	-	-	65.9	531.4	2048.1	20802.1
Selected Operating Factors in Percent of Total Receipts													
3. Cost of operations	0.8	-	-	-	-	-	-	-	-	-	0.4	0.3	0.9
4. Compensation of officers	1.4	-	-	-	-	-	-	-	-	2.4	2.8	2.3	1.2
5. Repairs	0.3	-	-	-	-	-	-	-	-	0.4	0.2	0.4	0.3
6. Bad debts	2.6	-	-	-	-	-	-	-	-	4.3	3.8	4.0	2.4
7. Rent on business property	1.1	-	-	-	-	-	-	-	-	0.2	0.4	0.4	1.2
8. Taxes (excl Federal tax)	1.9	-	-	-	-	-	-	-	-	3.1	2.2	2.1	1.9
9. Interest	61.3	-	-	-	-	-	-	-	-	55.7	58.0	59.4	61.5
10. Deprec/Deplet/Amortiz†	1.1	-	-	-	-	-	-	-	-	2.1	1.7	1.3	1.1
11. Advertising	0.8	-	-	-	-	-	-	-	-	0.5	0.6	0.6	0.8
12. Pensions & other benef plans	0.9	-	-	-	-	-	-	-	-	1.3	1.1	1.2	0.9
13. Other expenses	16.0	-	-	-	-	-	-	-	-	14.8	14.1	12.5	16.4
14. Net profit before tax	11.8	-	-	-	-	-	-	-	-	15.2	14.7	15.5	11.4
Selected Financial Ratios (number of times ratio is to one)													
15. Current ratio	-	-	-	-	-	-	-	-	-	-	-	-	-
16. Quick ratio	-	-	-	-	-	-	-	-	-	-	-	-	-
17. Net sls to net wkg capital	-	-	-	-	-	-	-	-	-	-	-	-	-
18. Coverage ratio	1.2	-	-	-	-	-	-	-	-	1.3	1.2	1.3	1.2
19. Asset turnover	-	-	-	-	-	-	-	-	-	-	-	-	-
20. Total liab to net worth	11.7	-	-	-	-	-	-	-	-	16.9	12.3	10.5	11.8
Selected Financial Factors in Percentages													
21. Debt ratio	92.1	-	-	-	-	-	-	-	-	94.4	92.5	91.3	92.2
22. Return on assets	7.2	-	-	-	-	-	-	-	-	7.6	7.3	7.6	7.1
23. Return on equity	11.4	-	-	-	-	-	-	-	-	17.8	12.1	11.3	11.3
24. Return on net worth	91.4	-	-	-	-	-	-	-	-	-	97.7	87.2	91.5

†Depreciation largest factor

6060 BANKING:
Bank holding companies

Item Description For Accounting Period 7/86 Through 6/87	A Total	B Zero Assets	C Under 100	D 100 to 250	E 251 to 500	F 501 to 1,000	G 1,001 to 5,000	H 5,001 to 10,000	I 10,001 to 25,000	J 25,001 to 50,000	K 50,001 to 100,000	L 100,001 to 250,000	M 250,001 and over
			SIZE OF ASSETS IN THOUSANDS OF DOLLARS (000 OMITTED)										
1. Number of Enterprises	5177	-	-	154	3	4	120	288	944	1226	1039	685	552
2. Total receipts (in millions of dollars)	273922.0	-	-	97.1	16.2	5.8	130.9	228.5	1729.0	4493.8	6953.8	9818.0	248428.6
Selected Operating Factors in Percent of Total Receipts													
3. Cost of operations	0.6	-	-	-	-	-	0.9	-	0.1	0.1	-	0.1	0.6
4. Compensation of officers	2.9	-	-	4.9	-	6.5	3.4	8.4	7.6	6.4	5.5	4.8	2.6
5. Repairs	0.6	-	-	1.2	-	0.4	0.5	0.7	0.6	0.6	0.7	0.7	0.6
6. Bad debts	6.1	-	-	27.6	-	-	2.6	20.9	9.7	9.9	8.4	6.9	5.9
7. Rent on business property	2.1	-	-	0.3	-	0.1	0.8	1.0	0.6	0.8	0.9	1.2	2.2
8. Taxes (excl Federal tax)	1.8	-	-	2.0	-	2.2	0.8	1.7	1.8	2.0	1.9	2.0	1.8
9. Interest	52.2	-	-	53.7	-	38.8	53.9	49.8	54.0	53.8	53.2	51.0	52.2
10. Deprec/Deplet/Amortiz†	4.2	-	-	4.7	-	0.8	3.3	3.0	3.0	2.8	3.1	3.6	4.3
11. Advertising	0.6	-	-	0.4	-	0.6	1.1	0.6	0.6	0.6	0.7	0.7	0.6
12. Pensions & other benef plans	1.5	-	-	0.5	-	0.9	0.2	0.9	1.3	1.3	1.5	1.6	1.5
13. Other expenses	22.4	-	-	25.1	-	62.8	33.5	24.7	18.4	18.7	19.1	21.1	22.6
14. Net profit before tax	5.0	-	-	*	*	*	*	*	2.3	3.0	5.0	6.3	5.1
Selected Financial Ratios (number of times ratio is to one)													
15. Current ratio	-	-	-	-	-	-	-	-	-	-	-	-	-
16. Quick ratio	-	-	-	-	-	-	-	-	-	-	-	-	-
17. Net sls to net wkg capital	-	-	-	-	-	-	-	-	-	-	-	-	-
18. Coverage ratio	1.1	-	-	-	-	-	-	0.8	1.0	1.0	1.0	1.0	1.1
19. Asset turnover	-	-	-	-	-	-	-	-	-	-	-	-	-
20. Total liab to net worth	10.8	-	-	-	-	-	-	6.4	11.7	12.1	12.2	11.9	10.7
Selected Financial Factors in Percentages													
21. Debt ratio	91.6	-	-	-	-	-	-	86.4	92.2	92.4	92.4	92.3	91.5
22. Return on assets	5.2	-	-	-	-	-	-	3.9	5.5	5.3	5.1	4.9	5.2
23. Return on equity	1.5	-	-	-	-	-	-	-	-	-	-	-	1.8
24. Return on net worth	61.8	-	-	-	-	-	-	28.7	70.0	68.8	67.0	62.6	61.0

†Depreciation largest factor

TABLE II: CORPORATIONS WITH NET INCOME, 1990 EDITION

6060 BANKING:
Bank holding companies

Item Description For Accounting Period 7/86 Through 6/87	A Total	B Zero Assets	C Under 100	D 100 to 250	E 251 to 500	F 501 to 1,000	G 1,001 to 5,000	H 5,001 to 10,000	I 10,001 to 25,000	J 25,001 to 50,000	K 50,001 to 100,000	L 100,001 to 250,000	M 250,001 and over
				SIZE OF ASSETS IN THOUSANDS OF DOLLARS (000 OMITTED)									
1. Number of Enterprises	3368	-	-	146	-	-	28	163	-	793	686	446	416
2. Total receipts (in millions of dollars)	234670.0	-	-	87.0	-	-	119.5	112.5	-	2935.1	4565.9	6271.8	218493.3
Selected Operating Factors in Percent of Total Receipts													
3. Cost of operations	0.6	-	-	-	-	-	1.0	-	-	0.1	-	0.1	0.7
4. Compensation of officers	2.8	-	-	5.2	-	-	3.1	8.8	-	6.2	5.2	4.7	2.6
5. Repairs	0.6	-	-	1.2	-	-	0.4	0.6	-	0.6	0.7	0.7	0.6
6. Bad debts	5.1	-	-	5.3	-	-	2.4	4.2	-	4.7	4.3	3.6	5.2
7. Rent on business property	2.1	-	-	0.4	-	-	0.9	0.2	-	0.6	0.7	1.0	2.2
8. Taxes (excl Federal tax)	1.8	-	-	2.1	-	-	0.5	1.9	-	1.9	1.9	2.1	1.8
9. Interest	52.0	-	-	51.3	-	-	53.2	51.7	-	53.4	52.0	50.1	52.1
10. Deprec/Deplet/Amortiz†	4.3	-	-	5.2	-	-	2.8	1.9	-	2.7	2.9	3.5	4.3
11. Advertising	0.6	-	-	0.4	-	-	1.2	0.6	-	0.6	0.7	0.7	0.6
12. Pensions & other benef plans	1.6	-	-	0.4	-	-	0.2	1.1	-	1.4	1.5	1.6	1.5
13. Other expenses	22.1	-	-	23.3	-	-	24.8	15.8	-	17.3	18.1	20.3	22.3
14. Net profit before tax	6.4	-	-	5.2	-	-	9.5	13.2	-	10.5	12.0	11.6	6.1
Selected Financial Ratios (number of times ratio is to one)													
15. Current ratio	-	-	-	-	-	-	-	-	-	-	-	-	-
16. Quick ratio	-	-	-	-	-	-	-	-	-	-	-	-	-
17. Net sls to net wkg capital	-	-	-	-	-	-	-	-	-	-	-	-	-
18. Coverage ratio	1.1	-	-	-	-	-	-	1.2	-	1.1	1.1	1.1	1.1
19. Asset turnover	-	-	-	-	-	-	-	-	-	-	-	-	-
20. Total liab to net worth	10.7	-	-	-	-	-	-	4.5	-	11.2	11.3	11.6	10.7
Selected Financial Factors in Percentages													
21. Debt ratio	91.5	-	-	-	-	-	-	81.9	-	91.8	91.9	92.1	91.4
22. Return on assets	5.4	-	-	-	-	-	-	5.8	-	6.0	5.6	5.2	5.3
23. Return on equity	3.2	-	-	-	-	-	-	5.4	-	5.2	5.0	4.6	3.0
24. Return on net worth	62.8	-	-	-	-	-	-	31.9	-	72.8	69.2	65.5	62.1

†Depreciation largest factor

TABLE I: *CORPORATIONS WITH AND WITHOUT NET INCOME, 1990 EDITION*

6090 BANKING:

Banks, except mutual savings banks and bank holding companies

Item Description For Accounting Period 7/86 Through 6/87	A Total	B Zero Assets	C Under 100	D 100 to 250	E 251 to 500	F 501 to 1,000	G 1,001 to 5,000	H 5,001 to 10,000	I 10,001 to 25,000	J 25,001 to 50,000	K 50,001 to 100,000	L 100,001 to 250,000	M 250,001 and over
SIZE OF ASSETS IN THOUSANDS OF DOLLARS (000 OMITTED)													
1. Number of Enterprises	6879	521	-	-	69	36	209	587	1938	1702	1138	503	176
2. Total receipts (in millions of dollars)	65040.0	26777.7	-	-	21.3	1.0	145.3	417.8	3238.7	5872.8	7374.3	6733.6	14457.8
Selected Operating Factors in Percent of Total Receipts													
3. Cost of operations	0.4	-	-	-	-	-	-	-	-	0.3	0.1	0.1	1.6
4. Compensation of officers	3.1	0.9	-	-	23.0	-	7.3	10.5	7.7	6.2	5.3	4.9	2.4
5. Repairs	0.4	0.1	-	-	0.5	-	1.6	0.9	0.7	0.6	0.7	0.7	0.7
6. Bad debts	4.3	2.0	-	-	0.6	-	9.4	11.4	9.7	7.6	7.0	5.2	3.9
7. Rent on business property	1.2	0.9	-	-	2.4	-	5.2	1.0	1.0	0.9	0.9	1.2	2.0
8. Taxes (excl Federal tax)	1.6	0.7	-	-	4.6	-	2.2	2.3	2.1	1.9	2.0	2.2	2.4
9. Interest	65.0	83.6	-	-	2.1	-	26.0	49.2	50.3	51.8	51.6	50.5	53.8
10. Deprec/Deplet/Amortiz†	2.2	0.4	-	-	10.2	-	3.2	3.5	3.0	2.9	2.9	3.0	4.3
11. Advertising	0.4	0.1	-	-	0.5	-	0.5	0.8	0.8	0.7	0.7	0.7	0.6
12. Pensions & other benef plans	1.0	0.4	-	-	-	-	0.6	1.4	1.4	1.4	1.5	1.6	1.5
13. Other expenses	15.9	9.6	-	-	53.9	-	53.7	22.3	21.7	19.3	19.2	19.8	20.5
14. Net profit before tax	4.5	1.3	-	-	2.2	*	*	*	1.6	6.4	8.1	10.1	6.3
Selected Financial Ratios (number of times ratio is to one)													
15. Current ratio	-	-	-	-	-	-	-	-	-	-	-	-	-
16. Quick ratio	-	-	-	-	-	-	-	-	-	-	-	-	-
17. Net sls to net wkg capital	-	-	-	-	-	-	-	-	-	-	-	-	-
18. Coverage ratio	1.0	-	-	-	2.1	-	0.5	0.9	1.0	1.0	1.0	1.1	1.1
19. Asset turnover	-	-	-	-	-	-	-	-	-	-	-	-	-
20. Total liab to net worth	11.3	-	-	-	8.7	-	2.6	6.9	9.6	10.3	10.8	11.4	12.7
Selected Financial Factors in Percentages													
21. Debt ratio	91.9	-	-	-	89.7	-	72.1	87.3	90.6	91.1	91.5	92.0	92.7
22. Return on assets	10.4	-	-	-	3.0	-	3.0	4.0	4.8	5.1	5.1	5.0	4.9
23. Return on equity	0.2	-	-	-	13.0	-	-	-	-	-	-	1.5	1.9
24. Return on net worth	-	-	-	-	29.5	-	10.9	31.3	50.3	57.8	59.8	62.5	66.5

†Depreciation largest factor

TABLE II: CORPORATIONS WITH NET INCOME, 1990 EDITION

6090 BANKING:
Banks, except mutual savings banks and bank holding companies

Item Description For Accounting Period 7/86 Through 6/87	A Total	B Zero Assets	C Under 100	D 100 to 250	E 251 to 500	F 501 to 1,000	G 1,001 to 5,000	H 5,001 to 10,000	I 10,001 to 25,000	J 25,001 to 50,000	K 50,001 to 100,000	L 100,001 to 250,000	M 250,001 and over
				SIZE OF ASSETS IN THOUSANDS OF DOLLARS (000 OMITTED)									
1. Number of Enterprises	4504	282	-	-	69	-	88	318	1211	1206	804	383	144
2. Total receipts (in millions of dollars)	47457.8	18539.9	-	-	21.3	-	85.3	237.7	2026.3	4204.8	5191.5	5136.0	12015.1
Selected Operating Factors in Percent of Total Receipts													
3. Cost of operations	0.4	-	-	-	-	-	-	-	-	0.3	0.1	0.1	1.3
4. Compensation of officers	3.0	0.9	-	-	23.0	-	8.0	10.1	7.3	5.9	5.1	4.8	2.7
5. Repairs	0.4	0.1	-	-	0.5	-	1.9	0.7	0.7	0.6	0.6	0.7	0.7
6. Bad debts	2.7	1.7	-	-	0.6	-	1.5	4.1	4.2	3.9	3.5	2.9	3.4
7. Rent on business property	1.0	0.6	-	-	2.4	-	8.7	0.2	0.5	0.7	0.7	1.0	1.9
8. Taxes (excl Federal tax)	1.7	0.7	-	-	4.6	-	2.9	2.1	2.1	2.0	2.1	2.3	2.4
9. Interest	63.7	82.1	-	-	2.1	-	14.3	48.9	51.1	51.1	51.1	50.2	53.8
10. Deprec/Deplet/Amortiz†	2.2	0.3	-	-	10.2	-	2.9	2.7	2.5	2.7	2.6	2.8	4.3
11. Advertising	0.4	0.1	-	-	0.5	-	0.2	0.6	0.6	0.6	0.7	0.6	0.6
12. Pensions & other benef plans	1.1	0.3	-	-	-	-	0.2	1.5	1.4	1.4	1.5	1.7	1.5
13. Other expenses	14.4	7.7	-	-	53.9	-	51.7	16.9	17.5	17.7	18.0	18.6	19.3
14. Net profit before tax	9.0	5.5	-	-	2.2	-	7.7	12.2	12.1	13.1	14.0	14.3	8.1
Selected Financial Ratios (number of times ratio is to one)													
15. Current ratio	-	-	-	-	-	-	-	-	-	-	-	-	-
16. Quick ratio	-	-	-	-	-	-	-	-	-	-	-	-	-
17. Net sls to net wkg capital	-	-	-	-	-	-	-	-	-	-	-	-	-
18. Coverage ratio	1.1	-	-	-	2.1	-	1.5	1.2	1.2	1.2	1.2	1.2	1.1
19. Asset turnover	-	-	-	-	-	-	-	-	-	-	-	-	-
20. Total liab to net worth	10.9	-	-	-	8.7	-	4.4	7.5	9.4	9.8	10.2	11.2	12.0
Selected Financial Factors in Percentages													
21. Debt ratio	91.6	-	-	-	89.7	-	81.6	88.3	90.4	90.8	91.1	91.8	92.3
22. Return on assets	10.4	-	-	-	3.0	-	5.7	5.7	5.8	5.7	5.5	5.4	5.0
23. Return on equity	6.9	-	-	-	13.0	-	9.0	6.1	6.0	5.5	4.9	5.4	3.4
24. Return on net worth	-	-	-	-	29.5	-	30.7	48.5	60.5	61.9	62.1	65.5	64.3

†Depreciation largest factor

6120 CREDIT AGENCIES OTHER THAN BANKS:

Savings and loan associations

							SIZE OF ASSETS IN THOUSANDS OF DOLLARS (000 OMITTED)						
Item Description For Accounting Period 7/86 Through 6/87	A Total	B Zero Assets	C Under 100	D 100 to 250	E 251 to 500	F 501 to 1,000	G 1,001 to 5,000	H 5,001 to 10,000	I 10,001 to 25,000	J 25,001 to 50,000	K 50,001 to 100,000	L 100,001 to 250,000	M 250,001 and over
1. Number of Enterprises	3529	90	-	160	35	40	75	42	311	597	703	780	696
2. Total receipts (in millions of dollars)	123808.7	9335.4	-	2.1	1469.8	3.7	22.2	35.1	620.7	2392.2	5155.9	13020.4	91751.2
Selected Operating Factors in Percent of Total Receipts													
3. Cost of operations	1.4	2.1	-	-	-	-	-	-	-	0.1	0.3	0.4	1.6
4. Compensation of officers	1.1	0.3	-	-	0.7	6.6	7.5	5.6	3.7	3.2	2.7	2.1	0.9
5. Repairs	0.4	0.4	-	-	0.2	-	-	0.4	0.4	0.4	0.3	0.4	0.4
6. Bad debts	4.0	6.4	-	-	0.3	-	1.1	1.7	7.2	5.8	5.3	5.1	3.5
7. Rent on business property	0.9	1.0	-	-	0.3	0.8	0.4	0.3	0.9	0.6	0.5	0.5	1.0
8. Taxes (excl Federal tax)	1.3	2.3	-	-	0.5	0.1	3.5	1.6	1.3	1.6	1.3	1.3	1.2
9. Interest	68.6	67.7	-	-	80.8	71.9	57.5	65.3	66.0	68.5	68.0	67.9	68.7
10. Deprec/Deplet/Amortiz†	1.5	1.3	-	-	1.3	-	0.7	0.6	1.5	1.7	1.5	1.4	1.6
11. Advertising	0.7	0.6	-	-	-	-	0.3	0.6	0.5	0.6	0.7	0.6	0.7
12. Pensions & other benef plans	0.6	0.6	-	-	0.3	1.3	0.3	1.0	0.7	0.7	0.8	0.8	0.6
13. Other expenses	16.5	15.3	-	-	15.8	20.0	36.0	14.2	23.2	17.3	17.3	17.0	16.4
14. Net profit before tax	3.0	2.0	-	-	*	*	*	8.7	*	*	1.3	2.5	3.4
Selected Financial Ratios (number of times ratio is to one)													
15. Current ratio	-	-	-	-	-	-	-	-	-	-	-	-	-
16. Quick ratio	-	-	-	-	-	-	-	-	-	-	-	-	-
17. Net sls to net wkg capital	-	-	-	-	-	-	-	-	-	-	-	-	-
18. Coverage ratio	1.0	-	-	-	-	1.0	-	1.1	-	-	-	-	1.1
19. Asset turnover	-	-	-	-	-	-	-	-	-	-	-	-	-
20. Total liab to net worth	33.1	-	-	7.5	-	8.0	-	12.2	-	-	-	-	29.9
Selected Financial Factors in Percentages													
21. Debt ratio	97.1	-	-	88.2	-	88.9	-	92.4	-	-	-	-	96.8
22. Return on assets	8.0	-	-	0.1	-	6.7	-	8.4	-	-	-	-	7.3
23. Return on equity	4.7	-	-	0.7	-	-	-	10.8	-	-	-	-	6.0
24. Return on net worth	-	-	-	0.9	-	59.9	-	-	-	-	-	-	-

†Depreciation largest factor

6120 CREDIT AGENCIES OTHER THAN BANKS:
Savings and loan associations

Item Description For Accounting Period 7/86 Through 6/87	A Total	B Zero Assets	C Under 100	D 100 to 250	E 251 to 500	F 501 to 1,000	G 1,001 to 5,000	H 5,001 to 10,000	I 10,001 to 25,000	J 25,001 to 50,000	K 50,001 to 100,000	L 100,001 to 250,000	M 250,001 and over
				SIZE OF ASSETS IN THOUSANDS OF DOLLARS (000 OMITTED)									
1. Number of Enterprises	2628	50	-	160	-	-	24	36	242	453	555	609	501
2. Total receipts (in millions of dollars)	97031.8	8872.7	-	2.1	-	-	8.3	30.7	477.3	1806.5	4113.0	10196.0	71525.3
Selected Operating Factors in Percent of Total Receipts													
3. Cost of operations	1.3	2.2	-	-	-	-	-	-	-	-	0.1	0.3	1.5
4. Compensation of officers	1.0	0.2	-	-	-	-	6.4	6.0	3.4	2.8	2.5	1.9	0.8
5. Repairs	0.4	0.3	-	-	-	-	-	0.4	0.4	0.3	0.3	0.3	0.4
6. Bad debts	3.0	2.1	-	-	-	-	3.1	1.3	3.2	3.5	3.8	3.8	2.9
7. Rent on business property	0.8	0.9	-	-	-	-	-	0.4	0.4	0.4	0.3	0.4	0.9
8. Taxes (excl Federal tax)	1.4	2.4	-	-	-	-	2.2	1.6	1.3	1.6	1.3	1.4	1.2
9. Interest	66.4	67.0	-	-	-	-	54.6	62.9	65.2	64.8	65.3	64.4	66.7
10. Deprec/Deplet/Amortiz†	1.4	1.3	-	-	-	-	0.4	0.6	1.2	1.3	1.3	1.3	1.5
11. Advertising	0.7	0.6	-	-	-	-	0.6	0.6	0.5	0.5	0.7	0.6	0.7
12. Pensions & other benef plans	0.6	0.6	-	-	-	-	0.2	1.2	0.7	0.7	0.8	0.8	0.6
13. Other expenses	13.9	14.3	-	-	-	-	17.8	13.8	14.7	13.8	13.4	14.1	13.9
14. Net profit before tax	9.1	8.1	-	-	-	-	14.7	11.2	9.0	10.3	10.2	10.7	8.9
Selected Financial Ratios (number of times ratio is to one)													
15. Current ratio	-	-	-	-	-	-	-	-	-	-	-	-	-
16. Quick ratio	-	-	-	-	-	-	-	-	-	-	-	-	-
17. Net sls to net wkg capital	-	-	-	-	-	-	-	-	-	-	-	-	-
18. Coverage ratio	1.1	-	-	-	-	-	1.3	1.2	1.1	1.2	1.2	1.2	1.1
19. Asset turnover	-	-	-	-	-	-	-	-	-	-	-	-	-
20. Total liab to net worth	21.4	-	-	7.5	-	-	10.3	10.7	19.6	27.2	19.0	23.2	21.2
Selected Financial Factors in Percentages													
21. Debt ratio	95.5	-	-	88.2	-	-	91.1	91.5	95.1	96.5	95.0	95.9	95.5
22. Return on assets	8.5	-	-	0.1	-	-	6.3	8.6	7.7	7.8	7.8	8.0	7.7
23. Return on equity	17.5	-	-	0.7	-	-	12.5	12.9	13.2	20.7	13.5	19.0	15.9
24. Return on net worth	-	-	-	0.9	-	-	70.9	-	-	-	-	-	-

†Depreciation largest factor

6140 CREDIT AGENCIES OTHER THAN BANKS:
Personal credit institutions

Item Description For Accounting Period 7/86 Through 6/87	A Total	B Zero Assets	C Under 100	D 100 to 250	E 251 to 500	F 501 to 1,000	G 1,001 to 5,000	H 5,001 to 10,000	I 10,001 to 25,000	J 25,001 to 50,000	K 50,001 to 100,000	L 100,001 to 250,000	M 250,001 and over
	SIZE OF ASSETS IN THOUSANDS OF DOLLARS (000 OMITTED)												
1. Number of Enterprises	2723	165	139	639	448	610	536	92	46	25	7	10	5
2. Total receipts (in millions of dollars)	3577.2	12.4	7.4	66.8	93.0	91.7	370.6	169.9	137.7	203.4	64.0	361.2	1999.0
Selected Operating Factors in Percent of Total Receipts													
3. Cost of operations	2.5	-	-	21.4	1.2	-	5.7	-	0.8	4.3	-	2.6	1.6
4. Compensation of officers	3.3	-	-	8.1	9.4	11.1	7.3	10.8	12.4	4.7	2.5	1.5	0.6
5. Repairs	0.2	-	-	1.1	0.7	0.3	0.3	0.3	0.2	0.5	0.3	0.4	0.1
6. Bad debts	7.1	-	-	13.3	5.1	13.5	9.4	6.3	4.1	10.1	3.5	4.9	6.0
7. Rent on business property	2.7	-	-	5.5	2.2	2.7	1.4	2.0	2.1	2.3	1.9	5.8	2.4
8. Taxes (excl Federal tax)	2.5	-	-	2.2	3.6	5.1	3.0	2.8	4.3	2.2	2.2	3.3	2.1
9. Interest	41.9	-	-	8.0	6.2	17.9	19.4	29.5	22.9	26.6	56.8	23.8	56.8
10. Deprec/Deplet/Amortiz†	3.7	-	-	0.1	2.1	2.2	1.6	2.6	6.7	3.7	1.2	5.4	4.0
11. Advertising	1.6	-	-	1.2	1.5	0.6	1.5	0.7	0.3	0.9	0.5	2.5	1.8
12. Pensions & other benef plans	1.5	-	-	0.3	1.1	0.9	1.4	2.0	1.5	0.8	1.7	1.6	1.7
13. Other expenses	34.2	-	-	21.4	45.7	31.7	33.0	42.9	29.8	41.1	22.0	41.3	32.1
14. Net profit before tax	*	*	*	17.4	21.2	14.0	16.0	0.1	14.9	2.8	7.4	6.9	*
Selected Financial Ratios (number of times ratio is to one)													
15. Current ratio	-	-	-	-	-	-	-	-	-	-	-	-	-
16. Quick ratio	-	-	-	-	-	-	-	-	-	-	-	-	-
17. Net sls to net wkg capital	-	-	-	-	-	-	-	-	-	-	-	-	-
18. Coverage ratio	1.0	-	-	3.2	4.4	1.8	1.8	1.0	1.7	1.1	1.1	1.3	0.9
19. Asset turnover	-	-	-	-	-	-	-	-	-	-	-	-	-
20. Total liab to net worth	5.9	-	-	1.6	2.0	1.2	3.1	5.4	3.0	4.4	11.6	19.3	7.2
Selected Financial Factors in Percentages													
21. Debt ratio	85.5	-	-	62.0	66.4	55.4	75.5	84.4	74.7	81.5	92.1	95.1	87.8
22. Return on assets	9.4	-	-	16.0	18.1	7.2	11.7	8.1	7.4	6.6	7.5	7.5	10.0
23. Return on equity	-	-	-	24.7	33.0	5.9	16.6	-	7.5	1.3	6.6	21.4	-
24. Return on net worth	64.9	-	-	42.2	53.9	16.2	47.6	51.8	29.4	35.6	94.9	-	81.9

†Depreciation largest factor

6140 CREDIT AGENCIES OTHER THAN BANKS:
Personal credit institutions

Item Description For Accounting Period 7/86 Through 6/87	A Total	B Zero Assets	C Under 100	D 100 to 250	E 251 to 500	F 501 to 1,000	G 1,001 to 5,000	H 5,001 to 10,000	I 10,001 to 25,000	J 25,001 to 50,000	K 50,001 to 100,000	L 100,001 to 250,000	M 250,001 and over
			SIZE OF ASSETS IN THOUSANDS OF DOLLARS (000 OMITTED)										
1. Number of Enterprises	2288	-	70	639	430	473	437	71	36	21	-	10	-
2. Total receipts (in millions of dollars)	1425.3	-	4.4	66.8	89.5	67.1	325.9	133.5	98.6	132.3	-	446.8	-
Selected Operating Factors in Percent of Total Receipts													
3. Cost of operations	5.7	-	-	21.4	1.2	-	6.1	-	1.1	6.0	-	8.2	-
4. Compensation of officers	6.0	-	-	8.1	9.8	13.3	7.4	12.2	4.6	5.9	-	1.7	-
5. Repairs	0.4	-	-	1.1	0.7	0.3	0.3	0.3	0.2	0.6	-	0.5	-
6. Bad debts	5.7	-	2.6	13.3	2.3	9.0	6.9	5.7	4.5	5.5	-	4.4	-
7. Rent on business property	3.2	-	11.1	5.5	2.2	2.3	1.3	1.9	2.5	2.7	-	5.2	-
8. Taxes (excl Federal tax)	3.1	-	2.7	2.2	3.7	4.4	3.1	3.0	3.1	2.4	-	3.2	-
9. Interest	20.3	-	16.5	8.0	4.9	12.0	17.5	21.1	26.2	29.5	-	21.7	-
10. Deprec/Deplet/Amortiz†	2.4	-	10.9	0.1	2.0	2.0	1.5	1.2	4.7	3.4	-	3.2	-
11. Advertising	1.5	-	-	1.2	1.5	0.8	1.6	0.8	0.4	1.0	-	2.3	-
12. Pensions & other benef plans	1.5	-	-	0.3	1.1	0.8	1.5	2.6	1.1	0.6	-	1.7	-
13. Other expenses	36.0	-	41.1	21.4	46.3	33.5	33.1	39.6	30.2	34.4	-	40.1	-
14. Net profit before tax	14.2	-	15.1	17.4	24.3	21.6	19.7	11.6	21.4	8.0	-	7.8	-
Selected Financial Ratios (number of times ratio is to one)													
15. Current ratio	-	-	-	-	-	-	-	-	-	-	-	-	-
16. Quick ratio	-	-	-	-	-	-	-	-	-	-	-	-	-
17. Net sls to net wkg capital	-	-	-	-	-	-	-	-	-	-	-	-	-
18. Coverage ratio	1.7	-	1.9	3.2	6.0	2.8	2.1	1.6	1.8	1.3	-	1.3	-
19. Asset turnover	-	-	-	-	-	-	-	-	-	-	-	-	-
20. Total liab to net worth	4.3	-	1.6	1.6	1.9	0.8	2.6	3.7	3.7	4.4	-	12.7	-
Selected Financial Factors in Percentages													
21. Debt ratio	81.0	-	61.6	62.0	65.2	44.2	72.4	78.9	78.8	81.6	-	92.7	-
22. Return on assets	8.7	-	24.1	16.0	19.4	7.1	12.6	9.0	9.0	6.5	-	6.7	-
23. Return on equity	13.9	-	25.5	24.7	37.6	6.9	19.1	9.9	12.5	5.0	-	15.7	-
24. Return on net worth	45.7	-	62.7	42.2	55.8	12.7	45.7	42.8	42.6	35.3	-	92.3	-

†Depreciation largest factor

6150 CREDIT AGENCIES OTHER THAN BANKS:
Business credit institutions

					SIZE OF ASSETS IN THOUSANDS OF DOLLARS (000 OMITTED)								
Item Description For Accounting Period 7/86 Through 6/87	A Total	B Zero Assets	C Under 100	D 100 to 250	E 251 to 500	F 501 to 1,000	G 1,001 to 5,000	H 5,001 to 10,000	I 10,001 to 25,000	J 25,001 to 50,000	K 50,001 to 100,000	L 100,001 to 250,000	M 250,001 and over
1. Number of Enterprises	2433	799	654	161	200	166	250	46	57	23	23	27	27
2. Total receipts (in millions of dollars)	4217.8	217.9	187.8	17.1	38.7	67.7	132.7	90.0	250.6	107.7	243.4	463.7	2400.6
Selected Operating Factors in Percent of Total Receipts													
3. Cost of operations	6.2	-	74.8	-	47.5	57.5	2.0	10.0	1.8	3.3	1.4	8.5	-
4. Compensation of officers	1.3	1.6	-	-	2.7	3.0	9.5	6.3	2.6	1.0	1.9	2.1	0.4
5. Repairs	0.1	-	-	-	-	0.2	0.7	0.3	0.3	0.2	0.4	0.1	0.1
6. Bad debts	5.5	5.2	-	-	3.6	1.3	11.4	1.4	7.3	7.0	1.8	5.2	6.2
7. Rent on business property	1.0	0.1	-	-	4.6	0.5	2.6	1.4	1.5	0.6	0.4	1.9	0.8
8. Taxes (excl Federal tax)	1.0	1.1	2.1	-	3.1	0.8	1.5	2.3	1.9	0.9	2.8	1.3	0.5
9. Interest	62.9	76.9	16.8	-	8.4	7.9	29.3	30.7	53.8	51.0	36.8	56.0	76.4
10. Deprec/Deplet/Amortiz†	5.8	2.4	3.5	-	1.1	1.4	18.8	17.7	9.6	17.6	3.4	8.4	4.3
11. Advertising	0.2	0.2	-	-	5.6	0.6	0.3	0.1	0.5	0.2	0.1	0.2	0.1
12. Pensions & other benef plans	0.6	0.6	-	-	-	0.4	2.1	0.6	0.2	0.3	1.2	1.3	0.4
13. Other expenses	17.1	20.5	0.7	-	18.5	22.0	38.9	24.0	26.8	15.0	42.8	13.0	13.8
14. Net profit before tax	*	*	2.1	-	4.9	4.4	*	5.2	*	2.9	7.0	2.0	*
Selected Financial Ratios (number of times ratio is to one)													
15. Current ratio	-	-	-	-	-	-	-	-	-	-	-	-	-
16. Quick ratio	-	-	-	-	-	-	-	-	-	-	-	-	-
17. Net sls to net wkg capital	-	-	-	-	-	-	-	-	-	-	-	-	-
18. Coverage ratio	-	-	-	-	1.6	1.6	0.4	1.2	0.9	1.1	1.2	1.0	-
19. Asset turnover	-	-	-	-	-	-	-	-	-	-	-	-	-
20. Total liab to net worth	-	-	-	-	2.1	2.1	5.9	4.7	4.3	25.4	27.3	20.3	-
Selected Financial Factors in Percentages													
21. Debt ratio	-	-	-	-	67.6	67.5	85.5	82.3	81.2	96.2	96.5	95.3	-
22. Return on assets	-	-	-	-	8.6	7.1	3.0	10.4	13.7	7.0	6.4	6.5	-
23. Return on equity	-	-	-	-	6.9	4.3	-	5.4	-	7.4	24.7	0.6	-
24. Return on net worth	-	-	-	-	26.5	21.7	20.7	59.0	72.6	-	-	-	-

†Depreciation largest factor

6150 CREDIT AGENCIES OTHER THAN BANKS:
Business credit institutions

							SIZE OF ASSETS IN THOUSANDS OF DOLLARS (000 OMITTED)						
Item Description For Accounting Period 7/86 Through 6/87	A Total	B Zero Assets	C Under 100	D 100 to 250	E 251 to 500	F 501 to 1,000	G 1,001 to 5,000	H 5,001 to 10,000	I 10,001 to 25,000	J 25,001 to 50,000	K 50,001 to 100,000	L 100,001 to 250,000	M 250,001 and over
1. Number of Enterprises	909	8	416	-	139	113	112	22	39	10	17	14	17
2. Total receipts (in millions of dollars)	2332.1	6.9	176.1	-	7.5	61.2	80.0	34.1	186.4	52.5	213.5	299.5	1214.2
Selected Operating Factors in Percent of Total Receipts													
3. Cost of operations	9.6	-	79.8	-	-	63.6	3.3	-	-	-	1.5	13.1	-
4. Compensation of officers	1.4	-	-	-	-	2.9	11.1	12.2	2.0	1.0	1.7	2.2	0.3
5. Repairs	0.1	-	-	-	-	-	0.3	0.1	0.1	0.4	0.4	0.2	-
6. Bad debts	1.7	-	-	-	1.5	-	5.2	2.8	7.3	3.5	1.3	1.7	0.8
7. Rent on business property	0.5	-	-	-	-	-	3.4	2.5	0.6	0.8	0.3	0.9	0.3
8. Taxes (excl Federal tax)	1.0	-	2.2	-	4.1	0.7	1.6	4.0	1.2	1.4	3.0	1.7	0.2
9. Interest	63.4	-	4.4	-	21.5	6.3	15.0	21.9	66.1	38.7	32.1	48.4	89.5
10. Deprec/Deplet/Amortiz†	3.3	-	3.7	-	2.9	0.9	12.3	1.5	1.3	29.7	3.3	8.0	0.8
11. Advertising	0.1	-	-	-	0.3	0.6	0.3	0.2	0.5	0.2	0.1	0.2	-
12. Pensions & other benef plans	0.5	-	-	-	-	-	3.2	-	0.3	0.1	1.3	1.8	0.1
13. Other expenses	12.8	-	0.4	-	20.2	17.3	30.4	24.2	16.7	16.2	45.1	11.1	6.9
14. Net profit before tax	5.6	-	9.5	-	49.5	7.7	13.9	30.6	3.9	8.0	9.9	10.7	1.1
Selected Financial Ratios (number of times ratio is to one)													
15. Current ratio	-	-	-	-	-	-	-	-	-	-	-	-	-
16. Quick ratio	-	-	-	-	-	-	-	-	-	-	-	-	-
17. Net sls to net wkg capital	-	-	-	-	-	-	-	-	-	-	-	-	-
18. Coverage ratio	1.1	-	-	-	3.3	2.2	1.9	2.4	1.1	1.2	1.3	1.2	1.0
19. Asset turnover	-	-	-	-	-	-	-	-	-	-	-	-	-
20. Total liab to net worth	24.3	-	-	-	0.8	2.3	4.4	2.8	5.1	23.0	22.8	19.8	37.7
Selected Financial Factors in Percentages													
21. Debt ratio	96.0	-	-	-	43.3	69.2	81.6	73.7	83.7	95.8	95.8	95.2	97.4
22. Return on assets	7.6	-	-	-	12.3	9.7	10.3	13.2	21.5	6.6	7.3	7.6	6.9
23. Return on equity	12.4	-	-	-	12.8	12.5	20.4	25.5	4.9	22.0	35.9	21.4	1.9
24. Return on net worth	-	-	-	-	21.6	31.4	55.9	50.1	-	-	-	-	-

†Depreciation largest factor

TABLE I: CORPORATIONS WITH AND WITHOUT NET INCOME, 1990 EDITION

6199 CREDIT AGENCIES OTHER THAN BANKS:
Other credit agencies

Item Description For Accounting Period 7/86 Through 6/87	A Total	B Zero Assets	SIZE OF ASSETS IN THOUSANDS OF DOLLARS (000 OMITTED)										
			C Under 100	D 100 to 250	E 251 to 500	F 501 to 1,000	G 1,001 to 5,000	H 5,001 to 10,000	I 10,001 to 25,000	J 25,001 to 50,000	K 50,001 to 100,000	L 100,001 to 250,000	M 250,001 and over
1. Number of Enterprises	16891	1109	8737	2465	1398	886	1368	337	255	118	93	75	50
2. Total receipts (in millions of dollars)	93743.1	157.5	1330.1	152.9	349.6	379.7	911.3	810.4	1033.5	1364.0	2930.7	1879.2	82444.3
Selected Operating Factors in Percent of Total Receipts													
3. Cost of operations	58.3	2.5	55.2	25.0	1.9	16.7	6.8	13.9	7.5	54.7	70.7	6.0	61.5
4. Compensation of officers	0.8	3.9	7.8	7.2	23.6	25.5	9.0	6.7	5.7	2.1	1.1	2.1	0.2
5. Repairs	0.1	0.3	0.2	0.8	0.5	0.3	0.7	0.5	0.4	0.3	0.1	0.4	0.1
6. Bad debts	1.7	16.4	-	0.2	0.9	0.5	5.7	2.8	2.7	2.7	4.3	8.3	1.4
7. Rent on business property	0.7	2.0	2.4	2.0	4.0	2.2	2.9	1.8	2.8	1.2	0.4	1.9	0.5
8. Taxes (excl Federal tax)	0.6	2.7	1.2	4.8	3.1	3.6	3.0	2.9	3.1	1.3	0.4	1.4	0.5
9. Interest	21.0	25.1	0.6	6.5	7.6	4.7	14.2	22.3	21.8	18.0	13.9	50.0	21.1
10. Deprec/Deplet/Amortiz†	0.9	2.2	0.8	6.6	1.7	1.2	3.8	4.0	3.8	1.8	1.5	4.3	0.7
11. Advertising	0.6	0.3	1.2	0.3	1.5	0.4	0.7	0.4	1.5	0.4	0.1	0.7	0.6
12. Pensions & other benef plans	0.4	0.7	0.1	0.4	5.4	1.5	2.5	0.9	1.7	0.7	0.3	0.8	0.3
13. Other expenses	14.6	47.7	28.0	26.7	51.5	35.5	44.4	41.6	48.6	17.9	9.0	27.0	12.8
14. Net profit before tax	0.3	*	2.5	19.5	*	7.9	6.3	2.2	0.4	*	*	*	0.3
Selected Financial Ratios (number of times ratio is to one)													
15. Current ratio	-	-	-	-	-	-	-	-	-	-	-	-	-
16. Quick ratio	-	-	-	-	-	-	-	-	-	-	-	-	-
17. Net sls to net wkg capital	-	-	-	-	-	-	-	-	-	-	-	-	-
18. Coverage ratio	1.0	-	5.5	-	0.7	2.7	1.4	-	1.0	0.9	0.9	0.9	1.0
19. Asset turnover	-	-	-	-	-	-	-	-	-	-	-	-	-
20. Total liab to net worth	9.5	-	0.7	-	2.8	1.4	2.9	-	6.3	6.1	6.8	11.2	10.0
Selected Financial Factors in Percentages													
21. Debt ratio	90.5	-	40.7	-	73.8	59.0	74.0	-	86.4	85.9	87.1	91.8	90.9
22. Return on assets	6.8	-	13.3	-	3.7	7.8	6.3	-	5.5	5.6	5.5	7.7	6.8
23. Return on equity	-	-	15.1	-	-	8.9	4.2	-	-	-	-	-	-
24. Return on net worth	71.2	-	22.5	-	13.9	19.1	24.1	-	40.2	39.7	42.3	93.5	74.6

†Depreciation largest factor

TABLE II: CORPORATIONS WITH NET INCOME, 1990 EDITION

6199 CREDIT AGENCIES OTHER THAN BANKS:
Other credit agencies

Item Description For Accounting Period 7/86 Through 6/87	A Total	B Zero Assets	SIZE OF ASSETS IN THOUSANDS OF DOLLARS (000 OMITTED)										
			C Under 100	D 100 to 250	E 251 to 500	F 501 to 1,000	G 1,001 to 5,000	H 5,001 to 10,000	I 10,001 to 25,000	J 25,001 to 50,000	K 50,001 to 100,000	L 100,001 to 250,000	M 250,001 and over
1. Number of Enterprises	8783	-	4415	1219	643	608	945	219	158	55	-	40	22
2. Total receipts (in millions of dollars)	77366.0	-	1064.8	113.8	209.6	342.7	716.7	564.9	805.2	1099.6	-	1001.0	68992.0
Selected Operating Factors in Percent of Total Receipts													
3. Cost of operations	69.5	-	68.9	33.4	0.1	10.7	7.5	14.4	9.4	65.0	-	4.5	72.5
4. Compensation of officers	0.7	-	5.4	2.9	22.2	28.3	9.3	7.2	5.3	1.9	-	2.9	0.2
5. Repairs	0.1	-	-	0.1	-	0.3	0.4	0.6	0.4	0.2	-	0.3	0.1
6. Bad debts	0.9	-	-	0.2	-	0.6	1.8	1.5	0.5	0.6	-	3.2	0.9
7. Rent on business property	0.7	-	1.8	1.7	3.2	2.4	2.8	1.2	2.4	1.2	-	1.7	0.6
8. Taxes (excl Federal tax)	0.6	-	0.7	2.4	2.6	3.6	3.0	2.7	3.1	1.3	-	1.9	0.5
9. Interest	9.4	-	0.2	4.8	7.3	3.0	10.1	18.1	16.4	8.6	-	37.9	9.0
10. Deprec/Deplet/Amortiz†	0.8	-	0.5	6.0	1.3	1.3	4.1	2.5	3.6	1.2	-	1.8	0.7
11. Advertising	0.7	-	0.7	0.1	1.3	0.4	0.9	0.4	0.7	0.4	-	0.6	0.7
12. Pensions & other benef plans	0.3	-	-	0.4	4.1	1.6	2.5	1.2	1.9	0.7	-	1.0	0.3
13. Other expenses	14.4	-	16.2	12.8	40.4	37.3	40.9	34.6	45.7	15.1	-	31.4	13.4
14. Net profit before tax	1.9	-	5.6	35.2	17.5	10.5	16.7	15.6	10.6	3.8	-	12.8	1.1
Selected Financial Ratios (number of times ratio is to one)													
15. Current ratio	-	-	-	-	-	-	-	-	-	-	-	-	-
16. Quick ratio	-	-	-	-	-	-	-	-	-	-	-	-	-
17. Net sls to net wkg capital	-	-	-	-	-	-	-	-	-	-	-	-	-
18. Coverage ratio	1.2	-	-	-	3.3	4.5	2.7	1.9	1.7	1.4	-	1.3	1.1
19. Asset turnover	-	-	-	-	-	-	-	-	-	-	-	-	-
20. Total liab to net worth	6.4	-	-	-	0.7	0.9	1.8	6.2	4.8	6.0	-	9.9	6.6
Selected Financial Factors in Percentages													
21. Debt ratio	86.4	-	-	-	41.2	48.5	63.8	86.2	82.6	85.6	-	90.9	86.8
22. Return on assets	5.4	-	-	-	21.5	11.2	9.5	12.4	8.6	7.2	-	8.1	4.9
23. Return on equity	4.4	-	-	-	22.8	13.3	12.9	31.7	12.3	10.6	-	16.8	2.1
24. Return on net worth	40.0	-	-	-	36.6	21.6	26.1	89.7	49.2	49.7	-	88.8	37.1

†Depreciation largest factor

6210 SECURITY, COMMODITY BROKERS AND SERVICES:
Security brokers and dealers

					SIZE OF ASSETS IN THOUSANDS OF DOLLARS (000 OMITTED)								
Item Description For Accounting Period 7/86 Through 6/87	A Total	B Zero Assets	C Under 100	D 100 to 250	E 251 to 500	F 501 to 1,000	G 1,001 to 5,000	H 5,001 to 10,000	I 10,001 to 25,000	J 25,001 to 50,000	K 50,001 to 100,000	L 100,001 to 250,000	M 250,001 and over
1. Number of Enterprises	7952	544	4649	570	504	589	631	105	134	54	44	58	70
2. Total receipts (in millions of dollars)	48603.4	1020.3	403.0	325.5	513.1	586.7	3560.8	485.6	1068.2	604.4	1457.6	2305.6	36272.7
Selected Operating Factors in Percent of Total Receipts													
3. Cost of operations	5.1	0.1	-	0.2	-	4.4	56.9	3.4	4.6	0.1	0.1	4.9	0.7
4. Compensation of officers	5.9	10.6	14.8	15.2	22.9	24.7	11.4	15.4	13.7	9.0	9.1	7.4	3.8
5. Repairs	0.2	0.2	-	0.1	-	0.1	-	0.1	0.2	0.2	0.3	0.4	0.3
6. Bad debts	0.3	0.2	0.6	0.3	0.2	0.1	0.5	-	0.1	1.5	0.2	0.8	0.2
7. Rent on business property	2.5	3.6	3.3	5.0	3.1	4.7	1.5	2.0	2.6	2.3	2.7	2.6	2.5
8. Taxes (excl Federal tax)	2.1	2.6	1.8	2.4	1.5	3.0	1.1	2.3	2.6	2.4	3.0	3.0	2.0
9. Interest	24.3	23.6	1.1	22.8	4.0	3.9	1.8	2.9	5.0	16.7	3.5	9.4	30.2
10. Deprec/Deplet/Amortiz†	2.2	2.4	1.4	0.9	0.7	1.4	0.4	1.1	1.5	4.9	1.7	2.4	2.4
11. Advertising	1.0	0.6	1.8	0.1	0.1	2.4	0.4	0.7	3.6	1.6	1.5	1.4	0.9
12. Pensions & other benef plans	1.1	0.3	0.7	0.9	1.7	4.3	1.3	1.9	3.3	1.9	2.4	2.1	0.9
13. Other expenses	47.7	48.4	74.7	50.2	66.6	47.6	24.6	68.0	51.4	52.7	62.8	52.8	48.0
14. Net profit before tax	7.6	7.4	*	1.9	*	3.4	*	2.2	11.4	6.7	12.7	12.8	8.1
Selected Financial Ratios (number of times ratio is to one)													
15. Current ratio	-	-	-	-	-	-	-	-	-	-	-	-	-
16. Quick ratio	-	-	-	-	-	-	-	-	-	-	-	-	-
17. Net sls to net wkg capital	-	-	-	-	-	-	-	-	-	-	-	-	-
18. Coverage ratio	1.3	-	0.8	-	0.8	1.9	0.8	1.5	3.0	1.2	4.6	2.3	1.3
19. Asset turnover	-	-	-	-	-	-	-	-	-	-	-	-	-
20. Total liab to net worth	15.3	-	0.6	-	1.1	1.1	1.9	2.4	3.3	4.0	4.3	5.8	17.7
Selected Financial Factors in Percentages													
21. Debt ratio	93.9	-	36.6	-	52.3	51.2	65.0	70.4	76.8	80.1	81.0	85.2	94.7
22. Return on assets	4.1	-	2.6	-	8.9	10.9	3.8	3.0	7.5	6.5	7.3	5.5	3.9
23. Return on equity	9.0	-	-	-	-	6.3	-	-	14.7	-	18.0	11.9	9.1
24. Return on net worth	66.9	-	4.1	-	18.6	22.3	10.8	10.2	32.4	32.4	38.1	37.4	72.7

†Depreciation largest factor

6210 SECURITY, COMMODITY BROKERS AND SERVICES:
Security brokers and dealers

Item Description For Accounting Period 7/86 Through 6/87	A Total	B Zero Assets	C Under 100	D 100 to 250	E 251 to 500	F 501 to 1,000	G 1,001 to 5,000	H 5,001 to 10,000	I 10,001 to 25,000	J 25,001 to 50,000	K 50,001 to 100,000	L 100,001 to 250,000	M 250,001 and over
					SIZE OF ASSETS IN THOUSANDS OF DOLLARS (000 OMITTED)								
1. Number of Enterprises	4132	174	2206	289	334	362	401	77	100	45	40	45	59
2. Total receipts (in millions of dollars)	41564.6	922.3	226.3	312.5	448.7	268.1	3248.7	459.6	963.1	507.0	1363.0	2065.0	30780.3
Selected Operating Factors in Percent of Total Receipts													
3. Cost of operations	5.5	-	-	-	-	3.4	62.0	3.6	5.1	0.1	0.1	5.4	0.3
4. Compensation of officers	6.0	7.9	16.3	14.7	26.0	26.6	10.5	15.9	12.8	10.2	8.8	7.1	4.1
5. Repairs	0.2	0.2	-	0.1	-	0.2	-	0.2	0.3	0.3	0.2	0.3	0.3
6. Bad debts	0.2	0.3	-	0.3	0.2	-	0.1	-	0.1	0.1	0.2	0.5	0.2
7. Rent on business property	2.4	3.3	1.7	3.8	3.1	4.9	1.2	1.9	2.3	2.5	2.6	2.5	2.4
8. Taxes (excl Federal tax)	2.1	2.5	1.4	2.1	1.2	3.2	1.0	2.3	2.5	2.9	3.0	3.1	2.1
9. Interest	24.3	23.6	0.5	23.8	1.7	2.0	1.2	1.1	4.4	8.4	3.5	6.1	30.8
10. Deprec/Deplet/Amortiz†	2.3	2.6	2.2	0.5	0.7	1.4	0.3	1.1	1.5	1.8	1.7	2.3	2.6
11. Advertising	1.0	0.7	2.2	-	0.2	1.9	0.4	0.6	3.5	1.8	1.5	1.4	1.0
12. Pensions & other benef plans	1.1	0.3	1.0	0.9	1.7	2.8	1.3	1.7	3.4	2.2	2.3	2.3	0.9
13. Other expenses	44.8	49.2	66.2	45.8	61.2	37.8	18.6	63.0	48.8	51.3	60.8	51.9	45.4
14. Net profit before tax	10.1	9.4	8.5	8.0	4.0	15.8	3.4	8.6	15.3	18.4	15.3	17.1	9.9
Selected Financial Ratios (number of times ratio is to one)													
15. Current ratio	-	-	-	-	-	-	-	-	-	-	-	-	-
16. Quick ratio	-	-	-	-	-	-	-	-	-	-	-	-	-
17. Net sls to net wkg capital	-	-	-	-	-	-	-	-	-	-	-	-	-
18. Coverage ratio	1.4	-	-	-	3.4	8.7	3.8	8.1	4.2	2.7	5.4	3.7	1.3
19. Asset turnover	-	-	-	-	-	-	-	-	-	-	-	-	-
20. Total liab to net worth	15.1	-	0.4	-	0.3	0.9	1.6	1.5	3.1	4.0	3.3	5.0	17.4
Selected Financial Factors in Percentages													
21. Debt ratio	93.8	-	29.9	-	22.7	46.6	61.8	59.8	75.8	80.1	76.7	83.3	94.6
22. Return on assets	4.2	-	27.1	-	20.7	19.2	16.6	8.1	11.2	7.3	8.8	6.9	3.8
23. Return on equity	12.3	-	32.9	-	16.6	25.9	22.7	10.6	26.5	15.6	19.9	19.6	10.4
24. Return on net worth	66.8	-	38.6	-	26.8	36.0	43.4	20.1	46.3	36.6	37.8	41.2	70.1

†Depreciation largest factor

6299 SECURITY, COMMODITY BROKERS AND SERVICES:

Commodity contracts brokers and dealers; security and commodity exchanges; and allied services

Item Description For Accounting Period 7/86 Through 6/87	A Total	B Zero Assets	C Under 100	D 100 to 250	E 251 to 500	F 501 to 1,000	G 1,001 to 5,000	H 5,001 to 10,000	I 10,001 to 25,000	J 25,001 to 50,000	K 50,001 to 100,000	L 100,001 to 250,000	M 250,001 and over
					SIZE OF ASSETS IN THOUSANDS OF DOLLARS (000 OMITTED)								
1. Number of Enterprises	8599	489	4776	1923	511	286	378	88	57	29	22	27	14
2. Total receipts (in millions of dollars)	9752.2	129.9	248.2	562.7	227.7	151.7	731.3	219.8	2181.6	402.3	767.1	2175.9	1954.0
Selected Operating Factors in Percent of Total Receipts													
3. Cost of operations	34.7	0.3	-	-	0.3	0.2	18.4	0.9	84.1	40.5	32.0	43.3	3.1
4. Compensation of officers	6.9	17.9	21.7	21.4	20.8	15.6	22.6	7.6	1.4	1.6	3.7	3.2	4.6
5. Repairs	0.2	0.4	0.3	0.2	0.2	0.5	0.2	0.1	0.1	0.3	0.2	0.3	0.1
6. Bad debts	0.2	0.2	-	0.1	0.1	-	0.7	0.7	0.1	0.3	0.1	0.2	0.4
7. Rent on business property	3.4	6.6	4.1	5.7	3.8	3.4	2.9	3.6	1.0	4.1	10.2	3.3	2.7
8. Taxes (excl Federal tax)	1.9	3.9	3.0	2.7	2.7	4.2	2.2	1.6	0.8	1.1	1.9	1.7	2.7
9. Interest	6.2	13.0	12.7	0.6	2.6	0.6	1.8	6.2	0.9	12.0	8.5	6.6	12.6
10. Deprec/Deplet/Amortiz†	2.4	1.7	2.9	2.3	1.1	2.6	1.6	3.5	0.8	1.6	1.6	3.8	3.2
11. Advertising	1.9	2.7	0.7	1.4	1.1	0.4	1.8	1.8	0.7	0.1	1.6	0.9	5.2
12. Pensions & other benef plans	1.8	1.0	2.2	6.2	3.5	2.5	2.3	0.7	0.5	0.5	2.1	1.1	2.4
13. Other expenses	35.1	88.0	62.3	56.3	54.5	62.8	43.4	76.9	9.5	27.9	31.9	29.3	47.6
14. Net profit before tax	5.3	*	*	3.1	9.3	7.2	2.1	*	0.1	10.0	6.2	6.3	15.4
Selected Financial Ratios (number of times ratio is to one)													
15. Current ratio	-	-	-	-	-	-	-	-	-	-	-	-	-
16. Quick ratio	-	-	-	-	-	-	-	-	-	-	-	-	-
17. Net sls to net wkg capital	-	-	-	-	-	-	-	-	-	-	-	-	-
18. Coverage ratio	1.8	-	0.2	6.3	4.6	-	2.1	0.3	1.0	1.8	1.7	1.9	2.2
19. Asset turnover	-	-	-	-	-	-	-	-	-	-	-	-	-
20. Total liab to net worth	6.2	-	3.8	2.3	0.6	0.7	9.7	2.8	3.3	7.0	4.5	3.9	12.6
Selected Financial Factors in Percentages													
21. Debt ratio	86.1	-	79.0	69.7	38.9	41.9	90.7	73.5	76.5	87.6	81.8	79.4	92.6
22. Return on assets	5.3	-	5.3	5.8	15.0	5.6	3.7	0.7	2.3	7.7	7.3	6.3	5.0
23. Return on equity	8.3	-	-	13.8	15.5	8.1	13.2	-	-	13.8	9.1	8.2	21.6
24. Return on net worth	37.7	-	25.1	19.1	24.5	9.6	39.3	2.6	9.7	62.0	40.3	30.6	68.1

†Depreciation largest factor

6299 SECURITY, COMMODITY BROKERS AND SERVICES:

Commodity contracts brokers and dealers; security and commodity exchanges; and allied services

							SIZE OF ASSETS IN THOUSANDS OF DOLLARS (000 OMITTED)						
Item Description For Accounting Period 7/86 Through 6/87	A Total	B Zero Assets	C Under 100	D 100 to 250	E 251 to 500	F 501 to 1,000	G 1,001 to 5,000	H 5,001 to 10,000	I 10,001 to 25,000	J 25,001 to 50,000	K 50,001 to 100,000	L 100,001 to 250,000	M 250,001 and over
1. Number of Enterprises	4235	238	1714	1349	362	123	298	49	35	18	17	20	10
2. Total receipts (in millions of dollars)	7694.2	38.5	142.1	491.8	214.6	111.8	433.7	157.4	1478.9	250.3	603.7	2037.3	1734.1
Selected Operating Factors in Percent of Total Receipts													
3. Cost of operations	33.0	-	-	-	0.4	0.3	0.1	-	84.6	18.9	40.7	45.7	3.5
4. Compensation of officers	6.2	1.9	13.0	18.7	14.1	19.1	27.9	7.4	1.4	2.0	4.1	2.8	4.2
5. Repairs	0.2	0.2	0.5	0.1	0.2	0.7	0.2	0.1	0.1	0.4	0.2	0.3	0.1
6. Bad debts	0.2	0.1	-	0.1	0.1	-	0.3	0.1	-	0.2	0.1	0.2	0.4
7. Rent on business property	2.7	5.1	1.1	4.8	4.1	4.4	3.0	2.3	1.0	6.4	1.1	3.2	2.8
8. Taxes (excl Federal tax)	1.9	1.6	2.8	2.5	2.6	2.8	2.8	1.1	0.4	1.7	1.7	1.7	2.7
9. Interest	5.2	3.7	2.3	0.3	1.7	0.8	0.8	1.4	0.4	10.2	10.7	5.7	10.2
10. Deprec/Deplet/Amortiz†	2.3	1.5	1.2	1.3	1.1	3.4	1.8	2.4	0.5	2.5	1.5	3.4	3.2
11. Advertising	1.9	1.3	0.1	1.6	1.2	0.6	-	0.6	0.3	0.1	2.1	0.9	5.8
12. Pensions & other benef plans	1.7	0.3	2.3	6.3	2.4	3.1	2.4	0.7	0.5	0.7	1.3	1.1	2.2
13. Other expenses	33.5	72.3	63.6	54.8	50.3	29.5	43.6	64.6	8.6	37.0	28.0	27.5	46.8
14. Net profit before tax	11.2	12.0	13.1	9.5	21.8	35.3	17.1	19.3	2.2	19.9	8.5	7.5	18.1
Selected Financial Ratios (number of times ratio is to one)													
15. Current ratio	-	-	-	-	-	-	-	-	-	-	-	-	-
16. Quick ratio	-	-	-	-	-	-	-	-	-	-	-	-	-
17. Net sls to net wkg capital	-	-	-	-	-	-	-	-	-	-	-	-	-
18. Coverage ratio	3.1	-	-	-	-	-	-	-	6.1	3.0	1.8	2.3	2.8
19. Asset turnover	-	-	-	-	-	-	-	-	-	-	-	-	-
20. Total liab to net worth	4.8	-	-	1.1	-	-	-	2.1	2.1	5.0	4.9	3.3	8.6
Selected Financial Factors in Percentages													
21. Debt ratio	82.7	-	-	52.5	-	-	-	67.8	67.2	83.3	83.0	76.6	89.6
22. Return on assets	8.6	-	-	19.6	-	-	-	7.9	6.9	10.7	9.6	7.6	6.9
23. Return on equity	23.5	-	-	37.9	-	-	-	14.9	14.3	24.7	14.3	10.9	25.1
24. Return on net worth	49.7	-	-	41.4	-	-	-	24.6	21.1	63.7	56.4	32.2	66.0

†Depreciation largest factor

6352 INSURANCE: LIFE INSURANCE:
Life insurance, stock companies

	SIZE OF ASSETS IN THOUSANDS OF DOLLARS (000 OMITTED)												
Item Description For Accounting Period 7/86 Through 6/87	A Total	B Zero Assets	C Under 100	D 100 to 250	E 251 to 500	F 501 to 1,000	G 1,001 to 5,000	H 5,001 to 10,000	I 10,001 to 25,000	J 25,001 to 50,000	K 50,001 to 100,000	L 100,001 to 250,000	M 250,001 and over
1. Number of Enterprises	2134	55	135	153	231	217	528	185	187	104	100	110	130
2. Total receipts (in millions of dollars)	136434.7	639.3	14.5	26.2	63.5	145.3	990.6	1077.3	2024.3	1952.1	3457.9	7096.5	118947.2
Selected Operating Factors in Percent of Total Receipts													
3. Cost of operations	39.5	33.1	13.2	18.9	20.1	29.8	28.9	33.8	49.5	32.2	35.1	37.5	39.9
4. Compensation of officers	0.2	0.3	3.9	-	0.3	0.4	0.7	0.9	0.7	1.0	0.6	0.5	0.2
5. Repairs	-	-	-	-	-	-	-	-	-	-	-	-	-
6. Bad debts	0.1	-	-	-	-	-	0.1	-	-	0.1	-	0.1	0.1
7. Rent on business property	0.5	0.1	-	0.2	0.1	0.2	0.4	0.4	0.5	0.6	0.6	0.5	0.5
8. Taxes (excl Federal tax)	1.2	1.0	0.8	1.1	1.0	1.0	1.0	1.1	1.4	1.8	1.8	1.4	1.2
9. Interest	1.5	0.3	-	0.1	0.1	0.3	0.4	0.2	0.3	0.4	0.4	0.7	1.7
10. Deprec/Deplet/Amortiz†	0.8	0.8	-	0.2	0.1	0.1	0.4	0.3	0.4	0.5	0.7	1.1	0.8
11. Advertising	0.4	0.1	-	-	0.1	-	0.1	0.1	0.1	0.2	0.7	0.1	0.4
12. Pensions & other benef plans	0.4	0.2	0.4	0.2	0.1	0.2	0.2	0.2	0.5	0.5	0.5	0.4	0.4
13. Other expenses	50.9	60.8	77.4	82.2	67.9	58.1	58.0	67.0	42.2	60.8	55.7	52.5	50.3
14. Net profit before tax	4.5	3.3	4.3	*	10.2	9.9	9.8	*	4.4	1.9	3.9	5.2	4.5
Selected Financial Ratios (number of times ratio is to one)													
15. Current ratio	-	-	-	-	-	-	-	-	-	-	-	-	-
16. Quick ratio	-	-	-	-	-	-	-	-	-	-	-	-	-
17. Net sls to net wkg capital	-	-	-	-	-	-	-	-	-	-	-	-	-
18. Coverage ratio	3.6	-	-	-	-	-	-	-	-	5.4	9.4	8.1	3.4
19. Asset turnover	-	-	-	-	-	-	-	-	-	-	-	-	-
20. Total liab to net worth	5.7	-	-	-	0.9	1.3	1.3	-	2.1	3.5	3.3	4.6	6.0
Selected Financial Factors in Percentages													
21. Debt ratio	85.0	-	-	-	47.2	55.9	57.0	-	67.3	77.6	76.8	82.2	85.7
22. Return on assets	1.9	-	-	-	7.8	9.5	7.4	-	2.4	1.1	1.9	2.1	1.9
23. Return on equity	6.9	-	-	-	13.6	17.3	12.7	-	4.4	1.7	4.9	7.3	7.2
24. Return on net worth	12.9	-	-	-	14.8	21.5	17.2	-	7.4	4.8	8.0	11.9	13.5

†Depreciation largest factor

TABLE II: CORPORATIONS WITH NET INCOME, 1990 EDITION

6352 INSURANCE: LIFE INSURANCE:
Life insurance, stock companies

Item Description For Accounting Period 7/86 Through 6/87	A Total	B Zero Assets	C Under 100	D 100 to 250	E 251 to 500	F 501 to 1,000	G 1,001 to 5,000	H 5,001 to 10,000	I 10,001 to 25,000	J 25,001 to 50,000	K 50,001 to 100,000	L 100,001 to 250,000	M 250,001 and over
							SIZE OF ASSETS IN THOUSANDS OF DOLLARS (000 OMITTED)						
1. Number of Enterprises	1532	-	51	83	169	163	428	146	-	77	72	88	97
2. Total receipts (in millions of dollars)	116090.9	-	7.9	12.2	42.4	88.5	733.2	837.7	-	1441.6	2274.8	6022.3	102929.2
Selected Operating Factors in Percent of Total Receipts													
3. Cost of operations	41.5	-	9.9	18.8	19.8	24.4	23.7	30.2	-	31.3	37.3	38.0	42.3
4. Compensation of officers	0.2	-	6.9	-	0.2	-	0.5	0.8	-	0.8	0.6	0.5	0.2
5. Repairs	-	-	-	-	-	-	-	-	-	-	-	-	-
6. Bad debts	0.1	-	-	-	0.1	-	-	-	-	-	-	0.1	0.1
7. Rent on business property	0.6	-	-	0.3	-	-	0.2	0.4	-	0.7	0.6	0.5	0.6
8. Taxes (excl Federal tax)	1.3	-	0.6	1.2	0.9	0.8	0.9	1.0	-	1.9	1.9	1.3	1.2
9. Interest	1.5	-	-	-	0.1	0.1	0.4	-	-	0.3	0.3	0.7	1.6
10. Deprec/Deplet/Amortiz†	0.8	-	-	0.3	0.1	-	0.5	0.2	-	0.6	0.6	1.0	0.9
11. Advertising	0.4	-	-	-	0.1	-	0.1	0.1	-	0.1	0.9	0.1	0.4
12. Pensions & other benef plans	0.4	-	0.6	0.2	-	0.4	0.1	0.2	-	0.4	0.5	0.4	0.4
13. Other expenses	46.9	-	43.7	63.0	56.0	51.2	54.6	52.7	-	55.4	48.0	49.7	46.5
14. Net profit before tax	6.3	-	38.3	16.2	22.7	23.1	19.0	14.4	-	8.5	9.3	7.7	5.8
Selected Financial Ratios (number of times ratio is to one)													
15. Current ratio	-	-	-	-	-	-	-	-	-	-	-	-	-
16. Quick ratio	-	-	-	-	-	-	-	-	-	-	-	-	-
17. Net sls to net wkg capital	-	-	-	-	-	-	-	-	-	-	-	-	-
18. Coverage ratio	4.8	-	-	-	-	-	-	-	-	-	-	-	4.2
19. Asset turnover	-	-	-	-	-	-	-	-	-	-	-	-	-
20. Total liab to net worth	5.4	-	-	0.8	0.7	0.9	1.1	1.5	-	3.5	3.3	4.1	5.8
Selected Financial Factors in Percentages													
21. Debt ratio	84.5	-	-	45.3	39.9	48.5	53.4	60.1	-	77.7	76.6	80.4	85.2
22. Return on assets	2.5	-	-	13.2	16.0	17.7	13.2	11.1	-	4.6	4.1	3.3	2.3
23. Return on equity	10.3	-	-	22.9	25.3	30.1	23.3	21.6	-	16.8	13.6	11.9	9.5
24. Return on net worth	16.4	-	-	24.1	26.6	34.5	28.3	27.7	-	20.7	17.4	17.1	15.8

†Depreciation largest factor

6353 INSURANCE: LIFE INSURANCE:

Life insurance, mutual companies

							SIZE OF ASSETS IN THOUSANDS OF DOLLARS (000 OMITTED)						
Item Description For Accounting Period 7/86 Through 6/87	A Total	B Zero Assets	C Under 100	D 100 to 250	E 251 to 500	F 501 to 1,000	G 1,001 to 5,000	H 5,001 to 10,000	I 10,001 to 25,000	J 25,001 to 50,000	K 50,001 to 100,000	L 100,001 to 250,000	M 250,001 and over
1. Number of Enterprises	180	4	21	10	6	12	28	6	12	4	13	15	50
2. Total receipts (in millions of dollars)	135784.9	11.0	1.0	1.7	2.4	2.7	107.9	9.2	54.2	31.0	351.5	1055.2	134157.0
Selected Operating Factors in Percent of Total Receipts													
3. Cost of operations	42.4	-	14.8	-	-	34.8	39.7	32.1	33.0	34.6	48.4	40.8	42.4
4. Compensation of officers	0.4	-	-	-	-	4.1	0.5	3.3	3.2	2.1	1.1	1.0	0.4
5. Repairs	-	-	-	-	-	-	-	-	-	-	-	-	-
6. Bad debts	-	-	-	-	-	-	-	-	-	-	-	0.2	-
7. Rent on business property	0.6	-	-	-	-	0.9	0.3	1.8	1.5	1.2	0.6	1.0	0.6
8. Taxes (excl Federal tax)	1.3	-	1.1	-	-	2.2	0.5	2.0	3.5	2.7	1.9	2.0	1.3
9. Interest	3.8	-	-	-	-	-	0.1	0.1	0.2	3.6	-	0.2	3.8
10. Deprec/Deplet/Amortiz†	1.5	-	0.1	-	-	1.1	0.1	1.1	0.7	2.7	0.8	0.5	1.5
11. Advertising	0.2	-	-	-	-	0.1	-	0.3	0.3	0.3	0.1	0.2	0.2
12. Pensions & other benef plans	0.5	-	0.1	-	-	2.1	0.1	1.0	1.7	0.8	1.0	1.3	0.5
13. Other expenses	44.2	-	75.6	-	-	46.5	43.0	52.3	45.6	53.6	40.5	44.3	44.2
14. Net profit before tax	5.1	-	8.3	-	-	8.2	15.7	6.0	10.3	*	5.6	8.5	5.1
Selected Financial Ratios (number of times ratio is to one)													
15. Current ratio	-	-	-	-	-	-	-	-	-	-	-	-	-
16. Quick ratio	-	-	-	-	-	-	-	-	-	-	-	-	-
17. Net sls to net wkg capital	-	-	-	-	-	-	-	-	-	-	-	-	-
18. Coverage ratio	2.3	-	-	-	-	-	-	-	-	0.6	-	-	2.3
19. Asset turnover	-	-	-	-	-	-	-	-	-	-	-	-	-
20. Total liab to net worth	12.7	-	1.1	2.0	4.0	1.2	-	7.6	3.3	2.1	6.0	6.6	12.8
Selected Financial Factors in Percentages													
21. Debt ratio	92.7	-	52.2	66.6	80.2	53.4	-	88.4	76.7	67.8	85.8	86.8	92.7
22. Return on assets	2.4	-	12.7	14.8	4.7	1.9	-	1.4	2.6	0.4	2.1	3.3	2.4
23. Return on equity	13.1	-	24.8	43.0	23.0	3.4	-	10.9	9.8	-	11.8	18.2	13.1
24. Return on net worth	33.0	-	26.5	44.5	23.7	4.0	-	11.9	11.0	1.2	14.4	25.2	33.2

†Depreciation largest factor

6353 INSURANCE: LIFE INSURANCE:
Life insurance, mutual companies

Item Description For Accounting Period 7/86 Through 6/87	A Total	B Zero Assets	C Under 100	D 100 to 250	E 251 to 500	F 501 to 1,000	G 1,001 to 5,000	H 5,001 to 10,000	I 10,001 to 25,000	J 25,001 to 50,000	K 50,001 to 100,000	L 100,001 to 250,000	M 250,001 and over
		SIZE OF ASSETS IN THOUSANDS OF DOLLARS (000 OMITTED)											
1. Number of Enterprises	139	-	-	-	-	8	19	-	-	-	13	15	42
2. Total receipts (in millions of dollars)	115205.3	-	-	-	-	2.2	80.9	-	-	-	351.5	1055.2	113629.3
Selected Operating Factors in Percent of Total Receipts													
3. Cost of operations	41.6	-	-	-	-	34.5	30.3	-	-	-	48.4	40.8	41.6
4. Compensation of officers	0.5	-	-	-	-	5.1	0.3	-	-	-	1.1	1.0	0.4
5. Repairs	-	-	-	-	-	-	-	-	-	-	-	-	-
6. Bad debts	-	-	-	-	-	-	-	-	-	-	-	0.2	-
7. Rent on business property	0.5	-	-	-	-	0.4	0.2	-	-	-	0.6	1.0	0.5
8. Taxes (excl Federal tax)	1.2	-	-	-	-	2.0	0.4	-	-	-	1.9	2.0	1.2
9. Interest	3.8	-	-	-	-	-	0.1	-	-	-	-	0.2	3.9
10. Deprec/Deplet/Amortiz†	1.3	-	-	-	-	1.4	0.1	-	-	-	0.8	0.5	1.4
11. Advertising	0.2	-	-	-	-	0.1	-	-	-	-	0.1	0.2	0.2
12. Pensions & other benef plans	0.5	-	-	-	-	0.6	0.1	-	-	-	1.0	1.3	0.5
13. Other expenses	43.9	-	-	-	-	32.2	33.7	-	-	-	40.5	44.3	43.9
14. Net profit before tax	6.5	-	-	-	-	23.7	34.8	-	-	-	5.6	8.5	6.4
Selected Financial Ratios (number of times ratio is to one)													
15. Current ratio	-	-	-	-	-	-	-	-	-	-	-	-	-
16. Quick ratio	-	-	-	-	-	-	-	-	-	-	-	-	-
17. Net sls to net wkg capital	-	-	-	-	-	-	-	-	-	-	-	-	-
18. Coverage ratio	2.6	-	-	-	-	-	-	-	-	-	-	-	2.6
19. Asset turnover	-	-	-	-	-	-	-	-	-	-	-	-	-
20. Total liab to net worth	12.0	-	-	-	-	1.0	-	-	-	-	6.0	6.6	12.1
Selected Financial Factors in Percentages													
21. Debt ratio	92.3	-	-	-	-	48.7	-	-	-	-	85.8	86.8	92.4
22. Return on assets	2.8	-	-	-	-	7.1	-	-	-	-	2.1	3.3	2.8
23. Return on equity	16.6	-	-	-	-	13.1	-	-	-	-	11.8	18.2	16.6
24. Return on net worth	36.9	-	-	-	-	13.9	-	-	-	-	14.4	25.2	37.1

†Depreciation largest factor

6354 INSURANCE: LIFE INSURANCE:
Other life insurance companies

Item Description For Accounting Period 7/86 Through 6/87	A Total	B Zero Assets	C Under 100	D 100 to 250	E 251 to 500	F 501 to 1,000	G 1,001 to 5,000	H 5,001 to 10,000	I 10,001 to 25,000	J 25,001 to 50,000	K 50,001 to 100,000	L 100,001 to 250,000	M 250,001 and over
						SIZE OF ASSETS IN THOUSANDS OF DOLLARS (000 OMITTED)							
1. Number of Enterprises	21	-	4	6	4	4	4	-	-	-	-	-	-
2. Total receipts (in millions of dollars)	12.1	-	-	0.8	0.3	0.3	10.7	-	-	-	-	-	-
Selected Operating Factors in Percent of Total Receipts													
3. Cost of operations	27.6	-	-	18.4	-	-	28.1	-	-	-	-	-	-
4. Compensation of officers	1.1	-	-	12.7	-	-	-	-	-	-	-	-	-
5. Repairs	-	-	-	-	-	-	-	-	-	-	-	-	-
6. Bad debts	-	-	-	-	-	-	-	-	-	-	-	-	-
7. Rent on business property	0.2	-	-	1.2	-	-	0.1	-	-	-	-	-	-
8. Taxes (excl Federal tax)	0.1	-	-	0.6	-	-	0.1	-	-	-	-	-	-
9. Interest	0.1	-	-	-	-	-	0.1	-	-	-	-	-	-
10. Deprec/Deplet/Amortiz†	0.1	-	-	0.1	-	-	-	-	-	-	-	-	-
11. Advertising	-	-	-	-	-	-	-	-	-	-	-	-	-
12. Pensions & other benef plans	0.1	-	-	1.4	-	-	-	-	-	-	-	-	-
13. Other expenses	53.6	-	-	71.9	-	-	51.1	-	-	-	-	-	-
14. Net profit before tax	17.1	-	-	*	-	*	20.5	-	-	-	-	-	-
Selected Financial Ratios (number of times ratio is to one)													
15. Current ratio	-	-	-	-	-	-	-	-	-	-	-	-	-
16. Quick ratio	-	-	-	-	-	-	-	-	-	-	-	-	-
17. Net sls to net wkg capital	-	-	-	-	-	-	-	-	-	-	-	-	-
18. Coverage ratio	-	-	-	-	-	-	-	-	-	-	-	-	-
19. Asset turnover	-	-	-	-	-	-	-	-	-	-	-	-	-
20. Total liab to net worth	1.7	-	0.8	-	-	-	1.7	-	-	-	-	-	-
Selected Financial Factors in Percentages													
21. Debt ratio	62.3	-	45.8	-	-	-	62.6	-	-	-	-	-	-
22. Return on assets	4.7	-	2.7	-	-	-	5.9	-	-	-	-	-	-
23. Return on equity	7.5	-	5.0	-	-	-	10.0	-	-	-	-	-	-
24. Return on net worth	12.4	-	5.0	-	-	-	15.7	-	-	-	-	-	-

†Depreciation largest factor

TABLE II: CORPORATIONS WITH NET INCOME, 1990 EDITION

6354 INSURANCE: LIFE INSURANCE:
Other life insurance companies

Item Description For Accounting Period 7/86 Through 6/87	A Total	B Zero Assets	C Under 100	D 100 to 250	E 251 to 500	F 501 to 1,000	G 1,001 to 5,000	H 5,001 to 10,000	I 10,001 to 25,000	J 25,001 to 50,000	K 50,001 to 100,000	L 100,001 to 250,000	M 250,001 and over
						SIZE OF ASSETS IN THOUSANDS OF DOLLARS (000 OMITTED)							
1. Number of Enterprises	10	-	-	-	-	-	-	-	-	-	-	-	-
2. Total receipts (in millions of dollars)	10.6	-	-	-	-	-	-	-	-	-	-	-	-
Selected Operating Factors in Percent of Total Receipts													
3. Cost of operations	-	-	-	-	-	-	-	-	-	-	-	-	-
4. Compensation of officers	-	-	-	-	-	-	-	-	-	-	-	-	-
5. Repairs	-	-	-	-	-	-	-	-	-	-	-	-	-
6. Bad debts	-	-	-	-	-	-	-	-	-	-	-	-	-
7. Rent on business property	-	-	-	-	-	-	-	-	-	-	-	-	-
8. Taxes (excl Federal tax)	-	-	-	-	-	-	-	-	-	-	-	-	-
9. Interest	-	-	-	-	-	-	-	-	-	-	-	-	-
10. Deprec/Deplet/Amortiz†	-	-	-	-	-	-	-	-	-	-	-	-	-
11. Advertising	-	-	-	-	-	-	-	-	-	-	-	-	-
12. Pensions & other benef plans	-	-	-	-	-	-	-	-	-	-	-	-	-
13. Other expenses	-	-	-	-	-	-	-	-	-	-	-	-	-
14. Net profit before tax	-	-	-	-	-	-	-	-	-	-	-	-	-
Selected Financial Ratios (number of times ratio is to one)													
15. Current ratio	-	-	-	-	-	-	-	-	-	-	-	-	-
16. Quick ratio	-	-	-	-	-	-	-	-	-	-	-	-	-
17. Net sls to net wkg capital	-	-	-	-	-	-	-	-	-	-	-	-	-
18. Coverage ratio	-	-	-	-	-	-	-	-	-	-	-	-	-
19. Asset turnover	-	-	-	-	-	-	-	-	-	-	-	-	-
20. Total liab to net worth	1.3	-	-	-	-	-	-	-	-	-	-	-	-
Selected Financial Factors in Percentages													
21. Debt ratio	57.1	-	-	-	-	-	-	-	-	-	-	-	-
22. Return on assets	6.8	-	-	-	-	-	-	-	-	-	-	-	-
23. Return on equity	10.5	-	-	-	-	-	-	-	-	-	-	-	-
24. Return on net worth	15.8	-	-	-	-	-	-	-	-	-	-	-	-

†Amortization largest factor

6356 INSURANCE:

Mutual insurance, except life or marine and certain fire or flood insurance companies

	SIZE OF ASSETS IN THOUSANDS OF DOLLARS (000 OMITTED)												
Item Description For Accounting Period 7/86 Through 6/87	A Total	B Zero Assets	C Under 100	D 100 to 250	E 251 to 500	F 501 to 1,000	G 1,001 to 5,000	H 5,001 to 10,000	I 10,001 to 25,000	J 25,001 to 50,000	K 50,001 to 100,000	L 100,001 to 250,000	M 250,001 and over
1. Number of Enterprises	1466	365	18	47	117	234	321	74	79	58	51	50	53
2. Total receipts (in millions of dollars)	74231.3	773.3	8.7	5.4	22.0	79.8	383.7	472.4	901.3	1302.4	2353.7	4256.7	63672.0
Selected Operating Factors in Percent of Total Receipts													
3. Cost of operations	58.4	63.9	58.9	39.1	42.8	48.3	48.0	57.6	49.9	49.1	62.6	56.0	58.7
4. Compensation of officers	0.3	0.5	-	3.5	3.1	3.4	2.1	1.4	1.2	1.4	0.9	0.5	0.2
5. Repairs	-	-	-	0.1	0.1	0.1	0.1	-	0.1	-	-	-	-
6. Bad debts	0.2	0.1	-	-	0.1	1.3	0.1	0.2	0.4	0.1	0.2	0.2	0.2
7. Rent on business property	0.4	0.1	1.0	1.1	0.3	0.4	0.3	0.5	0.9	0.5	0.6	0.5	0.4
8. Taxes (excl Federal tax)	2.6	1.5	5.5	2.7	5.5	2.2	2.9	1.9	2.3	3.1	2.8	2.6	2.6
9. Interest	0.6	0.5	1.8	0.8	0.4	0.2	0.5	0.4	0.2	0.7	0.7	0.9	0.6
10. Deprec/Deplet/Amortiz†	0.8	0.4	1.5	0.3	0.6	0.9	0.8	0.7	0.8	1.1	1.0	0.7	0.8
11. Advertising	0.8	0.1	-	0.6	0.3	0.6	0.3	0.2	0.2	0.1	0.2	0.2	0.9
12. Pensions & other benef plans	0.8	0.2	1.2	-	0.3	0.5	0.9	0.7	0.8	0.6	0.7	0.9	0.8
13. Other expenses	30.9	27.6	34.7	47.0	38.8	34.9	42.3	31.4	36.4	35.9	29.6	31.0	30.7
14. Net profit before tax	4.2	5.1	*	4.8	7.7	7.2	1.7	5.0	6.8	7.4	0.7	6.5	4.1
Selected Financial Ratios (number of times ratio is to one)													
15. Current ratio	-	-	-	-	-	-	-	-	-	-	-	-	-
16. Quick ratio	-	-	-	-	-	-	-	-	-	-	-	-	-
17. Net sls to net wkg capital	-	-	-	-	-	-	-	-	-	-	-	-	-
18. Coverage ratio	3.6	-	-	6.4	-	-	1.7	8.2	-	9.1	-	4.7	3.4
19. Asset turnover	-	-	-	-	-	-	-	-	-	-	-	-	-
20. Total liab to net worth	2.6	-	-	0.8	0.8	0.6	1.1	1.4	2.5	1.7	-	2.1	2.7
Selected Financial Factors in Percentages													
21. Debt ratio	72.0	-	-	43.2	44.8	39.1	51.8	58.2	71.0	62.6	-	67.4	72.8
22. Return on assets	1.2	-	-	3.5	4.1	3.3	0.4	2.9	3.8	3.8	-	2.5	1.1
23. Return on equity	1.8	-	-	4.4	6.0	3.7	-	4.3	9.0	8.1	-	4.7	1.6
24. Return on net worth	4.3	-	-	6.1	7.4	5.5	0.9	7.0	13.2	10.1	-	7.6	4.0

†Depreciation largest factor

6356 INSURANCE:

Mutual insurance, except life or marine and certain fire or flood insurance companies

Item Description For Accounting Period 7/86 Through 6/87	A Total	B Zero Assets	C Under 100	D 100 to 250	E 251 to 500	F 501 to 1,000	G 1,001 to 5,000	H 5,001 to 10,000	I 10,001 to 25,000	J 25,001 to 50,000	K 50,001 to 100,000	L 100,001 to 250,000	M 250,001 and over
			SIZE OF ASSETS IN THOUSANDS OF DOLLARS (000 OMITTED)										
1. Number of Enterprises	1045	230	12	35	88	185	230	53	60	40	33	41	40
2. Total receipts (in millions of dollars)	59217.7	397.5	1.0	2.9	13.5	52.5	206.5	235.8	737.3	951.1	1605.1	3490.6	51523.8
Selected Operating Factors in Percent of Total Receipts													
3. Cost of operations	57.5	51.7	57.4	26.5	32.0	37.7	39.1	47.9	46.6	45.8	53.1	53.0	58.5
4. Compensation of officers	0.3	0.8	-	2.9	1.2	3.7	2.7	2.1	1.4	1.8	1.2	0.5	0.1
5. Repairs	-	0.1	-	0.1	0.1	0.1	0.1	0.1	0.1	-	-	-	-
6. Bad debts	0.1	0.1	-	-	-	0.2	-	0.1	0.2	0.1	0.1	0.3	0.1
7. Rent on business property	0.4	0.2	-	1.0	0.2	0.4	0.3	0.5	1.0	0.5	0.7	0.6	0.4
8. Taxes (excl Federal tax)	2.6	1.2	0.8	3.1	1.5	2.5	3.3	2.5	2.3	2.6	2.9	2.6	2.6
9. Interest	0.3	0.9	0.4	1.4	0.6	0.3	0.6	0.3	0.2	0.6	0.8	0.6	0.3
10. Deprec/Deplet/Amortiz†	0.8	0.3	0.2	0.5	0.6	1.0	1.0	0.9	0.9	1.0	1.1	0.6	0.8
11. Advertising	0.1	0.1	0.3	0.3	0.2	0.7	0.4	0.3	0.3	0.1	0.1	0.2	0.1
12. Pensions & other benef plans	0.8	0.2	-	-	0.3	0.6	1.0	0.7	0.8	0.5	0.7	0.9	0.8
13. Other expenses	29.6	27.0	34.2	42.2	43.8	35.1	34.6	33.6	36.7	35.9	29.8	31.7	29.2
14. Net profit before tax	7.5	17.4	6.7	22.0	19.5	17.7	16.9	11.0	9.5	11.1	9.5	9.0	7.1
Selected Financial Ratios (number of times ratio is to one)													
15. Current ratio	-	-	-	-	-	-	-	-	-	-	-	-	-
16. Quick ratio	-	-	-	-	-	-	-	-	-	-	-	-	-
17. Net sls to net wkg capital	-	-	-	-	-	-	-	-	-	-	-	-	-
18. Coverage ratio	-	-	-	-	-	-	-	-	-	-	9.4	-	-
19. Asset turnover	-	-	-	-	-	-	-	-	-	-	-	-	-
20. Total liab to net worth	2.4	-	0.8	0.6	0.6	0.5	0.8	1.3	2.1	1.5	1.7	1.9	2.5
Selected Financial Factors in Percentages													
21. Debt ratio	70.1	-	45.5	38.3	38.1	33.2	43.6	57.3	67.2	59.2	63.3	65.6	71.0
22. Return on assets	2.7	-	18.1	10.3	8.3	6.9	6.4	5.4	5.9	6.8	4.8	3.8	2.4
23. Return on equity	7.0	-	27.6	14.9	11.8	8.2	7.9	9.4	13.2	14.3	9.4	8.5	6.4
24. Return on net worth	9.1	-	33.0	16.8	13.4	10.3	11.3	12.5	17.9	16.7	13.0	11.0	8.3

†Depreciation largest factor

6359 INSURANCE:

Other insurance companies

Item Description For Accounting Period 7/86 Through 6/87	A Total	B Zero Assets	C Under 100	D 100 to 250	E 251 to 500	F 501 to 1,000	G 1,001 to 5,000	H 5,001 to 10,000	I 10,001 to 25,000	J 25,001 to 50,000	K 50,001 to 100,000	L 100,001 to 250,000	M 250,001 and over
				SIZE OF ASSETS IN THOUSANDS OF DOLLARS (000 OMITTED)									
1. Number of Enterprises	5256	-	-	635	463	305	542	182	146	116	68	54	89
2. Total receipts (in millions of dollars)	105708.7	-	-	279.4	127.8	228.2	808.2	786.8	1345.4	2496.0	2293.1	4298.8	91510.2
Selected Operating Factors in Percent of Total Receipts													
3. Cost of operations	39.0	-	-	41.9	31.8	26.0	30.1	30.0	41.3	47.4	52.4	40.8	38.3
4. Compensation of officers	0.7	-	-	18.5	6.5	8.3	6.0	7.1	2.7	1.0	1.2	0.6	0.4
5. Repairs	0.1	-	-	0.6	-	0.4	0.4	0.3	0.2	-	0.1	0.1	0.1
6. Bad debts	0.3	-	-	4.9	-	0.2	0.7	0.4	0.3	0.3	0.4	1.0	0.3
7. Rent on business property	1.1	-	-	2.6	2.2	4.0	3.1	2.3	1.4	0.6	0.8	1.2	1.1
8. Taxes (excl Federal tax)	2.2	-	-	9.2	1.2	4.3	2.9	2.3	1.9	1.2	2.4	2.1	2.3
9. Interest	2.4	-	-	0.6	0.8	1.5	1.7	1.7	0.8	1.6	1.2	1.7	2.5
10. Deprec/Deplet/Amortiz†	1.0	-	-	1.9	1.5	3.2	2.0	1.8	1.1	0.4	0.6	1.2	0.9
11. Advertising	0.3	-	-	0.3	0.3	0.5	0.2	0.8	0.2	0.4	0.1	0.2	0.3
12. Pensions & other benef plans	0.8	-	-	2.8	1.0	1.0	2.6	1.2	0.8	0.4	0.5	1.1	0.8
13. Other expenses	46.9	-	-	17.7	32.5	49.0	55.3	54.3	47.9	46.5	39.7	51.1	47.2
14. Net profit before tax	5.2	-	-	*	22.2	1.6	*	*	1.4	0.2	0.6	*	5.8
Selected Financial Ratios (number of times ratio is to one)													
15. Current ratio	-	-	-	-	-	-	-	-	-	-	-	-	-
16. Quick ratio	-	-	-	-	-	-	-	-	-	-	-	-	-
17. Net sls to net wkg capital	-	-	-	-	-	-	-	-	-	-	-	-	-
18. Coverage ratio	2.5	-	-	-	-	2.1	-	-	2.0	0.3	0.7	-	2.6
19. Asset turnover	-	-	-	-	-	-	-	-	-	-	-	-	-
20. Total liab to net worth	2.2	-	-	-	1.0	2.2	-	-	2.5	3.1	3.6	-	2.1
Selected Financial Factors in Percentages													
21. Debt ratio	68.4	-	-	-	50.8	69.0	-	-	71.5	75.8	78.1	-	67.9
22. Return on assets	2.1	-	-	-	17.9	3.3	-	-	0.9	0.3	0.4	-	2.1
23. Return on equity	3.0	-	-	-	34.5	-	-	-	-	-	-	-	3.4
24. Return on net worth	6.5	-	-	-	36.4	10.6	-	-	3.2	1.3	1.8	-	6.7

†Depreciation largest factor

TABLE II: CORPORATIONS WITH NET INCOME, 1990 EDITION

6359 INSURANCE:
Other insurance companies

Item Description For Accounting Period 7/86 Through 6/87	A Total	B Zero Assets	C Under 100	D 100 to 250	E 251 to 500	F 501 to 1,000	G 1,001 to 5,000	H 5,001 to 10,000	I 10,001 to 25,000	J 25,001 to 50,000	K 50,001 to 100,000	L 100,001 to 250,000	M 250,001 and over
SIZE OF ASSETS IN THOUSANDS OF DOLLARS (000 OMITTED)													
1. Number of Enterprises	3479	60	1625	476	379	237	320	92	84	67	42	41	57
2. Total receipts (in millions of dollars)	88091.5	933.8	277.3	266.4	79.5	167.8	451.8	439.1	741.8	1236.3	1575.3	3339.0	78583.4
Selected Operating Factors in Percent of Total Receipts													
3. Cost of operations	37.8	52.5	34.2	43.1	3.8	27.1	19.3	34.8	32.3	45.0	49.7	36.5	37.6
4. Compensation of officers	0.6	1.1	8.8	16.9	6.6	8.9	8.1	2.9	3.9	1.4	1.1	0.7	0.4
5. Repairs	0.1	0.1	0.6	0.7	-	0.6	0.4	0.1	0.2	-	0.1	0.1	0.1
6. Bad debts	0.2	0.2	-	-	-	0.3	0.9	0.3	0.2	0.1	0.3	0.2	0.2
7. Rent on business property	1.1	0.6	2.6	2.5	3.0	3.3	3.8	1.7	1.6	0.8	0.9	1.3	1.0
8. Taxes (excl Federal tax)	2.3	0.7	2.2	9.4	1.9	3.8	3.5	2.0	2.3	1.3	2.6	2.0	2.3
9. Interest	2.5	4.3	0.5	0.3	0.5	1.3	2.1	1.8	0.4	1.3	0.5	1.7	2.6
10. Deprec/Deplet/Amortiz†	0.9	0.7	1.1	1.9	1.8	2.9	1.9	1.5	1.3	0.5	0.6	1.2	0.9
11. Advertising	0.3	0.1	0.3	0.3	0.3	0.7	0.3	0.7	0.2	0.2	0.1	0.1	0.3
12. Pensions & other benef plans	0.9	0.4	1.5	2.9	0.9	1.3	3.4	1.2	1.0	0.6	0.6	1.3	0.8
13. Other expenses	45.1	14.0	44.3	17.1	40.0	35.3	44.8	45.0	43.6	40.5	33.9	45.7	45.9
14. Net profit before tax	8.2	25.3	3.9	4.9	41.2	14.5	11.5	8.0	13.0	8.3	9.6	9.2	7.9
Selected Financial Ratios (number of times ratio is to one)													
15. Current ratio	-	-	-	-	-	-	-	-	-	-	-	-	-
16. Quick ratio	-	-	-	-	-	-	-	-	-	-	-	-	-
17. Net sls to net wkg capital	-	-	-	-	-	-	-	-	-	-	-	-	-
18. Coverage ratio	3.6	-	8.3	-	-	-	6.0	5.2	-	6.5	-	5.9	3.3
19. Asset turnover	-	-	-	-	-	-	-	-	-	-	-	-	-
20. Total liab to net worth	2.0	-	2.6	0.3	0.9	1.3	0.8	1.5	2.3	3.1	2.0	2.3	2.0
Selected Financial Factors in Percentages													
21. Debt ratio	66.9	-	71.8	23.4	46.2	55.9	44.3	60.0	69.6	75.7	67.0	69.3	66.8
22. Return on assets	3.0	-	25.4	22.0	24.2	16.1	7.5	5.9	7.5	4.4	4.8	4.9	2.7
23. Return on equity	5.5	-	-	25.8	43.8	27.6	9.1	7.9	16.6	13.5	10.5	11.1	4.9
24. Return on net worth	8.9	-	90.3	28.7	45.0	36.4	13.5	14.7	24.6	18.2	14.5	16.1	8.1

†Depreciation largest factor

TABLE I: CORPORATIONS WITH AND WITHOUT NET INCOME, 1990 EDITION

6411 INSURANCE AGENTS, BROKERS, AND SERVICE:
Insurance agents, brokers, and service

Item Description For Accounting Period 7/86 Through 6/87	A Total	B Zero Assets	C Under 100	D 100 to 250	E 251 to 500	F 501 to 1,000	G 1,001 to 5,000	H 5,001 to 10,000	I 10,001 to 25,000	J 25,001 to 50,000	K 50,001 to 100,000	L 100,001 to 250,000	M 250,001 and over
					SIZE OF ASSETS IN THOUSANDS OF DOLLARS (000 OMITTED)								
1. Number of Enterprises	63791	3937	34453	10903	7153	3764	3005	308	136	70	31	13	18
2. Total receipts (in millions of dollars)	36573.1	564.6	3904.8	3577.2	3601.5	2517.0	5247.6	1762.5	1387.8	1346.3	1149.6	886.9	10627.4
Selected Operating Factors in Percent of Total Receipts													
3. Cost of operations	19.2	11.8	19.7	16.0	5.9	18.1	18.0	22.3	31.6	13.6	44.6	20.1	21.7
4. Compensation of officers	11.4	7.3	17.3	17.4	19.7	15.8	15.7	9.2	8.0	7.8	2.8	2.0	4.5
5. Repairs	0.4	0.2	0.4	0.4	0.6	0.5	0.5	0.4	0.4	0.3	0.3	0.2	0.3
6. Bad debts	0.7	3.6	0.2	0.7	1.0	1.0	1.2	0.6	0.7	0.6	0.5	0.5	0.5
7. Rent on business property	3.2	1.5	4.4	3.3	3.6	3.5	3.4	1.7	3.1	2.5	1.6	2.0	3.1
8. Taxes (excl Federal tax)	3.4	2.3	2.8	3.0	3.3	3.4	2.9	2.3	2.7	2.9	3.4	2.5	4.4
9. Interest	2.6	14.4	1.1	1.8	1.4	2.0	1.7	1.2	1.7	3.1	2.9	2.0	3.9
10. Deprec/Deplet/Amortiz†	2.9	4.9	2.2	3.8	3.5	3.2	2.9	2.9	1.8	3.5	2.4	0.9	2.9
11. Advertising	0.9	0.9	1.7	1.2	1.2	0.9	0.8	0.4	0.5	0.5	0.4	0.5	0.6
12. Pensions & other benef plans	2.6	0.9	2.1	2.5	3.2	2.9	3.5	2.3	3.0	2.6	1.6	3.1	2.3
13. Other expenses	48.7	47.0	43.8	47.2	52.3	41.5	44.0	49.1	39.6	52.3	35.0	60.0	55.0
14. Net profit before tax	4.0	5.2	4.3	2.7	4.3	7.2	5.4	7.6	6.9	10.3	4.5	6.2	0.8
Selected Financial Ratios (number of times ratio is to one)													
15. Current ratio	-	-	-	-	-	-	-	-	-	-	-	-	-
16. Quick ratio	-	-	-	-	-	-	-	-	-	-	-	-	-
17. Net sls to net wkg capital	-	-	-	-	-	-	-	-	-	-	-	-	-
18. Coverage ratio	2.3	-	-	2.5	4.0	4.5	4.1	7.2	4.9	4.3	2.4	3.8	0.6
19. Asset turnover	-	-	-	-	-	-	-	-	-	-	-	-	-
20. Total liab to net worth	2.6	-	-	6.7	2.5	3.3	5.0	4.3	4.3	4.7	4.4	1.7	2.2
Selected Financial Factors in Percentages													
21. Debt ratio	72.5	-	-	87.0	71.4	76.8	83.2	81.3	81.0	82.3	81.4	63.0	68.2
22. Return on assets	3.3	-	-	9.0	8.0	9.1	6.3	7.1	6.0	7.2	3.9	3.3	0.6
23. Return on equity	2.6	-	-	28.6	16.9	25.2	20.0	25.0	16.8	19.0	5.6	2.9	-
24. Return on net worth	12.0	-	-	69.7	27.8	39.1	37.5	37.8	31.5	40.9	20.9	8.8	1.9

†Depreciation largest factor

TABLE II: CORPORATIONS WITH NET INCOME, 1990 EDITION

6411 INSURANCE AGENTS, BROKERS, AND SERVICE:
Insurance agents, brokers, and service

Item Description For Accounting Period 7/86 Through 6/87	A Total	B Zero Assets	C Under 100	D 100 to 250	E 251 to 500	F 501 to 1,000	G 1,001 to 5,000	H 5,001 to 10,000	I 10,001 to 25,000	J 25,001 to 50,000	K 50,001 to 100,000	L 100,001 to 250,000	M 250,001 and over
SIZE OF ASSETS IN THOUSANDS OF DOLLARS (000 OMITTED)													
1. Number of Enterprises	41948	1023	20397	8308	6117	3143	2503	264	101	53	21	8	11
2. Total receipts (in millions of dollars)	24908.9	183.5	2459.8	2590.7	3084.0	2136.4	4575.9	1454.4	1205.0	1065.6	882.0	672.8	4599.0
Selected Operating Factors in Percent of Total Receipts													
3. Cost of operations	13.7	0.5	10.1	11.7	6.9	17.2	18.5	21.5	34.8	8.5	40.6	15.4	3.3
4. Compensation of officers	13.6	17.0	17.6	18.9	20.3	16.5	15.6	10.8	7.9	7.7	3.0	2.3	7.8
5. Repairs	0.4	0.3	0.4	0.5	0.6	0.5	0.5	0.3	0.3	0.4	0.4	0.2	0.4
6. Bad debts	0.7	0.2	0.3	0.5	0.7	1.0	1.2	0.7	0.5	0.7	0.4	0.5	0.5
7. Rent on business property	3.2	1.8	4.7	3.0	3.1	3.2	3.1	1.8	3.0	2.6	1.6	2.2	3.6
8. Taxes (excl Federal tax)	3.1	3.9	3.2	3.3	3.2	3.3	2.9	2.3	2.4	3.2	3.3	2.4	3.4
9. Interest	1.9	1.2	0.8	1.5	1.1	1.8	1.6	1.2	1.1	2.7	1.8	1.7	3.7
10. Deprec/Deplet/Amortiz†	3.0	0.5	2.2	3.4	3.1	2.9	2.7	3.3	1.6	3.3	2.6	0.9	4.1
11. Advertising	0.8	0.8	1.6	1.3	1.1	0.8	0.7	0.4	0.4	0.5	0.6	0.6	0.5
12. Pensions & other benef plans	2.8	1.7	1.3	2.6	3.0	3.0	3.6	2.6	3.0	2.9	1.8	3.8	2.8
13. Other expenses	45.9	35.5	46.5	45.5	49.6	40.2	41.3	43.6	35.4	53.8	35.0	58.4	53.1
14. Net profit before tax	10.9	36.6	11.3	7.8	7.3	9.6	8.3	11.5	9.6	13.7	8.9	11.6	16.8
Selected Financial Ratios (number of times ratio is to one)													
15. Current ratio	-	-	-	-	-	-	-	-	-	-	-	-	-
16. Quick ratio	-	-	-	-	-	-	-	-	-	-	-	-	-
17. Net sls to net wkg capital	-	-	-	-	-	-	-	-	-	-	-	-	-
18. Coverage ratio	6.9	-	-	6.2	7.6	6.4	6.3	-	-	5.9	5.6	7.5	5.7
19. Asset turnover	-	-	-	-	-	-	-	-	-	-	-	-	-
20. Total liab to net worth	2.3	-	-	2.7	1.9	2.7	4.4	4.7	3.7	5.1	5.0	1.9	1.5
Selected Financial Factors in Percentages													
21. Debt ratio	69.4	-	-	72.7	65.1	72.6	81.6	82.5	78.6	83.6	83.3	65.2	59.2
22. Return on assets	9.8	-	-	18.2	11.7	11.4	9.3	9.9	8.6	9.2	6.0	6.8	7.2
23. Return on equity	20.2	-	-	47.5	25.3	29.7	33.0	41.4	26.4	29.1	19.8	10.6	8.0
24. Return on net worth	32.1	-	-	66.7	33.4	41.5	50.4	56.2	40.1	56.0	35.9	19.5	17.6

†Depreciation largest factor

TABLE I: CORPORATIONS WITH AND WITHOUT NET INCOME, 1990 EDITION

6511 REAL ESTATE:
Real estate operators and lessors of buildings

Item Description For Accounting Period 7/86 Through 6/87	A Total	B Zero Assets	C Under 100	D 100 to 250	E 251 to 500	F 501 to 1,000	G 1,001 to 5,000	H 5,001 to 10,000	I 10,001 to 25,000	J 25,001 to 50,000	K 50,001 to 100,000	L 100,001 to 250,000	M 250,001 and over
						SIZE OF ASSETS IN THOUSANDS OF DOLLARS (000 OMITTED)							
1. Number of Enterprises	152829	21166	57682	30017	18709	13005	10334	997	567	204	82	42	24
2. Total receipts (in millions of dollars)	34238.2	3622.9	2815.4	2680.1	2451.2	3188.1	5630.0	2327.5	2812.8	1858.9	1756.4	1249.4	3845.5
Selected Operating Factors in Percent of Total Receipts													
3. Cost of operations	21.5	10.1	12.2	16.7	14.7	21.0	20.3	36.2	29.2	23.5	36.5	19.8	27.1
4. Compensation of officers	3.7	1.4	6.4	6.5	4.8	5.1	4.5	3.5	1.6	3.2	1.6	1.4	2.6
5. Repairs	2.5	3.2	2.8	3.4	4.1	3.2	2.8	2.0	2.2	2.2	1.5	1.0	0.6
6. Bad debts	0.4	0.7	0.1	0.3	0.4	0.1	0.3	0.7	0.3	0.6	0.5	0.4	0.2
7. Rent on business property	3.3	2.2	5.7	2.1	2.1	6.6	1.5	1.9	8.2	1.5	2.4	3.1	2.4
8. Taxes (excl Federal tax)	7.5	10.4	8.1	8.8	9.6	8.7	8.1	5.6	6.2	6.5	5.5	8.5	3.7
9. Interest	15.2	25.9	3.9	6.5	10.0	12.1	16.3	13.9	16.2	19.0	17.8	27.5	17.3
10. Deprec/Deplet/Amortiz†	10.1	12.7	5.8	8.1	10.9	10.7	12.1	9.3	8.5	11.1	10.4	12.5	8.5
11. Advertising	0.9	0.4	2.8	1.6	0.8	0.4	0.5	0.6	0.6	0.7	0.9	0.4	1.3
12. Pensions & other benef plans	0.8	0.5	0.1	0.9	1.1	0.8	1.0	0.6	0.6	0.6	0.4	1.1	1.3
13. Other expenses	29.0	33.9	50.7	32.6	31.5	21.1	24.7	21.0	24.5	24.4	22.8	28.1	30.9
14. Net profit before tax	5.1	*	1.4	12.5	10.0	10.2	7.9	4.7	1.9	6.7	*	*	4.1
Selected Financial Ratios (number of times ratio is to one)													
15. Current ratio	-	-	-	-	-	-	-	-	-	-	-	-	-
16. Quick ratio	-	-	-	-	-	-	-	-	-	-	-	-	-
17. Net sls to net wkg capital	-	-	-	-	-	-	-	-	-	-	-	-	-
18. Coverage ratio	1.3	-	1.4	2.9	2.0	1.8	1.5	1.3	1.1	1.3	1.0	0.9	1.2
19. Asset turnover	-	-	-	-	-	-	-	-	-	-	-	-	-
20. Total liab to net worth	2.8	-	4.2	1.4	1.7	1.9	2.5	3.6	4.9	3.4	3.7	3.1	3.2
Selected Financial Factors in Percentages													
21. Debt ratio	73.3	-	80.9	57.7	63.5	65.1	71.3	78.2	83.1	77.2	78.9	75.3	76.1
22. Return on assets	7.1	-	6.3	10.0	7.3	7.8	6.6	6.3	5.7	6.7	5.2	4.6	4.6
23. Return on equity	2.2	-	2.6	12.8	7.1	6.9	3.6	2.2	-	2.8	-	-	1.5
24. Return on net worth	26.5	-	32.9	23.8	19.9	22.5	22.9	29.0	33.5	29.2	24.7	18.5	19.3

†Depreciation largest factor

TABLE II: CORPORATIONS WITH NET INCOME, 1990 EDITION

6511 REAL ESTATE:
Real estate operators and lessors of buildings

Item Description For Accounting Period 7/86 Through 6/87	A Total	B Zero Assets	C Under 100	D 100 to 250	E 251 to 500	F 501 to 1,000	G 1,001 to 5,000	H 5,001 to 10,000	I 10,001 to 25,000	J 25,001 to 50,000	K 50,001 to 100,000	L 100,001 to 250,000	M 250,001 and over
						SIZE OF ASSETS IN THOUSANDS OF DOLLARS (000 OMITTED)							
1. Number of Enterprises	85439	9731	28682	20965	11590	7803	5766	471	257	-	-	21	10
2. Total receipts (in millions of dollars)	22460.7	2291.5	1750.8	1970.5	1927.0	2356.0	3761.1	1491.3	1445.7	-	-	684.9	2354.8

Selected Operating Factors in Percent of Total Receipts

	A	B	C	D	E	F	G	H	I	J	K	L	M
3. Cost of operations	19.5	8.2	11.6	14.0	15.7	18.7	16.1	40.0	20.8	-	-	13.4	27.0
4. Compensation of officers	3.7	1.5	3.9	6.6	4.2	5.2	4.3	3.6	2.0	-	-	1.5	3.5
5. Repairs	2.4	2.2	2.4	4.2	3.6	3.1	2.8	1.7	2.5	-	-	0.5	0.5
6. Bad debts	0.3	0.2	0.1	0.3	0.5	0.1	0.2	0.3	0.2	-	-	0.4	0.1
7. Rent on business property	3.0	2.2	6.8	1.6	1.8	7.7	1.1	1.1	7.7	-	-	3.1	1.9
8. Taxes (excl Federal tax)	7.1	7.3	5.9	9.2	9.2	8.7	7.8	4.6	7.0	-	-	10.1	3.6
9. Interest	10.4	15.1	2.8	5.4	6.2	8.0	11.8	9.7	12.1	-	-	24.4	12.3
10. Deprec/Deplet/Amortiz†	7.6	6.7	4.7	7.2	7.7	7.9	10.3	6.8	6.9	-	-	12.4	5.1
11. Advertising	0.7	0.2	2.7	1.2	0.8	0.2	0.4	0.3	0.4	-	-	0.2	1.3
12. Pensions & other benef plans	0.8	0.7	0.1	0.4	0.9	1.0	0.9	0.5	0.6	-	-	0.4	1.5
13. Other expenses	23.7	24.1	41.4	27.8	28.8	17.6	21.4	13.9	21.3	-	-	18.3	27.2
14. Net profit before tax	20.8	31.6	17.6	22.1	20.6	21.8	22.9	17.5	18.5	-	-	15.3	16.0

Selected Financial Ratios (number of times ratio is to one)

	A	B	C	D	E	F	G	H	I	J	K	L	M
15. Current ratio	-	-	-	-	-	-	-	-	-	-	-	-	-
16. Quick ratio	-	-	-	-	-	-	-	-	-	-	-	-	-
17. Net sls to net wkg capital	-	-	-	-	-	-	-	-	-	-	-	-	-
18. Coverage ratio	3.0	-	7.4	5.1	4.2	3.7	2.9	2.8	2.5	-	-	1.6	2.3
19. Asset turnover	-	-	-	-	-	-	-	-	-	-	-	-	-
20. Total liab to net worth	1.5	-	1.1	0.8	0.9	1.1	1.5	2.0	2.4	-	-	1.5	1.8

Selected Financial Factors in Percentages

	A	B	C	D	E	F	G	H	I	J	K	L	M
21. Debt ratio	59.8	-	51.9	44.9	47.5	51.2	59.8	67.1	71.0	-	-	60.1	64.8
22. Return on assets	14.4	-	27.2	15.3	12.5	13.0	11.4	12.4	12.1	-	-	8.3	10.4
23. Return on equity	18.7	-	44.5	19.3	15.2	15.6	13.8	17.2	16.9	-	-	6.7	12.5
24. Return on net worth	35.7	-	56.4	27.8	23.7	26.6	28.3	37.6	41.5	-	-	20.9	29.4

†Depreciation largest factor

6516 REAL ESTATE:

Lessors of mining, oil, and similar property

Item Description For Accounting Period 7/86 Through 6/87	A Total	B Zero Assets	C Under 100	D 100 to 250	E 251 to 500	F 501 to 1,000	G 1,001 to 5,000	H 5,001 to 10,000	I 10,001 to 25,000	J 25,001 to 50,000	K 50,001 to 100,000	L 100,001 to 250,000	M 250,001 and over
	SIZE OF ASSETS IN THOUSANDS OF DOLLARS (000 OMITTED)												
1. Number of Enterprises	1584	9	822	353	242	76	60	-	11	-	4	7	-
2. Total receipts (in millions of dollars)	486.9	6.0	58.6	13.1	42.6	54.6	45.9	-	84.0	-	94.9	87.1	-
Selected Operating Factors in Percent of Total Receipts													
3. Cost of operations	16.8	-	3.4	-	7.8	1.1	0.2	-	1.6	-	41.0	41.0	-
4. Compensation of officers	5.3	1.5	8.0	31.1	22.1	5.7	2.1	-	1.0	-	0.7	2.0	-
5. Repairs	0.3	-	-	-	0.6	1.2	-	-	0.4	-	0.2	0.1	-
6. Bad debts	1.2	-	0.1	-	-	-	-	-	5.0	-	1.4	0.1	-
7. Rent on business property	1.9	-	3.5	2.7	2.0	1.4	1.7	-	0.6	-	3.1	1.0	-
8. Taxes (excl Federal tax)	4.8	4.3	7.5	14.9	2.7	4.6	6.4	-	6.9	-	1.7	3.4	-
9. Interest	9.7	0.2	2.2	-	3.2	0.5	3.3	-	11.0	-	8.9	28.9	-
10. Deprec/Deplet/Amortiz†	8.1	0.9	12.8	8.4	2.8	9.2	2.9	-	10.7	-	10.5	5.0	-
11. Advertising	0.1	-	-	-	-	-	-	-	-	-	0.1	0.6	-
12. Pensions & other benef plans	0.8	0.1	0.2	-	-	0.5	1.1	-	0.6	-	0.8	1.9	-
13. Other expenses	25.9	0.4	43.4	32.1	56.5	29.2	13.9	-	16.7	-	11.5	28.7	-
14. Net profit before tax	25.1	92.6	18.9	10.8	2.3	46.6	68.4	-	45.5	-	20.1	*	-
Selected Financial Ratios (number of times ratio is to one)													
15. Current ratio	-	-	-	-	-	-	-	-	-	-	-	-	-
16. Quick ratio	-	-	-	-	-	-	-	-	-	-	-	-	-
17. Net sls to net wkg capital	-	-	-	-	-	-	-	-	-	-	-	-	-
18. Coverage ratio	3.5	-	-	-	0.5	-	-	-	5.0	-	3.2	0.6	-
19. Asset turnover	-	-	-	-	-	-	-	-	-	-	-	-	-
20. Total liab to net worth	1.6	-	-	-	0.5	-	0.2	-	2.8	-	0.5	3.6	-
Selected Financial Factors in Percentages													
21. Debt ratio	61.1	-	-	-	34.8	-	17.1	-	73.8	-	34.6	78.3	-
22. Return on assets	8.0	-	-	-	0.8	-	18.6	-	21.7	-	7.7	1.3	-
23. Return on equity	9.0	-	-	-	-	-	13.5	-	39.6	-	5.0	-	-
24. Return on net worth	20.6	-	-	-	1.3	-	22.5	-	82.8	-	11.8	5.8	-

†Depreciation largest factor

TABLE II: CORPORATIONS WITH NET INCOME, 1990 EDITION

6516 REAL ESTATE:
Lessors of mining, oil, and similar property

Item Description For Accounting Period 7/86 Through 6/87	A Total	B Zero Assets	C Under 100	D 100 to 250	E 251 to 500	F 501 to 1,000	G 1,001 to 5,000	H 5,001 to 10,000	I 10,001 to 25,000	J 25,001 to 50,000	K 50,001 to 100,000	L 100,001 to 250,000	M 250,001 and over
					SIZE OF ASSETS IN THOUSANDS OF DOLLARS (000 OMITTED)								
1. Number of Enterprises	946	5	406	353	79	42	49	-	-	-	-	-	-
2. Total receipts (in millions of dollars)	279.7	6.0	45.7	13.1	21.0	49.4	45.9	-	-	-	-	-	-
Selected Operating Factors in Percent of Total Receipts													
3. Cost of operations	1.2	-	4.4	-	-	-	-	-	-	-	-	-	-
4. Compensation of officers	3.5	1.5	-	31.1	2.7	6.2	2.2	-	-	-	-	-	-
5. Repairs	0.2	-	-	-	0.9	0.1	-	-	-	-	-	-	-
6. Bad debts	0.1	-	0.2	-	-	-	-	-	-	-	-	-	-
7. Rent on business property	0.6	-	0.4	2.7	-	0.4	1.7	-	-	-	-	-	-
8. Taxes (excl Federal tax)	6.4	4.3	6.7	14.9	4.3	4.4	6.3	-	-	-	-	-	-
9. Interest	2.9	0.2	0.7	-	1.0	0.5	-	-	-	-	-	-	-
10. Deprec/Deplet/Amortiz†	6.5	0.9	4.6	8.4	1.2	8.6	2.9	-	-	-	-	-	-
11. Advertising	-	-	-	-	-	-	-	-	-	-	-	-	-
12. Pensions & other benef plans	0.4	0.1	0.2	-	-	0.5	1.1	-	-	-	-	-	-
13. Other expenses	15.5	0.4	20.7	32.1	17.7	26.4	13.7	-	-	-	-	-	-
14. Net profit before tax	62.7	92.6	62.1	10.8	72.2	52.9	72.1	-	-	-	-	-	-
Selected Financial Ratios (number of times ratio is to one)													
15. Current ratio	-	-	-	-	-	-	-	-	-	-	-	-	-
16. Quick ratio	-	-	-	-	-	-	-	-	-	-	-	-	-
17. Net sls to net wkg capital	-	-	-	-	-	-	-	-	-	-	-	-	-
18. Coverage ratio	-	-	-	-	-	-	-	-	-	-	-	-	-
19. Asset turnover	-	-	-	-	-	-	-	-	-	-	-	-	-
20. Total liab to net worth	0.3	-	-	-	-	-	0.1	-	-	-	-	-	-
Selected Financial Factors in Percentages													
21. Debt ratio	21.5	-	-	-	-	-	9.8	-	-	-	-	-	-
22. Return on assets	24.7	-	-	-	-	-	24.3	-	-	-	-	-	-
23. Return on equity	21.9	-	-	-	-	-	17.5	-	-	-	-	-	-
24. Return on net worth	31.4	-	-	-	-	-	27.0	-	-	-	-	-	-

†Depreciation largest factor

6518 REAL ESTATE:

Lessors of railroad property, and of real property not elsewhere classified

Item Description For Accounting Period 7/86 Through 6/87	A Total	B Zero Assets	C Under 100	D 100 to 250	E 251 to 500	F 501 to 1,000	G 1,001 to 5,000	H 5,001 to 10,000	I 10,001 to 25,000	J 25,001 to 50,000	K 50,001 to 100,000	L 100,001 to 250,000	M 250,001 and over
	SIZE OF ASSETS IN THOUSANDS OF DOLLARS (000 OMITTED)												
1. Number of Enterprises	4885	647	1995	1081	790	201	138	17	9	4	3	-	-
2. Total receipts (in millions of dollars)	477.5	37.1	13.9	62.8	72.6	30.1	55.9	17.0	48.1	46.0	94.0	-	-
Selected Operating Factors in Percent of Total Receipts													
3. Cost of operations	22.8	0.6	4.4	39.8	36.8	-	2.0	-	15.1	1.8	49.9	-	-
4. Compensation of officers	3.8	-	-	5.6	6.9	7.4	6.3	3.4	0.6	2.7	1.7	-	-
5. Repairs	1.8	1.1	8.9	1.2	1.7	0.8	6.6	1.7	0.9	0.8	0.3	-	-
6. Bad debts	-	-	-	-	-	-	-	-	-	-	0.1	-	-
7. Rent on business property	1.4	1.0	-	-	0.1	0.8	4.2	0.1	2.7	0.7	2.0	-	-
8. Taxes (excl Federal tax)	5.7	9.4	6.9	9.2	5.5	9.5	7.0	4.2	2.7	2.3	3.1	-	-
9. Interest	19.7	45.6	0.7	13.9	14.0	11.0	28.8	3.0	16.6	17.0	23.8	-	-
10. Deprec/Deplet/Amortiz†	13.8	18.2	20.2	6.6	7.8	10.8	14.4	16.0	43.7	6.9	8.9	-	-
11. Advertising	0.2	-	-	-	-	-	0.3	-	0.7	0.4	0.2	-	-
12. Pensions & other benef plans	0.8	-	-	4.1	0.3	-	0.1	1.4	0.5	0.6	0.4	-	-
13. Other expenses	20.2	42.6	12.2	10.3	22.4	4.3	25.6	13.3	14.5	32.5	17.5	-	-
14. Net profit before tax	9.8	*	46.7	9.3	4.5	55.4	4.7	56.9	2.0	34.3	*	-	-
Selected Financial Ratios (number of times ratio is to one)													
15. Current ratio	-	-	-	-	-	-	-	-	-	-	-	-	-
16. Quick ratio	-	-	-	-	-	-	-	-	-	-	-	-	-
17. Net sls to net wkg capital	-	-	-	-	-	-	-	-	-	-	-	-	-
18. Coverage ratio	1.5	-	-	1.7	1.3	6.0	1.2	-	1.1	3.0	0.7	-	-
19. Asset turnover	-	-	-	-	-	-	-	-	-	-	-	-	-
20. Total liab to net worth	1.6	-	0.7	1.7	0.8	0.3	1.5	1.4	5.4	4.4	3.7	-	-
Selected Financial Factors in Percentages													
21. Debt ratio	61.5	-	41.9	63.4	43.9	20.9	59.3	57.8	84.4	81.3	78.8	-	-
22. Return on assets	8.2	-	11.7	7.8	5.0	13.5	6.7	8.9	7.5	16.1	3.7	-	-
23. Return on equity	3.9	-	17.7	8.3	1.4	9.8	-	12.8	1.2	38.2	-	-	-
24. Return on net worth	21.2	-	20.1	21.4	8.9	17.1	16.6	21.1	48.1	86.0	17.6	-	-

†Depreciation largest factor

TABLE II: CORPORATIONS WITH NET INCOME, 1990 EDITION

6518 REAL ESTATE:
Lessors of railroad property, and of real property not elsewhere classified

Item Description For Accounting Period 7/86 Through 6/87	A Total	B Zero Assets	C Under 100	D 100 to 250	E 251 to 500	F 501 to 1,000	G 1,001 to 5,000	H 5,001 to 10,000	I 10,001 to 25,000	J 25,001 to 50,000	K 50,001 to 100,000	L 100,001 to 250,000	M 250,001 and over
1. Number of Enterprises	3285	74	1685	791	476	164	83	6	-	-	***	***	-
2. Total receipts (in millions of dollars)	299.3	21.2	13.8	55.3	57.1	29.4	47.6	15.0	-	-	***	***	-
Selected Operating Factors in Percent of Total Receipts													
3. Cost of operations	17.8	-	4.4	43.4	46.8	-	2.3	-	-	-	***	***	-
4. Compensation of officers	4.8	-	-	4.2	8.7	7.5	7.4	3.9	-	-	***	***	-
5. Repairs	2.2	0.2	8.9	0.9	1.7	0.8	7.0	-	-	-	***	***	-
6. Bad debts	-	-	-	-	-	-	-	-	-	-	***	***	-
7. Rent on business property	0.9	-	-	-	0.2	0.8	4.8	0.1	-	-	***	***	-
8. Taxes (excl Federal tax)	5.5	1.1	6.1	7.1	5.7	9.2	7.3	4.0	-	-	***	***	-
9. Interest	14.1	7.8	0.7	12.2	4.8	9.1	11.8	0.2	-	-	***	***	-
10. Deprec/Deplet/Amortiz†	8.9	2.4	20.4	3.4	2.2	10.8	14.3	8.9	-	-	***	***	-
11. Advertising	-	-	-	-	-	-	0.3	-	-	-	***	***	-
12. Pensions & other benef plans	0.7	-	-	2.7	0.4	-	-	1.6	-	-	***	***	-
13. Other expenses	11.5	2.1	12.2	9.9	14.8	3.4	24.1	2.3	-	-	***	***	-
14. Net profit before tax	33.6	86.4	47.3	16.2	14.7	58.4	20.7	79.0	-	-	***	***	-
Selected Financial Ratios (number of times ratio is to one)													
15. Current ratio	-	-	-	-	-	-	-	-	-	-	***	***	-
16. Quick ratio	-	-	-	-	-	-	-	-	-	-	***	***	-
17. Net sls to net wkg capital	-	-	-	-	-	-	-	-	-	-	***	***	-
18. Coverage ratio	3.4	-	-	2.3	4.0	7.5	2.8	-	-	-	***	***	-
19. Asset turnover	-	-	-	-	-	-	-	-	-	-	***	***	-
20. Total liab to net worth	1.3	-	0.9	1.8	0.5	0.3	0.8	-	-	-	***	***	-
Selected Financial Factors in Percentages													
21. Debt ratio	55.9	-	48.5	64.3	32.5	20.7	43.7	-	-	-	***	***	-
22. Return on assets	13.9	-	13.6	11.3	6.6	16.1	10.4	-	-	-	***	***	-
23. Return on equity	17.6	-	23.2	17.8	6.4	12.2	8.6	-	-	-	***	***	-
24. Return on net worth	31.6	-	26.3	31.7	9.8	20.3	18.5	-	-	-	***	***	-

†Depreciation largest factor

6530 REAL ESTATE:

Condominium management and cooperative housing associations

Item Description For Accounting Period 7/86 Through 6/87	A Total	B Zero Assets	C Under 100	D 100 to 250	E 251 to 500	F 501 to 1,000	G 1,001 to 5,000	H 5,001 to 10,000	I 10,001 to 25,000	J 25,001 to 50,000	K 50,001 to 100,000	L 100,001 to 250,000	M 250,001 and over
					SIZE OF ASSETS IN THOUSANDS OF DOLLARS (000 OMITTED)								
1. Number of Enterprises	24849	1349	12944	3637	2183	1510	2353	556	221	81	15	-	-
2. Total receipts (in millions of dollars)	5463.4	95.9	733.1	740.5	807.8	362.9	1361.1	485.9	452.8	250.1	173.4	-	-
Selected Operating Factors in Percent of Total Receipts													
3. Cost of operations	8.5	22.7	8.7	4.0	11.0	6.8	11.4	6.8	5.7	6.2	4.2	-	-
4. Compensation of officers	1.1	2.1	4.2	0.4	1.3	-	0.9	-	0.3	-	-	-	-
5. Repairs	7.7	3.3	9.3	13.0	7.0	8.9	5.9	5.0	6.2	5.3	9.5	-	-
6. Bad debts	0.6	-	1.4	0.5	0.1	0.1	0.3	-	2.5	-	-	-	-
7. Rent on business property	0.7	4.0	1.0	0.4	1.2	0.7	0.7	0.2	0.4	0.3	0.6	-	-
8. Taxes (excl Federal tax)	11.2	3.3	1.8	2.7	7.0	15.4	15.3	20.2	20.6	16.4	13.8	-	-
9. Interest	11.8	2.5	0.1	0.4	3.3	9.3	14.8	26.3	26.1	33.1	28.2	-	-
10. Deprec/Deplet/Amortiz†	9.1	2.6	1.3	1.4	4.2	7.4	11.5	19.7	18.8	20.3	14.3	-	-
11. Advertising	0.2	0.9	0.3	0.2	0.4	0.1	0.3	-	0.1	-	-	-	-
12. Pensions & other benef plans	1.2	0.3	3.9	0.1	0.8	0.6	1.1	0.7	0.9	0.4	1.1	-	-
13. Other expenses	54.6	54.4	69.2	78.2	66.8	52.2	45.1	37.8	36.5	34.2	38.0	-	-
14. Net profit before tax	*	3.9	*	*	*	*	*	*	*	*	*	-	-
Selected Financial Ratios (number of times ratio is to one)													
15. Current ratio	-	-	-	-	-	-	-	-	-	-	-	-	-
16. Quick ratio	-	-	-	-	-	-	-	-	-	-	-	-	-
17. Net sls to net wkg capital	-	-	-	-	-	-	-	-	-	-	-	-	-
18. Coverage ratio	0.4	-	-	-	0.1	0.8	0.5	0.4	0.3	0.5	0.7	-	-
19. Asset turnover	-	-	-	-	-	-	-	-	-	-	-	-	-
20. Total liab to net worth	1.0	-	-	-	0.9	0.9	1.2	0.8	1.2	0.8	2.2	-	-
Selected Financial Factors in Percentages													
21. Debt ratio	51.0	-	-	-	45.9	46.4	53.9	45.1	54.0	45.1	68.3	-	-
22. Return on assets	1.4	-	-	-	0.2	2.6	1.8	1.2	1.1	1.6	2.4	-	-
23. Return on equity	-	-	-	-	-	-	-	-	-	-	-	-	-
24. Return on net worth	2.9	-	-	-	0.3	4.9	3.9	2.2	2.3	2.9	7.6	-	-

†Depreciation largest factor

6530 REAL ESTATE:

Condominium management and cooperative housing associations

Item Description For Accounting Period 7/86 Through 6/87	A Total	B Zero Assets	C Under 100	D 100 to 250	E 251 to 500	F 501 to 1,000	G 1,001 to 5,000	H 5,001 to 10,000	I 10,001 to 25,000	J 25,001 to 50,000	K 50,001 to 100,000	L 100,001 to 250,000	M 250,001 and over
					SIZE OF ASSETS IN THOUSANDS OF DOLLARS (000 OMITTED)								
1. Number of Enterprises	12036	393	7164	2037	1143	657	529	69	29	13	3	-	-
2. Total receipts (in millions of dollars)	2435.0	74.0	469.2	338.0	622.1	184.1	523.3	111.5	36.8	44.4	31.6	-	-
					Selected Operating Factors in Percent of Total Receipts								
3. Cost of operations	9.0	15.7	8.4	0.7	12.5	9.7	9.6	13.2	6.1	1.1	6.9	-	-
4. Compensation of officers	1.6	2.7	3.5	0.8	1.7	-	1.5	-	1.4	-	-	-	-
5. Repairs	8.3	0.2	11.9	12.5	7.2	10.9	5.5	2.2	4.7	9.2	5.5	-	-
6. Bad debts	0.2	-	0.2	0.6	0.1	0.1	0.2	-	-	0.1	-	-	-
7. Rent on business property	1.2	5.2	1.4	0.7	1.4	0.3	1.2	0.1	-	-	-	-	-
8. Taxes (excl Federal tax)	6.9	2.9	1.8	2.6	5.1	14.3	11.1	15.1	14.8	11.2	14.9	-	-
9. Interest	3.2	0.5	0.2	0.3	1.1	4.5	6.0	9.9	15.7	12.7	20.9	-	-
10. Deprec/Deplet/Amortiz†	3.3	1.3	1.3	0.5	2.1	4.8	5.6	7.8	8.8	15.9	9.6	-	-
11. Advertising	0.4	1.2	-	0.4	0.5	-	0.7	-	0.3	-	-	-	-
12. Pensions & other benef plans	1.7	0.4	5.9	0.2	0.5	1.2	1.1	0.2	2.3	1.2	-	-	-
13. Other expenses	58.9	54.9	61.2	73.7	64.3	46.8	51.6	47.5	41.4	46.8	37.2	-	-
14. Net profit before tax	5.3	15.0	4.2	7.0	3.5	7.4	5.9	4.0	4.5	1.8	5.0	-	-
					Selected Financial Ratios (number of times ratio is to one)								
15. Current ratio	-	-	-	-	-	-	-	-	-	-	-	-	-
16. Quick ratio	-	-	-	-	-	-	-	-	-	-	-	-	-
17. Net sls to net wkg capital	-	-	-	-	-	-	-	-	-	-	-	-	-
18. Coverage ratio	2.7	-	-	-	4.4	2.6	2.0	1.4	1.3	1.2	1.2	-	-
19. Asset turnover	-	-	-	-	-	-	-	-	-	-	-	-	-
20. Total liab to net worth	0.9	-	0.5	1.3	0.6	0.8	1.2	0.8	1.2	0.7	1.1	-	-
					Selected Financial Factors in Percentages								
21. Debt ratio	47.7	-	33.7	56.8	37.0	43.0	55.0	42.7	55.2	40.1	53.1	-	-
22. Return on assets	4.9	-	7.8	7.1	6.9	5.0	5.2	3.1	1.9	1.5	4.1	-	-
23. Return on equity	5.2	-	9.9	14.4	7.3	4.9	5.2	1.3	0.8	0.3	1.1	-	-
24. Return on net worth	9.4	-	11.8	16.5	10.9	8.7	11.5	5.4	4.3	2.5	8.6	-	-

†Depreciation largest factor

TABLE I: CORPORATIONS WITH AND WITHOUT NET INCOME, 1990 EDITION

6550 REAL ESTATE:
Subdividers and developers

Item Description / For Accounting Period 7/86 Through 6/87	A Total	B Zero Assets	C Under 100	D 100 to 250	E 251 to 500	F 501 to 1,000	G 1,001 to 5,000	H 5,001 to 10,000	I 10,001 to 25,000	J 25,001 to 50,000	K 50,001 to 100,000	L 100,001 to 250,000	M 250,001 and over
1. Number of Enterprises	51295	5208	16893	8441	6526	5755	6643	903	556	205	86	51	28
2. Total receipts (in millions of dollars)	18905.4	784.1	462.9	431.1	452.9	1015.6	3343.7	1594.8	2029.1	1657.2	1418.0	2336.4	3379.6
Selected Operating Factors in Percent of Total Receipts													
3. Cost of operations	26.7	12.9	11.8	3.7	5.9	6.4	18.7	37.0	35.4	42.4	18.5	42.3	26.6
4. Compensation of officers	5.4	3.7	10.4	18.5	14.4	11.5	9.0	5.5	4.5	3.3	3.4	2.1	1.3
5. Repairs	0.8	0.4	0.5	1.4	1.2	0.7	1.1	0.6	0.9	0.4	0.9	0.7	1.1
6. Bad debts	0.9	0.3	0.7	3.0	0.4	0.3	0.5	2.1	0.5	1.1	2.8	0.8	0.4
7. Rent on business property	1.7	1.4	0.4	3.6	2.2	1.5	2.0	1.4	1.2	1.1	1.6	1.3	2.8
8. Taxes (excl Federal tax)	4.0	4.3	4.8	4.5	6.2	6.8	4.4	3.2	3.3	2.6	3.5	2.5	4.8
9. Interest	18.8	25.1	8.3	11.3	21.5	12.0	14.3	14.7	14.0	16.6	19.2	16.5	33.0
10. Deprec/Deplet/Amortiz†	4.6	5.5	2.9	4.8	3.8	4.8	4.4	4.3	3.9	4.4	4.4	3.7	6.1
11. Advertising	1.4	1.1	0.4	0.6	1.2	0.8	1.6	1.8	1.6	1.5	1.6	1.8	1.0
12. Pensions & other benef plans	0.9	1.5	0.1	0.5	2.8	1.1	1.2	0.5	1.0	0.4	0.6	0.6	0.8
13. Other expenses	34.0	35.4	63.4	42.7	39.0	35.7	37.9	32.8	32.1	29.1	38.3	26.5	31.0
14. Net profit before tax	0.8	8.4	*	5.4	1.4	18.4	4.9	*	1.6	*	5.2	1.2	*
Selected Financial Ratios (number of times ratio is to one)													
15. Current ratio	-	-	-	-	-	-	-	-	-	-	-	-	-
16. Quick ratio	-	-	-	-	-	-	-	-	-	-	-	-	-
17. Net sls to net wkg capital	-	-	-	-	-	-	-	-	-	-	-	-	-
18. Coverage ratio	1.0	-	-	1.5	1.1	2.5	1.3	-	1.1	0.8	1.3	1.1	0.7
19. Asset turnover	-	-	-	-	-	-	-	-	-	-	-	-	-
20. Total liab to net worth	7.6	-	-	4.7	3.7	5.4	10.1	-	10.5	13.8	5.2	5.2	5.3
Selected Financial Factors in Percentages													
21. Debt ratio	88.4	-	-	82.5	78.9	84.4	91.0	-	91.3	93.2	84.0	83.9	84.2
22. Return on assets	4.8	-	-	5.3	4.5	7.7	4.4	-	3.8	3.2	5.8	5.2	4.2
23. Return on equity	-	-	-	7.5	-	25.6	7.5	-	-	-	3.9	-	-
24. Return on net worth	40.9	-	-	30.2	21.2	49.4	49.1	-	44.3	47.2	36.2	32.4	26.6

†Depreciation largest factor

TABLE II: CORPORATIONS WITH NET INCOME, 1990 EDITION

6550 REAL ESTATE:
Subdividers and developers

Item Description For Accounting Period 7/86 Through 6/87	A Total	B Zero Assets	C Under 100	D 100 to 250	E 251 to 500	F 501 to 1,000	G 1,001 to 5,000	H 5,001 to 10,000	I 10,001 to 25,000	J 25,001 to 50,000	K 50,001 to 100,000	L 100,001 to 250,000	M 250,001 and over
						SIZE OF ASSETS IN THOUSANDS OF DOLLARS (000 OMITTED)							
1. Number of Enterprises	21787	1908	5067	4642	2930	3388	3105	342	235	89	45	27	10
2. Total receipts (in millions of dollars)	12011.4	628.1	389.4	296.2	311.7	866.3	2285.4	859.1	1499.2	1029.0	964.2	1599.7	1283.1
Selected Operating Factors in Percent of Total Receipts													
3. Cost of operations	22.2	13.1	12.2	3.4	7.1	5.0	11.8	25.0	37.8	44.2	19.8	39.5	10.4
4. Compensation of officers	5.4	3.0	12.2	6.6	11.9	10.9	9.4	6.2	3.4	2.4	2.8	2.2	1.6
5. Repairs	0.7	0.2	0.3	1.3	1.1	0.5	0.8	0.6	0.8	0.3	0.8	0.7	1.1
6. Bad debts	0.5	0.3	0.2	0.1	-	0.3	0.3	0.4	0.5	1.4	0.7	0.4	0.1
7. Rent on business property	1.1	1.4	0.3	1.0	0.7	1.1	1.3	1.1	1.0	0.8	1.0	1.2	0.9
8. Taxes (excl Federal tax)	3.6	3.6	1.9	3.3	4.8	6.2	4.1	3.1	2.6	2.1	3.5	2.3	6.1
9. Interest	11.8	15.0	1.3	6.4	13.0	8.0	9.6	12.7	7.8	8.4	11.4	11.4	28.8
10. Deprec/Deplet/Amortiz†	3.4	2.9	0.7	3.7	2.3	4.5	2.8	3.2	2.6	2.6	3.4	2.5	7.8
11. Advertising	1.0	0.7	0.2	0.2	0.3	0.6	1.3	0.9	0.9	1.2	1.5	1.8	0.3
12. Pensions & other benef plans	1.0	1.8	-	0.4	3.0	1.2	1.4	0.4	0.9	0.4	0.6	0.6	1.2
13. Other expenses	26.5	22.3	37.9	31.9	20.5	26.1	30.6	25.6	22.2	21.7	30.6	23.3	28.8
14. Net profit before tax	22.8	35.7	32.8	41.7	35.3	35.6	26.6	20.8	19.5	14.5	23.9	14.1	12.9
Selected Financial Ratios (number of times ratio is to one)													
15. Current ratio	-	-	-	-	-	-	-	-	-	-	-	-	-
16. Quick ratio	-	-	-	-	-	-	-	-	-	-	-	-	-
17. Net sls to net wkg capital	-	-	-	-	-	-	-	-	-	-	-	-	-
18. Coverage ratio	2.9	-	-	7.5	3.7	5.5	3.8	-	3.5	2.7	3.1	2.2	1.5
19. Asset turnover	-	-	-	-	-	-	-	-	-	-	-	-	-
20. Total liab to net worth	3.6	-	-	1.3	1.8	3.1	4.0	-	3.7	5.0	2.9	3.3	3.8
Selected Financial Factors in Percentages													
21. Debt ratio	78.1	-	-	57.0	64.4	75.3	79.9	-	78.9	83.4	74.6	76.7	78.9
22. Return on assets	12.5	-	-	19.0	14.7	16.2	12.4	-	11.9	7.9	11.0	9.1	8.8
23. Return on equity	33.1	-	-	36.7	27.9	48.9	40.7	-	36.2	28.4	24.8	17.3	11.9
24. Return on net worth	56.9	-	-	44.3	41.3	65.5	61.9	-	56.5	48.0	43.2	39.0	41.7

†Depreciation largest factor

6599 REAL ESTATE:

Other real estate

Item Description For Accounting Period 7/86 Through 6/87	A Total	B Zero Assets	C Under 100	D 100 to 250	E 251 to 500	F 501 to 1,000	G 1,001 to 5,000	H 5,001 to 10,000	I 10,001 to 25,000	J 25,001 to 50,000	K 50,001 to 100,000	L 100,001 to 250,000	M 250,001 and over
		SIZE OF ASSETS IN THOUSANDS OF DOLLARS (000 OMITTED)											
1. Number of Enterprises	130876	11481	75272	19327	11909	6099	5544	606	373	128	78	38	23
2. Total receipts (in millions of dollars)	39937.1	1132.7	7297.1	3882.5	4239.1	3698.3	6277.0	1363.7	2040.6	1143.0	1733.3	2193.4	4936.4
Selected Operating Factors in Percent of Total Receipts													
3. Cost of operations	24.2	7.0	9.7	20.0	21.3	33.1	35.7	29.0	28.2	35.8	33.8	21.4	26.2
4. Compensation of officers	7.2	2.0	14.3	10.4	8.0	8.2	5.9	4.9	5.3	3.0	3.0	2.3	1.2
5. Repairs	0.9	0.7	0.8	0.9	1.7	0.9	0.9	1.1	0.8	0.7	0.7	0.4	0.4
6. Bad debts	0.7	0.6	0.1	0.2	0.7	0.3	0.3	0.3	0.3	2.1	3.1	1.1	2.0
7. Rent on business property	3.8	3.7	4.8	4.2	3.3	3.8	2.5	2.4	3.4	1.5	2.9	3.3	6.2
8. Taxes (excl Federal tax)	2.8	4.2	2.7	3.2	2.7	2.9	2.7	3.7	3.0	3.2	2.6	2.4	2.6
9. Interest	9.3	19.9	1.4	2.5	3.5	5.7	7.1	13.0	10.8	22.0	15.3	15.9	24.6
10. Deprec/Deplet/Amortiz†	3.5	4.5	2.7	2.9	3.1	3.5	3.7	5.3	3.4	5.8	3.7	4.0	3.8
11. Advertising	1.9	1.7	2.8	2.1	2.1	2.1	2.1	2.1	0.9	1.0	1.6	1.4	0.9
12. Pensions & other benef plans	1.3	0.3	1.9	2.1	1.6	0.9	1.0	0.7	1.2	0.9	0.8	1.5	0.6
13. Other expenses	43.3	39.7	57.2	48.7	50.3	37.9	34.9	43.0	41.2	35.2	31.7	45.0	33.8
14. Net profit before tax	1.1	15.7	1.6	2.8	1.7	0.7	3.2	*	1.5	*	0.8	1.3	*
Selected Financial Ratios (number of times ratio is to one)													
15. Current ratio	-	-	-	-	-	-	-	-	-	-	-	-	-
16. Quick ratio	-	-	-	-	-	-	-	-	-	-	-	-	-
17. Net sls to net wkg capital	-	-	-	-	-	-	-	-	-	-	-	-	-
18. Coverage ratio	1.1	-	-	2.1	1.5	1.0	1.4	0.6	1.1	0.5	1.1	1.1	0.9
19. Asset turnover	-	-	-	-	-	-	-	-	-	-	-	-	-
20. Total liab to net worth	3.9	-	-	2.8	2.5	3.6	3.9	7.7	4.9	8.0	4.5	2.9	3.5
Selected Financial Factors in Percentages													
21. Debt ratio	79.8	-	-	73.5	71.7	78.1	79.6	88.5	83.0	88.9	81.6	74.0	77.5
22. Return on assets	5.5	-	-	6.8	5.1	4.7	5.8	2.4	4.6	2.7	5.1	6.2	4.5
23. Return on equity	-	-	-	9.7	1.8	-	4.6	-	-	-	-	0.6	-
24. Return on net worth	26.9	-	-	25.5	18.1	21.6	28.2	21.0	27.0	24.3	27.7	23.8	19.9

†Depreciation largest factor

TABLE II: CORPORATIONS WITH NET INCOME, 1990 EDITION

6599 REAL ESTATE:
Other real estate

Item Description For Accounting Period 7/86 Through 6/87	A Total	B Zero Assets	C Under 100	D 100 to 250	E 251 to 500	F 501 to 1,000	G 1,001 to 5,000	H 5,001 to 10,000	I 10,001 to 25,000	J 25,001 to 50,000	K 50,001 to 100,000	L 100,001 to 250,000	M 250,001 and over
						SIZE OF ASSETS IN THOUSANDS OF DOLLARS (000 OMITTED)							
1. Number of Enterprises	68375	4988	38383	11252	6905	3488	2778	293	183	44	33	19	8
2. Total receipts (in millions of dollars)	26057.2	877.0	5342.3	2781.7	3011.5	2703.5	4314.4	880.3	1487.9	560.6	1092.6	1358.2	1647.2

Selected Operating Factors in Percent of Total Receipts

	A	B	C	D	E	F	G	H	I	J	K	L	M
3. Cost of operations	24.1	5.7	10.4	18.8	21.7	35.6	30.2	26.7	32.5	30.2	37.7	25.0	36.8
4. Compensation of officers	7.6	1.5	13.3	10.8	7.7	7.7	6.7	5.2	4.7	2.5	2.9	2.8	1.2
5. Repairs	0.8	0.4	0.7	0.6	2.0	0.8	0.8	0.9	0.7	0.6	0.2	0.4	0.6
6. Bad debts	0.4	-	0.1	0.3	0.7	0.1	0.1	0.4	0.2	1.2	1.7	0.8	0.8
7. Rent on business property	2.7	1.4	3.9	3.0	2.6	2.2	2.4	2.4	2.9	1.3	2.0	2.6	1.5
8. Taxes (excl Federal tax)	2.8	3.0	2.5	3.0	2.3	2.9	2.7	3.2	2.9	2.9	2.3	2.5	4.6
9. Interest	4.7	5.9	0.8	2.2	2.0	4.0	4.9	7.4	5.3	10.1	9.6	15.3	10.3
10. Deprec/Deplet/Amortiz†	2.7	2.2	1.9	2.1	2.4	2.9	3.0	4.4	2.3	3.9	2.1	3.8	4.3
11. Advertising	2.0	1.6	2.6	2.4	2.1	2.0	2.2	2.4	1.0	1.6	2.0	1.5	0.8
12. Pensions & other benef plans	1.3	0.3	1.6	1.4	1.8	0.9	1.2	0.9	1.1	0.6	0.7	1.4	0.8
13. Other expenses	38.3	18.9	52.3	44.1	45.3	32.2	32.6	34.4	31.9	27.6	25.6	35.5	28.2
14. Net profit before tax	12.6	59.1	9.9	11.3	9.4	8.7	13.2	11.7	14.5	17.5	13.2	8.4	10.1

Selected Financial Ratios (number of times ratio is to one)

	A	B	C	D	E	F	G	H	I	J	K	L	M
15. Current ratio	-	-	-	-	-	-	-	-	-	-	-	-	-
16. Quick ratio	-	-	-	-	-	-	-	-	-	-	-	-	-
17. Net sls to net wkg capital	-	-	-	-	-	-	-	-	-	-	-	-	-
18. Coverage ratio	3.7	-	-	6.3	5.7	3.2	3.7	2.6	3.7	2.7	2.4	1.5	2.0
19. Asset turnover	-	-	-	-	-	-	-	-	-	-	-	-	-
20. Total liab to net worth	2.1	-	-	1.3	1.2	2.0	2.3	3.4	3.5	1.9	4.3	2.0	1.4

Selected Financial Factors in Percentages

	A	B	C	D	E	F	G	H	I	J	K	L	M
21. Debt ratio	67.2	-	-	56.5	55.3	66.8	69.3	77.1	77.6	65.4	81.1	66.5	58.2
22. Return on assets	15.3	-	-	21.7	13.7	13.8	13.8	8.5	11.2	9.9	10.6	10.1	8.0
23. Return on equity	28.4	-	-	37.7	21.1	25.0	27.4	17.8	28.9	17.1	26.9	9.3	6.7
24. Return on net worth	46.6	-	-	49.8	30.7	41.4	44.9	36.8	50.2	28.5	56.2	30.1	19.1

†Depreciation largest factor

TABLE I: CORPORATIONS WITH AND WITHOUT NET INCOME, *1990 EDITION*

6742 HOLDING AND OTHER INVESTMENT COMPANIES, EXCEPT BANK HOLDING COMPANIES:

Regulated investment companies

Item Description For Accounting Period 7/86 Through 6/87	A Total	B Zero Assets	C Under 100	D 100 to 250	E 251 to 500	F 501 to 1,000	G 1,001 to 5,000	H 5,001 to 10,000	I 10,001 to 25,000	J 25,001 to 50,000	K 50,001 to 100,000	L 100,001 to 250,000	M 250,001 and over
						SIZE OF ASSETS IN THOUSANDS OF DOLLARS (000 OMITTED)							
1. Number of Enterprises	3851	54	923	141	123	34	316	346	488	248	301	345	534
2. Total receipts (in millions of dollars)	67639.1	324.6	12.0	0.7	2.3	3.3	122.2	301.2	789.4	716.5	2020.7	5130.2	58216.1
Selected Operating Factors in Percent of Total Receipts													
3. Cost of operations	-	-	-	-	-	-	-	-	-	-	-	-	-
4. Compensation of officers	-	-	-	-	-	-	-	-	-	0.2	-	-	-
5. Repairs	-	-	-	-	-	-	-	-	-	-	-	-	-
6. Bad debts	-	-	-	-	-	-	-	-	-	0.4	-	-	-
7. Rent on business property	-	-	-	-	-	-	-	-	-	0.1	-	-	-
8. Taxes (excl Federal tax)	-	-	-	-	-	-	-	-	-	0.1	-	-	-
9. Interest	-	-	-	-	-	-	-	-	-	1.3	-	-	-
10. Deprec/Deplet/Amortiz†	-	-	-	-	-	-	-	-	-	0.3	-	-	-
11. Advertising	-	-	-	-	-	-	-	-	-	-	-	-	-
12. Pensions & other benef plans	-	-	-	-	-	-	-	-	-	-	-	-	-
13. Other expenses	-	-	-	-	-	-	-	-	-	12.0	-	-	-
14. Net profit before tax	-	-	-	*	*	-	-	-	-	85.6	-	-	-
Selected Financial Ratios (number of times ratio is to one)													
15. Current ratio	-	-	-	-	-	-	-	-	-	-	-	-	-
16. Quick ratio	-	-	-	-	-	-	-	-	-	-	-	-	-
17. Net sls to net wkg capital	-	-	-	-	-	-	-	-	-	-	-	-	-
18. Coverage ratio	-	-	-	-	-	-	-	-	-	-	-	-	-
19. Asset turnover	-	-	-	-	-	-	-	-	-	-	-	-	-
20. Total liab to net worth	-	-	-	-	-	0.1	0.1	-	-	0.1	0.1	-	-
Selected Financial Factors in Percentages													
21. Debt ratio	-	-	-	-	-	7.1	4.8	-	-	6.7	4.7	-	-
22. Return on assets	-	-	-	-	-	3.6	11.6	-	-	6.6	7.7	-	-
23. Return on equity	-	-	-	-	-	3.9	12.0	-	-	6.9	8.0	-	-
24. Return on net worth	-	-	-	-	-	3.9	12.1	-	-	7.0	8.1	-	-

†Amortization largest factor

TABLE II: CORPORATIONS WITH NET INCOME, 1990 EDITION

6742 HOLDING AND OTHER INVESTMENT COMPANIES, EXCEPT BANK HOLDING COMPANIES:
Regulated investment companies

Item Description For Accounting Period 7/86 Through 6/87	A Total	B Zero Assets	C Under 100	D 100 to 250	E 251 to 500	F 501 to 1,000	G 1,001 to 5,000	H 5,001 to 10,000	I 10,001 to 25,000	J 25,001 to 50,000	K 50,001 to 100,000	L 100,001 to 250,000	M 250,001 and over
						SIZE OF ASSETS IN THOUSANDS OF DOLLARS (000 OMITTED)							
1. Number of Enterprises	3102	-	603	-	61	34	283	310	459	218	279	319	-
2. Total receipts (in millions of dollars)	64264.1	-	12.0	-	0.8	3.3	121.2	291.7	763.5	681.9	1952.7	4952.0	-

Selected Operating Factors in Percent of Total Receipts

Item Description	A	B	C	D	E	F	G	H	I	J	K	L	M
3. Cost of operations	-	-	-	-	-	-	-	-	-	-	-	-	-
4. Compensation of officers	-	-	-	-	-	-	-	-	-	0.2	-	-	-
5. Repairs	-	-	-	-	-	-	-	-	-	-	-	-	-
6. Bad debts	-	-	-	-	-	-	-	-	-	0.1	-	-	-
7. Rent on business property	-	-	-	-	-	-	-	-	-	-	-	-	-
8. Taxes (excl Federal tax)	-	-	-	-	-	-	-	-	-	0.1	-	-	-
9. Interest	-	-	-	-	-	-	-	-	-	1.1	-	-	-
10. Deprec/Deplet/Amortiz†	-	-	-	-	-	-	-	-	-	0.4	-	-	-
11. Advertising	-	-	-	-	-	-	-	-	-	-	-	-	-
12. Pensions & other benef plans	-	-	-	-	-	-	-	-	-	-	-	-	-
13. Other expenses	-	-	-	-	-	-	-	-	-	11.2	-	-	-
14. Net profit before tax	-	-	-	-	-	-	-	-	-	86.9	-	-	-

Selected Financial Ratios (number of times ratio is to one)

Item Description	A	B	C	D	E	F	G	H	I	J	K	L	M
15. Current ratio	-	-	-	-	-	-	-	-	-	-	-	-	-
16. Quick ratio	-	-	-	-	-	-	-	-	-	-	-	-	-
17. Net sls to net wkg capital	-	-	-	-	-	-	-	-	-	-	-	-	-
18. Coverage ratio	-	-	-	-	-	-	-	-	-	-	-	-	-
19. Asset turnover	-	-	-	-	-	-	-	-	-	-	-	-	-
20. Total liab to net worth	-	-	-	-	-	0.1	-	-	-	0.1	0.1	-	-

Selected Financial Factors in Percentages

Item Description	A	B	C	D	E	F	G	H	I	J	K	L	M
21. Debt ratio	-	-	-	-	-	7.1	-	-	-	4.5	4.5	-	-
22. Return on assets	-	-	-	-	-	3.6	-	-	-	7.5	8.5	-	-
23. Return on equity	-	-	-	-	-	3.9	-	-	-	7.7	8.9	-	-
24. Return on net worth	-	-	-	-	-	3.9	-	-	-	7.8	8.9	-	-

†Amortization largest factor

6743 HOLDING AND OTHER INVESTMENT COMPANIES, EXCEPT BANK HOLDING COMPANIES:
Real estate investment trusts

Item Description For Accounting Period 7/86 Through 6/87	A Total	B Zero Assets	C Under 100	D 100 to 250	E 251 to 500	F 501 to 1,000	G 1,001 to 5,000	H 5,001 to 10,000	I 10,001 to 25,000	J 25,001 to 50,000	K 50,001 to 100,000	L 100,001 to 250,000	M 250,001 and over
					SIZE OF ASSETS IN THOUSANDS OF DOLLARS (000 OMITTED)								
1. Number of Enterprises	179	5	-	-	-	-	36	11	25	21	29	35	18
2. Total receipts (in millions of dollars)	2358.7	6.9	-	-	-	-	23.7	13.0	47.6	93.1	296.4	659.2	1218.7
Selected Operating Factors in Percent of Net Sales													
3. Cost of operations	-	-	-	-	-	-	-	-	-	-	-	-	-
4. Compensation of officers	0.4	-	-	-	-	-	-	-	0.4	0.4	0.7	0.3	0.5
5. Repairs	0.9	-	-	-	-	-	1.9	2.1	1.6	1.7	1.6	1.3	0.4
6. Bad debts	2.3	-	-	-	-	-	-	-	0.4	-	1.1	2.2	3.0
7. Rent on business property	1.0	-	-	-	-	-	0.8	14.3	-	0.1	0.4	1.7	0.6
8. Taxes (excl Federal tax)	3.7	-	-	-	-	-	4.0	6.9	4.2	3.5	5.2	4.3	3.0
9. Interest	36.4	-	-	-	-	-	15.2	18.2	14.3	19.5	21.3	23.5	49.8
10. Deprec/Deplet/Amortiz†	7.9	-	-	-	-	-	10.0	6.2	13.7	11.6	11.7	11.0	4.8
11. Advertising	0.1	-	-	-	-	-	-	0.1	0.7	0.2	0.3	0.1	0.1
12. Pensions & other benef plans	0.1	-	-	-	-	-	-	-	0.9	-	0.1	0.1	0.1
13. Other expenses	17.7	-	-	-	-	-	15.0	18.4	42.7	28.3	23.1	18.9	13.7
14. Net profit before tax	29.5	*	-	-	-	-	53.1	33.8	21.1	34.7	34.5	36.6	24.0
Selected Financial Ratios (number of times ratio is to one)													
15. Current ratio	-	-	-	-	-	-	-	-	-	-	-	-	-
16. Quick ratio	-	-	-	-	-	-	-	-	-	-	-	-	-
17. Net sls to net wkg capital	-	-	-	-	-	-	-	-	-	-	-	-	-
18. Coverage ratio	1.8	-	-	-	-	-	4.5	2.9	2.5	2.8	2.6	2.6	1.5
19. Asset turnover	-	-	-	-	-	-	-	-	-	-	-	-	-
20. Total liab to net worth	1.2	-	-	-	-	-	0.7	1.3	0.5	0.6	0.6	0.7	2.1
Selected Financial Factors in Percentages													
21. Debt ratio	55.0	-	-	-	-	-	41.7	56.6	31.2	37.2	36.0	40.7	67.8
22. Return on assets	7.5	-	-	-	-	-	13.9	8.3	3.9	6.5	7.7	7.0	7.9
23. Return on equity	7.5	-	-	-	-	-	18.5	11.9	3.1	6.6	7.4	7.2	7.9
24. Return on net worth	16.7	-	-	-	-	-	23.8	19.2	5.6	10.4	12.0	11.8	24.4

†Depreciation largest factor

6743 HOLDING AND OTHER INVESTMENT COMPANIES, EXCEPT BANK HOLDING COMPANIES:
Real estate investment trusts

							SIZE OF ASSETS IN THOUSANDS OF DOLLARS (000 OMITTED)						
Item Description For Accounting Period 7/86 Through 6/87	A Total	B Zero Assets	C Under 100	D 100 to 250	E 251 to 500	F 501 to 1,000	G 1,001 to 5,000	H 5,001 to 10,000	I 10,001 to 25,000	J 25,001 to 50,000	K 50,001 to 100,000	L 100,001 to 250,000	M 250,001 and over
1. Number of Enterprises	148	-	-	-	-	-	27	11	19	18	-	32	-
2. Total receipts (in millions of dollars)	1929.0	-	-	-	-	-	20.5	13.0	37.0	81.4	-	606.7	-
Selected Operating Factors in Percent of Net Sales													
3. Cost of operations	-	-	-	-	-	-	-	-	-	-	-	-	-
4. Compensation of officers	0.5	-	-	-	-	-	-	-	0.5	0.5	-	0.3	-
5. Repairs	0.9	-	-	-	-	-	1.8	2.1	1.8	1.3	-	1.4	-
6. Bad debts	1.5	-	-	-	-	-	-	-	0.4	-	-	1.1	-
7. Rent on business property	0.6	-	-	-	-	-	0.9	14.3	-	0.1	-	0.2	-
8. Taxes (excl Federal tax)	4.2	-	-	-	-	-	3.6	6.9	2.8	2.6	-	4.7	-
9. Interest	27.1	-	-	-	-	-	8.1	18.2	7.3	15.4	-	20.3	-
10. Deprec/Deplet/Amortiz†	8.3	-	-	-	-	-	8.9	6.2	12.5	10.3	-	11.8	-
11. Advertising	0.1	-	-	-	-	-	-	0.1	0.8	0.1	-	0.1	-
12. Pensions & other benef plans	0.1	-	-	-	-	-	-	-	-	-	-	0.1	-
13. Other expenses	18.1	-	-	-	-	-	13.8	18.4	28.1	22.1	-	19.4	-
14. Net profit before tax	38.6	-	-	-	-	-	62.9	33.8	45.8	47.6	-	40.6	-
Selected Financial Ratios (number of times ratio is to one)													
15. Current ratio	-	-	-	-	-	-	-	-	-	-	-	-	-
16. Quick ratio	-	-	-	-	-	-	-	-	-	-	-	-	-
17. Net sls to net wkg capital	-	-	-	-	-	-	-	-	-	-	-	-	-
18. Coverage ratio	2.4	-	-	-	-	-	8.8	2.9	7.3	4.1	-	3.0	-
19. Asset turnover	-	-	-	-	-	-	-	-	-	-	-	-	-
20. Total liab to net worth	1.1	-	-	-	-	-	0.3	1.3	0.2	0.5	-	0.7	-
Selected Financial Factors in Percentages													
21. Debt ratio	51.8	-	-	-	-	-	21.3	56.6	17.7	31.4	-	41.0	-
22. Return on assets	7.2	-	-	-	-	-	16.8	8.3	5.7	7.5	-	7.2	-
23. Return on equity	8.7	-	-	-	-	-	18.9	11.9	5.7	8.3	-	8.1	-
24. Return on net worth	14.8	-	-	-	-	-	21.3	19.2	6.9	10.9	-	12.1	-

†Depreciation largest factor

6744 HOLDING AND OTHER INVESTMENT COMPANIES, EXCEPT BANK HOLDING COMPANIES:
Small business investment companies

	SIZE OF ASSETS IN THOUSANDS OF DOLLARS (000 OMITTED)												
Item Description For Accounting Period 7/86 Through 6/87	A Total	B Zero Assets	C Under 100	D 100 to 250	E 251 to 500	F 501 to 1,000	G 1,001 to 5,000	H 5,001 to 10,000	I 10,001 to 25,000	J 25,001 to 50,000	K 50,001 to 100,000	L 100,001 to 250,000	M 250,001 and over
1. Number of Enterprises	5934	325	3837	704	490	261	235	42	22	13	5	-	-
2. Total receipts (in millions of dollars)	423.4	22.5	69.0	27.0	32.6	41.6	42.8	76.5	23.9	53.4	34.0	-	-
Selected Operating Factors in Percent of Net Sales													
3. Cost of operations	-	-	-	-	-	-	-	-	-	-	-	-	-
4. Compensation of officers	8.6	0.1	0.3	49.3	1.9	8.4	12.6	10.6	4.1	4.7	5.4	-	-
5. Repairs	0.3	0.3	0.2	0.4	1.8	0.2	0.6	-	0.3	-	0.3	-	-
6. Bad debts	7.9	7.4	26.1	-	0.4	2.2	0.7	12.3	-	3.6	2.7	-	-
7. Rent on business property	4.3	-	9.4	7.4	0.4	11.1	0.9	3.3	1.6	0.9	3.1	-	-
8. Taxes (excl Federal tax)	3.7	1.1	2.0	7.7	2.5	3.5	5.2	7.2	1.2	0.5	4.8	-	-
9. Interest	18.2	20.3	2.6	7.2	8.2	4.2	17.3	9.2	62.5	41.9	37.3	-	-
10. Deprec/Deplet/Amortiz†	4.3	2.1	2.5	6.4	5.9	2.5	6.2	9.8	1.2	0.3	2.7	-	-
11. Advertising	1.1	-	1.1	1.7	-	0.1	1.4	0.3	4.5	0.2	3.9	-	-
12. Pensions & other benef plans	1.1	-	0.2	-	-	1.7	1.0	3.3	0.6	1.0	0.2	-	-
13. Other expenses	55.7	20.5	78.3	69.7	57.0	74.8	84.7	39.9	29.8	40.8	38.1	-	-
14. Net profit before tax	*	48.2	*	*	21.9	*	*	4.1	*	6.1	1.5	-	-
Selected Financial Ratios (number of times ratio is to one)													
15. Current ratio	-	-	-	-	-	-	-	-	-	-	-	-	-
16. Quick ratio	-	-	-	-	-	-	-	-	-	-	-	-	-
17. Net sls to net wkg capital	-	-	-	-	-	-	-	-	-	-	-	-	-
18. Coverage ratio	0.7	-	-	-	3.7	-	-	1.5	0.9	1.1	1.0	-	-
19. Asset turnover	-	-	-	-	-	-	-	-	-	-	-	-	-
20. Total liab to net worth	1.5	-	-	-	0.8	-	-	1.4	1.6	1.6	4.2	-	-
Selected Financial Factors in Percentages													
21. Debt ratio	60.2	-	-	-	45.4	-	-	58.8	61.5	60.9	80.7	-	-
22. Return on assets	2.3	-	-	-	6.0	-	-	3.3	5.2	5.7	4.1	-	-
23. Return on equity	-	-	-	-	6.8	-	-	0.4	-	1.8	0.6	-	-
24. Return on net worth	5.9	-	-	-	11.0	-	-	8.0	13.4	14.6	21.1	-	-

†Depreciation largest factor

6744 HOLDING AND OTHER INVESTMENT COMPANIES, EXCEPT BANK HOLDING COMPANIES:
Small business investment companies

Item Description For Accounting Period 7/86 Through 6/87	A Total	B Zero Assets	C Under 100	D 100 to 250	E 251 to 500	F 501 to 1,000	G 1,001 to 5,000	H 5,001 to 10,000	I 10,001 to 25,000	J 25,001 to 50,000	K 50,001 to 100,000	L 100,001 to 250,000	M 250,001 and over
	SIZE OF ASSETS IN THOUSANDS OF DOLLARS (000 OMITTED)												
1. Number of Enterprises	2786	-	2128	-	357	139	102	28	9	6	-	-	-
2. Total receipts (in millions of dollars)	309.7	-	41.8	-	29.6	36.4	32.7	71.9	16.2	27.1	-	-	-
Selected Operating Factors in Percent of Net Sales													
3. Cost of operations	-	-	-	-	-	-	-	-	-	-	-	-	-
4. Compensation of officers	5.1	-	0.5	-	-	8.9	7.3	7.5	6.0	6.6	-	-	-
5. Repairs	0.3	-	0.2	-	1.9	-	-	-	0.4	-	-	-	-
6. Bad debts	1.3	-	-	-	-	2.5	0.1	0.4	-	0.9	-	-	-
7. Rent on business property	4.0	-	9.6	-	-	12.3	0.5	3.3	1.8	1.5	-	-	-
8. Taxes (excl Federal tax)	3.7	-	1.9	-	2.3	3.6	5.7	7.2	1.5	0.6	-	-	-
9. Interest	13.3	-	0.3	-	9.0	1.3	8.4	9.0	13.8	41.6	-	-	-
10. Deprec/Deplet/Amortiz†	4.6	-	3.0	-	5.1	1.5	7.0	9.5	1.0	0.6	-	-	-
11. Advertising	0.4	-	0.8	-	-	0.1	1.7	0.3	0.1	0.4	-	-	-
12. Pensions & other benef plans	1.4	-	-	-	-	1.9	1.3	3.5	0.9	1.3	-	-	-
13. Other expenses	41.2	-	52.7	-	53.9	63.4	39.3	37.7	25.4	29.8	-	-	-
14. Net profit before tax	24.7	-	31.0	-	27.8	4.5	28.7	21.6	49.1	16.7	-	-	-
Selected Financial Ratios (number of times ratio is to one)													
15. Current ratio	-	-	-	-	-	-	-	-	-	-	-	-	-
16. Quick ratio	-	-	-	-	-	-	-	-	-	-	-	-	-
17. Net sls to net wkg capital	-	-	-	-	-	-	-	-	-	-	-	-	-
18. Coverage ratio	2.9	-	-	-	4.1	4.5	4.4	3.4	4.6	1.4	-	-	-
19. Asset turnover	-	-	-	-	-	-	-	-	-	-	-	-	-
20. Total liab to net worth	1.0	-	0.2	-	0.8	0.3	0.6	1.6	0.6	1.4	-	-	-
Selected Financial Factors in Percentages													
21. Debt ratio	49.8	-	16.7	-	43.3	24.1	36.9	61.5	38.8	58.3	-	-	-
22. Return on assets	9.4	-	20.8	-	8.5	1.9	6.6	10.8	9.6	7.3	-	-	-
23. Return on equity	10.7	-	23.2	-	9.8	1.8	5.5	16.4	12.2	5.0	-	-	-
24. Return on net worth	18.7	-	24.9	-	15.0	2.4	10.5	28.0	15.6	17.5	-	-	-

†Depreciation largest factor

TABLE I: CORPORATIONS WITH AND WITHOUT NET INCOME, 1990 EDITION

6749 HOLDING AND OTHER INVESTMENT COMPANIES, EXCEPT BANK HOLDING COMPANIES:
Other holding and investment companies, except bank holding companies

						SIZE OF ASSETS IN THOUSANDS OF DOLLARS (000 OMITTED)							
Item Description For Accounting Period 7/86 Through 6/87	A Total	B Zero Assets	C Under 100	D 100 to 250	E 251 to 500	F 501 to 1,000	G 1,001 to 5,000	H 5,001 to 10,000	I 10,001 to 25,000	J 25,001 to 50,000	K 50,001 to 100,000	L 100,001 to 250,000	M 250,001 and over
1. Number of Enterprises	33696	3947	11240	6217	3552	3017	3668	708	635	327	181	133	72
2. Total receipts (in millions of dollars)	58884.9	1955.2	313.9	387.5	339.9	726.8	2871.2	3523.5	6391.2	6872.4	9178.8	10169.6	16154.9
Selected Operating Factors in Percent of Net Sales													
3. Cost of operations	51.4	21.7	1.0	0.1	0.2	8.6	29.8	64.7	53.3	56.7	69.3	54.6	46.1
4. Compensation of officers	2.0	1.3	4.5	25.1	21.6	14.5	5.5	2.0	2.1	1.6	1.3	1.0	1.1
5. Repairs	0.4	0.2	0.2	0.3	0.2	0.3	0.6	0.4	0.7	0.4	0.3	0.4	0.3
6. Bad debts	0.6	1.6	-	0.3	0.2	0.4	0.8	0.5	0.7	0.5	0.4	0.4	0.6
7. Rent on business property	1.7	0.7	0.7	2.7	3.0	1.0	3.6	1.3	1.1	2.0	1.0	2.0	2.0
8. Taxes (excl Federal tax)	2.1	3.3	1.9	4.0	5.2	2.4	3.2	1.9	2.9	2.4	1.3	2.8	1.4
9. Interest	8.0	12.5	5.8	4.2	3.2	5.6	4.9	4.2	5.1	6.1	5.4	7.4	13.0
10. Deprec/Deplet/Amortiz†	3.4	2.2	1.2	3.8	2.7	3.3	2.9	2.9	2.1	3.2	2.3	3.5	4.8
11. Advertising	0.7	0.3	-	-	0.4	0.1	0.5	0.7	1.3	0.7	0.7	0.9	0.6
12. Pensions & other benef plans	1.1	0.6	0.6	3.9	4.0	0.6	1.4	0.8	1.2	1.0	0.9	1.3	1.1
13. Other expenses	22.9	25.2	102.5	44.1	55.5	47.4	31.8	16.6	22.2	21.4	15.3	21.7	24.5
14. Net profit before tax	5.7	30.4	*	11.5	3.8	15.8	15.0	4.0	7.3	4.0	1.8	4.0	4.5
Selected Financial Ratios (number of times ratio is to one)													
15. Current ratio	-	-	-	-	-	-	-	-	-	-	-	-	-
16. Quick ratio	-	-	-	-	-	-	-	-	-	-	-	-	-
17. Net sls to net wkg capital	-	-	-	-	-	-	-	-	-	-	-	-	-
18. Coverage ratio	1.7	-	-	2.3	2.2	3.7	3.9	1.5	2.4	1.6	1.3	1.5	1.3
19. Asset turnover	-	-	-	-	-	-	-	-	-	-	-	-	-
20. Total liab to net worth	1.9	-	-	0.6	0.5	0.8	0.6	1.0	1.1	1.5	2.6	2.2	2.5
Selected Financial Factors in Percentages													
21. Debt ratio	65.6	-	-	35.4	34.0	43.3	37.8	51.0	52.4	60.1	72.3	68.4	71.4
22. Return on assets	5.3	-	-	3.9	1.9	7.0	6.8	4.6	8.0	6.0	5.2	5.7	3.7
23. Return on equity	3.6	-	-	1.2	-	7.5	5.7	0.6	6.8	3.1	1.5	3.7	1.6
24. Return on net worth	15.4	-	-	6.1	2.8	12.4	10.9	9.3	16.8	15.2	18.7	17.9	12.8

†Depreciation largest factor

6749 HOLDING AND OTHER INVESTMENT COMPANIES, EXCEPT BANK HOLDING COMPANIES:

Other holding and investment companies, except bank holding companies

	SIZE OF ASSETS IN THOUSANDS OF DOLLARS (000 OMITTED)												
Item Description For Accounting Period 7/86 Through 6/87	A Total	B Zero Assets	C Under 100	D 100 to 250	E 251 to 500	F 501 to 1,000	G 1,001 to 5,000	H 5,001 to 10,000	I 10,001 to 25,000	J 25,001 to 50,000	K 50,001 to 100,000	L 100,001 to 250,000	M 250,001 and over
1. Number of Enterprises	19659	2661	4865	4151	2199	2164	2421	439	383	176	97	69	34
2. Total receipts (in millions of dollars)	37944.0	1609.1	285.4	302.3	324.9	577.2	2221.4	1878.3	4393.1	4661.4	5350.1	6714.5	9626.4
Selected Operating Factors in Percent of Net Sales													
3. Cost of operations	48.1	17.2	1.1	-	-	2.6	23.5	57.8	49.5	54.8	64.1	53.7	47.5
4. Compensation of officers	2.3	1.4	3.2	22.4	20.5	15.2	5.6	2.3	2.1	1.7	1.5	0.9	1.5
5. Repairs	0.4	0.1	0.1	0.1	0.2	0.2	0.6	0.4	0.8	0.3	0.5	0.3	0.1
6. Bad debts	0.3	0.1	-	0.1	0.2	0.1	0.4	0.8	0.2	0.3	0.3	0.2	0.3
7. Rent on business property	1.7	0.5	0.4	1.3	2.9	0.3	4.1	0.8	0.9	1.8	1.1	1.8	2.1
8. Taxes (excl Federal tax)	2.1	3.3	1.4	2.7	4.4	1.5	3.2	2.3	2.6	2.0	1.4	3.2	1.1
9. Interest	5.5	5.7	3.3	3.6	2.0	3.0	3.1	3.4	3.8	4.2	4.2	5.2	9.1
10. Deprec/Deplet/Amortiz†	2.8	0.9	0.7	2.9	2.0	2.7	1.9	2.5	2.1	2.5	2.2	3.2	4.1
11. Advertising	0.6	0.2	-	0.1	0.3	-	0.5	0.5	0.5	0.8	0.7	0.9	0.4
12. Pensions & other benef plans	1.0	0.3	0.3	2.5	3.6	0.6	1.2	1.1	1.3	0.9	1.1	1.3	0.8
13. Other expenses	19.7	14.3	60.8	30.0	33.4	43.0	27.0	13.4	20.6	19.1	15.7	19.5	19.0
14. Net profit before tax	15.5	56.0	28.7	34.3	30.5	30.8	28.9	14.7	15.6	11.6	7.2	9.8	14.0
Selected Financial Ratios (number of times ratio is to one)													
15. Current ratio	-	-	-	-	-	-	-	-	-	-	-	-	-
16. Quick ratio	-	-	-	-	-	-	-	-	-	-	-	-	-
17. Net sls to net wkg capital	-	-	-	-	-	-	-	-	-	-	-	-	-
18. Coverage ratio	3.8	-	-	8.3	-	-	10.0	5.2	5.0	3.7	2.7	2.9	2.5
19. Asset turnover	-	-	-	-	-	-	-	-	-	-	-	-	-
20. Total liab to net worth	1.6	-	-	0.4	0.3	0.5	0.4	0.7	0.8	1.0	1.7	1.6	3.4
Selected Financial Factors in Percentages													
21. Debt ratio	62.0	-	-	27.7	25.6	34.9	26.7	39.9	42.8	50.9	62.6	61.1	77.3
22. Return on assets	10.3	-	-	14.0	13.4	12.3	13.0	10.7	14.1	12.0	9.2	9.0	6.3
23. Return on equity	15.4	-	-	14.0	14.5	15.4	12.8	10.9	15.7	13.8	11.4	11.2	12.2
24. Return on net worth	27.1	-	-	19.4	18.1	18.9	17.7	17.7	24.6	24.5	24.5	23.2	27.8

†Depreciation largest factor

7000 SERVICES:

Hotels and other lodging places

Item Description For Accounting Period 7/86 Through 6/87	A Total	B Zero Assets	C Under 100	D 100 to 250	E 251 to 500	F 501 to 1,000	G 1,001 to 5,000	H 5,001 to 10,000	I 10,001 to 25,000	J 25,001 to 50,000	K 50,001 to 100,000	L 100,001 to 250,000	M 250,001 and over
					SIZE OF ASSETS IN THOUSANDS OF DOLLARS (000 OMITTED)								
1. Number of Enterprises	22277	1339	7227	4108	3426	2788	2810	297	149	60	28	21	23
2. Total receipts (in millions of dollars)	34892.7	1462.8	691.9	1100.1	1834.1	1914.8	3757.6	1482.9	1401.3	1140.0	1059.2	1827.6	17220.3
Selected Operating Factors in Percent of Net Sales													
3. Cost of operations	44.8	-	25.1	10.4	28.7	24.3	24.5	28.2	21.5	35.9	34.1	24.4	63.6
4. Compensation of officers	1.9	-	3.1	4.8	7.0	3.8	2.9	3.2	2.3	1.7	2.1	1.1	0.5
5. Repairs	2.0	-	4.1	3.8	2.8	2.7	3.2	3.7	2.8	2.6	2.7	2.1	1.1
6. Bad debts	0.5	-	-	0.2	0.1	0.1	0.2	0.2	0.6	0.3	0.3	2.8	0.5
7. Rent on business property	5.9	-	20.7	16.5	14.4	8.3	4.0	6.6	4.8	3.5	4.2	5.7	3.7
8. Taxes (excl Federal tax)	4.9	-	7.3	6.6	5.6	6.1	6.7	6.5	6.7	5.1	5.7	7.1	3.5
9. Interest	7.9	-	1.3	2.5	3.6	6.4	11.4	8.9	11.0	12.0	9.8	15.5	6.6
10. Deprec/Deplet/Amortiz†	6.9	-	3.9	5.9	5.8	8.4	11.6	10.1	10.6	9.9	10.3	9.1	4.6
11. Advertising	2.4	-	3.4	2.4	2.2	1.9	2.6	3.0	3.8	3.0	2.8	3.1	2.0
12. Pensions & other benef plans	1.3	-	-	0.8	0.8	0.8	1.2	1.2	1.1	1.3	1.5	3.1	1.4
13. Other expenses	34.6	-	47.9	46.5	36.9	44.3	48.9	44.3	55.9	42.7	45.6	60.6	21.0
14. Net profit before tax	*	*	*	*	*	*	*	*	*	*	*	*	*
Selected Financial Ratios (number of times ratio is to one)													
15. Current ratio	1.1	-	1.5	1.1	1.5	1.1	0.8	0.9	0.8	0.9	1.0	1.0	1.4
16. Quick ratio	0.7	-	1.2	1.0	1.2	0.7	0.6	0.7	0.6	0.4	0.6	0.7	0.8
17. Net sls to net wkg capital	36.8	-	15.6	50.6	18.4	79.4	-	-	-	-	65.7	-	14.3
18. Coverage ratio	1.1	-	-	2.3	0.6	1.3	0.7	0.7	0.1	0.5	0.4	1.2	1.4
19. Asset turnover	0.7	-	2.7	1.5	1.4	0.9	0.6	0.6	0.6	0.5	0.5	0.4	0.8
20. Total liab to net worth	2.8	-	146.2	4.1	7.0	4.5	10.0	7.5	4.6	10.7	3.7	3.8	1.6
Selected Financial Factors in Percentages													
21. Debt ratio	73.9	-	99.3	80.4	87.5	81.7	90.9	88.2	82.1	91.5	78.7	79.3	61.2
22. Return on assets	6.2	-	-	8.6	2.8	7.2	4.6	3.7	0.4	3.1	2.0	7.5	7.1
23. Return on equity	-	-	-	19.9	-	5.7	-	-	-	-	-	0.7	3.2
24. Return on net worth	23.8	-	-	44.0	22.4	39.4	50.9	31.4	2.0	36.6	9.6	36.0	18.4

†Depreciation largest factor

7000 SERVICES:
Hotels and other lodging places

Item Description For Accounting Period 7/86 Through 6/87	A Total	B Zero Assets	C Under 100	D 100 to 250	E 251 to 500	F 501 to 1,000	G 1,001 to 5,000	H 5,001 to 10,000	I 10,001 to 25,000	J 25,001 to 50,000	K 50,001 to 100,000	L 100,001 to 250,000	M 250,001 and over
			SIZE OF ASSETS IN THOUSANDS OF DOLLARS (000 OMITTED)										
1. Number of Enterprises	11270	342	3655	2555	1658	1659	1166	124	55	24	11	9	13
2. Total receipts (in millions of dollars)	23893.9	752.2	295.7	796.8	1129.4	1247.3	2169.1	788.1	764.6	542.9	462.8	946.1	13998.9
Selected Operating Factors in Percent of Net Sales													
3. Cost of operations	51.6	-	15.8	8.8	23.4	19.8	25.5	19.0	21.0	29.6	38.4	19.2	71.0
4. Compensation of officers	1.7	-	6.0	4.6	5.9	4.9	3.4	4.6	1.7	1.9	1.8	1.1	0.3
5. Repairs	1.8	-	5.8	3.2	2.9	2.8	3.2	3.9	2.7	2.6	2.8	2.1	0.9
6. Bad debts	0.3	-	-	0.2	0.2	0.1	0.1	0.3	0.4	0.4	0.2	1.1	0.3
7. Rent on business property	5.3	-	23.4	14.8	16.2	12.6	4.3	2.3	4.4	3.1	4.7	6.1	3.2
8. Taxes (excl Federal tax)	4.3	-	8.1	5.8	4.6	6.3	6.1	8.3	5.9	6.2	5.5	7.1	2.9
9. Interest	5.1	-	0.5	1.9	2.3	4.5	6.7	5.3	4.6	6.3	7.5	11.6	4.8
10. Deprec/Deplet/Amortiz†	5.0	-	2.0	4.9	4.3	6.8	8.6	8.8	7.5	8.2	8.4	9.8	3.5
11. Advertising	2.0	-	0.8	2.9	2.6	1.8	2.3	3.3	3.9	3.2	2.8	2.3	1.6
12. Pensions & other benef plans	1.3	-	-	1.0	1.2	0.9	0.9	1.9	1.1	1.8	1.6	1.3	1.3
13. Other expenses	28.8	-	44.2	46.2	36.4	42.2	43.0	51.9	52.0	42.0	37.5	59.2	16.5
14. Net profit before tax	#	#	#	5.7	-	#	#	#	#	#	#	#	#
Selected Financial Ratios (number of times ratio is to one)													
15. Current ratio	1.6	-	2.9	1.9	1.6	1.9	1.4	1.3	1.9	1.1	1.8	1.8	1.6
16. Quick ratio	1.1	-	2.5	1.8	1.3	1.4	1.0	1.0	1.2	0.8	1.2	1.1	1.1
17. Net sls to net wkg capital	12.8	-	5.2	11.3	17.2	8.8	10.9	20.0	7.4	37.5	5.5	4.4	16.0
18. Coverage ratio	2.4	-	-	6.1	3.6	3.2	2.6	2.8	2.4	2.3	2.9	2.4	1.9
19. Asset turnover	1.0	-	2.3	1.8	1.7	1.0	0.8	0.7	0.8	0.6	0.5	0.5	1.1
20. Total liab to net worth	1.8	-	2.3	0.9	1.3	1.7	2.1	1.9	1.2	2.3	1.8	2.1	1.8
Selected Financial Factors in Percentages													
21. Debt ratio	64.1	-	69.9	48.0	56.7	63.3	67.2	66.0	54.7	70.1	64.7	67.6	64.1
22. Return on assets	12.0	-	-	20.7	13.8	13.8	13.1	10.9	8.8	9.3	11.3	12.6	9.7
23. Return on equity	15.0	-	-	30.2	19.9	22.6	21.7	15.2	7.1	13.2	15.6	14.3	9.0
24. Return on net worth	33.4	-	-	39.8	31.7	37.6	40.0	32.1	19.5	31.2	32.0	39.0	26.9

†Depreciation largest factor

7200 SERVICES:
Personal services

Item Description For Accounting Period 7/86 Through 6/87	A Total	B Zero Assets	C Under 100	D 100 to 250	E 251 to 500	F 501 to 1,000	G 1,001 to 5,000	H 5,001 to 10,000	I 10,001 to 25,000	J 25,001 to 50,000	K 50,001 to 100,000	L 100,001 to 250,000	M 250,001 and over
			SIZE OF ASSETS IN THOUSANDS OF DOLLARS (000 OMITTED)										
1. Number of Enterprises	66000	4324	45594	9028	3551	2208	1144	65	50	15	13	4	4
2. Total receipts (in millions of dollars)	22938.2	132.5	4630.7	3241.3	2030.1	2417.9	3505.8	923.1	992.5	782.4	1356.3	379.3	2546.4
Selected Operating Factors in Percent of Net Sales													
3. Cost of operations	39.1	-	29.3	26.7	34.6	40.6	44.6	65.9	49.7	47.3	47.7	27.8	50.5
4. Compensation of officers	7.5	-	13.1	12.7	10.2	7.3	5.0	1.9	2.1	1.4	1.2	2.5	0.5
5. Repairs	1.3	-	1.4	1.3	1.8	1.2	1.3	0.5	1.1	1.3	1.0	1.4	1.1
6. Bad debts	0.4	-	0.3	0.3	0.5	0.4	0.5	0.2	0.9	0.7	0.5	0.8	0.5
7. Rent on business property	4.9	-	8.4	5.6	5.2	3.4	3.5	0.9	3.7	1.5	6.2	1.4	2.9
8. Taxes (excl Federal tax)	4.2	-	4.2	4.7	5.0	3.8	4.2	2.2	3.4	4.0	4.7	4.4	4.2
9. Interest	1.9	-	1.2	1.5	2.5	2.0	2.4	2.0	2.2	1.4	2.0	6.4	1.4
10. Deprec/Deplet/Amortiz†	5.1	-	4.5	5.1	5.6	4.6	4.5	4.3	7.0	4.3	5.1	7.1	6.8
11. Advertising	2.0	-	1.8	1.9	2.2	1.7	2.2	0.9	1.6	2.9	3.5	1.2	2.1
12. Pensions & other benef plans	1.6	-	0.9	2.1	1.5	2.3	2.0	2.4	1.6	2.5	1.5	1.8	0.7
13. Other expenses	35.1	-	37.2	39.7	32.7	32.8	34.3	19.0	33.0	34.8	33.9	53.7	34.0
14. Net profit before tax	*	*	*	*	*	*	*	*	*	*	*	*	*
Selected Financial Ratios (number of times ratio is to one)													
15. Current ratio	1.7	-	1.7	1.7	2.0	1.8	1.3	1.3	1.4	1.6	1.5	2.7	2.4
16. Quick ratio	1.2	-	1.3	1.3	1.5	1.5	0.8	1.1	1.0	0.9	0.7	1.8	1.5
17. Net sls to net wkg capital	10.2	-	22.2	12.4	7.5	9.1	20.9	18.5	12.7	10.1	8.8	2.0	4.6
18. Coverage ratio	2.1	-	-	2.1	1.7	2.2	1.4	2.2	2.6	5.3	2.4	2.1	6.5
19. Asset turnover	1.7	-	3.4	2.2	1.5	1.6	1.6	2.1	1.2	1.4	1.3	0.7	1.1
20. Total liab to net worth	1.7	-	3.2	2.0	1.9	1.5	2.5	1.8	1.5	1.4	2.4	3.1	0.7
Selected Financial Factors in Percentages													
21. Debt ratio	63.0	-	75.9	66.6	65.8	60.5	71.5	63.7	60.0	57.5	70.5	75.6	40.3
22. Return on assets	6.4	-	-	6.7	6.7	6.7	5.2	9.0	6.6	10.8	6.2	9.0	9.4
23. Return on equity	4.0	-	-	6.6	4.2	5.7	2.3	10.3	5.3	9.3	3.3	10.7	7.7
24. Return on net worth	17.4	-	-	20.1	19.5	17.0	18.4	24.8	16.5	25.4	20.9	36.9	15.8

†Depreciation largest factor

7200 SERVICES:

Personal services

Item Description For Accounting Period 7/86 Through 6/87	A Total	B Zero Assets	C Under 100	D 100 to 250	E 251 to 500	F 501 to 1,000	G 1,001 to 5,000	H 5,001 to 10,000	I 10,001 to 25,000	J 25,001 to 50,000	K 50,001 to 100,000	L 100,001 to 250,000	M 250,001 and over
						SIZE OF ASSETS IN THOUSANDS OF DOLLARS (000 OMITTED)							
1. Number of Enterprises	30730	1418	19243	5076	2420	1674	790	49	37	10	10	-	4
2. Total receipts (in millions of dollars)	16217.3	84.5	2432.1	1781.8	1438.9	1988.1	2668.6	762.1	830.2	489.4	1195.2	-	2546.4
Selected Operating Factors in Percent of Net Sales													
3. Cost of operations	40.3	26.8	25.9	27.7	35.8	41.6	44.8	68.2	50.3	35.2	40.7	-	50.5
4. Compensation of officers	6.7	10.7	13.3	13.5	10.1	7.3	4.8	1.8	2.3	1.9	1.5	-	0.5
5. Repairs	1.2	3.1	1.6	1.4	1.5	1.1	1.1	0.2	1.2	1.2	1.3	-	1.1
6. Bad debts	0.4	0.2	0.2	0.5	0.5	0.4	0.5	0.2	1.0	0.5	0.6	-	0.5
7. Rent on business property	3.9	12.9	7.9	4.3	4.2	2.1	3.7	0.7	2.6	1.3	3.8	-	2.9
8. Taxes (excl Federal tax)	4.2	8.2	3.7	4.6	5.1	3.8	4.5	2.1	3.4	4.4	4.7	-	4.2
9. Interest	1.7	4.4	1.1	1.7	2.3	1.8	1.8	1.4	1.8	1.4	2.1	-	1.4
10. Deprec/Deplet/Amortiz†	4.7	1.9	3.9	4.5	5.0	3.7	4.0	3.0	6.8	5.6	5.4	-	6.8
11. Advertising	1.8	2.1	1.6	1.0	2.5	1.4	2.4	1.0	1.1	0.6	3.5	-	2.1
12. Pensions & other benef plans	1.6	3.6	1.0	1.3	1.1	2.4	2.2	2.8	1.6	2.8	1.5	-	0.7
13. Other expenses	33.3	50.2	35.8	34.7	29.1	31.5	32.4	17.4	32.9	43.1	40.8	-	34.0
14. Net profit before tax	0.2	#	4.0	4.8	2.8	2.9	#	1.2	#	2.0	#	-	#
Selected Financial Ratios (number of times ratio is to one)													
15. Current ratio	2.0	-	1.9	2.9	2.5	2.1	1.4	1.4	1.4	2.0	1.9	-	2.4
16. Quick ratio	1.4	-	1.4	2.2	1.8	1.8	1.0	1.1	1.1	1.5	0.9	-	1.5
17. Net sls to net wkg capital	7.9	-	18.8	6.1	6.1	7.3	15.3	15.3	11.5	7.6	4.9	-	4.6
18. Coverage ratio	4.8	-	5.2	6.3	3.7	4.0	2.9	3.2	3.6	-	5.0	-	6.5
19. Asset turnover	1.7	-	3.8	2.1	1.6	1.7	1.9	2.4	1.2	1.3	1.2	-	1.1
20. Total liab to net worth	1.1	-	1.7	1.1	1.0	1.0	1.7	1.7	1.4	0.7	1.8	-	0.7
Selected Financial Factors in Percentages													
21. Debt ratio	52.5	-	62.4	51.4	48.9	49.4	62.7	63.6	58.7	40.5	64.4	-	40.3
22. Return on assets	13.4	-	21.7	22.8	13.7	12.0	10.0	10.8	8.1	19.0	13.2	-	9.4
23. Return on equity	16.7	-	43.7	34.8	15.6	14.2	14.4	16.3	8.4	17.0	17.7	-	7.7
24. Return on net worth	28.1	-	57.7	47.0	26.8	23.7	26.9	29.7	19.6	32.0	37.0	-	15.8

†Depreciation largest factor

TABLE I: CORPORATIONS WITH AND WITHOUT NET INCOME, 1990 EDITION

7310 SERVICES: BUSINESS SERVICES:
Advertising

Item Description For Accounting Period 7/86 Through 6/87	A Total	B Zero Assets	C Under 100	D 100 to 250	E 251 to 500	F 501 to 1,000	G 1,001 to 5,000	H 5,001 to 10,000	I 10,001 to 25,000	J 25,001 to 50,000	K 50,001 to 100,000	L 100,001 to 250,000	M 250,001 and over
						SIZE OF ASSETS IN THOUSANDS OF DOLLARS (000 OMITTED)							
1. Number of Enterprises	32525	1620	22968	3295	1927	1537	992	97	31	18	16	12	11
2. Total receipts (in millions of dollars)	30892.9	739.8	4473.8	2527.3	2384.9	4661.5	5118.0	1372.4	625.0	944.0	1311.4	1412.8	5322.1
Selected Operating Factors in Percent of Net Sales													
3. Cost of operations	57.0	39.7	55.1	58.8	55.8	63.1	66.8	65.2	58.9	61.5	64.3	43.5	44.2
4. Compensation of officers	6.1	5.7	9.9	7.7	9.8	5.1	5.4	4.6	5.0	7.4	2.6	2.5	4.2
5. Repairs	0.3	0.1	0.2	0.4	0.8	0.2	0.2	0.3	0.4	0.3	0.2	0.4	0.4
6. Bad debts	0.3	0.3	0.3	0.2	0.3	0.5	0.3	0.4	-	0.1	0.3	0.3	0.2
7. Rent on business property	2.8	2.4	3.4	2.7	2.8	1.5	1.9	2.1	2.4	3.1	2.2	5.1	4.3
8. Taxes (excl Federal tax)	1.9	2.0	2.0	1.7	2.6	1.1	1.6	2.0	1.9	2.2	1.7	2.4	2.7
9. Interest	1.2	0.7	0.4	0.7	0.5	0.6	0.8	1.6	0.3	0.9	1.6	5.6	2.1
10. Deprec/Deplet/Amortiz†	2.1	0.7	1.4	1.7	1.9	1.1	1.4	3.2	2.2	2.1	3.0	7.4	3.0
11. Advertising	2.3	11.2	4.7	1.6	0.8	6.3	0.7	0.6	0.3	0.4	0.3	0.7	0.1
12. Pensions & other benef plans	1.7	1.7	0.4	1.0	2.9	1.1	1.4	1.9	1.8	1.9	1.7	2.7	3.1
13. Other expenses	25.8	37.6	22.9	24.5	21.9	21.8	19.2	19.9	23.6	29.1	22.5	43.0	37.0
14. Net profit before tax	*	*	*	*	*	*	0.3	*	3.2	*	*	*	*
Selected Financial Ratios (number of times ratio is to one)													
15. Current ratio	1.0	-	1.2	1.1	1.3	1.3	1.2	1.0	1.0	1.2	0.9	1.2	0.8
16. Quick ratio	0.8	-	1.0	0.8	1.1	1.1	1.0	0.8	0.9	1.1	0.7	0.9	0.7
17. Net sls to net wkg capital	-	-	89.5	136.9	21.8	29.5	21.0	-	65.6	9.3	-	10.5	-
18. Coverage ratio	2.3	-	1.4	1.3	6.0	-	3.9	1.1	-	5.5	2.9	1.7	2.2
19. Asset turnover	1.7	-	-	4.3	3.2	4.3	2.7	1.9	1.4	1.3	1.2	0.7	0.7
20. Total liab to net worth	2.6	-	16.8	4.5	1.8	3.1	2.8	8.7	3.7	3.1	4.7	4.1	1.8
Selected Financial Factors in Percentages													
21. Debt ratio	71.9	-	94.4	82.0	64.4	75.5	74.0	89.7	78.8	75.4	82.3	80.2	63.7
22. Return on assets	4.7	-	4.1	4.0	10.5	-	8.0	3.4	9.0	6.5	5.5	6.5	3.1
23. Return on equity	4.4	-	-	1.9	17.8	-	16.6	-	28.5	13.5	11.6	5.4	1.4
24. Return on net worth	16.7	-	73.5	22.1	29.4	0.1	30.6	32.9	42.4	26.3	31.1	33.1	8.6

†Depreciation largest factor

7310 SERVICES: BUSINESS SERVICES:
Advertising

Item Description For Accounting Period 7/86 Through 6/87	A Total	B Zero Assets	C Under 100	D 100 to 250	E 251 to 500	F 501 to 1,000	G 1,001 to 5,000	H 5,001 to 10,000	I 10,001 to 25,000	J 25,001 to 50,000	K 50,001 to 100,000	L 100,001 to 250,000	M 250,001 and over
	SIZE OF ASSETS IN THOUSANDS OF DOLLARS (000 OMITTED)												
1. Number of Enterprises	17554	490	11913	1976	1257	1050	746	64	22	12	10	7	8
2. Total receipts (in millions of dollars)	22862.0	335.8	3006.3	1665.9	1441.2	3102.3	4259.7	1021.3	508.5	796.5	1183.0	1058.5	4482.9
Selected Operating Factors in Percent of Net Sales													
3. Cost of operations	58.6	47.8	57.0	59.6	47.7	67.0	67.2	64.8	58.0	59.5	65.9	52.5	47.0
4. Compensation of officers	6.3	11.6	10.9	6.2	11.2	6.5	5.4	3.6	4.4	8.3	2.5	2.6	4.2
5. Repairs	0.3	-	0.2	0.2	0.9	0.2	0.2	0.3	0.3	0.3	0.2	0.4	0.4
6. Bad debts	0.2	0.4	-	0.1	0.3	0.5	0.3	0.2	0.1	0.1	0.2	0.3	0.2
7. Rent on business property	2.6	2.4	2.6	1.7	3.1	1.8	1.6	1.5	2.5	3.2	2.4	6.0	4.1
8. Taxes (excl Federal tax)	2.0	3.0	2.0	1.6	3.1	1.4	1.5	2.3	1.9	2.4	1.6	2.2	2.5
9. Interest	0.9	0.3	0.3	0.5	0.7	0.5	0.6	1.7	0.2	0.6	0.8	4.8	1.1
10. Deprec/Deplet/Amortiz†	1.7	0.7	1.1	1.2	2.1	1.2	1.2	3.4	1.7	1.9	1.7	6.5	1.8
11. Advertising	1.1	0.1	4.0	1.9	1.2	0.5	0.7	0.4	0.2	0.3	0.3	0.8	0.1
12. Pensions & other benef plans	1.8	3.2	0.3	1.2	3.1	1.2	1.3	2.0	1.8	2.1	1.8	2.5	3.1
13. Other expenses	23.7	18.5	18.7	22.9	24.7	18.7	17.9	19.8	23.0	30.9	21.7	36.3	34.8
14. Net profit before tax	0.8	12.0	2.9	2.9	1.9	0.5	2.1	#	5.9	#	0.9	#	0.7
Selected Financial Ratios (number of times ratio is to one)													
15. Current ratio	1.2	-	1.3	1.1	1.5	1.5	1.3	0.9	1.1	1.4	1.1	1.2	1.0
16. Quick ratio	1.0	-	1.2	0.9	1.4	1.3	1.0	0.8	1.0	1.1	0.9	0.9	0.9
17. Net sls to net wkg capital	29.1	-	65.3	126.8	13.4	18.7	20.2	-	25.2	8.0	26.9	13.0	122.6
18. Coverage ratio	6.1	-	-	8.5	9.4	4.5	6.9	2.1	-	-	6.1	2.8	5.4
19. Asset turnover	2.2	-	-	4.7	2.9	4.4	3.0	2.2	1.7	1.6	1.7	0.9	1.2
20. Total liab to net worth	2.4	-	4.7	3.3	1.6	1.6	2.6	3.9	2.4	2.2	2.6	3.4	2.0
Selected Financial Factors in Percentages													
21. Debt ratio	70.1	-	82.5	76.9	61.2	62.0	72.2	79.4	70.8	68.7	72.3	77.3	67.1
22. Return on assets	11.7	-	-	20.0	18.9	9.5	12.6	7.8	16.1	10.7	8.3	11.7	7.2
23. Return on equity	24.1	-	-	-	34.3	16.3	30.9	13.8	40.5	21.8	16.1	21.3	10.1
24. Return on net worth	39.1	-	-	86.5	48.7	25.1	45.3	37.6	55.0	34.1	29.9	51.6	21.9

†Depreciation largest factor

Page 323

7389 SERVICES: BUSINESS SERVICES:
Business services, except advertising

Item Description For Accounting Period 7/86 Through 6/87	A Total	B Zero Assets	C Under 100	D 100 to 250	E 251 to 500	F 501 to 1,000	G 1,001 to 5,000	H 5,001 to 10,000	I 10,001 to 25,000	J 25,001 to 50,000	K 50,001 to 100,000	L 100,001 to 250,000	M 250,001 and over
				SIZE OF ASSETS IN THOUSANDS OF DOLLARS (000 OMITTED)									
1. Number of Enterprises	288847	19663	195612	37638	17201	8859	7819	902	659	245	140	80	31
2. Total receipts (in millions of dollars)	171087.2	2819.3	26766.6	19637.1	15754.5	13273.7	26429.9	8601.4	12124.8	9611.4	11768.3	12677.7	11622.4
Selected Operating Factors in Percent of Net Sales													
3. Cost of operations	44.3	37.9	31.7	40.0	43.9	40.1	48.4	50.0	54.8	51.7	56.2	50.1	39.4
4. Compensation of officers	7.8	8.6	16.6	13.0	8.2	8.2	6.4	4.5	3.2	2.7	1.7	1.4	1.1
5. Repairs	0.8	1.1	0.6	0.5	0.6	0.9	0.8	0.9	0.5	0.8	0.7	0.4	3.2
6. Bad debts	0.4	0.3	0.3	0.2	0.3	0.3	0.5	0.8	0.5	0.5	0.4	0.3	0.7
7. Rent on business property	3.8	4.9	4.4	4.0	3.3	3.2	3.7	4.3	3.1	3.3	3.8	3.5	5.1
8. Taxes (excl Federal tax)	3.5	4.1	3.5	3.5	4.4	3.8	3.3	2.8	3.4	3.6	2.6	3.1	3.7
9. Interest	3.0	2.9	0.9	1.0	1.5	1.5	2.2	2.8	3.5	4.0	4.0	3.9	18.2
10. Deprec/Deplet/Amortiz†	6.1	5.7	2.8	3.1	3.8	4.2	5.0	6.0	6.6	7.3	6.3	6.8	30.9
11. Advertising	1.1	1.1	1.1	1.0	0.7	1.0	1.1	0.8	1.0	1.3	2.0	1.2	1.0
12. Pensions & other benef plans	2.0	2.0	1.7	2.5	2.0	1.9	1.9	2.3	1.6	2.0	2.0	2.2	2.3
13. Other expenses	35.6	44.1	40.2	33.1	35.8	38.2	33.9	33.1	32.7	33.0	30.6	33.8	42.4
14. Net profit before tax	*	*	*	*	*	*	*	*	*	*	*	*	*
Selected Financial Ratios (number of times ratio is to one)													
15. Current ratio	1.3	-	1.1	1.5	1.4	1.4	1.2	1.2	1.3	1.3	1.3	1.4	1.3
16. Quick ratio	0.9	-	0.9	1.2	1.0	1.1	0.9	0.8	0.9	0.9	0.9	1.0	0.8
17. Net sls to net wkg capital	13.8	-	-	20.0	15.8	13.3	15.6	17.6	9.1	9.1	10.5	7.8	4.6
18. Coverage ratio	1.3	-	1.3	2.6	1.2	1.4	1.3	1.5	1.6	1.3	1.6	2.3	0.7
19. Asset turnover	1.5	-	5.0	3.1	2.5	2.1	1.6	1.3	1.1	1.0	1.1	0.9	0.4
20. Total liab to net worth	3.2	-	49.8	2.0	3.0	2.3	2.6	4.7	2.8	2.8	2.7	2.0	6.4
Selected Financial Factors in Percentages													
21. Debt ratio	76.2	-	98.0	66.3	75.1	69.4	72.5	82.3	73.5	73.9	73.0	66.3	86.4
22. Return on assets	5.9	-	5.6	8.4	4.5	4.3	4.3	5.3	5.8	5.4	6.7	8.4	4.9
23. Return on equity	-	-	-	10.1	-	-	-	-	1.9	-	2.6	6.7	-
24. Return on net worth	24.9	-	-	25.0	18.2	14.1	15.7	29.7	21.8	20.6	24.9	25.0	36.0

†Depreciation largest factor

7389 SERVICES: BUSINESS SERVICES:

Business services, except advertising

	SIZE OF ASSETS IN THOUSANDS OF DOLLARS (000 OMITTED)												
Item Description For Accounting Period 7/86 Through 6/87	A Total	B Zero Assets	C Under 100	D 100 to 250	E 251 to 500	F 501 to 1,000	G 1,001 to 5,000	H 5,001 to 10,000	I 10,001 to 25,000	J 25,001 to 50,000	K 50,001 to 100,000	L 100,001 to 250,000	M 250,001 and over
1. Number of Enterprises	155909	6774	100411	25473	11092	5938	4980	522	421	138	89	54	17
2. Total receipts (in millions of dollars)	119982.4	2159.6	16533.7	14029.4	9905.5	10049.5	18481.5	5277.6	8741.9	6535.2	8923.9	10642.2	8702.3
Selected Operating Factors in Percent of Net Sales													
3. Cost of operations	43.7	35.3	30.4	39.2	41.4	40.9	47.0	50.2	56.6	51.2	56.7	49.2	34.8
4. Compensation of officers	7.9	9.0	18.9	14.4	9.4	8.1	5.9	4.7	3.1	2.1	1.6	1.2	0.8
5. Repairs	0.8	0.8	0.4	0.4	0.6	0.8	0.8	0.9	0.5	0.7	0.6	0.4	4.0
6. Bad debts	0.3	0.1	0.1	0.1	0.3	0.2	0.4	0.6	0.4	0.4	0.3	0.3	0.4
7. Rent on business property	3.3	3.7	3.8	3.0	2.9	2.8	3.5	4.1	2.2	3.1	3.3	2.7	4.7
8. Taxes (excl Federal tax)	3.4	4.0	2.9	3.5	4.3	3.9	3.4	2.8	3.5	3.5	2.6	3.1	3.4
9. Interest	2.6	2.3	0.8	0.8	1.1	1.3	1.7	2.1	2.7	2.8	3.1	2.9	16.4
10. Deprec/Deplet/Amortiz†	5.1	4.6	2.4	2.7	3.4	3.7	4.4	5.3	5.5	5.0	5.4	5.7	22.7
11. Advertising	1.0	1.1	0.8	0.8	0.7	0.9	0.8	0.7	1.0	1.3	2.3	1.2	1.0
12. Pensions & other benef plans	2.1	2.2	1.8	2.9	2.3	1.7	2.0	2.0	1.5	2.0	2.0	2.2	2.1
13. Other expenses	32.5	39.5	34.3	29.7	34.0	34.6	31.1	26.8	27.5	30.7	29.2	33.2	45.7
14. Net profit before tax	#	#	3.4	2.5	#	1.1	#	#	#	#	#	#	#
Selected Financial Ratios (number of times ratio is to one)													
15. Current ratio	1.4	-	1.2	1.8	1.6	1.5	1.4	1.3	1.4	1.3	1.4	1.4	1.4
16. Quick ratio	1.0	-	1.0	1.5	1.2	1.2	1.1	0.9	1.0	0.9	0.9	1.0	0.9
17. Net sls to net wkg capital	11.7	-	76.9	15.5	10.7	13.1	11.6	11.9	8.4	10.0	10.5	8.6	4.4
18. Coverage ratio	3.7	-	-	8.2	7.1	5.0	4.6	5.0	3.7	3.5	2.8	3.7	1.4
19. Asset turnover	1.6	-	5.0	3.3	2.4	2.3	1.7	1.3	1.2	1.2	1.3	1.1	0.5
20. Total liab to net worth	2.1	-	2.8	1.1	1.3	1.4	1.8	4.6	2.2	2.4	2.5	1.8	2.9
Selected Financial Factors in Percentages													
21. Debt ratio	67.5	-	74.0	52.2	56.1	59.0	63.9	82.1	68.7	70.4	71.2	64.1	74.5
22. Return on assets	15.2	-	-	21.8	18.0	14.6	13.5	14.4	12.5	11.9	11.2	12.2	10.6
23. Return on equity	26.3	-	-	34.6	30.0	23.7	23.1	47.7	21.3	19.0	16.1	14.9	6.9
24. Return on net worth	46.8	-	-	45.5	40.9	35.5	37.4	80.8	39.9	40.3	38.8	34.0	41.5

†Depreciation largest factor

Page 325

TABLE I: CORPORATIONS WITH AND WITHOUT NET INCOME, 1990 EDITION

7500 SERVICES: AUTO REPAIR; MISCELLANEOUS REPAIR SERVICES:
Auto repair and services

Item Description For Accounting Period 7/86 Through 6/87	A Total	B Zero Assets	C Under 100	D 100 to 250	E 251 to 500	F 501 to 1,000	G 1,001 to 5,000	H 5,001 to 10,000	I 10,001 to 25,000	J 25,001 to 50,000	K 50,001 to 100,000	L 100,001 to 250,000	M 250,001 and over
				SIZE OF ASSETS IN THOUSANDS OF DOLLARS (000 OMITTED)									
1. Number of Enterprises	59881	2355	37606	11969	5037	1499	1054	191	100	29	7	21	12
2. Total receipts (in millions of dollars)	35704.0	639.1	6877.0	5120.0	3762.0	1769.5	2097.9	1142.7	1619.8	1082.1	321.7	1955.5	9316.8
Selected Operating Factors in Percent of Net Sales													
3. Cost of operations	45.7	45.5	51.1	52.4	52.1	55.2	41.6	45.1	56.6	46.8	49.0	40.0	31.1
4. Compensation of officers	4.5	3.6	7.7	6.4	6.9	5.0	5.1	2.8	1.8	1.9	1.8	1.5	0.7
5. Repairs	1.3	2.3	0.8	0.8	1.0	1.2	1.3	1.4	0.8	0.9	1.3	2.2	2.3
6. Bad debts	0.4	0.8	0.1	0.3	0.2	0.4	0.5	0.4	0.6	0.5	0.4	0.7	0.6
7. Rent on business property	5.6	4.6	6.7	4.6	5.2	2.1	3.1	3.4	2.1	6.8	2.5	7.4	7.7
8. Taxes (excl Federal tax)	3.8	4.6	3.7	3.5	3.6	3.9	3.2	2.9	2.7	3.4	3.4	3.6	4.5
9. Interest	4.7	6.9	0.7	1.4	2.0	2.4	5.5	8.7	5.4	6.7	11.0	12.2	9.5
10. Deprec/Deplet/Amortiz†	14.8	11.3	2.8	3.6	4.5	7.9	18.1	31.1	16.4	21.2	24.9	40.4	30.9
11. Advertising	1.7	2.6	1.3	1.7	1.3	1.1	1.5	1.0	1.3	1.1	1.7	2.4	2.4
12. Pensions & other benef plans	1.2	1.0	0.6	1.0	1.8	1.2	1.7	1.3	0.7	0.5	1.2	0.9	1.6
13. Other expenses	26.6	30.9	24.4	24.8	22.9	22.8	30.2	21.8	19.9	23.6	25.8	32.7	32.5
14. Net profit before tax	*	*	0.1	*	*	*	*	*	*	*	*	*	*
Selected Financial Ratios (number of times ratio is to one)													
15. Current ratio	0.8	-	1.6	2.1	1.5	1.5	1.0	0.5	0.8	0.7	0.5	0.7	0.6
16. Quick ratio	0.6	-	1.0	1.2	0.9	0.7	0.6	0.3	0.6	0.4	0.4	0.5	0.5
17. Net sls to net wkg capital	-	-	26.0	10.1	13.5	10.3	75.4	-	-	-	-	-	-
18. Coverage ratio	1.3	-	2.8	2.1	1.9	2.1	0.6	1.0	1.2	1.2	1.2	1.2	1.0
19. Asset turnover	1.0	-	4.8	2.7	2.1	1.6	1.0	0.8	1.0	0.9	0.5	0.5	0.5
20. Total liab to net worth	3.6	-	2.4	1.8	2.0	1.9	4.1	5.8	4.0	5.7	4.4	6.1	4.0
Selected Financial Factors in Percentages													
21. Debt ratio	78.4	-	70.4	64.4	66.9	65.9	80.2	85.3	80.1	85.0	81.4	85.9	80.0
22. Return on assets	6.0	-	10.0	8.2	8.0	8.1	3.2	6.6	6.4	7.4	7.0	6.5	4.2
23. Return on equity	2.3	-	18.8	8.6	8.3	6.8	-	-	1.9	3.4	2.9	0.1	-
24. Return on net worth	28.0	-	34.0	23.0	24.2	23.7	16.2	44.6	32.0	49.5	37.4	46.2	21.2

†Depreciation largest factor

7500 SERVICES: AUTO REPAIR; MISCELLANEOUS REPAIR SERVICES:

Auto repair and services

Item Description For Accounting Period 7/86 Through 6/87	A Total	B Zero Assets	C Under 100	D 100 to 250	E 251 to 500	F 501 to 1,000	G 1,001 to 5,000	H 5,001 to 10,000	I 10,001 to 25,000	J 25,001 to 50,000	K 50,001 to 100,000	L 100,001 to 250,000	M 250,001 and over
					SIZE OF ASSETS IN THOUSANDS OF DOLLARS (000 OMITTED)								
1. Number of Enterprises	34630	1653	20065	8148	2881	983	718	97	51	16	4	11	4
2. Total receipts (in millions of dollars)	23488.6	512.6	4537.6	3723.3	2200.8	1129.5	1721.3	688.6	1020.9	650.9	137.2	1172.3	5993.7
Selected Operating Factors in Percent of Net Sales													
3. Cost of operations	47.1	49.6	52.3	52.5	48.5	51.0	40.9	48.8	56.9	46.4	29.5	51.0	35.9
4. Compensation of officers	4.3	3.8	6.2	6.1	7.8	5.7	5.2	2.3	1.8	1.9	2.5	1.6	0.8
5. Repairs	1.2	2.3	0.7	0.7	0.7	1.3	1.4	1.7	0.8	1.0	2.3	0.5	2.1
6. Bad debts	0.4	0.8	0.1	0.1	0.2	0.5	0.4	0.3	0.6	0.3	0.3	0.8	0.7
7. Rent on business property	6.0	1.7	6.9	3.9	6.3	2.2	3.3	3.8	2.2	9.2	1.3	2.2	10.1
8. Taxes (excl Federal tax)	3.8	5.0	3.4	3.5	3.6	3.9	3.3	2.9	3.2	3.7	4.2	3.3	4.8
9. Interest	3.8	5.8	0.6	1.0	1.7	1.7	4.4	6.3	3.2	5.5	12.2	7.9	8.8
10. Deprec/Deplet/Amortiz†	11.3	5.9	2.5	3.4	4.0	8.1	14.5	18.9	10.3	17.3	32.9	23.7	24.4
11. Advertising	1.3	1.9	1.2	1.5	1.4	1.3	1.6	0.8	1.4	0.7	2.3	2.3	1.2
12. Pensions & other benef plans	1.2	1.2	0.6	1.1	1.9	1.6	1.8	1.4	0.9	0.4	0.3	0.6	1.7
13. Other expenses	25.2	23.7	22.3	23.6	20.9	22.2	26.3	21.7	22.7	20.1	26.0	26.8	32.8
14. Net profit before tax	#	#	3.2	2.6	3.0	0.5	#	#	#	#	#	#	#
Selected Financial Ratios (number of times ratio is to one)													
15. Current ratio	1.1	-	2.1	2.8	2.0	1.9	1.1	0.8	1.0	0.5	0.3	1.0	0.9
16. Quick ratio	0.8	-	1.2	1.8	1.3	0.9	0.7	0.5	0.7	0.4	0.2	0.6	0.7
17. Net sls to net wkg capital	38.9	-	19.7	7.7	8.7	6.3	24.9	-	-	-	-	-	-
18. Coverage ratio	2.5	-	8.6	5.8	4.8	4.8	2.2	1.9	2.9	1.9	1.7	2.0	1.4
19. Asset turnover	1.2	-	5.1	2.9	2.1	1.5	1.2	1.0	1.2	1.0	0.4	0.6	0.6
20. Total liab to net worth	2.8	-	1.1	0.9	1.0	1.1	2.8	3.4	2.5	4.9	2.9	3.5	4.6
Selected Financial Factors in Percentages													
21. Debt ratio	73.4	-	52.2	48.4	49.1	53.4	73.6	77.4	71.8	83.1	74.1	77.5	82.2
22. Return on assets	11.4	-	28.2	17.3	17.3	12.4	11.4	11.2	10.8	10.4	9.0	9.3	6.8
23. Return on equity	20.5	-	49.0	24.1	23.5	14.9	19.1	16.4	20.3	21.1	11.5	12.7	7.0
24. Return on net worth	43.0	-	59.0	33.4	34.0	26.5	43.4	49.6	38.2	61.6	34.6	41.5	38.4

†Depreciation largest factor

7600 SERVICES: AUTO REPAIR; MISCELLANEOUS REPAIR SERVICES:
Miscellaneous repair services

	SIZE OF ASSETS IN THOUSANDS OF DOLLARS (000 OMITTED)												
Item Description For Accounting Period 7/86 Through 6/87	A Total	B Zero Assets	C Under 100	D 100 to 250	E 251 to 500	F 501 to 1,000	G 1,001 to 5,000	H 5,001 to 10,000	I 10,001 to 25,000	J 25,001 to 50,000	K 50,001 to 100,000	L 100,001 to 250,000	M 250,001 and over
1. Number of Enterprises	35551	2089	24561	5220	2059	999	541	64	6	6	5	-	-
2. Total receipts (in millions of dollars)	13822.7	265.4	4396.1	2146.1	1753.8	1686.1	2097.8	753.9	130.5	266.5	326.4	-	-
Selected Operating Factors in Percent of Net Sales													
3. Cost of operations	55.1	64.6	50.6	43.2	62.1	61.1	63.2	62.8	72.6	58.4	42.0	-	-
4. Compensation of officers	7.0	2.4	9.6	9.0	6.2	6.4	4.4	2.8	2.1	2.4	0.9	-	-
5. Repairs	0.9	3.7	0.9	1.1	0.5	0.5	0.5	0.9	0.2	3.2	0.5	-	-
6. Bad debts	0.5	-	0.3	0.8	0.6	1.1	0.3	0.6	0.5	0.8	0.7	-	-
7. Rent on business property	2.8	2.8	3.9	3.1	2.7	2.7	1.3	1.2	1.7	1.1	1.2	-	-
8. Taxes (excl Federal tax)	3.4	4.2	3.5	4.4	3.2	2.8	2.9	3.0	3.3	4.8	1.7	-	-
9. Interest	1.4	2.4	0.6	1.7	1.3	1.2	1.9	1.6	0.1	2.8	6.8	-	-
10. Deprec/Deplet/Amortiz†	3.2	1.2	2.5	3.6	2.7	2.7	3.4	2.4	3.0	6.3	15.4	-	-
11. Advertising	0.7	0.2	0.9	0.7	0.8	0.5	0.7	0.4	0.6	1.5	0.5	-	-
12. Pensions & other benef plans	1.3	0.7	0.7	0.9	0.7	2.6	1.2	3.1	1.7	0.9	5.2	-	-
13. Other expenses	23.2	26.1	25.7	30.2	18.7	18.2	20.3	20.0	14.5	21.8	21.3	-	-
14. Net profit before tax	0.5	*	0.8	1.3	0.5	0.2	*	1.2	*	*	3.8	-	-
Selected Financial Ratios (number of times ratio is to one)													
15. Current ratio	1.8	-	1.7	1.9	1.9	2.2	1.6	1.7	2.9	2.1	1.8	-	-
16. Quick ratio	1.1	-	1.1	1.1	1.0	1.3	0.8	1.0	1.9	1.6	1.1	-	-
17. Net sls to net wkg capital	9.6	-	23.3	9.3	7.4	6.2	9.1	6.5	4.5	3.6	5.6	-	-
18. Coverage ratio	2.5	-	3.6	2.5	2.2	2.6	2.0	4.4	-	1.2	2.2	-	-
19. Asset turnover	2.6	-	5.2	2.5	2.5	2.3	2.1	1.7	1.4	1.2	0.8	-	-
20. Total liab to net worth	1.9	-	5.1	1.7	1.5	1.4	1.8	1.4	0.4	1.2	5.4	-	-
Selected Financial Factors in Percentages													
21. Debt ratio	65.8	-	83.7	63.2	59.7	58.6	64.3	58.5	26.3	55.5	84.5	-	-
22. Return on assets	9.2	-	11.0	10.3	7.0	7.2	7.8	12.6	6.7	3.8	12.3	-	-
23. Return on equity	10.9	-	42.6	12.8	6.6	6.2	5.9	18.5	2.8	-	15.6	-	-
24. Return on net worth	26.9	-	67.3	28.0	17.4	17.3	21.8	30.4	9.1	8.5	79.4	-	-

†Depreciation largest factor

7600 SERVICES: AUTO REPAIR; MISCELLANEOUS REPAIR SERVICES:
Miscellaneous repair services

Item Description For Accounting Period 7/86 Through 6/87	A Total	B Zero Assets	C Under 100	D 100 to 250	E 251 to 500	F 501 to 1,000	G 1,001 to 5,000	H 5,001 to 10,000	I 10,001 to 25,000	J 25,001 to 50,000	K 50,001 to 100,000	L 100,001 to 250,000	M 250,001 and over
		SIZE OF ASSETS IN THOUSANDS OF DOLLARS (000 OMITTED)											
1. Number of Enterprises	20064	781	13215	3418	1519	732	334	52	6	6	-	-	-
2. Total receipts (in millions of dollars)	9522.9	210.8	2575.0	1578.1	1277.1	1368.6	1352.4	638.8	130.5	391.6	-	-	-
Selected Operating Factors in Percent of Net Sales													
3. Cost of operations	53.5	65.0	43.7	44.7	62.1	61.3	63.7	57.7	72.6	45.6	-	-	-
4. Compensation of officers	7.0	0.4	10.7	8.3	6.7	6.8	3.8	3.0	2.1	1.8	-	-	-
5. Repairs	0.9	4.6	0.9	1.0	0.3	0.5	0.6	0.9	0.2	2.3	-	-	-
6. Bad debts	0.3	-	0.1	0.4	0.5	0.2	0.3	0.6	0.5	0.9	-	-	-
7. Rent on business property	2.5	2.0	3.5	3.2	2.4	2.3	1.0	1.3	1.7	0.9	-	-	-
8. Taxes (excl Federal tax)	3.3	4.7	3.5	4.1	2.9	2.6	2.5	3.2	3.3	2.9	-	-	-
9. Interest	1.1	1.4	0.6	1.4	0.9	0.9	1.7	1.5	0.1	2.3	-	-	-
10. Deprec/Deplet/Amortiz†	2.8	0.6	2.4	3.4	2.4	2.6	2.9	2.6	3.0	7.2	-	-	-
11. Advertising	0.8	0.1	1.0	0.6	0.8	0.6	0.8	0.4	0.6	1.2	-	-	-
12. Pensions & other benef plans	1.5	0.5	1.0	1.1	0.7	2.8	1.0	3.6	1.7	4.7	-	-	-
13. Other expenses	21.6	20.3	26.5	26.9	17.2	16.0	18.2	20.9	14.5	17.7	-	-	-
14. Net profit before tax	4.7	0.4	6.1	4.9	3.1	3.4	3.5	4.3	#	12.5	-	-	-
Selected Financial Ratios (number of times ratio is to one)													
15. Current ratio	2.1	-	2.3	2.3	2.3	2.1	1.6	1.9	2.9	2.2	-	-	-
16. Quick ratio	1.2	-	1.7	1.4	1.3	1.1	0.8	1.1	1.9	1.3	-	-	-
17. Net sls to net wkg capital	8.0	-	16.8	7.1	5.8	7.0	9.7	5.3	4.5	3.7	-	-	-
18. Coverage ratio	6.6	-	-	5.4	5.1	6.6	4.1	7.5	-	7.2	-	-	-
19. Asset turnover	2.7	-	5.3	2.7	2.5	2.6	2.2	1.7	1.4	1.3	-	-	-
20. Total liab to net worth	1.2	-	1.1	1.4	1.0	1.0	1.7	1.0	0.4	1.7	-	-	-
Selected Financial Factors in Percentages													
21. Debt ratio	54.9	-	52.9	58.3	50.2	51.0	63.4	50.7	26.3	62.3	-	-	-
22. Return on assets	20.1	-	-	20.6	11.9	14.7	15.3	19.0	6.7	21.0	-	-	-
23. Return on equity	31.5	-	-	35.2	16.3	20.0	24.0	28.4	2.8	26.0	-	-	-
24. Return on net worth	44.4	-	79.4	49.3	24.0	30.0	41.8	38.6	9.1	55.5	-	-	-

†Depreciation largest factor

TABLE I: CORPORATIONS WITH AND WITHOUT NET INCOME, 1990 EDITION

7812 SERVICES: AMUSEMENT AND RECREATIONAL SERVICES:
Motion picture production, distribution, and services

Item Description — For Accounting Period 7/86 Through 6/87	A Total	B Zero Assets	C Under 100	D 100 to 250	E 251 to 500	F 501 to 1,000	G 1,001 to 5,000	H 5,001 to 10,000	I 10,001 to 25,000	J 25,001 to 50,000	K 50,001 to 100,000	L 100,001 to 250,000	M 250,001 and over
							SIZE OF ASSETS IN THOUSANDS OF DOLLARS (000 OMITTED)						
1. Number of Enterprises	12776	903	8551	1210	1170	422	388	53	34	17	11	9	9
2. Total receipts (in millions of dollars)	18683.6	517.6	3172.9	468.3	824.2	569.8	1196.9	478.0	380.7	336.0	312.1	346.7	10080.4
Selected Operating Factors in Percent of Net Sales													
3. Cost of operations	47.5	62.5	8.9	58.3	47.7	46.0	59.7	46.3	34.5	46.9	31.8	44.9	59.9
4. Compensation of officers	14.7	1.5	65.2	9.7	10.3	9.4	7.0	9.3	3.8	7.6	2.1	2.9	0.8
5. Repairs	0.4	0.6	0.1	0.1	0.7	0.6	0.3	0.3	0.5	0.1	0.6	0.4	0.4
6. Bad debts	0.5	-	-	1.0	0.1	1.5	0.3	0.6	1.8	1.1	1.1	8.9	0.3
7. Rent on business property	2.0	1.2	0.5	4.9	4.0	4.0	2.3	1.8	1.6	1.2	4.3	2.7	2.0
8. Taxes (excl Federal tax)	1.5	0.5	1.1	3.1	2.8	1.7	1.9	2.4	2.1	3.0	2.2	2.1	1.3
9. Interest	3.4	6.5	0.1	1.0	1.7	2.6	2.1	2.8	4.6	6.3	5.1	8.6	4.7
10. Deprec/Deplet/Amortiz†	12.0	2.9	1.6	5.1	10.3	17.7	6.3	5.0	13.8	19.9	32.1	16.1	16.4
11. Advertising	3.1	4.1	0.2	0.3	0.7	0.2	1.7	5.5	1.2	1.4	2.3	12.8	4.5
12. Pensions & other benef plans	1.4	0.7	3.9	0.6	2.7	2.2	1.1	1.3	0.6	0.4	1.4	0.8	0.6
13. Other expenses	24.2	36.6	22.2	15.6	25.4	18.8	20.1	28.3	45.1	21.6	30.1	26.4	24.4
14. Net profit before tax	*	*	*	0.3	*	*	*	*	*	*	*	*	*
Selected Financial Ratios (number of times ratio is to one)													
15. Current ratio	2.7	-	1.2	0.6	1.1	0.8	1.8	1.3	1.2	1.1	1.7	2.6	3.1
16. Quick ratio	1.9	-	1.0	0.4	0.7	0.5	1.0	0.8	0.9	0.9	0.9	1.1	2.3
17. Net sls to net wkg capital	1.5	-	126.2	-	72.5	-	5.4	13.5	12.0	10.8	1.7	0.7	0.8
18. Coverage ratio	1.6	-	-	4.0	3.9	0.1	0.6	1.1	0.3	1.8	0.1	-	1.9
19. Asset turnover	0.6	-	-	2.6	1.9	1.9	1.6	1.2	0.7	0.5	0.4	0.2	0.3
20. Total liab to net worth	3.7	-	6.9	8.1	3.5	5.7	2.1	1.8	3.5	4.2	2.7	1.6	4.1
Selected Financial Factors in Percentages													
21. Debt ratio	78.8	-	87.3	89.0	77.7	85.1	67.4	63.9	77.8	80.9	72.6	61.0	80.4
22. Return on assets	3.0	-	-	10.4	13.2	0.7	2.0	3.9	0.8	5.7	0.2	-	3.1
23. Return on equity	2.3	-	-	47.9	40.1	-	-	-	-	1.8	-	-	4.8
24. Return on net worth	14.3	-	-	94.1	59.3	4.7	6.0	10.7	3.6	29.8	0.6	-	15.9

†Depreciation largest factor

7812 SERVICES: AMUSEMENT AND RECREATIONAL SERVICES:

Motion picture production, distribution, and services

						SIZE OF ASSETS IN THOUSANDS OF DOLLARS (000 OMITTED)							
Item Description For Accounting Period 7/86 Through 6/87	A Total	B Zero Assets	C Under 100	D 100 to 250	E 251 to 500	F 501 to 1,000	G 1,001 to 5,000	H 5,001 to 10,000	I 10,001 to 25,000	J 25,001 to 50,000	K 50,001 to 100,000	L 100,001 to 250,000	M 250,001 and over
1. Number of Enterprises	6149	579	3562	796	679	241	213	38	18	-	-	3	-
2. Total receipts (in millions of dollars)	16255.0	344.3	2900.0	375.6	486.2	265.0	748.2	394.4	259.0	-	-	166.3	-
Selected Operating Factors in Percent of Net Sales													
3. Cost of operations	48.1	70.2	7.8	62.0	37.5	32.7	61.7	47.4	33.7	-	-	52.3	-
4. Compensation of officers	15.5	0.2	67.8	5.5	14.5	16.0	6.3	9.8	3.0	-	-	2.5	-
5. Repairs	0.4	0.8	0.1	0.1	0.4	1.0	0.3	0.2	0.6	-	-	0.4	-
6. Bad debts	0.3	-	-	0.3	0.1	2.8	0.4	0.6	1.2	-	-	3.5	-
7. Rent on business property	1.7	0.9	0.2	4.3	3.9	3.7	1.9	1.6	1.7	-	-	2.2	-
8. Taxes (excl Federal tax)	1.4	0.3	0.9	3.2	2.7	2.4	1.5	2.4	2.3	-	-	2.0	-
9. Interest	3.1	5.2	0.1	0.3	1.7	4.4	0.5	2.0	5.3	-	-	4.1	-
10. Deprec/Deplet/Amortiz†	11.2	1.0	1.2	2.4	10.1	4.8	6.5	3.5	15.0	-	-	6.7	-
11. Advertising	2.8	0.5	0.1	0.3	0.6	0.2	2.2	6.5	1.2	-	-	0.2	-
12. Pensions & other benef plans	1.2	0.2	2.7	-	4.0	3.0	1.4	1.5	0.6	-	-	1.2	-
13. Other expenses	22.5	13.3	20.2	12.2	29.8	25.7	12.9	23.1	35.8	-	-	18.5	-
14. Net profit before tax	#	7.4	#	9.4	#	3.3	4.4	1.4	#	-	-	6.4	-
Selected Financial Ratios (number of times ratio is to one)													
15. Current ratio	3.0	-	1.2	3.0	1.1	1.3	1.7	1.6	1.0	-	-	1.7	-
16. Quick ratio	2.2	-	1.0	1.5	0.7	1.2	1.2	1.0	0.8	-	-	1.2	-
17. Net sls to net wkg capital	1.4	-	185.8	13.8	51.8	18.0	6.8	8.0	113.8	-	-	3.9	-
18. Coverage ratio	2.7	-	-	-	6.6	2.5	-	3.8	2.3	-	-	4.1	-
19. Asset turnover	0.6	-	-	3.5	1.9	1.6	1.8	1.5	0.9	-	-	0.3	-
20. Total liab to net worth	3.4	-	2.4	0.5	10.9	1.0	1.2	1.4	4.3	-	-	0.4	-
Selected Financial Factors in Percentages													
21. Debt ratio	77.3	-	70.9	32.0	91.6	49.5	54.9	57.7	81.1	-	-	30.1	-
22. Return on assets	4.6	-	22.1	-	21.4	17.9	12.6	11.1	10.4	-	-	4.9	-
23. Return on equity	9.6	-	-	-	-	16.7	23.2	14.4	20.3	-	-	3.2	-
24. Return on net worth	20.4	-	75.9	62.1	-	35.5	27.9	26.2	54.9	-	-	7.0	-

†Depreciation largest factor

7830 SERVICES: AMUSEMENT AND RECREATIONAL SERVICES:

Motion picture theaters

Item Description For Accounting Period 7/86 Through 6/87	A Total	B Zero Assets	C Under 100	D 100 to 250	E 251 to 500	F 501 to 1,000	G 1,001 to 5,000	H 5,001 to 10,000	I 10,001 to 25,000	J 25,001 to 50,000	K 50,001 to 100,000	L 100,001 to 250,000	M 250,001 and over
		SIZE OF ASSETS IN THOUSANDS OF DOLLARS (000 OMITTED)											
1. Number of Enterprises	3225	14	1831	885	154	107	176	21	19	4	4	4	4
2. Total receipts (in millions of dollars)	3944.5	204.0	212.1	291.4	81.5	55.9	440.3	172.2	324.6	151.8	229.2	463.3	1318.2
Selected Operating Factors in Percent of Net Sales													
3. Cost of operations	31.8	44.2	14.9	40.9	31.3	32.5	33.8	60.3	36.0	36.7	47.1	48.2	16.7
4. Compensation of officers	1.9	1.6	1.0	4.2	1.8	3.1	4.9	1.1	3.2	1.5	0.6	1.1	0.9
5. Repairs	1.7	0.3	1.3	2.4	1.4	2.2	1.8	1.6	2.2	1.8	1.5	1.4	1.8
6. Bad debts	0.3	-	1.0	-	10.7	0.4	-	-	-	0.1	-	-	0.2
7. Rent on business property	8.8	12.1	22.5	12.3	12.2	8.9	9.7	7.3	8.3	7.3	6.7	5.3	6.9
8. Taxes (excl Federal tax)	4.6	2.0	4.7	5.7	6.0	4.4	4.9	4.6	4.7	5.5	3.5	8.3	3.6
9. Interest	6.7	1.2	1.0	1.5	0.6	12.1	3.7	3.0	4.0	7.4	7.6	8.0	11.1
10. Deprec/Deplet/Amortiz†	6.9	2.7	2.1	4.4	2.8	13.2	5.5	7.3	6.3	7.5	7.0	8.2	9.0
11. Advertising	3.8	3.0	1.2	4.9	3.3	2.9	3.0	4.7	5.0	8.8	2.4	3.7	3.7
12. Pensions & other benef plans	0.7	0.3	1.2	0.3	0.4	0.3	0.4	0.5	1.1	1.2	0.7	0.9	0.8
13. Other expenses	44.1	29.8	63.3	27.6	53.2	36.4	51.2	16.9	46.2	44.7	35.1	28.0	54.7
14. Net profit before tax	*	2.8	*	*	*	*	*	*	*	*	*	*	*
Selected Financial Ratios (number of times ratio is to one)													
15. Current ratio	0.6	-	0.2	1.1	0.2	0.6	0.5	0.7	0.7	1.9	0.6	1.0	0.5
16. Quick ratio	0.4	-	0.1	0.9	0.2	-	0.4	0.6	0.4	1.5	0.4	0.7	0.3
17. Net sls to net wkg capital	-	-	-	76.4	-	-	-	-	-	5.7	-	-	-
18. Coverage ratio	1.6	-	3.5	0.3	-	1.0	2.5	1.1	2.0	4.2	1.2	2.2	1.1
19. Asset turnover	0.7	-	4.9	2.6	1.1	0.6	0.9	1.1	0.9	0.8	0.7	0.6	0.5
20. Total liab to net worth	1.8	-	-	1.6	0.6	-	4.5	1.2	2.1	1.7	2.0	1.7	1.5
Selected Financial Factors in Percentages													
21. Debt ratio	64.7	-	-	61.6	36.5	107.8	81.7	54.9	67.5	62.7	66.5	62.5	59.9
22. Return on assets	7.5	-	17.1	1.0	-	6.4	8.5	3.6	7.1	23.6	6.6	9.6	5.9
23. Return on equity	4.4	-	-	-	-	-	16.4	-	8.3	46.4	3.0	8.3	-
24. Return on net worth	21.2	-	-	2.6	-	-	46.4	7.9	21.9	63.1	19.8	25.7	14.7

†Depreciation largest factor

TABLE II: CORPORATIONS WITH NET INCOME, 1990 EDITION

7830 SERVICES: AMUSEMENT AND RECREATIONAL SERVICES:
Motion picture theaters

Item Description For Accounting Period 7/86 Through 6/87	A Total	B Zero Assets	C Under 100	D 100 to 250	E 251 to 500	F 501 to 1,000	G 1,001 to 5,000	H 5,001 to 10,000	I 10,001 to 25,000	J 25,001 to 50,000	K 50,001 to 100,000	L 100,001 to 250,000	M 250,001 and over
SIZE OF ASSETS IN THOUSANDS OF DOLLARS (000 OMITTED)													
1. Number of Enterprises	1483	14	752	473	120	5	86	11	13	-	-	4	-
2. Total receipts (in millions of dollars)	1911.2	204.0	65.8	150.7	47.1	10.3	235.6	71.8	190.0	-	-	629.7	-
Selected Operating Factors in Percent of Net Sales													
3. Cost of operations	39.8	44.2	43.3	31.5	7.2	-	26.8	56.6	42.0	-	-	44.2	-
4. Compensation of officers	2.3	1.6	4.7	7.4	2.1	-	5.2	2.6	1.8	-	-	0.8	-
5. Repairs	1.9	0.3	5.1	1.9	2.7	-	1.3	1.7	2.6	-	-	2.3	-
6. Bad debts	0.1	-	5.0	-	0.2	-	-	-	-	-	-	-	-
7. Rent on business property	7.2	12.1	8.8	9.7	18.3	-	6.7	2.0	10.0	-	-	3.7	-
8. Taxes (excl Federal tax)	5.9	2.0	3.7	7.0	9.5	-	6.6	5.6	5.1	-	-	8.3	-
9. Interest	4.2	1.2	0.8	0.8	1.2	-	1.2	2.8	4.8	-	-	7.0	-
10. Deprec/Deplet/Amortiz†	5.9	2.7	5.6	3.4	4.7	-	4.3	6.1	6.6	-	-	8.3	-
11. Advertising	3.8	3.0	5.2	2.9	1.5	-	2.6	4.3	6.1	-	-	3.7	-
12. Pensions & other benef plans	0.8	0.3	4.9	0.1	0.8	-	0.1	0.6	0.5	-	-	0.9	-
13. Other expenses	38.2	29.8	58.2	33.1	64.8	-	69.8	20.0	39.4	-	-	28.4	-
14. Net profit before tax	#	2.8	#	2.2	#	#	#	#	#	-	-	#	-
Selected Financial Ratios (number of times ratio is to one)													
15. Current ratio	0.7	-	-	3.2	0.5	-	1.2	1.8	0.8	-	-	0.3	-
16. Quick ratio	0.6	-	-	2.7	0.4	-	1.1	1.5	0.7	-	-	0.3	-
17. Net sls to net wkg capital	-	-	-	7.3	-	-	19.9	8.1	-	-	-	-	-
18. Coverage ratio	4.8	-	-	9.9	-	-	-	3.7	3.2	-	-	4.2	-
19. Asset turnover	0.9	-	-	2.6	0.7	-	0.8	0.9	0.7	-	-	0.6	-
20. Total liab to net worth	1.4	-	-	0.6	0.3	-	1.1	0.9	2.5	-	-	1.2	-
Selected Financial Factors in Percentages													
21. Debt ratio	57.7	-	-	37.4	20.0	-	52.9	46.3	71.1	-	-	54.7	-
22. Return on assets	17.5	-	-	20.3	18.8	-	17.7	9.4	10.4	-	-	17.1	-
23. Return on equity	25.7	-	-	28.0	13.7	-	26.2	8.2	20.9	-	-	19.6	-
24. Return on net worth	41.5	-	-	32.5	23.5	-	37.6	17.5	36.0	-	-	37.6	-

†Depreciation largest factor

7900 SERVICES: AMUSEMENT AND RECREATIONAL SERVICES:

Amusement and recreation services, except motion pictures

						SIZE OF ASSETS IN THOUSANDS OF DOLLARS (000 OMITTED)							
Item Description For Accounting Period 7/86 Through 6/87	A Total	B Zero Assets	C Under 100	D 100 to 250	E 251 to 500	F 501 to 1,000	G 1,001 to 5,000	H 5,001 to 10,000	I 10,001 to 25,000	J 25,001 to 50,000	K 50,001 to 100,000	L 100,001 to 250,000	M 250,001 and over
1. Number of Enterprises	56114	3365	35073	8729	4417	2292	1784	222	140	42	27	15	7
2. Total receipts (in millions of dollars)	28651.0	713.9	3171.7	2472.3	2165.7	2114.0	3640.3	1384.3	4529.6	1151.9	1639.8	1075.3	4592.2
						Selected Operating Factors in Percent of Net Sales							
3. Cost of operations	35.1	27.6	29.3	39.9	34.2	27.9	40.2	29.0	61.8	20.0	37.7	21.8	17.1
4. Compensation of officers	5.6	2.9	15.8	11.4	7.3	9.3	5.0	3.4	1.1	3.2	1.9	1.2	0.9
5. Repairs	1.7	1.6	1.8	2.6	2.6	3.0	2.1	2.0	0.6	0.8	2.2	1.0	0.8
6. Bad debts	0.3	0.9	0.1	0.1	0.3	0.2	0.3	0.1	0.2	0.2	0.5	1.1	0.8
7. Rent on business property	4.4	2.5	9.2	4.9	5.7	5.1	4.4	5.4	3.4	3.9	1.7	1.1	2.4
8. Taxes (excl Federal tax)	4.5	4.9	4.1	4.3	4.5	4.3	4.9	5.1	2.4	5.8	6.4	6.8	5.2
9. Interest	4.2	8.9	1.4	3.2	3.3	4.0	4.8	5.3	2.3	4.2	4.1	9.0	6.8
10. Deprec/Deplet/Amortiz†	8.3	10.0	4.9	6.4	9.0	8.1	8.3	9.5	3.0	7.4	10.2	12.7	15.3
11. Advertising	2.3	2.0	2.5	2.5	1.5	2.8	2.4	3.8	1.0	2.3	4.4	4.2	2.1
12. Pensions & other benef plans	1.5	0.5	0.8	1.8	1.5	1.6	1.1	1.9	0.9	2.3	3.0	2.5	2.0
13. Other expenses	41.8	55.0	38.8	37.0	37.2	39.8	38.2	49.2	27.3	60.3	50.8	48.2	55.1
14. Net profit before tax	*	*	*	*	*	*	*	*	*	*	*	*	*
						Selected Financial Ratios (number of times ratio is to one)							
15. Current ratio	1.0	-	-	1.1	1.0	0.9	1.0	0.9	0.9	1.2	1.2	1.2	1.0
16. Quick ratio	0.6	-	-	0.7	0.7	0.6	0.6	0.6	0.5	0.7	0.6	0.7	0.4
17. Net sls to net wkg capital	-	-	-	65.8	-	-	132.6	-	-	13.6	19.7	8.5	66.6
18. Coverage ratio	1.2	-	-	0.2	0.3	0.9	0.8	0.6	1.8	2.6	2.1	1.3	1.8
19. Asset turnover	1.0	-	-	1.6	1.3	1.3	1.0	0.8	2.0	0.7	0.8	0.5	0.6
20. Total liab to net worth	3.6	-	-	18.6	5.1	6.6	4.5	2.7	6.0	2.2	2.1	4.6	1.9
						Selected Financial Factors in Percentages							
21. Debt ratio	78.1	-	-	94.9	83.6	86.8	81.7	72.9	85.6	68.6	68.0	82.0	65.1
22. Return on assets	5.0	-	-	0.7	1.3	4.7	3.6	2.6	8.4	7.4	6.6	5.0	6.6
23. Return on equity	-	-	-	-	-	-	-	-	11.5	7.8	7.8	0.1	2.6
24. Return on net worth	23.0	-	-	14.3	7.8	35.4	20.0	9.7	58.3	23.6	20.5	28.1	18.9

†Depreciation largest factor

7900 SERVICES: AMUSEMENT AND RECREATIONAL SERVICES:
Amusement and recreation services, except motion pictures

Item Description For Accounting Period 7/86 Through 6/87	A Total	B Zero Assets	C Under 100	D 100 to 250	E 251 to 500	F 501 to 1,000	G 1,001 to 5,000	H 5,001 to 10,000	I 10,001 to 25,000	J 25,001 to 50,000	K 50,001 to 100,000	L 100,001 to 250,000	M 250,001 and over
						SIZE OF ASSETS IN THOUSANDS OF DOLLARS (000 OMITTED)							
1. Number of Enterprises	23924	1429	13439	4328	2012	1400	1076	108	79	29	-	7	-
2. Total receipts (in millions of dollars)	17965.9	357.7	1588.2	1696.3	1234.4	1436.1	2628.0	626.5	1813.0	874.9	-	669.6	-
Selected Operating Factors in Percent of Net Sales													
3. Cost of operations	28.4	19.2	21.1	39.4	38.5	27.9	40.2	17.8	33.0	16.2	-	20.9	-
4. Compensation of officers	6.3	4.9	26.1	8.6	6.3	9.7	5.7	5.5	2.2	3.2	-	1.0	-
5. Repairs	1.6	1.2	1.3	2.7	2.1	3.4	1.9	1.7	1.0	0.8	-	0.9	-
6. Bad debts	0.4	1.5	-	-	0.1	0.2	0.3	0.1	0.5	0.2	-	0.8	-
7. Rent on business property	4.1	1.7	6.0	6.0	4.7	6.0	4.5	5.4	3.7	4.1	-	0.7	-
8. Taxes (excl Federal tax)	4.6	5.9	3.5	4.4	3.8	4.6	4.6	5.5	3.9	5.6	-	5.5	-
9. Interest	3.1	3.7	1.3	1.7	1.7	3.2	3.5	4.7	2.3	2.9	-	6.3	-
10. Deprec/Deplet/Amortiz†	7.7	5.1	3.1	5.0	5.8	6.3	6.0	10.2	5.0	4.9	-	13.6	-
11. Advertising	2.3	1.6	1.8	2.6	1.5	3.0	2.0	2.8	1.6	1.2	-	5.2	-
12. Pensions & other benef plans	1.7	0.8	0.8	1.8	1.0	2.0	1.3	1.2	1.4	2.2	-	2.4	-
13. Other expenses	40.8	48.6	30.0	32.8	30.2	32.2	34.9	44.6	41.7	51.3	-	39.7	-
14. Net profit before tax	#	5.8	5.0	#	4.3	1.5	#	0.5	3.7	7.4	-	3.0	-
Selected Financial Ratios (number of times ratio is to one)													
15. Current ratio	1.2	-	3.1	1.1	1.4	1.1	1.3	1.2	1.2	1.3	-	0.7	-
16. Quick ratio	0.7	-	1.9	0.7	1.0	0.7	0.8	0.9	0.7	0.8	-	0.6	-
17. Net sls to net wkg capital	21.5	-	10.1	63.4	17.8	50.8	13.6	16.3	20.1	10.8	-	-	-
18. Coverage ratio	4.2	-	8.5	5.0	6.3	3.3	3.1	3.2	5.8	6.4	-	3.2	-
19. Asset turnover	1.1	-	3.4	2.2	1.6	1.4	1.2	0.8	1.4	0.8	-	0.6	-
20. Total liab to net worth	1.7	-	2.0	1.7	1.4	1.4	2.5	1.6	1.4	1.7	-	3.7	-
Selected Financial Factors in Percentages													
21. Debt ratio	63.3	-	66.6	63.1	57.8	58.8	71.0	60.8	58.4	62.7	-	78.9	-
22. Return on assets	14.3	-	-	18.6	17.9	14.2	13.2	11.7	18.0	15.6	-	12.2	-
23. Return on equity	23.1	-	-	37.0	29.3	20.2	25.7	16.7	27.1	26.7	-	29.7	-
24. Return on net worth	38.9	-	-	50.3	42.3	34.4	45.3	29.9	43.4	41.7	-	57.8	-

†Depreciation largest factor

8015 SERVICES: OTHER SERVICES:

Offices of physicians, including osteopathic physicians

Item Description For Accounting Period 7/86 Through 6/87	A Total	B Zero Assets	C Under 100	D 100 to 250	E 251 to 500	F 501 to 1,000	G 1,001 to 5,000	H 5,001 to 10,000	I 10,001 to 25,000	J 25,001 to 50,000	K 50,001 to 100,000	L 100,001 to 250,000	M 250,001 and over
					SIZE OF ASSETS IN THOUSANDS OF DOLLARS (000 OMITTED)								
1. Number of Enterprises	123542	3901	83101	26772	7797	1265	658	35	10	4	-	-	-
2. Total receipts (in millions of dollars)	60292.4	247.6	25956.4	16087.6	8609.6	3138.7	4158.8	527.0	428.6	1138.2	-	-	-
					Selected Operating Factors in Percent of Net Sales								
3. Cost of operations	8.9	4.3	8.0	7.1	13.0	4.9	10.7	12.5	15.5	24.2	-	-	-
4. Compensation of officers	37.6	43.5	43.0	41.0	37.3	31.1	14.2	1.9	0.5	0.2	-	-	-
5. Repairs	0.5	-	0.4	0.5	0.5	0.5	0.8	1.0	0.5	1.1	-	-	-
6. Bad debts	0.1	-	0.1	-	0.1	0.1	0.3	-	0.6	-	-	-	-
7. Rent on business property	4.3	4.8	4.8	4.3	3.7	2.8	3.7	1.9	3.9	4.4	-	-	-
8. Taxes (excl Federal tax)	2.8	4.2	2.7	2.9	2.3	2.6	3.3	2.7	2.6	3.4	-	-	-
9. Interest	0.5	0.5	0.3	0.5	0.7	0.8	1.1	1.6	0.9	0.5	-	-	-
10. Deprec/Deplet/Amortiz†	2.2	0.9	1.8	2.6	2.9	2.7	2.2	2.5	1.7	0.4	-	-	-
11. Advertising	0.3	-	0.3	0.2	0.4	0.2	0.4	0.6	0.2	0.1	-	-	-
12. Pensions & other benef plans	7.5	1.1	8.2	7.5	7.0	6.2	5.0	5.4	5.4	8.1	-	-	-
13. Other expenses	35.9	40.6	30.9	33.7	31.9	49.5	58.1	70.1	69.1	59.3	-	-	-
14. Net profit before tax	*	0.1	*	*	0.2	*	0.2	*	*	*	-	-	-
					Selected Financial Ratios (number of times ratio is to one)								
15. Current ratio	1.5	-	1.4	1.8	1.6	1.0	1.1	1.1	1.4	1.0	-	-	-
16. Quick ratio	1.3	-	1.2	1.6	1.4	0.9	1.0	1.0	1.0	0.9	-	-	-
17. Net sls to net wkg capital	33.7	-	51.7	20.6	20.7	-	70.8	72.9	15.9	-	-	-	-
18. Coverage ratio	5.3	-	5.4	7.2	6.3	3.2	2.4	2.2	3.9	0.5	-	-	-
19. Asset turnover	-	-	-	-	-	-	-	2.3	-	-	-	-	-
20. Total liab to net worth	1.2	-	1.2	0.8	1.1	1.5	4.7	4.6	6.9	55.6	-	-	-
					Selected Financial Factors in Percentages								
21. Debt ratio	55.4	-	53.9	43.7	53.1	60.6	82.5	82.2	87.4	98.2	-	-	-
22. Return on assets	12.8	-	13.2	13.8	14.1	9.4	9.2	8.4	9.9	1.3	-	-	-
23. Return on equity	17.9	-	17.8	16.7	19.1	12.9	20.7	24.7	29.1	-	-	-	-
24. Return on net worth	28.7	-	28.5	24.5	30.1	23.8	52.6	47.2	78.5	71.5	-	-	-

†Depreciation largest factor

8015 SERVICES: OTHER SERVICES:

Offices of physicians, including osteopathic physicians

Item Description For Accounting Period 7/86 Through 6/87	A Total	B Zero Assets	C Under 100	D 100 to 250	E 251 to 500	F 501 to 1,000	G 1,001 to 5,000	H 5,001 to 10,000	I 10,001 to 25,000	J 25,001 to 50,000	K 50,001 to 100,000	L 100,001 to 250,000	M 250,001 and over
								SIZE OF ASSETS IN THOUSANDS OF DOLLARS (000 OMITTED)					
1. Number of Enterprises	85719	1947	54510	21503	6145	1139	-	7	-	-	-	-	-
2. Total receipts (in millions of dollars)	44985.6	214.4	17786.4	13013.3	6895.8	2882.3	-	178.5	-	-	-	-	-
Selected Operating Factors in Percent of Net Sales													
3. Cost of operations	7.8	4.9	5.7	6.6	14.1	3.3	-	11.2	-	-	-	-	-
4. Compensation of officers	38.4	46.5	44.0	41.4	36.4	32.6	-	1.6	-	-	-	-	-
5. Repairs	0.5	-	0.4	0.5	0.5	0.4	-	1.4	-	-	-	-	-
6. Bad debts	0.1	-	0.1	-	0.1	0.1	-	-	-	-	-	-	-
7. Rent on business property	4.2	5.5	4.6	4.6	3.6	2.7	-	1.8	-	-	-	-	-
8. Taxes (excl Federal tax)	2.7	4.6	2.6	2.9	2.2	2.6	-	3.7	-	-	-	-	-
9. Interest	0.5	0.5	0.3	0.4	0.6	0.6	-	1.9	-	-	-	-	-
10. Deprec/Deplet/Amortiz†	2.2	0.3	1.7	2.5	2.9	2.5	-	2.5	-	-	-	-	-
11. Advertising	0.2	-	0.2	0.2	0.4	0.2	-	0.3	-	-	-	-	-
12. Pensions & other benef plans	7.1	1.2	7.7	7.0	6.7	6.1	-	8.9	-	-	-	-	-
13. Other expenses	34.5	29.5	30.4	32.1	30.8	49.4	-	60.2	-	-	-	-	-
14. Net profit before tax	1.8	7.0	2.3	1.8	1.7	#	-	6.5	-	-	-	-	-
Selected Financial Ratios (number of times ratio is to one)													
15. Current ratio	1.7	-	1.7	2.1	1.8	1.0	-	0.9	-	-	-	-	-
16. Quick ratio	1.5	-	1.4	2.0	1.6	0.9	-	0.6	-	-	-	-	-
17. Net sls to net wkg capital	25.1	-	36.1	16.7	17.5	-	-	-	-	-	-	-	-
18. Coverage ratio	-	-	-	-	9.4	4.5	-	5.7	-	-	-	-	-
19. Asset turnover	-	-	-	-	-	-	-	-	-	-	-	-	-
20. Total liab to net worth	0.9	-	0.8	0.7	0.9	1.3	-	6.5	-	-	-	-	-
Selected Financial Factors in Percentages													
21. Debt ratio	48.5	-	45.0	39.3	46.8	55.5	-	86.7	-	-	-	-	-
22. Return on assets	22.1	-	-	20.5	18.9	11.2	-	-	-	-	-	-	-
23. Return on equity	32.7	-	48.9	25.9	24.9	16.2	-	-	-	-	-	-	-
24. Return on net worth	43.0	-	59.5	33.8	35.5	25.3	-	-	-	-	-	-	-

†Depreciation largest factor

8021 SERVICES: OTHER SERVICES:
Offices of dentists

Item Description For Accounting Period 7/86 Through 6/87	A Total	B Zero Assets	C Under 100	D 100 to 250	E 251 to 500	F 501 to 1,000	G 1,001 to 5,000	H 5,001 to 10,000	I 10,001 to 25,000	J 25,001 to 50,000	K 50,001 to 100,000	L 100,001 to 250,000	M 250,001 and over
					SIZE OF ASSETS IN THOUSANDS OF DOLLARS (000 OMITTED)								
1. Number of Enterprises	42446	1678	29591	10213	660	219	85	-	-	-	-	-	-
2. Total receipts (in millions of dollars)	15429.1	144.9	8961.7	5522.0	287.3	206.8	306.3	-	-	-	-	-	-
Selected Operating Factors in Percent of Net Sales													
3. Cost of operations	12.0	6.7	11.4	11.4	20.5	25.5	27.5	-	-	-	-	-	-
4. Compensation of officers	27.5	30.2	28.1	29.0	16.4	16.2	2.1	-	-	-	-	-	-
5. Repairs	0.7	0.7	0.7	0.6	0.8	0.9	0.7	-	-	-	-	-	-
6. Bad debts	0.1	-	-	0.1	-	1.4	0.1	-	-	-	-	-	-
7. Rent on business property	5.7	8.3	6.2	4.8	4.8	4.4	5.8	-	-	-	-	-	-
8. Taxes (excl Federal tax)	3.7	7.1	3.7	3.8	3.4	5.2	2.2	-	-	-	-	-	-
9. Interest	0.6	0.5	0.5	0.5	2.9	2.9	1.4	-	-	-	-	-	-
10. Deprec/Deplet/Amortiz†	2.7	2.0	2.3	3.1	6.6	3.2	3.9	-	-	-	-	-	-
11. Advertising	0.5	0.1	0.5	0.7	0.8	0.6	0.9	-	-	-	-	-	-
12. Pensions & other benef plans	6.0	8.9	5.6	7.0	2.6	4.2	0.3	-	-	-	-	-	-
13. Other expenses	39.1	58.1	39.7	37.2	30.3	39.6	56.4	-	-	-	-	-	-
14. Net profit before tax	1.4	*	1.3	1.8	10.9	*	*	-	-	-	-	-	-
Selected Financial Ratios (number of times ratio is to one)													
15. Current ratio	1.8	-	1.5	2.7	1.6	1.7	0.6	-	-	-	-	-	-
16. Quick ratio	1.6	-	1.3	2.2	1.5	1.5	0.4	-	-	-	-	-	-
17. Net sls to net wkg capital	25.4	-	50.1	13.0	15.8	17.1	-	-	-	-	-	-	-
18. Coverage ratio	6.6	-	6.8	7.7	5.6	1.0	2.1	-	-	-	-	-	-
19. Asset turnover	-	-	-	-	1.2	1.6	2.4	-	-	-	-	-	-
20. Total liab to net worth	0.9	-	1.0	0.7	0.7	1.2	8.3	-	-	-	-	-	-
Selected Financial Factors in Percentages													
21. Debt ratio	46.7	-	50.7	39.8	42.5	54.1	89.2	-	-	-	-	-	-
22. Return on assets	18.2	-	22.5	14.8	19.8	4.4	6.8	-	-	-	-	-	-
23. Return on equity	24.7	-	33.9	18.0	25.1	-	6.5	-	-	-	-	-	-
24. Return on net worth	34.2	-	45.7	24.6	34.5	9.6	63.4	-	-	-	-	-	-

†Depreciation largest factor

8021 SERVICES: OTHER SERVICES:
Offices of dentists

Item Description For Accounting Period 7/86 Through 6/87	A Total	B Zero Assets	C Under 100	D 100 to 250	E 251 to 500	F 501 to 1,000	G 1,001 to 5,000	H 5,001 to 10,000	I 10,001 to 25,000	J 25,001 to 50,000	K 50,001 to 100,000	L 100,001 to 250,000	M 250,001 and over
					SIZE OF ASSETS IN THOUSANDS OF DOLLARS (000 OMITTED)								
1. Number of Enterprises	33385	1371	22517	8746	600	110	41	-	-	-	-	-	-
2. Total receipts (in millions of dollars)	12259.5	141.7	6963.4	4495.2	272.6	134.9	251.7	-	-	-	-	-	-
				Selected Operating Factors in Percent of Net Sales									
3. Cost of operations	12.2	5.0	11.1	12.2	19.6	35.8	25.7	-	-	-	-	-	-
4. Compensation of officers	26.2	31.2	26.7	27.5	17.1	8.8	2.2	-	-	-	-	-	-
5. Repairs	0.7	0.7	0.8	0.7	0.8	0.9	0.7	-	-	-	-	-	-
6. Bad debts	0.1	-	-	0.1	-	2.2	0.1	-	-	-	-	-	-
7. Rent on business property	5.7	7.9	6.5	4.7	4.0	4.2	4.6	-	-	-	-	-	-
8. Taxes (excl Federal tax)	3.7	7.2	3.7	3.6	3.6	5.9	1.8	-	-	-	-	-	-
9. Interest	0.6	0.5	0.5	0.6	1.8	2.7	0.9	-	-	-	-	-	-
10. Deprec/Deplet/Amortiz†	2.7	2.0	2.4	3.1	4.8	3.2	3.9	-	-	-	-	-	-
11. Advertising	0.5	0.1	0.5	0.5	0.9	0.6	0.7	-	-	-	-	-	-
12. Pensions & other benef plans	5.4	9.1	4.9	6.6	2.7	1.3	0.4	-	-	-	-	-	-
13. Other expenses	39.4	59.3	40.0	37.7	30.8	35.7	58.5	-	-	-	-	-	-
14. Net profit before tax	2.8	#	2.9	2.7	13.9	#	0.5	-	-	-	-	-	-
				Selected Financial Ratios (number of times ratio is to one)									
15. Current ratio	2.1	-	1.7	2.7	2.0	1.0	0.7	-	-	-	-	-	-
16. Quick ratio	1.8	-	1.5	2.2	1.8	0.8	0.7	-	-	-	-	-	-
17. Net sls to net wkg capital	21.5	-	39.7	11.9	11.8	-	-	-	-	-	-	-	-
18. Coverage ratio	9.5	-	9.9	9.5	9.6	1.7	5.1	-	-	-	-	-	-
19. Asset turnover	-	-	-	-	1.3	2.2	-	-	-	-	-	-	-
20. Total liab to net worth	0.7	-	0.9	0.6	0.5	2.4	2.9	-	-	-	-	-	-
				Selected Financial Factors in Percentages									
21. Debt ratio	42.3	-	46.8	37.3	31.0	70.2	74.4	-	-	-	-	-	-
22. Return on assets	25.0	-	-	18.3	22.4	9.7	14.3	-	-	-	-	-	-
23. Return on equity	33.9	-	-	22.2	26.2	10.9	28.0	-	-	-	-	-	-
24. Return on net worth	43.3	-	62.7	29.2	32.5	32.6	56.0	-	-	-	-	-	-

†Depreciation largest factor

8040 SERVICES: OTHER SERVICES:
Offices of other health practitioners

Item Description For Accounting Period 7/86 Through 6/87	A Total	B Zero Assets	C Under 100	D 100 to 250	E 251 to 500	F 501 to 1,000	G 1,001 to 5,000	H 5,001 to 10,000	I 10,001 to 25,000	J 25,001 to 50,000	K 50,001 to 100,000	L 100,001 to 250,000	M 250,001 and over
			SIZE OF ASSETS IN THOUSANDS OF DOLLARS (000 OMITTED)										
1. Number of Enterprises	17256	455	14105	2280	331	-	64	11	6	3	-	-	-
2. Total receipts (in millions of dollars)	4051.2	70.6	1974.0	798.8	187.0	-	314.9	13.3	95.6	597.0	-	-	-
Selected Operating Factors in Percent of Net Sales													
3. Cost of operations	16.1	19.6	16.9	13.3	17.2	-	38.4	-	10.6	5.6	-	-	-
4. Compensation of officers	20.0	5.8	26.4	27.5	19.0	-	7.1	-	1.7	0.4	-	-	-
5. Repairs	0.7	1.6	0.8	1.0	0.8	-	0.4	-	0.8	0.4	-	-	-
6. Bad debts	0.3	-	0.2	0.4	0.9	-	0.3	-	1.0	0.4	-	-	-
7. Rent on business property	6.1	6.7	7.6	6.4	3.6	-	6.4	-	5.0	1.2	-	-	-
8. Taxes (excl Federal tax)	3.2	6.3	3.9	3.2	3.6	-	1.9	-	3.4	0.7	-	-	-
9. Interest	1.5	0.7	1.1	1.8	4.0	-	1.0	-	3.4	1.2	-	-	-
10. Deprec/Deplet/Amortiz†	3.7	7.2	3.3	5.0	5.9	-	3.6	-	4.6	1.4	-	-	-
11. Advertising	1.9	0.1	1.6	1.6	4.6	-	5.0	-	1.0	1.1	-	-	-
12. Pensions & other benef plans	3.1	23.6	3.1	3.2	3.4	-	2.5	-	2.9	1.3	-	-	-
13. Other expenses	43.9	30.2	32.5	40.6	37.1	-	32.5	-	82.8	88.7	-	-	-
14. Net profit before tax	*	*	2.6	*	*	-	0.9	*	*	*	-	-	-
Selected Financial Ratios (number of times ratio is to one)													
15. Current ratio	1.1	-	1.2	1.5	1.7	-	0.8	-	0.9	0.8	-	-	-
16. Quick ratio	0.8	-	1.0	1.1	1.3	-	0.3	-	0.9	0.4	-	-	-
17. Net sls to net wkg capital	82.8	-	105.8	15.8	12.5	-	-	-	-	-	-	-	-
18. Coverage ratio	1.7	-	3.9	-	1.2	-	3.2	-	-	0.4	-	-	-
19. Asset turnover	-	-	-	2.3	1.6	-	-	-	1.1	-	-	-	-
20. Total liab to net worth	3.3	-	3.8	2.5	1.7	-	2.3	-	6.8	6.1	-	-	-
Selected Financial Factors in Percentages													
21. Debt ratio	76.6	-	79.1	71.4	62.6	-	70.1	-	87.2	86.0	-	-	-
22. Return on assets	7.5	-	20.8	-	7.3	-	9.9	-	-	1.4	-	-	-
23. Return on equity	7.9	-	-	-	-	-	17.7	-	-	-	-	-	-
24. Return on net worth	32.0	-	99.5	-	19.6	-	33.2	-	-	9.9	-	-	-

†Depreciation largest factor

TABLE II: CORPORATIONS WITH NET INCOME, 1990 EDITION

8040 SERVICES: OTHER SERVICES:

Offices of other health practitioners

Item Description For Accounting Period 7/86 Through 6/87	A Total	B Zero Assets	C Under 100	D 100 to 250	E 251 to 500	F 501 to 1,000	G 1,001 to 5,000	H 5,001 to 10,000	I 10,001 to 25,000	J 25,001 to 50,000	K 50,001 to 100,000	L 100,001 to 250,000	M 250,001 and over
					SIZE OF ASSETS IN THOUSANDS OF DOLLARS (000 OMITTED)								
1. Number of Enterprises	10590	452	8619	1191	-	-	-	-	-	-	-	-	-
2. Total receipts (in millions of dollars)	2560.4	63.7	1440.0	500.9	-	-	-	-	-	-	-	-	-
Selected Operating Factors in Percent of Net Sales													
3. Cost of operations	17.9	19.7	15.1	9.2	-	-	-	-	-	-	-	-	-
4. Compensation of officers	23.8	6.4	28.3	29.1	-	-	-	-	-	-	-	-	-
5. Repairs	0.8	1.6	0.9	0.5	-	-	-	-	-	-	-	-	-
6. Bad debts	0.3	-	0.1	0.5	-	-	-	-	-	-	-	-	-
7. Rent on business property	6.1	3.2	6.8	5.6	-	-	-	-	-	-	-	-	-
8. Taxes (excl Federal tax)	3.5	6.5	3.8	3.3	-	-	-	-	-	-	-	-	-
9. Interest	1.1	-	0.8	1.2	-	-	-	-	-	-	-	-	-
10. Deprec/Deplet/Amortiz†	3.4	6.1	2.8	3.9	-	-	-	-	-	-	-	-	-
11. Advertising	2.4	-	1.9	1.6	-	-	-	-	-	-	-	-	-
12. Pensions & other benef plans	3.8	25.7	3.3	4.1	-	-	-	-	-	-	-	-	-
13. Other expenses	32.1	28.4	29.3	40.0	-	-	-	-	-	-	-	-	-
14. Net profit before tax	4.8	2.4	6.9	1.0	-	-	-	-	-	-	-	-	-
Selected Financial Ratios (number of times ratio is to one)													
15. Current ratio	1.8	-	2.2	2.2	-	-	-	-	-	-	-	-	-
16. Quick ratio	1.4	-	1.9	2.0	-	-	-	-	-	-	-	-	-
17. Net sls to net wkg capital	18.2	-	22.5	10.5	-	-	-	-	-	-	-	-	-
18. Coverage ratio	6.7	-	-	3.5	-	-	-	-	-	-	-	-	-
19. Asset turnover	-	-	-	-	-	-	-	-	-	-	-	-	-
20. Total liab to net worth	1.1	-	0.8	1.2	-	-	-	-	-	-	-	-	-
Selected Financial Factors in Percentages													
21. Debt ratio	51.9	-	44.3	55.2	-	-	-	-	-	-	-	-	-
22. Return on assets	24.8	-	-	11.4	-	-	-	-	-	-	-	-	-
23. Return on equity	39.4	-	-	15.5	-	-	-	-	-	-	-	-	-
24. Return on net worth	51.6	-	70.9	25.3	-	-	-	-	-	-	-	-	-

†Depreciation largest factor

8050 SERVICES: OTHER SERVICES:

Nursing and personal care facilities

Item Description For Accounting Period 7/86 Through 6/87	A Total	B Zero Assets	C Under 100	D 100 to 250	E 251 to 500	F 501 to 1,000	G 1,001 to 5,000	H 5,001 to 10,000	I 10,001 to 25,000	J 25,001 to 50,000	K 50,001 to 100,000	L 100,001 to 250,000	M 250,001 and over
					SIZE OF ASSETS IN THOUSANDS OF DOLLARS (000 OMITTED)								
1. Number of Enterprises	9327	1047	2695	2028	1008	978	1356	112	55	24	13	5	6
2. Total receipts (in millions of dollars)	16334.6	493.4	503.7	1457.1	1220.5	1859.4	3802.8	827.1	620.2	683.8	750.8	489.0	3627.0
Selected Operating Factors in Percent of Net Sales													
3. Cost of operations	19.0	22.4	20.0	18.2	30.5	19.3	24.7	33.0	24.8	18.7	14.9	10.6	6.0
4. Compensation of officers	2.2	0.6	1.2	4.1	3.4	3.7	2.8	1.6	2.1	1.8	1.3	1.0	0.5
5. Repairs	0.9	1.7	1.4	1.2	0.6	0.7	1.1	0.6	0.6	0.9	0.7	0.7	0.9
6. Bad debts	0.5	2.3	-	0.2	0.3	0.3	0.4	0.2	0.4	0.9	0.3	1.6	0.7
7. Rent on business property	6.5	9.3	6.8	9.7	5.3	10.1	5.8	6.6	6.6	4.1	5.3	2.0	5.6
8. Taxes (excl Federal tax)	5.6	5.2	5.0	6.3	6.9	5.7	6.1	2.5	5.2	4.8	6.0	4.8	5.4
9. Interest	4.5	2.0	2.9	1.1	1.6	2.2	4.7	6.1	7.8	6.7	5.8	5.9	6.5
10. Deprec/Deplet/Amortiz†	4.5	1.8	3.6	1.5	2.0	2.3	3.7	4.3	5.9	5.7	4.8	5.5	8.4
11. Advertising	0.6	0.4	0.2	0.2	0.8	0.3	0.4	0.2	0.8	0.7	0.7	3.6	0.6
12. Pensions & other benef plans	1.9	0.6	0.9	1.2	1.7	1.2	1.8	2.8	2.7	1.2	1.7	1.3	3.2
13. Other expenses	57.8	63.6	66.1	73.6	47.0	52.9	49.7	45.3	50.1	57.1	65.6	60.5	67.4
14. Net profit before tax	*	*	*	*	*	1.3	*	*	*	*	*	2.5	*
Selected Financial Ratios (number of times ratio is to one)													
15. Current ratio	1.3	-	-	-	1.0	1.1	1.3	1.4	1.1	1.4	1.5	2.5	1.2
16. Quick ratio	1.0	-	-	-	0.9	1.0	1.1	1.3	0.9	1.1	1.0	2.0	0.9
17. Net sls to net wkg capital	24.8	-	-	-	-	57.4	20.8	10.8	39.1	12.7	9.1	3.2	43.9
18. Coverage ratio	1.2	-	-	-	1.6	2.3	1.4	1.1	1.0	1.4	0.8	2.1	1.3
19. Asset turnover	1.3	-	-	-	-	-	1.3	1.0	0.8	0.8	0.8	0.6	0.8
20. Total liab to net worth	4.3	-	-	-	2.9	6.5	6.7	-	5.6	3.7	4.4	2.7	2.6
Selected Financial Factors in Percentages													
21. Debt ratio	81.2	-	-	-	74.6	86.7	87.0	102.4	84.8	78.8	81.4	72.6	72.2
22. Return on assets	6.9	-	-	-	8.6	12.7	8.4	6.5	6.0	7.5	3.9	7.5	7.2
23. Return on equity	2.1	-	-	-	10.3	46.7	12.3	-	-	7.0	-	8.4	3.4
24. Return on net worth	36.6	-	-	-	33.7	95.3	64.4	-	39.0	35.4	21.1	27.3	25.7

†Depreciation largest factor

8050 SERVICES: OTHER SERVICES:

Nursing and personal care facilities

Item Description For Accounting Period 7/86 Through 6/87	A Total	B Zero Assets	C Under 100	D 100 to 250	E 251 to 500	F 501 to 1,000	G 1,001 to 5,000	H 5,001 to 10,000	I 10,001 to 25,000	J 25,001 to 50,000	K 50,001 to 100,000	L 100,001 to 250,000	M 250,001 and over
	SIZE OF ASSETS IN THOUSANDS OF DOLLARS (000 OMITTED)												
1. Number of Enterprises	4707	187	1330	798	-	729	840	56	28	-	6	-	3
2. Total receipts (in millions of dollars)	10848.9	102.8	343.5	468.2	-	1317.4	2556.4	666.4	413.2	-	428.6	-	2701.0
Selected Operating Factors in Percent of Net Sales													
3. Cost of operations	19.6	2.2	24.7	35.1	-	22.6	22.8	34.7	24.5	-	14.1	-	6.1
4. Compensation of officers	2.3	2.6	1.7	10.7	-	3.9	2.8	1.6	2.0	-	1.2	-	0.5
5. Repairs	0.8	0.7	1.7	1.5	-	0.6	0.8	0.7	0.7	-	0.5	-	0.8
6. Bad debts	0.5	1.9	-	-	-	0.2	0.4	0.2	0.5	-	0.2	-	0.8
7. Rent on business property	5.7	4.8	7.8	1.4	-	9.8	4.8	7.2	5.5	-	4.9	-	5.8
8. Taxes (excl Federal tax)	5.9	7.1	4.6	7.3	-	6.7	5.9	2.4	5.4	-	6.2	-	6.1
9. Interest	4.0	4.8	0.1	1.6	-	1.8	3.3	4.4	5.6	-	3.9	-	6.6
10. Deprec/Deplet/Amortiz†	4.5	5.6	1.1	1.9	-	2.1	3.1	3.2	4.9	-	3.7	-	9.1
11. Advertising	0.6	0.1	0.2	0.3	-	0.3	0.3	0.1	0.7	-	0.6	-	0.8
12. Pensions & other benef plans	1.8	0.5	1.1	1.3	-	1.3	2.0	2.3	2.5	-	1.8	-	1.8
13. Other expenses	55.0	75.9	54.0	79.2	-	46.2	50.3	44.3	48.8	-	63.0	-	66.8
14. Net profit before tax	#	#	3.0	#	-	4.5	3.5	#	#	-	#	-	#
Selected Financial Ratios (number of times ratio is to one)													
15. Current ratio	1.5	-	0.6	1.9	-	1.4	1.6	2.0	1.3	-	1.5	-	1.1
16. Quick ratio	1.2	-	0.5	1.8	-	1.2	1.4	1.7	1.2	-	0.8	-	0.8
17. Net sls to net wkg capital	15.9	-	-	8.6	-	23.7	13.0	8.2	16.4	-	9.2	-	76.4
18. Coverage ratio	2.4	-	-	8.3	-	4.5	2.7	1.6	1.6	-	2.8	-	1.6
19. Asset turnover	1.3	-	-	-	-	2.5	1.6	1.5	1.1	-	0.9	-	0.8
20. Total liab to net worth	2.6	-	1.5	1.0	-	2.3	3.0	38.0	6.0	-	3.0	-	2.2
Selected Financial Factors in Percentages													
21. Debt ratio	72.5	-	60.4	49.9	-	69.8	74.8	97.4	85.8	-	74.9	-	68.4
22. Return on assets	12.2	-	-	-	-	19.2	14.0	10.7	9.6	-	9.9	-	8.2
23. Return on equity	21.1	-	-	-	-	44.8	31.3	-	18.9	-	14.1	-	6.1
24. Return on net worth	44.3	-	82.7	71.1	-	63.6	55.6	-	67.5	-	39.4	-	25.9

†Depreciation largest factor

8060 SERVICES: OTHER SERVICES:
Hospitals

Item Description For Accounting Period 7/86 Through 6/87	A Total	B Zero Assets	C Under 100	D 100 to 250	E 251 to 500	F 501 to 1,000	G 1,001 to 5,000	H 5,001 to 10,000	I 10,001 to 25,000	J 25,001 to 50,000	K 50,001 to 100,000	L 100,001 to 250,000	M 250,001 and over
				SIZE OF ASSETS IN THOUSANDS OF DOLLARS (000 OMITTED)									
1. Number of Enterprises	1049	8	544	341	-	15	42	45	24	9	5	5	11
2. Total receipts (in millions of dollars)	19544.8	418.7	53.0	231.5	-	33.8	313.3	548.8	477.4	328.1	249.3	738.5	16152.4
Selected Operating Factors in Percent of Net Sales													
3. Cost of operations	18.4	26.5	46.9	46.2	-	-	28.1	20.4	21.0	17.2	18.7	44.1	16.2
4. Compensation of officers	0.6	0.6	28.3	8.1	-	5.9	3.6	1.8	0.9	0.9	1.7	1.1	0.2
5. Repairs	1.4	0.8	0.3	1.4	-	0.8	0.4	0.9	0.7	0.7	0.8	0.8	1.6
6. Bad debts	1.6	2.3	-	0.8	-	2.7	1.8	1.2	1.9	0.6	3.1	1.2	1.6
7. Rent on business property	2.7	2.0	2.1	2.0	-	-	2.5	4.7	2.9	2.2	1.9	2.2	2.7
8. Taxes (excl Federal tax)	4.0	4.1	3.1	1.1	-	4.6	3.5	2.8	4.6	2.5	2.8	3.5	4.2
9. Interest	7.9	22.5	-	0.9	-	0.1	1.7	2.8	4.0	4.8	9.8	6.5	8.3
10. Deprec/Deplet/Amortiz†	9.7	8.8	2.7	2.4	-	4.4	2.6	3.7	4.4	6.7	8.5	8.3	10.5
11. Advertising	0.8	1.7	-	0.4	-	0.2	0.4	0.1	0.4	0.4	0.3	1.9	0.8
12. Pensions & other benef plans	3.7	1.4	3.8	1.8	-	2.5	5.3	5.5	3.3	4.3	3.3	2.4	3.8
13. Other expenses	56.1	45.2	39.6	31.5	-	79.0	54.4	60.7	55.0	59.7	62.9	41.7	57.1
14. Net profit before tax	*	*	*	3.4	-	*	*	*	0.9	-	*	*	*
Selected Financial Ratios (number of times ratio is to one)													
15. Current ratio	0.9	-	12.5	2.3	-	7.6	1.1	2.1	1.2	1.0	1.3	0.9	0.8
16. Quick ratio	0.7	-	12.4	2.1	-	7.1	1.0	1.4	1.1	0.9	1.1	0.5	0.6
17. Net sls to net wkg capital	-	-	2.9	7.6	-	4.8	49.9	8.6	26.0	-	14.2	-	-
18. Coverage ratio	1.1	-	-	5.4	-	-	-	0.9	1.9	1.6	-	0.4	1.1
19. Asset turnover	0.7	-	1.9	-	-	2.4	-	1.8	1.3	1.0	0.7	0.9	0.6
20. Total liab to net worth	2.8	-	2.8	1.6	-	0.6	5.2	1.6	4.4	5.1	5.5	6.3	2.8
Selected Financial Factors in Percentages													
21. Debt ratio	73.9	-	73.9	62.1	-	38.2	83.9	61.6	81.5	83.6	84.7	86.2	73.3
22. Return on assets	5.8	-	-	13.7	-	2.2	-	4.5	9.6	7.7	-	2.0	5.6
23. Return on equity	-	-	-	23.6	-	2.8	-	-	15.6	7.3	-	-	0.4
24. Return on net worth	22.4	-	-	36.1	-	3.6	-	11.8	52.0	47.1	-	14.7	21.0

†Depreciation largest factor

8060 SERVICES: OTHER SERVICES:

Hospitals

Item Description For Accounting Period 7/86 Through 6/87	A Total	B Zero Assets	C Under 100	D 100 to 250	E 251 to 500	F 501 to 1,000	G 1,001 to 5,000	H 5,001 to 10,000	I 10,001 to 25,000	J 25,001 to 50,000	K 50,001 to 100,000	L 100,001 to 250,000	M 250,001 and over
					SIZE OF ASSETS IN THOUSANDS OF DOLLARS (000 OMITTED)								
1. Number of Enterprises	763	8	307	341	-	15	36	28	18	6	-	-	5
2. Total receipts (in millions of dollars)	14346.5	418.7	18.7	231.5	-	33.8	251.1	481.3	393.7	357.2	-	-	12160.5
Selected Operating Factors in Percent of Net Sales													
3. Cost of operations	16.2	26.5	18.7	46.2	-	-	27.4	22.7	19.4	33.1	-	-	14.3
4. Compensation of officers	0.6	0.6	36.0	8.1	-	5.9	4.5	1.9	0.8	1.5	-	-	0.2
5. Repairs	1.6	0.8	-	1.4	-	0.8	0.5	0.6	0.2	0.7	-	-	1.7
6. Bad debts	1.7	2.3	-	0.8	-	2.7	2.3	1.4	1.6	3.3	-	-	1.7
7. Rent on business property	2.7	2.0	-	2.0	-	-	3.1	5.4	3.4	0.9	-	-	2.6
8. Taxes (excl Federal tax)	4.1	4.1	5.6	1.1	-	4.6	4.0	2.8	4.9	3.5	-	-	4.3
9. Interest	6.5	22.5	-	0.9	-	0.1	1.5	1.9	3.1	7.0	-	-	6.6
10. Deprec/Deplet/Amortiz†	9.4	8.8	5.1	2.4	-	4.4	2.9	3.1	3.7	11.5	-	-	10.1
11. Advertising	0.7	1.7	-	0.4	-	0.2	0.5	0.1	0.5	0.4	-	-	0.8
12. Pensions & other benef plans	3.5	1.4	5.4	1.8	-	2.5	3.3	5.0	3.5	3.2	-	-	3.6
13. Other expenses	57.0	45.2	28.4	31.5	-	79.0	50.2	55.1	54.9	43.1	-	-	58.5
14. Net profit before tax	#	#	0.8	3.4	-	#	#	#	4.0	#	-	-	#
Selected Financial Ratios (number of times ratio is to one)													
15. Current ratio	1.1	-	2.7	2.3	-	7.6	1.6	2.2	1.3	0.8	-	-	1.1
16. Quick ratio	0.9	-	2.4	2.1	-	7.1	1.4	1.1	1.2	0.7	-	-	0.9
17. Net sls to net wkg capital	64.0	-	22.0	7.6	-	4.8	11.8	11.1	17.9	-	-	-	110.2
18. Coverage ratio	1.5	-	-	5.4	-	-	2.8	3.4	3.2	2.1	-	-	1.4
19. Asset turnover	0.8	-	2.3	-	-	2.4	2.4	2.3	1.4	0.8	-	-	0.7
20. Total liab to net worth	2.3	-	0.7	1.6	-	0.6	1.9	1.6	2.5	3.9	-	-	2.3
Selected Financial Factors in Percentages													
21. Debt ratio	69.6	-	41.3	62.1	-	38.2	65.0	60.7	71.7	79.4	-	-	69.6
22. Return on assets	7.8	-	1.9	13.7	-	2.2	10.0	14.9	13.5	11.0	-	-	6.8
23. Return on equity	5.5	-	3.3	23.6	-	2.8	12.2	26.5	25.4	18.9	-	-	3.9
24. Return on net worth	25.8	-	3.3	36.1	-	3.6	28.7	37.9	47.7	53.4	-	-	22.4

†Depreciation largest factor

Page 345

8071 SERVICES: OTHER SERVICES:

Medical laboratories

Item Description For Accounting Period 7/86 Through 6/87	A Total	B Zero Assets	C Under 100	D 100 to 250	E 251 to 500	F 501 to 1,000	G 1,001 to 5,000	H 5,001 to 10,000	I 10,001 to 25,000	J 25,001 to 50,000	K 50,001 to 100,000	L 100,001 to 250,000	M 250,001 and over
					SIZE OF ASSETS IN THOUSANDS OF DOLLARS (000 OMITTED)								
1. Number of Enterprises	7263	347	4708	1486	220	262	166	37	26	6	5	-	-
2. Total receipts (in millions of dollars)	3389.0	46.6	655.4	532.1	317.0	278.8	485.1	191.3	345.0	79.0	458.6	-	-
					Selected Operating Factors in Percent of Net Sales								
3. Cost of operations	28.9	7.2	21.2	29.8	36.6	20.3	36.6	12.1	40.6	-	29.0	-	-
4. Compensation of officers	10.8	5.0	30.2	11.5	2.6	17.6	3.5	3.6	2.9	-	0.9	-	-
5. Repairs	1.1	2.6	0.3	1.2	1.8	1.7	0.6	1.5	1.0	-	1.8	-	-
6. Bad debts	0.5	-	0.2	0.2	-	-	1.2	0.1	0.3	-	1.7	-	-
7. Rent on business property	3.8	5.9	4.4	4.1	3.3	3.7	3.6	3.4	4.5	-	2.8	-	-
8. Taxes (excl Federal tax)	3.5	3.7	3.5	2.9	3.4	3.3	3.2	3.7	4.7	-	3.8	-	-
9. Interest	2.5	1.2	0.5	3.1	1.2	2.3	2.8	2.6	1.1	-	5.6	-	-
10. Deprec/Deplet/Amortiz†	5.2	4.0	2.5	7.4	4.2	3.1	4.9	7.0	4.8	-	7.0	-	-
11. Advertising	0.6	0.3	0.1	0.2	0.4	0.2	0.5	0.6	2.7	-	0.9	-	-
12. Pensions & other benef plans	3.3	2.0	5.0	2.5	1.6	2.3	3.6	7.8	1.3	-	2.9	-	-
13. Other expenses	44.5	61.6	27.8	35.6	47.2	56.2	48.0	70.6	45.4	-	48.9	-	-
14. Net profit before tax	*	6.5	4.3	1.5	*	*	*	*	*	*	*	-	-
					Selected Financial Ratios (number of times ratio is to one)								
15. Current ratio	2.1	-	2.1	1.7	2.5	2.5	2.0	1.1	2.9	1.7	2.4	-	-
16. Quick ratio	1.6	-	2.0	1.5	1.7	2.1	1.4	0.9	2.4	1.1	1.4	-	-
17. Net sls to net wkg capital	6.1	-	30.1	12.3	13.8	5.1	5.0	62.9	2.2	1.6	3.6	-	-
18. Coverage ratio	0.7	-	-	2.3	-	-	-	-	2.5	-	1.0	-	-
19. Asset turnover	1.4	-	-	2.2	-	1.6	1.3	0.7	0.8	0.3	0.9	-	-
20. Total liab to net worth	1.5	-	1.6	12.9	2.1	1.3	3.4	0.9	0.7	0.9	1.5	-	-
					Selected Financial Factors in Percentages								
21. Debt ratio	60.2	-	61.4	92.8	67.5	56.4	77.2	48.3	39.6	48.1	59.8	-	-
22. Return on assets	2.6	-	28.0	15.9	-	-	-	-	2.1	-	5.1	-	-
23. Return on equity	-	-	-	-	-	-	-	-	-	-	-	-	-
24. Return on net worth	6.4	-	72.4	-	-	-	-	-	3.5	-	12.7	-	-

†Depreciation largest factor

TABLE II: CORPORATIONS WITH NET INCOME, 1990 EDITION

8071 SERVICES: OTHER SERVICES:
Medical laboratories

Item Description For Accounting Period 7/86 Through 6/87	A Total	B Zero Assets	C Under 100	D 100 to 250	E 251 to 500	F 501 to 1,000	G 1,001 to 5,000	H 5,001 to 10,000	I 10,001 to 25,000	J 25,001 to 50,000	K 50,001 to 100,000	L 100,001 to 250,000	M 250,001 and over
SIZE OF ASSETS IN THOUSANDS OF DOLLARS (000 OMITTED)													
1. Number of Enterprises	4434	40	3030	980	-	210	72	23	17	-	-	-	-
2. Total receipts (in millions of dollars)	2175.7	46.1	374.4	377.5	-	264.8	243.9	154.7	257.3	-	-	-	-
Selected Operating Factors in Percent of Net Sales													
3. Cost of operations	26.1	7.2	29.7	28.4	-	19.0	35.4	8.3	36.0	-	-	-	-
4. Compensation of officers	10.7	5.1	25.5	15.4	-	17.1	3.0	2.0	2.5	-	-	-	-
5. Repairs	1.1	2.7	0.3	0.8	-	1.6	0.6	1.1	0.8	-	-	-	-
6. Bad debts	0.5	-	0.3	0.2	-	-	0.2	-	0.3	-	-	-	-
7. Rent on business property	3.1	6.0	4.6	2.7	-	3.5	2.1	2.3	2.8	-	-	-	-
8. Taxes (excl Federal tax)	3.6	3.6	3.4	2.2	-	3.1	4.6	3.7	4.8	-	-	-	-
9. Interest	2.0	1.1	0.4	3.5	-	1.7	1.2	1.7	1.5	-	-	-	-
10. Deprec/Deplet/Amortiz†	4.9	4.0	2.5	8.7	-	2.5	4.9	5.4	4.1	-	-	-	-
11. Advertising	0.7	0.3	-	0.1	-	0.2	0.7	0.1	3.2	-	-	-	-
12. Pensions & other benef plans	3.1	2.0	2.5	2.9	-	2.1	2.4	9.0	2.0	-	-	-	-
13. Other expenses	39.5	61.1	20.5	26.4	-	50.3	38.3	62.0	37.4	-	-	-	-
14. Net profit before tax	4.7	6.9	10.3	8.7	-	#	6.6	4.4	4.6	-	-	-	-
Selected Financial Ratios (number of times ratio is to one)													
15. Current ratio	2.0	-	3.7	1.1	-	2.3	2.0	1.0	2.0	-	-	-	-
16. Quick ratio	1.5	-	3.7	0.9	-	1.8	1.2	0.9	1.6	-	-	-	-
17. Net sls to net wkg capital	7.6	-	14.6	82.8	-	7.2	10.5	-	3.5	-	-	-	-
18. Coverage ratio	5.2	-	-	4.4	-	3.4	7.4	4.1	-	-	-	-	-
19. Asset turnover	1.6	-	-	-	-	1.9	2.4	1.0	0.8	-	-	-	-
20. Total liab to net worth	0.8	-	0.6	6.0	-	0.8	0.9	0.8	0.4	-	-	-	-
Selected Financial Factors in Percentages													
21. Debt ratio	45.5	-	36.4	85.7	-	44.7	46.7	45.1	29.9	-	-	-	-
22. Return on assets	16.9	-	-	-	-	11.6	20.3	7.3	13.1	-	-	-	-
23. Return on equity	20.2	-	-	-	-	11.9	20.0	8.5	10.9	-	-	-	-
24. Return on net worth	30.9	-	81.2	-	-	20.9	38.2	13.3	18.7	-	-	-	-

†Depreciation largest factor

8099 SERVICES: OTHER SERVICES:

Other medical services

Item Description For Accounting Period 7/86 Through 6/87	A Total	B Zero Assets	C Under 100	D 100 to 250	E 251 to 500	F 501 to 1,000	G 1,001 to 5,000	H 5,001 to 10,000	I 10,001 to 25,000	J 25,001 to 50,000	K 50,001 to 100,000	L 100,001 to 250,000	M 250,001 and over
					SIZE OF ASSETS IN THOUSANDS OF DOLLARS (000 OMITTED)								
1. Number of Enterprises	27591	2386	16843	4479	2168	919	579	93	72	24	15	3	8
2. Total receipts (in millions of dollars)	22710.6	1844.5	2749.3	4034.6	1932.0	1388.8	3026.9	941.0	1396.1	836.4	973.9	470.7	3116.5
Selected Operating Factors in Percent of Net Sales													
3. Cost of operations	35.1	50.2	16.7	28.1	40.1	35.6	37.7	52.1	44.9	32.1	52.5	35.6	27.4
4. Compensation of officers	7.3	4.3	17.9	16.8	8.1	10.1	4.4	1.8	1.5	1.1	1.9	0.7	0.7
5. Repairs	0.7	0.4	1.5	0.8	0.6	1.3	0.7	0.5	0.7	0.5	0.6	-	0.4
6. Bad debts	0.9	1.1	0.2	-	1.0	3.4	0.8	0.5	1.0	0.9	1.1	0.5	1.6
7. Rent on business property	3.1	1.7	4.0	2.9	3.2	3.9	4.3	1.1	2.2	3.4	1.9	2.4	3.2
8. Taxes (excl Federal tax)	3.0	1.7	7.1	3.2	2.4	3.8	2.3	1.4	1.5	2.5	2.3	0.9	2.4
9. Interest	2.1	0.9	1.0	0.5	1.8	2.6	1.2	1.6	2.5	3.6	3.5	4.4	4.8
10. Deprec/Deplet/Amortiz†	3.7	1.3	2.3	2.0	3.9	5.7	3.3	3.0	5.2	6.6	3.0	3.8	6.0
11. Advertising	1.0	0.5	1.6	0.7	0.7	1.5	1.1	1.0	1.8	0.7	1.3	0.9	0.7
12. Pensions & other benef plans	2.5	0.4	4.6	4.6	1.5	1.3	3.3	0.7	2.5	3.4	2.3	0.9	1.3
13. Other expenses	53.7	41.8	56.7	88.6	35.9	36.5	51.8	46.5	48.7	56.0	35.7	62.4	55.8
14. Net profit before tax	*	*	*	*	0.8	*	*	*	*	*	*	*	*
Selected Financial Ratios (number of times ratio is to one)													
15. Current ratio	1.3	-	1.0	1.9	1.2	1.2	1.1	1.3	1.1	1.6	1.7	1.2	1.2
16. Quick ratio	0.9	-	0.8	1.4	1.0	1.0	0.9	1.0	0.8	1.0	1.0	0.9	0.9
17. Net sls to net wkg capital	19.7	-	-	15.2	29.1	32.7	71.7	13.6	28.1	7.2	3.9	27.2	12.7
18. Coverage ratio	1.0	-	1.2	3.0	2.3	0.4	-	-	-	-	1.1	1.5	2.3
19. Asset turnover	1.7	-	-	-	-	2.1	-	1.4	1.1	0.9	0.8	1.0	0.7
20. Total liab to net worth	2.2	-	-	1.3	2.8	2.3	3.1	2.9	2.7	2.1	1.2	1.6	2.0
Selected Financial Factors in Percentages													
21. Debt ratio	69.0	-	117.4	55.7	73.6	69.7	75.7	74.1	72.7	67.2	53.5	61.0	66.8
22. Return on assets	3.4	-	6.7	5.8	10.8	2.3	-	-	-	-	3.1	6.7	8.0
23. Return on equity	-	-	-	4.0	13.9	-	-	-	-	-	-	2.2	6.8
24. Return on net worth	10.8	-	-	13.2	40.8	7.4	-	-	-	-	6.6	17.1	23.9

†Depreciation largest factor

TABLE II: CORPORATIONS WITH NET INCOME, 1990 EDITION

8099 SERVICES: OTHER SERVICES:
Other medical services

Item Description For Accounting Period 7/86 Through 6/87	A Total	B Zero Assets	C Under 100	D 100 to 250	E 251 to 500	F 501 to 1,000	G 1,001 to 5,000	H 5,001 to 10,000	I 10,001 to 25,000	J 25,001 to 50,000	K 50,001 to 100,000	L 100,001 to 250,000	M 250,001 and over
						SIZE OF ASSETS IN THOUSANDS OF DOLLARS (000 OMITTED)							
1. Number of Enterprises	14845	420	9410	2826	1291	557	264	24	28	8	12	-	5
2. Total receipts (in millions of dollars)	12744.3	900.1	1477.6	1712.9	1376.6	1023.0	2272.8	260.8	550.6	309.8	1047.4	-	1812.8
Selected Operating Factors in Percent of Net Sales													
3. Cost of operations	33.5	24.4	17.2	26.5	37.6	31.5	38.1	47.5	47.1	35.0	43.5	-	39.6
4. Compensation of officers	7.2	3.3	20.3	14.2	8.0	10.0	2.2	2.7	2.0	1.2	1.6	-	1.2
5. Repairs	0.8	0.6	2.2	0.4	0.7	1.2	0.7	0.2	0.4	0.5	0.6	-	0.5
6. Bad debts	1.0	2.1	-	-	1.2	4.7	0.6	0.5	1.3	0.5	1.0	-	0.8
7. Rent on business property	3.4	2.7	4.8	3.5	3.0	4.1	3.3	1.0	0.7	4.0	2.1	-	4.7
8. Taxes (excl Federal tax)	2.8	2.1	2.9	3.4	2.6	4.2	2.5	2.3	1.2	3.4	2.3	-	2.7
9. Interest	1.7	1.2	0.6	0.3	1.3	2.2	0.7	1.5	1.5	2.5	2.6	-	5.0
10. Deprec/Deplet/Amortiz†	3.3	1.3	2.6	1.6	3.6	4.8	2.0	0.8	2.8	7.4	2.8	-	7.1
11. Advertising	1.1	0.7	1.8	1.0	0.8	1.5	1.0	0.5	1.2	0.6	1.4	-	0.8
12. Pensions & other benef plans	2.2	0.6	3.3	2.4	1.4	1.4	3.5	1.6	1.3	3.1	2.1	-	1.6
13. Other expenses	41.7	62.2	39.1	42.3	34.3	33.9	47.3	35.6	41.1	36.3	43.5	-	37.0
14. Net profit before tax	1.3	#	5.2	4.4	5.5	0.5	#	5.8	#	5.5	#	-	#
Selected Financial Ratios (number of times ratio is to one)													
15. Current ratio	1.8	-	1.3	2.7	1.4	1.9	1.7	4.3	1.4	1.7	2.0	-	1.8
16. Quick ratio	1.3	-	0.9	2.2	1.2	1.6	1.5	3.0	0.9	0.8	1.2	-	1.4
17. Net sls to net wkg capital	8.9	-	42.0	10.5	22.3	12.9	20.3	2.5	7.7	6.7	3.8	-	3.5
18. Coverage ratio	5.1	-	-	-	6.4	3.5	6.5	7.7	4.3	4.8	3.1	-	3.9
19. Asset turnover	2.0	-	-	-	-	-	-	1.6	1.2	1.1	1.0	-	0.7
20. Total liab to net worth	1.3	-	4.2	0.6	1.4	1.6	1.5	3.1	1.7	1.1	1.1	-	1.2
Selected Financial Factors in Percentages													
21. Debt ratio	56.8	-	80.8	36.3	58.4	61.0	60.5	75.8	63.5	52.9	52.9	-	55.4
22. Return on assets	16.8	-	-	23.8	25.5	19.4	19.5	17.7	7.9	12.7	8.0	-	14.1
23. Return on equity	23.8	-	-	30.1	42.2	32.9	34.1	45.1	11.2	12.6	8.1	-	14.7
24. Return on net worth	38.9	-	-	37.3	61.4	49.8	49.4	73.3	21.6	27.0	17.0	-	31.6

†Depreciation largest factor

TABLE I: CORPORATIONS WITH AND WITHOUT NET INCOME, 1990 EDITION

8111 SERVICES: OTHER SERVICES:
Legal services

Item Description For Accounting Period 7/86 Through 6/87	A Total	B Zero Assets	C Under 100	D 100 to 250	E 251 to 500	F 501 to 1,000	G 1,001 to 5,000	H 5,001 to 10,000	I 10,001 to 25,000	J 25,001 to 50,000	K 50,001 to 100,000	L 100,001 to 250,000	M 250,001 and over
					SIZE OF ASSETS IN THOUSANDS OF DOLLARS (000 OMITTED)								
1. Number of Enterprises	43849	1677	26179	10870	3119	1367	586	41	10	-	-	-	-
2. Total receipts (in millions of dollars)	23576.4	167.0	5175.4	7297.7	3558.2	3244.1	3242.3	737.7	154.1	-	-	-	-
Selected Operating Factors in Percent of Net Sales													
3. Cost of operations	7.8	-	11.2	8.8	3.5	6.3	8.0	3.8	2.0	-	-	-	-
4. Compensation of officers	32.1	-	35.5	34.2	33.4	32.0	23.2	16.4	7.4	-	-	-	-
5. Repairs	0.6	-	0.6	0.7	0.6	0.5	0.4	0.5	1.1	-	-	-	-
6. Bad debts	0.2	-	0.2	0.2	0.3	0.1	-	0.1	0.1	-	-	-	-
7. Rent on business property	6.5	-	7.2	6.7	5.0	6.4	6.5	8.5	6.4	-	-	-	-
8. Taxes (excl Federal tax)	3.6	-	3.5	3.6	3.3	4.1	3.5	4.0	3.8	-	-	-	-
9. Interest	0.8	-	0.6	0.7	0.7	1.1	0.7	1.8	1.9	-	-	-	-
10. Deprec/Deplet/Amortiz†	2.4	-	2.1	2.3	2.3	2.5	2.8	3.9	4.9	-	-	-	-
11. Advertising	0.5	-	1.2	0.3	0.5	0.2	0.4	0.1	-	-	-	-	-
12. Pensions & other benef plans	5.0	-	4.8	5.3	5.0	4.2	4.4	4.4	9.3	-	-	-	-
13. Other expenses	43.7	-	37.8	40.6	43.6	46.2	52.5	58.8	73.9	-	-	-	-
14. Net profit before tax	*	*	*	*	1.8	*	*	*	*	-	-	-	-
Selected Financial Ratios (number of times ratio is to one)													
15. Current ratio	1.2	-	1.1	1.4	1.3	1.3	1.2	1.0	1.3	-	-	-	-
16. Quick ratio	0.9	-	0.8	1.1	1.0	0.9	0.9	0.6	0.7	-	-	-	-
17. Net sls to net wkg capital	38.5	-	161.8	34.5	31.5	30.1	28.5	159.6	6.8	-	-	-	-
18. Coverage ratio	4.7	-	8.4	6.9	6.7	0.7	3.0	1.1	-	-	-	-	-
19. Asset turnover	-	-	-	-	-	-	-	2.5	0.9	-	-	-	-
20. Total liab to net worth	2.0	-	2.3	1.2	1.5	2.4	3.4	6.5	3.3	-	-	-	-
Selected Financial Factors in Percentages													
21. Debt ratio	66.3	-	70.0	54.5	60.7	70.3	77.2	86.7	77.0	-	-	-	-
22. Return on assets	13.2	-	23.4	18.7	15.5	2.6	6.9	4.9	-	-	-	-	-
23. Return on equity	24.7	-	-	29.5	28.3	-	13.4	-	-	-	-	-	-
24. Return on net worth	39.1	-	77.9	41.1	39.4	8.6	30.2	37.1	-	-	-	-	-

†Depreciation largest factor

TABLE II: CORPORATIONS WITH NET INCOME, 1990 EDITION

8111 SERVICES: OTHER SERVICES:
Legal services

Item Description For Accounting Period 7/86 Through 6/87	A Total	B Zero Assets	C Under 100	D 100 to 250	E 251 to 500	F 501 to 1,000	G 1,001 to 5,000	H 5,001 to 10,000	I 10,001 to 25,000	J 25,001 to 50,000	K 50,001 to 100,000	L 100,001 to 250,000	M 250,001 and over
						SIZE OF ASSETS IN THOUSANDS OF DOLLARS (000 OMITTED)							
1. Number of Enterprises	31984	379	18141	9616	-	952	418	36	-	-	-	-	-
2. Total receipts (in millions of dollars)	17965.0	43.5	3878.4	5924.1	-	2035.5	2270.8	697.1	-	-	-	-	-
Selected Operating Factors in Percent of Net Sales													
3. Cost of operations	7.6	-	10.5	9.3	-	5.2	9.1	4.0	-	-	-	-	-
4. Compensation of officers	31.1	-	33.3	33.1	-	29.9	23.5	16.2	-	-	-	-	-
5. Repairs	0.6	-	0.6	0.6	-	0.6	0.4	0.5	-	-	-	-	-
6. Bad debts	0.2	-	-	0.2	-	0.1	-	-	-	-	-	-	-
7. Rent on business property	6.1	-	6.8	6.3	-	5.9	6.0	8.2	-	-	-	-	-
8. Taxes (excl Federal tax)	3.5	-	3.2	3.6	-	4.0	3.5	4.2	-	-	-	-	-
9. Interest	0.7	-	0.4	0.7	-	1.1	0.8	1.6	-	-	-	-	-
10. Deprec/Deplet/Amortiz†	2.4	-	2.0	2.5	-	2.5	3.0	3.4	-	-	-	-	-
11. Advertising	0.6	-	1.3	0.4	-	0.3	0.5	0.1	-	-	-	-	-
12. Pensions & other benef plans	4.8	-	4.8	4.8	-	4.9	4.2	4.5	-	-	-	-	-
13. Other expenses	42.0	-	35.8	38.9	-	45.6	50.0	58.4	-	-	-	-	-
14. Net profit before tax	0.4	-	1.3	#	-	#	#	#	-	-	-	-	-
Selected Financial Ratios (number of times ratio is to one)													
15. Current ratio	1.4	-	1.2	1.7	-	1.4	1.3	1.0	-	-	-	-	-
16. Quick ratio	1.0	-	1.0	1.3	-	1.0	0.8	0.5	-	-	-	-	-
17. Net sls to net wkg capital	27.2	-	63.0	20.8	-	19.9	25.1	-	-	-	-	-	-
18. Coverage ratio	8.2	-	-	8.6	-	3.4	4.1	1.6	-	-	-	-	-
19. Asset turnover	-	-	-	-	-	-	-	-	-	-	-	-	-
20. Total liab to net worth	1.4	-	1.2	0.8	-	1.9	3.1	5.9	-	-	-	-	-
Selected Financial Factors in Percentages													
21. Debt ratio	58.9	-	54.8	44.0	-	65.7	75.8	85.5	-	-	-	-	-
22. Return on assets	21.8	-	-	22.4	-	11.6	10.8	6.6	-	-	-	-	-
23. Return on equity	40.3	-	-	30.2	-	19.1	24.6	10.7	-	-	-	-	-
24. Return on net worth	53.1	-	-	40.1	-	33.9	44.5	45.7	-	-	-	-	-

†Depreciation largest factor

8200 SERVICES: OTHER SERVICES:
Educational services

Item Description For Accounting Period 7/86 Through 6/87	A Total	B Zero Assets	C Under 100	D 100 to 250	E 251 to 500	F 501 to 1,000	G 1,001 to 5,000	H 5,001 to 10,000	I 10,001 to 25,000	J 25,001 to 50,000	K 50,001 to 100,000	L 100,001 to 250,000	M 250,001 and over
	SIZE OF ASSETS IN THOUSANDS OF DOLLARS (000 OMITTED)												
1. Number of Enterprises	15782	1201	11882	1029	680	326	588	48	14	5	6	3	-
2. Total receipts (in millions of dollars)	6266.3	142.3	1257.0	383.6	487.1	305.9	1870.5	426.3	429.9	249.1	323.9	390.6	-
Selected Operating Factors in Percent of Net Sales													
3. Cost of operations	26.1	31.4	23.2	39.8	28.0	8.0	19.7	21.7	56.9	65.6	18.1	14.6	-
4. Compensation of officers	7.4	7.9	12.2	21.2	7.8	5.6	5.7	7.8	1.4	1.7	2.4	1.4	-
5. Repairs	1.2	3.6	1.2	1.4	0.9	1.5	1.2	0.7	1.0	0.4	2.5	0.8	-
6. Bad debts	0.8	0.9	0.1	0.4	-	0.3	1.2	1.2	0.6	1.9	1.1	2.3	-
7. Rent on business property	6.2	6.6	7.4	7.4	4.1	6.3	7.4	5.1	1.8	2.7	6.7	5.6	-
8. Taxes (excl Federal tax)	4.0	5.6	3.9	3.5	4.0	4.3	4.2	4.0	4.8	1.8	4.7	3.0	-
9. Interest	1.9	2.1	1.0	2.1	2.6	3.3	1.4	3.1	0.5	1.1	1.7	5.8	-
10. Deprec/Deplet/Amortiz†	5.3	13.1	4.6	4.7	4.0	5.2	3.5	3.8	2.2	1.5	7.1	21.5	-
11. Advertising	4.3	4.7	3.1	2.5	4.0	3.2	6.3	1.5	1.6	1.3	6.0	7.8	-
12. Pensions & other benef plans	2.1	0.6	0.3	9.7	2.5	3.3	1.8	1.7	2.1	1.1	0.9	4.1	-
13. Other expenses	45.9	33.8	47.7	28.6	42.1	66.9	53.3	56.1	22.0	23.8	47.5	40.8	-
14. Net profit before tax	*	*	*	*	*	*	*	*	5.1	*	1.3	*	-
Selected Financial Ratios (number of times ratio is to one)													
15. Current ratio	1.3	-	-	1.6	1.8	-	1.0	1.5	1.2	1.7	3.6	1.6	-
16. Quick ratio	1.0	-	-	1.3	1.7	-	0.8	1.3	1.1	1.3	2.6	1.0	-
17. Net sls to net wkg capital	12.6	-	-	9.2	8.7	-	-	8.2	33.7	5.5	2.4	2.4	-
18. Coverage ratio	1.4	-	-	-	2.1	-	0.6	3.8	-	3.0	3.6	1.1	-
19. Asset turnover	1.5	-	-	2.1	1.9	-	1.7	1.3	2.2	1.5	0.8	0.4	-
20. Total liab to net worth	2.7	-	-	2.1	1.4	-	3.0	3.2	1.1	2.1	1.8	2.2	-
Selected Financial Factors in Percentages													
21. Debt ratio	72.9	-	-	67.7	59.1	-	74.7	76.4	51.5	67.7	64.0	69.0	-
22. Return on assets	3.8	-	-	-	10.2	-	1.4	15.5	16.1	4.7	5.0	2.4	-
23. Return on equity	-	-	-	-	9.5	-	-	37.0	25.6	6.4	5.0	-	-
24. Return on net worth	14.0	-	-	-	24.9	-	5.4	65.9	33.1	14.6	13.9	7.9	-

†Depreciation largest factor

8200 SERVICES: OTHER SERVICES:
Educational services

Item Description For Accounting Period 7/86 Through 6/87	A Total	B Zero Assets	C Under 100	D 100 to 250	E 251 to 500	F 501 to 1,000	G 1,001 to 5,000	H 5,001 to 10,000	I 10,001 to 25,000	J 25,001 to 50,000	K 50,001 to 100,000	L 100,001 to 250,000	M 250,001 and over
			SIZE OF ASSETS IN THOUSANDS OF DOLLARS (000 OMITTED)										
1. Number of Enterprises	6222	381	3930	703	579	222	356	32	11	-	-	-	-
2. Total receipts (in millions of dollars)	4002.3	84.4	556.5	297.7	464.5	251.3	1154.2	301.0	397.8	-	-	-	-
Selected Operating Factors in Percent of Net Sales													
3. Cost of operations	27.6	38.5	38.3	41.9	29.1	1.0	14.8	23.9	58.3	-	-	-	-
4. Compensation of officers	6.9	5.2	10.8	15.5	6.7	6.7	6.4	8.6	1.4	-	-	-	-
5. Repairs	1.2	1.6	0.4	1.6	0.6	1.6	1.6	0.7	1.0	-	-	-	-
6. Bad debts	0.7	0.1	-	0.4	-	0.2	1.1	1.7	0.7	-	-	-	-
7. Rent on business property	5.2	7.9	3.5	5.6	4.3	5.7	6.7	5.5	2.0	-	-	-	-
8. Taxes (excl Federal tax)	3.9	3.2	2.7	3.4	3.8	4.5	4.0	4.0	4.6	-	-	-	-
9. Interest	1.7	1.6	0.8	1.2	2.0	2.3	1.4	1.4	0.4	-	-	-	-
10. Deprec/Deplet/Amortiz†	4.6	5.5	3.5	3.6	3.6	4.8	3.4	3.7	1.9	-	-	-	-
11. Advertising	3.3	3.6	1.0	1.3	4.1	3.0	5.3	1.9	1.6	-	-	-	-
12. Pensions & other benef plans	1.7	0.5	0.3	4.5	0.4	3.4	1.9	2.4	2.2	-	-	-	-
13. Other expenses	41.4	14.2	32.8	22.3	41.6	66.9	54.5	48.0	18.6	-	-	-	-
14. Net profit before tax	1.8	18.1	5.9	#	3.8	#	#	#	7.3	-	-	-	-
Selected Financial Ratios (number of times ratio is to one)													
15. Current ratio	1.5	-	1.8	2.5	1.9	1.8	1.2	1.7	1.2	-	-	-	-
16. Quick ratio	1.3	-	1.6	1.9	1.7	1.6	1.0	1.5	1.1	-	-	-	-
17. Net sls to net wkg capital	10.9	-	24.0	7.1	8.4	8.3	22.0	6.5	38.8	-	-	-	-
18. Coverage ratio	5.2	-	-	3.5	3.8	2.2	4.8	-	-	-	-	-	-
19. Asset turnover	1.7	-	-	-	2.1	1.8	1.7	1.5	2.5	-	-	-	-
20. Total liab to net worth	1.6	-	1.2	1.7	1.4	1.4	2.3	1.7	1.2	-	-	-	-
Selected Financial Factors in Percentages													
21. Debt ratio	61.5	-	54.0	62.4	58.0	58.0	69.2	63.0	54.3	-	-	-	-
22. Return on assets	15.1	-	-	11.2	16.4	9.3	11.3	22.5	20.2	-	-	-	-
23. Return on equity	26.0	-	-	20.1	25.1	10.5	23.6	43.3	35.1	-	-	-	-
24. Return on net worth	39.2	-	-	29.9	39.0	22.2	36.7	60.7	44.2	-	-	-	-

†Depreciation largest factor

8300 SERVICES: OTHER SERVICES:
Social services

Item Description For Accounting Period 7/86 Through 6/87	A Total	B Zero Assets	C Under 100	D 100 to 250	E 251 to 500	F 501 to 1,000	G 1,001 to 5,000	H 5,001 to 10,000	I 10,001 to 25,000	J 25,001 to 50,000	K 50,001 to 100,000	L 100,001 to 250,000	M 250,001 and over
			SIZE OF ASSETS IN THOUSANDS OF DOLLARS (000 OMITTED)										
1. Number of Enterprises	9209	920	7384	483	277	68	70	3	5	-	-	-	-
2. Total receipts (in millions of dollars)	1520.7	9.7	578.9	248.1	82.5	43.9	133.4	8.2	416.0	-	-	-	-
Selected Operating Factors in Percent of Net Sales													
3. Cost of operations	12.2	-	10.6	24.0	3.1	13.9	15.1	-	7.2	-	-	-	-
4. Compensation of officers	9.1	-	16.2	7.4	2.7	20.3	3.7	-	2.1	-	-	-	-
5. Repairs	1.7	-	2.0	1.3	2.0	3.4	0.3	-	1.8	-	-	-	-
6. Bad debts	0.1	-	-	-	0.2	-	-	-	0.3	-	-	-	-
7. Rent on business property	8.7	-	11.4	4.0	3.1	0.5	9.8	-	9.6	-	-	-	-
8. Taxes (excl Federal tax)	6.1	-	6.5	5.4	7.5	6.1	4.1	-	6.6	-	-	-	-
9. Interest	5.5	-	0.9	2.9	5.8	5.0	7.3	-	13.5	-	-	-	-
10. Deprec/Deplet/Amortiz†	5.1	-	3.5	4.2	7.6	6.4	3.2	-	7.9	-	-	-	-
11. Advertising	1.0	-	1.3	0.5	0.7	1.7	0.6	-	1.0	-	-	-	-
12. Pensions & other benef plans	1.5	-	1.0	2.6	1.0	3.5	4.0	-	0.2	-	-	-	-
13. Other expenses	55.4	-	49.7	45.5	78.5	60.0	58.0	-	59.9	-	-	-	-
14. Net profit before tax	*	*	*	2.2	*	*	*	*	*	-	-	-	-
Selected Financial Ratios (number of times ratio is to one)													
15. Current ratio	1.5	-	1.2	2.7	1.6	0.3	0.5	3.0	3.1	-	-	-	-
16. Quick ratio	1.3	-	1.1	2.7	1.3	0.3	0.4	2.9	2.8	-	-	-	-
17. Net sls to net wkg capital	17.6	-	89.7	26.5	24.4	-	-	2.4	3.8	-	-	-	-
18. Coverage ratio	1.5	-	8.4	2.1	-	-	0.3	-	1.6	-	-	-	-
19. Asset turnover	1.1	-	-	-	0.8	1.1	1.3	0.4	0.4	-	-	-	-
20. Total liab to net worth	2.7	-	4.2	1.4	4.1	1.7	-	-	1.9	-	-	-	-
Selected Financial Factors in Percentages													
21. Debt ratio	72.9	-	80.9	59.0	80.5	62.9	113.4	141.0	65.6	-	-	-	-
22. Return on assets	8.4	-	28.4	16.6	-	-	2.3	-	9.5	-	-	-	-
23. Return on equity	7.0	-	-	16.4	-	-	-	-	9.0	-	-	-	-
24. Return on net worth	31.0	-	-	40.4	-	-	-	-	27.6	-	-	-	-

†Depreciation largest factor

8300 SERVICES: OTHER SERVICES:

Social services

Item Description For Accounting Period 7/86 Through 6/87	A Total	B Zero Assets	C Under 100	D 100 to 250	E 251 to 500	F 501 to 1,000	G 1,001 to 5,000	H 5,001 to 10,000	I 10,001 to 25,000	J 25,001 to 50,000	K 50,001 to 100,000	L 100,001 to 250,000	M 250,001 and over
	SIZE OF ASSETS IN THOUSANDS OF DOLLARS (000 OMITTED)												
1. Number of Enterprises	4982	307	4116	346	138	31	43	-	-	-	-	-	-
2. Total receipts (in millions of dollars)	1285.6	3.4	478.3	215.5	59.7	26.9	501.8	-	-	-	-	-	-
Selected Operating Factors in Percent of Net Sales													
3. Cost of operations	12.3	-	10.5	24.4	2.6	13.4	9.5	-	-	-	-	-	-
4. Compensation of officers	9.7	-	18.8	8.5	3.7	7.4	2.3	-	-	-	-	-	-
5. Repairs	1.4	-	1.1	1.5	1.7	4.3	1.4	-	-	-	-	-	-
6. Bad debts	0.1	-	-	-	0.1	-	0.3	-	-	-	-	-	-
7. Rent on business property	7.6	-	8.9	4.6	0.9	-	8.9	-	-	-	-	-	-
8. Taxes (excl Federal tax)	6.4	-	7.0	5.8	7.0	5.7	6.1	-	-	-	-	-	-
9. Interest	5.3	-	0.7	1.0	4.3	5.2	11.8	-	-	-	-	-	-
10. Deprec/Deplet/Amortiz†	4.7	-	3.1	3.2	7.5	5.5	6.5	-	-	-	-	-	-
11. Advertising	0.9	-	1.3	0.6	-	1.2	0.7	-	-	-	-	-	-
12. Pensions & other benef plans	1.5	-	1.0	3.0	1.4	-	1.2	-	-	-	-	-	-
13. Other expenses	52.2	-	47.9	43.8	69.0	53.9	58.0	-	-	-	-	-	-
14. Net profit before tax	#	#	#	3.6	1.8	3.4	#	-	-	-	-	-	-
Selected Financial Ratios (number of times ratio is to one)													
15. Current ratio	2.2	-	3.7	3.0	2.2	0.3	2.4	-	-	-	-	-	-
16. Quick ratio	2.0	-	3.5	3.0	1.8	0.3	2.1	-	-	-	-	-	-
17. Net sls to net wkg capital	10.0	-	21.5	21.8	12.4	-	4.7	-	-	-	-	-	-
18. Coverage ratio	2.5	-	-	5.3	1.4	1.7	1.6	-	-	-	-	-	-
19. Asset turnover	1.1	-	-	-	1.0	1.4	0.5	-	-	-	-	-	-
20. Total liab to net worth	1.4	-	0.4	0.4	0.7	3.2	2.0	-	-	-	-	-	-
Selected Financial Factors in Percentages													
21. Debt ratio	58.8	-	26.6	25.8	39.5	76.4	66.3	-	-	-	-	-	-
22. Return on assets	14.0	-	-	18.4	6.1	12.1	10.0	-	-	-	-	-	-
23. Return on equity	18.4	-	-	16.8	3.1	16.4	9.7	-	-	-	-	-	-
24. Return on net worth	33.9	-	63.4	24.8	10.0	51.1	29.8	-	-	-	-	-	-

†Depreciation largest factor

8600 SERVICES: OTHER SERVICES:
Membership organizations

Item Description For Accounting Period 7/86 Through 6/87	A Total	B Zero Assets	C Under 100	D 100 to 250	E 251 to 500	F 501 to 1,000	G 1,001 to 5,000	H 5,001 to 10,000	I 10,001 to 25,000	J 25,001 to 50,000	K 50,001 to 100,000	L 100,001 to 250,000	M 250,001 and over
				SIZE OF ASSETS IN THOUSANDS OF DOLLARS (000 OMITTED)									
1. Number of Enterprises	13199	511	10135	1209	470	372	426	43	22	5	3	4	-
2. Total receipts (in millions of dollars)	4678.8	36.3	499.6	408.7	101.5	380.1	1150.4	201.9	625.0	256.7	177.4	841.2	-
Selected Operating Factors in Percent of Net Sales													
3. Cost of operations	44.7	31.9	36.2	37.8	-	13.4	56.4	35.9	68.3	9.6	-	50.1	-
4. Compensation of officers	3.3	-	5.7	5.9	-	5.6	3.4	2.7	1.8	1.1	-	2.0	-
5. Repairs	2.3	1.6	3.7	9.6	-	4.0	1.3	2.4	0.9	0.7	-	0.7	-
6. Bad debts	0.4	10.0	0.4	0.5	-	1.3	0.3	0.1	-	0.7	-	-	-
7. Rent on business property	4.1	25.0	5.6	6.7	-	7.3	1.5	3.0	4.2	2.7	-	4.4	-
8. Taxes (excl Federal tax)	3.5	2.6	3.4	4.5	-	2.9	3.0	10.8	2.1	2.4	-	3.2	-
9. Interest	1.9	12.6	1.6	0.7	-	0.4	1.8	9.5	0.5	1.6	-	2.2	-
10. Deprec/Deplet/Amortiz†	4.1	3.0	4.5	5.3	-	4.9	3.9	7.4	2.1	3.0	-	2.8	-
11. Advertising	1.4	-	1.6	1.3	-	2.5	1.1	1.1	1.1	1.3	-	1.6	-
12. Pensions & other benef plans	2.2	1.1	0.2	4.2	-	2.0	1.7	5.1	2.4	1.6	-	2.2	-
13. Other expenses	51.6	61.6	58.1	56.3	-	63.6	39.9	60.2	38.5	84.4	-	34.4	-
14. Net profit before tax	*	*	*	*	*	*	*	*	*	*	*	*	-
Selected Financial Ratios (number of times ratio is to one)													
15. Current ratio	1.3	-	-	2.0	1.6	1.2	1.4	0.8	1.1	2.0	1.1	1.4	-
16. Quick ratio	1.0	-	-	1.3	1.5	1.0	0.9	0.3	0.7	1.7	0.9	1.1	-
17. Net sls to net wkg capital	10.3	-	-	6.7	1.8	14.3	9.5	-	28.1	4.0	13.0	11.4	-
18. Coverage ratio	1.8	-	-	-	0.4	8.8	2.3	1.0	2.4	0.2	-	3.8	-
19. Asset turnover	1.2	-	-	1.7	0.3	1.3	1.3	0.5	1.8	1.3	0.4	1.2	-
20. Total liab to net worth	1.9	-	-	1.9	1.6	2.0	1.4	6.8	3.4	2.7	0.4	1.3	-
Selected Financial Factors in Percentages													
21. Debt ratio	65.1	-	-	65.3	60.9	67.0	58.7	87.2	77.0	72.8	29.0	56.9	-
22. Return on assets	4.1	-	-	-	1.2	4.4	5.5	4.5	2.1	0.5	-	10.4	-
23. Return on equity	2.0	-	-	-	-	11.4	4.4	-	1.7	-	-	14.8	-
24. Return on net worth	11.7	-	-	-	3.0	13.2	13.3	35.3	9.0	1.7	-	24.0	-

†Depreciation largest factor

8600 SERVICES: OTHER SERVICES:

Membership organizations

Item Description For Accounting Period 7/86 Through 6/87	A Total	B Zero Assets	C Under 100	D 100 to 250	E 251 to 500	F 501 to 1,000	G 1,001 to 5,000	H 5,001 to 10,000	I 10,001 to 25,000	J 25,001 to 50,000	K 50,001 to 100,000	L 100,001 to 250,000	M 250,001 and over
			SIZE OF ASSETS IN THOUSANDS OF DOLLARS (000 OMITTED)										
1. Number of Enterprises	6992	217	5044	847	262	302	288	14	9	-	-	-	-
2. Total receipts (in millions of dollars)	3390.9	28.6	264.3	334.1	37.4	377.8	931.0	106.4	225.3	-	-	-	-
			Selected Operating Factors in Percent of Net Sales										
3. Cost of operations	43.5	-	29.7	39.8	28.3	13.5	61.2	-	-	-	-	-	-
4. Compensation of officers	3.3	-	2.1	6.8	-	5.7	3.1	-	-	-	-	-	-
5. Repairs	2.3	-	4.7	7.4	2.2	4.0	1.2	-	-	-	-	-	-
6. Bad debts	0.3	-	-	0.3	-	1.3	0.2	-	-	-	-	-	-
7. Rent on business property	3.8	-	3.0	4.1	-	7.3	0.9	-	-	-	-	-	-
8. Taxes (excl Federal tax)	3.3	-	2.6	4.2	8.5	2.9	2.5	-	-	-	-	-	-
9. Interest	1.8	-	0.6	0.9	6.7	0.4	1.6	-	-	-	-	-	-
10. Deprec/Deplet/Amortiz†	3.8	-	2.0	5.4	11.3	4.9	3.7	-	-	-	-	-	-
11. Advertising	1.2	-	0.1	0.3	-	2.4	0.6	-	-	-	-	-	-
12. Pensions & other benef plans	2.5	-	-	5.0	1.3	2.0	1.3	-	-	-	-	-	-
13. Other expenses	49.2	-	69.3	48.9	57.2	63.3	29.0	-	-	-	-	-	-
14. Net profit before tax	#	#	#	#	#	#	#	#	#	-	-	-	-
			Selected Financial Ratios (number of times ratio is to one)										
15. Current ratio	1.4	-	5.2	2.2	9.0	0.8	1.5	0.3	1.6	-	-	-	-
16. Quick ratio	1.1	-	5.2	1.3	8.3	0.6	1.0	0.3	1.2	-	-	-	-
17. Net sls to net wkg capital	9.5	-	5.0	6.2	0.6	-	9.8	-	4.3	-	-	-	-
18. Coverage ratio	4.5	-	-	6.2	5.8	9.5	3.8	1.8	3.9	-	-	-	-
19. Asset turnover	1.3	-	2.2	1.9	0.3	1.6	1.6	0.6	1.0	-	-	-	-
20. Total liab to net worth	1.4	-	0.8	2.2	0.3	2.4	1.2	-	1.9	-	-	-	-
			Selected Financial Factors in Percentages										
21. Debt ratio	58.9	-	44.3	68.3	23.2	70.6	55.2	117.5	65.8	-	-	-	-
22. Return on assets	10.7	-	24.7	10.5	10.8	5.7	9.7	14.9	5.8	-	-	-	-
23. Return on equity	16.7	-	36.9	21.6	9.9	17.0	11.9	-	7.5	-	-	-	-
24. Return on net worth	26.1	-	44.3	33.1	14.0	19.5	21.8	-	16.9	-	-	-	-

†Depreciation largest factor

8911 SERVICES: BUSINESS SERVICES:

Architectural and engineering services

Item Description For Accounting Period 7/86 Through 6/87	A Total	B Zero Assets	C Under 100	D 100 to 250	E 251 to 500	F 501 to 1,000	G 1,001 to 5,000	H 5,001 to 10,000	I 10,001 to 25,000	J 25,001 to 50,000	K 50,001 to 100,000	L 100,001 to 250,000	M 250,001 and over
					SIZE OF ASSETS IN THOUSANDS OF DOLLARS (000 OMITTED)								
1. Number of Enterprises	47180	3340	31698	6401	3058	1465	971	147	60	20	10	9	-
2. Total receipts (in millions of dollars)	30790.8	227.7	4918.6	3742.3	3035.5	3503.4	5445.5	2734.8	2245.0	1114.4	1398.9	2424.7	-
Selected Operating Factors in Percent of Net Sales													
3. Cost of operations	40.0	48.1	20.6	24.5	31.9	33.3	42.4	52.0	58.1	55.1	69.4	64.0	-
4. Compensation of officers	9.3	9.6	19.6	13.2	11.6	8.1	7.4	4.9	3.9	2.5	1.7	2.2	-
5. Repairs	0.6	0.5	0.5	0.9	0.7	0.5	0.5	0.6	0.4	0.7	0.4	0.4	-
6. Bad debts	0.4	6.1	0.3	0.2	0.6	0.3	0.3	0.4	0.2	0.5	0.5	0.3	-
7. Rent on business property	3.7	5.3	4.6	3.9	3.1	4.2	3.3	3.7	2.7	3.5	3.5	3.4	-
8. Taxes (excl Federal tax)	3.9	3.1	5.4	4.2	3.8	3.7	3.3	3.3	3.2	3.8	3.4	3.4	-
9. Interest	1.3	0.8	1.4	1.1	1.2	1.0	1.1	1.5	1.4	2.3	1.7	1.5	-
10. Deprec/Deplet/Amortiz†	2.5	4.1	2.5	3.0	2.8	2.3	2.3	2.4	1.6	3.0	1.9	2.8	-
11. Advertising	0.3	0.4	0.1	0.4	0.3	0.4	0.2	0.2	0.2	0.2	0.1	0.5	-
12. Pensions & other benef plans	3.1	1.9	3.1	3.0	2.9	4.1	3.4	2.5	3.6	2.1	2.3	2.1	-
13. Other expenses	37.2	33.7	42.2	48.9	42.2	42.4	36.6	31.4	27.7	31.6	18.3	24.9	-
14. Net profit before tax	*	*	*	*	*	*	*	*	*	*	*	*	-
Selected Financial Ratios (number of times ratio is to one)													
15. Current ratio	1.4	-	1.1	1.5	1.6	1.4	1.3	1.4	1.2	1.6	1.6	1.8	-
16. Quick ratio	1.1	-	1.0	1.2	1.3	1.2	1.1	0.9	0.9	1.1	1.2	0.9	-
17. Net sls to net wkg capital	15.8	-	110.0	19.6	13.1	21.3	19.8	16.0	22.5	6.7	7.9	5.5	-
18. Coverage ratio	1.8	-	2.0	0.4	1.8	2.2	3.9	1.8	1.5	0.8	0.9	0.4	-
19. Asset turnover	-	-	-	-	-	-	-	-	2.2	1.5	1.8	1.2	-
20. Total liab to net worth	2.3	-	-	1.5	1.4	2.4	2.2	3.4	2.3	4.3	2.6	1.4	-
Selected Financial Factors in Percentages													
21. Debt ratio	69.8	-	100.4	60.2	58.7	70.1	68.9	77.2	70.0	81.0	72.0	58.5	-
22. Return on assets	6.1	-	15.1	1.4	6.1	7.2	12.4	7.2	4.7	2.7	2.9	0.8	-
23. Return on equity	2.2	-	-	-	3.0	7.1	20.3	5.9	-	-	-	-	-
24. Return on net worth	20.0	-	-	3.6	14.7	24.1	39.8	31.4	15.6	14.1	10.3	1.8	-

†Depreciation largest factor

8911 SERVICES: BUSINESS SERVICES:

Architectural and engineering services

Item Description For Accounting Period 7/86 Through 6/87	A Total	B Zero Assets	C Under 100	D 100 to 250	E 251 to 500	F 501 to 1,000	G 1,001 to 5,000	H 5,001 to 10,000	I 10,001 to 25,000	J 25,001 to 50,000	K 50,001 to 100,000	L 100,001 to 250,000	M 250,001 and over
		SIZE OF ASSETS IN THOUSANDS OF DOLLARS (000 OMITTED)											
1. Number of Enterprises	26326	626	17285	4148	2369	1018	730	101	31	13	4	-	-
2. Total receipts (in millions of dollars)	20691.9	84.9	3363.6	2728.9	2415.2	2197.7	4322.8	2310.7	1423.1	740.0	1104.9	-	-
Selected Operating Factors in Percent of Net Sales													
3. Cost of operations	38.5	73.5	20.3	27.5	36.3	33.4	42.6	52.7	60.6	50.6	52.3	-	-
4. Compensation of officers	9.9	4.4	20.3	13.9	10.7	9.9	6.9	5.0	3.1	2.2	2.2	-	-
5. Repairs	0.7	0.1	0.7	1.1	0.7	0.6	0.5	0.6	0.5	0.9	0.3	-	-
6. Bad debts	0.3	0.7	0.3	0.2	0.5	0.2	0.3	0.4	0.1	0.6	0.1	-	-
7. Rent on business property	3.6	2.1	4.7	3.2	2.4	3.9	3.3	4.0	2.0	3.3	5.5	-	-
8. Taxes (excl Federal tax)	3.6	1.6	4.1	4.2	3.6	3.7	3.2	3.2	2.8	3.3	4.9	-	-
9. Interest	1.1	0.7	1.5	0.9	1.0	0.9	0.9	1.3	0.9	1.6	1.3	-	-
10. Deprec/Deplet/Amortiz†	2.2	9.2	2.1	2.4	2.3	2.5	2.1	2.0	1.2	2.6	2.5	-	-
11. Advertising	0.2	-	0.1	0.1	0.2	0.3	0.1	0.2	-	0.1	0.1	-	-
12. Pensions & other benef plans	3.2	4.0	2.9	2.7	2.8	4.3	3.9	2.5	3.6	1.7	3.9	-	-
13. Other expenses	34.6	12.5	38.0	43.1	36.7	37.0	34.7	29.8	22.3	33.0	21.9	-	-
14. Net profit before tax	2.1	#	5.0	0.7	2.8	3.3	1.5	#	2.9	#	5.0	-	-
Selected Financial Ratios (number of times ratio is to one)													
15. Current ratio	1.6	-	1.6	1.8	1.7	2.0	1.5	1.3	1.4	1.6	2.7	-	-
16. Quick ratio	1.3	-	1.4	1.6	1.4	1.7	1.2	0.9	0.9	1.1	2.2	-	-
17. Net sls to net wkg capital	13.4	-	31.1	18.9	12.4	9.8	15.9	23.9	16.8	6.8	3.5	-	-
18. Coverage ratio	6.0	-	5.6	5.1	5.8	6.6	7.7	3.2	7.2	4.0	9.1	-	-
19. Asset turnover	-	-	-	-	-	-	-	-	-	1.6	1.3	-	-
20. Total liab to net worth	1.5	-	3.0	0.8	1.2	1.3	1.6	3.4	1.3	1.8	0.8	-	-
Selected Financial Factors in Percentages													
21. Debt ratio	59.1	-	75.0	45.5	53.8	56.6	61.6	77.1	56.7	64.2	45.5	-	-
22. Return on assets	20.0	-	-	18.2	18.0	17.4	20.4	14.4	16.1	10.3	15.8	-	-
23. Return on equity	32.6	-	-	23.8	28.2	28.3	35.9	30.7	25.1	13.0	14.8	-	-
24. Return on net worth	48.9	-	-	33.4	38.8	40.2	53.1	62.8	37.2	28.7	28.9	-	-

†Depreciation largest factor

8930 SERVICES: BUSINESS SERVICES:
Accounting, auditing, and bookkeeping services

Item Description For Accounting Period 7/86 Through 6/87	A Total	B Zero Assets	C Under 100	D 100 to 250	E 251 to 500	F 501 to 1,000	G 1,001 to 5,000	H 5,001 to 10,000	I 10,001 to 25,000	J 25,001 to 50,000	K 50,001 to 100,000	L 100,001 to 250,000	M 250,001 and over
		SIZE OF ASSETS IN THOUSANDS OF DOLLARS (000 OMITTED)											
1. Number of Enterprises	28184	621	21310	5080	781	255	128	-	3	5	-	-	-
2. Total receipts (in millions of dollars)	7555.2	20.4	2556.3	2581.3	867.1	290.3	767.1	-	35.0	437.7	-	-	-
Selected Operating Factors in Percent of Net Sales													
3. Cost of operations	11.6	6.1	12.4	10.0	8.4	9.6	17.1	-	13.3	15.3	-	-	-
4. Compensation of officers	17.4	38.8	21.5	18.0	21.3	22.7	3.4	-	-	2.9	-	-	-
5. Repairs	0.5	0.2	0.8	0.4	0.4	0.2	0.1	-	-	0.7	-	-	-
6. Bad debts	0.1	-	0.1	0.1	-	0.1	0.4	-	-	0.1	-	-	-
7. Rent on business property	5.3	5.9	6.5	4.3	5.2	4.7	4.4	-	2.2	6.0	-	-	-
8. Taxes (excl Federal tax)	4.3	2.0	4.2	5.2	4.0	4.2	2.1	-	5.2	4.0	-	-	-
9. Interest	1.4	-	1.2	1.2	1.8	2.4	0.9	-	4.8	2.2	-	-	-
10. Deprec/Deplet/Amortiz†	3.3	-	4.0	2.9	2.9	3.2	1.9	-	7.3	5.4	-	-	-
11. Advertising	0.3	0.2	0.5	0.1	0.1	0.2	0.1	-	0.4	0.5	-	-	-
12. Pensions & other benef plans	3.5	8.1	2.9	2.9	3.4	4.6	5.5	-	3.7	5.9	-	-	-
13. Other expenses	51.2	53.4	42.5	53.9	53.4	50.9	65.1	-	67.2	57.1	-	-	-
14. Net profit before tax	1.1	*	3.4	1.0	*	*	*	-	*	*	-	-	-
Selected Financial Ratios (number of times ratio is to one)													
15. Current ratio	1.2	-	0.9	1.4	1.2	1.0	1.5	-	1.6	1.1	-	-	-
16. Quick ratio	1.0	-	0.7	1.2	0.9	0.9	1.3	-	1.5	0.9	-	-	-
17. Net sls to net wkg capital	53.2	-	-	30.4	49.5	107.5	18.9	-	10.7	42.6	-	-	-
18. Coverage ratio	2.9	-	4.5	3.0	1.0	1.5	3.1	-	2.2	2.2	-	-	-
19. Asset turnover	-	-	-	-	-	1.9	-	-	0.9	1.5	-	-	-
20. Total liab to net worth	2.0	-	2.2	1.4	5.5	1.8	3.7	-	2.0	1.4	-	-	-
Selected Financial Factors in Percentages													
21. Debt ratio	66.8	-	68.9	58.6	84.7	64.3	78.5	-	66.8	58.9	-	-	-
22. Return on assets	12.2	-	22.0	11.2	6.2	6.7	7.8	-	9.5	7.6	-	-	-
23. Return on equity	19.3	-	50.0	14.8	-	4.7	14.3	-	15.1	2.1	-	-	-
24. Return on net worth	36.8	-	70.6	27.0	40.4	18.7	36.2	-	28.6	18.5	-	-	-

†Depreciation largest factor

TABLE II: CORPORATIONS WITH NET INCOME, 1990 EDITION

8930 SERVICES: BUSINESS SERVICES:
Accounting, auditing, and bookkeeping services

Item Description For Accounting Period 7/86 Through 6/87	A Total	B Zero Assets	C Under 100	D 100 to 250	E 251 to 500	F 501 to 1,000	G 1,001 to 5,000	H 5,001 to 10,000	I 10,001 to 25,000	J 25,001 to 50,000	K 50,001 to 100,000	L 100,001 to 250,000	M 250,001 and over
						SIZE OF ASSETS IN THOUSANDS OF DOLLARS (000 OMITTED)							
1. Number of Enterprises	17862	8	13070	3973	-	156	75	-	-	-	-	-	-
2. Total receipts (in millions of dollars)	4957.4	16.1	1865.0	1601.5	-	245.6	376.6	-	-	-	-	-	-
Selected Operating Factors in Percent of Net Sales													
3. Cost of operations	11.9	7.8	9.6	14.7	-	10.6	23.5	-	-	-	-	-	-
4. Compensation of officers	18.7	31.6	19.5	23.8	-	21.6	2.1	-	-	-	-	-	-
5. Repairs	0.6	-	0.8	0.5	-	0.2	0.1	-	-	-	-	-	-
6. Bad debts	0.1	-	0.1	0.1	-	-	0.8	-	-	-	-	-	-
7. Rent on business property	5.9	0.4	6.9	5.4	-	5.1	6.3	-	-	-	-	-	-
8. Taxes (excl Federal tax)	3.9	0.1	4.2	3.9	-	4.2	2.5	-	-	-	-	-	-
9. Interest	1.3	-	1.2	1.4	-	2.4	1.6	-	-	-	-	-	-
10. Deprec/Deplet/Amortiz†	3.5	0.1	3.6	3.8	-	3.2	2.2	-	-	-	-	-	-
11. Advertising	0.3	-	0.4	0.2	-	0.1	0.2	-	-	-	-	-	-
12. Pensions & other benef plans	3.2	10.2	2.9	3.2	-	4.9	1.3	-	-	-	-	-	-
13. Other expenses	45.6	49.8	42.9	39.6	-	50.2	56.3	-	-	-	-	-	-
14. Net profit before tax	5.0	-	7.9	3.4	-	#	3.1	-	-	-	-	-	-
Selected Financial Ratios (number of times ratio is to one)													
15. Current ratio	1.5	-	1.0	1.7	-	0.7	1.7	-	-	-	-	-	-
16. Quick ratio	1.2	-	0.6	1.5	-	0.5	1.5	-	-	-	-	-	-
17. Net sls to net wkg capital	25.3	-	-	16.8	-	-	15.8	-	-	-	-	-	-
18. Coverage ratio	5.9	-	8.1	4.5	-	2.0	5.4	-	-	-	-	-	-
19. Asset turnover	-	-	-	-	-	2.4	-	-	-	-	-	-	-
20. Total liab to net worth	1.3	-	1.4	1.1	-	2.6	4.2	-	-	-	-	-	-
Selected Financial Factors in Percentages													
21. Debt ratio	55.6	-	58.8	52.0	-	72.4	80.8	-	-	-	-	-	-
22. Return on assets	25.0	-	-	17.8	-	11.6	22.9	-	-	-	-	-	-
23. Return on equity	41.2	-	-	25.2	-	17.1	-	-	-	-	-	-	-
24. Return on net worth	56.3	-	-	37.0	-	41.9	-	-	-	-	-	-	-

†Depreciation largest factor

TABLE I: CORPORATIONS WITH AND WITHOUT NET INCOME, 1990 EDITION

8980 SERVICES: BUSINESS SERVICES:

Miscellaneous services (including veterinarians), not elsewhere classified

Item Description For Accounting Period 7/86 Through 6/87	A Total	B Zero Assets	C Under 100	D 100 to 250	E 251 to 500	F 501 to 1,000	G 1,001 to 5,000	H 5,001 to 10,000	I 10,001 to 25,000	J 25,001 to 50,000	K 50,001 to 100,000	L 100,001 to 250,000	M 250,001 and over
								SIZE OF ASSETS IN THOUSANDS OF DOLLARS (000 OMITTED)					
1. Number of Enterprises	49105	2498	37035	5332	2428	887	775	87	41	12	7	4	-
2. Total receipts (in millions of dollars)	15093.1	324.3	4061.3	3141.0	1774.0	1443.9	2488.9	555.4	648.8	141.1	426.7	87.7	-
Selected Operating Factors in Percent of Net Sales													
3. Cost of operations	50.7	40.8	24.3	62.6	45.0	76.1	62.9	50.5	61.1	51.8	69.4	66.4	-
4. Compensation of officers	8.3	4.3	14.2	8.1	9.0	3.7	4.5	8.6	2.1	7.2	1.7	2.4	-
5. Repairs	0.7	0.7	1.1	0.7	0.5	0.3	0.6	0.6	0.4	0.4	0.1	0.1	-
6. Bad debts	0.3	1.3	0.3	-	0.7	0.1	0.3	0.2	0.9	0.5	0.4	0.1	-
7. Rent on business property	3.0	4.6	5.3	2.3	3.4	0.8	1.7	2.3	2.9	2.0	1.8	0.7	-
8. Taxes (excl Federal tax)	3.0	4.1	4.4	2.0	2.8	3.1	2.4	2.3	1.4	2.2	1.7	2.4	-
9. Interest	1.5	1.1	1.0	0.8	1.2	1.3	2.0	2.8	2.2	7.3	4.3	17.1	-
10. Deprec/Deplet/Amortiz†	3.2	1.6	3.8	1.6	3.2	2.8	3.3	3.6	3.8	8.1	2.8	28.0	-
11. Advertising	1.0	2.4	1.0	0.8	1.9	0.5	0.6	0.9	2.9	0.5	0.3	-	-
12. Pensions & other benef plans	1.1	1.9	0.9	0.8	1.7	0.3	1.4	2.0	1.4	2.7	1.4	0.2	-
13. Other expenses	30.2	45.4	45.9	20.9	34.7	12.5	22.9	27.9	34.4	38.5	18.9	19.5	-
14. Net profit before tax	*	*	*	*	*	*	*	*	*	*	*	*	-
Selected Financial Ratios (number of times ratio is to one)													
15. Current ratio	1.3	-	1.6	1.8	1.5	1.4	1.1	0.9	0.9	1.9	1.0	2.2	-
16. Quick ratio	0.9	-	1.3	1.1	1.0	0.9	0.8	0.7	0.6	1.2	0.6	1.6	-
17. Net sls to net wkg capital	18.5	-	25.3	15.4	14.4	22.1	20.9	-	-	1.7	-	0.5	-
18. Coverage ratio	1.5	-	1.1	2.8	1.9	2.8	1.5	1.5	-	0.2	0.9	1.3	-
19. Asset turnover	2.0	-	-	-	2.0	2.5	1.5	0.9	1.0	0.3	0.9	0.1	-
20. Total liab to net worth	3.4	-	6.3	1.4	2.4	2.2	6.7	4.7	1.6	2.5	8.0	7.2	-
Selected Financial Factors in Percentages													
21. Debt ratio	77.4	-	86.3	58.6	70.9	69.0	87.0	82.5	62.0	71.6	88.9	87.8	-
22. Return on assets	4.5	-	4.4	8.3	4.7	9.1	4.5	3.7	-	0.5	3.6	2.6	-
23. Return on equity	1.3	-	-	9.6	5.0	14.9	-	0.5	-	-	-	2.9	-
24. Return on net worth	19.8	-	32.0	20.0	16.2	29.2	34.5	21.3	-	1.7	31.8	21.1	-

†Depreciation largest factor

TABLE II: CORPORATIONS WITH NET INCOME, 1990 EDITION

8980 SERVICES: BUSINESS SERVICES:
Miscellaneous services (including veterinarians), not elsewhere classified

Item Description For Accounting Period 7/86 Through 6/87	A Total	B Zero Assets	C Under 100	D 100 to 250	E 251 to 500	F 501 to 1,000	G 1,001 to 5,000	H 5,001 to 10,000	I 10,001 to 25,000	J 25,001 to 50,000	K 50,001 to 100,000	L 100,001 to 250,000	M 250,001 and over
					SIZE OF ASSETS IN THOUSANDS OF DOLLARS (000 OMITTED)								
1. Number of Enterprises	24490	568	17405	3968	-	617	483	39	20	6	-	-	-
2. Total receipts (in millions of dollars)	10226.9	270.8	2354.7	2394.3	-	1235.2	1915.3	340.1	208.2	71.3	-	-	-
Selected Operating Factors in Percent of Net Sales													
3. Cost of operations	52.6	38.6	23.5	62.7	-	77.4	67.6	43.5	47.9	20.8	-	-	-
4. Compensation of officers	7.8	4.7	13.8	7.7	-	4.0	4.6	6.8	4.9	15.0	-	-	-
5. Repairs	0.6	0.7	1.0	0.8	-	-	0.3	0.4	0.6	0.7	-	-	-
6. Bad debts	0.3	1.5	0.2	0.1	-	0.1	0.2	0.1	2.3	0.1	-	-	-
7. Rent on business property	2.6	5.0	4.9	1.7	-	0.6	1.6	2.4	4.5	3.8	-	-	-
8. Taxes (excl Federal tax)	2.8	4.0	3.8	2.2	-	3.3	2.4	2.1	2.4	3.6	-	-	-
9. Interest	1.2	1.1	0.8	0.7	-	1.0	1.3	1.8	3.9	5.2	-	-	-
10. Deprec/Deplet/Amortiz†	2.3	0.5	2.9	1.5	-	1.9	2.3	2.4	5.3	11.6	-	-	-
11. Advertising	0.7	2.8	0.5	0.5	-	0.2	0.4	1.2	3.2	0.2	-	-	-
12. Pensions & other benef plans	1.1	2.1	1.0	0.8	-	0.3	1.4	1.8	2.5	5.7	-	-	-
13. Other expenses	25.4	40.1	43.1	19.2	-	10.5	14.9	31.4	30.1	51.0	-	-	-
14. Net profit before tax	2.6	#	4.5	2.1	-	0.7	3.0	6.1	#	#	-	-	-
Selected Financial Ratios (number of times ratio is to one)													
15. Current ratio	1.5	-	2.1	2.4	-	1.2	1.4	1.0	0.8	2.2	-	-	-
16. Quick ratio	1.1	-	1.8	1.4	-	1.0	1.0	1.0	0.6	1.3	-	-	-
17. Net sls to net wkg capital	12.9	-	16.7	11.0	-	39.4	8.7	48.0	-	0.8	-	-	-
18. Coverage ratio	6.3	-	-	8.1	-	5.6	5.6	6.4	4.4	3.4	-	-	-
19. Asset turnover	2.3	-	-	-	-	-	1.9	1.2	0.6	0.3	-	-	-
20. Total liab to net worth	2.0	-	1.2	1.1	-	2.1	2.5	6.4	1.4	1.8	-	-	-
Selected Financial Factors in Percentages													
21. Debt ratio	67.1	-	55.2	52.4	-	67.5	71.0	86.4	57.8	63.7	-	-	-
22. Return on assets	17.1	-	-	20.2	-	16.6	14.3	13.6	10.4	4.9	-	-	-
23. Return on equity	37.6	-	-	33.4	-	36.6	31.6	-	13.7	6.7	-	-	-
24. Return on net worth	52.1	-	76.0	42.4	-	51.1	49.2	99.9	24.8	13.4	-	-	-

†Depreciation largest factor

Appendix

APPENDIX

NUMBER	ALMANAC	SIC	DESCRIPTION
1.	0400	01	Agricultural production-crops
2.	0400	02	Agricultural production-lovestock
3.	0600	07	Agricultural services
4.	0600	08	Forestry
5.	0600	09	Fishing, hunting,and trapping
6.	1010	101	Iron ores
7.	1070	102	Copper ores
8.	1070	103	Lead and zinc ores
9.	1070	104	Gold and silver ores
10.	1098	105	Bauxite and other aluminum ores
11.	1098	106	Ferroalloy ores, exc. vanadium
12.	1098	108	Metal mining services
13.	1098	109	Miscellaneous metal ores
14.	1150	11	Anthracite mining
15.	1150	12	Bituminous and lignite mining
16.	1330	131	Crude petroleum and natural gas
17.	1380	138	Oil and gas field services
18.	1430	141	Dimension stone
19.	1430	142	Crushed and broken stone, incl. riprap
20.	1430	144	Sand and gravel
21.	1498	145	Clay,ceramic,and refractory minerals
22.	1498	147	Chemical and fertilizer mineral mining
23.	1498	148	Nonmetallic minerals (ex. fuels) services
24.	1498	149	Miscellaneous nonmetallic minerals,except fuels
25.	1510	152	General bldg. contractors-residental
26.	1510	154	General bldg. contractors-nonresidental
27.	1531	153	Operative builders
28.	1600	16	Construction other than bldg.-gen. contractors
29.	1711	171	Plumbing, heating (ex. elec.) and air cond.
30.	1731	173	Electrical work
31.	1798	172	Painting, paper hanging, and decorating
32.	1798	174	Masonary, stonework, tile setting, and plastering
33.	1798	175	Carpentering and flooring
34.	1798	176	Roofing and sheet metal work
35.	1798	177	Concrete work
36.	1798	178	Water well drilling
37.	1798	179	Misc. special trade contractors
38.	2010	201	Meat products
39.	2020	202	Dairy products
40.	2030	203	Canned and preserved fruits and vegetables
41.	2040	204	Grain mill products
42.	2050	205	Bakery products
43.	2060	206	Sugar and confectionery products
44.	2081	2082	Malt beverages
45.	2088	2083	Malt
46.	2088	2084	Wines,brandy,and brandy spirits
47.	2088	2085	Distilled,rectified,and blended liquors

APPENDIX

NUMBER	ALMANAC	SIC	DESCRIPTION
48.	2089	2086	Bottled canned soft drinks carbonated waters
49.	2089	2087	Flavoring extracts and flavoring sirups,n.e.c.
50.	2096	207	Fats and oils
51.	2096	209	Misc. food preparations and kindred products
52.	2100	21	Tobacco manufactures
53.	2228	221	Broad woven fabric mills,cotton
54.	2228	222	Broad woven fabric mills,man-made fiber and silk
55.	2228	223	Broad woven fabric mills,wool(inc.dye fin)
56.	2228	226	Dyeing finishing textiles,ex.wool fabric knit goods
57.	2250	225	Knitting mills
58.	2298	227	Floor covering mills
59.	2298	228	Yarn and thread mills
60.	2298	224	Narrow fabrics and other smallware mills
61.	2298	229	Misc. textile goods
62.	2315	231	Men's youth's and boy's suits, coats, overcoats
63.	2315	232	Men's youth's and boy's furnishings,
64.	2345	233	Women's misses' and juniors outerwear
65.	2345	234	Women's misses' children's and infants undergarments
66.	2345	236	Girl's children's and infants outerwear
67.	2388	235	Hats,caps,and millinery
68.	2388	237	Fur goods
69.	2388	238	Miscellaneous apparel accessories
70.	2390	239	Misc. fabricated textile products
71.	2415	241	Logging camps and logging contractors
72.	2415	242	Sawmills and planing mills
73.	2430	243	Millwork, veneer, plywood and structural wood mem.
74.	2498	245	Wood buildings and mobile homes
75.	2498	244	Wood containers
76.	2498	249	Misc. wood products
77.	2500	25	Furniture and fixtures
78.	2500	251	Household furniture
79.	2500	252	Office furniture
80.	2500	253	Public bldg. related furniture
81.	2500	254	Partitions,shelving,lockers,and office store fixtures
82.	2500	259	Miscellaneous furniture and fixtures
83.	2625	261	Pulp mills
84.	2625	262	Paper mills, exc. bldg. paperboard mills
85.	2625	263	Paperboard mills
86.	2625	266	Building paper and building board mills
87.	2699	264	Converted paper and paperboard products
88.	2699	265	Paperboard containers,and boxes
89.	2710	271	Newspapers: publishing, publishing and print
90.	2720	272	Periodicals: publishing and printing
91.	2735	273	Books
92.	2735	277	Greeting card publishing

APPENDIX

NUMBER	ALMANAC	SIC	DESCRIPTION
93.	2735	274	Misc. publishing
94.	2799	275	Commercial printing
95.	2799	276	Manifold business forms
96.	2799	278	Blankbooks, looseleaf binders, bookbinding
97.	2799	279	Service industries for the printing trade
98.	2815	281	Industrial inorganic chemicals
99.	2815	282	Plastics materials and synthetic resins
100.	2815	286	Industrial organic chemicals
101.	2830	283	Drugs
102.	2840	284	Soaps, detergents and cleaning preparations
103.	2850	285	Paints, varnishes, lacquers, enamels
104.	2898	287	Agricultural chemicals
105.	2898	289	Misc. chemical products
106.	2910	291	Petroleum refining
107.	2998	295	Paving and roofing materials
108.	2998	299	Miscellaneous products of petroleum coal
109.	3050	301	Tires and inner tubes
110.	3050	302	Rubber and plastics footwear
111.	3050	303	Reclaimed rubber
112.	3050	304	Rubber and plastics hose belting
113.	3050	306	Fabricated rubber products,n.e.c.
114.	3070	307	Misc. plastics products
115.	3140	314	Footwear, exc. rubber
116.	3198	311	Leather tanning and finishing
117.	3198	313	Boot and shoe cut stock and findings
118.	3198	315	Leather gloves and mittens
119.	3198	316	Luggage
120.	3198	317	Handbags other personal leather goods
121.	3198	319	Leather goods, n.e.c.
122.	3225	321	Flat glass
123.	3225	322	Glass and glassware, pressed or blown
124.	3225	323	Glass products, made of purchased glass
125.	3240	324	Cement, hydraulic
126.	3270	327	Concrete, gypsum and plaster products
127.	3298	325	Structural clay products
128.	3298	326	Pottery and related products
129.	3298	328	Cut stone and stone products
130.	3298	329	Abrasive, asbestos and misc nonmetallic
131.	3370	331	Blast furnaces, steel works rolling fin. mills
132.	3370	332	Iron and steel foundaries
133.	3380	333	Primary smelting and refining of nonferrous
134.	3380	334	Secondary smelting and refining
135.	3380	335	Rolling, drawing and extruding of nonferrous
136.	3380	336	Nonferrous foundries (casting)
137.	3410	341	Metal cans and shipping containers

APPENDIX

NUMBER	ALMANAC	SIC	DESCRIPTION
138.	3428	342	Cutlery, hand tools,and general hardware
139.	3428	345	Screw machine products, and bolts, nuts
140.	3430	343	Heating equipment, exc. electric and warm air
141.	3440	344	Fabricated structural metal products
142.	3460	346	Metal forgings and stampings
143.	3470	347	Coating, engraving and allied srvcs
144.	3480	348	Ordnance and accessories, exc. vehicles
145.	3490	349	Misc. fabricated metal products
146.	3520	352	Farm and garden machinery and equip
147.	3530	353	Construction,mining and materials
148.	3540	354	Metalworking, machinery and equip
149.	3550	355	Special industry machinery, exc. metalwrk
150.	3560	356	General industrial machinery and equip.
151.	3570	357	Office, computing and acctg. machines
152.	3598	358	Refrigeration and service industry
153.	3598	351	Engines and turbines
154.	3598	359	Misc. machinery, exc. electrical
155.	3630	363	Household appliances
156.	3665	365	Radio and television receiving equip.
157.	3665	366	Communications equipment
158.	3670	367	Electronic components and accessories
159.	3698	364	Electric lighting and wiring equip.
160.	3698	361	Electric transmission and distribution
161.	3698	362	Electrical industrial apparatus
162.	3698	369	Misc. electrical machinery, equip.
163.	3710	371	Motor vehicles and motor vehicle equip.
164.	3725	372	Aircraft and parts
165.	3725	376	Guided missiles and space vehicles and parts
166.	3730	373	Ship and boat bldg. and repairing
167.	3798	374	Railroad equip.
168.	3798	375	Motorcycles,bicycles,and parts
169.	3798	379	Miscellaneous transportation equipment
170.	3815	381	Engineering, laboratory, scientific assoc. equip.
171.	3815	382	Measuring and controlling instruments
172.	3815	387	Watches, clocks, clockwork operated devices
173.	3845	383	Optical instruments and lenses
174.	3845	385	Opthalmic goods
175.	3845	384	Surgical, medical and dental instruments
176.	3860	386	Photographic equipment and supplies
177.	3998	39	Misc. manufacturing industries
178.	4000	40	Railroad transportation
179.	4100	41	Local and suburban transit
180.	4200	42	Motor freight trans. and warehousing
181.	4400	44	Water transportation
182.	4500	45	Transportation by air

APPENDIX

NUMBER	ALMANAC	SIC	DESCRIPTION
183.	4600	46	Pipe lines, except natural gas
184.	4700	47	Transportation services
185.	4825	481	Telephone communication
186.	4825	482	Telegraph communication
187.	4825	489	Communication services, n.e.c.
188.	4830	483	Radio and television broadcasting
189.	4910	491	Electric services
190.	4920	492	Gas production and distribution
191.	4930	493	Combination gas, electric other utility serv.
192.	4990	494	Water supply
193.	4990	495	Sanitary services
194.	4990	496	Steam supply
195.	4990	497	Irrigation systems
196.	5140	514	Groceries and related products
197.	5008	508	Machinery, equipment and supplies
198.	5010	501	Motor vehicles auto parts and supplies
199.	5030	503	Lumber and other construction materials
200.	5050	505	Metals and minerals, exc. petroleum
201.	5060	506	Electrical goods
202.	5070	507	Hardware, plumbing and heating equip.
203.	5020	502	Furniture and home furnishings
204.	5040	504	Sporting, recreational, photographic and hobby
205.	5098	509	Misc. durable goods
206.	5110	511	Paper and paper products
207.	5129	512	Drugs, drug proprietaries druggists sundries
208.	5160	516	Chemicals and allied products
209.	5130	513	Apparel, piece goods, and notions
210.	5150	515	Farm-product raw materials
211.	5170	517	Petroleum and petroleum products
212.	5180	518	Beer, wine and distilled alcoholic bev.
213.	5190	519	Misc. nondurable goods
214.	5220	521	Lumber and other building material dealers
215.	5220	523	Paint,glass,and wallpaper stores
216.	5251	525	Hardware stores
217.	5265	526	Retail nurseries, lawn and garden supply
218.	5265	527	Mobile home dealers
219.	5300	53	General merchandise stores
220.	5410	54	Food stores
221.	5490	54	Food stores
222.	5515	551	Motor veh. dealers new used
223.	5515	552	Motor vehicle dealers(used only)
224.	5541	554	Gasoline service stations
225.	5598	553	Auto and home supply stores
226.	5598	555	Boat dealers
227.	5598	556	Rec. and utility trailer dealers

APPENDIX

NUMBER	ALMANAC	SIC	DESCRIPTION
228.	5598	557	Motorcycle dealers
229.	5598	559	Auto. dealers, n.e.c.
230.	5600	56	Apparel and accessory stores
231.	5700	57	Furniture, home furnishings equip.
232.	5800	58	Eating and drinking places
233.	5912	591	Drug stores and proprietary stores
234.	5921	592	Liquor stores
235.	5995	596	Nonstore retailers
236.	5995	594	Jewelry stores
237.	5995	598	Fuel and ice dealers
238.	5995	593	Used merchandise stores
239.	5995	594	Misc. shopping goods stores
240.	5995	599	Retail stores,n.e.c.
241.	6030	603	Mutual savings banks
242.	6060		No corresponding ident.
243.	6090	602	Commercial and stock savings banks
244.	6090	604	Trust companies not engaged in deposit
245.	6090	605	Establishments perf. functions relate
246.	6120	612	Savings and loans associations
247.	6140	614	Personal credit institutions
248.	6150	615	Business credit institutions
249.	6199	616	Mortage bankers and brokers
250.	6199	611	Rediscount and financing institutions
251.	6199	613	Agricultural credit institutions
252.	6210	621	Security brokers, dealers flotation
253.	6210	622	Commodity contracts brokers dealers
254.	6210	623	Security and commodity exchanges
255.	6299	628	Services allied with the exchange of securities
256.	6355	631	Life insurance
257.	6355	632	Accident and health ins. med. srvc.
258.	6356	633	Fire, marine and casualty ins.
259.	6356	635	Surety insurance
260.	6359	636	Title insurance
261.	6359	637	Pension, health, welfare funds
262.	6359	639	Insurance carriers, n.e.c.
263.	6411	641	Insurance agents, brokers and srvc
264.	6511	6512	Operators of nonresidential buildings
265.	6511	6513	Operators of apartment buildings
266.	6511	6514	Operators of dwelling other than apt.
267.	6516	6519	Lessors of real property, n.e.c.
268.	6518	6517	Lessors of railroad property
269.	6550	655	Subdividers and developers
270.	6530		No corresponding ident.
271.	6599	653	Real estate agents and managers
272.	6599	654	Title abstract offices

APPENDIX

NUMBER	ALMANAC	SIC	DESCRIPTION
273.	6599	661	Combinations of real estate, ins., loans
274.	6742	672	Investment offices
275.	6743	672	Investment offices
276.	6744	672	Investment offices
277.	6749	671	Holding offices
278.	6749	673	Trusts
279.	6749	679	Misc. investing
280.	7000	70	Hotels, rooming houses, camps etc.
281.	7200	72	Personal services
282.	7310	731	Advertising
283.	7389	732	Consumer credit reporting agencies
284.	7389	733	Mailing, reproduction, commercial art
285.	7389	734	Services to dwellings and other buildings
286.	7389	737	Computer and data processing
287.	7389	735	News syndicate
288.	7389	736	Personal supply sevices
289.	7389	739	Misc. business services
290.	7500	75	Automobile repair, services, garages
291.	7600	76	Misc. repair services
292.	7812	781	Motion picture production and allied services
293.	7812	782	Motion picture distribution allied services
294.	7830	783	Motion picture theaters
295.	7900	79	Amusement and recreation services
296.	8015	801	Offices of physicians
297.	8015	803	Offices of osteopathic physicians
298.	8021	802	Office of dentists
299.	8040	804	Office of other health practitioners
300.	8050	805	Nursing and personal care facilities
301.	8060	806	Hospitals
302.	8071	807	Medical and dental laboratories
303.	8099	808	Outpatient care facilities
304.	8099	809	Health and allied services, n.e.c.
305.	8111	81	Legal services
306.	8200	82	Educational services
307.	8300	83	Social services
308.	8600	84	Museums, art galleries, botanical and zoological
309.	8911	84	Museums, art galleries, botanical and zoological
310.	8930	89	Misc. services
311.	8980	89	Misc. services

Index

Index

Page references to tables for industries with net income are in italic

A

Accessories, apparel, 66, *67*
Accessory stores, 256, *257*
Advertising, 322, *323*
Agriculture, forestry, and fishing 2–5
  agricultural production, 2, *3*
  agricultural services, forestry, and fishing, 4, *5*
Agricultural and other chemical products, 98, *99*
Agricultural production, 2, *3*
Agricultural services, 4, *5*
Air conditioning, 28, *29*
Aircraft, guided missiles, and parts, 164, *165*
Alcoholic beverages, 234, *235*
Alcoholic beverages, except malt liquors and malt, 48, *49*
Amusement and recreational services, 330–335
  amusement and recreational services, except motion
    picture theaters, 334, *335*
  motion picture production, distribution, and ser-
    vices, 330, *331*
  motion picture theaters, 332, *333*
Apparel and accessories, 66, *67*
Apparel and accessory stores, 256, *257*
Apparel and other fabricated textile products, 62–69
  men's and boys' clothing, 62, *63*
  miscellaneous fabricated textile products; textile
    products not elsewhere classified, 68, *69*
  other apparel and accessories, 66, *67*
  women's and children's clothing, 64, *65*
Apparel, piece goods and notions, 226, *227*
Automobile repair; miscellaneous repair services, 326–
329
  automobile repair and services, 326, *327*
  miscellaneous repair services, 328, *329*
Automotive dealers and service stations, 250–255
  motor vehicle dealers, 250, *251*
  gasoline service stations, 252, *253*
  other automotive dealers, 254, *255*
Automotive equipment, 208, *209*

B

Bakery products, 42, *43*
Banks, 268–273
  banks except mutual savings banks, 272, *273*
  bank holding companies, *270, 271*
  mutual savings banks, 268, *269*
Belting, 104, *105*

Board mills, 78, *79*
Bolts, 126, *127*
Books, 86, *87*
Bottled soft drinks and flavorings, 50, *51*
Boys' clothing, 62, *63*
Building materials, garden supplies and mobile home
  dealers, 238–243
  building materials dealers, 238, *239*
  hardware stores, 240, *241*
  garden supplies and mobile home dealers, 242, *243*
Business credit agencies, 278, *279*
Business services, 322–325
  advertising, 322, *323*
  business services, except advertising, 324, *325*

C

Cement, hydraulic, 114, *115*
Chemicals, 224, *225*
Chemicals and allied products (Manufacturing), 90–99
  agricultural and other chemical products, 98, *99*
  drugs, 92, *93*
  industrial chemicals, plastics materials, and
    synthetics, 90, *91*
  paints and allied products, 96, *97*
  soap, cleaners, and toilet goods, 94, *95*
  chemicals and allied products (Wholesale), 230, *231*
Children's clothing, 64, *65*
Clay 112–*119*
Cleaners, 94, *95*
Clocks, 170, *171*
Coal mining, 12, *13*
Coating, engraving and allied services, 134, *135*
Combination utility services, 198, *199*
Commercial and other printing, 88, *89*
Commodity contracts brokers and dealers, 284, *285*
  security and commodity exchanges; and allied
    services, 284, *285*
Commodity exchanges, 284, *285*
Communication, *190–193*
  radio and television broadcasting, 192, *193*
  telephone, telegraph, and other communication ser-
    vices, 190, *191*
Communication equipment, 154, *155*
Computing machines, 150, *151*
Concrete, 116, *117*
Concrete, gypsum, and plaster products, 116, *117*
Condominium management, 304, *305*

369